Le Routard

New York

Cofondateurs : Philippe GLOAGUEN et Michel DUVAL

Directeur de collection et auteur
Philippe GLOAGUEN

Rédacteurs en chef adjoints
**Amanda KERAVEL
et Benoît LUCCHINI**

Directrice de la coordination
Florence CHARMETANT

Directrice administrative
Bénédicte GLOAGUEN

Directeur d
Gavin's CLE

Direction é
Catherine J

Rédaction
**Isabelle AL SUBAIHI
Mathilde de BOISGROLLIER
Thierry BROUARD
Marie BURIN des ROZIERS
Véronique de CHARDON
Fiona DEBRABANDER
Anne-Caroline DUMAS
Géraldine LEMAUF-BEAUVOIS
Olivier PAGE
Alain PALLIER
Anne POINSOT
André PONCELET**

2017

hachette

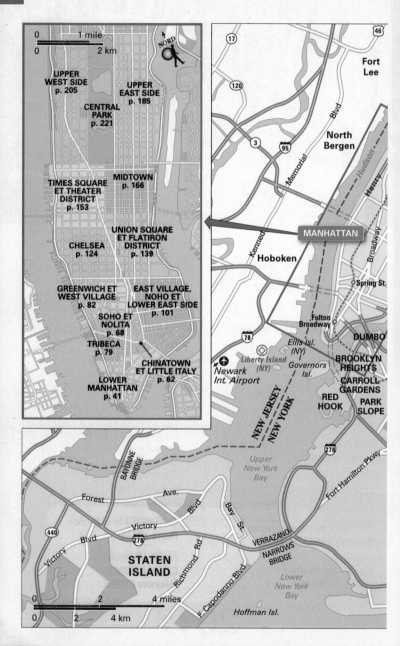

UPPER WEST SIDE p. 205

UPPER EAST SIDE p. 185

CENTRAL PARK p. 221

TIMES SQUARE ET THEATER DISTRICT p. 153

MIDTOWN p. 166

CHELSEA p. 124

UNION SQUARE ET FLATIRON DISTRICT p. 139

GREENWICH ET WEST VILLAGE p. 82

EAST VILLAGE, NOHO ET LOWER EAST SIDE p. 101

SOHO ET NOLITA p. 68

TRIBECA p. 79

CHINATOWN ET LITTLE ITALY p. 62

LOWER MANHATTAN p. 41

0 1 mile
0 2 km

NORD

Fort Lee

North Bergen

Hoboken

MANHATTAN

Broadway

Spring St.

Fulton Broadway

DUMBO

BROOKLYN HEIGHTS

CARROLL GARDENS

RED HOOK

PARK SLOPE

NEW JERSEY
NEW YORK

Ellis Isl. (NY)

Liberty Island (NY)

Governors Isl.

Newark Int. Airport

Upper New York Bay

BAYONNE BRIDGE

Forest Ave.

Blvd

Victory

Bay St.

Blvd

Victory Blvd

Victory

STATEN ISLAND

Richmond Rd.

VERRAZANO-NARROWS BRIDGE

Fort Hamilton Pkwy

Lower New York Bay

F. Capodanno Blvd

Hoffman Isl.

0 2 4 miles
0 2 4 km

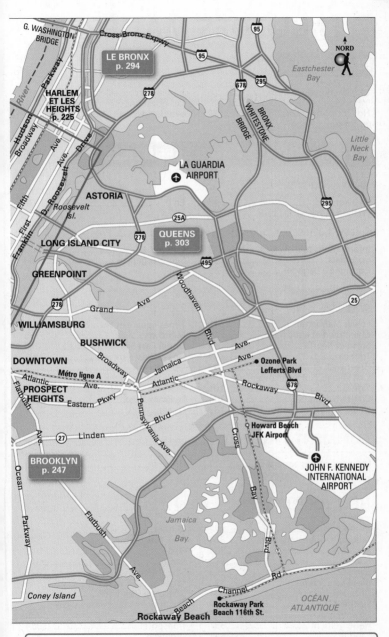

LE BRONX p. 294

HARLEM ET LES HEIGHTS p. 225

QUEENS p. 303

BROOKLYN p. 247

G. WASHINGTON BRIDGE

Cross-Bronx Expwy

NORD

Eastchester Bay

Hudson River

Parkway

Broadway

Fifth Ave.

First Ave.

Franklin

D. Roosevelt Drive

Roosevelt Isl.

Ave.

BRONX WHITESTONE BRIDGE

Little Neck Bay

LA GUARDIA AIRPORT

ASTORIA

LONG ISLAND CITY

GREENPOINT

WILLIAMSBURG

BUSHWICK

DOWNTOWN

Métro ligne A

Atlantic Ave.

PROSPECT HEIGHTS

Flatbush

Eastern Pkwy

Ocean Parkway

Linden Blvd.

Grand Ave.

Broadway

Jamaica Ave.

Atlantic

Woodhaven Blvd.

Ave.

Ave.

Rockaway

Pennsylvania Ave.

Ozone Park Lefferts Blvd

Howard Beach JFK Airport

Cross Bay Blvd.

JOHN F. KENNEDY INTERNATIONAL AIRPORT

Jamaica Bay

Coney Island

Flatbush Ave.

Rockaway Beach

Beach Channel

Rockaway Park Beach 116th St.

Rockaway Blvd

OCÉAN ATLANTIQUE

NEW YORK

TABLE DES MATIÈRES

PRÉAMBULE

- La rédaction du *Routard* 6
- Introduction..................................11
- Nos coups de cœur 12
- Lu sur routard.com 27
- Itinéraires conseillés 28
- Les questions qu'on se pose
  avant le départ...........................33

INFORMATIONS ET ADRESSES UTILES 36

ARRIVER – QUITTER 36

- En avion.......................................36
- En train (Amtrak) 38
- En bus..38

ADRESSES UTILES 39

- Informations touristiques 39
- Consulats.....................................39
- Consigne à bagages..........................39
- Culture...39
- Santé, urgences 40

NEW YORK 41

- Lower Manhattan............................41
- Chinatown et Little Italy 62
- SoHo et NoLiTa 68
- Tribeca...79
- Greenwich et West Village 82
- East Village, NoHo et Lower East
  Side 101
- Chelsea 124
- Union Square et Flatiron District.. 139
- Times Square et Theater District .. 153
- Midtown.......................................166
- Upper East Side 185
- Upper West Side 205
- Central Park.................................221
- Harlem et les Heights 225
- Brooklyn 247
- Le Bronx......................................294
- Queens...303

COMMENT Y ALLER ? 312

- Les compagnies aériennes 312
- Les organismes de voyages 312
- Unitaid 320

NEW YORK UTILE 322

- Avant le départ.............................322
- Argent, banques, change................324
- Achats...326
- Budget...332
- Climat..333
- Dangers et enquiquinements 334
- Décalage horaire 334
- Électricité....................................334
- Enfants..335
- Hébergement................................337
- Langue...341
- Livres de route 342
- Mesures.......................................345
- Musées...345
- New York gratuit...........................346
- Poste...347
- Santé...347
- Sites internet 348
- Tabac...349
- Taxes et pourboires.......................349
- Téléphone et télécommunica-
  tions...350
- Transports....................................354
- Urgences......................................358
- Visites guidées..............................358

HOMMES, CULTURE, ENVIRONNEMENT 360

- Architecture 360
- Bars, clubs et boîtes de nuit 363
- Boissons 364
- Cuisine 367
- Curieux, non ? 373
- Économie 374
- Environnement 375
- Fêtes et jours fériés 377
- Gay 380
- Géographie 380
- Histoire 383
- Médias 390
- Personnages 393
- Population 397
- Religions et croyances 398
- Sites inscrits au Patrimoine mondial de l'Unesco 399
- Spectacles 399
- Sports et loisirs 404

Index général 423
Liste des cartes et plans 438

Important : dernière minute

Sauf rares exceptions, le *Routard* bénéficie d'une parution annuelle à date fixe. Entre deux dates, des événements fortuits (formalités, taux de change, catastrophes naturelles, conditions d'accès aux sites, fermetures inopinées, etc.) peuvent modifier vos projets de voyage. Pour éviter les déconvenues, nous vous recommandons de consulter la rubrique « Guide » par pays de notre site • routard.com • et plus particulièrement les dernières **Actus voyageurs.**

L'incontournable de tous les touristes ou presque : Times Square

© Rieger Bertrand/Hemis.fr

LA RÉDACTION DU ROUTARD

(sans oublier nos 50 enquêteurs, aussi sur le terrain)

© R. Delalande et E. Dessons

Thierry, Anne-Caroline, Éléonore, Olivier, Pierre, Benoît, Alain, Fiona,
Gavin's, André, Véronique, Bénédicte, Jean-Sébastien, Mathilde, Amanda,
Isabelle, Géraldine, Marie, Carole, Philippe, Florence, Anne.

La saga du *Routard* : en 1971, deux étudiants, Philippe et Michel, avaient une furieuse envie de découvrir le monde. De retour du Népal germe l'idée d'un guide différent qui regrouperait tuyaux malins et itinéraires sympas, destiné aux jeunes fauchés en quête de liberté. 1973. Après 19 refus d'éditeurs et la faillite de leur première maison d'édition, l'aventure commence vraiment avec Hachette. Aujourd'hui, le *Routard*, c'est plus d'une cinquantaine d'enquêteurs impliqués et sincères. Ils parcourent le monde toute l'année dans l'anonymat et s'acharnent à restituer leurs coups de cœur avec passion.

Merci à tous les Routards qui partagent nos convictions : liberté et indépendance d'esprit ; découverte et partage ; sincérité, tolérance et respect des autres.

NOS SPÉCIALISTES NEW YORK

Anne-Caroline Dumas : à 14 ans, premier *Routard* en poche, elle file à Londres sur les traces de David Bowie. Et rejoint la rédaction de son guide favori après une fac d'anglais et d'histoire de l'art. Arpenteuse des villes comme des grands espaces, fan d'architecture et incorrigible gourmande, elle ne part jamais sur le terrain sans cette petite montée d'adrénaline qui fait aussi le piment du voyage.

Dimitri Lefèvre : après avoir travaillé sur de nombreux films, il a rejoint le *Routard* il y a 9 ans. Pour lui, recommander une adresse c'est faire un casting pointu, visiter un lieu c'est faire des repérages pour écrire le scénario de la Palme d'or du film de vacances. Mais au final, les pépites découvertes et les bons conseils aux lecteurs, ce n'est pas du cinéma !

UN GRAND MERCI À NOS AMI(E)S SUR PLACE ET EN FRANCE

Pour cette nouvelle édition, nous remercions particulièrement :

- **Michelle Bonfils,** harlémite de cœur, pour son accueil chaleureux et sa générosité humaine.
- **Heidi et Tom,** pour les mêmes raisons !
- **Eliot Niles, Dom Gervasi et Guillaume de Tournemire** pour la partie Brooklyn.
- **Sabrina Battaglia et Delphine Leyrat,** coéquipières de choc, pour leur résistance au froid.
- Et **Sandra Epiard,** de Article Onze Tourisme, bureau de représentation de NYC & Company à Paris.

Pictogrammes du Routard

Établissements

- Hôtel, auberge, chambre d'hôtes
- Camping
- Restaurant
- Spécial burger
- Pizzeria
- Brunch
- Boulangerie, sandwicherie
- Glacier
- Café, salon de thé
- Café, bar
- Bar musical
- Pèlerinage rock
- Club, boîte de nuit
- Salle de spectacle
- Office de tourisme
- Poste
- Boutique, magasin, marché
- Accès Internet
- Hôpital, urgences

Transports

- Aéroport
- Gare ferroviaire
- Gare routière, arrêt de bus
- Station de métro
- Station de tramway
- Parking
- Taxi
- Taxi collectif
- Bateau
- Bateau fluvial

Attraits et équipements

- Présente un intérêt touristique
- Recommandé pour les enfants
- Adapté aux personnes handicapées
- Ordinateur à disposition
- Connexion wifi
- Inscrit au Patrimoine mondial de l'Unesco

Tout au long de ce guide, découvrez toutes les photos de la destination sur • *routard.com* • Attention au coût de connexion à l'étranger, assurez-vous d'être en wifi !

© HACHETTE LIVRE (Hachette Tourisme), 2017

Le *Routard* est imprimé sur un papier issu de forêts gérées.

© Cartographie Hachette Tourisme

I.S.B.N. 978-2-01-323699-7

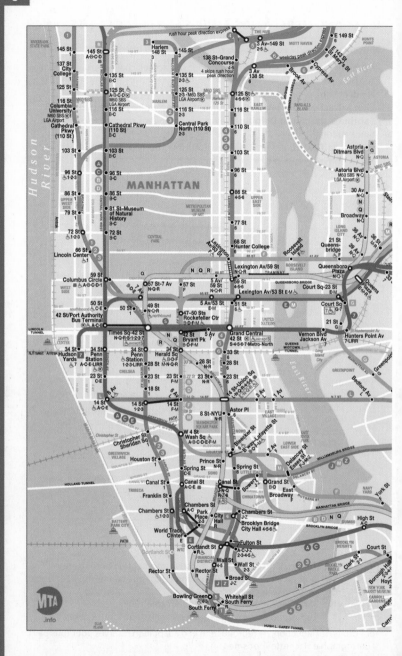

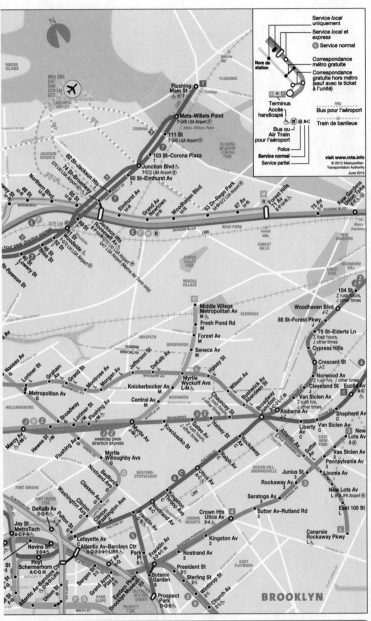

LE MÉTRO DE NEW YORK

L'Empire State Building, un symbole new-yorkais

New York. Deux petits mots qui parlent d'eux-mêmes. Ceux qui n'y ont jamais posé les pieds la connaissent déjà, par le cinéma, les séries télé, la musique, la littérature. Et les veinards qui en sont à leur énième voyage ne songent qu'à y retourner. Même les plus blasés se laissent prendre au charme. Car New York est une machine à rêves, une addiction. Diverse, tolérante, puissante, frénétique, électrique, magnétique, magique, vertigineuse, inventive, intensive... les adjectifs se bousculent pour la décrire. C'est la ville des extrêmes et des superlatifs. Avec ses 8,5 millions d'habitants, New York est la mégapole la plus peuplée des États-Unis, la plus visitée aussi, celle où l'on parle au moins 800 langues ! Son métro, le plus étendu de la planète, transporte des millions de passagers, 24h/24. Ses musées comptent parmi les plus riches du monde. Et de sa mythique *skyline*, à l'emplacement des défuntes Twin Towers, émerge fièrement la silhouette à facettes du One World Trade Center, aujourd'hui le plus haut gratte-ciel d'Amérique du Nord.

New York, c'est LA ville, la ville des villes. Trop petite pour être un pays et trop grande pour être une simple cité. Chaque borough, chaque quartier a son identité propre, mais rien n'est figé, tout est en perpétuel mouvement. Il n'y a encore pas si longtemps, un voyage à New York se résumait à une visite du cœur de Manhattan. Rares étaient les touristes qui osaient s'aventurer jusqu'à Harlem, alors qu'aujourd'hui c'est un must pour son atmosphère *easy-going* et sa trépidante vie nocturne. Même le Bronx devient une attraction touristique ! Quant à Brooklyn, le plus branché des cinq boroughs, c'est « le Manhattan du XXIe s », selon l'écrivain Jerome Charyn. Tout le monde s'y précipite pour humer cette ambiance de village unique et se régaler dans les restos les plus en vue de la ville.

À propos de cuisine, elle aussi est en pleine révolution. La vague bio-écolo qui a déferlé sur la Big Apple a redonné aux New-Yorkais le goût des bons produits, sélectionnés avec soin et cultivés dans les règles de l'art. Les marchés fermiers fleurissent un peu partout et les fermes urbaines poussent sur les toits des immeubles ! Une nouvelle génération de chefs est venue chambouler les traditions culinaires, revisitant les classiques et les racines de la ville. Le burger, icône de la *junk food,* se savoure aujourd'hui en mode gourmet et peut atteindre des sommes (g)astronomiques dans sa version bœuf de Kobe-truffes-foie gras !

Ce bourdonnement créatif et cette énergie inépuisable se ressentent à tous les coins de rue. Certes, des épisodes sombres ont laissé des traces indélébiles dans cette ville de tous les excès (le 11 Septembre, l'ouragan Sandy), mais New York se relève toujours, la tête haute, le regard porté loin devant, prête pour de nouveaux défis.

NOS COUPS DE CŒUR

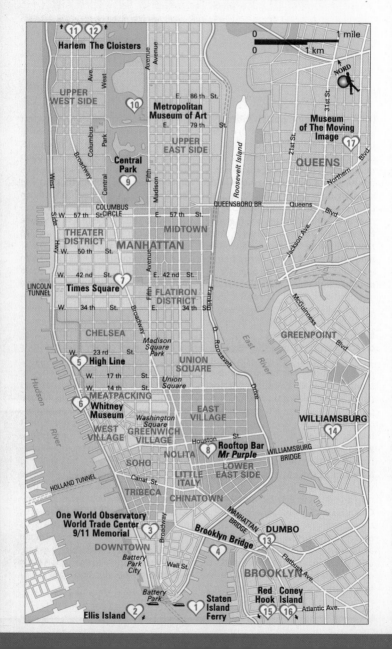

♡ **Au soleil couchant, monter à bord du ferry de Staten Island, et admirer les gratte-ciel de Manhattan et la statue de la Liberté.**

Le Staten Island Ferry offre une des plus belles vues sur Manhattan, avec en prime une vision relativement rapprochée de Miss Liberty. En fin d'après-midi, on bénéficie des superbes lumières du coucher de soleil, puis les gratte-ciel s'illuminent dans la nuit. Le top, d'autant que la traversée est gratuite ! *p. 49*

Bon à savoir : départ 24h/24 de Whitehall St à Lower Manhattan. À l'aller, s'asseoir sur le côté droit du bateau pour être du bon côté de la statue.

© Tetra Images/Hemis.fr

♡ **Visiter le musée d'Ellis Island pour mieux comprendre l'espoir des millions d'immigrants qui ont débarqué de 1892 à 1924.**

Un parcours riche et passionnant qui reproduit celui des candidats à la citoyenneté américaine dans les anciens bâtiments d'accueil : hall des bagages, salle d'enregistrement, examen médical, tests d'alphabétisation… jusqu'à l'autorisation d'entrer sur le territoire ou le renvoi dans le pays d'origine pour 2 % de malheureux postulants. *p. 47*

Bon à savoir : le Tenement Museum, dans Lower East Side, propose des visites guidées thématiques autour des conditions de vie des immigrants, dans un immeuble d'habitation d'époque. Un bon complément à la visite d'Ellis Island.

© American Flag © "Faces"™ The Statue of Liberty Ellis Island Foundation, Inc

Découvrir avec émotion (ou redécouvrir pour ceux qui ont connu les Twin Towers) le panorama d'anthologie sur tout New York depuis le nouveau One World Observatory.

Le prix est exorbitant (à partir de 34 $, un peu plus cher encore que les deux autres observatoires de la ville, l'Empire State Building et Top of the Rock au Rockefeller Center, qui ont aligné leurs tarifs), mais la visite, conçue comme une attraction, est incontournable, surtout avec des enfants ou des ados. *p. 56*

Bon à savoir : résa vivement conseillée (changement de créneau horaire possible si la météo est mauvaise le jour J).

© Bruce Yuanyue Bi / Alamy / hemis

© Maisant Ludovic / Hemis.fr

♡ **Profiter de la plus belle vue sur Manhattan depuis la passerelle**
   piétonne du mythique Brooklyn Bridge.
La circulation sur le pont de Brooklyn se fait sur deux niveaux : l'un pour les véhi-
cules, l'autre pour les cyclistes et piétons. De là, on jouit d'une vue imprenable sur
Lower Manhattan. Au coucher du soleil, c'est superbe. *p. 258*
Bon à savoir : bien rester du côté piétons, au risque de se faire insulter par les cyclistes !

♡5 Se balader le long de la High Line, cette ancienne voie ferrée reconvertie en jardin suspendu.

Cette promenade paysagère traverse les quartiers de Meatpacking District et de Chelsea. On y chemine à pied en profitant d'une perception tout à fait singulière de la ville, qui offre aussi l'occasion d'une ludique leçon d'architecture, depuis les petits bâtiments industriels jusqu'aux buildings du XXIe s. Un pur concentré de New York ! p. 97

Bon à savoir : pour la totalité du parcours, compter 1h de balade, mais il y a plusieurs accès intermédiaires possibles.

♡6 En plein Meatpacking, se confronter à l'architecture asymétrique du nouveau et avant-gardiste Whitney Museum et relire l'histoire des États-Unis à travers ses plus grands artistes contemporains.

Amarré au pied de la High Line, ce nouvel écrin tout en espace et lumière, ouvert sur la ville et la rivière, est un régal pour les visiteurs. Très originales, les terrasses extérieures panoramiques sont conçues comme des galeries d'art en plein air. p. 98

Bon à savoir : donation libre ven soir. Les deux restos du musée valent le coup de four-chette, avec vue cinématographique en bonus.

⑦ **Prendre un bain de foule à Times Square, le soir, et se croire en plein jour dans cette débauche de néons et d'écrans géants.**

Un des visages mythiques de New York. Au cœur de Theater District, à l'intersection de Broadway et de 42nd Street, les écrans publicitaires géants de Times Square diffusent un flot d'images 24h/24, illuminant tout le quartier le soir venu. Une visite incontournable, à faire de préférence à la nuit tombée : encore plus magique, et ce malgré la foule ! *p. 153*

Bon à savoir : pour une vision panoramique, monter l'escalier vitré qui sert de toit au kiosque de la billetterie TKTS.

© Brian Jannsen/Age-Fotostock

Boire un cocktail ou bruncher à ciel ouvert dans un bar perché sur un toit, avec vue plongeante sur la ville.

Les *rooftops*, ces bars aménagés au sommet d'un immeuble ou d'un hôtel, avec terrasse en plein air au milieu des gratte-ciel, sont toujours très à la mode à New York. Parmi nos préférés, *Mr Purple*, en haut de l'hôtel *Indigo* dans Lower East Side : panorama à 360 °! *p. 111*

Bon à savoir : faites aussi l'expérience des speakeasies, *ces bars secrets inspirés de la Prohibition, sans enseigne et souvent bien cachés derrière des lieux improbables comme un vendeur de hot dogs ou à l'étage d'un fast-food !*

© Rieger Bertrand/Hemis.fr

Andrea Pistolesi / Age Fotostock

⑨ **Le week-end, flâner dans Central Park parmi les joggeurs, rollers et musiciens amateurs.**

Le poumon vert de Big Apple. Un parc aménagé de 340 ha, encadré des plus hauts buildings modernes et de bâtisses de style gothique Tudor. Se perdre dans les chemins labyrinthiques bordant les lacs et dans les sentiers sauvages du Ramble en suivant les fameux écureuils de Central Park. *p. 221*

Bon à savoir : possibilité de louer une barque au Loeb Boathouse *pour une romantique balade sur l'eau, comme Woody Allen dans* Manhattan.

EMMA AND GEORGINA BLOOMBERG
ARMS AND ARMOR COURT

©René Mattes

10 Visiter le Metropolitan Museum of Art, puis s'offrir depuis sa terrasse *(Roof Garden)* cette incroyable vue sur Central Park que les people habitant la 5th Avenue ont payée des millions de dollars.

Aussi exceptionnel que le Grand Louvre à Paris, le British Museum à Londres et le musée de l'Ermitage à Saint-Pétersbourg, le Met justifie à lui seul le voyage à New York ! Avec ses 250 000 œuvres exposées dans 270 salles, on passe de la plus riche collection d'art américain au monde à celle de l'art de l'Égypte ancienne, de la peinture et sculpture européennes aux arts décoratifs des cinq continents. Un must, à la muséographie exceptionnelle. *p. 190, 200*

Bon à savoir : Roof Garden *ouv mai-oct slt. Donation libre pour l'entrée au musée et sa terrasse.*

©Renault Philippe/Hemis.fr

11 Le dimanche matin, « monter » à Harlem, un quartier aujourd'hui en plein renouveau.

Longtemps mal famé et délaissé par les touristes, Harlem est aujourd'hui prisé pour son atmosphère authentique et conviviale et sa vie nocturne, sous le signe du jazz mais pas seulement. Idéalement, il faut y venir le dimanche pour assister à une messe gospel haute en couleur, puis bruncher dans une de nos bonnes petites adresses et découvrir les jolies rues calmes et bordées de maisons *brownstone*. *p. 225*

Bon à savoir : plusieurs chambres d'hôtes de charme pour séjourner au calme dans le quartier.

12 Visiter The Cloisters, un ensemble méconnu de cloîtres médiévaux provenant du midi de la France.

The Cloisters est une annexe du Metropolitan Museum of Art. C'est un étonnant monastère-musée dans lequel il n'y eut jamais l'ombre d'un moinillon ! Les différents éléments de l'édifice et les objets religieux datent tous des XIIe-XVe s, et ont été rapportés pour la plupart du sud de la France. Entouré d'un parc bucolique, l'ensemble est un véritable bijou. Et puis l'atmosphère paisible est si bien rendue qu'on a peine à se croire à Manhattan ! *p. 245*

Bon à savoir : donation libre, comme au Met. Aux beaux jours, cafétéria aménagée sous les arcades d'un cloître.

©Renault Philippe/Hemis.fr

(13) **Traverser l'East River pour découvrir DUMBO, le quartier postindustriel de Brooklyn.**

Au pied des Brooklyn et Manhattan Bridges, DUMBO est aujourd'hui investi par les artistes et yuppies. Rues pavées plantées d'entrepôts rougeâtres et vues photogéniques sur la *skyline* de Manhattan, à travers les masses géantes des deux ponts. Poursuivre la balade vers le charmant quartier résidentiel de Brooklyn Heights via le Brooklyn Bridge Park, petit parc écolo-bobo au bord de l'eau, face aux gratte-ciel. *p. 253*

Bon à savoir : situé juste en face de Manhattan, DUMBO est rapidement accessible en métro, en navette-bateau ou même à pied par le pont de Brooklyn.

©Jon Arnold Images/Hemis.fr

© Richard Taylor/Simel Photo/Rapstop

(14) **À Brooklyn toujours, écumer les bars et petites adresses branchées de Williamsburg.**

Brooklyn, immense borough, est une mosaïque de quartiers aux visages différents. Williamsburg, berceau des *hipsters,* est à une station de métro seulement de East Village à Manhattan. Pas grand-chose à visiter mais une atmosphère, des vues fantastiques sur Manhattan, pléthore de bons petits restos dans l'air du temps et des bars à foison. *p. 265*

Bon à savoir : en reprenant le métro pour quelques stations, faites un saut à Bushwick, le temple du *street art. Concentration de* murals *colorés sur 2-3 blocs.*

©Len Holsborg/Alamy/Hemis

15 **Monter à bord de la navette-bateau Ikea et découvrir Red Hook, le New York d'autrefois.**

Red Hook, au nord-ouest de Brooklyn, est l'ancien port de New York. C'est le seul endroit où l'on a une vue de face sur la statue de la Liberté. Atmosphère singulière de petit bout du monde, hors du temps. Rues pavées, souvent désertes, bordées d'entrepôts portuaires désaffectés et réinvestis par des artisans, des microdistilleries, brasseries et *wineries*… p. 290

Bon à savoir : navette-ferry Ikea gratuite le w-e, 5 $ en sem ; départ du Pier 11 à Lower Manhattan, près de South Street Seaport.

©Peter Horree/Alamy/Hemis

16 **Prendre le métro et aller... à la plage !**

New York est au bord de l'océan et à 1h30 de métro, on peut se retrouver à la plage ! Celle de Coney Island au sud de Brooklyn est la plus populaire, avec son ambiance de fête foraine rétro, ses planches de bois et son célèbre comptoir à hot dogs. Tout près de l'aéroport de JFK, Rockaway Beach attire quant à elle *hipsters* et surfeurs. p. 293

17 **Percer les secrets de l'animation et du cinéma dans le passionnant Museum of the Moving Image du Queens.**

Le credo de ce musée, situé au cœur des studios Kaufmann, est de montrer tout ce qu'on ne voit pas à l'écran, comment on conçoit une image, une animation et tous les moyens techniques qui vont avec. Dans un superbe espace design où l'image est omniprésente, un musée à la fois ludique et didactique, comme savent si bien le faire les Américains. *p. 308*

Bon à savoir : possibilité de dîner ou de bruncher le dim au Astor Room, *l'ancienne cantine des studios où passèrent Charlie Chaplin et les Marx Brothers !*

©Randy Duchaine/Alamy/Hemis

18   **Faire un tour du monde gastronomique en goûtant tout un tas de cuisines différentes.**

La grande particularité de New York, c'est que toutes les cuisines sont représentées et qu'on trouve partout de tout, à (presque) tous les prix. De la *street food* (cuisine de rue) aux tables de grands chefs en passant par toutes les cuisines ethniques : asiatique et italienne un peu partout, juive d'Europe de l'Est dans Lower East Side, etc. p. 367

©Rieger Bertrand/Hemis.fr

Lu sur routard.com

New York écolo : Green Apple
(tiré du carnet de voyage de Stéphanie Condis)

La jungle urbaine par excellence : telle est l'image immédiatement associée à New York. Verticales de béton, circulation dense, bruit, néons de Times Square comme symboles de la surconsommation… Pourtant Big Apple se mue progressivement en Green Apple, **une ville plus écolo et zen.** Et la métropole réserve de belles surprises quand le terminus d'une ligne de métro débouche sur… la plage ou la nature sauvage préservée !

Une véritable lame de fond écolo gagne de plus en plus de New-Yorkais, initiée en 2007 par la politique de l'ancien maire Michael Bloomberg : réduire les émissions de gaz à effet de serre de 30 % d'ici à 2030 ; planter un million d'arbres ; économiser l'eau et l'énergie ; recycler et réduire les déchets ; construire des bâtiments plus respectueux de l'environnement ; convertir tous les taxis au moteur hybride, alors que de plus en plus de bus fonctionnent au gaz naturel ou combinent diesel et électrique. Des associations comme GrowNYC cherchent à préserver et à multiplier les jardins communautaires, friches postindustrielles ou anciens terrains vagues métamorphosés en potager, verger, théâtre de verdure, lieu d'expo en plein air, oasis apaisant… Quel plaisir de les découvrir par hasard en flânant, par exemple, dans Alphabet City, du côté d'East Village ! Un retour à la terre, au terroir, qui se traduit aussi par le formidable engouement pour les aliments bio et la *locavore attitude* : elle consiste à privilégier les produits cultivés dans les alentours (New Jersey, vallée de l'Hudson et même Brooklyn !). Les restos les mettent en avant sur leurs menus, les *greenmarkets* (marchés fermiers) sur leurs étals. On croise même des pressings affichant en vitrine « *organic cleaning* »… À quand le retour des lavandières sur les berges de l'East River ?

L'asphalte et les gratte-ciel feraient presque oublier l'océan et son horizon lointain. Du printemps à l'automne, il est possible de louer des kayaks pour des balades sur l'Hudson River ou l'East River. Quelle sensation inoubliable de contempler la célèbre et imposante *skyline* depuis son frêle esquif… Mais on peut aussi s'allonger au soleil sur le sable, à quelques encablures de la frénésie de Manhattan. Les plages sont à portée de métro ou de train : Coney Island, la plus proche, qui borde Brooklyn, est populaire ; les Hamptons, à l'autre bout de Long Island, sont très chic ; sans oublier la plus grande, Rockaway Beach dans Queens, un spot prisé des surfeurs ! Elle fait partie de la Gateway National Recreation Area, tout comme Jamaica Bay Wildlife Refuge, la réserve naturelle voisine, où nichent des centaines d'espèces d'oiseaux. On les observe en parcourant les chemins de randonnée. *Take a walk on the wild side !*

ITINÉRAIRES CONSEILLÉS

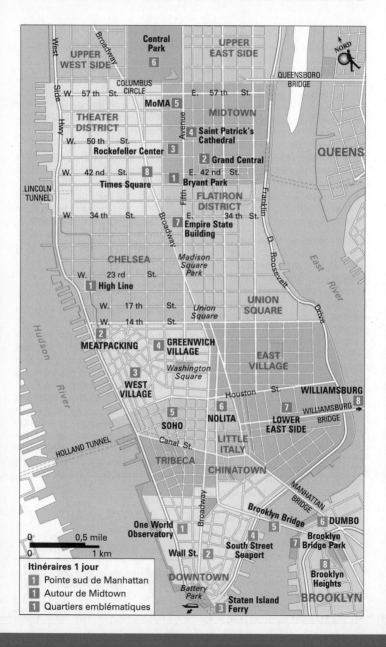

Itinéraires 1 jour

1 Pointe sud de Manhattan
1 Autour de Midtown
1 Quartiers emblématiques

En 1 jour

New York ne se visite pas en 1 jour, mais dans le cadre d'une courte escale, voici **trois parcours thématiques différents au choix,** concentrés chacun sur une zone géographique restreinte.

Pointe sud de Manhattan

Montée au *One World Observatory (1),* ensuite le *mémorial du 11 Septembre* et la nouvelle *gare de Calatrava,* puis un petit tour du côté de *Wall Street (2)* avant d'embarquer à bord du *Staten Island Ferry (3),* pour approcher la *statue de la Liberté.* De retour à Manhattan, on remonte vers *South Street Seaport (4),* l'ancien port de New York et ses petites rues pavées, pour emprunter à pied le mythique *pont de Brooklyn (5)* jusqu'à *DUMBO (6),* et son atmosphère postindustrielle. Vues spectaculaires sur Manhattan depuis le *Brooklyn Bridge Park (7)* qui borde l'East River. On rejoint pour finir le charmant quartier résidentiel de *Brooklyn Heights (8).*

Autour de Midtown

Bryant Park (1) et sa mosaïque d'architectures, la *gare de Grand Central (2)* – son fameux hall, son marché et la superbe boutique du musée des Transports –, puis un coup d'œil au *Chrysler Building* avant de remonter *5th Avenue* vers le nord, via le *Rockefeller Center (3), Saint Patrick's Cathedral (4)* et le *MoMA (5).* Un peu de shopping sur la 5th Avenue en route vers *Central Park (6),* puis redescendre d'un coup de métro vers l'*Empire State Building (7)* pour profiter du panorama en fin de journée, qui s'achève par un bain de foule à *Times Square (8),* de nuit mais en pleine lumière !

Les quartiers emblématiques

La *High Line (1)* et ses vues photogéniques sur la ville, le très cinématographique *Meatpacking District (2),* avec visite du nouveau Whitney Museum en option, les maisons *brownstone* de *West Village (3),* le quartier estudiantin de *Greenwich Village (4)* et son épicentre toujours animé, Washington Square, *SoHo (5)* et ses immeubles *cast-iron* du XIXe s, ainsi que son extension à la mode *NoLiTa (6),* l'ancien quartier de l'immigration *Lower East Side (7),* aujourd'hui truffé de restos et bars *trendy.* Et, pour finir la soirée, *Williamsburg (8),* à une station de métro de là, le coin le plus branché de Brooklyn.

En 3 jours

Possibilité d'**enchaîner les trois itinéraires de 1 journée**, en remplaçant éventuellement, dans le parcours « Pointe sud de Manhattan », le Staten Island Ferry par la **visite d'Ellis Island** (avec passage rapide devant la statue de la Liberté). Dans ce cas, inverser le programme initial en commençant (tôt le matin, cela va sans dire !) par Ellis Island, puis le pont de Brooklyn et DUMBO et terminer par le mémorial du 11 Septembre et la montée de nuit au One World Observatory.

PÈLERINAGE ROCK

Ne pas manquer notre itinéraire sur les groupes mythiques et autres chanteurs qui ont fait la gloire de New York. *p. 401*

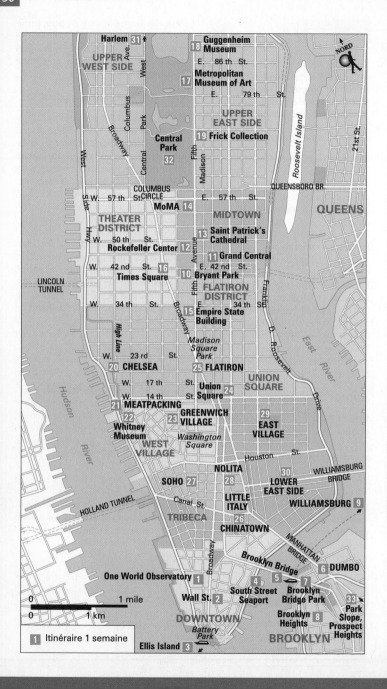

Harlem **31** ↑

18 Guggenheim Museum

UPPER WEST SIDE

E. 86 th. St.

17 Metropolitan Museum of Art

E. 79 th St.

West Columbus Park

Broadway

UPPER EAST SIDE

Central Park

Central Park

32

Fifth Madison

19 Frick Collection

Roosevelt Island

21st St.

COLUMBUS CIRCLE

Side St

E. 57 th St.

MoMA **14**

QUEENSBORO BR.

MIDTOWN

QUEENS

THEATER DISTRICT

W. 50 th St.

13 Saint Patrick's Cathedral

Rockefeller Center **12**

11 Grand Central

Hwy

W. 42 nd St. **16**

E. 42 nd St.

10 Bryant Park

LINCOLN TUNNEL

Times Square

FLATIRON DISTRICT

W. 34 th St.

15 Empire State Building

E. 34 th St.

Franklin

D. Roosevelt

East River

High Line

Broadway

Madison Square Park

Hudson River

W. 23 rd St.

20 CHELSEA

25 FLATIRON

W. 17 th St.

UNION SQUARE

W. 14 th St.

Union Square **24**

21 MEATPACKING

29 EAST VILLAGE

22

23 GREENWICH VILLAGE

Whitney Museum

WEST VILLAGE

Washington Square

Houston St.

NOLITA

30

WILLIAMSBURG BRIDGE

SOHO **27**

28

LOWER EAST SIDE

Canal St.

LITTLE ITALY

WILLIAMSBURG 9

HOLLAND TUNNEL

TRIBECA

26 CHINATOWN

MANHATTAN BRIDGE

Broadway

Brooklyn Bridge

6 DUMBO

One World Observatory **1**

5

7

33

Wall St. **2**

4 South Street Seaport

Brooklyn Bridge Park

Park Slope, Prospect Heights

DOWNTOWN

Battery Park

Brooklyn Heights **8**

BROOKLYN

Ellis Island **3**

0 ___ 1 mile
0 ___ 1 km

1 Itinéraire 1 semaine

En 1 semaine

Le timing idéal !

1er jour : le quartier du World Trade Center, avec le *One World Observatory (1),* le *mémorial du 11 Septembre* et la spectaculaire *gare de Calatrava,* puis on enchaîne avec *Wall Street (2)* avant d'embarquer sur le ferry pour *Ellis Island* et la *statue de la Liberté (3).* De retour sur la terre ferme de Manhattan, on remonte vers *South Street Seaport (4),* l'ancien port de New York et ses adorables petites rues pavées.

2e jour : traversée à pied du mythique *pont de Brooklyn (5)* jusqu'à *DUMBO (6),* et son atmosphère post-industrielle. Vues spectaculaires sur Manhattan depuis le *Brooklyn Bridge Park (7)* qui borde l'East River et jouxte l'adorable quartier résidentiel de *Brooklyn Heights (8).* De là, on saute dans une navette-ferry pour rejoindre rapidement *Williamsburg (9),* berceau des *hipsters...* et y passer la soirée.

3e jour : Bryant Park (10) et ses différentes architectures, la *gare de Grand Central (11)* – son grand hall, son marché et la boutique du musée des Transports –, puis un coup d'œil au *Chrysler Building* avant de remonter 5th Avenue vers le nord, via le *Rockefeller Center (12), Saint Patrick's Cathedral (13)* et le *MoMA (14).* Pause shopping sur la 5th Avenue, puis redescendre en métro vers l'*Empire State Building (15)* pour profiter de la vue en fin de journée, qui s'achève par un bain de foule nocturne à *Times Square (16).*

4e jour : les musées d'Upper East Side ; une demi-journée minimum au *Metropolitan (17),* puis un petit crochet par le *Guggenheim Museum (18)* pour en admirer au moins la façade, avant de finir par la *Frick Collection (19).*

5e jour : la *High Line,* qui traverse les quartiers de *Chelsea (20)* et *Meatpacking District (21).* Pour les amateurs d'art contemporain : le Gallery District à Chelsea et le *Whitney Museum (22).* Et puis *Greenwich Village (23), Union Square (24)* et *Flatiron (25).*

6e jour : très touristique mais incontournable, *Chinatown* et sa petite voisine *Little Italy (26),* puis *SoHo (27)* et *Nolita (28), East Village (29)* et *Lower East Side (30),* creuset de l'immigration à New York devenu très *trendy.* Pléthore de bars et restos où prolonger la soirée !

7e jour : deux possibilités, l'une étant de passer la journée à *Harlem (31),* aujourd'hui en plein renouveau. Messe gospel (le dimanche), découverte des ensembles de maisons *brownstone,* brunch (souvent en musique le week-end !), fin d'après-midi à *Central Park (32)* et soirée dans un bar musical de Harlem. Ou bien un combiné *Park Slope* et *Prospect Heights (33)* à Brooklyn, pour conjuguer visite du Brooklyn Museum, balade dans Prospect Park (l'équivalent de Central Park) et découverte des plus beaux ensembles de *brownstones* de New York.

SI VOUS VOYAGEZ AVEC DES ENFANTS OU ADOS

Un des trois « sommets » : One World Observatory, Empire State Building ou Top of the Rock ; une comédie musicale à Broadway ; un match de basket ; Times Square le soir ; le porte-avions *Intrepid* ; le Museum of Natural History ; une balade à vélo à Central Park ou le long de l'Hudson River (pistes cyclables) ; le parc d'attractions Luna Park à Coney Island ; le Museum of the Moving Image (musée du Cinéma) dans Queens ; sans oublier les pauses burgers et l'incontournable virée shopping.

SI VOUS ÊTES PLUTÔT

En amoureux : boire un verre ou bruncher sur un *rooftop bar* avec vue panoramique, siroter un cocktail dans un *speakeasy* (bar clandestin inspiré de la Prohibition), traverser le pont de Brooklyn jusqu'à DUMBO et admirer la *skyline,* se promener dans les charmantes rues de Brooklyn Heights, visiter The Cloisters.

Branché architecture industrielle, design, art contemporain et **street art :** le Meatpacking District, la High Line et le Whitney Museum, le Gallery District de Chelsea, le MAD (Museum of Arts and Design), le Guggenheim, le MoMA, la section art moderne du Metropolitan et son annexe le Met Breuer. À Brooklyn, DUMBO et Bushwick (connu pour ses *murals* et graffitis).

Bio-écolo et vintage, tendance hipster : la High Line, Central Park (à vélo par exemple), le Farmer's Market de Union Square, les supermarchés bio *Trader Joe's* et *Whole Foods Market,* les *Brooklyn Flea Markets* (marchés aux puces) et les boutiques *Beacon's Closet.* Et un pèlerinage à Williamsburg, capitale des *hipsters* !

Gourmet : tenter l'expérience de la *street food* (cuisine de rue) des *food trucks* gourmets, bruncher le week-end comme les New-Yorkais, s'offrir un resto « *Farm to Table* » mettant à l'honneur la cuisine moderne américaine tendance locavore (les meilleurs sont à Brooklyn).

Fêtard : les *rooftop bars* des hôtels design à Midtown, les pubs et *Biergartens* de Williamsburg à Brooklyn, les *speakeasies* et les cafés-concerts d'East Village et de Lower East Side, les clubs de jazz de Greenwich et la scène musicale de Harlem. Voir aussi notre « Pèlerinage rock » dans la rubrique « Spectacles » de « Hommes, culture, environnement ».

Mélomane : une soirée au Metropolitan Opera du Lincoln Center (places tout en haut pas chères), au Carnegie Hall ou dans une autre salle du Lincoln Center – fief de l'orchestre philarmonique de New York –, une messe gospel à Harlem, une comédie musicale à Broadway.

L'architecture mythique et unique du...

GUGGENHEIM MUSEUM

LES QUESTIONS QU'ON SE POSE AVANT LE DÉPART

ABC de New York

- **Population :** 8,5 millions d'habitants (l'équivalent de Londres), dont 1,6 million à Manhattan. Près de 40 % des habitants sont nés à l'étranger.
- **Superficie :** New York est composée de 5 boroughs (quartiers) que sont Manhattan (58,8 km²), Brooklyn (184 km²), le Bronx (106 km²), Queens (290 km²) et Staten Island (148 km²).
- **Maire :** Bill de Blasio (démocrate), depuis janvier 2014.
- **Monnaie :** le dollar américain (US$).
- **Nombre de visiteurs :** 58,3 millions en 2015, dont plus de 12 millions de touristes étrangers (au moins 200 000 Français). C'est la 8e ville la plus visitée au monde.
- **Taux de chômage :** environ 5,5 % en 2016.

➢ Quels sont les papiers nécessaires pour aller à New York ?

Passeport biométrique ou électronique valide (enfants compris), billet aller-retour ou de continuation et une **autorisation de voyage ESTA** à remplir sur Internet (14 $), valable 2 ans. Visa nécessaire pour un séjour de plus de 3 mois.

➢ Comment contacter l'office de tourisme des États-Unis ?

Il n'y a pas d'office de tourisme officiel mais un **bureau d'information privé** qui le remplace. *Rens par tél ou en ligne slt.* ☎ 0899-70-24-70 (3 € l'appel). ● office-tourisme-usa.com ●

➢ Quelles sont les coordonnées de l'ambassade et du consulat des États-Unis en France ?

■ **Ambassade des États-Unis, section consulaire :** 4, av. Gabriel, 75008 Paris. ☎ 01-43-12-22-22. Ⓜ Concorde. ● fr.usembassy.gov ●

➢ Où contacter les ambassades ou consulats des États-Unis dans les pays francophones ?

– **À Bruxelles (Belgique) :** ☎ 02-811-4000. ● french.belgium.usembassy. gov ●
– **À Berne (Suisse) :** ☎ 031-357-70-11. ● bern.usembassy.gov ●
– **À Montréal (Canada) :** ☎ 514-398-9695 (serveur vocal). ● french.montreal. usconsulate.gov ●
– **À Québec (Canada) :** ☎ 418-692-2095 (serveur vocal). ● french.quebec. usconsulate.gov ●

➢ Pour contracter une assurance voyage, à qui s'adresser ?

■ **Routard Assurance :** c/o AVI International, 40-44, rue Washington, 75008 Paris. ☎ 01-44-63-51-00. ● avi-international.com ● Ⓜ George-V.
■ **AVA :** 25, rue de Maubeuge, 75009 Paris. ☎ 01-53-20-44-20. ● ava.fr ● Ⓜ Cadet.
■ **Pixel Assur :** 18, rue des Plantes, BP 35, 78601 Maisons-Laffitte.

☎ 01-39-62-28-63. ● pixel-assur.com ● RER A : Maisons-Laffitte.

➤ Quel est le taux de change ?

1 $ = 0,90 € en 2016.

➤ Comment payer sur place ?

Le plus pratique est de payer avec une *carte de paiement.* Elles sont acceptées presque partout, même pour de petites sommes. Distributeurs automatiques de billets partout aussi.

➤ Faut-il prévoir un gros budget ?

Oh que oui, particulièrement quand le dollar augmente. Le *logement* est le poste le plus onéreux, surtout à certaines périodes (au printemps, en septembre et en fin d'année principalement, avec un pic pour Noël et le Nouvel An). Les prix des *hébergements* varient selon le principe de l'offre et de la demande. Le mieux est de réserver à l'avance via les sites internet des hôtels, pour comparer les tarifs. Compter aussi un copieux budget *visites* : souvent 20-25 $ dans les grands musées d'art et plus de 30 $ dans certaines attractions comme l'Empire State Building et le One World Observatory !

➤ Les prix sont-ils nets ?

Non, tous les prix indiqués s'entendent *sans taxe.* Ajouter presque 15 % pour les hébergements et environ 9 % pour les restos, vêtements (pas de taxe cela dit pour les vêtements et chaussures de moins de 110 $). Dans les restos, il faut en plus ajouter 15-20 % de *pourboire (tip)* car il n'est pas compris. Soit près de 30 % en plus si on cumule taxes et pourboire.

➤ Quelle est la meilleure période pour visiter New York ?

L'été est chaud, voire caniculaire, et l'hiver glacial. Le *printemps* et l'*automne* sont à priori les saisons les plus agréables (mais la météo n'est pas une science exacte...). À condition d'être bien équipé contre le froid et la neige, les mois de janvier et février sont intéressants car les *moins chers de l'année* et les moins fréquentés.

➤ Combien de jours faut-il prévoir sur place ?

Une semaine (voire plus si on peut) est le temps idéal pour apprivoiser New York à son rythme. Moins longtemps, on reste vraiment sur sa faim.

➤ Quel est le temps de vol ?

Depuis Paris, compter environ *8h* à l'aller, 45 mn de moins au retour.

➤ Quel est le décalage horaire ?

6h en moins par rapport à l'heure française d'hiver. Quand il est 12h à Paris ou Bruxelles, il est donc 6h du matin à New York.

➤ Comment se déplacer ?

Métro ou bus (sûrs, pratiques et économiques), taxi (intéressant à plusieurs), bateau parfois, et surtout... vos pieds (qui seront mis à rude épreuve !). *Voiture à bannir.*

➤ Peut-on y aller avec des enfants ?

Plutôt deux fois qu'une ! Sachez tout de même qu'on y marche beaucoup (évitez de surcharger le programme), que la chaleur est torride en plein été et que les dollars défilent très vite en famille.

➤ Sur place, comment recharger mon téléphone ?

Prévoir un *adaptateur* car les fiches électriques nord-américaines sont à 2 broches plates.

➤ Que rapporter de New York ?

New York est la *Mecque du shopping.* Superbes magasins, boutiques de musées et à thème, fringues en tout genre, baskets, équipement sportif, photo, hi-fi, design... Plus original, du miel récolté sur les toits de la ville et des **bons produits** made in Brooklyn : chocolat, whisky, gin, bière...

➤ Des dangers particuliers ?

Non, New York est devenue *une des villes les plus sûres* des États-Unis. On se promène sans risque à Manhattan, Harlem, Queens, Brooklyn et dans la plupart des quartiers du Bronx, en respectant d'évidentes consignes de bon sens, mais pas plus qu'ailleurs.

➤ Quels sont les numéros d'urgences ?

Pour tous types d'urgences (de *santé,* entre autres), le ☎ *911 : numéro gratuit, 24h/24.*

Pour les cartes de paiement
– **Carte Visa :** ☎ *(00-33) 1-41-85-85-85 (24h/24).* ● *visa.fr* ●
– **Carte MasterCard :** ☎ *(00-33) 1-45-16-65-65.* ● *mastercardfrance.com* ●

– **Carte American Express :** ☎ *(00-33) 1-47-77-72-00.* ● *americanexpress. com* ●

Pour les téléphones
Avant de partir, notez (ailleurs que dans votre téléphone portable !) votre **numéro IMEI,** utile pour bloquer à distance l'accès à votre téléphone en cas de perte ou de vol. Comment avoir ce numéro ? Tapez *#06# sur votre clavier puis reportez-vous au site ● *mobilevole-mobilebloque.fr/* ●

Vous pouvez aussi suspendre aussitôt votre ligne pour éviter de douloureuses surprises au retour du voyage ! Voici les numéros des 4 opérateurs français, accessibles depuis la France et l'étranger.

– **Orange :** *depuis la France et l'étranger,* 📱 *+ 33-6-07-62-64-64.*
– **Free :** *depuis la France,* ☎ *3244 ; depuis l'étranger,* ☎ *+ 33-1-78-56-95-60.*
– **SFR :** *depuis la France,* ☎ *1023 ; depuis l'étranger,* 📱 *+ 33-6-1000-1023.*
– **Bouygues Télécom :** *depuis la France et l'étranger,* ☎ *+ 33-800-29-1000.*

INFORMATIONS ET ADRESSES UTILES

ARRIVER – QUITTER 36
  ● En avion..................... 36
  ● En train (Amtrak).....38
  ● En bus.......................38

ADRESSES UTILES.......... 39
  ● Informations
    touristiques................. 39
  ● Consulats 39

● Consigne à bagages.... 39
● Culture.......................... 39
● Santé, urgences........... 40

ARRIVER – QUITTER

EN AVION

✈ Il existe *3 aéroports* à New York : *John F. Kennedy International Airport* (JFK pour les intimes), *Newark* et *LaGuardia*. Tous sont bien reliés au centre de la ville.
– Si vous avez l'intention de **louer une voiture,** mieux vaut le faire (et donc arriver) à Newark car, étant situé dans le New Jersey, les taxes et prix de location y sont bien moins chers qu'à JFK ou LaGuardia. Cela dit, si vous ne restez qu'à New York, la voiture est à proscrire : circulation très dense et parkings hors de prix.
– Voir « Transports » dans « New York utile » en fin de guide pour le choix des **cartes de métro** à l'arrivée. Si vous comptez aller vous coucher directement ou quasi, mieux vaut repousser au lendemain l'achat d'une carte hebdomadaire de métro, dont vous risqueriez sinon de gâcher le 1er jour.
– Pour toutes les liaisons entre les aéroports et la ville ou les aéroports entre eux : ● panynj.gov/airports/ ●
– *Consignes à bagages (luggage storage) :* à JFK, celle du terminal 4 est ouv 24h/24 et celle du terminal 1 tlj 7h-23h. 11-16 $ par 24h pour une valise standard. À Newark, consigne au terminal C ouv 8h-1h.

De/vers Kennedy International Airport (24 km à l'est du centre)

Le métro

La solution la moins chère. Prendre l'**Airtrain,** qui dessert les terminaux de l'aéroport et aboutit en 10-15 mn à la station de métro **Jamaica-Sutphin Blvd-JFK Airport** au nord de JFK. L'*Airtrain* se paie à la sortie, aux distributeurs. Compter 5 $ pour l'Airtrain, auxquels il faut ajouter le prix du ticket de métro (2,75 $ quelle que soit la distance) et le forfait de 1 $ pour la carte de métro *MetroCard* ; soit 8,75 $ en tout.
Ensuite, 3 possibilités : soit la ligne de métro E pour Queens et Midtown (env 1h pour le secteur de Times Sq, changement pour le nord ou le sud de Manhattan) ; soit la ligne de métro J pour Lower East Side (Essex St) ; soit
– un peu plus cher mais plus rapide – le LIRR (Long Island Rail Road), un train rapide qui rejoint Penn Station en 20 mn (env 10 $ à condition d'acheter son billet en station, plus cher à bord du train).
Sinon, un autre *Airtrain* relie l'aéroport à la station **Howard Beach JFK Airport** à l'ouest de JFK ; de là, on prend la ligne de métro A, mais c'est un peu plus lent. Conviendra plutôt à ceux qui se rendent au sud de Manhattan et à Brooklyn (dans les quartiers de Park Slope et DUMBO notamment, voire Williamsburg à condition de changer à Broadway Junction pour la ligne L). *Infos :* ☎ 511 ou ● mta.info ●

Navettes porte à porte

Une bonne solution pour les voyageurs en solo (moins cher que le taxi) mais pas intéressant à 2 ou plus. Inconvénient principal : c'est lent. D'abord, la capacité des bus étant limitée, il arrive que des voyageurs restent sur le carreau, forcés d'attendre le départ suivant (donc 20 ou 30 mn plus tard). Ensuite, le chauffeur dépose les passagers en fonction de sa feuille de route, donc vous pouvez vous retrouver en fin de liste... Bref, entre l'attente pour récupérer la navette, la circulation, la dépose de tous les passagers, compter facilement 1h30, voire 2h-2h30 de trajet si ça bouchonne en prime... Dans le sens retour, réserver 24h à l'avance minimum.

Possibilité de réserver en ligne avant le départ (les billets prépayés restent valides toute la journée, donc pas de souci en cas de retard du vol). Une fois vos bagages récupérés, dirigez-vous dans la même zone vers un comptoir *Ground transportation* et prévenez un agent d'accueil de votre arrivée. Il y a aussi des téléphones gratuits à dispo. On peut bien sûr acheter son billet directement à l'arrivée, sans résa préalable, par le même biais.

– **Go Airlink NYC :** ☎ 212-812-9000 ou 1-877-599-8200 (depuis les USA). ● goairlinkshuttle.com ● Service 24h/24. Env 17-23 $ selon destination ou 27-38 $ l'A/R ; gratuit moins de 3 ans (limité à 1 enfant/ adulte, les autres paient plein pot). Minibus blanc avec logo vert reliant tous les terminaux de JFK à **Grand Central Terminal** (plan 1, C1), **Pennsylvania (« Penn »)** Station (plan 1, B1-2), **Port Authority Bus Terminal** (plan 1, B1) et **n'importe quelle adresse comprise entre la pointe sud de Manhattan et Harlem** (hôtels, domiciles...).

– **Super Shuttle :** ☎ 212-538-3826 ou 1-800-258-3826. ● supershuttle. com ● Env 17-30 $ (tarif variable selon destination). Tarif dégressif à partir de 2 pers. Même principe que Go Airlink NYC, mais le minibus est bleu ou jaune.

– **NYC Airporter :** ☎ 718-777-5111 ou 855-269-2247. ● nycairporter. com ● Tlj 5h-23h30. Même principe et sensiblement le même prix encore mais relie JFK à **Grand Central, Penn Station** et **Port Authority** seulement. Si on prend un aller-retour, possibilité de se faire déposer à l'aller dans

un ***hôtel de Midtown*** (entre 23rd et 63rd St), mais ça ne marche pas au retour.

Le taxi

À la sortie de chaque terminal, un préposé vous indique un **taxi officiel** libre et vous confie un ticket. Le prix de la liaison JFK-Manhattan est fixe : 52 $, hors péage du pont (5 $) et pourboire de 15-20 %. Un peu plus cher pour le centre de Brooklyn (Downtown Brooklyn) : env 60-65 $. ***Attention aux faux taxis*** qui racolent à l'intérieur de l'aéroport ! Rien ne garantit que le prix annoncé au départ soit le même à l'arrivée ! Les taxis officiels, eux, sont jaunes (ou vert pomme pour la flotte desservant principalement le nord de Manhattan, Harlem, Queens, Bronx, Brooklyn et Staten Island) et patientent en rang d'oignons à la sortie.

De/vers l'aéroport de Newark (25 km au sud-ouest du centre)

Le train

C'est le moyen le plus rapide et le moins cher de rejoindre Manhattan. Seul défaut, les trains sont souvent bondés aux heures de pointe. Prendre d'abord le **Airtrain Newark** (départ de chaque terminal ttes les 3 mn 5h-minuit ; ttes les 15 mn le reste du temps), un petit train aérien qui vous conduit gratuitement et en quelques minutes à la gare ferroviaire Newark Liberty International Airport Train Station.
Une fois à la gare ferroviaire, achetez au distributeur votre ticket pour **Penn Station** (plan 1, B1-2) pour env 13 $ (distributeurs également aux stations de l'Airtrain). Départs ttes les 10-20 mn (jusqu'à 40 mn après 20h), 5h (6h w-e)-2h. Trajet : 25 mn. Infos : ☎ 973-275-5555. ● njtransit.com ● De Penn Station, nombreuses correspondances en métro.

Newark Airport Express Bus

Jusqu'à **Grand Central Terminal** (41st St, entre Park et Lexington

Ave ; plan 1, C1), **Bryant Park** (42ʳᵈ St et 5ᵗʰ Ave ; plan 1, B1) et **Port Authority Bus Terminal** (41ˢᵗ St, entre 8ᵗʰ et 9ᵗʰ Ave ; plan 1, B1). ☎ 1-877-8NEWARK. ● coachusa. com/olympia ● Départs ttes les 15-30 mn 4h-1h. Tarif : 16 $ (28 $ l'A/R) ; ½ tarif seniors ; gratuit moins de 12 ans accompagnés d'un adulte (max 3 enfants/adulte). Comptoir à chaque terminal, après la remise des bagages. Compter 45 mn pour rejoindre le centre de Manhattan si le trafic est fluide, une bonne heure en cas d'embouteillages. Bien plus long que le train donc, mais, en se plaçant du côté droit du bus, on pourra s'offrir son premier coup d'œil sur la skyline. Au retour, on paie directement dans le bus.

Navettes porte à porte avec Go Airlink NYC et Super Shuttle

Mêmes indications que pour JFK plus haut.

Le taxi

Prix officiels : compter 60-70 $ pour Manhattan. Surcharge de 5 $ pdt les heures de pointe (6h-9h, 16h-19h) et les w-e (12h-20h) et j. fériés. Enfin, 1 $/valise. Si on rajoute le toll (péage) et le tip (pourboire), l'addition s'avère salée. Méfiez-vous des taxis illégaux et de leurs prix totalement fantaisistes...

De/vers l'aéroport LaGuardia (15 km au nord-est du centre)

Go Airlink NYC

Bus ttes les 20-30 mn 6h-23h pour **Grand Central Terminal** (plan 1, C1), **Penn Station** (plan 1, B1-2), **Port Authority Bus Terminal** (plan 1, B1) et, pour le même prix, les hôtels de Midtown situés entre 31ˢᵗ et 60ᵗʰ St. Tarif : env 20 $. ● nyairportservice.com ●

Super Shuttle

Même desserte et mêmes tarifs que depuis JFK.

Le bus + le métro

Bus Q70 de la MTA New York Transit Authority desservant la station de LIRR (Long Island Rail Road) Woodside et la station de métro Jackson Heights-Roosevelt Ave (lignes E, F, M, R, 7). Départs ttes les 15-30 mn. ● mta. info ●

Le taxi

Selon l'endroit où vous allez dans Manhattan, 25-37 $ en **taxi officiel** (plus le péage de 5 $ et le tip, 15-20 %). Env 20 mn de trajet jusqu'à Midtown, moins si vous êtes du côté d'Harlem.

Liaisons inter-aéroports

Go Airlink NYC et **NYC Airporter** (voir coordonnées plus haut) proposent une liaison JFK-LaGuardia, JFK-Newark et LaGuardia-Newark.

EN TRAIN (AMTRAK)

🚆 **Départ de Pennsylvania Station** (plan 1, B1-2) : 33ʳᵈ St et 7ᵗʰ Ave (à côté du Madison Square Garden). ☎ 212-582-6875 ou 1-800-USA-RAIL. Plus rapide et plus confortable que le Greyhound (sièges spacieux). Prix bien plus élevés (env 40 %) que le bus. Valable pour Boston, Washington, Philadelphie ou Rochester (chutes du Niagara).

EN BUS

🚌 **Départ de Port Authority Bus Terminal** (plan 1, B1) : 42ⁿᵈ St (et 8ᵗʰ Ave). ☎ 212-564-8484 ou 1-800-231-2222. Terminal de Greyhound et de Trailways entre autres.

🚌 **Megabus** et **Boltbus :** terminal à l'angle de 12ᵗʰ Ave et 34ᵗʰ St pour Megabus et 11ᵗʰ Ave et 33ʳᵈ St pour Boltbus. Résas sur Internet slt. ● megabus.com ● boltbus.com ● Tarifs attractifs. Bus confortables et propres, équipés wifi. Liaisons vers Philadelphie, Washington et Boston.

ADRESSES UTILES

Informations touristiques

ℹ NYC Information Center at Macy's *(plan 1, B1, 1)* **:** *151 W 34 St (angle Broadway).* ☎ *212-484-1222.* Ⓜ *(D, F, N, Q, R) 34 St. Tlj 9h (10h sam, 11h dim)-19h.* Bureau d'informations touristiques au rez-de-chaussée du grand magasin (en mezzanine). Tableau tactile d'infos, livrets touristiques, plan de la ville, vente du *City-Pass, du NYC Explorer Pass* et du *NY Pass.*

ℹ NYC Information Center – City Hall *(zoom 1, 2)* **:** *sur Broadway, en face du Woolworth Building (angle Barclay).* ☎ *212-484-1222.* Ⓜ *(4, 5, 6) Brooklyn Bridge-City Hall. Lun-ven 9h-18h, w-e 10h-17h ; j. fériés 9h-15h.* Petit kiosque d'information où l'on peut se procurer une carte détaillée de Lower Manhattan.

ℹ Lower East Side Visitor Center *(plan 1, D4, 4)* **:** *54 Orchard St.* ☎ *212-226-9010.* ● *lowereastsideny. com* ● Ⓜ *(F, J) Delancey-Essex St. Lun-ven 10h-18h, w-e 12h-17h.* Plein d'infos sur ce quartier branché : galeries d'art, boutiques, restaurants et *nightlife.*

ℹ NYC Information Center – Times Square *(plan 2, G11, 5)* **:** *7th Ave (entre 46th et 47th St).* ☎ *212-484-1222.* Ⓜ *(N, Q, R, S, 1, 2, 3, 7) Times Sq-42 St. Tlj 9h-18h.* Petit guichet jouxtant un bureau de change où l'on peut se procurer un plan de Manhattan. Vente des *passes.* Peu d'infos.

Consulats

■ France *(plan 2, H9)* **:** *934 5th Ave (entre 74th et 75th).* ☎ *212-606-3600.* ● *consulfrance-newyork.org* ● *Lun-ven 9h-12h30 (plus accueil téléphonique 14h30-17h).*

■ Belgique *(plan 2, H11)* **:** *One Dag Hammarskjöld Plaza, 885 2nd Ave, 41st Floor.* ☎ *212-586-5110.* ● *uni tedstates.diplomatie.belgium.be* ● *Lun-ven 9h30-12h30.*

■ Suisse *(plan 1, C1)* **:** *633 3rd Ave (entre 40th et 41st), 30e étage.* ☎ *212-599-5700.* ● *eda.admin.ch/newyork* ● *Lun-ven 8h30-12h.*

■ Canada *(plan 2, G11)* **:** *1251 6th Ave (entrée par 50th St).* ☎ *212-596-1628.* ● *can-am.gc.ca/new-york* ● *Lun-ven 9h-15h.*

Consigne à bagages

■ CBH Luggage Storage Midtown *(plan 2, G11, 14)* **:** *43 W 46th St (entre 5th et 6th Ave) ; 6e étage.* ☎ *212-840-0174 ou 646-543-1831.* ● *cbhlugga gestorage.com* ● Ⓜ *(D, F, S, 4, 5, 6, 7) 42 St. Tlj 7h-minuit (service sur demande en dehors de ces horaires).* *Bagage env 7-10 $/j.* Bien pratique car à proximité de Grand Central (où il n'y a pas de consigne à bagages). Tenu par une équipe française sympa. Salle de repos à dispo. Enlèvement gratuit à l'hôtel sur zone Midtown le matin, sinon payant. Fait aussi taxi pour l'aéroport.

Culture

■ ❀ Albertine *(plan 2, H9, 11)* **:** *972 5th Ave (entre 78th et 79th).* ☎ *212-650-0070.* ● *fiaf.org* ● Ⓜ *(6) 77 St. Tlj 11h-19h (18h dim).* La librairie française de New York (ouverte depuis 2014) occupe 2 niveaux d'un ravissant hôtel particulier où siègent aussi les services culturels de l'ambassade de France. Face à Central Park, à quelques pas du Met, un écrin stylé réaménagé par le décorateur

Jacques Garcia et baptisé du nom d'une des jeunes filles en fleurs d'*À la recherche du temps perdu*. À l'origine de ce projet ambitieux, l'ex-diplomate et co-auteur de la B.D. *Quai d'Orsay*, Antonin Baudry (Abel Lanzac, c'est lui).

■ *French Institute – Alliance française (plan 2, H10, 6)* : *22 E 60th St (et Madison Ave).* ☎ *212-355-6100.* ● *fiaf. org* ● Ⓜ *(4, 5, 6, N, R) 59 St. Lun-jeu 8h30-20h, ven 9h-18h, sam 9h-17h.* Le FIAF offre toutes sortes d'activités françaises et francophones. Ciné-club, bibliothèque, conférences, cafés-philo

et spectacles, et petite galerie d'expos temporaires. Accueil sympa.

– *Bons plans culturels :* dans le supplément du quotidien *New York Times* du vendredi, pour les événements et manifestations du week-end ; ou dans l'édition du dimanche pour les bons plans de la semaine qui suit. Également pas mal d'infos dans l'*Official NYC Guide*, édité tous les 3 mois par le *Visitor Center,* ainsi que dans le mensuel *City Guide New York* disponible au bureau d'information *NYC & Company.*

Santé, urgences

Voir « Santé » et « Urgences » dans « New York utile » en fin de guide.

NEW YORK

LOWER MANHATTAN 41	NOHO ET LOWER	UPPER EAST SIDE 185
CHINATOWN	EAST SIDE 101	UPPER WEST SIDE 205
ET LITTLE ITALY 62	CHELSEA 124	CENTRAL PARK 221
SOHO ET NOLITA 68	UNION SQUARE ET	HARLEM ET LES
TRIBECA 79	FLATIRON DISTRICT .. 139	HEIGHTS 225
GREENWICH	TIMES SQUARE ET	BROOKLYN 247
ET WEST VILLAGE 82	THEATER DISTRICT ... 153	LE BRONX 294
EAST VILLAGE,	MIDTOWN 166	QUEENS 303

● Pour se repérer, voir en fin de guide les plans détachables 1
et 2 de Manhattan et les zooms détachables 1 (Lower Manhattan),
2 (SoHo-TriBeCa-Chinatown-Little Italy), 3 (East Village-NoHo-Lower
East Side) et 4 (West Village-Greenwich).

LOWER MANHATTAN

● Adresses utiles 42	● Shopping 45	du World Trade Center
● Où dormir chic ? 42	● À voir. À faire 45	● Du Civic Center à
● Où manger ? 43	● Le sud de Lower	South Street Seaport
● Où boire un café ?	Manhattan ● Financial	● Governors Island
Où boire un verre ? 44	District ● Le quartier	

● Pour se repérer, voir le plan détachable 1 et
le zoom détachable 1 en fin de guide.

Lower Manhattan, la pointe sud de New York, c'est cette image universelle de forêt de gratte-ciel entourée d'eau. La mythique *skyline,* symbole même de la ville et du rêve américain, mutilée le 11 septembre 2001, retrouve aujourd'hui toute sa grandeur. À deux pas des constructions historiques témoins des origines de la ville, le nouveau complexe du World Trade Center repousse fièrement à l'emplacement des défuntes tours jumelles. Son fleuron, le magnétique One World Trade Center sur laquelle le regard revient toujours où que l'on soit, est devenu, pour la plus grande fierté des New-Yorkais, la nouvelle tour la plus haute des États-Unis, dépassant l'Empire State Building. Mais Lower Manhattan, c'est aussi le cœur palpitant du capitalisme américain et de la célèbre Wall Street, très animée

L'AVENUE DES SERPENTINS

Dans Lower Manhattan, l'avenue Broadway accueille les parades monumentales célébrant les héros de la Nation. On a tous vu les photos de liesse et de lâchers de serpentins. Ceux-ci étaient autrefois confectionnés à partir de rubans de téléscripteurs, d'où le nom de Ticker-Tape Parades. Rien de plus normal pour cette longue avenue, la seule à parcourir l'intégralité de l'île de Manhattan... en serpentant, comme pour s'amuser encore un peu !

aux heures de bureau. Enfin, c'est ici que vous embarquerez pour la statue de la Liberté et Ellis Island.

UN PEU D'HISTOIRE

Au XVIIe s, Wall Street marque la frontière nord de New Amsterdam. Au-delà, c'est la campagne, et en deçà, la vie grouille entre les ruelles et les canaux, remblayés depuis pour gagner du terrain. Broad Street, par exemple, est très large, comme son nom l'indique, car elle a remplacé un canal. Puis la ville commence son extension vers le nord et l'est grâce au commerce maritime vers Pearl, Front et South Street. Au XIXe s, c'est un quartier très actif mais trop étriqué pour caser financiers et négociants. Le problème trouve sa solution dans une révolution architecturale : le building. La course au gigantisme commence à la fin du XIXe s au sud de Broadway, tandis qu'à l'est le Brooklyn Bridge est érigé pour faciliter la vie des *commuters,* les banlieusards. Wall Street ne prend son véritable essor de place financière qu'après la Seconde Guerre mondiale...

Adresses utiles

NYC Information Center – City Hall (zoom 1, **2**) : *sur Broadway, en face du Woolworth Building (angle Barclay).* Ⓜ *(4, 5, 6) Brooklyn Bridge-City Hall. Lun-ven 9h-18h, w-e 10h-17h ; j. fériés 9h-15h.* Petit kiosque d'information où l'on peut se procurer une carte détaillée de Lower Manhattan, le plan du métro, etc.

TKTS South Street Seaport (plan 1, C6, **9**) : *Front St (angle John, derrière le Seaport Museum).* Ⓜ *(A, C, 2, 3, 4, 5) Fulton St. Tlj 11h-18h.* Vente de billets à prix réduits pour le théâtre et les comédies musicales, pour le soir même ou le lendemain en matinée (voir « Spectacles » dans « Hommes, culture, environnement » en fin de guide). Moins de monde qu'à Times Square.

Où dormir chic ?

Important à savoir : dans ce quartier d'affaires, les prix des chambres s'avèrent souvent bien plus avantageux le week-end que la semaine.

Best Western Seaport Inn (plan 1, C5, **20**) : *33 Peck Slip.* ☎ 212-766-6600. ● *seaportinn.com* ● Ⓜ *(A, C, 2, 3, 4, 5) Fulton St. Doubles 160-300 $; bon petit déj inclus.* 🖥 📶 Voici un élégant bâtiment en brique situé au cœur de South Street Seaport, sur une placette juste à l'écart de l'agitation, en contrebas du pont de Brooklyn et au pied de l'East River. Lobby classique et des chambres dans le même ton, pas très grandes, mais confortables et cosy, avec large vue pour certaines et balcon aux 2 derniers étages. On aime bien celles en angle avec double vue ! Fitness.

Hampton Inn Seaport (plan 1, C5, **26**) : *320 Pearl St.* ☎ 212-571-4400. ● *hamptoninn3.hilton.com* ● Ⓜ *(A, C, 2, 3, 4, 5) Fulton St. Doubles 150-250 $ (moyenne 180 $), copieux petit déj inclus.* 📶 Aux portes du quartier historique de South Street Seaport, ce petit hôtel de chaîne présente un bon rapport qualité-prix. Ne vous fiez pas au lobby, les chambres sont plus lookées. Petites mais pimpantes avec leur tête de lit en cuir chocolat sur fond bleu ciel, elles valent aussi le coup pour leur vue : à partir du 3e étage côté World Trade Center, à partir du 7e étage côté Brooklyn Bridge. Terrasse ou patio avec table et chaises dans une petite dizaine.

Club Quarters Wall Street (zoom 1, **18**) : *52 William St.* ☎ 212-269-6400. ● *clubquartershotels.com/new-york/wall-street* ● Ⓜ *(4, 5) Wall St. Doubles 140-400 $.* 📶 On ne peut plus au cœur de la finance, face au Federal Hall, ce *business hotel* présente l'avantage du confort chaleureux de 290 chambres, de tarifs relativement corrects pour le quartier, du calme après la sortie des bureaux et d'un accueil en or (forcément !), tout cela réuni sous le même toit, sur 21 étages. Cerise sur le gâteau, les boissons chaudes à volonté dans le lobby. Pour profiter d'une vue plongeante sur le site du World Trade Center et pour le même prix, posez plutôt votre valise dans l'hôtel parent *(140 Washington St ; zoom 1, 27).*

⌂ *The Wall Street Inn (zoom 1, 19) :* 9 S William St. ☎ 1-877-747-1500. ● *thewallstreetinn.com* ● Ⓜ *(4, 5) Wall St et (J, Z) Broad St. Doubles*

Où manger ?

Vers *Wall Street,* on trouve logiquement surtout des chaînes pour businessmen pressés le midi. Sympa d'y déjeuner en semaine pour observer l'animation du célèbre quartier des affaires (le week-end, c'est nettement plus calme !). Sinon, le secteur du *World Trade Center* se finalise désormais à vitesse grand V. Après l'ouverture du centre commercial *Brookfield Place* (et son *food court Hudson Eats*), l'arrivée de *Eataly,* le temple de la gastronomie italienne, a créé l'événement. Enfin, quelques adresses sympas aussi du côté de *South Street Seaport,* lui aussi en pleine renaissance.

Sur le pouce, bon marché

|○| ⇒ *Hudson Eats (plan 1, B5, 110) :* à l'étage supérieur du centre commercial Brookfield Place, *200 Vesey St.* Ⓜ *(E) World Trade Center ou (R) Cortlandt St. Tlj 10h-21h (19h dim).* Les *food halls* gourmets ont le vent en poupe à NY. Spacieux et lumineux, celui-ci dispose de belles terrasses sur la marina de l'Hudson River. Plusieurs enseignes connues des gourmands : *Num Pang* (sandwicherie asiatique), *Mighty Quinns* (BBQ), *Black Seed Bagels...*

|○| ⇒ *Quynh's (zoom 1, 114) :* 99 Nassau St (et Ann). ☎ 212-766-3388. Ⓜ *(A, C, 2, 3, 4, 5) Fulton St. Lunven 11h-21h. Sandwichs et phó 9-12 $. Cash only.* Cette mini-échoppe vietnamienne sans caractère fidélise sa clientèle de cols blancs avec des sandwichs traditionnels *banh mi* frais et épicés

200-400 $. 🛜 Tant qu'à dépenser ses dollars, autant le faire dans une ancienne succursale de *Lehman Brothers,* un bâtiment cossu de 6 étages, datant de 1900 et très bien situé. Repérez les lettres « LB » dans le lobby chic et prometteur. Une cinquantaine de chambres douillettes et confortables à la déco classique, voire un brin rétro. Pas de vue particulière mais, en plein quartier d'affaires, le soir, c'est plutôt calme. Sauna et salle de gym.

(on aime aussi celui au *pork chop* bien grillé) et avec un très bon *phó* (bouillon) servi avec des petits légumes à tremper dedans. Une poignée de places assises seulement.

|○| *Amish Market Tribeca (zoom 1, 164) :* 53 Park Pl (angle W Broadway). ☎ 212-608-3863. Ⓜ *(A, C) Chambers St. Tlj 6h30-22h. Plats simples 6-10 $.* Salades et plats du jour en libre-service, mais également rôtisserie, tacos, steak et kebab à grignoter sur place dans cette épicerie fine multiculturelle et bio qui semble sans fond.

Et aussi, parmi les nombreuses *chaînes* implantées dans ce quartier d'affaires :

⌂ *Shake Shack (plan 1, B5, 105) :* 215 Murray St. ☎ 646-545-4600. Ⓜ *(1, 2, 3) Chambers St. Burgers 6-10 $, hot dog env 5-6 $.* À quelques enjambées du World Trade Center, juste en retrait de la promenade qui longe l'Hudson River. Terrasse abritée par une verrière high-tech. Burgers et hot dogs, crèmes glacées, verres de vin et bière brassée à Brooklyn.

⌂ *Bareburger (zoom 1, 128) :* 155 William St (et Ann St). ☎ 646-657-0388. Ⓜ *(A, C, 2, 3) Fulton St. Burger-frites 15-18 $.* Encore des burgers, mais bio et un peu plus travaillés que ceux de *Shake Shack* (voir plus loin « Greenwhich et West Village. Où manger ? »).

|○| ⇒ ⇒ *Eataly (zoom 1, 133) :* au 3e étage du 4 WTC. Ⓜ *(E) World Trade Center ou (R) Cortlandt St.* Voir le descriptif ce marché gourmet italien dans « Chelsea. Où manger ? ».

|○| ⇒ ⇒ *Dean & Deluca (zoom 1, 176) :* 40 Wall St *(entre Nassau*

et William). Ⓜ (2, 3, 4, 5) Wall St. L'enseigne d'épiceries-marchés gourmets (voir « Soho et Nolita. Épicerie fine ») doit ouvrir un grand espace en face du New York Stock Exchange de Wall Street, assorti d'une partie resto.

Ⓘ◉ᗕ Hale and Hearty Soups (zoom 1, **126**) : 55 Broad St (et Beaver). ☎ 212-509-4100. Ⓜ (2, 3, 4, 5) Wall St. Lun-ven 10h30-17h. Formules 7-10 $. À deux pas du New York Stock Exchange, à la bonne soupe ! Chaque jour, une quinzaine de recettes, consistantes et souvent originales. Également des salades à composer soi-même (ingrédients très frais et tout un choix de sauces), et des sandwichs.

Prix moyens

Ⓘ◉ ᐟ The Porterhouse Brewing Co. (zoom 1, **701**) : 54 Pearl St (et Broad). ☎ 212-968-1776. ● frauncestavern. com ● Ⓜ (4, 5) Bowling Green ou (J, Z) Broad St. Tlj 11h-2h (cuisine 23h). Résa conseillée. Plats 15-30 $. Bien cachée, c'est la taverne du Fraunces Tavern Museum, en activité depuis 1762 ! On a du mal à imaginer de l'extérieur un tel espace, divisé en de multiples coins et recoins tous chaleureux et superbes. Dans l'assiette, une cuisine de pub aux accents irlandais, copieuse mais pas donnée, à accompagner d'une bonne bière pression, spécialité de la maison. Pour plus de calme, il y a aussi un resto plus conventionnel proposant la même carte. On conseille d'y (re)venir

le week-end : le samedi après-midi, jazz brunch sympa comme tout et family-friendly, suivi de rock américain et d'un DJ ; le dimanche (de 15h à 18h) musique irlandaise.

Ⓘ◉ ᗕ Industry Kitchen (plan 1, C6, **101**) : 70 South St (et Maiden Lane, sous la voie rapide). ☎ 212-487-9600. Ⓜ (2, 3) Wall St. Pizzas 14-20 $, grillades 18-28 $. Vaste resto-bar au design indus', apprécié surtout pour sa grande et agréable terrasse extérieure au bord de la East River, face au large. Même en hiver, on profite de la vue à travers les immenses baies vitrées, avec le 4-mats Peking Duck en ligne de mire. Carte variée : salades, pâtes, viandes et poissons au gril, et surtout de copieuses pizzas au feu de bois à partager à 2, pour un rapport qualité-situation-prix optimisé (sinon, c'est un peu surfait).

ᗕ Adrienne's Pizzabar (zoom 1, **102**) : 54 Stone St. ☎ 212-248-3838. Ⓜ (2, 3) Wall St ou (J, Z) Broad St. Pizza env 20 $ (pour 2), pâtes et salades env 10 $. Dans une des ruelles les plus anciennes de New York, pavée et bordée de maisons rescapées des gratte-ciel (voir le n° 57 en face). Les restos l'ont investie, en en faisant une gigantesque terrasse. Une salle tout en longueur où l'on est accueilli avec bonne humeur dans une ambiance rugissante. Excellente pizza servie sur un grand plateau, très croustillante et suffisante pour 2 personnes. Possibilité de composer la sienne à la carte. Pas si cher en fin de compte.

Où boire un café ? Où boire un verre ?

☕ Jack's Stir Brew Coffee (plan 1, C5, **103**) : 222 Front St (entre Beekman St et Peck Slip). ☎ 212-227-7631. Ⓜ (A, C) Fulton St. Un de ces petits cafés dont raffolent les New-Yorkais. Le secret de Jack Mazzola, l'initiateur des lieux, c'est son moulin, qui oxygénerait le grain (bio et issu du commerce équitable) tout en réduisant son amertume. Quant au lait, il vient directement des meilleures fermes de la vallée de l'Hudson.

🍸 The Dead Rabbit Grocery and Grog (zoom 1, **701**) : 30 Water St.

☎ 646-422-7906. Ⓜ (4, 5) Bowling Green ou (J, Z) Broad St. Tlj 11h-4h. Un petit bijou que cet étroit pub irlandais au long comptoir lustré et au sol jonché de sciure, décoré de gravures anciennes. Bercés de country-folk et d'Irish music, les cols blancs du quartier s'y retrouvent autour d'une pinte on tap ou d'un whisky-glace – la carte en aligne plus de 70 variétés. Et comme si ça ne suffisait pas, les cocktails du Dead Rabbit ont été élus récemment meilleurs du monde ! Pour accompagner, quelques petits plats d'une *pub food* fraîche et soignée. Autre salle à l'étage, *The Parlor*, plus intime, sans sciure mais avec piano *(musique mer-sam ; ouv à partir de 17h).*

♟ ♪ The Porterhouse Brewing Co. (zoom 1, **701**) : *54 Pearl St (dans le Fraunces Tavern Museum).* ☎ 212-968-1776. Ⓜ *(4, 5) Bowling Green ou (J, Z) Broad St. Tlj 11h-2h.* C'est ici que George Washington a dit adieu à ses troupes après le départ des Anglais, en 1783. Ambiance de vieille taverne franchement sympa, avec son feu de cheminée en hiver. Plus d'une centaine de bières en bouteilles, au moins 20 bières pression (dont une dizaine de *stouts* maison) et un choix tout aussi impressionnant de whiskies ! On y mange aussi et on y écoute de la musique le week-end (voir « Où manger ? »).

♟ Jeremy's Ale House (plan 1, C5, **103**) : *228 Front St.* ☎ 212-964-3537. Ⓜ *(A, C, 2, 3, 4, 5) Fulton St. Tlj 8h-minuit.* Vieux rade dans un entrepôt au décor hétéroclite : visez un peu la collection de soutien-gorge au plafond tout graffiti ! Clientèle à la fois jeune et yuppie. Bon choix de bières pression servies dans des verres jetables.

☕ Bluestone Lane Coffee (zoom 1, **118**) : *30 Broad St (entrée par New St).* ☎ 646-684-3771. Ⓜ *(5, 6) Wall St. En sem 7h-17h, w-e 9h-15h.* Côté Broad Street, il faut montrer patte blanche ; préférer l'entrée sur New Street. Pas de vitrine clinquante pour ce café informel, un peu détonant en plein quartier de la Finance et connu seulement des costards-cravates qui y défilent pour s'enfiler leur dose de caféine. Des contrats mirifiques s'y négocient peut-être, à l'ombre du perco !

Shopping

☷ Century 21 (zoom 1, **509**) : *22 Cortland St (et Church).* ☎ 212-227-9092. Ⓜ *(E) World Trade Center.* Le rendez-vous des touristes de passage dans la Big Apple et des fashionistas... Sur plusieurs niveaux, un impressionnant bazar de grandes marques « à prix sacrifiés » : prêt-à-porter (homme, femme, enfant), tenues de soirée griffées, chaussures (dans un magasin communicant, côté Cortlandt Street), sous-vêtements et lingerie, puis aussi maroquinerie, bagagerie... Avoir un peu de temps devant soi pour faire des trouvailles.

À voir. À faire

LE SUD DE LOWER MANHATTAN

🏛 Castle Clinton et The Battery (plan 1, B-C6 et zoom 1) : ☎ 212-344-7220. ● *nps.gov/cacl* ● Ⓜ *(4, 5) Bowling Green. Tlj (sf Noël) 7h45-17h. GRATUIT.* ***Battery Park,*** rebaptisé récemment ***The Battery*** tout court, est situé à la pointe sud de Manhattan, devant la statue de la Liberté et le grand large. C'était à l'origine un îlot rocheux, avant que le bras de mer le séparant de Manhattan ne soit remblayé. Construit en 1811, le ***Castle Clinton,*** qui porte le nom du gouverneur de l'époque, faisait partie d'un ensemble d'ouvrages défensifs. Une batterie de canons occupait alors le bâtiment. Une fois les guerres finies, la petite forteresse ovale fut transformée en centre d'accueil pour les immigrants, en attendant l'ouverture de celui d'Ellis Island. C'est de là que l'on part visiter la ***statue de la Liberté*** et ***Ellis Island.***

– À un jet de pierre, *The Sphere,* le globe de cuivre monumental un peu amoché de Fritz Koenig (symbole de paix globale...), qui trônait jadis au pied des tours jumelles, attend de regagner sa place sur l'esplanade du World Trade Center. De la promenade aménagée qui rejoint le quartier du World Trade Center, en passant

LOWER MANHATTAN

LOWER MANHATTAN

par **South Cove,** une crique de poche paysagée, belle vue sur la rivière Hudson et le New Jersey en face. ● bpcparks.org ●

◈ 🕭🕭🕭 🕭 *Statue of Liberty (hors plan 1 par B6)* : située sur Liberty Island, à l'entrée du port de New York. Pour y aller, un seul moyen, le ferry au départ de Battery Park. Infos ferries et tickets : ☎ 201-604-2800 ou 1-877-523-9849. ● statue cruises.com ● nps.gov/stli ● Embarquement ttes les 20-40 mn selon saison, tlj (sf Noël) 8h30 (9h30 l'hiver)-15h30 ; dernier retour à 17h. **Ticket ferry pour la statue de la Liberté et Ellis Island** : 18 $ (inclus dans le CityPass) ; réduc ; gratuit moins de 4 ans. Audioguide en français inclus. Résa en ligne conseillée (sinon, guichet billetterie au Castle Clinton). Liberty Island est aussi accessible en ferry depuis Liberty State Park, du côté New Jersey de l'Hudson River (lire plus loin). Contrôles de sécurité type « aéroport » au départ du ferry et une fois arrivé au pied de la statue pour la visite de l'intérieur ; bagages interdits et obligation de déposer sacs et nourriture dans des casiers payants avt la visite (env 2 $).

– **Attention, le ticket de ferry ne permet qu'une visite extérieure de la statue ;** pour pénétrer à l'intérieur, il faut retirer un **pass spécial** (gratuit) au départ du ferry, qui vous indiquera une heure de visite. Le nombre de *passes* distribués dans la journée étant très limité (selon le principe du premier arrivé, premier servi), il est **vivement conseillé de réserver son pass bien à l'avance, par téléphone ou sur le site internet officiel** (☎ 1-201-604-2800 ou 1-877-523-9849 ; ● statuecruises. com ●). Il faut s'y prendre minimum 2-3 semaines avant et plutôt 1 à 2 mois en juillet-août, surtout si vous voulez un créneau le matin ; pour la couronne, plutôt 3-4 mois à l'avance. Prévoir une marge suffisante par rapport à votre créneau horaire. Pour les **photos,** mieux vaut se placer à l'arrière du bateau à l'aller, côté droit, pour avoir une vue dégagée sur la *skyline* et être au plus près de la statue de la Liberté à son approche.

– **Trois types de passes (accès prioritaire sur le ferry inclus)** : l'accès à l'île seul ; la visite de l'intérieur et du petit musée ; et, cerise sur le gâteau, l'accès à la couronne *(respectivement 18, 18 et 21 $; réduc ; moitié prix 4-12 ans).* Ceux qui souhaitent visiter l'intérieur de la statue (musée et couronne) devront s'armer de patience. Nouveau contrôle de sécurité oblige, la queue est très longue avant de pouvoir entrer. Les pressés préféreront donc zapper cette partie, pour se contenter de débarquer sur l'île, faire le tour de la statue, profiter de la vue, superbe, sur Manhattan et Miss Liberty, puis reprendre le bateau.

– Enfin, si vous souhaitez poursuivre par la *visite d'Ellis Island* (même billet, le ferry dessert les deux îles), ce que l'on vous conseille fortement, embarquez le matin, sinon vous n'aurez pas le temps d'enchaîner les deux.

La visite

Après un nouveau contrôle de sécurité donc, la visite débute dans le socle de la statue par une jolie pièce détachée : le premier flambeau de la grande dame, qui, à l'origine, était éclairé de l'intérieur. Puis un petit **musée,** très intéressant, retrace les différentes étapes de la construction du monument de 46 m de haut, soit l'équivalent d'un immeuble de 22 étages. Songez à quel point Miss Liberty devait à l'époque sembler immense, la plupart des immeubles de New York ne dépassant pas alors

L'ORIGINE DU GADGET

En 1886, pour l'inauguration de la statue de la Liberté, on distribua des miniatures de Miss Liberty aux personnalités présentes. On se battait pour avoir son exemplaire en minuscule, fabriqué et donc signé par l'entreprise française Gaget-Gauthier. Tout le monde s'interrogeait : « Do you have your Gaget ? » Le nom Gaget, difficile à prononcer, devint vite « Gadget » dans la bouche des Américains. Le mot « gadget » était né.

les quatre étages... La plaque de l'inauguration de 1886 à l'entrée rappelle que la statue symbolisait le soutien de la France à l'indépendance américaine, dont la date est gravée sur le livre que la grande dame tient dans sa main gauche. Mais ce cadeau était aussi, en filigrane, une critique du Second Empire en France et une célébration de l'idéal républicain. C'est la légendaire colosse de Rhodes, l'une des Sept Merveilles du monde (construit en 300 av. J.-C. et détruit par un séisme en 227), qui aurait suscité le goût du grandiose chez Auguste Bartholdi lors d'un voyage en Égypte en 1856. L'architecte, épris de grandeur, avait alors 22 ans. Il dessina d'abord une ébauche de statue pour orner l'entrée du canal de Suez, qui devait symboliser le Progrès (le projet s'appelait « L'Égypte apportant la lumière à l'Asie »). L'idée fut abandonnée, et le Progrès laissa la place à *La Liberté éclairant le monde,* inspirée en partie du personnage du célèbre tableau de Delacroix, *La Liberté guidant le peuple.* Et savez-vous à qui la dame ressemble ? À la mère de Bartholdi, pardi ! Son visage est d'ailleurs reproduit (à la taille de la statue) à l'entrée du musée. La charpente métallique de ce colosse féminin fut réalisée dans les ateliers Gaget-Gauthier, sous la houlette de Viollet-le-Duc. Malheureusement ce dernier mourut avant la fin de la construction, ce qui conduisit Bartholdi à faire appel à un spécialiste en charpente métallique, l'ingénieur Gustave Eiffel, qui n'avait pas encore réalisé sa fameuse tour. Eiffel reprit donc le projet de Viollet-le-Duc, en le modernisant. Exposée au parc Monceau dans le but de lever des fonds, elle fut financée par une souscription populaire, avant d'être démontée puis acheminée par bateau jusqu'au piédestal bâti par les Américains pour une inauguration en grande pompe le 28 octobre 1886. Ne manquez pas de jeter un œil aux anciens documents et affiches récupérant l'image de la grande dame à des fins publicitaires ou de propagande patriotique, aussi bien côté français qu'américain (ah, la pub pour *Levi's* !). Enfin, sachez que la statue fut rénovée en 1986 pour son centenaire. Son bras (qu'elle a long, 13 m tout de même) fut à cette occasion réajusté, car il avait été mal monté en 1886...

Après la visite du musée, on grimpe (par les escaliers ou en ascenseur) jusqu'à la promenade qui fait le tour du piédestal. Superbe vue à 360° sur Manhattan, Brooklyn, le New Jersey et ses installations portuaires. Avant de redescendre, si vous n'avez pas réservé pour la couronne, ne manquez pas de lever les yeux pour apercevoir l'intérieur de la statue. Pour ceux qui ont préalablement réservé un billet spécial, il est temps de lacer ses chaussures pour partir à l'assaut des 200 et quelques marches grimpant jusqu'à la mythique **couronne.** On vous prévient, en cas de souffle court ou de claustrophobie, mieux vaut passer son tour. Par

MISS LIBERTY, UNE PAYSANNE MUSULMANE ?

C'est ce qu'affirme le très sérieux Smithsonian Institute qui gère les plus grands musées de Washington. En 1869, lors de l'appel d'offres lancé par le gouvernement égyptien pour construire un phare au bout du canal de Suez, Bartholdi propose une statue colossale de femme paysanne voilée portant une torche, symbolisant « l'Égypte apportant la lumière à l'Asie ». Recalé pour Suez, le sculpteur français s'inspirera de la silhouette de cette femme pour réaliser sa statue de la Liberté un an plus tard.

petits groupes de 12-15 personnes, on emprunte un raide et étroit escalier en colimaçon se faufilant à l'intérieur de la structure métallique, juste sous le drapé de cuivre de Miss Liberty, qui mesure à peine 2,38 mm d'épaisseur. Tout est à nu, les boulons, les rivets. Intéressant pour vraiment comprendre comment tout cela est agencé. Au sommet, minuscule observatoire d'où jeter un œil sur la baie à travers les lucarnes à la base de la couronne. Bon, on ne voit pas grand-chose, il faut bien l'avouer. Puis c'est la redescente, par un second escalier tout aussi étriqué.

¡●¡ *Fast-food* sur place, mais la cafét' d'Ellis Island est plus agréable.

☆☆☆ **Ellis Island National Museum of Immigration** *(hors plan 1 par B6) :* on s'y rend par le ferry qui s'arrête d'abord à Liberty Island *(pass combiné pour les 2 îles ;*

LOWER MANHATTAN

voir infos pratiques et tarifs plus haut). Dernier retour d'Ellis Island vers Manhattan à 17h15. Audioguide en français inclus. Prévoir au moins 2h sur place car c'est très dense. Visite guidée gratuite ttes les heures 11h-16h (30 mn, en anglais slt). Aussi une visite guidée payante des vestiges de l'ancien hôpital d'Ellis Island, recommandée surtout pour ceux qui connaissent déjà le musée (pour une 1re visite, le musée est déjà suffisamment riche) ; Hard Hat Tours, mars-oct slt, durée 1h30, 53 $ ferry inclus ; résa à l'avance sur ● statuecruises.com ●

De 1892 à 1924, plus de 12 millions de candidats à l'immigration ont débarqué à Ellis Island, point de contrôle obligatoire avant Manhattan et le Nouveau Monde. L'île est ainsi devenue un véritable lieu sacré : plus de 100 millions d'Américains, soit 40 % de la population, ont un parent qui serait passé par ici ! Durant la Seconde Guerre mondiale, Ellis Island servit de lieu d'internement de citoyens allemands, japonais et italiens, avant que le complexe ne ferme définitivement en 1954. Les anciens bâtiments d'accueil des candidats à la citoyenneté américaine ont depuis été convertis en un passionnant musée retraçant l'histoire de l'immigration aux États-Unis. Et ce n'était pas toujours rose, comme le prouve le témoignage suivant : « Quand je suis arrivé en Amérique, je croyais que les rues étaient pavées d'or. Je me suis vite aperçu que c'était faux, que les rues n'étaient pas pavées du tout et que c'était à moi de le faire. »

La visite

– On entre par la **salle des bagages,** au rez-de-chaussée, où trônent quelques malles et valises d'époque. À gauche, le comptoir d'information. Au fond à droite, salle vidéo où est régulièrement projeté un petit film (30 mn). Allez d'abord consulter les horaires de projection, pour commencer par la dans la mesure du possible. Au fond du hall, derrière des paravents, une **riche expo** (*Journeys : The Peopling of America*) retrace l'histoire du peuplement des États-Unis, des pionniers du XVIe s à l'immigration massive du XIXe s, en passant par la traite négrière. De nombreux panneaux et cartes détaillent les zones de peuplement par pays d'origine, les vagues successives d'immigration replacées dans leur contexte historique, le développement des réseaux de solidarité communautaire, le durcissement progressif des lois sur l'entrée aux USA. Ces siècles d'immigration ne se sont pas déroulés sans heurts, et le musée n'ignore pas les sujets qui fâchent : extermination des peuples natifs, esclavage, émeutes anticatholiques organisées dès le XVIIe s par des prêcheurs protestants opposés à l'arrivée massive d'Irlandais, « *exclusion act* » frappant les Chinois, promulgué en 1882 pour n'être aboli que 60 ans plus tard, etc. Plus positive, la dernière section diffuse, via des panneaux sonores, des rythmes traditionnels que les migrants apportèrent avec eux de leur pays d'origine. Une richesse culturelle aux sources de la musique américaine d'aujourd'hui. La suite de l'expo se poursuit un peu plus loin, au même niveau, avec la nouvelle section **New Eras of Immigration,** qui retrace les politiques d'immigration post-Ellis Island, de 1945 à nos jours. En chemin, on croise l'**American Family Immigration History Center,** où l'on peut, moyennant 7 $, faire des recherches sur ses ancêtres passés par ici et les honorer par une inscription (et un don) au *Wall of Honor* (à l'extérieur), aujourd'hui composé d'environ 700 000 noms.

– Puis c'est la montée à l'étage *(2nd Floor)* vers la **salle d'enregistrement** où pouvaient se presser jusqu'à 5 000 personnes chaque jour. Quel immense espace vide aujourd'hui (belle vue sur la *skyline* depuis les arches vitrées)... Impressionnant, les vieux murs élégants exhalent l'atmosphère de l'époque. C'est là que les immigrants vivaient leur première épreuve sur le sol américain : « l'examen médical de 6 secondes ». À leur insu, des médecins postés en haut examinaient leur façon de gravir l'escalier et marquaient d'un signe à la craie les vêtements de ceux qui semblaient mériter un contrôle. Un *E* pour les yeux *(eyes),* un *B* pour le dos *(back),* un *H* pour le cœur *(heart),* un *L* pour les poumons *(lungs),* un *X* pour les déficiences mentales, un *PG* pour *pregnant* (enceinte), etc. Suivaient alors des tests d'alphabétisation et de compréhension de l'anglais. Les candidats à l'immigration devaient répondre à des questions du genre : « Êtes-vous anarchiste, polygame ? », « Avez-vous de la famille aux États-Unis ? », etc. À une question sur sa date de naissance que lui posait l'agent d'état civil, un homme répondit en allemand : *Vergessen* » (« J'ai oublié »). Désormais, lui et tous ses descendants s'appelleraient Fergusson.

– Se diriger ensuite vers les *ailes du bâtiment* pour suivre de salle en salle le chemin qui conduisait, dans le meilleur des cas, à un bureau de change et enfin au guichet du ferry pour Manhattan. Excellents panneaux, documents, films et témoignages d'archives. Les recalés prenaient, quant à eux, « l'escalier de la Séparation », le couloir central qui les conduisait vers les dortoirs ou l'hôpital pour des examens supplémentaires. En tout, 250 000 personnes sont retournées d'où elles venaient, soit officiellement 2 % du nombre total des immigrants. Le prix du billet

LOWER MANHATTAN

retour était compris dans les 25 $ du bateau à vapeur. S'ils étaient recalés, les candidats à l'immigration ne pouvaient pas rechigner en prétextant qu'ils n'avaient pas l'argent pour repartir...

– Dans les autres ailes du 1er étage, la superbe exposition **Peak Immigration Years,** mise en valeur par une muséographie récente, retrace le destin de ces immigrants une fois arrivés aux États-Unis : les enfants entre deux cultures, les théâtres « ethniques » aménagés dans les sous-sols qui servaient de refuge culturel aux nouveaux arrivants, le rôle de l'immigration dans la construction de l'Amérique moderne, le travail des femmes...

– Dans les salles du *2e étage* (*3rd Floor* ; accès par les coursives), on visite un petit dortoir à l'époque surpeuplé, puis des maquettes montrent la transformation de l'île de 1854 à 1940, agrandie plusieurs fois pour suivre la montée du nombre des immigrants... Enfin, quelques panneaux et photos illustrent la restauration des lieux.

– *Visite des vestiges de l'hôpital d'Ellis Island (Hard Hat Tours) :* mars-oct, résas à l'avance sur ● statuecruises.com ● 53 $, ferry et visite du musée inclus (enfants dès 13 ans). Coiffé d'un casque de chantier et guidé par un ranger, on visite en tout petits groupes une partie de l'île inaccessible aux visiteurs : l'hôpital où étaient traités les immigrants atteints de maladies contagieuses. Atmosphère fantomatique dans ces lieux rongés par le temps et dévastés par l'ouragan Sandy (les traces de la montée des eaux sont encore bien visibles). Une restauration est en projet, une consolidation plutôt car l'idée est de montrer cet état de délabrement. Le jeune artiste français JR a été invité à scénographier les lieux avec ses fameux collages photographiques réalisés à partir d'archives. Vitres cassées, murs décrépits et portes vermoulues sont habités par les portraits de ceux qui ont fréquenté Ellis Island. Très émouvant, mais dommage que les commentaires ne soient pas passionnants.

– Complément intéressant à la visite d'Ellis Island, le *Tenement Museum* et ses visites guidées thématiques autour des conditions de vie des immigrants au début du XXe s (voir le descriptif dans « East Village, NoHo et Lower East Side »).

|●| *Cafétéria* au rez-de-chaussée, inspirée du réfectoire d'Ellis Island (à tous points de vue, nourriture comprise), avec vaste terrasse panoramique agréable par beau temps (belle vue).

🎭🏃 *Staten Island Ferry (zoom 1) :* à la pointe sud de Manhattan. ● siferry. com ● Ⓜ (1, 9) South Ferry. Départs du Whitehall Terminal 24h/24 ttes les 30 mn *env 5h-1h30, et ttes les heures le reste de la nuit ; fréquence encore plus rapprochée (ttes les 15 mn) aux heures de pointe en sem. GRATUIT.* Ce ferry orange plus que centenaire (1905) transporte chaque jour environ 60 000 personnes et la traversée dure 25 mn. Il n'accoste pas sur Liberty Island et ne permet pas de visiter la statue de la Liberté, mais les fauchés et les autres ne manqueront pas cette expérience inoubliable, surtout à la tombée de la nuit, où vous pouvez admirer le soleil couchant sur la *skyline* de Manhattan et la statue de la Liberté... À l'aller, montez sur la passerelle extérieure à droite (à tribord en langage marin) pour être du côté de la statue de la Liberté. Au retour, placez-vous à gauche et un peu avant l'arrivée, filez sur le pont arrière pour ne pas louper la vue sur la *skyline* de près. Vous serez de cette façon les premiers à sortir du ferry.

🎥🎥 *Museum of Jewish Heritage (zoom 1) :* 36 Battery Pl (angle 1st Pl). ☎ 1-646-437-4202. • mjhnyc.org • Ⓜ (4, 5) Bowling Green. *Dim-mar et jeu 10h-17h45, mer 10h-20h, ven 10h-17h (15h nov-mars). Fermé sam, pdt certaines fêtes juives et à Thanksgiving. Entrée : 12 $; réduc ; gratuit moins de 12 ans et pour ts mer 16h-20h. Audioguide gratuit (anglais et espagnol) et visites guidées gratuites dim à 12h.* Ce musée historique dédié au peuple juif et à son implantation aux États-Unis occupe un immeuble en forme de pyramide à six côtés, en hommage aux 6 millions de victimes de la barbarie nazie. À l'heure où le racisme et l'antisémitisme reprennent un bien mauvais souffle en Europe, un musée passionnant, ni larmoyant ni accusateur.
– *Rez-de-chaussée : la vie juive traditionnelle.* De nombreux documents et films retracent la vie des juifs et leurs traditions de 1880 à 1930 : shabbat, mariage, saisons, synagogues, éducation... 2,6 millions d'entre eux quittèrent l'Europe pour les États-Unis dans ces années, réduisant de 75 à 58 % la part mondiale de juifs restée sur le Vieux Continent.
– *1er étage : l'Holocauste.* De la montée du parti nazi en Allemagne dans les années 1920 aux lois racistes de Nuremberg en 1935, se posa la difficile question « To stay or to go ? » pour les juifs allemands, à l'image de ces familles déchirées et de leurs 10 000 enfants réfugiés en Grande-Bretagne ou encore du *Saint-Louis,* un paquebot transportant 900 juifs qu'aucun pays ne voulait accueillir. Puis l'invasion de la Pologne en 1940 et le ghetto de Varsovie, les camps d'extermination, la collaboration française, la Résistance... Les murs sont couverts de photos des disparus, les témoignages vidéo des survivants de la Shoah se révèlent dignes, des objets les rendant plus poignants encore.
– *2e étage : la création d'Israël.* Étage consacré à l'après-guerre (à commencer par le procès de Nuremberg en 1945) et au renouveau juif, avec la création de l'État d'Israël. Clin d'œil aux artistes juifs : les chanteurs Bob Dylan, Paul Simon, Barbra Streisand, les hommes de cinéma Woody Allen, Dustin Hoffman, Steven Spielberg... Hommage aux films *Exodus* ou *La Liste de Schindler.* En sortant, alors que l'on ne s'y attendait pas, la statue de la Liberté trône derrière les baies vitrées.
🍸 *Cafétéria :* tlj sf sam jusqu'à 15h (19h mer, 14h ven). Accès à ts, visiteurs ou non du musée. Là encore, très belle vue sur la statue de la Liberté !

🎥 *Skyscraper Museum (zoom 1) :* 39 Battery Pl, face au Musée juif. ☎ 212-968-1961. • skyscraper.org • Ⓜ (4, 5) Bowling Green. *Mer-dim 12h-18h. Entrée : 5 $; réduc ; gratuit moins de 12 ans.* Petit musée consacré aux gratte-ciel avec expos temporaires et une section permanente sur le World Trade Center. Pour les mordus d'architecture surtout.

🎥🎥 *National Museum of the American Indian (Heye Center ; zoom 1) :* 1 Bowling Green (entrée à l'extrémité de Broadway). ☎ 212-514-3700. • nmai.si.edu • Ⓜ (4, 5) Bowling Green. *Tlj (sf Noël) 10h-17h (20h jeu). GRATUIT. Visites guidées gratuites, consulter le programme quotidien. Audioguides gratuits en anglais.*

La façade
Face à la célèbre statue en bronze du taureau en position d'attaque, à l'endroit même où le gouverneur Peter Minuit aurait acheté l'île aux Indiens manhattes en 1626 pour la modique somme de 60 florins (soit environ 25 $), le musée occupe

l'*Alexander Hamilton Custom House*. Cet imposant bâtiment construit en 1907 doit sa grandiloquence aux droits de douane prélevés sur les marchandises arrivant à New York. Il faut détailler les sculptures de la façade de style « French Beaux-Arts » (réalisées par Daniel Chester... French, celui du Lincoln Memorial à Washington DC). Devant l'entrée, les figures féminines symbolisent les quatre grands continents. Celui de l'Amérique montre une maîtresse femme, brandissant

MÊME PAS PEUR !

Les Indiens mohawks ne semblent pas souffrir du vertige et ont ainsi contribué à l'édification des plus hauts gratte-ciel de New York et de Chicago. En réalité, c'est faux : ils ont le vertige comme tout le monde, mais ils prennent le boulot qu'on leur donne. De nos jours encore, beaucoup d'entre eux vivent dans des réserves au Québec et n'hésitent pas à rejoindre la semaine New York en voiture (à 600 km).

la torche du Progrès, entourée d'un Indien qu'elle cache complètement et d'un ouvrier à genoux sous son bras protecteur. Les fantasmes de l'Amérique triomphante ! Quant aux statues sur la corniche, elles représentent les grandes puissances maritimes de la planète : Venise avec son doge et sa gondole ou encore la Scandinavie avec une femme viking.

Par ici la visite
À l'intérieur, grandiose rotonde ovale d'où l'on accède aux salles d'exposition. Dépendant de la célèbre *Smithsonian Institution* de Washington, le musée fut fondé au début du XXe s par un banquier new-yorkais, George Gustav Heye, qui rassembla pendant ses voyages des objets fabriqués par les différentes tribus indiennes, de l'Arctique à la Terre de Feu. Aujourd'hui, la collection, qui couvre une période de 10 000 ans, compte plus de 1 million de pièces. C'est l'une des plus complètes au monde. Tous ces objets traditionnels, pour la plupart superbes, nous éclairent sur l'environnement, l'économie, l'habitat, l'armement, les techniques de chasse, l'alimentation, les croyances, l'organisation sociale et les divertissements de chaque peuple... On recense actuellement plus de 1,5 million de *Native Americans* (ou *American Indians*) aux États-Unis, voir le mur présentant les noms des 559 tribus recensées. Environ 30 000 d'entre eux ont élu domicile à New York, pas mal vivent en Californie et dans l'Oklahoma, tandis que les autres se répartissent dans les 280 réserves du pays.
Comme il est impossible de tout exposer en même temps, le musée compte une expo permanente (galerie *Infinity of Nations*) et deux autres (à droite et à gauche de la rotonde) où l'on fait tourner des expositions temporaires selon une muséographie d'une grande qualité, didactique et aérée.

🦅 *Fraunces Tavern Museum* (zoom 1) : 54 Pearl St (et Broad). ☎ 212-425-1778. ● *fraunces tavernmuseum.org* ● Ⓜ (4, 5) Bowling Green ou (J, Z) Broad St. Tlj (sf Thanksgiving, Noël et Nouvel An) 12h (11h w-e)-17h. Entrée : 7 $; réduc. Cette belle bâtisse en brique de style géorgien doit son nom à l'Antillais Samuel Fraunces, maître d'hôtel de George Washington, qui en fit une taverne en 1762. Devenue populaire, elle fut même un lieu de réunion pour les jeunes révolutionnaires... Washington offrit, au 2e étage, un grand dîner d'adieu à ses troupes

LA DENT DE L'INDÉPENDANCE

Dans le musée de Fraunces Tavern, essayez de repérer le bout de dent de George Washington montée en pendentif. Il eut à en découdre avec ses quenottes dès l'âge de 20 ans. Lorsqu'il prêta serment, il n'avait plus qu'une dent, qui fêtait l'indépendance à sa manière ! La boursouflure des lèvres du président, due à ses disgracieux râteliers jaunis faits en ivoire d'hippopotame, dents humaines (!) et ferraille, serait visible sur le portrait de Gilbert Stuart (1796). Pas de chance, c'est celui qui figure sur le billet de 1 $.

LOWER MANHATTAN

après le départ des Anglais, en 1783. Cette salle *(The Long Room)* a été conservée telle quelle. Le lieu abrite aussi, sur deux niveaux, un *musée* qui commémore la guerre d'Indépendance avec armes, drapeaux, manuscrits, tableaux et meubles (surtout pour les fanas de l'histoire américaine). Au rez-de-chaussée, la taverne est toujours là, avec son décor très chaleureux (voir *The Porterhouse Brewing Co.* dans les rubriques « Où manger ? » et « Où boire un café ? Où boire un verre ? »).

FINANCIAL DISTRICT

🏃🏃 *Wall Street (zoom 1) :* le nom de cette célébrissime rue aurait deux origines. D'abord, la plus connue : un mur construit en 1653 par les Hollandais pour se protéger des Indiens. Il aurait été détruit 40 ans plus tard par les Anglais qui s'étaient entre-temps emparés de La Nouvelle-Amsterdam pour la rebaptiser New York. Autre version, rapportée par Eloïse Brière, lointaine descendante de Français arrivés au XVII⁰ s, dans son livre *J'aime New York :* « Là pas de mur, mais

LA BOURSE OU LA VIE

La statue en bronze d'un taureau en position d'attaque, sur le terre-plein central de Bowling Green, est devenue l'icône du quartier financier de Wall Street. Dans le jargon boursier et financier, on est bullish (de bull, « taureau ») quand on est positif et optimiste sur l'avenir. Inversement, on est bearish (de bear, « ours ») quand on est pessimiste sur la conjoncture ou l'état d'une entreprise.

la présence de Wallons francophones, premiers à s'installer dans le quartier... » ; bien avant les traders et autres golden boys ! Wall Street est aujourd'hui le siège de la Bourse américaine et le centre financier de la planète, où les courtiers font la pluie et le beau temps sur la santé économique du monde. Mais cette rue de buildings a connu des hauts et des bas. Quelques dates resteront dans l'Histoire, comme le lundi 19 octobre 1987, plus connu sous le nom de Lundi noir, où la Bourse enregistra sa chute la plus brutale depuis le Jeudi noir de 1929...
Lors des attentats du 11 septembre 2001, tout le quartier de Wall Street a été paralysé. Pour la première fois depuis la Seconde Guerre mondiale, la Bourse de New York a fermé ses portes pendant 6 jours. Aujourd'hui encore, la sécurité est omniprésente, et une bonne partie du secteur est accessible uniquement à pied.

➤ Maintenant, en route pour une *balade le long de Wall Street !*
– Au n° 1 (angle de Broadway), bel édifice Art déco des années 1930 qui accueille les bureaux de la *Bank of New York.* Impossible de manquer, juste en face, la belle *Trinity Church* (voir le paragraphe sur Broadway, un peu plus loin).
– Puis, point d'orgue de Wall Street : le *New York Stock Exchange (zoom 1),* N.Y.S.E. pour les initiés. La Bourse de New York, quoi ! Elle fut fondée en 1792 et fonctionne de 9h30 à 16h. On ne peut plus la visiter depuis les attentats de 2001, le quartier étant désormais surprotégé par les policiers, qui sont

ET POURQUOI PAS DES SIGNAUX DE FUMÉE ?

Pour connaître au plus tôt l'évolution du marché, les premiers investisseurs ne manquaient pas d'imagination : pigeons voyageurs lâchés des trans-atlantiques dès qu'ils approchaient des côtes, signaux lumineux ou drapeaux relayés d'immeubles en collines... Il ne fallait guère plus de 1h30 pour qu'une nouvelle parvienne de Philadelphie à New York. Au sein même de Wall Street, un courtier eut l'idée d'utiliser des daims pour véhiculer les cotations entre la Bourse et les bureaux. Un système délirant qui perdura jusqu'à l'avènement du télégraphe !

devenus l'attraction du coin : il y a des jours où les touristes font quasiment la queue pour être pris en photo avec eux !

– Au n° 26, à l'angle de Nassau Street, le *Federal Hall National Memorial* a été construit dans le plus pur style grec antique en 1842, à l'emplacement d'un bâtiment encore antérieur. Celui-ci servait de siège au gouvernement américain lorsque New York fut, l'espace de quelques années, la capitale des tout jeunes États-Unis, juste après l'indépendance. C'est pour cette raison qu'une statue de George Washington se dresse juste devant. On peut y entrer pour admirer la rotonde (☎ 212-825-6990 ; • nps.gov/feha • ; tlj sf w-e et j. fériés 9h-17h ; visites guidées gratuites de 30 mn, horaires indiqués à droite en entrant).

– Au n° 30, observez les traders se défoulant sur les tapis roulants de la salle de sport du *NY Sports Club.* Au coin sud-est de Wall Street et Broad Street, il reste quelques traces d'impact d'un attentat de 1920 ayant fait 38 victimes et des centaines de blessés, dont le père de Kennedy.

– Au n° 48, le *Museum of American Finance* (voir plus loin), installé dans le superbe immeuble néo-Renaissance de l'ancienne *Bank of New York* de 1928, banque fondée en 1784 par Alexander Hamilton.

– Derrière vous, au n° 50, un de ces nombreux lobbys d'immeubles privés ouverts aux New-Yorkais pour y faire une pause en journée, pique-niquer le midi, etc.

– Au n° 55, notez la double rangée de colonnes néoclassiques.

Remontons maintenant un peu au-dessus de Wall Street par Nassau Street.

– Juste à côté du 1 Chase Manhattan Plaza, on admire un *Groupe de quatre arbres* du sculpteur français Jean Dubuffet.

– À l'angle de Nassau et Liberty Street, la *Federal Reserve Bank* (ou *Fed,* pour les intimes des marchés financiers ; *zoom 1*), qui a fêté ses 100 ans en 2014. Derrière cet édifice de style florentin se cachent un quart des réserves d'or mondiales et une autorité économique dont les décisions ont des retentissements sur la terre entière. On y stocke 300 milliards de dollars, mais on y détruit aussi chaque jour 100 millions de dollars de billets usagés. Visites guidées gratuites du coffre-fort à condition de s'inscrire pile 1 mois à l'avance sur leur site internet (• newyorkfed.org • ; en sem slt, à 13h et 14h ; durée 1h).

> ## POUR TOUT L'OR DU MONDE
>
> *La Federal Reserve Bank abrite gratuitement, depuis la Seconde Guerre mondiale, outre les réserves d'or du pays, celles des 36 banques centrales étrangères et d'organisations internationales. Pratique pour les transactions en direct ! Le coffre-fort ultra-sécurisé est situé à plus de 15 m au-dessous du niveau de la mer. Les 530 000 lingots sont placés sous l'entière responsabilité de trois personnes seulement. Celles-ci supervisent tout, y compris le changement d'une ampoule !*

🏛 *Museum of American Finance (zoom 1) :* 48 Wall St (et William). ☎ 212-908-4110. • moaf.org • Ⓜ (2, 3, 4, 5) Wall St. Mar-sam 10h-16h. Entrée : 8 $; réduc. De prime abord, on pourrait considérer ce musée pas bien grand comme franchement barbant. Et c'est là tout le génie américain : rendre attrayant n'importe quel sujet en le présentant de façon ludique et interactive ! Alors c'est parti pour une plongée dans l'univers impitoyable de la finance, où l'on apprend comment Wall Street est devenue une puissance si redoutable qu'elle influence l'économie mondiale depuis un siècle. La valse des montants échangés chaque jour à la Bourse donne le vertige. Tout cela, nous le devons à Alexander Hamilton, l'inventeur de la Bourse en 1792 et architecte de l'économie de marché. À sa mort (en duel au pistolet !), il fut enterré à Trinity Church. Les vitrines présentent une collection d'antiques bons-au-porteur et de chèques signés par des célébrités (dont celui de Rockefeller, qui correspondrait aujourd'hui à... 2,7 millions de dollars). Voir encore la section sur l'histoire de la monnaie où l'on décortique notamment le billet de 10 $.

🗽 *Elevated Acre* (plan 1, C6) : 55 Wall St. Ⓜ (J, Z) Broad St. Coincé entre les gratte-ciel, un providentiel espace de verdure auquel on accède par un escalateur à droite du Chase Center dans Water Street. Comme c'est le seul du quartier des Finances, les *officers* viennent y grignoter vite fait leur sandwich le midi, dans le bruit de la route en contrebas et des hélicos qui décollent juste en face. Les touristes profitent surtout de la vue géniale sur le pont de Brooklyn, l'East River et Governors Island.

🗽🗽 *Broadway* (zoom 1) : c'est l'avenue la plus longue de Manhattan qui la traverse du sud au nord. Attention, le quartier éponyme, connu pour ses théâtres et salles de spectacle, se trouve du côté de Times Square. À Lower Manhattan, commencer la balade par la très élégante *Trinity Church* (zoom 1 ; à l'angle de Wall St ; ● trinity wallstreet.org ● ; tlj 8h-16h ; concerts gratuits de 1h en saison, jeu à 13h), objet de nombreuses photos avec les gratte-ciel en fond. Elle date seulement du milieu du XIXᵉ s, mais a été en fait reconstruite deux fois, après un incendie et une démolition. Sa façade a fait scandale au moment de la construction, car le grès rouge n'était pas considéré comme un matériau noble. Son cimetière attenant montre un vrai côté campagnard et, en été, plein de gens viennent y chercher de l'ombre ou un moment de paix... À l'entrée, la sculpture en bronze, en forme de racine d'arbre renversé, est l'hommage d'un artiste de Philadelphie au vieux sycomore retrouvé après le 11 Septembre dans le petit cimetière de Saint Paul's Chapel (décrit plus loin). Dans sa chute provoquée par l'effondrement des tours jumelles, il avait mira-culeusement épargné et même protégé les tombes autour de lui. Un signe que des New-Yorkais ont interprété comme une action divine.
– En remontant sur Broadway, entre Cedar et Pine Street, la façade de l'*Equitable Building* (zoom 1) semble avoir été coupée en deux. Sa construction, au début du XXᵉ s, a déchaîné les passions. On protesta contre sa taille : il faisait trop d'ombre aux autres rues (il était donc inéquitable ?). En forme de H et élevé sur un socle orné d'aigles en pierre, cet immeuble néo-Renaissance possède quatre entrées et pas moins de 5 000 fenêtres ! Après son inauguration, une loi fut adoptée, qui réglementerait désormais la taille et la forme des buildings pour faciliter la venti-lation et l'éclairage des rues.
– Une autre église sur Broadway, à l'angle d'Ann Street, anachronique avec son fronton de temple grec, *Saint Paul's Chapel* (zoom 1 ; ● trinitywallstreet.org/ content/st-pauls-chapel ● ; tlj 10h (7h dim)-18h ; concerts gratuits de 1h en saison, mer à 13h). C'est la plus ancienne église de la ville, datant d'avant la révolution. Washington y célébra sa nomination comme premier président des États-Unis d'Amérique. Son prie-Dieu y est exposé. À deux pas du World Trade Center, le petit cimetière au milieu des buildings, orné d'une cloche offerte par les Britan-niques en 2002, apparaît surréaliste, avec tous ces New-Yorkais pique-niquant entre les tombes à l'ombre des grands arbres. Centre stratégique des secours en 2001, l'église est devenue un lieu de mémoire dédié à ces événements dra-matiques. À l'intérieur, on a conservé un banc portant les marques laissées par les pompiers et autres bénévoles qui venaient s'y nourrir, soigner et se reposer. Émouvant pour les photos, vidéos, témoignages, ex-voto et reliques en tout genre devant lesquels viennent se recueillir les New-Yorkais.
– Ne manquez pas non plus le *Woolworth Building* (zoom 1), entre Barclay Street et Park Place. Construit en 1911 dans un style néogothique flamboyant. Essayez de vous glisser dans le hall d'entrée pour apercevoir les plafonds dorés à la feuille d'or, les voûtes de style byzantin et les ascenseurs rococo-gothiques. Sinon, possibilité de réserver à l'avance une visite guidée payante (☎ 203-966-9663 ; ● woolworthtours.com ● ou ● untappedcities.com ●).

LE QUARTIER DU WORLD TRADE CENTER

🗽🗽🗽 Longtemps surnommé *Ground Zero*, le site où s'élevaient les Twin Towers du World Trade Center est toujours en chantier, mais le très attendu *One World*

Trade Center (One WTC) domine désormais la *skyline*. Pour la plus grande fierté des New-Yorkais, la tour est même, depuis la pose de la dernière pierre de sa flèche le 10 mai 2013, la plus haute du monde occidental. Le complexe, construit en arrondi autour du *9/11 Memorial* (de larges bassins à l'emplacement même des Twins et un musée), comprendra à terme six gratte-ciel, numérotés de 1 à 7 (le n° 6 étant réservé au mémorial). Le *7 WTC* (sur Vesey Street, angle Greenwich) fut le

SIMPLE COMME UN COUP DE FIL

Le 7 août 1974, le funambule français Philippe Petit (né en 1949) réalisait sa traversée la plus célèbre entre les Twin Towers, à 420 m du sol, devant des New-Yorkais médusés. Un tour de force tout à fait illégal, déjouant les services de sécurité. Cela valait bien d'être relaté dans deux films : Man on Wire *(James Marsh, 2008), oscar 2009 du meilleur documentaire, et* The Walk *(Robert Zemeckis, 2015).*

seul reconstruit dans la foulée des attentats, en 2006 (cette tour s'était effondrée peu après les deux autres). Plus petite tour du site (298 m tout de même), le *4 WTC,* inaugurée fin 2013, accueille boutiques et restos, comme le fera le *3 WTC* (ouverture en 2018). Quant au building n° 2, son chantier connaît des hauts et des bas, alors que la tour n° 5 est encore dans les cartons.

Sur un plan plus pratique, le site comprend également une nouvelle gare, spectaculaire avec sa double marquise symbolisant les ailes d'une colombe, le *World Trade Center Transportation Hub,* conçue par l'architecte Santiago Calatrava et inaugurée en mars 2016. La gare la plus chère du monde permet à plus de 200 000 passagers d'accéder quotidiennement au réseau du métro et à la gare des trains de banlieue reliant Manhattan et le New Jersey en passant sous l'Hudson River (PATH). Enfin, entre le mémorial et l'Hudson River, le complexe commercial *Brookfield Place,* un impressionnant jardin d'hiver avec toit en verrière, abrite boutiques et restos dont un vaste *food court (Hudson Eats)* et un marché gourmet dédié aux produits français *(Le District),* ainsi qu'une patinoire en hiver et un accès direct à la promenade le long de la rivière.

Un peu d'histoire

Les Twins étaient la porte d'entrée de Manhattan et le symbole de la toute-puissance économique américaine. En arrivant par avion, c'était la première vision de New York, une ville ouverte sur le ciel... Avec près de 500 entreprises, 50 000 salariés, 10 000 visiteurs au quotidien et 80 000 clients des centres commerciaux, le World Trade Center symbolisait l'adresse mythique des grandes multinationales.

D'ailleurs, le complexe possédait même son propre code postal : 10048. Du sommet, on avait la vision d'une immense maquette animée entourée d'eau...

Mais au matin du 11 septembre 2001 et devant 2 milliards de téléspectateurs, les tours nord et sud du World Trade Center se sont effondrées (en 10 s à peine...), frappées à mort par deux avions de ligne détournés par des commandos-suicides d'Al-Qaida. Le bilan des victimes avoisina les 2 750 morts, dont des centaines de pompiers et policiers ; 8 mois furent nécessaires pour tout déblayer.

DES MÉTAUX LOURDS DE SENS

Le USS New York, *dernier-né de la marine américaine inauguré fin 2009, est un navire de guerre un peu particulier. Pour le bâtir, on a utilisé 7,5 t d'acier récupéré dans les décombres du World Trade Center. Sa forme lui rend aussi hommage puisqu'elle comporte deux tours évoquant les Twins. Certains ouvriers n'ont pas hésité à différer leur départ à la retraite pour avoir l'honneur de participer à sa réalisation.*

LOWER MANHATTAN

Avec leurs 417 et 415 m respectifs et leurs 110 étages chacune, les Twin Towers étaient les plus hauts gratte-ciel de New York. Érigées au début des années 1970 dans le but de revitaliser ce quartier en perte de vitesse (164 immeubles, soit 16 blocs, avaient été rasés pour permettre leur construction), elles étaient conçues pour résister aux rafales de vent, aux séismes, aux bombes (elles avaient déjà survécu à un premier attentat en 1993) et même, en principe, à l'impact d'un Boeing 707 lancé à 950 km/h... On avait néanmoins omis un détail fondamental : la fusion des structures en métal, résultant de la chaleur extrême dégagée par l'incendie de réacteurs bourrés de kérosène.

La reconstruction du site fut ponctuée de rebondissements. La première pierre de la Freedom Tower, rebaptisée ensuite One World Trade Center (One WTC), a été posée le 4 juillet 2004. Mais, pendant de longues années, le chantier est resté au point mort et il a fallu attendre 2012 pour voir sa silhouette complète s'élancer dans le ciel new-yorkais, dominant la ville, de loin comme de près. Retenu dès 2003, le plan de Daniel Libeskind a finalement été modifié en raison des intérêts contradictoires des familles des victimes, des architectes, des milieux d'affaires, des promoteurs, de la police de New York, des politiques ; mais aussi eu égard aux exigences du promoteur Larry Silverstein, lequel avait signé 6 semaines avant les attentats un bail de location des deux tours de 99 ans, tout en pensant à s'assurer contre le risque terroriste ! La maîtrise d'œuvre du projet fut confiée à l'architecte américain David Childs du cabinet Skidmore Owings et Merrill. Si la hauteur de la nouvelle tour, initialement fixée par Libeskind à 1 776 pieds (541 m, dont 124 m d'antenne), chiffre symbolique de la date de l'indépendance des États-Unis, a été maintenue, son design a bien évolué. Le One WTC est une « tour-forteresse » à facettes, éclairée en écho à la torche de la statue de la Liberté. Mais celle qui devait être provisoirement la plus haute tour du monde habitée s'est vue rapidement détrônée par sa rivale de Dubaï, la Burj Al-Khalifa (828 m...) réalisée d'ailleurs par le même cabinet d'architectes. Elle conserve cependant son statut de plus haut building des États-Unis.

🏃🏃🏃 🏃 **One World Observatory** *(zoom 1) : 285 Fulton St (accès à l'angle de West et Vesey St).* ☎ *844-696-1776.* ● *oneworldobservatory.com* ● *Tlj 9h-20h. Entrée (billets avec créneau horaire) : à partir de 34 $; 28 $ 6-12 ans ; forfait famille 105 $ pour 4 ; gratuit moins de 5 ans. Résa en ligne à l'avance vivement conseillée (si le jour J, la visibilité est mauvaise, on vous avertit avec changement possible).* Depuis la fin mai 2015, soit 14 ans après l'attaque terroriste du 11 septembre 2001, le public peut à nouveau admirer la vue extraordinaire depuis l'observatoire du World Trade Center, véritable symbole de la résilience américaine. On accède au 102e étage par une volée d'ascenseurs, les plus rapides du monde paraît-il, conçus comme des capsules à voyager dans le temps. La montée (47 s, donc 37 km/h !) est une attraction en soi. Des images défilent sur des écrans haute définition, retraçant à toute vitesse la construction de New York, depuis les marécages des origines jusqu'à la forêt de gratte-ciel. Trop rapide, on voudrait que ça dure plus longtemps ! Là-haut, la vision dégagée à 360°, à travers les baies vitrées tout en hauteur, est celle d'une maquette animée. Un spectacle à couper le souffle, très différent de la vue depuis l'Empire State Building ou de Top of the Rock puisqu'on embrasse ici toute la pointe sud de Manhattan. D'un seul coup, on comprend la géographie de la ville, entourée d'eau. Par beau temps, le regard porterait jusqu'à 80 km à la ronde et dans des conditions météo optimales, on pourrait même commencer à voir la courbe de la Terre ! Côté sécurité, les ingénieurs ont mis le paquet. Détecteurs de métaux dignes d'un aéroport, larges escaliers de secours, ascenseur d'urgence pour les pompiers et réservoirs d'eau sont englobés dans un cœur d'acier vertical, lui-même protégé par une couche de béton, le tout prévu pour résister aux attaques de camions piégés ou aux impacts d'avions.

🍽 🍴 🍸 **Restaurants panoramiques :** 3 options différentes, au 101e étage. Café (pour manger rapidement), resto chic et bar-lounge pour siroter un cocktail accompagné de petites assiettes de bons produits made in New York. Magique au coucher du soleil.

🎥🎥 **9/11 Memorial** *(zoom 1)* : *sur l'esplanade du site.* ● *911memorial.org* ● *GRATUIT.* Au pied du One WTC se trouvent les North Pool et South Pool du mémorial, inauguré par Barack Obama le 11 septembre 2011, pour le 10ᵉ anniversaire de la tragédie. Très attendu par les familles des victimes, c'est une réussite magistrale. Réalisé sur le thème de l'absence et du silence par l'architecte israélo-américain Michael Arad, le mémorial est un jardin du souvenir planté de chênes blancs, entourant deux immenses et impressionnants bassins vides construits sur les empreintes mêmes des tours

LE MIRACULÉ DU 11 SEPTEMBRE

Entre les deux bassins du mémorial se tient un poirier encerclé d'une barrière métallique. Aujourd'hui seul au milieu de la forêt de chênes blancs, il s'élevait sur la place centrale du World Trade Center. Retrouvé sous les décombres, il fut chouchouté dans un parc de la ville jusqu'à ce qu'il reprenne vie et soit replanté ici. Le Survivor Tree est devenu pour les New-Yorkais un véritable symbole d'espoir et de renouveau après avoir survécu à deux nouvelles catastrophes : une tempête en 2010 et l'ouragan Sandy en 2012.

LOWER MANHATTAN

nord et sud. D'immenses chutes d'eau (9 m de hauteur) tombent en cascade dedans, aspirées dans un puits central dont on ne voit pas le fond. Le symbole est fort, un brin angoissant mais paisible : malgré le passage du temps, l'eau ne remplit jamais les bassins et les vies détruites ici ne seront pas remplacées. À la demande des familles, les noms des 2 983 victimes des attentats de 2001 et 1993 sont gravés sur des parapets en bronze tout autour des bassins, non pas par ordre alphabétique, mais en fonction des liens entre les disparus. Très poignant, c'est un lieu à la fois figé et en mouvement qui invite naturellement au recueillement. Tous les 11 septembre au matin, le mémorial est inondé de lumière, aucune ombre ne devant passer ce jour-là. L'ensemble du site, la hauteur décroissante des différentes tours, les reflets, tout a été étudié au millimètre près dans ce but.

🎥🎥🎥 **9/11 Memorial Museum** *(zoom 1)* : ☎ 212-266-5211. ● *911memorial.org* ● *Tlj 9h-20h (21h ven-sam). Dernier billet 2h avt fermeture. Entrée : 24 $ (!) ; réduc. Inclus dans le CityPass. Gratuit mar 17h-20h (dernière entrée 2h avt fermeture, billets dispo le j. même à partir de 16h). Audioguide en français : 7 $ (mais téléchargement gratuit). Visite guidée de 1h : 18 $. Brochure de visite pour les enfants (en anglais slt). Compter 2h de visite au moins.*
Accessible par un pavillon de verre et acier entre les deux bassins-fontaines du mémorial, le musée a été construit dans les entrailles mêmes du World Trade Center. Évidemment, ce n'est pas le genre d'endroit que l'on visite à la légère, notamment avec des enfants. Pour donner le ton, la direction a été confiée à la directrice adjointe du Holocaust Museum de Washington. Rendre hommage aux victimes et aux survivants, préserver le site et les objets qu'il renferme, faire comprendre l'indicible, tout en tenant compte des sensibilités des uns et des autres, la tâche n'était pas simple ! Mais c'est peu dire que ce lieu bouleversant fait polémique, parfois accusé de mélange des genres, hésitant entre mémorial et musée, en plus du prix prohibitif. Passé les portiques de sécurité, commence la descente dans cet immense espace souterrain aux dimensions de cathédrale pour découvrir un colossal mur de soubassement des tours originelles et surtout cette saisissante œuvre de Spencer Finch (2014) composée de 2 983 aquarelles, une par victime, dans un camaïeu de tons bleus doux pour rappeler la couleur du ciel ce matin du 11 septembre 2001. Derrière le mur, chapeauté de la citation de Virgile « Rien ne vous effacera jamais de la mémoire du temps », se trouvent les 8 000 restes de 1 100 victimes non identifiées. Des reliques humaines dans un musée. Certains proches de victimes ont du mal à se faire à l'idée...
Toute l'ingénierie américaine a été mobilisée pour restituer, de manière huilée et interactive, dans un environnement en constante animation, le timing des 102 mn

qui ont fait basculer le 11 Septembre dans l'horreur. Le tout méticuleusement documenté, filmé, minuté, décortiqué même, dans un amas impressionnant d'objets mis en scène et érigés en reliques (comme ces paires de chaussures ensanglantées), parfois presque en œuvres d'art contemporain à l'image de surréalistes camions de pompiers complètement distordus.

Une restitution poignante et très complète, passionnante et instructive, mais on n'a pas fait dans la demi-mesure, jusqu'aux clichés, insupportables, des dizaines de personnes se jetant dans le vide ou les appels désespérés de victimes laissés sur les répondeurs de leurs proches quelques instants avant leur mort diffusés en boucle. Fallait-il en faire autant ?

C'est là que résident les divergences de vue avec des proches de victimes qui n'apprécient guère non plus le ton mercantile de la boutique où l'on peut offrir à son toutou un manteau à l'effigie des héros canins du 11 Septembre. Parfois, on ne sait plus très bien ce qui dérange, la violence objective des faits ou la manière dont ils sont restitués. Des portes de sortie ont d'ailleurs été disposées tout au long du parcours, pour permettre aux visiteurs qui en ressentent le besoin de quitter les lieux avant la fin...

Alors, musée ou mémorial ? Voyeurisme ou page d'Histoire restituée froidement et minutieusement dans toute sa barbarie ? À chacun de se forger son opinion, en prenant le temps de parcourir cet espace unique au monde. La patine du temps justement, la distance entre mémoire et Histoire, c'est peut-être ce qui manque encore le plus cruellement à ces événements beaucoup trop présents dans l'esprit de tous pour les aborder avec un regard apaisé.

🕎 *Transportation Hub* (zoom 1) : *Fulton et Church St, entre les 2 et 3 WTC.* Très contestée pour son coût pharaonique, « la gare la plus chère du monde » (4 milliards de dollars au lieu de 2, et 7 ans de retard !) est une prouesse architecturale, même si sa spectaculaire silhouette blanche tout en mouvement ne renouvelle pas vraiment le style de l'Espagnol Santiago Calatrava. Depuis mars 2016, quelque 200 000 *commuters* transitent par ce nouveau *hub* destiné à relier entre eux les trains de banlieue desservant le New Jersey (PATH) et 11 lignes de métro, avec des passages souterrains entre les différentes tours du World Trade Center (et bien sûr, des boutiques et des restos). Voir surtout l'*Oculus*, le hall central ovale aux dimensions de cathédrale (111 m sur 49, plus grand encore que celui de Grand Central !), coiffé d'un peigne de poutrelles d'acier dirigées vers le ciel, semblables aux ailes d'une colombe. On a surtout l'impression d'être dans le ventre d'une baleine ! La nuit, la structure illuminée sert de phare au quartier.

🕎 *9/11 Tribute Center* (zoom 1) : *120 Liberty St.* ☎ *1-866-737-1184.* ● *tribu tewtc.org* ● *Tlj 10h-18h (17h dim). Entrée : 15 $; réduc (5 $ 8-12 ans). Visites guidées en anglais tlj à 11h, 12h, 13h, 14h et 15h menées par des bénévoles rescapés ou proches des victimes (env 1h15) : 25 $; réduc.* Nettement plus sobre que le Memorial Museum, mais tout aussi émouvant. Autofinancé par les familles de victimes et les visiteurs, ce musée présente films d'archives, maquette, vestiges (entre autres, le hublot d'un des avions et une poutrelle d'acier complètement tordue) et photos. Section sur les Twin Towers et l'exploit technologique qu'elles représentaient lors de leur construction. Mais surtout un mémorial sous la forme d'un vaste panneau avec objets personnels, souvenirs des victimes originaires de plus de 90 pays et les photos de deux tiers d'entre elles (un répertoire permet de les identifier). Au sous-sol, expos temporaires et mur de messages des visiteurs. Un poignant hommage aux victimes et aux secouristes, pas bien grand ni clinquant mais bigrement efficace.

🌐 *9/11 Memorial Store* (zoom 1, 548) : *20 Vesey St (et Church).* ☎ *212-267-2047.* ● *911memorial. org* ● *Tlj 9h-18h.* Maquette du projet architectural, vidéos, photos et surtout une kyrielle de gadgets, T-shirts, bouquins et autres casquettes à vendre pour la bonne cause...

➤ **Minicroisière sur un vieux clipper :** *infos et horaires au* ☎ *212-619-6900.* ● *manhattanbysail.com* ● *De fin avr à mi-oct, croisière de 1h30 env, 3-4 départs/j. Guichets sur l'esplanade devant l'Ambrose. Tarifs : 39-45 $; réduc.* Ces sympathiques balades sont organisées à bord du *Shearwater* et du *Clipper City,* deux embarcations quasi centenaires.

Itinéraire le long de l'Hudson River

🎥🎥 **Battery Park City** (plan 1, B6) : ● *bpcparks.org* ● Dans la continuité de Battery Park à la pointe sud de Manhattan, où se trouvent les embarcadères pour la statue de la Liberté ou Staten Island, les bords de la rivière Hudson ont été aménagés d'allées, de bancs, de pelouses et de jeux pour les enfants. Le parcours est accessible aux *bikers* comme aux piétons. Une magnifique balade qui s'inscrit dans le renouveau du quartier, en profitant de la vue sur le New Jersey en face. On passe par South Cove, une toute petite crique plutôt nature avant d'atteindre North Cove, une marina dotée d'une esplanade où les patineurs viennent s'amuser en hiver *(The rink of Brookfield).* C'est aussi la porte d'entrée du complexe commercial **Brookfield Place,** aménagé sur le site du World Financial Center, avec ses verrières haut perchées et ses dizaines de commerces et restaurants donnant sur l'eau. En traversant Brookfield, on rejoint le site du World Trade Center. En continuant sur la promenade vers le nord, on parvient à l'embarcadère **World Financial Center Pier** puis à l'**Irish Hunger Memorial.** Cette étrange construction de 2002 signée Brian Tolle ressemble à un immense socle de brique et de verre côté rivière, surmonté d'un paysage sauvage, typiquement irlandais côté ville et totalement anachronique au milieu des buildings.

🎥🎥 La balade continue vers le nord, direction SoHo, Meatpacking et Chelsea, avec une succession de *piers* aménagés ou en cours de réhabilitation, des allées paysagères, des terrains de tennis, des avancées au-dessus de la rivière offrant des points de vue uniques (**piers 26 et 34** par exemple). Au **pier 25,** de mémorables parties de beach-volley en été, un minigolf et un *skate park.* On parvient rapidement à l'immense **pier 40** où l'on peut pratiquer presque tous les sports ! Voir plus loin le chapitre sur Greenwich et Meatpacking.

🎥 **Liberty State Park** (hors plan 1 par B5) **:** *sur l'autre rive de l'Hudson, côté New Jersey.* ● *libertystatepark.org* ● *Accès en ferry au terminal Liberty Harbor depuis le World Financial Center Pier, au bout de Vesey St (plan 1, B5 ;* ☎ *877-379-8678 ;* ● *libertylandingferry.com* ● *; départ ttes les 30 mn lun-ven 6h-20h45, w-e 9h-19h45 ; tarif aller : 7 $; trajet : 10 mn).*
Bordant l'Hudson River côté New Jersey, ce grand parc aux interminables pelouses offre un superbe panorama en coupe de la forêt de buildings de Manhattan, dominée par le One WTC. Au loin se détachent Brooklyn et le Verrazano Bridge. Au milieu du parc, tout contre le fleuve, se dresse la silhouette fantomatique de la **Central Railroad of New Jersey,** gigantesque gare désaffectée bâtie en brique rouge en 1889 et prolongée d'une longue marquise désormais rongée par la rouille. De la fin du XIXe s à la crise de 1929, elle fut le passage obligé de centaines de milliers de migrants, qui, tout juste sortis d'Ellis Island, la rejoignaient en ferry pour grimper dans des trains vers l'intérieur du pays. Au plus fort de son activité, 128 ferries y accostaient chaque jour, débarquant 30 000 à 50 000 passagers qui s'engouffraient dans près de 300 trains. Définitivement fermée en 1967, la gare fut transformée dans les années 1970 en centre d'interprétation. Fortement endommagée par l'ouragan Sandy en 2012, elle n'est plus ouverte au public.
– Du parc, on peut aussi **embarquer pour la statue de la Liberté et Ellis Island,** toutes proches. *Mêmes tarifs que depuis Battery (lire plus haut). Départ ttes les 30-45 mn 8h30-17h (moins de fréquences en hiver).* ● *statuecruises.com* ● Seul un bras d'eau sépare le parc d'Ellis Island. Il y a même une passerelle reliant les deux, mais elle n'est pas ouverte au public.

DU CIVIC CENTER À SOUTH STREET SEAPORT

🏛 ***Civic Center*** *(zoom 2, C5) :* le centre administratif de New York, qui se concentre dans quelques rues au nord de Lower Manhattan. Le ***City Hall Park*** met une touche de vert dans ce paysage bétonné. En été s'y déroulent parfois des concerts gratuits.

Au centre, le ***City Hall,*** la mairie de New York ; à droite, l'énorme ***Municipal Building,*** avec un grand portique (boutique de souvenirs new-yorkais à l'intérieur) et une belle tour blanche surmontée d'une statue dorée, qui fait penser à une pièce montée ! Juste au nord, autour de Foley Square, la cour criminelle *(Court House)* et la cour de justice fédérale et de l'État de New York *(Supreme Court).* À l'arrière-plan, entre Spruce et Beekman Street, la silhouette ondulante et nacrée de la tour en acier brossé **New York by Gehry,** réalisée en 2011 par le célèbre architecte Frank O. Gehry.

🏛 ***African Burial Ground*** *(zoom 2, C5) :* angle Elk et Duane St. ☎ 212-637-2019. ● *nps.gov/afbg* ● *Entrée du musée (expos temporaires) au 290 Broadway.* Ⓜ *(R) City Hall.* Visitor Center mar-sam sf j. fériés 10h-16h. Mémorial tlj sf dim 10h-17h. *GRATUIT.* De ce qui fut un vaste cimetière d'esclaves noirs pendant près de deux siècles, il ne reste qu'un petit coin de pelouse sur laquelle se dresse un mémorial sobre. Tombée dans l'oubli, cette nécropole redécouverte en 1991 à l'occasion de la construction d'un immeuble a suscité beaucoup d'émotion et fut classée *National Monument.* New York, opposée aux États du Sud pendant la triste guerre de Sécession, a malgré tout un lourd passé colonialiste. En 1794, le cimetière situé en dehors des limites de la cité s'étendait sur 5,5 acres et comptait sans doute 15 000 sépultures. Le petit morceau fouillé a permis d'en dégager plus de 420. Les fouilles terminées, les corps ont été solennellement à nouveau inhumés en 2003 et une expo très intéressante installée dans le bâtiment voisin (entrée au 290 Broadway).

– Au centre de Foley Square, à deux pas, un autre monument commémoratif d'inspiration malienne : *Tiywara,* deux antilopes mâle et femelle stylisées. En ce qui concerne les esclaves à New York, voir aussi « Histoire. Prospérité économique et esclavage » dans « Hommes, culture, environnement », en fin de guide.

🏛 🚶 ***South Street Seaport*** *(plan 1, C6) : situé à l'est de Lower Manhattan et du Civic Center.* ● *southstreetseaport.com* ● Ⓜ *(A, C, 2, 3, 4, 5) Fulton St.* C'est le berceau de l'Amérique, l'ancien cœur du port de New York, hyperactif au XIXᵉ s et jusqu'au début du XXᵉ s. C'est ici que débuta la richesse du pays, dans le ballet incessant des clippers, ces bateaux à voiles fins et rapides qui assuraient au milieu du XIXᵉ s le transport de fret. Et puis c'est à Seaport que fut inaugurée, par Thomas Edison lui-même, la première station d'éclairage urbain à l'électricité le 4 septembre 1882. Il y a quelques années, le quartier fut sauvé de la démolition par une importante mobilisation populaire, à caractère largement sentimental. Depuis, un projet de réhabilitation bat son plein autour du mythique Fulton Fish Market, le vieux marché aux poissons, qui a finalement déménagé dans le Bronx en 2005 après 200 ans de présence ici. Du pain bénit pour les promoteurs, qui ont créé à la place une zone de loisirs et de promenade très léchée, à l'américaine mais non sans charme, avec même une patinoire extérieure en hiver. Contraste saisissant entre ces petites rues pavées bordées de maisons en brique à deux pas des gratte-ciel de Downtown. On y trouve une des plus anciennes imprimeries de New York (toujours en activité, au 207-211 Water St), moult cafés élégants et quelques enseignes de fringues comme *Abercrombie & Fitch, SuperDry* et *Guess.* Quant au vieux Fulton Market, il devrait être prochainement reconverti en grand marché couvert. Ce serait une première à New York, qui, contrairement aux autres grandes villes américaines, n'en possède aucun digne de ce nom ! Cependant, une partie de ces projets a pris du retard car, avec Red Hook à Brooklyn, South Street Seaport est le quartier qui a le plus souffert du passage de l'ouragan Sandy en octobre 2012.

Quelques landmarks du quartier

– Sur Fulton Street, le **Shermerhorn Row** (entre Front et South Street) constitue l'alignement des maisons les plus anciennes de la ville, aujourd'hui reconverties en boutiques. Belle rangée de *row houses* également le long de Water Street (entre Peck et Beekman Street).

– Sur le quai, au *pier 16* au bout de Fulton Street, rouillent dignement **trois vieux navires,** l'*Ambrose* (1907), le trois-mâts *Wavertree* (1885) et le quatre-mâts *Peking* (1911), deuxième plus grand voilier au monde, désarmé en 1933. On peut les visiter du mercredi au dimanche. *De fin mai à oct, tlj sf lun, croisière possible à bord de Pioneer, une goélette de 1885.*

– Si le *pier 17* subit de gros travaux (réouverture en 2017), le *pier 15* offre une élégante promenade en bois sur plusieurs niveaux avec fauteuils, gradins et pontons. On y trouve les bureaux de *Hornblower Cruises* (● hornblower.com/home/ny ●), une compagnie proposant des sorties en bateau autour de Lower Manhattan, de jour comme de nuit.

– **South Street Seaport Museum** *(plan 1, C6) : 12 Fulton St.* ☎ *212-748-8600.* ● *southstreetseaportmuseum.org* ● Ⓜ *(2, 3) Fulton St.* **Endommagé par l'ouragan Sandy, le musée est toujours en partie fermé pour rénovation.** Installé dans un entrepôt datant de 1812 récemment transformé, ce joli musée retrace l'épopée maritime du port de New York.

➤ Sachez par ailleurs que le **East River Ferry** part d'ici *(pier 11)*, avant de filer vers DUMBO juste en face puis de remonter vers Midtown.

➤ Au départ du *pier 11*, la **navette-bateau IKEA** file à Red Hook (Brooklyn) avec la statue de la Liberté en ligne de mire *(☎ 212-742-1969 ; ● nywatertaxi.com/ ikea ● ; gratuit le w-e slt, 5 $ sinon).*

À QUELQUES ENCABLURES

🎯🧗 🚶 **Governors Island** *(hors plan 1 par C6) :* ● *govisland.com* ● *Accessible fin mai-sept, w-e slt. Plusieurs navettes-bateau possibles : de Lower Manhattan (Battery Maritime Building, 10 South St, à côté du Staten Island Ferry), avec le* Governors Island Manhattan Ferry *(2 $). Non loin de là (Wall St-Pier 11), départ possible avec l'*East River Ferry *(● eastriverferry.com ● ; trajet 6 $). De Brooklyn (Pier 6 à Brooklyn Bridge Park), avec le* Governors Island Brooklyn Ferry *(GRATUIT). Compter 5 mn de trajet (file d'attente non comprise...). Loc de vélos possible sur place.* Cette île de 70 ha, située à 730 m de la pointe sud de Manhattan, plus près encore de Brooklyn et surtout posée presque au pied de la statue de la Liberté, fut longtemps la résidence exclusive des gouverneurs de New York nommés par la couronne britannique (d'où son nom). De 1776 à 1996, elle servit de base pour les militaires puis les garde-côtes. En 2002, l'armée la vend pour 1 $ symbolique à la municipalité. Elle est dès lors ouverte au public, pour le plus grand plaisir des New-Yorkais qui s'y pressent nombreux tous les week-ends d'été. Au programme : visite des forts historiques ou de belles *mansions,* bronzette sur la plage de sable (prise d'assaut, soyons honnêtes avec vous) ou les vastes pelouses avec un des plus beaux points de vue sur la *skyline* et Miss Liberty, barbecue, concerts, matchs de polo, kayak, ateliers pour enfants, festival de *street food...* Chaque week-end, les animations de plein air sont différentes.

CHINATOWN ET LITTLE ITALY

- Où dormir ? 62
- Où manger ? 63
- Cafés, pâtisseries et
- glaces 65
- Où boire un verre ? 66
- Shopping 66
- Où se faire faire un
  massage chinois ?........ 66
- À voir........................... 67

> - Pour se repérer, voir le zoom détachable 2 en fin de guide.

Voici l'un des quartiers les plus cosmopolites de Manhattan, où quelques rares Italiens cohabitent avec les Chinois, eux-mêmes voisins des juifs installés dans Lower East Side depuis la fin du XIXe s. Depuis 2010, Chinatown et Little Italy sont classés et font partie du même *National Register Historic District*.

Autour de 1860, des milliers d'Allemands arrivent ici, obligeant l'ancienne colonie irlandaise à se déplacer vers le bas de la ville. Puis, jusqu'en 1910, près de 2 millions d'juifs d'Europe centrale formeront la plus importante colonie juive de la planète. Aujourd'hui, avec plus de 250 000 âmes, la communauté chinoise a pris l'ascendant, conférant à ce quartier l'aspect d'une véritable

HOROSCOPE CHINOIS

La coutume veut qu'on termine son repas chinois par un fortune cookie, *petit gâteau sec renfermant une mini-bandelette de papier sur laquelle est inscrite une phrase porte-bonheur, une prédiction ou une maxime humoristique. Cette tradition n'a rien de chinois, elle est née... en Californie, au début du XXe s. Mais vu le succès aux États-Unis, la Chine a repris l'idée.*

enclave asiatique qui ne cesse de s'étendre, grignotant désormais SoHo et NoLiTa, après avoir quasi absorbé Little Italy. Sons, odeurs, enseignes, couleurs, idéogrammes renvoient à un autre monde... Essentiellement animé en journée – plus particulièrement le dimanche, jour de marché –, Chinatown se visite à pied. Vous y déjeunerez pour pas cher, et goûterez tous les types de cuisine asiatique.

Quant à Little Italy, située à quelques blocs à peine, c'est un miniquartier dont on fait très rapidement le tour, la vraie Little Italy étant située dans le Bronx.

Où dormir ?

🛏 **Wyndham Garden Chinatown** (zoom 2, C4, **31**) : 93 Bowery (et Hester). ☎ 646-329-3400. • wyndham gardenchinatownnyc.com • Ⓜ (J, N, Q, R, 6) Canal St. Doubles 120-350 $. 🖥 🛜 Un hôtel de chaîne récent et de standing, idéalement placé au carrefour de Chinatown, SoHo et Lower East Side. Le gros plus, ce sont les vues offertes à partir du 7e étage par cette petite tour toute vitrée qui détonne parmi les vieux immeubles traditionnels du quartier. Toutes les chambres (assez petites mais bien équipées, avec cafetière et minifrigo) sont orientées Uptown, celles des

derniers étages bénéficient d'un panorama unique sur 2 des symboles new-yorkais : l'Empire State Building et le Chrysler. Déco récente asiatisante, salles de bains avec douche à l'italienne et mosaïque dans les tons mordorés. *Rooftop bar* avec vue (aux 18e et 19e étages), resto-lounge au sous-sol et petit *beergarden* aux beaux jours. Massy, le serviable concierge du *front desk*, parle un français impeccable.

🛏 **Noble Den** (zoom 2, C4, **503**) : 196 Grand St (entre Mulberry et Mott). ☎ 212-390-8998. • nobleden.com • Ⓜ (J) Bowery ou (J, N, Q, R, 6) Canal St. Doubles 100-325 $, penthouse

200-500 $. 🖥 📶 Excellente situation pour ce nouveau petit hôtel moderne posé entre Little Italy et SoHo. Les chambres sont fraîches et actuelles avec, pour la plupart, des vues typiquement new-yorkaises. Petits détails dans le coup : la douche vitrée donnant directement sur le lit (w-c à part) et le miroir digital pour éclairer le lavabo ! Les *penthouse king rooms* du 7e étage sont les plus chouettes, les plus chères aussi, avec terrasse soit côté One WTC soit sur l'Empire State Building. *Rooftop* ouvert à tous les *guests*.
🛏 **SoHotel** *(zoom 2, C4, 24)* : *341 Broome St (angle Bowery).* ☎ *212-226-1482 ou 1-800-737-0702.*

● *thesohotel.com* ● Ⓜ *(J) Bowery. Doubles 110-230 $; familiales 140-280 $.* 📶 Ouvert en 1822, le plus vieil hôtel de New York a revu son look depuis : réception aux couleurs flashy (jaune, violet), canapés zébrés, lustres noir et blanc baroques un rien chargés, le tout sur fond de murs en brique. La centaine de chambres sont plus sobres. Toutes avec salle de bains et généralement exiguës, elles n'en sont pas moins douillettes et présentent un certain cachet. Pas de petit déj, mais thé et café à disposition. Bon rapport qualité-prix pour NYC, dans la catégorie budgets modérés.

Où manger ?

À Chinatown

Chinatown est une aubaine pour le porte-monnaie. La qualité est très inégale, tourisme oblige, mais globalement on parvient toujours à dégoter quelque chose d'honnête pour une poignée de dollars. Le thé est généralement inclus. En revanche, *les cartes de paiement sont souvent refusées.*
– *Le dim sum, mode d'emploi :* servi généralement tous les jours du matin jusque vers 14h-15h, c'est l'équivalent du petit déj ou du brunch, mais à la mode de Hong Kong et Canton. Une bonne formule pour goûter un peu à toutes les chinoiseries sans y laisser sa fortune. Des serveuses passent en poussant un chariot garni de différentes bouchées vapeur mais aussi frites, de l'entrée au dessert, le tout servi en petites portions. On ne sait pas toujours exactement ce qu'on va déguster, mais ça fait partie du plaisir de la découverte ! L'idée, c'est d'en piocher plusieurs et de les partager avec sa tablée. On paie à la sortie en présentant la petite carte tamponnée au fur et à mesure par les serveurs ou serveuses. On peut, bien sûr, demander les prix au fur et à mesure, mais pas de mauvaise surprise à la clé, rien n'est vraiment cher. Dans certains restos, plutôt que de piocher sur le chariot, on choisit ses petits plats à la carte, encore plus au pif donc ! Seules les

photos permettent alors d'aiguiller un peu son choix...

Sur le pouce

🍴 Repérer l'enseigne indiquant juste « *Fried Dumpling* », sur Mosco Street *(entre Mott et Mulberry ; zoom 2, C5, 129).* Imbattable : 5 *fried dumplings* (raviolis chinois) pour 1 $! Ils sont généralement au porc. À emporter, car l'odeur qui saisit le nez en entrant dans ce réduit (celle du chou chinois en fait) n'est guère supportable, heureusement que la porte reste ouverte ! Pour les routards, les vrais de vrais.
🥖 **Alleva** *(zoom 2, C4, 503)* : *188 Grand St (angle Mulberry).* ☎ *212-226-7990.* Ⓜ *(J) Bowery ou (J, N, Q, R, 6) Canal St. Sandwich env 10 $.* Cette épicerie italienne, vestige de l'âge d'or de Little Italy (voir « Shopping » plus loin), propose paninis, sandwichs et boulettes de ricotta frites à emporter.

Bon marché

🍴 **Xi'an Famous Foods** *(zoom 2, C5, 304)* : *67 Bayard St (entre Mott et Elizabeth).* Ⓜ *(J, N, Q, R, 6) Canal St. Tlj midi et soir jusqu'à 21h (21h30 ven-sam). Plats 5-10 $.* La petite cantine des jeunes *hipsters* gourmets de Chinatown. Fastoche, les photos des plats sont affichées à l'entrée : soupes, nouilles sautées, *soup dumplings*, etc. Pour commander, on donne juste le numéro du plat et le degré de piment. Attention, le premier niveau *(mild)* est déjà costaud ! Tout est ultra-frais et délicieusement parfumé avec plein d'herbes et d'épices : coriandre, anis, cives... En revanche, une vingtaine de places assises seulement, cadre nul et service sans effort. Succursales à East Village, Midtown et Upper West Side, ainsi qu'à Brooklyn et Queens.

|●| *Nom Wah Tea Parlor* *(zoom 2, C5, 70)* **:** *13 Doyers St.* ☎ *212-926-6047.* Ⓜ *(6, J, N, Q, R) Canal St. Tlj 10h30-21h (22h ven-sam). Plats 5-12 $, assortiment pour 12 $.* Dans une ruelle de Chinatown encombrée de salons de coiffure, un vieux *diner* chinois quasi centenaire. Si le ménage a été fait en cuisine, le cadre n'a pas bougé d'un pouce, avec ses tables en formica, ses banquettes élimées et sa caisse enregistreuse antédiluvienne. On s'y presse désormais de tout New York pour le *dim sum*, servi ici dans les règles de l'art. Chaque tablée coche ses mets sur une liste, puis arrose le tout d'une théière facturée 1 $. Pas mal de monde le week-end, prévoir un peu d'attente.

|●| *456 Shanghai Cuisine* *(zoom 2, C5, 135)* **:** *69 Mott St (entre Walker et Bayard).* ☎ *212-964-0003.* Ⓜ *(J, N, Q, R, 6) Canal St. Plats 6-22 $, dim sum 3-7 $.* Salle proprette dans laquelle on entasse le plus de monde possible, quitte à partager sa table et le pot de thé. On vient au *456* pour ses *soup dumplings* (des raviolis remplis de bouillon), une spécialité de Shanghai. Grosse affluence de familles new-yorkaises de tous horizons pour le *dim sum*, dans une effervescence de serveurs efficaces. Choisissez bien vos plats, certains sont très copieux !

|●| *Nha Trang One* *(zoom 2, C5, 136)* **:** *87 Baxter St (entre Walker et White).* ☎ *212-233-5948.* Ⓜ *(J, N, Q, R, 6) Canal St. Plats 6-12 $.* Moult plats avec des spécialités sino-vietnamiennes. C'est copieux, souvent bondé et l'on fait des rencontres en partageant sa table devant un bol de

phó. Déco insipide et service impersonnel mais express !

|●| *Big Wong* *(zoom 2, C5, 135)* **:** *67 Mott St (entre Walker et Bayard).* ☎ *212-964-0540.* Ⓜ *(J, N, Q, R, 6) Canal St. Plats 6-13 $, un peu plus cher pour viandes et poissons. CB refusées mais ATM sur place.* Grande cantine qui ne désemplit pas et où l'on dévore soupes, nouilles sautées, viandes et *seafood* arrangés à la cantonaise. Si vous aimez le *congee* (soupe de riz), c'est une des spécialités. Fréquenté par des descendants de l'Oncle Sam ou de l'empire du Soleil-Levant, qui partagent volontiers votre table. Service énergique.

De prix moyens à plus chic

|●| *Joe's Shanghai* *(zoom 2, C5, 130)* **:** *9 Pell St (entre Mott et Bowery).* ☎ *212-233-8888.* Ⓜ *(J, N, Q, R, 6) Canal St. Plats 12-18 $ (moins pour les soup dumplings, un peu plus pour certains plats de seafood). CB refusées.* Excellente cuisine shanghaienne servie dans une petite salle éclairée par des néons verts et roses, souvent bondée. *Joe's* est non seulement le resto le plus populaire de Chinatown, mais surtout LE spécialiste des *soup dumplings* (raviolis à la vapeur remplis de bouillon), la coqueluche des New-Yorkais. Le grand jeu consiste à attraper son ravioli sans le crever pour le poser dans la cuillère. Faire ensuite un petit trou au niveau de l'attache, aspirer le jus avant de croquer dedans. Aussi de très bons *fried string beans szechuan style.*

|●| *Jing Fong* *(zoom 2, C5, 167)* **:** *20 Elizabeth St (entre Canal et Bayard).* ☎ *212-964-5256 ou 5257.* Ⓜ *(6, J, N, Q, R) Canal St. Dim sum tlj 9h30-15h30, env 15-20 $/pers selon ce qu'on prend ; ouv aussi le soir.* Voici le vrai *dim sum* comme à Hong Kong (voir explication plus haut). On commence par inscrire son nom en bas avant de gravir le long escalator menant à une impressionnante « salle des fêtes », remplie de tables et dominée par d'énormes lustres en cristal incrustés dans le plafond. Ça vaut le coup d'œil rien que pour l'atmosphère populaire et le cadre. Le week-end, c'est de la folie, tout le monde fait la queue dehors, alors armez-vous de patience ou venez tôt.

|◐| Oriental Garden *(zoom 2, C5, 167)* : *14 Elizabeth St (entre Canal et Bayard).* ☎ 212-619-0085. Ⓜ *(6, J, N, Q, R) Canal St. Dim sum tlj 10h (9h w-e)-15h30, env 15-20 $/pers ; le soir, plats 17-25 $. Cash ou American Express.* Une adresse plus chic et plus chère que la moyenne, prisée pour sa cuisine de haute volée (la *seafood* notamment) mais aussi pour son fameux *dim sum,* qui attire les foules dans une ambiance plus calme et intimiste que chez son voisin *Jing Fong.* Le week-end, venir quand même le plus tôt possible pour éviter l'attente, car la salle est assez petite. Clientèle plutôt mélangée.

À Little Italy

Paradoxalement, Little Italy n'est pas le meilleur endroit pour manger italien... Les serveurs racolent le client sur le pas de la porte, la cuisine y est prévisible et pas donnée. Néanmoins, la plupart des restos de Mulberry Street proposent des formules avantageuses le midi (contrastant parfois singulièrement avec les prix du soir) et des terrasses animées aux beaux jours.

🍴 Baz Bagel & Restaurant *(zoom 2, C4, 131)* : *181 Grand St.* ☎ 212-335-0609. Ⓜ *(J, N, Q, R, 6) Canal St. Tlj 7h (8h dim)-19h. Compter 5-15 $.* Une salle tendance tropico-rétro pas bégueule pour un sou, avec sa rangée de tabourets au comptoir et de tables de 2. C'est pourtant l'un des artisans du renouveau du bagel à New York, ce petit pain troué et extra-frais que l'on déguste sucré, salé, *plain* ou avec graines, toasté de préférence... L'occasion aussi d'observer une tranche de vie de quartier, bien garnie le week-end.

|◐| 🍷 🎵 Epistrophy Cafe *(zoom 2, C4, 138)* : *200 Mott St (entre Spring et Kenmare).* ☎ 212-966-0904. Ⓜ *(6) Spring St. Plats 10-25 $ le soir, max 18 $ le midi.* ☎ Belle ambiance dans ce petit resto-bar à vins aux airs de café littéraire, à la frontière de NoLiTa. Dans l'assiette, une cuisine italienne style *cantina* : *bruschette, taglieri,* sans oublier la *pasta...* le tout rondement mené et servi avec le sourire. *Jazz band* le dimanche soir.

Cafés, pâtisseries et glaces

🍦 Chinatown Ice Cream Factory *(zoom 2, C5, 304)* : *65 Bayard St (entre Mott et Elizabeth).* Ⓜ *(J, N, Q, R, 6) Canal St. Dès 4 $ pour one scoop (une boule). CB refusées.* L'endroit est tout petit et ne paie pas de mine. Pourtant, c'est archi connu, et pour cause. Goûtez donc aux délicieuses glaces maison aux parfums originaux : avocat, durian, haricot rouge, sésame noir... mais aussi lychee, mangue, thé vert... si vous êtes moins aventureux. Portions généreuses.

🍴 Ferrara *(zoom 2, C4, 301)* : *195 Grand St (et Mott).* ☎ 212-226-6150. Ⓜ *(J, N, Q, R, 6) Canal St.* Sol en marbre, boiseries, service classieux, ce café clinquant, ouvert en 1892, revendique le titre de 1er *espresso bar* des États-Unis... Le p'tit noir fait honneur à sa réputation même si, évidemment, il affiche un prix plus américain que véritablement italien... Bonnes pâtisseries de la Botte (mais aussi ricaines et françaises) et glaces copieuses.

🍴 Caffè Roma *(zoom 2, C4, 302)* : *385 Broome St (et Mulberry).* ☎ 212-226-8413. Ⓜ *(J, N, Q, R, 6) Canal St. CB refusées.* ☎ Café-pâtisserie tranquille et réputée, qui affiche plus de 100 ans au compteur ! D'ailleurs, cela se voit : lustre vieillot, rayonnages patinés derrière le comptoir et tableaux noircis. Les nostalgiques sont toujours aussi nombreux à lui rendre hommage pour goûter ses spécialités de *chocolate cannoli,* tiramisù et autres *biscotti,* sans oublier les *espressi, cappuccini* (précisez sans cannelle), *gelati* et pâtisseries. Idéal aussi pour boire un verre sagement en soirée.

Où boire un verre ?

🍸 **Apothéke** (zoom 2, C5, **70**) : 9 Doyers St. ☎ 212-406-0400. Ⓜ (6, J, N, Q, R) Canal St. Tlj 18h30 (20h dim)-2h à priori. Pas d'enseigne visible, il faut repérer le n° 9 sur la devanture en métal rouillé et la pancarte « Chemist » pour découvrir ce bar « secret » dans une ancienne fumerie d'opium de Chinatown, recréé dans l'esprit des speakeasies de la Prohibition. Canapés en velours cramoisi, petites tables éclairées à la bougie et flacons d'apothicaire alignés derrière le bar, où l'on vous tendra la liste des prescriptions du jour. Car les cocktails, oups, les potions (relevés d'herbes médicinales cultivées sur le toit de la maison), sont préparés par des barmen en blouse blanche qui officient avec la précision de chimistes ! Bonne live music de dimanche à mercredi soir.

🍸 🎵 **Epistrophy Cafe** (zoom 2, C4, **138**) : voir « Où manger ? ».

Shopping

Une foule de boutiques chinoises proposant quantités de pacotilles décoratives kitsch à souhait. C'est l'endroit pour acheter des T-shirts « I love NY », des véhicules miniatures new-yorkais pour les enfants et autres bricoles. Également des tas d'échoppes vendant n'importe quoi à prix imbattables : vêtements, chaussures, lunettes de soleil, et évidemment des imitations en toc de grandes marques.

🏮 **Alleva** (zoom 2, C4, **503**) : 188 Grand St (angle Mulberry). ☎ 212-226-7990. Ⓜ (J) Bowery ou (J, N, Q, R, 6) Canal St. Ouverte depuis 1892, cette appétissante boutique italienne est un des derniers vestiges de Little Italy : fabuleuses charcuteries, pâtes et huiles d'olive, sans oublier les fromages bien sûr.

🏮 **Hong Kong Supermarket** (zoom 2, C4, **516**) : 157 Hester St (et Elizabeth). ☎ 212-966-4943. Ⓜ (D) Grand St. La visite de ce supermarché asiatique vaut le coup pour plonger encore plus dans l'ambiance de Chinatown. Sur 2 niveaux, les chinoiseries côtoient les basiques de l'alimentation américaine. Un immense rayon de thé, des sushis très bon marché fabriqués devant vous et, bien sûr, plein de choses assez surprenantes...

🏮 **Sun's Organic Tea & Herb** (zoom 2, C5, **629**) : 79 Bayard St (et Mott). ☎ 212-566-3260. Ⓜ (J, N, Q, R, 6) Canal St. Boutique ultra-spécialisée dans les thés, tisanes et plantes médicinales du monde entier, en vrac et, pour la plupart, bio. Tous les mélanges sont réalisés par la proprio qui connaît parfaitement bien son affaire. Le choix étant colossal (un millier !), il faut prendre le temps de discuter avec elle, de lui faire part de ses petits bobos et de ses goûts pour qu'elle vous dégote le remède ou le breuvage idoine.

🏮 **Aji Ichiban** (zoom 2, C5, **216**) : 37 Mott St (et Pell). ☎ 212-233-7650. Ⓜ (J, N, Q, R, 6) Canal St. Le spécialiste du fruit exotique confit (kiwi, goyave, mangue, gingembre, prunes de différentes sortes) et surtout du cracker salé, mais version japonaise. Minicrabes séchés et épicés, sticks de poisson... Plein d'idées pour impressionner (ou dégoûter, au choix) les copains à l'apéro ! Dégustations gratuites.

Où se faire faire un massage chinois ?

⬛ **Foot Heaven** (zoom 2, C5, **89**) : 16 Pell St. ☎ 212-962-6588. Ⓜ (J, N, Q, R, 6) Canal St. Tlj 10h-minuit. Résa préférable mais pas obligatoire. Env 25 $/30 mn, 40 $/h (pieds ou dos), pourboire en plus. Si vous voulez tenter l'expérience d'un authentique massage chinois ou d'une réflexologie plantaire, cet institut est réputé pour son sérieux, même si l'endroit ne paie pas de mine (sombre et pas très intime...). Pas de méprise toutefois, ce qu'on pense être un massage du dos est en fait un *back rub,* c'est-à-dire une friction. Il s'agit donc d'un massage énergique et puissant, pas forcément agréable ni décontractant sur le coup, car il appuie justement là où ça fait mal ! La sensation de détente vient après, une fois que tous les points ont été dénoués. Si vous avez des problèmes de dos, mieux vaut demander un avis médical avant ou opter pour une séance de réflexo des pieds.

À voir

CHINATOWN

Ⓜ *(J, N, Q, R, 6) Canal St.*

🏃🏃 🏃 L'expérience culturelle d'un monde à part, à vivre si possible le dimanche, jour où le marché envahit les rues. Les plaques de rues sont en anglais et en chinois, comme les journaux d'ailleurs... Les experts noteront que la grande majorité des résidents s'expriment en cantonais plutôt qu'en mandarin, et cohabitent avec de nombreuses autres communautés asiatiques. Ici, on peut naître, vivre et mourir sans jamais avoir parlé un mot d'anglais !
Les tripots et fumeries d'opium de la fin du XIXᵉ s ont disparu, mais on trouve encore d'étonnantes pharmacies qui vendent des herbes, des racines et des remèdes de la médecine traditionnelle chinoise. Si vous êtes adepte de massage, c'est d'ailleurs THE quartier ! Dans les épiceries, vous dégoterez du thé aromatisé, de la *seafood* séchée (moules, pétoncles, huîtres, méduses, concombres de mer...) et surtout de beaux fruits exotiques. C'est d'ailleurs le seul coin de Manhattan où vous verrez autant d'étals de fruits et légumes. Ceux des poissonneries sont particulièrement divertissants ! Si vous voulez du pittoresque, faites un tour sur Mott Street, entre Hester et Grand Streets, où les magasins d'alimentation sont vraiment à touche-touche.

➤ Descendez, par exemple, à la station **East Broadway** de la ligne F *(plan 1, D4),* puis remontez vers l'ouest par Canal et Mott Streets... qui vous paraîtront alors curieusement touristiques par rapport au « tout chinois » d'East Broadway. Rendez-vous sur **Chatham Square** (angle de East Broadway et Mott Street ; *zoom 2, C5),* une place pivot du quartier chinois où l'on trouve un monument aux descendants chinois tombés pour défendre la démocratie et, un peu plus loin, à l'angle Bowery et Division Streets, une **statue de Confucius.** Empruntez la tortueuse **Doyers Street** qui rejoint Pell Street. Si aujourd'hui, dans les nombreux salons de coiffure, on manie les ciseaux avec dextérité, il n'y a pas si longtemps c'était un véritable coupe-gorge où sévissaient les gangs chinois. Ceux-ci opéraient grâce à un réseau de tunnels souterrains dont seuls les initiés connaissent les entrées aujourd'hui. Le soir, réfugiez-vous plutôt à l'*Apothéke,* au nº 9 de Doyers Street, l'un de nos *speakeasies* favoris (voir « Où boire un verre ? »). À deux pas, au 29 Mott Street, remarquez l'**église de la Transfiguration,** qui fut irlandaise, italienne puis chinoise aujourd'hui. Les messes y sont célébrées en mandarin, en cantonais et en anglais.

🦌 **Mahayana Buddhist Temple** *(zoom 2, C4)* : *133 Canal St (pratiquement au pied du Manhattan Bridge). Tlj 8h-18h.* Même si elle n'en a pas l'air, cette ancienne salle de cinéma accueille un lieu de culte avec un immense bouddha doré d'environ 5 m de haut. Tenue décente exigée.

🦌 **Columbus Park** *(zoom 2, C5)* : *angle Mulberry et Bayard St, au sud de Canal St.* Les vieux Chinois s'y retrouvent pour jouer au mah-jong, aux cartes, aux dés, pratiquer le tai-chi-chuan... ou discuter pendant que les gamins jouent au ballon sur la pelouse à côté.

🔏 Autre ambiance, plus effervescente, au **Sarah Roosevelt Park,** plus au nord, le long de Chrystie Street *(zoom 2, C4).* Le week-end, tout ce que le quartier compte de gosses et d'ados, qu'ils soient chinois, noirs ou vert fluo, s'y affrontent dans des parties de foot, de basket, de pelote... À l'angle de Chrystie et Delancey Streets *(zoom 2, C4),* venez en semaine, plutôt le matin quand il fait beau. Vous découvrirez une nuée d'oiseleurs et leurs piafs chanteurs de toutes les couleurs. Les cages en bambou sont accrochées à des filins dans un jardinet planté d'espèces exotiques. Les stars, ce sont les *hua mei,* ces grives aux étonnants yeux clairs. L'élevage de ces favoris des empereurs et des poètes chinois pour leur chant de parade serait une tradition multiséculaire.

🔏 **MOCA, Museum of Chinese in America** *(zoom 2, C4) :* 215 Centre St. ☎ 212-619-4785. ● *mocanyc.org* ● Ⓜ *(J, N, Q, R, Z, 6) Canal St. Tlj sf lun 11h-18h (21h jeu). Entrée : 10 $; réduc ; gratuit 1ᵉʳ jeu du mois.* Centre culturel consacré à la communauté chinoise des États-Unis, dans un élégant bâtiment réhabilité mêlant moderne et ancien. Expos temporaires, mais, l'espace n'étant pas très grand, l'entrée semble bien chère.

LITTLE ITALY

🔏 Essentiellement concentrée sur quelques blocs le long de **Mulberry Street** *(zoom 2, C4),* Little Italy est une attraction touristique un peu *has been* dans la mesure où le dragon s'est déjà taillé une belle part de pizza. Il fut pourtant une époque où il valait mieux ne pas s'intéresser aux conversations des autres, surtout si elles étaient en italien. D'ailleurs, ici le mot « mafia » ne se prononçait jamais. La Cosa Nostra avait même réussi à faire interdire aux États-Unis toute utilisation officielle de ce terme, prétendant qu'il constituait une atteinte raciste à l'image des Italo-Américains... Ces temps-là sont révolus, et les descendants de l'immigration italienne ont progressivement migré vers Brooklyn (voir les films de Martin Scorsese) ou Queens, au mieux vers l'Upper East Side pour ceux qui ont réussi.

🔏 **Police Building** *(zoom 2, C4) :* 240 Centre St *(entre Grand et Broome).* Reconnaissable à ses deux lions à l'entrée, ce colossal édifice de 1909 a été le siège de la police de New York pendant 65 ans. Aujourd'hui, ce sont des appartements.

– Deux grandes manifestations très colorées animent les rues du quartier : fin mai pour la **fête de San Antonio di Padova** et mi-septembre à l'occasion de la **fête de San Gennaro.**

SOHO ET NOLITA

● Adresses utiles 69	● *Coffee shops*	musique ?
● Où dormir ? 69	et pâtisseries 73	Où danser ? 74
● Où manger ? 70	● Où boire un verre ? 73	● Shopping 74
● Épicerie fine 73	● Où écouter de la	● À voir 76

● Pour se repérer, voir le zoom détachable 2 en fin de guide.

SoHo, c'est l'abréviation de S**outh of** Ho**uston Street. Lorsque les loyers du Village (Greenwich) sont devenus prohibitifs, les artistes ont émigré dans ce quartier d'entrepôts pour les reconvertir en ateliers et logements, les fameux lofts. Dans les années 1970, le quartier était celui des peintres Robert Rauschenberg ou Roy Lichtenstein (l'un des maîtres du pop art). Un âge d'or désormais révolu, SoHo étant devenu très, très cher.**

Il n'empêche, le quartier réserve toujours une foule de merveilles architecturales à découvrir, notamment des immeubles à structure en fonte, les fameux *cast-iron buildings,* datant du XIXe s. On y trouve aussi de nombreux restos tendance, des boutiques de créateurs branchés haut de gamme (dont de plus en plus de Français) et des galeries d'art, notamment sur Greene, Spring et Prince Streets. Broome Street concentre, quant à elle, les antiquaires, et Thompson Street sort des sentiers battus.

Si la branchitude chic, la frime et les commerces de standing ont supplanté l'atmosphère bohème et décontractée du SoHo des seventies, le quartier reste quand même un de nos préférés pour une balade architecturale.

Enfin, à quelques rues de SoHo, à l'est de Lafayette Street et au nord de Little Italy, on trouve le petit quartier très à la mode de NoLiTa (North of Little Italy), où règne une ambiance plus simple et tout aussi agréable. Faites donc un petit tour dans ce coin, autour de Prince, Spring, Mott, Elizabeth ou Mulberry Street. Ici, pas d'édifices en fonte, mais des petits cafés et boutiques *trendy,* moins tape-à-l'œil.

Adresses utiles

@ **Internet :** *ordis en accès libre et wifi gratuit à l'***Apple Store** *(zoom 2, C4, 566),* 103 Prince St (angle Greene). Ⓜ *(N, R) Prince St.* Voir « Shopping » plus loin.
■ **Location de vélos** *(zoom 2, B4, 90) :* chez **Danny's Cycles,** 75 Varick St (angle Watts). ☎ 212-334-8000. ● dan nyscycles.com ● Ⓜ (1, 2) Canal St. Voir « Sports et loisirs. Vélo et rollers » dans « Hommes, culture, environnement » en fin de guide.

Où dormir ?

De bon marché à prix moyens

🛏 **City Rooms NYC SoHo** *(zoom 2, C4, 62) :* 120 Lafayette St (et Canal). ☎ 212-925-4378. ● cityrooms. nyc ● M. : (6) Canal St. Doubles 80-200 $. 📶 Impeccablement situé (au carrefour de SoHo, Little Italy, Chinatown et TriBeCa), entretenu et looké, voici un de nos meilleurs plans de petit hôtel *low-cost.* Aucune faute de goût dans les 28 chambres, pas bien grandes mais toutes avec parquet blond, murs blancs, salle de bains et des petits détails soignés dans la déco, sobre mais dans l'air du temps : *mural* symbolisant New York en tête de lit, caisses de bois recyclé en guise de chevet, portant industriel pour suspendre ses affaires. Réservez très à l'avance, vous vous en doutez ! Sinon, annexe à Chelsea dans le même esprit (voir plus loin ce quartier).

Très chic

🛏 **The Nolitan** *(zoom 2, C4, 35) :* 30 Kenmare St (entre Elizabeth et Mott). ☎ 212-925-2555. ● nolitanhotel.com ● Ⓜ *(J) Bowery ou (6) Spring St.* Doubles standard 150-400 $, 50 $ de plus avec balcon. 📶 Un énième hôtel design à Manhattan, qui se démarque, cela dit, par sa situation au poil et un style résolument jeune et *hipster.* Une soixantaine de chambres seulement, lumineuses, mixant déco industrielle (tête de lit en béton) et esprit vintage tout en privilégiant les vues urbaines. Les plus populaires sont celles des étages supérieurs, avec balcon ou celles en angle. *Rooftop* avec panorama à 180°, « cantine » parisienne, et plein de petits plus bien plaisants : *happy hour* gratuit (sauf dimanche) avec vin, fromage, crackers et fruits en fin de journée ; mais aussi vélos, skateboards, jeux vidéo, *laptops* et même iPad en libre accès ! Bref, branché mais chaleureux, intime et convivial.

≜ *The James Hotel* (zoom 2, B4, 143) : 27 Grand St (et Thompson). ☎ 212-465-2000 ou 1-888-JAMES-78. ● jameshotels.com ● Ⓜ (A, C, E) Canal St. Doubles standard 300-500 $, petit déj léger inclus. 🖥 📶 Relativement récent lui aussi dans le paysage new-yorkais, le *James Hotel* joue la carte du design urbain écolo-chic et *arty*. Les matériaux utilisés sont locaux ou recyclés, y compris pour le building de 18 étages lui-même, tout en verre, béton et bois de récup. Dans les chambres, parquet et tons naturels assez foncés, larges baies ouvertes sur la ville et salle de bains chocolat noir entièrement vitrée avec rideau occultant pour plus d'intimité ! Mais le must, c'est le *rooftop bar Jimmy* (voir « Où boire un verre ? » plus loin). Sa terrasse extérieure dotée d'une petite piscine s'avance telle une figure de proue sur Manhattan, avec l'Hudson River et le One World Trade Center en vue. Très bon resto aussi, signé David Burke, un des grands noms de la nouvelle cuisine américaine.

≜ *SoHo Grand* (zoom 2, B-C4, 21) : 310 W Broadway (entre Grand et Canal). ☎ 212-965-3000. ● sohogrand.com ● Ⓜ (A, C, E) Canal St. Doubles standard 250-400 $. 📶 Au cœur de SoHo, un autre établissement ultrachic et branché dans le style Grand Hôtel années 1900. Le hall de réception et le bar, absolument somptueux, en seraient même un peu intimidants. Les chambres sont plus contemporaines et conventionnelles (du moins les standard), mais vastes, discrètement élégantes et rehaussées de quelques touches fantaisistes.

Où manger ?

Spécial petit déjeuner et brunch

🍴 *Balthazar* (zoom 2, C4, 272) : 80 Spring St (angle Crosby). ☎ 212-965-1785 ou 1414. Ⓜ (6) Spring St. Petit déj en sem 7h30-11h30 ; brunch le w-e 9h-16h (résa conseillée). Env 16-22 $. Vaste brasserie à la parisienne, pleine du matin au soir. Le décor est exceptionnel, bien que récent, et l'atmosphère bouillonnante. Idéal pour un petit déjeuner raffiné en lisant la presse française. À côté, *Balthazar-Boulangerie* propose viennoiseries, *focacce* et jambon-beurre pour ceux qui auraient le mal du pays !

🍴 *Fiat Café* (zoom 2, C4, 147) : 203 Mott St (entre Kenmare et Spring). ☎ 212-969-1809. Ⓜ (6) Spring St. Tlj 8h-23h. Petits déj 7-8 $, plats 8-15 $. Minuscule bistrot tout entier dédié à la petite voiture italienne, et dont la principale qualité est de servir de bons petits déj, frais et 100 % ricains (pancakes, *eggs Benedict*, etc.) tous les jours jusqu'à 16h, et même 17h le week-end. De quoi ressusciter les lève-tard. Pour compléter, courte carte d'une cuisine italo-américaine à prix tassés.

🍴 Et aussi : *Once Upon a Tart, Café Gitane, Café Habana, Lovely Day, McNally Jackson* et, pour les plus fortunés, *Estela.* Voir plus loin.

Sur le pouce

🍴🥡 *La Esquina* (zoom 2, C4, 132) : 114 Kenmare St (entre Cleveland Pl et Lafayette). ☎ 646-613-1333. Ⓜ (C, E, 6) Spring St. Tlj 12h-2h. Env 10 $. Cette *taqueria* populaire est campée dans un antique *diner* avec façade en inox et enseigne indiquant *The Corner Deli*. Photogénique en diable. Les tacos, un peu chiches mais délicieux, sont préparés en direct, puis servis sur l'étroit comptoir coincé contre la vitrine. L'annexe à côté, sur Lafayette, sert grosso modo la même cuisine mais on y est plus confortablement installé, dans une belle déco *trendy,* donc ça double l'addition. Le plus amusant, c'est quand même la grotte qui se cache là-dessous (voir la rubrique « Plus chic »)...

🍴🥡 *Taïm* (zoom 2, C4, 109) : 45 Spring St (et Mulberry). ☎ 212-219-0600. Ⓜ (6) Spring St ou (J) Bowery. Max 12 $. Fort du succès de son petit comptoir de Greenwich Village, le temple du falafel version gourmet

(« fooding », comme on dit aujourd'hui) a ouvert cette annexe un chouïa plus spacieuse, avec de larges baies vitrées donnant sur un angle de rue. Une quinzaine de tabourets Tolix orange pour poser son séant, pas plus. Reportez-vous au descriptif complet dans « Greenwich et West Village. Où manger ? ».

|●| 🍷 ☕ Once Upon a Tart (zoom 2, B4, **146**) : 135 Sullivan St (entre Prince et W Houston). ☎ 212-387-8869. Ⓜ (C, E) Spring St. Tlj 8h (9h w-e)-19h. Env 10-15 $. Derrière cette jolie devanture ancienne, une boulangerie courue pour ses délicieuses tartes salées et sucrées, qui fait aussi salon de thé mais sans grand cachet. On y déguste encore des sandwichs, soupes, salades, sans oublier les classiques pâtisseries américaines. Idéal pour un repas rapide mais équilibré ou un bon 4-heures.

🚄 Et aussi : Dean & Deluca (zoom 2, C4, **501**), pour ses sandwichs, soupes à emporter ainsi que les bretzels et autres focacce du rayon boulangerie. Voir « Épicerie fine » plus loin.

Bon marché

|●| 🍷 🍸 Lovely Day (zoom 2, C4, **149**) : 196 Elizabeth St (entre Prince et Spring). ☎ 212-925-3310. Ⓜ (6) Spring St ou (J) Bowery. Brunch w-e 11h-16h45. Petit déj env 7 $, plats 7-17 $. Cash ou Amex slt. Dans la ville-monde, pas besoin de décorum pour oser l'exotisme. Ce petit thaï jazzy, funky, a snobé les pagodes pour un cadre de café rétro, tapissé comme chez grandma'. De quoi séduire une clientèle de trentenaires, venus se taper sans se la raconter un honnête pad thaï, un poulet au gingembre ou un chaud chaud green curry, ou seulement siroter un cocktail sous les lampes en fer blanc de la 2de salle en sous-sol (ouverte le soir seulement).

|●| ☕ Café Gitane (zoom 2, C4, **141**) : 242 Mott St (et Prince). ☎ 212-334-9552. Ⓜ (6) Spring St. Plats 13-16 $; petit déj env 10 $. CB refusées. Petit café-resto toujours plein d'une faune bigarrée, jeune et cosmopolite. Vraiment cool, à l'image du quartier de NoLiTa. Cuisine d'inspiration française,

italienne ou encore marocaine, préparée sous vos yeux. Vin au verre à prix correct. Également des petits déj très abordables.

|●| ☕ Café Habana (zoom 2, C4, **142**) : 17 Prince St (et Elizabeth). ☎ 212-625-2001. Ⓜ (6) Spring St. Plats 7-15 $. Cadre de diner américain avec façade en alu et banquettes bleues usées, pour une cuisine cubano-mexicaine roborative. Bonne ambiance distillée par la jeunesse branchée du quartier. Juste à côté, au 229 Elizabeth Street, l'annexe qui fait à emporter, avec une poignée de places assises. Succursale à Brooklyn (Habana Outpost ; 757 Fulton St), fonctionnant à l'énergie solaire (à la belle saison seulement) !

Prix moyens

|●| Tacombi at Fonda Nolita (zoom 2, C4, **108**) : 267 Elizabeth St (entre Prince et E Houston). ☎ 917-727-0179. Ⓜ (N, R) Prince St ou (D, F) Broadway-Lafayette St. Repas env 20 $. Un ancien garage reconverti en cantine de style latina, où trône un combi Volkswagen revisité en food truck. Au menu, des tacos et quesadillas servis à l'unité (en prévoir 3 différents pour être calé), et de bons jus de fruits frais. Pas donné donné, mais on est au cœur de NoLiTa, et le cadre est festif qui plus est.

🚄 Rubirosa Ristorante (zoom 2, C4, **111**) : 235 Mulberry St (entre Prince et Spring). ☎ 212-965-0500. Ⓜ (6) Spring St. Pizzas à partir de 18 $ la 1re taille (très bien pour 2), pâtes 12-18 $. Moins célèbre que Lombardi's, Rubirosa est une affaire familiale qui remonte quand même aux années 1960, à Staten Island. Pas de quoi rougir devant son illustre voisin, d'autant que la pizza y est délicieuse, les produits de qualité et le cadre mignon comme tout, dans un style désuet charmant. Prévoyez quand même un peu d'attente, ou réservez, car les aficionados sont nombreux et les 2 petites salles peinent à satisfaire tout le monde.

🚄 Lombardi's (zoom 2, C4, **147**) : 32 Spring St (et Mott).

SOHO ET NOLITA

☎ 212-941-7994. Ⓜ (6) Spring St. Pizzas à partir de 21 $ (pour 2). CB refusées. C'est la toute 1re pizzeria de New York, ouverte en 1905. On y cuit toujours (au charbon) la fameuse pâte croustillante élaborée par Gennaro Lombardi. Le ténor napolitain Caruso l'adorait tout autant que les ouvriers du coin. Copieux, mais attention, les garnitures *(toppings)* sont à ajouter à la *margarita* de base. Déco chaleureuse avec nappes à carreaux, typiquement italienne. Une institution, donc souvent bondée et très touristique... Bistrot dans la même rue, moins couru et proposant des portions plus petites.

Plus chic

|●| Aurora SoHo *(zoom 2, B-C4, 104)* : 510 Broome St (entre W Broadway et Thompson). ☎ 212-334-9020. Ⓜ (C, E) Spring St et (1) Canal St. Plats 12-18 $ le midi, 15-35 $ le soir (primi *très* copieux). Une adresse à la mode, où la cuisine, inspirée, détourne les classiques italiens et joue superbement sur les produits de saison. Quant aux petits à-côtés offerts par la maison, ils mettent réellement en bouche. La patine ancienne donnée aux briques et au parquet confère enfin à l'endroit une petite allure d'auberge traditionnelle, subtilement éclairée et sans fond sonore abrutissant.

|●| Aquagrill *(zoom 2, B4, 134)* : 210 Spring St. ☎ 212-274-0505. Ⓜ (C, E) Spring St. Plats 15-18 $ le midi, 16-30 $ le soir. Le bac à huîtres à l'entrée donne le ton : se retrouvent ici les New-Yorkais au pied marin venus déguster fruits de mer et poissons au court-bouillon, grillés ou au four. Mais vous n'entendrez guère les mouettes, côté décibels c'est plutôt ambiance criée. Le midi, des sandwichs et salades aux saveurs du large, en plus des plats élaborés en fonction des arrivages. Il y en a pour tous les budgets et toutes les faims. Une bonne pêche dans ce quartier où le poisson se fait plutôt rare.

|●| La Esquina *(zoom 2, C4, 132)* : 114 Kenmare St (entre Cleveland Pl et Lafayette). ☎ 646-613-7100. Ⓜ (4, 6) Spring St. Tlj 12h-2h. Résa obligatoire, pas plus de 3 sem à l'avance, par tél ou via ● esquinanyc.com ● Plats 18-32 $. Le genre de resto ultra-branché qui ne s'improvise malheureusement pas à la dernière minute. Difficile de le deviner, mais au sous-sol de la *taqueria La Esquina* (voir plus haut « Sur le pouce ») se cache une « grotte » prisée des noctambules. Après avoir réservé bien en amont, ne reste plus, le jour J, qu'à décliner son identité au gorille et à traverser les cuisines pour descendre à la cave. L'assiette, quoiqu'un peu chiche, tient la route, et les desserts sont excellents. Un détail : n'oubliez pas votre lampe de poche pour lire la carte et votre porte-voix pour passer commande, car l'ambiance est digne d'une boîte de nuit !

|●| 🍸 Dos Caminos *(zoom 2, C4, 197)* : 475 W Broadway (et W Houston). ☎ 212-277-4300. Ⓜ (B, D, F, M) Broadway-Lafayette St. Plats 13-26 $ en moyenne. Spécialités *mexicanas* et cocktails à base de tequila. Lieu très couru par les expats français. Voir plus loin le descriptif dans « Union Square et Flatiron District. Où manger ? ».

Très chic

|●| 🍴 Estela *(zoom 2, C4, 364)* : 47 E Houston St (entre Mott et Mulberry). ☎ 212-219-7693. Ⓜ (D, F) Broadway-Lafayette St. Le soir slt, plus brunch le w-e. Résa impérative avec ● open table.com ●, sinon essayer au bar. Plats 15-30 $. La table qui crée le buzz depuis que Barack O. y a fait chauffer sa carte bleue. Elle a dû fumer ! Taper dans les plats les plus chers, car les portions ne sont pas très généreuses. Mais c'est l'un des meilleurs gastro du pays, revu à la new-yorkaise. En décrypté : une salle confinée mais bondée, une clientèle jeune, branchée et tout en voix sirotant un cocktail en préambule de soirée. Et au piano, un chef uruguayen plein de talent qui privilégie les saveurs et les textures... à la quantité. Le président avait de bons indics !

Épicerie fine

⊗ ➤ **Dean & Deluca** (zoom 2, C4, **501**) : 560 Broadway (et Prince). ☎ 212-226-6800. Ⓜ (N, R) Prince St. Tlj 7h (8h w-e)-20h. Le must du raffinement alimentaire en plein SoHo, une véritable institution créée dans les années 1970. Tout y est joliment présenté. Pas donné, mais vaut au moins le coup d'œil, notamment pour l'architecture typiquement new-yorkaise. Beaucoup de produits italiens, bien sûr, mais aussi français. Le samedi, jour des courses, il y a foule.

Coffee shops et pâtisseries

➤ **Housing Works Bookstore Café** (zoom 2, C4, **144**) : 126 Crosby St (entre Prince et Houston). ☎ 212-334-3324. Ⓜ (D, F) Broadway-Lafayette St. 📶 Une belle librairie d'occasion qui sent bon le papier jauni et le café, avec mezzanine en bois et atmosphère studieuse et décontractée. On peut passer des heures à bouquiner en sirotant son espresso. Housing Works est l'équivalent d'Emmaüs et participe à la réinsertion de homeless et de personnes atteintes du sida. Juste à côté, la boutique de vêtements, accessoires et déco, où l'on peut parfois faire des trouvailles, notamment dans les grandes marques.

➤ **Little Cupcake Bakeshop** (zoom 2, C4, **532**) : 30 Prince St (et Mott). ☎ 212-941-9100. Ⓜ (N, R) Prince St. L'avantage de cette pâtisserie, c'est qu'on peut s'y poser confortablement pour savourer son cupcake, la spécialité maison, décliné comme il se doit dans toutes les couleurs (assorties aux murs !). Sert également des glaces bio. Pour une halte dans le quartier, c'est parfait.

➤ **Rice to Riches** (zoom 2, C4, **109**) : 37 Spring St (entre Mott et Mulberry). ☎ 212-274-0008. Ⓜ (6) Spring St ou (J) Bowery. Portion de rice pudding dès 8,50 $. Vous voulez riz(-re) ? Venez donc dans cette petite boutique futuristico-revival pleine d'humour avec ses maximes maison à trois balles où le comptoir est en forme de grain de riz. On n'y propose que du rice pudding (du riz au lait) nature ou aromatisé, délicieusement régressif et servi avec toutes sortes de toppings (en supplément). Dommage que la première taille soit énorme (pour 2) et avec un seul parfum.

➤ **Eileen's** (zoom 2, C4, **121**) : 17 Cleveland Pl (et Broome). ☎ 212-966-5595. Ⓜ (C, E, 6) Spring St. Aucun effort de déco dans cette pâtisserie de poche, mais on pousse volontiers la porte pour déguster la spécialité maison : le cheesecake. Oh, on en a goûté de meilleurs, mais un mini à moins de 4 $, ça cale idéalement une petite faim.

➤ **Gimme ! Coffee** (zoom 2, C4, **431**) : 228 Mott St. ☎ 212-226-4011. Ⓜ (N, R) Prince St. Le troquet version chaîne new-yorkaise, sympa comme tout avec ses piliers de comptoir qui viennent s'enfiler debout leur godet de café, des moulins et percolateurs design en guise de mobilier.

Où boire un verre ?

Voici quelques adresses sûres, et pour connaître les derniers spots à la pointe de la tendance, lisez la presse locale, interrogez les fêtards ou allez-y à l'instinct ! En tout état de cause, vous devriez trouver de quoi vous en jeter un à l'angle d'Elizabeth et Spring Streets, où se tassent une poignée de bars.

🍸 🍴 **Fanelli's Café** (zoom 2, C4, **351**) : 94 Prince St (et Mercer). ☎ 212-226-9412. Ⓜ (N, R) Prince St. Tlj 10h-1h30 (4h ven-sam). Plats env 12-16 $. Parmi les plus vieilles adresses de SoHo (1847), et même de New York, bien connue des gens du quartier, des artistes... et maintenant des touristes. Avec ses murs tapissés de photos d'anciens boxeurs, le cadre plaira aux nostalgiques des vieux pubs. Au fond, on s'entasse dans les petites salles, coudes sur la toile cirée pour un *fish & chips* très prisé, un burger ou autre *bar food*.

🍸 *Sweet and Vicious* (zoom 2, C4, **326**) : 5 Spring St (entre Elizabeth et Bowery). ☎ 212-334-7915. Ⓜ (J) Bowery. Tlj 14h-4h. Grand bar rustique tout en bois très prisé dans le quartier. Beaucoup de monde qui socialise bruyamment le long de l'interminable comptoir les soirs de week-end, sur des airs de musique pop. Cour intérieure gentiment taguée, où la fête se prolonge la clope au bec. Plus calme en semaine.

🍸 *Mother's Ruin* (zoom 2, C4, **320**) : 18 Spring St (angle Elizabeth). Ⓜ (J) Bowery ou (6) Spring St. Tlj 11h-4h. Des cocktails, de la bonne bière, des murs en brique et juste ce qu'il faut de lumière pour ne pas se cogner dans le voisin. Il n'en fallait pas plus pour faire de ce petit pub bien dans son époque le repaire de la jeunesse postétudiante du coin, prête à lever le coude n'importe quel soir de semaine.

🍸 *Milano's* (zoom 2, C4, **364**) : 51 E Houston St (entre Mott et Mulberry). ☎ 212-226-8632. Ⓜ (D, F) Broadway-Lafayette St. Tlj jusqu'à 4h. Tenu par des femmes à qui on ne la fait pas, un de ces rades usés qui traversent les époques sans bouger d'un pouce. Créé dans les années 1920, il a abreuvé des générations de clients, qui ont laissé leurs photos envahir les murs, gravé leurs initiales sur les tables collantes, piétiné les carreaux lavés à grands seaux de javel. La télé crachote dans un coin, le juke-box inonde la clientèle de vieux tubes. La bière n'est pas chère, l'atmosphère populaire et, les soirs de fin de semaine, se frayer un chemin dans cet étroit repaire relève presque de l'exploit.

🍸 *Jimmy* (**The James Hotel ;** zoom 2, B4, **143**) : 27 Grand St (et Thompson). ☎ 212-465-2000 ou 1-888-JAMES-78. Ⓜ (A, C, E) Canal St. Le très hype *rooftop bar* du non moins chic *James Hotel* (voir plus haut « Où dormir ? ») est ouvert à tous, clients ou non, de 17h à 1h. Cocktails à prix pas déraisonnables pour ce genre d'endroit, alors franchement, payez-vous ce petit luxe ! La terrasse extérieure offre une vue géniale à presque 360°, mais le panorama est tout aussi superbe depuis la partie intérieure du bar, dans les tons bois et velours bleu nuit. N'espérez pas en revanche profiter de la piscine extérieure, rarement ouverte et réservée aux seuls clients de l'hôtel.

Où écouter de la musique ? Où danser ?

🎵 🎵 *S.O.B.'s* (**Sound of Brazil ;** plan 1, B4, **451**) : 204 Varick St (et Houston). ☎ 212-243-4940. • sobs. com • Ⓜ (1) Houston St. Groupe presque ts les soirs. Cover 10-25 $, réduc en réservant à l'avance. Bossa nova brunch dim 12h-16h 31 $/pers. *THE* spot pour les aficionados des rythmes latinos, mais aussi de reggae, de hip-hop, R'n'B et soul. *S.O.B.'s* est l'un des endroits les plus actifs de la scène musicale new-yorkaise. La caïpirinha est bonne mais chère, et on y danse jusqu'au bout de la nuit sur de la musique live. Évitez d'y manger, en revanche.

Shopping

Vêtements

Broadway est le temple du shopping pour ce genre de produits. Sur la portion entre 4th Street au nord et Canal Street s'alignent des tas de boutiques vendant *Levi's, Converse* et autres baskets souvent moins cher qu'ailleurs. À vous de bien comparer les modèles et les prix. Les produits d'appel en vitrine cachent parfois des prix plus élevés à l'intérieur... Côté *SoHo*, on trouve pas mal de boutiques de créateurs sur West Broadway (entre Broome et Spring Streets), mais il y a de plus en plus de grandes marques du luxe européen...

Pour les fringues branchées, ça se passe dans le minuscule quartier de *NoLiTa* (North of Little Italy), là où les boutiques des créateurs ont investi les lieux (surtout sur Elizabeth Street). Attention, elles n'ouvrent souvent que vers 11h30-12h.

✿ **Converse** (zoom 2, C4, **501**) : 560 Broadway (et Prince). ☎ 212-966-1099. Ⓜ (N, R) Prince St. La plus grande boutique du monde de la célèbre marque de baskets, déclinées ici dans tous les prix, coloris et graphismes imaginables. Si vous ne trouvez pas votre bonheur en rayon, vous pourrez vous faire faire votre paire sur mesure au fond du magasin, voire créer votre propre design (compter 2 jours de délai). Moins coûteux et rigolo, les lacets de plein de couleurs pour les customiser. Également vêtements et accessoires.

✿ **Hollister** (zoom 2, C4, **525**) : 600 Broadway (angle Houston). ☎ 212-334-1922. Ⓜ (D, F) Broadway-Lafayette St. Sur plusieurs niveaux, la marque de prêt-à-porter californienne déballe dans la pénombre et la musique boum-boum, comme chez Abercrombie & Fitch (c'est la même maison, mais un chouïa moins cher). Tout au fond, des affaires en vue au jeans lounge. Détour obligatoire pour les ados, mais dépaysement garanti pour tous, car la boutique est spectaculaire dans le style baroco-postindustriel, avec ses fenêtres ouvertes sur... la mer.

✿ **Madewell** (zoom 2, C4, **519**) : 486 Broadway (et Broome). ☎ 212-226-6954. Ⓜ (N, R) Prince St. C'est la ligne jeunes femmes de J. Crew. Même style preppy (B.C.B.G. cool), tendance « week-end décontracté dans les Hamptons ».

Librairie

✿ ☕ 🛍 **McNally Jackson** (zoom 2, C4, **502**) : 52 Prince St (et Lafayette). ☎ 212-274-1160. Ⓜ (N, R) Prince St. Formidable librairie indépendante, à la fois riche et pointue au niveau de la sélection, et agréablement agencée, avec tables, fauteuils et bancs pour feuilleter tranquillou les ouvrages. Le rayon New York et voyages en général est bien fourni. Sympathique encore, la petite café' servant bons thés et cafés, bricoles salées et sucrées à grignoter :

soupes, sandwichs, bagels, scones et muffins. Juste à côté, l'espresso book machine imprime en un rien de temps votre livre préféré parmi 7 millions de titres ou encore les manuscrits des clients !

Déco et accessoires

✿ **MoMA Design Store** (zoom 2, C4, **531**) : 81 Spring St (angle Crosby). ☎ 646-613-1367. Ⓜ (6) Spring St. De la babiole originale à la pièce quasi unique signée par l'artiste (européen bien souvent !), on débusque mille et une idées de cadeaux. En bas, une librairie d'art. Un total d'achat supérieur à 100 $ (on les atteint vite !) vous donne droit à une entrée gratuite au MoMA.

✿ **Token Store** (zoom 2, C4, **616**) : 258 Elizabeth St (entre Houston et Prince). ☎ 212-226-9655. Ⓜ (N, R) Prince St ou (D, F) Broadway-Lafayette St. Sous un nom se cache aussi la marque des sacs new-yorkais (mais désormais fabriqués en Chine !) Manhattan Portage, dont on trouve ici un très large choix joliment présenté, de 35 à 400 $. Ces besaces très sobres, qui étaient à l'origine celles des coursiers new-yorkais, sont réputées pour leur solidité. Le Eastpak local en somme.

Boutiques spécialisées

✿ **Evolution** (zoom 2, C4, **624**) : 120 Spring St (entre Greene et Mercer). ☎ 212-343-1114. Ⓜ (N, R) Prince St. Boutique originale, spécialisée dans les sciences naturelles : météorites, dents de requin, poils de mammouth, sucettes au scorpion, larves à grignoter à l'apéro... bref, plein d'idées cadeaux. À l'étage, les pièces les plus importantes genre crânes, squelettes humains et animaux naturalisés. Belle collection d'insectes qui ravira les entomologistes. Vaut le coup d'œil de toute façon.

✿ **Babeland** (zoom 2, C4, **517**) : 43 Mercer St (entre Grand et Broome). ☎ 212-966-2120. Ⓜ (6) Spring St. Interdit aux moins de 18 ans. Entrez sans gêne dans ce sex-shop chic entièrement dédié au plaisir féminin et fréquenté par les filles classe du quartier. Dans les rayons, une foule de sex-toys aux couleurs, formes et matières extravagantes, d'amusants gadgets, et plein de livres sur le sujet avec de bons conseils pour explorer son corps et à transmettre à ses amants !

🖖 *REI (zoom 2, C4, 593) :* 303 Lafayette St (et Houston St). ☎ 212-680-1938. Ⓜ (B, D, F, M) Broadway-Lafayette St. La Mecque de l'équipement sportif *outdoor,* dans un *landmark* architectural du quartier, le Puck Building. On y trouve à la fois la marque maison (*REI,* donc) et les griffes techniques bien connues des sportifs exigeants.

🖖 @ *Apple Store (zoom 2, C4, 566) :* 103 Prince St (angle Greene). ☎ 212-226-3126. Ⓜ (N, R) Prince St. Boutique immense et design installée dans une ancienne poste où vous trouverez tous les derniers joujoux de la marque. Connexion internet gratuite au rez-de-chaussée.

À voir

👀👀 Ce quartier chic de galeries d'art recèle deux larges installations permanentes, deux bijoux de l'art contemporain signés Walter de Maria et appartenant à la prestigieuse Dia Art Foundation. La première, très basique (et quasi en odorama avec ses 140 t de terre réparties sur 1 100 m² !), **The New York Earth Room,** est visible au 141 Wooster Street depuis 1977 *(zoom 2, C4 ; sonnette 2B, prendre l'escalier bien raide et grimper au 1er étage ; tte l'année sf de mi-juin à mi-sept, mer-dim 12h-15h, 15h30-18h ; GRATUIT).* La seconde, **The Broken Kilometer,** installée au 393 West Broadway depuis 1979 *(zoom 2, C4 ; mêmes horaires ; GRATUIT aussi),* serait plutôt une route vers l'infini semée de 500 tiges de cuivre de 2 m de long... Des œuvres à la fois grandioses, loufoques et d'une extrême simplicité.

👀 👀 *New York City Fire Museum (plan 1, B4) :* 278 Spring St (entre Varick et Hudson). ☎ 212-691-1303. ● *nycfiremuseum.org* ● Ⓜ (C, E) Spring St ou (1) Houston St. ♿ Tlj 10h-17h. Entrée : 8 $; 5 $ moins de 12 ans ; réduc. Petit musée situé dans l'ancienne caserne de style Beaux-Arts (1904) de la Engine Company 30 dédié aux pompiers de New York. De nombreux Américains sont venus se recueillir devant l'émouvant mémorial en hommage aux 343 pompiers disparus le 11 Septembre. Mais la visite ne se limite pas qu'aux événements récents : 778 d'entre eux ont perdu la vie entre 1865 et 2001 (avant l'hécatombe due aux tours jumelles). Notons que les *firemen* ont compté jusqu'à nos jours seulement une cinquantaine de femmes dans leurs rangs. Exposition de vieux véhicules, pompes à vapeur et à bras, dont une belle pompe hippomobile de 1901, et puis les ancêtres de la sirène et de l'extincteur, des photos, écussons, outils, etc. Les chevaux tenaient une place aussi importante que les hommes jusqu'en 1922 lors de la mécanisation des camions, aidés par des dalmatiens ! À l'étage, différentes carrioles et une remarquable collection de casques à travers les âges, de vraies œuvres d'art. Si vous souhaitez rapporter un souvenir des pompiers de NYC, petite boutique sur place ou se rendre à *The Original Firestore* (voir « Greenwhich et West Village. Shopping »).

👀 Parmi les nombreuses galeries d'art du quartier de SoHo, deux lieux d'exposition originaux se font presque face dans Wooster Street, de part et d'autre de Grand Street *(zoom 2, B-C4) :* **The Drawing Center** *(n° 35 ;* ● *drawingcenter. org* ● *; tlj sf lun-mar ; entrée 5 $),* qui présente des expos temporaires dédiées uniquement au dessin sous toutes ses formes à travers les âges, à croquer sans modération ; et **Leslie & Lohman Museum** *(n° 26 ;* ● *leslielohman.org* ● *; tlj sf lun ; GRATUIT),* dédié à l'art par et pour les gays et lesbiennes.

👀 *Old Saint Patrick's Cathedral (zoom 2, C4) :* entrée sur Mott St (angle Prince). ☎ 212-226-8075. Ⓜ (6) Spring St. De style gothique, c'est la plus ancienne des églises catholiques de NYC. Vous y trouverez quelques documents parlant de Pierre Toussaint, ancien esclave haïtien libéré par sa propriétaire alors mourante et que le diocèse de New York voudrait bien voir canonisé. Il faut dire que Toussaint était un fin prédicateur... Sa dépouille repose désormais à Saint Patrick's Cathedral sur 5th Avenue. Dans la rubrique people, sachez que l'évêque Dubois, enterré ici, usa ses fonds de culotte sur les mêmes bancs qu'un certain Robespierre. Et puis le petit Martin Scorsese y fut enfant de chœur tout en étudiant à l'école Saint-Patrick juste en face.

Itinéraire architectural dans SoHo
(du sud au nord)

🎬🎬🎬 Démarrez la balade à l'angle de Canal et Greene Streets *(plan Itinéraire SoHo).* Ici commence un long ensemble de *cast-iron buildings* (immeubles à armature de fonte), du n° 8 au n° 76 de Greene Street. Cette technique de construction, apparue au milieu du XIXe s en Angleterre, offrait plusieurs avantages par rapport au bois : primo, elle réduisait les risques d'incendie – un risque qu'encouraient les nombreux entrepôts de textile de New York –, secundo, la préfabrication d'éléments standardisés permettait de remplacer facilement les pièces défectueuses et de réduire les coûts. En outre, ce type de structure aux murs moins épais autorisait un nombre important d'étages, favorisant le percement de grandes baies afin de laisser entrer l'air et la lumière ; enfin, le décor des façades était travaillé de façon très esthétique et à faible coût. La construction de tels immeubles cessa avec l'avènement des charpentes d'acier et des ascenseurs.

➤ L'un des immeubles à armature de fonte les plus connus est situé aux n°s 28-30, *The Queen of Greene Street (plan Itinéraire SoHo, A),* dessiné par l'architecte I. F. Duckworth et construit en 1872. Son toit mansardé et ponctué de lucarnes est orné d'un pavillon central dans le style Second Empire.

➤ Au carrefour entre Broome et Greene Streets *(plan Itinéraire SoHo, B),* plusieurs buildings intéressants à touche-touche. Notamment le *Gunther Building* (angle sud-ouest, n°s 469-475), édifié en 1871-1872 avec d'inhabituelles fenêtres d'angle incurvées et une corniche du toit, simple mais marquée. En face, à l'angle nord-est (immeuble de 1860, n°s 464-468), notez les longues colonnes encadrant les fenêtres sur deux étages, dites de *sperm candle style* pour leur ressemblance avec les chandelles fabriquées avec de l'huile de cachalot *(sperm whale)...*

➤ Poussez plus haut dans Greene Street jusqu'au *King of Greene Street Building,* aux n°s 72-76 *(plan Itinéraire SoHo, C),* bel exemple de style Renaissance française et Second Empire. Du porche à la corniche supérieure, ses rangées de colonnes corinthiennes donnent à l'ouvrage une forte impression tridimensionnelle. Comme le Queen (voir début de la balade), il est l'œuvre de I. F. Duckworth et date de 1873.

➤ Retour sur Broome Street, au *n° 451 (plan Itinéraire SoHo, D),* immense et spectaculaire building de 1896, l'un des plus hauts de SoHo. Il est très fin malgré ses dimensions, et ses derniers étages sont assez travaillés (brique et pierre taillée).

➤ À l'angle de Broadway, au n° 490 *(plan Itinéraire SoHo, E),* se dresse le *Haughwout Building,* construit en 1857. Considéré comme « le Parthénon de l'architecture *cast-iron* aux États-Unis », il fut le premier dans son genre à être classé. John P. Gaynor et Daniel D. Badger, pour les détails de la façade, sont les concepteurs de ce superbe palais vénitien Renaissance édifié pour un fabricant de porcelaine, alors fournisseur officiel de la Maison Blanche... Des arches flanquées de colonnes corinthiennes encadrent les fenêtres du bâtiment. Remarquez la corniche délicate qui domine une série de frises très travaillées. Sachez que ce building fut aussi le premier équipé d'un ascenseur pour passagers Otis (fonctionnant avec un treuil à vapeur !). En face, au 477 Broadway, possibilité de prendre un thé en mezzanine dans l'immense bric-à-brac chinois *Pearl River Mart (plan Itinéraire SoHo, 521)* et, en remontant le boulevard, au n° 504, on peut admirer au passage la façade élancée du *cast-iron* construit en 1860 qui abrite aujourd'hui le grand magasin **Bloomingdale's.**

➤ Arrivé à **Spring Street,** prenez à gauche. Au *nº 101 (plan Itinéraire SoHo, F),* à l'angle de Mercer Street, un *cast-iron building* remarquable de simplicité, contrairement aux autres. Les grandes surfaces vitrées entourées de colonnes élancées lui donnent un aspect léger, lumineux et aéré. Dans la même rue, au nº 120, jetez un œil à **Evolution** *(plan Itinéraire SoHo, 624),* une boutique géniale spécialisée dans les sciences naturelles. Voir « Shopping » plus haut.

➤ Parvenu à Prince Street, tournez à droite vers Broadway après une pause éventuelle au **Fanelli's Café** *(plan Itinéraire SoHo, 351),* l'un des plus vieux pubs de New York (voir plus haut « Où boire un verre ? »). À l'angle nord-ouest Prince et Broadway Streets, vous serez certainement les seuls à baisser les yeux pour repérer les discrets **dessins ciselés** dans le trottoir **par l'artiste japonais Ken Hiratsuka** *(plan Itinéraire SoHo, G).* Il mit 2 ans à réaliser cette œuvre illégale (1983-1984), de nuit, souvent interrompu par les patrouilles de police ! New York compte désormais une quarantaine de « méfaits » artistiques de ce sculpteur libre comme l'air. En face, sur Broadway, **Converse** *(plan Itinéraire SoHo, 501),* la plus grande boutique du monde de la célèbre marque de baskets. Il faut dire que Broadway est l'endroit idéal où acheter vêtements et chaussures. Sans oublier la ravissante épicerie fine **Dean & Deluca.** Voir « Épicerie fine » et « Shopping » plus haut.

➤ Aux nºˢ 561-563 de Broadway, le **Little Singer Building** *(plan Itinéraire SoHo, H)* fut construit en 1905 par Ernest Flagg pour le célèbre fabricant de machines à coudre. Sa curieuse façade de 12 étages est décorée de balcons en fer forgé avec des éléments de terre cuite et de porcelaine, sans oublier le verre et l'acier. Son design préfigure celui des gratte-ciel modernes...

➤ Continuez sur Broadway vers le nord jusqu'à Houston Street, en passant par le spectaculaire magasin baroco-postindustriel de prêt-à-porter californien **Hollister** au nº 600 *(plan Itinéraire SoHo, 525).* Voir « Shopping » plus haut. En prenant à droite, à l'angle de Lafayette Street, arrêtez-vous devant le **Puck Building** *(plan Itinéraire SoHo, I).* Construite en 1886 pour abriter le célèbre magazine satirique *Puck* et sa maison d'édition, cette immense structure en brique est percée de baies cintrées créant une belle harmonie dans sa façade Rundbogenstil, alliance de romantisme et d'éléments Renaissance. Statue dorée de Puck au-dessus de la monumentale entrée, une autre au coin de la rue Mulberry. Notez l'inscription sur le calepin qu'elle tient à la ceinture (« *What fools these mortals be* », soit « Quels imbéciles, ces mortels » !). Le building abrite aujourd'hui le magasin de sport **REI** *(plan Itinéraire SoHo, 593 ;* voir « Shopping » plus haut).

➤ Enfin, parvenus à Bleecker Street, au nº 65, le **Bayard Condict Building** *(plan Itinéraire SoHo, J),* en face de Crosby Street. Ne pas rater ce magnifique édifice classé de 1899, à l'ornementation délicate, le seul building de New York construit par le maître de l'école d'architecture de Chicago, Louis H. Sullivan. Ce père des gratte-ciel a influencé les grands architectes d'aujourd'hui, dont son assistant, le célèbre Frank Lloyd Wright (le Guggenheim Museum, c'est lui !).

PLUS VITE, PLUS HAUT, PLUS FORT !

Elisha Otis, fondateur de la Otis Elevator Company, aujourd'hui la plus grande société d'ascenseurs du monde, est l'inventeur du « parachute », un système de frein qui empêche la chute de l'ascenseur en cas de rupture de câble. Il en fit la promotion de façon spectaculaire à l'exposition du Crystal Palace de Londres, en 1853, en faisant sectionner les câbles de sécurité alors qu'il se trouvait lui-même à l'intérieur de la cabine ! Cette invention, qui le rendit célèbre, eut un impact considérable sur le développement des gratte-ciel après qu'Haughwout eut fait installer le premier ascenseur new-yorkais dans son magasin de Broadway.

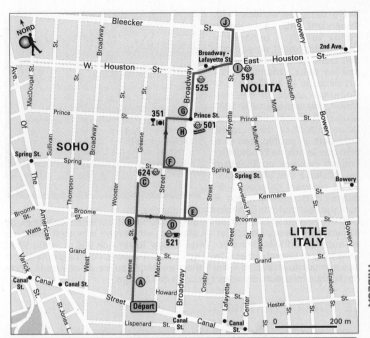

ITINÉRAIRE SOHO

A The Queen of Greene Street
B Gunther Building
C The King of Greene Street Building
D 451 Broome Street
E Haughwout Building
F 101 Spring Street
G Dessins de Ken Hiratsuka
H Little Singer Building
I Puck Building
J Bayard Condict Building

|◖| ☗ ⊛ Où faire une pause ?

351 Fanelli's Café
501 Converse et épicerie
    Dean & Deluca
521 Pearl River Mart
525 Hollister
593 REI
624 Evolution

TRIBECA

• Où dormir ? 80
• Où manger ? 81
• Coffee shops
  et pâtisseries 81
• Où boire un verre ? 82
• Shopping 82

• Pour se repérer, voir le zoom détachable 2 en fin de guide.

Canal Street, qui était un canal d'égout jusqu'au début du XIXe s, marque la limite entre SoHo et TriBeCa (abréviation de *Triangle Below Canal Street*). Ce quartier fut un temps pressenti comme le nouveau SoHo. La raison ? Ses lofts à bas prix qui attiraient la faune artistique et créatrice à la recherche d'hébergements bon marché consécutivement à la flambée des prix des loyers de

SoHo dans les années 1970. Cependant, TriBeCa n'a jamais connu ni l'âme bohème ni l'épanouissement de son voisin. Dans ce quartier dominé par les deux « mammouths » Art déco de la *NY Telephone Company* et de la *Western Union,* les années 1980-1990 attirèrent plutôt une population branchée de yuppies, financiers et people, tant et si bien que le prix de l'immobilier finit par exploser, contraignant les artistes à s'en aller. Aujourd'hui, côtoyant galeries, antiquaires et designers, restos et bars y jouent plutôt la carte du haut de gamme.

LE PLUS PETIT MUSÉE DE NEW YORK

Il est aménagé dans une cage d'ascenseur (donc 5 m^2 ; entrée gratuite), au 4 Cortlandt Alley, une ruelle au sud de Canal Street, entre Broadway et Lafayette Street (zoom 2, C5). Ce passage glauque, tout graffité et zébré d'escaliers métalliques, est un des décors fétiches des équipes de tournage. On le retrouve dans de nombreux films, quitte à véhiculer toujours le même cliché – erroné – sur les rues de New York !

Le tout nouveau *56 Leonard*, ce longiligne gratte-ciel résidentiel de luxe signé par les architectes Herzog et de Meuron, est devenu le nouvel emblème du quartier. Difficile de louper cette « Lego Tower » de 250 m (entre West Broadway et Church Street), avec ses balcons ouverts comme des tiroirs et sa sculpture du plasticien Anish Kapoor encastrée au rez-de-chaussée, sorte de réplique miniature d'un des symboles de Chicago.

LE PARRAIN DE TRIBECA

Robert De Niro a un peu délaissé son quartier natal de Little Italy pour investir le quartier de TriBeCa : maison de production *(TriBeCa Films),* plusieurs restos et un hôtel très haut de gamme. La star y organise aussi, au printemps, un festival de cinéma (le *TriBeCa Film Festival*) qui attire le gratin des acteurs... Tout son petit pâté de maisons, situé entre Greenwich, Franklin et North Moore Streets, est d'ailleurs surnommé le « Bobby Row ».

Où dormir ?

🛏 *Cosmopolitan Hotel (zoom 2, B-C5, 33) :* 95 W Broadway (angle Chambers). ☎ 212-566-1900 ou 1-888-895-9400. ● *cosmohotel.com* ● Ⓜ *(1, 2, 3, A, C) Chambers St. Doubles 170-300 $; familiales 250-500 $.* 🖥 🛜 Assez proche du World Trade Center, dans un immeuble ancien rénové au lobby plutôt classe avec ses boiseries anthracite. Les chambres sont correctes, certaines (les « minilofts ») avec lit en mezzanine mais mieux vaut ne pas être trop grand ! Celles sur rue sont les plus lumineuses mais les plus bruyantes. Un honorable rapport qualité-prix (dans ce quartier chérot), doublé d'un bon accueil.

🛏 🍴 🛜 *Smyth (zoom 2, B-C5, 22) :* 85 W Broadway. ☎ 212-587-7000 ou 1-855-880-1242. ● *thompsonhotels. com/hotels/smyth-tribeca* ● Ⓜ *(1, 2, 3, A, C) Chambers St. Doubles 350-600 $.* 🖥 🛜 Nouvel hôtel chic et mode de la chaîne *Thompson,* connue pour ses designs dans le coup. Derrière leurs lourds rideaux, les parties communes sont particulièrement réussies. Du bois, des tons blonds, une accumulation de cadres aux murs, des étagères de beaux livres, quelques objets d'art bien choisis et un feu de cheminée qui crépite. Quant aux chambres, spacieuses (certaines avec vue sur le One WTC), elles affichent un style épuré de bon ton et de splendides salles de bains. Resto *Little Park,* de cuisine *modern American* « farm to table », dans un décor très classe là encore.

Où manger ?

Spécial petit déjeuner et brunch

☙ I●I *Bubby's* (zoom 2, B5, **505**) : 120 Hudson St (angle Moore). ☎ 212-219-0666. Ⓜ (A, C, E) Canal St. Tlj 8h-22h (23h ven-sam). Plats breakfast ou brunch 9-22 $, lunch 10-20 $ et jusqu'à 25 $ le soir. Une institution du quartier. L'ambiance fleure bon les retrouvailles entre amis. Dans ce décor lumineux et presque champêtre tendance *old school*, on sert une cuisine américaine familiale, *comfy* comme on dit ici. Les prix sont surévalués, mais les produits sont de qualité (bio ou au moins locaux) et les portions très généreuses : une assiette suffit pour 2 en général donc n'hésitez pas à partager. Annexe dans le Meatpacking District, en face du Whitney Museum.
☙ Et aussi : le supermarché bio *Whole Foods Market* (bon rapport qualité-prix) et, dans un registre plus chic, le resto *Little Park* de l'hôtel *Smyth* (voir plus haut) et *Tiny's & The Bar Upstairs* (voir plus loin).

De bon marché à prix moyens

I●I ♟ *Walker's* (zoom 2, B5, **117**) : 16 N Moore St (angle Varick). ☎ 212-941-0142. Ⓜ (1) Franklin St. Tlj 11h-4h. Plats env 12-25 $. Un vieux pub élégant datant des années 1880, qui sert une cuisine américaine classique et copieuse, aux accents italiens. Le midi, l'ambiance est business mais chaleureuse quand même et le soir, c'est plus un repaire de gens du quartier. Bonne panoplie de bières pression (*draft beer*).
I●I ☙ ⚲ *Whole Foods Market* (plan 1, B5, **139** : 270 Greenwich St (et Warren). ☎ 212-349-6555. Ⓜ (1, 2, 3) Chambers St. Tlj 7h-23h. Pour le descriptif de cette chaîne de supermarchés bio, voir « East Village, NoHo et Lower East Side » et « Union Square et Flatiron District ». À l'étage, vaste cafétéria ouverte par de larges baies vitrées qui fait un peu resto U, car les *teenagers* du quartier le squattent à l'intercours. Espace enfants avec jeux et chaises hautes.

Plus chic

I●I *Nobu* (zoom 2, B5, **123**) : 105 Hudson St (et Franklin). ☎ 212-219-0500. Ⓜ (1) Franklin St. Tlj sf le midi w-e. Résa obligatoire (très simple via ● opentable. com ●). Plats 15-25 $ le midi, 20-40 $ le soir. C'est le resto de l'ami De Niro, dont s'entiche l'élite new-yorkaise depuis les nineties (l'enseigne a depuis essaimé dans le monde). Déco New Age, sorte d'hymne à la nature sophistiqué pour une table japonaise toujours considérée comme l'une des meilleures de la ville. Devant la planche à découper, un empereur de la *new style japanese cooking* qui n'hésite pas à y incorporer une petite touche... sud-américaine. Juste à côté, une annexe sans résa nécessaire, le *Nobu Next Door* (☎ 212-334-4445 ; fermé le midi). Même déco mais ambiance plus décontractée. Cela dit, les plats sont pratiquement aux mêmes prix. Pour éviter de faire la queue pendant 1h, venir très tôt ou très tard.

Coffee shops et pâtisseries

⚲ *La Colombe* (zoom 2, C4, **161**) : 319 Church St (et Lispenard). ☎ 212-343-1515. Au pied de l'imposant *Telephone Building*, *La Colombe* est un des *coffee houses* favoris des New-Yorkais amateurs de vrai bon café. Voir le descriptif complet plus loin, chapitre « East Village, NoHo et Lower East Side ».
⚲ *Kaffe 1668* (plan 1, B5, **139**) : 275 Greenwich St (et Warren). ☎ 212-693-3750. Ⓜ (1, 2, 3) Chambers St. Pour une fois, un *coffee shop* au confort digne de ce nom, spacieux, beau comme un *tea shop*, avec sa grande table de bois que l'on partage et ses moutons pour unique déco. Un cadre rustico-scandinave chic où le budget caféine ne prend pas trop la tasse.
⚲ *Duane Park Patisserie* (zoom 2, B5, **287**) : 179 Duane St. ☎ 212-274-8447.

TRIBECA

Ⓜ (1, 2, 3) Chambers St. Un petit côté rétro pas trop léché plane dans cette pâtisserie créée par une chef pâtissier de renom, tombée dans le moule quand elle était enfant. À l'âge de 10 ans, elle gagne son premier trophée culinaire avec une recette de cupcakes qui attire encore les gourmands aujourd'hui ! Quelques tables seulement pour la dégustation, mais le miniparc à côté est pratique pour se poser aussi. Juste en face, au 184, le petit comptoir à café **The Laughing Man** appartient à l'acteur Hugh Jackman. Faites comme lui, commandez un Flat White, le cappuccino australien. Tlj 6h30 (7h w-e)-18h.

☛ **Billy's Bakery** (zoom 2, C5, **330**) : 75 Franklin St (entre Church St et Broadway). ☎ 212-647-9958. Ⓜ (1) Franklin St. Succursale d'une pâtisserie de Chelsea, même déco fifties, bons cafés et cupcakes confectionnés sous vos yeux. À savourer dans une délicieuse odeur de beurre et de sucre.

Où boire un verre ?

Ce n'est pas dans le cossu TriBeCa que vous passerez vos plus fiévreuses soirées...

🍸 🍴 ☛ **Tiny's & The Bar Upstairs** (zoom 2, B-C5, **322**) : 135 W Broadway (entre Thomas et Duane). ☎ 212-374-1135. Ⓜ (1, 2, 3, A, C) Chambers St. Tlj dès 8h (9h w-e). C'est l'adorable petite maison rose bicentenaire, coincée entre deux immeubles. À l'intérieur, plafond bas, vieux parquet et feu de cheminée, le tout éclairé à la bougie. Même les toilettes sont mimi tout plein. Il faut gravir les marches pour trouver le comptoir du bar (tiny lui aussi), planqué au-dessus du resto. Une adresse confidentielle et bourrée de charme, idéale pour siroter un cocktail raffiné ou un verre de vin en amoureux. Bien aussi pour le petit déj ou le brunch.

Shopping

☒ **J. Crew Liquor Store** (zoom 2, C5, **506**) : 235 W Broadway (et White). ☎ 212-226-5476. Ⓜ (1) Franklin St. J. Crew, la marque de vêtements dans l'air du temps, vintage, chic et cool à la fois (preppy en langage mode), a campé le décor de sa boutique pour hommes la plus originale dans un lieu chargé d'histoire et plein de charme. Une adorable maisonnette datant du tout début du XIXᵉ s qui abrita un liquor store (magasin de vins et spiritueux), puis un bar. L'enseigne a été conservée ainsi que le vieux comptoir, entre autres.

☒ **Playing Mantis** (zoom 2, B5, **505**) : 32 North Moore St. ☎ 646-484-6845. Ⓜ (A, C, E) Canal St. Tlj sf lun. Boutique dédiée aux enfants, impossible à manquer avec sa devanture rouge pétant. Un petit paradis anti-made in China du jouet en bois travaillé, des maisons de poupée, des dînettes et autres mobiles ou déguisements. Poussez au moins la porte pour le coup d'œil.

GREENWICH ET WEST VILLAGE

● Adresse utile 83	glaces 88	du rock ?....................... 90
● Où dormir ? 83	● Où boire un verre ? 89	● Où danser ?................. 92
● Où manger ? 84	● Où écouter	● Shopping.................... 92
● Cafés, pâtisseries et	du bon jazz, du blues,	● À voir.......................... 93

● Pour se repérer, voir le plan détachable 1 et le zoom détachable 4 en fin de guide.

En parcourant ces deux quartiers anciens de Manhattan, on a véritablement l'impression d'être dans une ville au cœur de la ville. Plantation hollandaise de tabac au XVIIe s (à la place d'un village algonquin) puis quartier résidentiel anglais, Greenwich et West Village deviennent le terrain d'élection des immigrants du XIXe s. Les écrivains Mark Twain et Edgar Allan Poe s'y établissent. Dans les années 1910, les loyers défiant toute concurrence, une population de jeunes aux idées neuves et anticonformistes s'y installe à son tour, conférant au quartier l'allure d'une « bohème de Manhattan ». Arrivent ensuite les avant-gardistes (Pollock, Hopper) et les beatniks (Kerouac, Ginsberg, Dylan), qui voient les années 1950 et 1960 transformer Greenwich en temple de l'underground. Norman Mailer y fonde (pas tout seul) la revue *Village Voice*. Depuis, le quartier s'est largement embourgeoisé, dominé par la puissante NYU (New York University), et a repoussé l'avant-garde culturelle, d'abord vers SoHo, puis vers East Village, Lower East Side et plus récemment Williamsburg, DUMBO et Bushwick à Brooklyn.

Le Village attire désormais de plus en plus de touristes, et quand bien même sa scène jazz reste dynamique, le quartier s'est donc un peu empâté. Cela dit, à l'extrémité nord de West Village, Meatpacking District, l'ancien quartier de l'emballage de la viande, avec ses galeries d'art, magasins de créateurs, bars, restos chic et hôtels de luxe, est aujourd'hui le théâtre d'une activité renaissante. Un détail technique, ce petit bout de quartier est entièrement équipé de wifi, un service gracieusement offert par la maison Google, dont les bureaux new-yorkais se trouvent à côté du Chelsea Market.

Quant à la High Line, la promenade suspendue aménagée sur une ancienne ligne aérienne désaffectée, elle offre au promeneur une perception de la ville en tout point singulière qui ravira petits et grands.

Adresse utile

@ *Apple Store* (plan 1, A-B3, **566**) : 401 W 14th St. ☎ 212-444-3400. Ⓜ (A, C, E) 14 St. Connexion gratuite.

Où dormir ?

De prix moyens à plus chic

🛏 *Larchmont Hotel* (zoom 4, B3, **23**) : 27 W 11th St (entre 5th et 6th Ave). ☎ 212-989-9333. ● larchmonthotel. com ● Ⓜ (F, M) 14 St. Doubles 120-165 $; familiales 220-250 $; petit déj compris. 🖥 🛜 Petit hôtel calme avec une bonne soixantaine de chambres équipées de lavabo. Salle de bains sur le palier (sauf pour les familiales) et kitchenette à disposition à chaque étage. La maison est vraiment élégante, dommage que la déco des chambres soit un peu plus *cheap* et qu'on privilégie le *no room service* : comprendre que le ménage n'est fait qu'en fonction du renouvellement des résidents. Si on adhère au style comme à la maison, ça passe ; sinon, on peut trouver le tout un peu limite. Jolie vue sur les toits depuis les étages. Un assez bon rapport qualité-prix pour ce secteur de New York.

🛏 🍴 *The Jane* (plan 1, A3, **315**) : 113 Jane St (et West). ☎ 212-924-6700. ● thejanenyc.com ● Ⓜ (A, C, E, 1, 2, 3) 14 St. Cabines 2 pers 125-145 $; doubles avec sdb (Captain's) à partir de 200 $. 🛜 Aux frontières du Meatpacking District, en bordure de l'Hudson River, cet ancien foyer pour marins qui a accueilli les survivants du *Titanic* a subi depuis un superbe lifting. Le lobby donne le ton avec son ambiance victorienne et ses grooms en livrée (voir « Où boire un verre ? »). Quant aux chambres, ce sont des cabines simples ou doubles (couchages superposés) semblables aux bannettes d'un antique paquebot transatlantique ! Minuscules forcément (surtout à 2), mais bien équipées (bonne literie, tiroir escamotable) et charmantes, même si pas super bien insonorisées et sans vue. En revanche, 2 salles de bains par étage seulement, un peu juste... Également de spacieuses chambres doubles meublées à l'ancienne (*Captain's Rooms*), avec de jolies salles de bains rétros. En prime au rez-de-chaussée, le sympathique *Café Gitane,* pratique pour le petit déj, entre autres. Une adresse décalée, plus fêtards que familles.

🛏 ***Washington Square Hotel*** *(zoom 4, B3, 40)* **:** 103 Waverly Pl (et Washington Sq). ☎ 212-777-9515 ou 1-800-222-0418. ● washingtonsquarehotel.com ● Ⓜ *(A, C, D, E, F)* W 4 St. Doubles 180-350 $; familiales à partir de 240 $; bon petit déj inclus. 🛜 Idéalement situé en bordure de Washington Park, desservi par plusieurs lignes de métro, cet élégant immeuble abrite un hôtel fort agréable et familial, cosy et feutré, décoré avec le thème Art déco. Bien que petites, les chambres bénéficient d'un très bon niveau de confort et de jolies salles de bains. Essayer d'en avoir une au 8e ou au 9e étage, avec vue sur l'Empire State Building ou le parc (aux étages inférieurs, elles peuvent manquer de lumière, voire donner sur un mur). Fitness et spa.

Très, très chic

🛏 ***The Standard*** *(plan 1, A3, 92)* **:** *848 Washington St (et W 13th St ; entrée sous la High Line par le sas jaune canari).* ☎ 212-645-4646. ● standardhotels.com ● Ⓜ *(A, C, E)* 14 St. Doubles « de base » 400-500 $. 🛜 Ouvert en 2008, le *Standard* n'a rien de standard et reste à la pointe en matière d'hôtel de luxe design branché. Même le staff a le look cool des *hipsters.*

Le bâtiment lui-même, tout béton et verre sur pilotis, est remarquable. Inspiré de Le Corbusier, il enjambe la High Line. Toutes les chambres, décorées sur le thème paquebot des années 1950, offrent des vues panoramiques incroyables sur le Meatpacking District et l'Hudson, puisque même les étages inférieurs sont surélevés et les murs sont vitrés du sol au plafond. Douche XXL ouverte sur la chambre ! L'adresse idéale pour une nuit d'amour. D'ailleurs, une des scènes les plus hot du film *Shame* a été tournée ici. Au 18e étage, un *rooftop* version pelouse avec chaises longues et surtout *Boom Boom Room,* un bar délirant, doré du sol au plafond, avec toujours cette vue, y compris depuis les toilettes... On allait oublier le resto du rez-de-chaussée (*The Standard Grill,* voir « Où manger ? Plus chic »), et l'*Ice Rink* en hiver, une patinoire mimi comme tout, uniquement pour les enfants.

🛏 ***Gansevoort Meatpacking*** *(plan 1, B3, 375)* **:** *18 9th Ave (entre 12th et 13th).* ☎ 212-206-6700. ● gansevoorthotelgroup.com ● Ⓜ *(A, C, E)* 14 St. Doubles env 300-600 $. 🖥 🛜 Lui aussi en plein Meatpacking District, le *Gansevoort* vit dans l'ombre de son prestigieux voisin le *Standard.* Moins impressionnant, il reste cela dit aussi un peu moins cher tout en étant aussi confortable. Ses chambres, glamour et sophistiquées dans les tons gris et fuchsia, sont surtout éclairées par d'immenses baies vitrées. Petite touche d'originalité : les grandes photos de mode prises dans l'hôtel, que l'on retrouve un peu partout. Fitness, spa et belle piscine (chauffée) sur le toit, accolée à un bar-terrasse, avec vue à 360° et de spectaculaires couchers de soleil sur l'Hudson River. Accueil pro et décontracté.

Où manger ?

Spécial petit déjeuner et brunch

🍽 🥄 ***Silver Spurs*** *(zoom 4, C4, 327)* **:** *490 LaGuardia Pl (angle Houston).*

☎ 212-228-2333. Ⓜ *(D, F)* Broadway-Lafayette St. Tlj 6h-23h (24h/24 ven-sam). Plats et breakfast 7-12 $. Un *diner* traditionnel, largement vitré et toujours plein d'habitués, où l'on sert la panoplie complète des classiques du *breakfast in America* et des *colossal burgers* (sic !) en journée. Le genre de lieu sans aucun charme mais authentique où l'on observe surtout la vie new-yorkaise. Agréable terrasse ensoleillée, rare dans le quartier.

🍴 **Murray's Bagels** *(zoom 4, B3, 288)* : *500 6th Ave (entre 12th et 13th)*. ☎ 212-462-2830. Ⓜ *(F, M) 14 St. Tlj 6h-21h (20h w-e). Env 5-12 $*. Parmi les meilleurs bagels de Manhattan, confectionnés à l'ancienne et à dévorer sur place ou à emporter. Une quinzaine de variétés, et le double de garnitures, sucrées et salées. Copieux, pas trop cher et typiquement new-yorkais.

🍴 Et aussi : ***Tartine, Rosemary's, The Spotted Pig, The Standard Grill, Cowgirl, Miss Lily's Variety, Magnolia Bakery*** (pâtisseries à emporter) ou encore ***Think Coffee, Caffè Reggio*** et ***Bluestone Lane Coffee.*** Voir plus loin.

Sur le pouce

🍜 🍜 Dans McDougal Street *(zoom 4, B3-4, 153 ; entre Bleecker et W 3rd)*, toute une variété de mini-échoppes de cuisine étrangère devant lesquelles les étudiants font la queue le midi pour se sustenter vite bien fait à moins de 10 $. Certains préfèrent emporter leur casse-dalle dans le Washington Square voisin. Essayez par exemple ***Mamoun's Falafel*** au n° 119, spécialisé dans devinez quoi, ***Thelewala*** au n° 112, un indien pour les adeptes des *Calcutta rolls,* ou direction l'Italie avec ***Artichoke Basille's Pizza,*** au n° 111, pour ceux qu'une part de pizza botterait (bière à 5 $ pour accompagner).

🍜 **Taïm** *(zoom 4, B3, 158)* : *222 Waverly Pl (et 7th Ave)*. ☎ 212-691-6101. Ⓜ *(1, 2, 3) 14 St. Env 5-11 $*. Le spécialiste du néofalafel, à emporter ou à déguster sur place. Exigu et pas très confortable, mais ultra-frais et délicieux (c'est la traduction de *taïm* en hébreu). La pita et les petites sauces sont savoureuses : *green,* avec harissa ou carrément *red.* Bons *smoothies* aussi. À recommander aux végétariens. Le midi, vente ambulante sur le trottoir, gros succès auprès des costards-cravates du coin.

🍜 **Num Pang** *(zoom 4, C3, 300)* : *28 E 12th St (entre 5th et University)*. ☎ 212-255-3271. Ⓜ *(4, 5, 6) 14 St-Union Sq. Sandwichs 8-12 $*. Une petite gargote dont la spécialité est le sandwich sino-thaï version fast-food gourmet, à base de produits locaux et bio. Également des soupes et salades. À consommer à touche-touche ou surtout... à emporter.

🍜 🍽 **Murray's Cheese** *(zoom 4, B3, 434)* : *254 Bleecker St (entre 6th et 7th Ave)*. ☎ 212-243-3289. Ⓜ *(A, C, D, E, F) W 4 St. Sandwichs env 5 $*. Suivez l'odeur jusqu'à ce *deli* où Cielo Peralta ne propose pas moins de 350 fromages américains et européens à la vente. Également du pain maison, des sandwichs frais, des gâteaux... De quoi se confectionner un savoureux pique-nique (quelques chaises sur place). À quelques mètres, le *Murray's Cheese Bar* propose de vrais repas et brunchs combinant fromages et vin. Laissez-vous tenter par les produits américains pour changer un peu...

🍽 🍜 **Morton Williams Associated Supermarket** *(zoom 4, C4, 170)* : *130 Bleecker St (angle LaGuardia Pl)*. ☎ 212-358-9597. Ⓜ *(D, F) Broadway-Lafayette St. Tlj 24h/24. Moins de 10 $*. Ce supermarché propose un *salad bar* bien fourni, des sandwichs copieux, des sushis et des plats préparés à consommer sur place ou à emporter pour un petit pique-nique au Washington Square, tout proche. Pensez à respecter les feux à la caisse !

Bon marché

🍔 **Bareburger** *(zoom 4, C4, 512)* : *535 LaGuardia Pl (et Bleecker)*. ☎ 212-477-8125. Ⓜ *(N, R) Prince St ou (A, C, D, E, F) W 4 St-Washington Sq. Burgers-frites env 15-17 $*. Une mini-chaîne de burgers gourmets, avec des ingrédients 100 % *organic* ou *natural* et des associations savoureuses. On choisit sa viande (bœuf, canard, bison, cerf, autruche, dinde...), son pain voire son fromage, son type de bacon et ses condiments (attention aux petits suppléments). Tout est bon et goûteux, y compris les frites et les petites sauces qui vont avec. Quant au décor, il est écolo lui aussi, tout en matériaux recyclés, à mi-chemin entre le hangar et la grange. Service à la cool.

|●| *Miss Lily's Bake Shop & Melvin's Juice Box* (zoom 4, B4, **520**) : 130 W Houston St (et Sullivan). ☎ 646-588-5375. Ⓜ (A, C, D, E, F) W 4 St-Washington Sq. Tlj 7h30 (8h30 w-e)-22h. Plats 6-16 $. C'est la petite annexe du resto jamaïcain coloré *Miss Lily's* (voir plus loin). On retrouve, dans un cadre beaucoup plus simple, les spécialités de poulet mais aussi sandwichs et salades dans le même esprit, plus un bar à jus de fruits et légumes frais. Rastas de tous horizons, un pèlerinage s'impose !

☱ *Corner Bistro* (zoom 4, B3, **159**) : 331 W 4th St (angle Jane). ☎ 212-242-9502. Ⓜ (A, C, E) 14 St. Tlj 11h30-4h. Burgers-frites env 8-10 $. CB refusées. Atmosphère tamisée dans cet ancien bistrot qui a conservé son décor chaleureusement patiné. On vient ici pour la spécialité maison, le burger (bien garni et *juicy*), une bonne bière et *that's all* ! Un bémol, le service parfois un peu raide. En face, jetez un œil à la devanture de la chocolaterie, particulièrement inventive !

Prix moyens

|●| ☝ *Tartine* (zoom 4, B3, **163**) : 253 W 11th St (et W 4th). ☎ 212-229-2611. Ⓜ (1) Christopher St-Sheridan Sq. Plats 12-26 $; brunch tlj env 17 $. CB refusées et commande min exigée 20 $... Si l'air du pays vous manque, rendez-vous dans ce resto français devenu au fil du temps un favori du Village. Dans une petite salle décorée de photos de bateaux, on savoure la mine réjouie de délicieux petits plats et desserts. Avis aux amateurs de vin : c'est un BYOB (Bring Your Own Bottle), apportez donc une bouteille qu'on vous débouchera volontiers. Sympa, les tables dehors en été, mais, rançon du succès, il faut parfois attendre un peu pour décrocher une place.

|●| *Rosemary's* (zoom 4, B3, **113**) : 18 Greenwich Ave (et W 10th). ☎ 212-647-1818. Ⓜ (A, C, D, E, F) W 4 St-Washington Sq. Tlj mat, midi et soir. Plats 14-26 $; brunch env 15 $. Locavore, cette vaste trattoria-*enoteca*

cultive à fond le style fermier urbain, puisque des aromates et certains fruits et légumes poussent sur le toit-terrasse ! La cuisine, rustique et saine, tient ses promesses et le décor campagne revisité est à la fois spacieux et chaleureux. Si vous avez une faim modérée, une salade (fraîche et originale) et une *foccacia* font l'affaire avec un verre de vin de la Botte.

|●| *Rafele* (zoom 4, B3-4, **112**) : 29 S 7th Ave (entre Bedford et Morton). ☎ 212-242-1999. Ⓜ (1) Christopher St-Sheridan Sq ou (A, C, D, E, F) W 4 St. Le midi, plats 12-22 $, le soir 13-30 $. Un vrai bon italien qui ne se la joue pas mode mais qui mise tout sur sa typique et savoureuse cuisine de trattoria, réalisée dans les règles de l'art. Les habitués viennent d'ailleurs pour ça ! La salle, au décor sans prétention mais chaleureux, séduira ceux qui préfèrent l'authenticité à la branchitude. Dernier bon point : les prix, qui savent se tenir pour le quartier.

|●| 🚄 *Risotteria* (zoom 4, B3, **434**) : 270 Bleecker St (entre 6th et 7th Ave). ☎ 212-924-6664. Ⓜ (A, C, D, E, F) W 4 St. Risottos 16-21 $. À l'angle d'une rue jalonnée de restos, ce grand établissement disposant de peu de tables tire son épingle du jeu grâce à une idée originale : à la carte, du risotto, rien que du risotto. Préparé avec 3 sortes de riz en provenance de la vallée du Pô et accommodé selon les goûts avec des produits de qualité, il ravira les amateurs. Les autres trouveront néanmoins quelques pizzas et paninis. Le tout sans gluten.

|●| ☡ *Dos Caminos* (plan 1, B3, **227**) : 675 Hudson St (angle 14th). ☎ 212-699-2400. Ⓜ (L) 8 Ave. Plats 12-26 $. On a trouvé un mini-Flatiron dans Meatpacking ! Cet élégant bâtiment d'angle en brique abrite l'un des pimpants ambassadeurs d'une chaîne mexicaine à succès. Dans le verre, tequila, mezcal et sangria. Dans l'assiette, des classiques latinos extra-frais : tacos, guacamole, quesadillas... Dans la chaleureuse salle et en terrasse, de volubiles *gringos* et des familles visiblement aux anges.

🚄 *Arturo's Pizzeria* (zoom 4, C4, **171**) : 106 W Houston St (et Thompson). ☎ 212-677-3820. Ⓜ (C, E)

Spring St. Tlj 16h (14h w-e)-1h. Pizzas dès 21 $ (pour 2), pâtes 12-20 $, autres plats 20-33 $. Italien bien connu du Village pour ses larges pizzas à partager, nappées de produits simples et bons. Leur qualité très honorable n'est plus à démontrer après un demi-siècle passé à régaler les amateurs, mais ce qui fait vraiment la différence ici, c'est l'ambiance un peu spéciale : un mélange de jazz, de bonne humeur italienne et d'esprit Greenwich ! Cadre hétéroclite et live jazz tous les soirs dès 18h et jusqu'à 21h certains soirs. Gare aux longues files d'attente le week-end !

|●| ☞ 🏃 *Cowgirl* *(zoom 4, B3, **169**) : 519 Hudson St (entre Charles et W 10th).* ☎ 212-633-1133. Ⓜ *(1) Christopher St-Sheridan Sq. Tlj dès le petit déj. Plats 10-15 $ midi, jusqu'à 22 $ le soir.* Un resto familial entièrement décoré sur le thème Far West version vintage et décalée (très réussi !). Côté cuisine, c'est du tex-mex roboratif tendance *deep-fried,* et ce dès le petit déj ! Pas franchement régime, mais les salades sont fraîches et bien garnies, les *frozen margaritas* du tonnerre et les burgers tiennent la route. Au fond, une partie lounge cosy avec canapés et fausse cheminée.

Plus chic

|●| *Untitled* *(plan 1, A3, **522**) : au rdc du Whitney Museum.* Lire plus loin « À voir. Meatpacking District et la High Line ».

|●| ☞ *The Spotted Pig* *(zoom 4, B3, **334**) : 314 W 11th St (et Greenwich).* ☎ 212-620-0393. Ⓜ *(1) Christopher St-Sheridan Sq. Tlj 12h (11h le w-e pour le brunch)-2h. Plats 17-21 $ le midi, 16-35 $ le soir ; brunch env 15-20 $.* En dépit du nombre d'arbustes en pot ourlant la façade, ce n'est pas une jardinerie, mais un gastropub mimi comme tout, bondé jour et nuit au point qu'il est parfois infernal d'essayer d'y entrer... On vous conseille donc de tenter votre chance au déjeuner, dès 12h pour être sûr de pouvoir goûter à cette excellente table *modern American.* Aux manettes, April Bloomfield, une chef britannique qui travaille les

produits locaux avec talent. La carte change tous les jours mais le burger au roquefort reste un must. Un lieu branché comme on les aime, joyeux, festif, cool, plein d'âme et de cachet, qui fait aussi bar (voir « Où boire un verre ? »).

|●| ☞ *The Standard Grill* *(plan 1, A3, **92**) : 848 Washington St (et W 13th).* ☎ 212-645-4100. Ⓜ *(A, C, E) 14 St. Tlj 7h (16h pour le Biergarten, 12h le w-e)-3h (4h jeu-sam). Résa indispensable. Plats 15-25 $ pour la plupart le midi, 17-35 $ le soir ; brunchs 15-20 $.* C'est le resto de l'hôtel hyper branché *The Standard.* Cuisine américaine revisitée : grillades, salades, moules-frites et fameux burger à prix raisonnables compte tenu de la qualité du service et du décor, un classique bistrot style Nouvelle-Angleterre, ouvrant sur une vaste brasserie aux voûtes carrelées, pas trop bruyante, avec sol incrusté de piécettes de 1 *cent,* box en bois et Chesterfield. Les rustiques, eux, choisiront les grandes tablées du *Biergarten* à l'allemande avec, au menu, saucisses, bretzels et bières, ou joueront au ping-pong entre copains (*so chic* !).

|●| *Miss Lily's Variety* *(zoom 4, B4, **520**) : 132 W Houston St (et Sullivan).* ☎ 646-588-5375. Ⓜ *(A, C, D, E, F) W 4 St-Washington Sq. Tlj dès 18h ; brunch w-e 11h-17h. Résa conseillée (via ● opentable.com ●). Plats 18-26 $ pour la plupart ; brunch 30 $.* Un resto jamaïcain à la mode, dans un décor de *diner* vintage revisité disco-reggae, ultra-coloré et festif, façon bar de plage. Un repaire de *beautiful people* venus déguster dans cette ambiance très léchée des spécialités de Jamaïque sucrées-salées, assez épicées mais adoucies par les fruits servis en jus, cocktails et desserts. Juste à côté, au 130 West Houston, c'est l'annexe moins chère, ***Miss Lily's Bake Shop & Melvin's Juice Box*** (voir plus haut).

|●| *Tomoe Sushi* *(zoom 4, B-C4, **210**) : 172 Thomson St (entre Bleecker et Houston).* ☎ 212-777-9346. Ⓜ *(A, C, D, E, F) W 4 St. Tlj sf le midi dim-lun. Plateau de makis env 20 $, sushis et sashimis 27-36 $. Cash ou American Express slt.* Si vous résistez aux files d'attente (venir tôt et pas plus de 5 personnes à la fois !) et si votre porte-monnaie est bien rempli, vous aurez la chance de goûter à ces fameux sushis. Le cadre est quelconque, voire totalement ribouldingue, le service un peu brut, mais le poisson y est exquis de fraîcheur et de finesse (ça se sent !).

|●| 🚄 Barbuto (plan 1, A-B3, **235**) : 775 Washington St (angle W 12th). ☎ 212-924-9700. Ⓜ (A, C, E) 14 St. Plats 20-25 $ le midi, 23-27 $ le soir ; menu famille 85 $! Ce bistrot néorital est installé dans un ancien garage Rolls-Royce, d'où les murs en brique et les portes coulissantes qui s'ouvrent comme par magie aux beaux jours pour ensoleiller la terrasse... On a l'impression de manger dans la rue ! Les produits locaux et de saison sont de mise, et les viandes y sont délicieuses et cuisinées de façon très subtile. Pizzas seulement le midi.

Cafés, pâtisseries et glaces

Cafés

🍵 Think Coffee (zoom 4, C3, **331**) : 248 Mercer St (et W 3rd St). ☎ 212-228-6226. Ⓜ (6) Bleecker St ou (A, C, D, E, F) W 4 St. Le repaire des étudiants de la prestigieuse et voisine NYU, tous greffés au clavier de leur Mac (un PC, mais c'est quoi donc ?). Cadre spacieux (différents coins et recoins) et ambiance fraternelle. On peut aussi y grignoter (soupe du jour, sandwichs) et y prendre le petit déj.

🍵 Stumptown Coffee (zoom 4, B3, **305**) : 30 W 8th St. ☎ 347-414-7802. Ⓜ (A, C, D, E, F) W 4 St. Le café new-yorkais nouvelle génération, branché à tous points de vue, dans une vaste et chaleureuse salle que fréquentèrent jadis Jack Kerouac et Allen Ginsberg (c'était une librairie). Espresso ou filtre, rien que du frais moulu, dans une ambiance Apple studieuse. Côté service, ça dépote et il en passe du monde ! Dégustation gratuite de 3-4 cafés à 14h tous les jours.

🍵 ☕ Bluestone Lane Coffee (zoom 4, B3, **373**) : 55 Greenwich Ave. ☎ 646-368-1988. Ⓜ (A, C, D, E, F) W 4 St. Brunchs 8-13 $. Minisalle toute vitrée surfant gaiement sur le mode neighborhood. Au petit déj pour un granola, le midi pour des plats recherchés, avec un kawa providentiel avant de piquer du nez, le week-end pour un brunch réunissant tout cela... Il y a toujours une bonne raison de passer par le Bluestone. Surprise à l'arrière, une salle bien cachée pour se connecter tranquillou.

🍵 Jack's Stir Brew Coffee (zoom 4, B3, **307**) : 138 W 10th St (entre Greenwich Ave et Waverly Pl). ☎ 212-929-0821. Ⓜ (1) Christopher St-Sheridan Sq. Tout petit café où, du précieux grain au lait de la vallée de l'Hudson, tout est bio. Si on a la chance de s'attabler pour siroter un café à la cannelle, on est quand même un peu dans le passage des habitués qui font la queue... Belle atmosphère de quartier, cependant.

🍵 ☕ Caffè Reggio (zoom 4, B3-4, **153**) : 119 McDougal St (et W 3rd). ☎ 212-475-9557. Ⓜ (A, C, D, E, F) W 4 St. Inauguré en 1927, il aurait introduit le cappuccino aux États-Unis, rien que ça ! L'occasion aujourd'hui de déguster un bon café dans un beau décor italien Belle Époque, avec une alcôve, un antique et superbe percolateur et de vieux tableaux patinés par le temps (dont un attribué à... l'école du Caravage). En revanche, les tables sont vraiment à touche-touche.

🍵 Caffè Vivaldi (zoom 4, B3, **303**) : 32 Jones St (entre Bleecker et W 4th). ☎ 212-691-7538. Ⓜ (1) Christopher St-Sheridan Sq. Un café à l'ancienne, avec une cheminée (certes, à gaz) providentielle les soirs d'hiver, un bar arrondi et de vieilles photos aux murs. Rien d'extraordinaire, mais une ambiance easygoing et des concerts sans cover presque tous les soirs. Terrasse en été.

Pâtisseries et glaces

🍵 ☕ Magnolia Bakery (zoom 4, B3, **318**) : 401 Bleecker St (et 11th). ☎ 212-462-2572. Ⓜ (1) Christopher St-Sheridan Sq. Excellentes pâtisseries exclusivement à emporter (petit square quasi en face pour la dégustation). La spécialité, ce sont les cupcakes (petits gâteaux nappés d'un glaçage au beurre de couleur), rendus célèbres par les héroïnes branchées de *Sex and the City*. Les *cheesecakes, banana puddings* et « gâteaux à étages » sont également fameux. Si vous êtes fan de la série, la maison de Carrie est tout près, au 66 Perry Street (et Bleecker).

🍦 **Grom** *(zoom 4, B3-4, 319)* : 233 Bleecker (angle Carmine). ☎ 212-206-1738. Ⓜ (A, C, D, E, F) W 4 St. Quiconque a déjà goûté les délices du célèbre glacier italien comprendra qu'on ne puisse résister à l'envie de vous l'indiquer ! Seuls les produits de la meilleure qualité sont utilisés (volontiers bio et issus du commerce équitable) et le choix côté sorbet dépend des saisons : pomme en hiver et fraise ou framboise en été seulement ! On tient l'explication des prix... Mais les saveurs sont incomparables, la pistache notamment.

🍦 **Big Gay Ice Cream Shop** *(zoom 4, B3, 222)* : 61 Grove St (et 7th Ave). ☎ 212-414-0222. Ⓜ (1) Christopher St-Sheridan Sq. Un glacier iconique (facile) du Village, spécialisé dans les glaces crémeuses à l'italienne. Très peu de parfums (que des basiques), mais de nombreux *toppings* à ajouter dessus, parfois surprenants. Si vous manquez d'idées, laissez-vous guider par une création toute faite, par exemple le *Salty Pimp* (un must). Ingénieux, le cône en plastique pour éviter que la glace ne dégouline sur les doigts ; ils pensent à tout ces Américains...

Où boire un verre ?

Vous voici dans un quartier plébiscité par les noctambules, même si East Village, Lower East Side et Williamsburg à Brooklyn lui volent de plus en plus la vedette.

🍸 **The Jane Ballroom** *(plan 1, A3, 315)* : dans l'hôtel The Jane, 113 Jane St (et W). ☎ 212-924-6700. Ⓜ (A, C, E) 14 St. Tlj 17h-4h. Un bar au décor exceptionnel, dans un hôtel branché aux allures de manoir. Première partie sombre et intime, avec plafond bas à caissons, animaux empaillés façon cabinet de curiosités. Ensuite, on bascule dans le grandiloquent, ambiance *Crime de l'Orient-Express*, dans une salle tout en tentures cramoisies, faïences vintage et bois cérusé, dominée par un bélier naturalisé, conférant à la pièce une mise orientaliste carrément décalée !

🍸🎵 **Marie's Crisis** *(zoom 4, B3, 345)* : 59 Grove St (et 7th). ☎ 212-243-9323. Ⓜ (1) Christopher St-Sheridan Sq. Tlj dès 17h. Un vieux classique du Village, plein à craquer les vendredi et samedi soir, donc tentez plutôt un autre jour. On vient ici pour écouter les grands standards des comédies musicales de Broadway. Le pianiste est le seul musicien « officiel », la partie chant étant assuré avec brio par le public, constitué d'habitués de tous styles : jeunes, moins jeunes, gays ou hétéros, branchés ou non. Pas de *cover*, on donne ce qu'on veut dans le bocal posé sur le piano. Une ambiance extra, unique à New York.

🍸🎵 **Arthur's Tavern** *(zoom 4, B3, 345)* : 57 Grove St (et 7th). ☎ 212-675-6879. Ⓜ (1) Christopher St-Sheridan Sq. CB refusées. Quasiment accolé à *Marie's Crisis*, voici encore un vénérable bar bien patiné qui présente l'avantage de proposer tous les soirs un concert live jazz ou blues, généralement sans *cover charge* (on fait juste passer le seau pour « tiper » les musiciens).

🍸 **White Horse Tavern** *(zoom 4, B3, 342)* : 567 Hudson St (et W 11th). ☎ 212-989-3956. Ⓜ (1) Christopher St-Sheridan Sq. Tlj dès 11h. Accès refusé aux moins de 21 ans. L'un des plus vieux pubs du Village (1880) avec sa devanture noir et blanc, repaire des buveurs de bière et de whisky, toujours aussi populaire et animé. Jack Kerouac en sortait souvent rond comme une queue de pelle, et Dylan Thomas y aurait bu son dernier verre ! Fait aussi resto.

🍸🍽 **The Garret** *(zoom 4, B3, 349)* : 296 Bleecker St (et 7th Ave), au-dessus du *fast-food* Five Guys. ☎ 212-675-6157. Ⓜ (1) Christopher St-Sheridan Sq. Tlj 17h (14h w-e)-2h (1h dim-mer). À l'intérieur du *Five Guys,*

GREENWICH ET WEST VILLAGE

montez l'escalier à gauche du comptoir. Contraste saisissant entre le non-décor du fast-food et l'atmosphère feutrée et cosy (bruyante quand même, on est à New York !) de ce *speakeasy* décalé à souhait. Allez-y mollo sur les cocktails si vous voulez retrouver la sortie des toilettes, et en cas de fringale, sachez-le, les burgers du rez-de-chaussée sont bons.

♪ **Little Branch** (zoom 4, B4, **348**) : 20 S 7th Ave. ☎ 212-929-4360. Ⓜ (1) Christopher St-Sheridan Sq. Tlj 19h-2h. Encore un de ces *speakeasies* invisibles à qui ne sait pas où regarder. Pas d'enseigne, même pas de numéro, tirer la porte à l'angle de Leroy Street et 7th Avenue pour dévaler un escalier décati jusqu'à cette petite cave à jazz pleine de peps, alignant les box caressés par la lueur des bougies. Vaste choix de cocktails bien sûr, et des standards joués en live, tous les soirs. Belle atmosphère, joyeuse et relax, entre *happy few* tout sourire d'avoir déniché l'improbable. Même maison que *Middle Branch* à Union Square (lire ce chapitre).

▮ **Boom Boom Room** (plan 1, A3, **92**) : au sommet du Standard Hotel, 848 Washington St (et W 13th). ☎ 212-645-4646. Ⓜ (A, C, E) 14 St. Tlj 16h-21h (sunset service slt pour les clients de l'hôtel). Pour accéder facilement à cet incroyable bar ultra-hype, avec l'air de savoir où l'on va : depuis le hall de l'hôtel, se diriger vers la gauche, où sont les ascenseurs, et monter jusqu'au 18e étage. Ici, hommage est rendu au designer de *Windows of the World,* le fameux bar-resto panoramique des Twin Towers doré du sol au plafond, avec un bar-corolle et des canapés mordorés très seventies où se lover en se prenant pour James Bond. Vue époustouflante, y compris des toilettes... Cocktails pas inabordables pour le lieu, mais soignez votre look, le *dress code* est très sélect (en baskets et en jean, tu rentres pas !).

▮ **The Spotted Pig** (zoom 4, B3, **334**) : 314 W 11th St (et Greenwich). ☎ 212-620-0393. Ⓜ (1) Christopher St-Sheridan Sq. Ce charmant petit pub, adulé par tous les gastronomes branchés (voir plus haut « Où manger ? »), accueille à l'étage un bar investi par les people. L'occasion d'y croiser de temps à autre le rappeur Jay-Z, un des proprios des lieux, accompagné de sa femme Beyoncé.

▮ **The Monster** (zoom 4, B3, **347**) : 80 Grove St (et W 4th). ☎ 212-924-3557. Ⓜ (1) Christopher St-Sheridan Sq. Ce piano-bar au style très Broadway est le bar gay le plus célèbre du quartier. Clientèle quinqua, ambiance soft et décor chicos classique mais un peu passé. Discothèque au sous-sol.

▮ **Employees Only** (zoom 4, B3, **359**) : 510 Hudson St (et Christopher). ☎ 212-242-3021. Ⓜ (1) Christopher St-Sheridan Sq. Pas d'enseigne, repérer le néon « Psycho ». Tlj 18h-4h. Long *speakeasy* Art déco à l'atmosphère plus pub que Prohibition, où l'on joue des coudes pour accéder au comptoir quel que soit le jour de la semaine. Cocktails maison bien sûr, mais aussi une diseuse de bonne aventure, pour se faire tirer les cartes plutôt qu'une bière. Quelques tables au fond pour plus d'intimité, si tant est qu'il y en ait une de libre... On peut aussi y manger, jusque tard.

▮ **Tortilla Flats** (plan 1, A-B3, **350**) : 767 Washington St (et W 12th). ☎ 212-243-1053. Ⓜ (1) Christopher St-Sheridan Sq. Bar à la déco kitscho-pétante : guirlandes lumineuses, croûtes en hommage à Elvis, photos de l'acteur Ernest Borgnine qui fut un ami de la maison... Bons cocktails. Très animé le week-end, chaude ambiance pas vraiment B.C.B.G. Soirées à thème des plus délurées : bingo lundi et mardi, hula hoop le mercredi et *fun day* le dimanche... Tout ça pour gagner de la tequila !

Où écouter du bon jazz, du blues, du rock ?

Les institutions du Village

♪ **Village Vanguard** (zoom 4, B3, **352**) : 178 S 7th Ave (et W 11th).

☎ 212-255-4037. ● villagevanguard. com ● Ⓜ (1) Christopher St-Sheridan Sq. Tlj dès 19h30 (sets à 20h30 et 22h30, parfois aussi à 0h30 sam). Cover charge 30 $ (parfois plus pour certaines grosses pointures), boisson en sus. Cash only (sf sur Internet, mais supplément de 4 $). Entre lumières faiblardes et peintures écaillées, le Vanguard n'a point besoin de faire brillante figure, car sa réputation n'est plus à faire. La maison distille le meilleur jazz depuis 8 décennies, et de nombreuses pointures, comme John Coltrane, y ont été enregistrées... Chaque groupe programmé pose ses amplis pour 1 semaine complète, lundi exclu, car c'est le soir du Vanguard Jazz Orchestra qui assure un set hebdomadaire depuis 1966 ! Ne soyez pas en retard, ou l'on risque de revendre votre place !

♪ **Blue Note** (zoom 4, B3, **354**) : 131 W 3rd St (entre McDougal St et 6th Ave). ☎ 212-475-8592. ● bluenote.net ● Ⓜ (A, C, D, E, F) W 4 St. Sets à 20h et 22h30 (aussi 0h30 ven-sam). Brunch dim à 11h30 et 13h30, env 30 $. Cover charge env 20-35 $ selon j., affiche et placement (bar ou table). Célèbre boîte de jazz, fréquentée par une clientèle plutôt huppée. La salle n'est pas trop grande, agréable et cosy, mais les moins fortunés resteront sans hésiter au bar : bonne vue de la scène et acoustique impeccable. Max Roach, Sarah Vaughan, Maynard Ferguson, Ray Charles, Milt Jackson s'y sont produits. D'autres célébrités viennent parfois y faire un bœuf. Concerts tous les soirs et aussi pendant le brunch du dimanche (l'entrée comprend alors le repas et une boisson). Détail important : même avec une réservation, arriver au moins 30 mn avant l'heure indiquée, sous peine de vous voir refuser l'entrée si c'est complet.

♪ **Small's** (zoom 4, B3, **393**) : 183 W 10th St. ● smallsjazzclub.com ● Ⓜ (1) Christopher St-Sheridan Sq. Tlj dès 19h30 (16h ven-dim) jusqu'à 3h30 ou 4h (3-4 groupes). Cover charge 20 $ (parfois gratuit), pas de conso obligatoire. Tout petit par la taille, au bas d'un escalier étroit, Small's fait également partie des grands classiques du jazz à Greenwich Village. Les formations musicales y sont toujours d'excellente qualité, et les touches du vieux Steinway en ont vu défiler des doigts de fée ! Confort modeste (bancs et chaises de bois) mais atmosphère intimiste, au plus près des musiciens. Venir dès le début du 1er set pour

être sûr de rentrer, car c'est vraiment minuscule (une cinquantaine de places) et, dès le 2e, la file d'attente à l'extérieur est impressionnante.

♪ **Terra Blues** (zoom 4, C4, **358**) : 149 Bleecker St (entre Thompson et LaGuardia). ☎ 212-777-7776. ● terra blues.com ● Ⓜ (A, C, D, E, F) W 4 St. Tlj 19h (début du 1er set)-2h (3h ven-sam). Cover charge env 10 $ (15 $ sam), plus 1 boisson/set. L'empire du blues ! Tabourets hauts, bouteilles de whisky qui scintillent derrière le bar, et des guitares qui fouillent le fond de l'âme. Concerts de très bon niveau presque chaque soir avec, en général, un solo en début de soirée, puis un groupe à partir de 22h. Beaucoup d'ambiance.

♪ **Bitter End** (zoom 4, C4, **358**) : 147 Bleecker St (et Thompson). ☎ 212-673-7030. ● bitterend.com ● Ⓜ (A, C, D, E, F) W 4 St. Tlj 19h-minuit (4h ven-sam). Cover charge 5-10 $. C'est dans ce bar énergique et poisseux, ouvert en 1961, que le grand public a pu découvrir Bob Dylan, Curtis Mayfield, Eric Clapton, Stevie Wonder, Taj Mahal, jusqu'à Norah Jones... Les groupes se succèdent tout au long de la nuit, on peut apporter son casse-dalle pour tenir le choc. Surtout du rock, mais aussi du hip-hop, du R'n'B, de la country... Souvent bondé. Bons plans, les jam sessions du lundi, durant lesquelles viennent se déchaîner quelques pointures habituées des grandes scènes et la scène ouverte à tous le samedi après-midi.

♪ **Café Wha ?** (zoom 4, B3-4, **153**) : 115 McDougal St. ☎ 212-254-3706. ● cafewha.com ● Ⓜ (A, C, D, E, F) W 4 St. Shows à 20h et 23h15. Sur résa. Cover charge 5-20 $. Né à la fin des années 1950, ce n'était au départ qu'un rade en sous-sol, sans alcool et pour oiseaux de nuit à la Kerouac. Mais la scène de ce café-concert ouvert à tous les talents est vite devenue l'épicentre du beat et du folk au Village, propulsant quelques grands noms vers la légende comme Fred Neil, Bruce Springsteen ou Kool & the Gang. Au programme : funk le mardi et, le reste de la semaine, le groupe maison qui revisite les hits des 50 dernières années.

GREENWICH ET WEST VILLAGE

Les inclassables

♪ **Fat Cat** (zoom 4, B3, **355**) : 75 Christopher St (et 7th). ☎ 212-675-6056. ● fatcatmusic.org ● Ⓜ (1) Christopher St-Sheridan Sq. Tlj 14h (12h ven-dim)-5h. Entrée : env 3 $. Un club de jazz dans un club de billard où l'on joue aussi au ping-pong, aux échecs, au Scrabble... En journée, les ados y font des parties de *shuffleboard* endiablées. Live tous les soirs à partir de 18h-19h, bonne programmation et ambiance *easygoing* dans une salle tout en longueur, où l'on sirote son verre lové dans un vieux canapé défoncé.

♪ **Le Poisson Rouge** (zoom 4, B4, **453**) : 158 Bleecker St (entre Thompson et Sullivan). ☎ 212-505-FISH. ● lpr. com ● Ⓜ (A, C, D, E, F) W 4 St. Tlj dès 18h. Cover charge 10-30 $ (parfois gratuit). Un concept assez original, croisement entre un bar-lounge design, une galerie d'art contemporain et une salle de concerts et spectacles. Tous styles de musique (même du classique), mais aussi du théâtre et de la danse. Parfois un peu déroutant.

Où danser ?

♪ ♫ **Cielo** (plan 1, A3, **353**) : 18 Little W 12th St. ☎ 212-645-5700. ● cie loclub.com ● Ⓜ (A, C, E) 14 St. Tlj sf mar dès 22h. Cover charge 12-25 $. Pléthore de boules à facettes au ciel de cette boîte ultra-design primée plusieurs fois, qui compte parmi les musts branchouilles de New York. Ici, des fêtards tout-beaux-tout-friqués viennent se trémousser sur fond de lumières psychédéliques. Faut dire que la sono est de premier ordre et que le top des DJs y assure un roulement presque tous les soirs. Incontestablement *zeuplesstoubi* pour les amateurs de soirées *caliente*. Attention, entrée assez sélecte.

Shopping

Mode, beauté

✿ **Bleecker Street,** entre Bank et Christopher Street, est devenue un haut lieu du shopping haut de gamme, un peu comme à SoHo. Beaucoup de créateurs européens et français et, bien sûr, le New-Yorkais **Marc Jacobs,** qui règne en maître avec ses différentes boutiques pour hommes, femmes et même enfants (autour de W 11th et Perry St).

✿ **Stella Dallas** (zoom 4, C3, **533**) : 218 Thompson St (entre Bleecker et W 3rd). ☎ 212-674-0447. Ⓜ (A, C, D, E, F) W 4 St. Une petite boutique assez pointue en matière de vintage, puisque spécialisée surtout dans les vêtements et accessoires pour femmes des années 1930 à 1960. Quelques pièces aussi des seventies mais rien de plus récent ! Très bien classé, par styles, couleurs et matières.

✿ **Beacon's Closet** (zoom 4, B3, **306**) : 156 13th St (entre 5th et 6th Ave). ☎ 917-261-4863. Ⓜ (F, M) 14 St. Chaîne de vêtements vintage d'occase assez géniale dans le genre. Voir les détails à Williamsburg. Mêmes les vendeuses sont d'époque, du look Laura Ingalls à *Ma sorcière bien-aimée*. Beaucoup de monde le week-end.

✿ **Uncle Sam's Army Navy Outfitters** (zoom 4, B3, **541**) : 37 W 8th St (entre 5th et 6th Ave). ☎ 212-674-2222. Ⓜ (A, C, D, E, F) W 4 St. Ici, on vend des vêtements de l'armée, style rangers et pantalons increvables, cabans, parkas, bombers, accessoires et sacs à bandoulière pratiques pour les pérégrinations new-yorkaises.

✿ **Flight Club** (zoom 4, C3, **550**) : 812 Broadway. ☎ 212-929-9454. Ⓜ (4, 5, 6, N, Q) 14 St. Le plus grand choix de baskets à New York : autour de 900 paires (sous cellophane ou en vitrine scellée pour les plus chères) et autant de casquettes. Plus un musée au final car niveau prix, c'est pas cool : compter de 200 à... 9 000 $. Bienvenue au club !

Boutiques spécialisées

✿ **C. O. Bigelow Apothecaries** (zoom 4, B3, **156**) : 414 6th Ave (et W 8th). ☎ 212-533-2700. Ⓜ (A, C, D,

E, F) W 4 St. La plus vieille pharmacie d'Amérique (1838). Thomas Edison serait venu s'y procurer du baume apaisant pour soigner une brûlure causée lors d'une expérience sur son invention, l'ampoule à filament. Outre la petite ligne de beauté et parfums maison (odeurs délicieuses et prix raisonnables), on y trouve aussi, dans les antiques rayonnages, quelques produits à l'ancienne typiquement américains présentés dans des packagings vintage, notamment pour entretenir sa barbe de *hipster.*

🏵 *Mc Nulty's Tea & Coffee (zoom 4, B3, 433)* : 109 Christopher St. ☎ 212-242-5351. Ⓜ *(1) Christopher St-Sheridan Sq. Tlj sf dim mat.* En vrac, en sachet, en grain... Pas de dégustation, mais on vend ici depuis 1895 plus de 100 variétés de thé et 150 de café, séparément ou... mélangées (une invention maison !). Un décor d'un autre âge tout en bois où s'entassent sacs, bonbonnes, balances de Roberval et autres mesures en cuivre. Poussez la porte au moins pour le saut dans le temps et les exquises effluves.

🏵 *Forbidden Planet (zoom 4, C3, 543)* : 832 Broadway (entre 12th et 13th). ☎ 212-473-1576. Ⓜ (L, N, Q, R, 4, 5, 6) 14 St-Union Sq. Une clientèle aussi décontractée qu'éclectique dans cette boutique de bouquins de science-fiction et de B.D. Vend aussi des jouets et des gadgets style *Star Wars* ou super-héros. Grand choix de spécimens rares.

Livres et musique

🏵 *Strand Bookstore (zoom 4, C3, 543)* : 828 Broadway (et 12th). ☎ 212-473-1452. Ⓜ (L, N, Q, R, 4, 5, 6) 14 St. Inaugurée en 1927, une immense librairie de bouquins d'occasion ou en solde (certains *coffee-table books* sont bradés 3 $!) Littérature, histoire, art (à l'étage), tourisme... en tout, près de 30 km de rayonnages ! Super rayon de livres sur New York, des cartes postales sympas et une sélection originale de *tote bags* (sacs shopping en toile).

🏵 *Guitar Center (zoom 4, B3, 534)* : 25 W 14th St. ☎ 212-463-7500. Ⓜ (F, M) 14 St. Ici tout ce qui se gratte, se tapote ou se pianote trouvera résonance. Sur 2 niveaux, un mégastore plein d'auditoriums où, casque sur les oreilles, chacun y va de sa petite démo. Un passage obligé pour les musicos et leurs aficionados !

🏵 *Disc-O-Rama (zoom 4, B3, 545)* : 44 W 8th St (entre Washington Sq et 6th Ave). ☎ 212-206-8417. Ⓜ (A, C, D, E, F) W 4 St. Tlj sf dim. 🖬 Spécialiste du CD (le 5e gratuit !) et du DVD à prix discount. Belle collection de vinyles au sous-sol.

GREENWICH ET WEST VILLAGE

À voir

Itinéraire architectural et historique dans Greenwich Village

🎬🎬🎬 Cet itinéraire indicatif permet d'observer les bâtiments et rues les plus intéressants du quartier. Tout le long, nous mentionnons quelques lieux où se requinquer : reportez-vous aux rubriques plus haut pour les détails sur ces adresses et au *zoom 4 détachable* pour repérer les nombreuses autres du quartier. Les chineurs fileront droit sur West 4th Street et West 10th Street où sont rassemblés les antiquaires. Si vous en avez l'occasion, promenez-vous dans le Village le week-end pour profiter de l'animation très appréciée par de nombreux New-Yorkais.

➤ L'itinéraire commence à *Washington Square (plan Itinéraire Greenwich Village),* le siège de la plus grande université privée de la ville, la prestigieuse *NYU* qui compte plus de 50 000 étudiants, répartis sur toute la ville. Au sud de la place, au 70 Washington Square South se dresse d'ailleurs la silhouette rouge de la *Bobst Library,* la bibliothèque principale de NYU, réalisée entre 1967 et 1973 par les architectes Philip Johnson et Richard Foster. Entrée réservée aux étudiants, mais jetez un œil à l'impressionnant atrium.

➤ Si **Washington Square Park** (plan Itinéraire Greenwich Village, **A**) servit de fosse commune au début du XIXe s (20 000 corps reposent sous vos pieds) et de lieu d'exécutions avant cela, il est aujourd'hui animé par une foule bien vivante, particulièrement le week-end, où de petits concerts sont régulièrement donnés. Toute la semaine, des joueurs d'échecs (parfois aussi de Scrabble) tentent de gagner quelques dollars en défiant les amateurs. Attention, les règles ne sont pas toujours claires et si vous gagnez, vous aurez parfois du mal à obtenir votre dû ! Au sud de cette place, la **Judson Memorial Church,** achevée en 1892 à la mémoire d'un missionnaire en Birmanie, remarquable pour son clocher de style Renaissance italienne et ses vitraux. À l'opposé, sur Washington Square North, quelques **maisons de style Greek Revival** (nos 19-26 et nos 12-1). Le peintre Edward Hopper vécut au n° 3 (de 1913 à sa mort en 1967), tout comme l'écrivain Dos Passos qui y écrivit son célèbre Manhattan Transfer.

➤ Marquant l'entrée de la place sur 5th Avenue, c'est surtout l'arc de triomphe de style Beaux-Arts inspiré de ceux de Rome et Paris qui retient l'attention. Le **Washington Square Arch** (plan Itinéraire Greenwich Village, **B**) fut érigé en 1892 (d'abord en bois à titre d'essai, puis en marbre) pour commémorer le centenaire de l'accession à la présidence de George Washington... En 1916, le surréaliste Marcel Duchamp grimpa à son sommet pour proclamer la « République libre et indépendante de Washington Square » !

➤ Sur 5th Avenue, engagez-vous dans **Washington Mews** (plan Itinéraire Greenwich Village, **C**), une jolie ruelle bordée d'anciennes écuries datant des années 1850 et transformées vers 1930 en charmantes maisons et ateliers d'artistes.

➤ En remontant toujours 5th Avenue, faites quelques pas dans 10th Street pour découvrir aux nos 7 et 9 une façade assez détonante, **De Forest House** (plan Itinéraire Greenwich Village, **D**) datant de 1887. On la doit à Lockwood de Forest, un entrepreneur fou d'art oriental indien. On veut bien le croire devant cette profusion de feuillages, oiseaux, fleurs (même des éléphants)... Le tout sculpté dans le tek, un bois si dur que la façade affiche encore fièrement son âge, sans une seule ride.

➤ À l'angle de 10th Street et 5th Avenue se dresse la **Church of the Ascension** (plan Itinéraire Greenwich Village, **E**), de style néogothique, achevée en 1841. En face, au n° 39, très belle façade aux balcons ornés de faïence. Notez que, comme souvent à New York, ce type de décoration se situe en bas et en haut des immeubles mais jamais au milieu, sans doute pour faire des économies et satisfaire en même temps le regard du passant et celui du curieux qui lève la tête...

➤ Puis, à l'angle de 12th Street, la **First Presbyterian Church** (plan Itinéraire Greenwich Village, **F**), également de style néogothique (1846) et remarquable par son clocher en grès rouge. Juste en face, au n° 43, d'imposantes colonnes corinthiennes encadrent le porche d'un immeuble, formant un mélange original avec des baies vitrées de style Art nouveau.

➤ Prenez à gauche dans 12th Street. Un coup de barre sur le chemin ? Les bagels réputés de **Murray's** au 500 6th Avenue (plan Itinéraire Greenwich Village, **288**) devraient faire l'affaire. Remontez 6th Avenue jusqu'au prochain bloc et tournez à gauche dans West 13th Street. Dépassez (à l'angle de 7th Avenue) « l'hôpital-paquebot » tout blanc et continuez jusqu'au **LGBT Community Center** au 200 West 13th Street (plan Itinéraire Greenwich Village, **G**). Ce centre lesbien gay, bisexuel et transgenre abrite au 2e étage une vraie curiosité (en accès libre) : des **toilettes pour hommes peintes par Keith Haring** (lire encadré) ! Descendez 7th Avenue ; tournez alors à gauche dans 11th Street, pour découvrir, plus loin sur la droite, **the Second Cemetery of the Spanish and Portuguese Synagogue** (plan

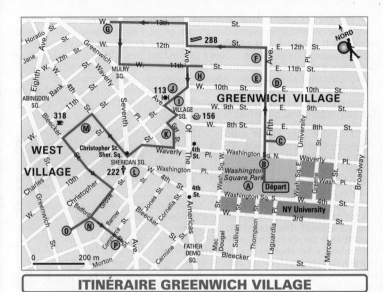

ITINÉRAIRE GREENWICH VILLAGE

A	Washington Square Park	L	Sheridan Square	
B	Washington Square Arch	M	66 Perry Street (façade	
C	Washington Mews		de *Sex and the City*)	
D	De Forest House	N	Grove Street et façade de *Friends*	
E	Church of the Ascension	O	Jardins de l'église St Luke's in the Fields	
F	First Presbyterian Church	P	Maison la plus étroite de New York	
G	LGBT Community Center			
H	The Second Cemetery of	|◉|♦ ☺	**Où faire une pause ?**	
	the Spanish and Portuguese	113	Rosemary's	
	Synagogue	156	C. O. Bigelow Apothecaries	
I	Jefferson Market Courthouse	222	Big Gay Ice Cream Shop	
J	Patchin Place	288	Murray's Bagels	
K	Gay Street	318	Magnolia Bakery	

Itinéraire Greenwich Village, H). C'est l'un des trois cimetières de cette première congrégation juive de New York (1805-1829), et le plus petit de Manhattan.

➤ Descendre jusqu'à l'angle de 10th Street. Vous voici au pied de la **Jefferson Market Courthouse** *(plan Itinéraire Greenwich Village, I)* et sa tour fantaisiste. Ce grand édifice en brique construit en 1877 dans un style gothique victorien, autrefois cour de justice et prison pour femmes, abrite aujourd'hui une bibliothèque. Cette tour, comme de nombreuses autres, servait de vigie pour repérer les éventuels incendies...

SEX IS LIFE

En 1989, en pleine épidémie du sida, le centre LGBT de Greenwich Village demande à Keith Haring, le pape du pop art, lui-même malade et engagé aux côtés d'Act Up, de peindre une pièce. Il choisit les toilettes pour hommes du 2e étage. Sur quatre murs, le phallus y exulte très explicitement. Intitulée Once Upon a Time, *cette fresque joyeuse et orgiaque (récemment restaurée) sera une des dernières œuvres du jeune artiste, quelques mois avant sa mort.*

GREENWICH ET WEST VILLAGE

➤ Derrière la *Courthouse*, à l'angle de 10th Street et 6th Avenue, jetez un œil à l'impasse comme abandonnée derrière des grilles, **Patchin Place** *(plan Itinéraire Greenwich Village, J)*. Elle est bordée de maisons du XIXe s et au fond, contre le mur, on aperçoit le dernier réverbère à gaz de New York. Il fonctionne aujourd'hui avec une ampoule. Des emplettes à faire dans ce carrefour névralgique du Village. Voir notamment **C. O. Bigelow Apothecaries** *(plan Itinéraire Greenwich Village, 156)*, au 414 6th Avenue, la plus vieille pharmacie d'Amérique. Et tout un choix de restaurants et cafés comme **Rosemary's** *(plan Itinéraire Greenwich Village, 113)* en cas de grosse ou petite faim.

➤ La petite **Gay Street** *(plan Itinéraire Greenwich Village, K)*, entre Christopher et Waverly Place, reflète bien aujourd'hui la forte présence de la communauté homosexuelle dans le quartier (Christopher Street est la rue la plus folle de la ville)... mais s'appelait déjà comme ça avant leur arrivée ! Alignement de maisons de style fédéral et *Greek Revival*. Les fans de **Jimi Hendrix** feront un petit pèlerinage au 52 West 8th Street (et 6th Avenue), où il s'installa à la fin des années 1960. Certaines chambres furent alors transformées en studio, et il y enregistra quelques titres.

LES ORIGINES DE LA GAY PRIDE

Le 28 juin 1969, la police fit une descente au Stonewall Inn, un bar gay situé au 53 Christopher Street, face à Sheridan Square : 200 homosexuels en furent éjectés. Après quelques instants de confusion, un jeune Portoricain les injuria et leur lança une canette de bière. Les homos contre-attaquèrent à coups de bouteilles et de pierres. La police dut se réfugier dans le bar, et plusieurs policiers furent blessés. Depuis juin 1970, la Gay Pride commémore, partout dans le monde, ces émeutes du Stonewall qui symbolisent chez les gays américains leur revendication pour le droit à la différence.

➤ En cheminant sur Christopher Street, on rejoint **Sheridan Square** *(plan Itinéraire Greenwich Village, L)*, qui porte le nom du général nordiste Philip Sheridan, érigé ici en statue dans le minuscule Christopher Park et connu pour cette phrase édifiante datant de la guerre de Sécession : « Un bon Indien est un Indien mort. » En 1863, les *Draft Riots*, les émeutes les plus meurtrières de l'histoire des États-Unis (2 000 morts), se déroulèrent ici. Contraste étonnant, ce parc accueille aussi des statues de couples homosexuels (un de gays et un de lesbiennes) réalisées par le plasticien américain George Segal pour célébrer le *Gay Rights Movement*. Vous remarquerez que le général Sheridan tourne le regard dans la direction opposée... Dans ce quartier, plusieurs bars où écouter du jazz en soirée et un glacier dégoulinant d'idées, **Big Gay Ice Cream Shop** *(plan Itinéraire Greenwich Village, 222)* au 61 Grove Street.

➤ De Sheridan Square, les groupies de la série *Sex and the City* pousseront jusqu'au **66 Perry Street** *(plan Itinéraire Greenwich Village, M)* pour un inévitable *selfie* devant la façade de la maison de Carrie Bradshaw, reconnaissable à son escalier et son perron chic. Pour parfaire le pèlerinage, un bloc de plus et arrêtez-vous à **Magnolia Bakery** *(plan Itinéraire Greenwich Village, 318)* au 401 Bleecker Street. Excellents *cupcakes* à emporter, rendus célèbres par les héroïnes branchées de la série.

➤ Retour par **Grove Street,** bordée de pittoresques immeubles comme échappés d'une carte postale, avec clôtures en fer forgé et escaliers de secours agrippés aux façades. Les nostalgiques de la série *Friends* quant à eux reconnaîtront peut-être la façade de l'immeuble où habite la bande de copains, à l'angle de Bedford Street *(plan Itinéraire Greenwich Village, N)*, au-dessus du resto *Little Owl* (et non du café *Central Perk* !).

➤ À deux pas, sur Hudson Street (n° 487, angle Christopher Street), ô miracle, un havre de paix où l'on entend le piaf-piaf des oiseaux : les **jardins de l'église Saint Luke's in the Fields** *(plan Itinéraire Greenwich Village, **O**)*, organisés en un patch-work d'espaces verts, autour d'une école et d'un square confidentiel. Pléthore de bancs bienvenus pour le pique-nique.

➤ Retour sur Bedford, à l'angle avec Commerce Street, pour terminer la balade au n° 75 1/2 avec la **maison la plus étroite de New York** *(plan Itinéraire Greenwich Village, **P**)*, bâtie à l'emplacement d'un ancien passage de 2,90 m de large.

Meatpacking District et la High Line
(plan 1, A-B3)

Littéralement : le « quartier de l'emballage de la viande ». Ce mouchoir de poche situé au nord-ouest de Greenwich Village, délimité par 14th Street, 9th Avenue, Gansevoort Street et Hudson River, doit historiquement son nom au marché aux viandes installé ici dès le début du XXe s. Les abattoirs et usines d'emballages ayant pour la plupart déménagé dans le Bronx, les lieux ont été investis par les galeries d'art et les créateurs de mode. Ces grands lofts confèrent au quartier – classé Monument historique depuis 2003 –, un look industriel chic et branché. Évidemment, une flopée de restos et de bars ont suivi le mouvement (avec la faune « raccord »), rejoints aujourd'hui par de plus en plus d'enseignes internationales, comme partout malheureusement... Tout le quartier, en pleine mutation, construit d'ailleurs à tour de bras. Les galeries sont pour la plupart installées vers 14th Street (entre Washington Street et Greenwich Avenue), et certaines ont même conservé les crochets à bestiaux de l'époque ouvrière et de vieux murs en brique un peu décrépis, façon « décadence travaillée ». Pour l'image-cliché du quartier, jetez donc un œil au carrefour de 9th Avenue, Greenwich Street et Gansevoort Street. Avec ses vieux pavés et ses buildings (*cast-iron* et brique), on se croirait presque dans un décor de film.

🐾🐾🐾 **The High Line** *(plan 1, A1-2-3) : départ à l'angle de Gansevoort et Washington St, mais plusieurs autres entrées possibles le long du parcours qui s'étire jusqu'à 34th St, entre 10th et 12th Ave (compter 1h de balade en tt).* ☎ 212-500-6035. • thehighline.org • Ⓜ *(A, C, E) 14 St.* ♿ *Accès tlj 7h-22h (23h juin-sept ; 19h déc-mars).*
Cette promenade paysagère, aménagée le long d'une ligne de chemin de fer aérienne datant de 1930, est une longue et belle histoire. Les trains de marchandises y ont circulé jusqu'en 1980, déchargeant viandes et autres produits laitiers directement dans les entrepôts du quartier. Puis la ligne fut désaffectée, et on envisagea même de la détruire. Mais les riverains se mobilisèrent. Ils créèrent une association avec le projet de la transformer en espace public, librement inspiré de la Promenade plantée à Paris. Après une dizaine d'années d'études et cinq de travaux, les deux premiers tronçons de la nouvelle High Line (de Gansevoort à West 30th Street) ont vu le jour, le premier en 2009. Le troisième et dernier a ouvert en 2014 (jusqu'à 34th Street). Et le succès auprès des touristes comme des New-Yorkais dépasse toutes les prévisions ! Les week-ends d'été, imaginez le monde... Ce jardin suspendu à 10 m de hauteur, véritable trait d'union entre la ville et la nature, offre une perception tout à fait singulière. Conçue comme un parcours zen et verdoyant, la High Line est jalonnée d'aires de repos et de pique-nique (avec chaises, bancs et même transats coulissant sur les rails d'époque), d'estrades en bois pour profiter des vues, de petits solariums et de fontaines. Même les oiseaux ne sont pas oubliés avec leur nichoir géant aux allures d'œuvre d'art ! « Là-haut », on n'entend pas le bruit des voitures, à peine celui du vent (glacial en hiver) qui s'engouffre entre les buildings. Tous les éléments datant des années 1930 ont été conservés et les rails, restaurés, intégrés dans la végétation. Même le pavement en

béton et la forme des bancs rappellent le tracé des voies. Quant aux plantes, elles ont volontairement été sélectionnées pour leur côté sauvage, naturel, rappelant l'état de friche de la passerelle pendant de longues années. Été comme hiver, on y chemine à pied (vélos et rollers interdits) en profitant d'échappées inédites sur la ville et l'Hudson River, encore plus belles au coucher du soleil.

Quelques repères architecturaux le long de la High Line : l'air de rien, c'est aussi l'occasion d'une ludique leçon d'architecture, depuis les petits bâtiments industriels du Meatpacking District

L'AVENUE DE LA MORT

Les trains n'ont pas toujours circulé sur cette ligne aérienne reconvertie en promenade suspendue. Au milieu du XIXe s, la voie ferrée passait en pleine rue et les accidents de circulation étaient si nombreux que 10th Avenue fut surnommée « Death Avenue ». Pendant près de 80 ans, on ne trouva comme solution que de placer en tête de convoi des hommes à cheval, agitant des drapeaux rouges le jour et des lumières la nuit. Ce n'est qu'en 1929, lors d'une restructuration du quartier, que l'on décida enfin de surélever cette voie de chemin de fer par sécurité.

jusqu'aux buildings du XXIe s. Certains sont vraiment remarquables, à commencer par le nouveau *Whitney Museum* de Renzo Piano (voir le descriptif complet ci-après). Puis, un bloc au-dessus, l'immeuble style Le Corbusier de l'hôtel design *The Standard* (surnommé le « *peep show motel* », avec ses chambres toutes vitrées) ; juste après, le *Cristal*, siège de la créatrice Diane von Fürstenberg (égérie d'Andy Warhol) ; le *Chelsea Market* (voir chapitre « Chelsea ») ; un peu plus loin, le *IAC Building* de Frank O. Gehry, semblable à un iceberg (au niveau de West 18th Street, face aux Chelsea Piers) ; et, juste derrière, la *tour de Jean Nouvel* et ses fenêtres en camaïeu de bleu-gris, avec en vis-à-vis, côté est, la silhouette mythique de l'Empire State Building. Au niveau de 20th Street, un ensemble de maisons en brique rouge de style Tudor. Puis, c'est le colosse de brique aux clochers du *London Terrace Towers* qui attire le regard, relayé par deux récents immeubles résidentiels de luxe, parfaitement intégrés dans le paysage urbain : le *HL 23,* signé Neil Denari, au niveau de 23rd Street, et un bloc plus loin le *245 10th*. La fin du parcours est un peu moins spectaculaire architecturalement parlant, plus industrieuse, surtout lorsqu'on surplombe le dépôt de trains du Long Island Rail Road. Certaines portions de rails ont été délibérément laissées dans leur jus pour montrer l'état de friche « d'avant ». Force est de constater que les quartiers traversés par cette coulée verte (Meatpacking et Chelsea) connaissent un nouveau dynamisme. Les condos de luxe, tous plus design les uns que les autres, poussent comme des champignons et un projet pharaonique est en construction sur le dernier tronçon, entre 30th et 34th Street (*Hudson Yards,* avec buildings high-tech, la plus grande plate-forme d'observation en plein air de la ville, jardins, restos, boutiques, centre culturel...).

🎭🎭🎭 *Whitney Museum of American Art* (plan 1, A3) : 99 Gansevoort St. ☎ 212-570-3600. ● whitney.org ● Ⓜ (A, C, E) 14 St. Dim-lun et mer-jeu 10h30-18h, ven-sam 10h30-22h. Fermé mar (sf juil-août). Entrée : 25 $; petite réduc en ligne ; gratuit moins de 18 ans ; donation libre ven 19h-22h. Programme de visites gratuites tlj. Audioguides : 6 $.
Le Whitney a rouvert en mai 2015 dans un nouveau bâtiment, deux fois plus vaste que le précédent (situé Upper East Side, sur Madison Avenue, et aujourd'hui repris par le Met). Un remarquable écrin tout en espace et lumière réalisé par le « starchitecte » Renzo Piano, qui avait déjà accouché en son temps du révolutionnaire Centre Pompidou à Paris. Ce qui marque le plus dans le profil de ce colossal paquebot urbain amarré au pied de la High Line, ce sont ses formes asymétriques se fondant dans le paysage alentour. Une fois à l'intérieur, c'est un bain de lumière qui enveloppe les visiteurs dans les différents espaces d'exposition, grâce aux larges ouvertures vers le sud et la statue de la Liberté, le cœur de ville à l'est et

l'Hudson River à l'ouest. Le spectaculaire plateau du 5e (dédié à des happenings de tous genres artistiques) est une véritable prouesse architecturale : 1 600 m² avec vue de part et d'autre, le tout sans aucun pont porteur ! Autre grande originalité du musée, la superposition de terrasses extérieures panoramiques donnant sur la High Line, conçues comme des galeries d'art modulables en plein air.

Les collections

Ce musée avant-gardiste, consacré exclusivement à l'**art américain des XXe et XXIe s,** a été fondé en 1930 par une sculptrice, la très riche Gertrude Vanderbilt Whitney. Elle créa le célèbre *Whitney Studio Club*, rassemblant les meilleurs artistes américains du moment. Aujourd'hui encore, la mission du Whitney est d'encourager les jeunes talents. Rien dans le musée n'est permanent, tout est toujours en mouvement, à l'image de leur vision de l'art. La collection (de haute volée) comprend 20 000 sculptures, peintures et dessins depuis 1900, réalisés par 3 000 artistes en tout et présentés sous forme d'accrochages avant-gardistes. Ce fonds permanent, exposé par roulement donc, est enrichi d'expos temporaires pointues pas toujours accessibles pour le commun des mortels, autant prévenir. Cela étant, l'architecture en soi vaut la visite et la nouvelle muséographie a justement été pensée pour faciliter la lecture aux visiteurs : outre la clarté naturelle des lieux, des salles hautes de plafond, des cimaises suffisamment espacées, de confortables canapés pour se poser un instant avec la mouvante New York en toile de fond, des échanges presque naturels entre les étages... Même les enfants ont leur propre espace. On suggère de commencer par le 8e niveau et de descendre ensuite tranquillement. Au 5e, prendre l'escalier intérieur (éclairé par une vertigineuse guirlande lumineuse) pour rejoindre le rez-de-chaussée.

Le Whitney est surtout connu pour posséder la plus importante collection d'œuvres d'**Edward Hopper,** léguées après sa mort par la famille du peintre (plus de 3 000 pièces tout de même !), mais affiche aussi au catalogue Andy Warhol, Basquiat, Jackson Pollock, Roy Lichstenstein, Robert Rauschenberg, Mark Rothko, Arshile Gorky, Man Ray, Georgia O'Keeffe, Jeff Koons, Calder... Un musée qui respire, qui offre de lire ou relire l'histoire contemporaine de toute une nation à travers ses artistes, et qui s'en donne les moyens !

IOI **Studio Café :** *au 8e (ouv grosso modo aux heures du musée).* Plat env 15 $. Le plus *casual* des 2 restos du musée (gérés, comme au MoMA, par le restaurateur à succès Danny Meyer), avec vue panoramique et terrasse extérieure l'été.
IOI **Untitled :** *au rdc (accès indépendant du musée, ouv aussi aux non-visiteurs).* ☎ 212-570-3670. Tlj midi et soir. Résa conseillée. Plats 30-35 $.

Excellente table *modern American,* dans une cage de verre avec vue cinématographique sur la pointe sud de la High Line. Le design est aussi épuré que les assiettes sont colorées et flamboyantes. Produits locaux à l'honneur, travaillés avec art.
⊛ **Librairie-boutique,** avec quelques pièces de créateurs locaux (donc prix au diapason).

Itinéraire le long de l'Hudson River

🎌🎌 Voici un itinéraire à la fois vivifiant en hiver et très rafraîchissant en été le long de l'**Hudson River Park.** On peut l'entamer dès Lower Manhattan (voir ce chapitre pour le tronçon jusqu'au *pier 34*) ou rejoindre les bords de l'Hudson en cours de route. On y croise quelques belles cartes postales de l'Amérique contemporaine : joggeurs et rolleur-skaters perfusés au lecteur mp3 fonçant tête baissée en exhibant leurs tatouages, saxophonistes esseulés livrant concert aux cormorans à l'extrémité d'un *pier* ou sexas énamourés traînés par leur caniche fraîchement toiletté. Une promenade presque bucolique, déstressante, qui vous prendra une demi-journée. On conseille de faire l'aller par le front de l'Hudson River et le retour par la High Line.

➤ **Pier 40** *(plan 1, B4)* : *à l'extrémité de W Houston St.* Ⓜ *(1) Houston St.* C'est l'un des temps forts de l'Hudson River Park malgré ses airs extérieurs de docks défraîchis, avec une base nautique où l'on peut pratiquer le paddle et le kayak (● *nykayak.com* ● et voir la rubrique « Sports et loisirs » dans « Hommes, culture, environnement »). Également des terrains de sport dont un en terrasse. Même pas besoin de descendre de sa voiture pour voir le match !

➤ Poursuivez vers le nord jusqu'au **pier 45.** Belle promenade en bois cernant une vraie pelouse pour bronzer et humer l'air du large avec les tours du New Jersey en toile de fond. Poussez jusqu'à l'extrémité de la jetée pour une très belle vue sur Lower Manhattan. Un café en été, quelques tables pour pique-niquer sous les ormes de Sibérie. Des oiseaux migrateurs viennent se poser ici en hiver. C'est aussi le départ des *NY water-taxis.*

➤ Le **pier 46** voisin est plus court mais possibilité de jouer à la baballe sur la pelouse synthétique tandis que l'été des rangers font découvrir aux enfants l'éco-système de la rivière à partir d'expériences. En juillet-août (le vendredi), les familles débarquent le soir pour se faire des films sur écran géant. Pop-corn à volonté ! ● *riverflicksnyc.com* ● Même topo plus loin, au *pier 63* (le mecredi).

➤ Au niveau du **pier 51,** belle aire de jeux en forme de bateau et de quoi se rafraîchir en été. C'est par ici que commence la High Line, l'ancienne voie de che-min de fer transformée en jardin suspendu. Pour la rejoindre, traverser la West Side Highway en direction de Gansevoort Street. Sinon continuer au bord de l'eau, mais les abords sont moins plaisants.

➤ Au niveau du **pier 54,** les vieilles jetées vont être entière-ment démolies et remplacées par un grand espace futuriste, une île de plus de 2,5 ha dédiée aux festivals et aux concerts avec deux passerelles d'accès. Un projet grandiloquent et au budget colossal, les travaux devraient commencer en 2016.

➤ Les **piers 59 à 62 – Chel-sea Piers** regroupent plusieurs centres d'intérêt, dont un prac-tice de golf sur quatre niveaux, une immense patinoire *(Sky-Rink)* ouverte toute l'année, un bowling et quelques restos. ● *chelseapiers.com* ● On trouve également le plus grand espace vert de l'Hudson River Park entre les **piers 62 et 64,** avec jeux d'eau pour enfants, manège et de quoi se restaurer. D'ici, vous pouvez rattraper la High Line.

LE *PIER* DU PIRE

Le Titanic *aurait dû accoster dans la liesse à l'emplacement actuel des* Chel-sea Piers *le 16 avril 1912 si le sort n'en avait pas décidé autrement. Les sur-vivants, sauvés par le* Carpathia, *débar-quèrent au pier 54. Trois ans plus tard, le 1er mai 1915, c'est le* Lusitania *qui appareillait de ces pontons avant d'être torpillé par les Allemands au large de l'Irlande le 7 mai (1 300 morts !). Mau-vais calcul : cet événement décida les États-Unis à entrer en guerre.*

➤ Le **pier 66** marque la fin de la partie la plus agréable de la promenade. D'ici, vous pouvez embarquer à bord d'un voilier pour naviguer sur l'Hudson River (voir rubrique « Sports et loisirs » dans « Hommes, culture, environnement »), ou prendre un verre, en été, sur le pont du *Frying Pan,* vieux bateau-phare coulant une paisible retraite tout au bout du ponton (lire plus loin « Où boire un verre ? Où sortir ? » à Chelsea), tout en admirant une roue à aubes au bout du ponton. ● *pier66maritime.com* ●

Pour louer un vélo, pêcher ou s'initier au *stand-up paddle,* rendez-vous au **pier 84**. Enfin, visitez le porte-avions *Intrepid* au **pier 86** (rubrique « À voir » dans « Times Square et Theater District »). Autre solution, redescendre dans le quartier de Meat-packing District en empruntant la High Line au niveau de 34th Street (poussez jusqu'à l'héliport, puis traversez la West Side Highway).

EAST VILLAGE, NOHO ET LOWER EAST SIDE

● Adresses utiles 102	pâtisseries et glaces .. 109	● Bains............................ 113
● Où dormir ? 102	● Où boire un verre ? 110	● Shopping..................... 113
● Où manger ? 104	● Où écouter de la bonne	● À voir.......................... 115
● Coffee shops,	musique live ? 112	

● Pour se repérer, voir le zoom détachable 3 en fin de guide.

Les vagues d'immigration ont amené dans Lower East Side les Ukrainiens, les Polonais, les juifs d'Europe centrale, les Irlandais, les Italiens, les Portoricains puis les Latinos. À cette « immigration ethnique » est venue s'ajouter celle des marginaux de la société américaine : musiciens de jazz, artistes en tout genre, poètes, écrivains puis, dans les années 1960, les hippies, et ensuite les punks. Peu à peu, une partie de Lower East Side située dans le carré Broadway, 14th Street, Houston Street et East River s'est démarquée prenant le nom d'East Village. Beaucoup l'appellent encore *Loisada* dans sa partie portoricaine.

East Village a longtemps souffert d'une très mauvaise image en raison de la pauvreté, de la violence et des problèmes de drogue qui y sévissaient.

Dans les années 1960, East Village a attiré les beatniks et autres refuzniks de tout poil, faisant de ce quartier le pendant sur la côte est du quartier de Haight Ashbury de San Francisco. Puis, au début des années 1980, Saint Mark's Place devint le pôle de la bohème radicale et de la contre-culture. De 1988

ALPHABET CITY DE A À Z

Ce quartier situé au cœur d'East Village tient son nom du quadrillage constitué par les Avenues A, B, C et D (les seules portant une lettre à Manhattan) autour de Tompkins Square Park. Du temps où Alphabet City était plutôt mal famée, il y avait un dicton qui signifiait grosso modo que plus on allait vers l'East River, plus on risquait sa peau. « Avenue A, you're All right. Avenue B, you're Brave. Avenue C, you're Crazy. Avenue D, you're Dead ! »

à 1992, Tompkins Square connut des moments agités. Devenu le rendez-vous des dealers de drogues dures, le parc se transforma en refuge pour des centaines de clochards et de SDF. En 1992, les SDF furent chassés, puis les squats vidés. Depuis, East Village se transforme peu à peu en un nouveau SoHo. Seule Alphabet City (les quatre avenues à l'est de 1st Avenue) résiste encore à la « gentrification ». Outre l'atmosphère branchée et novatrice qui y règne, c'est aussi un des quartiers les plus sympas pour dîner, prendre un verre ou sortir. Plus décontracté et plus underground qu'East Village, notamment en ce qui concerne la vie nocturne, Lower East Side (L.E.S. pour les intimes) est le dernier coin à la mode de Manhattan, du moins dans sa partie

LE PREMIER PARC SOUTERRAIN DU MONDE

Après la High Line (promenade plantée créée sur d'anciennes voies ferrées suspendues), voici son équivalent souterrain, la Lowline ! Ce projet insolite prévoit l'aménagement d'un jardin urbain dans un ancien terminus de trolley abandonné depuis 1948, dans le Lower East Side. Les 2 concepteurs travaillent sur une ingénieuse restitution de la lumière naturelle pour faire pousser arbres et espèces végétales plantés en sous-sol. Si le financement participatif fonctionne, le 1er jardin public souterrain pourrait voir le jour (façon de parler) en 2018.

nord-ouest, entre Delancey et Houston Street. Après avoir longtemps abrité, dans des conditions parfois précaires, les vagues successives d'immigrants, le quartier est aujourd'hui très en vogue. Les restos et bars poussent comme des champignons, cultivant son côté bohème et créatif. Ludlow et Rivington Streets sont les deux artères de cette animation nocturne. De jour, c'est sur Orchard Street que ça se passe ; là fleurissent les galeries d'art et les petites boutiques de créateurs.

Enfin, NoHo (acronyme de North of Houston Street) est le petit triangle branché formé par Houston Street, Broadway et Bowery, l'extension de NoLiTa.

Adresses utiles

i *Lower East Side Visitor Center* (plan 1, D4, 4) : 54 Orchard St. ☎ 212-226-9010. ● lowereastside. org ● Ⓜ (F, J) Delancey-Essex St. Lun-ven 10h-18h, w-e 12h-17h. Distribue gratuitement une carte des galeries du quartier mise à jour régulièrement et renseigne sur les visites thématiques du secteur.

✉ *Poste* (zoom 3, C3) : angle 11th St et 4th Ave. Lun-ven 9h-17h45, sam 9h-13h45.

Où dormir ?

De très bon marché à bon marché

🛏 *The Bowery House* (zoom 3, C4, 156) : 220 Bowery (et Rivington) ; réception au 3e étage. ☎ 212-837-2373. ● theboweryhouse.com ● Ⓜ (J) Bowery ou (6) Spring. Lits en dortoir 50-70 $; cabines 1 pers 60-90 $; cabines 2 pers 70-160 $; doubles 90-150 $. Un boutique-hôtel anticonventionnel, dans ce qui fut un ancien asile de nuit. Rénovée dans un style contemporain très tendance, la Bowery House a conservé la disposition des lieux, notamment les minuscules cabines-couchettes des années 1950. Certes, l'insonorisation est inexistante car le plafond est ouvert (pour compenser l'absence de fenêtre dans certaines cabines), mais le matelas est confortable et... des boules Quies sont fournies ! Également des dortoirs (avec plafond, ici) de 3 lits et une seule vraie chambre double classique. Superbes salles de bains partagées. Cerise sur le gâteau, un rooftop où l'on passe des films l'été. Bref, un excellent rapport originalité-situation-prix (on est à la lisière de SoHo) et un super plan pour les noctambules fauchés, mais pas trop quand même !

De bon marché à prix moyens

🛏 *Comfort Inn* (zoom 3, D4, 80) : 136 Ludlow St (entre Stanton et Rivington). ☎ 212-260-4161. ● lowereastside hotel.com ● Ⓜ (F) Delancey St ou (J, M, Z) Essex St. Doubles 110-230 $, petit déj continental compris. 📶 Hôtel de chaîne sans surprise, d'un bon rapport qualité-prix-situation, car dans le L.E.S. qui bouge, mais en même temps dans une rue typique et au calme. Sur 11 étages, une trentaine de chambres tout confort au standard classique (zéro charme et pas de vue) : moquette au sol, meubles en mélaminé, salles de bains plus ou moins grandes. 10 d'entre elles sont des familiales à 2 lits doubles.

🛏 *Off SoHo Suites Hotel* (zoom 3, C4, 81) : 11 Rivington St. ☎ 212-979-9808 (de l'étranger) ou 1-800-633-7646 (sur place). ● offsoho.com ● Ⓜ (6) Spring St. Résa impérative. Doubles économiques 100-200 $; suites 160-200 $ pour 2, 200-400 $ pour 4. 🖳 📶 Dans un immeuble ancien typique du quartier, avec escaliers extérieurs et çà et là un mur en brique, une quarantaine de chambres confortables, rénovées et à des prix très raisonnables pour le secteur. Dans la catégorie *economy*, 2 chambres se partagent une salle de bains et une cuisine équipée communes. Sinon, au tarif supérieur, une trentaine de suites pour 2 à 4 avec cuisine. Réception pas très aguichante, mais très agréable salon derrière. Machine à laver. Salle de fitness.

🛏 *Saint Mark's Hotel* (zoom 3, C3, **335**) : 2 Saint Mark's Pl (et 3rd Ave). ☎ 212-674-0100. ● stmarkshotel.net ● Ⓜ (6) Astor Pl. Réception au 1er étage. Doubles 110-140 $; 140-170 $ pour 4 ; pas de petit déj. CB refusées. 🛜 Un hôtel pour petits budgets situé dans le creuset de la culture hippie durant les années 1960-1970. Confort modeste mais propret. Plusieurs configurations possibles : 1 lit, 2 lits doubles, 2 lits *twin,* communicantes pour les familles. Les salles de bains, rétros mais rafraîchies, sont ce qu'il y a de plus coquet dans les chambres. Chambres un peu bruyantes en général (*because* 3rd Avenue ou clim !) mais c'est le prix à payer pour être au cœur de l'animation du quartier.

De plus chic à très chic

🛏 *Hotel Indigo Lower East Side* (zoom 3, D4, **17**) : 171 Ludlow St (entre E Houston et Stanton St). ☎ 212-237-1790. ● hotelindi golowereastside.com ● Ⓜ (F, J) Delancey St-Essex St. Doubles 300-500 $. 🖥 🛜 Le nouveau *flagship* de l'enseigne *Indigo* brille par son design pointu et *arty* (priorité donnée aux artistes locaux) et ses vues exceptionnelles qui vous happent dès le lobby, tout vitré et inondé de lumière naturelle, au 14e étage (noter le *mural* peint au plafond). Juste au-dessus, l'exceptionnel *rooftop*-bar-resto déroule un panorama à 360° sur tout New York, avec terrasses découvertes et piscine-couloir de nage donnant sur l'Empire State Building. Et comme les immeubles du quartier sont plutôt bas, la vue est très dégagée. Féérique le soir ! Les chambres (avec vue à partir du 8e étage) sont top, assorties de salles de bains qui en jettent aussi. Une adresse assez exceptionnelle. Voir le descriptif du *rooftop* bar

Mr Purple plus loin dans « Où boire un verre ? ».

🛏 *Hotel on Rivington* (zoom 3, D4, **93**) : 107 Rivington St (entre Ludlow et Essex). ☎ 212-475-2600. ● hotelon rivington.com ● Ⓜ (F, J) Delancey St-Essex St. Réception à l'étage. Doubles standard 260-450 $. 🛜 Dans un building de verre, voici un hôtel chic et assez branché. Les 110 chambres sont bien conçues et spacieuses (même les standard), avec de larges baies vitrées offrant de superbes vues sur la ville à partir du 10e étage (sur les 24 en tout), une déco design ultra-sobre et des salles de bains top classe. Si vous avez quelques sous de côté, les *unique rooms* n'usurpent pas leur nom. Chacune a son petit truc en plus : une salle de bains d'angle entièrement vitrée (imaginez la vue), un balcon...

🛏 *Lafayette House* (zoom 3, C3, **213**) : 38 E 4th St (entre Bowery et Lafayette). ☎ 212-505-8100. ● lafayet tenyc.com ● Ⓜ (6) Bleecker St. Doubles 250-500 $. 🛜 Envie d'indépendance ? Dans ce quartier qui bouge, *Lafayette* caracole en tête ! Ce *B & B* situé dans une maison ancienne a conservé tout son charme du XIXe s. On y entre et on en sort à sa guise en se prenant pour un vrai New-Yorkais. Certes ce n'est pas donné, mais vous aurez une cheminée dans votre charmante suite, une grande salle de bains et du mobilier d'époque tellement accueillant. L'une d'elles ouvre même sur le jardin. Personnel aux petits soins. Ça change du design, du standard policé et finalement... on ne paie guère plus cher.

Très, très chic

🛏 *The Bowery Hotel* (zoom 3, C3-4, **94**) : 335 Bowery (entre 2nd et 3rd). ☎ 212-505-9100. ● thebowe ryhotel.com ● Ⓜ (6) Bleecker St. Doubles standard 325-650 $. 🛜 Malgré sa facture récente, tout est fait à l'ancienne dans ce magnifique hôtel où on est accueilli par des portiers en gilet rouge, cravate et chapeau. Au rez-de-chaussée, le hall d'accueil, les salons et le bar à la déco victorienne somptueusement recréée sont terriblement cosy et classe. Canapés et fauteuils en velours cramoisi, tapis persans fanés, jardin d'hiver, cheminée avec vrai feu qui crépite, on s'y croirait. Les chambres tout confort

oscillent entre design et tradition, avec de jolies baies vitrées sur la ville. Resto italien. Service impeccable. Le seul hic : Bowery est une artère très passante.

Où manger ?

East Village et Lower East Side sont des hauts lieux de la cuisine à Manhattan, avec en prime une immense variété de restos et d'ambiances.

Dans East Village et NoHo

Spécial petit déjeuner et brunch

🍴 **Great Jones Cafe** (zoom 3, C3, **848**) : 54 Great Jones St (entre Lafayette et Bowery). ☎ 212-674-9304. Ⓜ (6) Bleecker St. Brunch w-e 11h30-16h. Plats 8-20 $. Une devanture orange vif, des loupiotes multicolores qui éclairent une petite salle un peu sombre et très animée. D'ailleurs, mieux vaut passer réserver pour le brunch et faire un tour dans le quartier pour patienter. Dans l'assiette, de bons gros plats américains-cajuns, burgers, chili et chicken wings. Sympa aussi pour une bière le soir.

🍴 **Prune** (zoom 3, C4, **429**) : 54 E 1st St (entre 2nd et 1st Ave). ☎ 212-677-6221. Ⓜ (F) 2 Ave. En sem, ouv le soir ; w-e, brunch 10h-15h30. Plats brunch 9-23 $. Arrivez tôt... ou tard pour ne pas venir pour des prunes. Car ce bistrot mignon comme tout est connu pour ses excellents brunchs, préparés avec de bons produits et pleins d'idées. Les becs sucrés choisiront le Dutch style pancake, un énorme gâteau truffé de poire et arrosé de sirop d'érable, les autres se laisseront tenter par le saumon fumé accompagné d'œufs d'esturgeon ou le mélange de saucisses d'agneau et huîtres ! C'est frais, coloré et servi avec le sourire.

🍴 Et aussi : **Mile End Sandwich Shop, Westville East, B Bar & Grill, Veselka,** **Mud, Zum Schneider** et **Saxon & Parole.** Voir plus loin.

Sur le pouce

🥪 🍴 **Mile End Sandwich Shop** (zoom 3, C4, **124**) : 53 Bond St (et Bowery). ☎ 212-529-2990. Ⓜ (D, F) Broadway-Lafayette ou (6) Bleecker St. Tlj sf le soir dim-lun. Sandwichs seuls 10-15 $ (avec frites et coleslaw en sus, mais une portion suffit pour 2). Sandwicherie haut de gamme spécialisée dans le smoked meat, c'est-à-dire la poitrine de bœuf fumée et le pastrami comme à Montréal, mais revisitée à la mode deli new-yorkais. Prix un peu élevés pour du sandwich, mais les produits (pain compris) sont excellents et les portions généreuses. Quelques places assises dans un décor carrelé noir et blanc.

🥪 🍽 **Black Seed Bagels** (zoom 3, C4, **236**) : 170 Elizabeth St (près de Delancey). Ⓜ (J) Bowery. Tlj 7h-22h. Bagels 3-10 $, plats chauds 7-12 $. CB acceptées. Intérieur simple et chaleureux façon chalet, avec seulement quelques chaises hautes. Et une ambiance étonnamment calme malgré le défilé de fidèles venus déguster les fameux bagels maison garnis à la demande. Leur originalité ? Un mix montréalo-new-yorkais (les 2 grandes tendances en la matière !) et un four au feu de bois. Résultat extra-frais et croustillant pour des portions juste comme il faut. Emballé, c'est pesé !

🥪 🍽 **Fuku** (zoom 3, C-D3, **151**) : 163 1st Ave (et 10th St). Ⓜ (L) 1 Ave. Env 12-15 $. Ce mini snack spécialisé dans le poulet frit version asiatisante (servi tout simplement dans un petit pain rond, avec frites ou salade en option), est la nouvelle cantoche zen de David Chang, le chef à succès des restos branchés Momofuku ; voir plus loin « De plus chic à très chic » et, dans le chapitre Midtown plus loin, le descriptif de l'annexe *Fuku +*.

🍴 ***Caracas To Go*** *(zoom 3, D3, 427)* **:** *93 E 7th St (entre 1st et A Ave).* ☎ 212-529-2314. Ⓜ (6) *Astor Pl.* Fermé le midi en sem. Plats 7-16 $. La version vénézuélienne du snack US. En guise de burgers, une sélection d'*arepas*, petits pains chauds fourrés à tout un tas de bonnes choses : porc rôti, chorizo grillé, poulet, avocat, fromage, haricot noir... Dépaysant, à l'image du cadre, une poignée de tables mimi, drapées de toiles cirées bariolées, quelques souvenirs du pays, le tout baigné dans une odeur de friture ! Heureusement, le *Caracas Arepa Bar* (voir plus loin), juste à côté, propose la même chose à consommer dans des conditions moins *roots*.

De bon marché à prix moyens

🍴 ***Ippudo*** *(zoom 3, C3, 250)* **:** 65 4th Ave *(entre 9th et 10th).* ☎ 212-388-0088. Ⓜ (6) *Astor Pl.* Plats 10-17 $. Point de sushis ou sashimis et très peu de plats de poisson (excepté quelques-uns à base de crevettes) dans ce japonais ultra-populaire, mais des *ramen*, les fameuses soupes de nouilles copieuses, spécialité de la maison. Grande salle au décor japonais design, où s'activent des serveurs efficaces. On y mange au coude à coude autour de grandes tables communes, mais les fauteuils ingénieux permettent aux tourtereaux de se roucouler à l'oreille en toute tranquillité. Un seul bémol : bondé à toute heure ! Pointez-vous si possible 15 mn avant l'ouverture *(11h le midi, 17h le soir)*.

🍴 ☕ ***Mud*** *(zoom 3, C3, 253)* **:** 307 E 9th St *(entre 1st et 2nd Ave).* ☎ 212-228-9074. Ⓜ (6) *Astor Pl.* Tlj 8h (9h w-e)-minuit. Plats 8-13 $. CB refusées. Connu pour ses excellents cafés (voir plus loin « Coffee shops... »), *Mud* sert aussi le petit déj (toute la journée !) et de délicieux plats, simples mais bien réalisés. Soupes *healthy* et goûteuses, salades toutes fraîches, sandwichs et paninis variés, guacamole... On aime beaucoup.

🍴 ***Mighty Quinn's Barbeque*** *(zoom 3, C3, 230)* **:** 103 2nd Ave *(entre 6th et 7th).* ☎ 212-677-3733. Ⓜ (F) 2 Ave. Pas de résas. Plats env 10 $. Vu les tarifs, vous ne serez pas seul à faire la queue devant cette cantine au look industriel, spécialisée dans la bidoche grillée servie comme dans le Tennessee. Comprendre dans des barquettes jetables (pas pratiques les couverts en plastoc !), après une commande à la chaîne : on choisit sa viande, puis la garniture puis la bière *on tap* pour faire glisser tout ça. Hyper copieux, on peut aisément se passer des *sides* optionnelles.

🍴 ***Caracas Arepa Bar*** *(zoom 3, D3, 427)* **:** *93 E 7th St (entre 1st et A Ave).* ☎ 212-529-2314. Ⓜ (6) *Astor Pl.* Lunch special env 9 $; plats 10-16 $. La version resto du *Caracas To Go* (voir plus haut) ne désemplit jamais. Forcément : des plats simples et bons à prix doux servis dans une salle pittoresque mais pas ringarde, c'est une aubaine ! D'autant plus que la sangria ou les bières locales arrondissent bien les angles.

🍴 ☕ ***B Bar & Grill*** *(zoom 3, C3, 213)* **:** 40 E 4th St *(angle Bowery).* ☎ 212-777-0468. Ⓜ (6) *Bleecker St.* Plats 12-20 $. Très agréable décor à mi-chemin entre le *martini bar* et le grill américain des sixties. La salle est spacieuse et haute de plafond et s'ouvre sur une courette plantée (découverte en été), idéale pour un brunch. À l'intérieur, calé dans des box de *diner*, on n'est pas à touche-touche et on voit ce qu'on mange. Dans l'assiette, une cuisine américaine classique avec quelques accents du monde. C'est bien fait et servi avec le sourire. Fait aussi *taco-bar* le long de Bowery.

🍴 ***Angelica Kitchen*** *(zoom 3, C3, 195)* **:** 300 E 12th St *(entre 1st et 2nd Ave).* ☎ 212-228-2909. Ⓜ (L) 1 Ave. Plats 11-21 $. Pour les adeptes du végétalisme bio et les autres, voici un très bon resto versé dans le bien-être. À la carte (appétissante et variée, pas du tout *veggie* triste), de bons petits plats et des sandwichs aux noms pleins d'humour et aux saveurs inattendues, avec même un lexique à la fin pour les non-initiés. Cadre clair et néobaba version épurée. Une expérience culinaire vraiment intéressante et plein d'infos sur la planète zen de New York. Juste à côté, un petit bar à soupes et jus qui fait aussi de la vente à emporter.

|●| ☞ *Veselka* (zoom 3, C3, **185**) : 144 2nd Ave (et 9th). ☎ 212-228-9682. Ⓜ (6) Astor Pl. Ouv 24h/24. Plats combinés ou non 11-18 $; petits déj 6-10 $. Ouverte en 1954, la petite échoppe de la communauté ukrainienne est devenue une institution du quartier. Grande salle avec de larges baies vitrées garnies de plantes vertes et une fresque cinématographique au fond. Clientèle très variée : vieux clients de toujours, artistes... Au menu : sandwichs, soupes, spécialités ukrainiennes et d'Europe de l'Est, pâtisseries maison et petit déj à prix raisonnable.

|●| ☞ 🍷 *Zum Schneider* (zoom 3, D3, **215**) : 107 Ave C (angle 7th). ☎ 212-598-1098. Ⓜ (F) 2 Ave ou (6) Astor Pl. Tlj 17h (13h w-e) jusque tard. Résa fortement conseillée le w-e. Plats 18-25 $ (snacks moins chers), brunchs w-e 13h-17h 8-15 $. CB refusées. Ce *Biergarten* ancienne génération, ouvert par un Bavarois bien avant la mode, prend des allures d'*Oktoberfest* en fin de semaine, avec pas moins d'une douzaine de blondes germaines à la pression ! D'ailleurs, on vient pour ça. Et comme si ça ne suffisait pas : *Wienerschnitzel* et *Wurst* à gogo, sans oublier quelques court-culottés en chapeau à plumes qui viennent en groupe astiquer leurs cuivres certains soirs... C'est comme là-bas, dis !

|●| 🚄 *Lil' Frankie's* (zoom 3, C-D4, **240**) : 19 1st Ave (entre 1st et 2nd). ☎ 212-420-4900. Ⓜ (F) 2 Ave. Tlj 16h (11h w-e)-2h min. Plats et pizzas 12-16 $. CB refusées. « Juste un four en brique et des p'tits gars de Naples », dit la carte de visite. Il faut quand même ajouter un paquet de monde le soir au coude à coude dans un vacarme assourdissant (tables plus tranquilles dans le jardinet à l'arrière), des pizzas croustillantes *(thin crust)* à consommer à la lampe de poche, et une impressionnante carte de vins italiens. Service rapide (un peu trop même).

|●| ☞ *Westville East* (zoom 3, D3, **269**) : 173 Ave A (angle 11th). ☎ 212-677-2033. Ⓜ (L) 1 Ave. Plats 10-20 $ pour la plupart, brunchs 5-12 $. Au tableau noir, le marché du jour : toutes sortes de légumes vapeur, frits ou en purée, qui ont fait la réputation de ce petit bistrot. N'allez pas croire pour autant que le reste de la carte est végétarien ! Les bons burgers ont la cote, de même qu'une sélection de plats américains typiques bien réalisés. Au final, le tout passe bien, dans une ambiance jeune et estudiantine. Le dimanche, à l'heure du brunch, la queue s'allonge à vue d'œil !

🍔 *Bareburger* (zoom 3, C3, **150**) : 85 2nd Ave (et 5th). ☎ 212-510-8610. Ⓜ (F) 2 Ave. Burgers 11-15 $. Une fois de plus, on ne pouvait que citer cette petite chaîne (lire plus haut « Greenwich et West Village. Où manger ? ») confectionnant de délicieux burgers bio et bien charnus, à dévorer dans une petite salle chaleureuse style cabane de trappeur. Miam !

De prix moyens à un peu plus chic

|●| *Siggy's Good Food* (zoom 3, C4, **510**) : 292 Elisabeth St (entre Bleecker et E Houston St). ☎ 212-226-5775. Ⓜ (6) Bleecker St. Plats 12-16 $ le midi, jusqu'à 24 $ le soir. Idéalement placé entre NoHo et NoLiTa, voici un resto bio bien réjouissant. Déco chaleureuse, clientèle jeune et cool et cuisine délicieuse, parfumée, copieuse et saine évidemment (mais absolument pas triste, bien au contraire). À accompagner d'un smoothie vitaminé, d'une bière locale ou d'un vin biodynamique. *Really good food* !

|●| *Pylos* (zoom 3, D3, **177**) : 128 E 7th St (entre 1st et Ave A). ☎ 212-473-0220. Ⓜ (6) Astor Pl. Plats 20-30 $, mezze 11-16 $. Tout en long, cruches au plafond, un resto crétois moderne baigné d'un gentil brouhaha et fréquenté par une clientèle assez éclectique mais néanmoins friquée. Ici, on se donne rendez-vous pour une cuisine ensoleillée et travaillée tout en finesse avec des produits du marché. La carte des vins est chère ici, et pour ne pas vous ruiner, restez dans les *mezze*, quitte à en prendre plusieurs et à partager.

|●| *Hasaki* (zoom 3, C3, **186**) : 210 9th St (et Stuyvesant). ☎ 212-473-3327. Ⓜ (6) Astor Pl. Plats 14-22 $ le midi, twilight menu 20 $ avt 18h et

plats 22-27 $ le soir. Une petite salle en contrebas de la rue, avec toute la sobriété des décors japonais et une petite cour-jardin aux beaux jours. Élégants assortiments de sushis et sashimis, incluant soupe, salade, thé et dessert le midi. Très bon, très frais. Plus cher et un peu d'attente le soir. Excellent accueil.

|●| Soba-ya *(zoom 3, C3, **194**) : 229 E 9th St*. ☎ 212-533-6966. Ⓜ *(6) Astor Pl. Repas 20-25 $; earlybird menu (17h30-19h) 20 $; lunch menus 15-17 $*. Mais que sont ces *sobas* que l'on savoure en soupe ? Des pâtes de farine de sarrasin confectionnées sous vos yeux et qui s'accommodent parfaitement d'un bouillon parfumé. Vous voici au Japon, déco comprise, chez le demi-Dieu de New York en la matière. Plats en 3 tailles, le *regular* faisant très bien l'affaire. Superbes desserts. Pour un repas raffiné et dépaysant sans plomber votre budget, ne cherchez pas plus loin. Un seul hic : pas de résas !

|●| Momofuku Noodle Bar *(zoom 3, C-D3, **151**) : 171 1st Ave (entre 10th et 11th)*. ☎ 212-777-7773. Ⓜ *(L) 1 Ave. Plats 10-16 $*. Voir ci-après *Momofuku Ssäm Bar*.

De plus chic à très chic

|●| Momofuku Ssäm Bar *(zoom 3, C3, **202**) : 207 2nd Ave (angle 13th)*. ☎ 212-254-3500. Ⓜ *(L) 1 Ave. Plats max 20 $*. David Chang, le chef d'origine coréenne, est le pionnier de la nouvelle cuisine asiatique branchée. Les menus du *Ko*, la maison mère, variant de 125 à 175 $, nous vous indiquons plutôt ses 2 « cantines » branchées : le *Ssäm* et le *Noodle Bar* (coordonnées plus haut). Plus raffiné, le *Ssäm*, avec son éclairage tamisé, conviendra aux dîners en tête à tête. Pour les grandes tablées bruyantes ou pour une soupe de nouilles *(ramen)* au comptoir face aux cuistots, optez pour le *Noodle Bar*. Les 2 endroits ont en commun le mélange des influences (japonaises, américaines...) et des saveurs, fines et épicées. Tout à côté du *Noodle Bar,* Chang a ouvert **Fuku,** une sandwicherie gourmet autour du poulet frit et *spicy* (voir plus haut « Sur le pouce »). Et juste en face du *Ssäm,* au 251 East 13th Street, **Momofuku Milk Bar** est la minuscule annexe pâtisserie : cookies et milk-shakes essentiellement.

|●| Saxon & Parole *(zoom 3, C4, **165**) : 316 Bowery St (angle Bleecker)*. ☎ 212-254-0350. Ⓜ *(6) Bleecker St. Le soir slt et brunch w-e. Plats 25-35 $; repas min 40 $; brunchs 10-15 $*. L'adresse frime qui porte le nom de 2 chevaux et où il est de bon ton de passer prendre un cocktail détonant pour sentir le pouls du quartier. Pour y dîner, armez-vous de patience, même s'il y a plusieurs salles, à l'arrière ou en sous-sol. Dans le box des spécialités, une cuisine made in USA revisitée avec doigté : viandes, poissons, *pots* maison à partager ou le tout combiné dans la même assiette. Desserts du même pedigree. À deux pas, le bar *Mme Geneva* (même maison) propose des cocktails originaux aux noms décalés. Même ambiance.

Dans Lower East Side

Spécial petit déjeuner et brunch

☏ **Clinton St Baking Company** *(zoom 3, D4, **217**) : 4 Clinton St (entre Houston et Stanton)*. ☎ 1-646-602-6263. Ⓜ *(F) 2 Ave. Petit déj tlj 8h-16h. Plats 8-17 $. CB refusées*. Pour beaucoup, le meilleur breakfast de New York. Attention, pas de résas, 1er arrivé, 1er servi ! Les classiques américains (*French toast,* pancakes, *biscuits eggs Benedict...*) y sont réinterprétés et allégés tout en restant copieux. Également de la brioche française (le chic du chic) et une omelette au homard. Pas donné mais raffiné donc. D'ailleurs, toujours plein comme un œuf, même la semaine et encore plus le week-end.

☏ Et aussi : **Whole Foods Market** (très bon rapport qualité-prix), **Freemans** (brunch le w-e), **Russ & Daughters Cafe** (brunch le w-e), **Irving Farm** et **Schiller's** (brunch tlj jusqu'à 16h). Voir plus loin.

Sur le pouce

|●| 🍽 *Russ & Daughters* (zoom 3, D4, **229**) : 179 E Houston St (entre Orchard et Allen). ☎ 212-475-4880. Ⓜ (F) 2 Ave. Lun-sam 8h-20h (19h sam), dim 8h-17h30. Bagels 11-15 $. Depuis 1914, cette belle épicerie fine à l'ancienne est réputée (à juste titre) pour la qualité de ses poissons fumés : toutes sortes de saumon, thon, esturgeon, truite... Possibilité de demander celui de son choix servi dans un bagel, agrémenté d'appétissantes garnitures variées à base de *cream cheese*, câpres, oignons... Enfin, pour faire passer le hareng, des délices chocolatés, petits gâteaux (délicieux *rugelach* traditionnels, entre autres) et superbes fruits secs. Vu le succès, la maison a ouvert un restaurant dans Orchard Street (voir plus loin).

|●| *Vanessa's Dumpling House* (zoom 3, D4, **246**) : 118 Eldridge St (entre Grand et Broome). ☎ 212-625-8008. Ⓜ (D) Grand St. Dès 1,30 $ les 4 dumplings ! Un des rares *bargains* de New York. Cette petite cantoche au décor proche de zéro est connue pour ses assortiments de très bons *dumplings* maison (raviolis grillés et autres bouchées vapeur) à des prix d'avant guerre (de Sécession). Tout est préparé sous vos yeux derrière le comptoir. Également des brioches farcies, *wonton soup*, *noodles* et sandwichs. Succursale à Williamsburg.

De bon marché à prix moyens

|●| *Katz's* (zoom 3, D4, **211**) : 205 E Houston St (angle Ludlow). ☎ 212-254-2246. Ⓜ (F) 2 Ave. Tlj 8h-22h45 (non-stop ven-dim soir !). Sandwich au pastrami (ce qu'on vous recommande) env 20 $; plats 12-20 $. L'un des plus anciens *delicatessen* de New York (1888), devenu une véritable institution ! Il n'y a qu'à voir les files d'attente pour s'en convaincre. En fait, on y va plutôt pour son vénérable décor, une immense cantoche où pendouillent des bataillons de salamis et où fut tournée la grande scène de l'orgasme simulé dans *Quand Harry rencontre Sally...*

Ceux qui voudront se rejouer la scène pourront même s'asseoir à la fameuse table du film et commander la même chose. On prend un ticket à l'entrée et on paie à la sortie. Dans l'assiette, point de 7e ciel, mais une grosse bouffe américaine d'inspiration Europe de l'Est sans aucune finesse et servie sans sourire. Mais le folklore du lieu et l'atmosphère *old New York* valent largement le déplacement.

|●| *Souvlaki* (zoom 3, D4, **166**) : 116 Stanton St (entre Essex et Ludlow). ☎ 212-777-0116. Ⓜ (F, J) Delancey St-Essex St. Plats 8-10 $. Murs blanchis à la chaux, volets bleus, guirlandes de lampions et fausses grappes de fleurs, ce petit grec s'est recréé en intérieur une ruelle façon Cyclades. Ç'aurait pu être kitsch, c'est juste sympa, bon, pas cher. Une agréable étape, souvent bondée, pour se requinquer d'un souvlaki roulé dans du pain pita, d'aubergines marinées ou de frites maison saupoudrées de feta, avant de poursuivre son chemin – ou sa soirée – dans ce quartier jalonné de bars.

|●| 🌱 *Whole Foods Market* (zoom 3, C4, **309**) : 95 E Houston St (entre Chrystie St et Bowery). ☎ 212-420-1320. Ⓜ (F) 2 Ave. Plats 6-10 $. Un supermarché de produits estampillés bio dont on retrouve l'enseigne un peu partout en ville. Au rez-de-chaussée, superbe *salad bar* avec plats cuisinés de toutes sortes, aussi appétissant que goûteux. Et à l'étage, grande caf鈥' largement vitrée avec encore d'autres comptoirs (asiatique, salades...). On s'installe sur de grandes tables à partager dans une ambiance familiale.

De prix moyens à un peu plus chic

|●| 🌱 *Freemans* (zoom 3, C4, **274**) : au bout de Freeman Alley (petite impasse au niveau du 8 Rivington St, entre Bowery et Christie). ☎ 212-420-0012. Ⓜ (J) Bowery. Plats 12-20 $. Une adresse nichée au fond d'une allée discrète. À l'intérieur, on se croirait dans une vieille maison de campagne et pas du tout à New York ! Plancher, banquettes de cuir, miroirs, tableaux, trophées de chasse, animaux

empaillés, tout est fané, patiné. On sert de l'*American comfy food,* entendez une bonne cuisine ricaine traditionnelle. De nombreux adeptes le soir et pour le brunch du week-end (tentez plutôt votre chance le midi).

●|● ☞ *Russ & Daughters Cafe* (zoom 3, D4, *357*) : 127 Orchard St (entre Rivington et Delancey). ☎ 212-475-4881. Ⓜ (F, J, M) Delancey-Essex St. Tlj 10h (8h w-e)-22h ; brunch w-e 10h-14h. Plats 9-19 $ (hors caviar, hors concours !). Le *sit-in* de l'épicerie fine du bout de la rue (voir plus haut), dans une atmosphère nettement plus aseptisée. Serveurs tout de blanc vêtus à l'air inspiré avec leurs blouses et lunettes d'intello. À la carte, la spécialité maison depuis 4 générations : les poissons, déclinés en salades, omelettes, plateaux mais aussi en bagels, une autre spécialité. Ne négligez pas les desserts pour autant !

Coffee shops, pâtisseries et glaces

Dans l'air du temps

☞ *Mud* (zoom 3, C3, *253*) : 307 E 9th St (entre 1st et 2nd Ave). ☎ 212-228-9074. Ⓜ (6) Astor Pl. CB refusées. Tout en longueur et en brique, ce petit café-resto très *peace and love* sert d'excellents cafés à emporter. On peut aussi siroter son cappuccino sur place, de préférence dans la charmante courette du fond, où il est aussi possible de (très bien) grignoter (voir plus haut « Où manger ? »)... Bon fond sonore qui plaira à tous les nostalgiques de Woodstock.

☞ *La Colombe* (zoom 3, C3, *311*) : 400 Lafayette St (et E 4th). ☎ 212-677-5834. Ⓜ (D, F) Broadway-Lafayette ou (6) Astor Pl. Cette minichaîne fondée à Philadelphie par deux passionnés du café est la coqueluche des bobos new-yorkais qui font sagement la queue autour du comptoir central pour commander leur nectar. Pas de carte, pas de prix affichés (ça fait partie du concept), mais on vous préparera le café exactement comme vous l'aimez. Cadre très New York et situation en angle, avec vue sur les immeubles caractéristiques du quartier.

●|● ☞ *Irving Farm* (zoom 3, D4, *155*) : 88 Orchard St (et Broome). ☎ 212-228-8880. Ⓜ (F, J, M) Delancey St-Essex St. À deux pas du Tenement Museum, un café typiquement new-yorkais, en angle de rue, avec ses grandes baies vitrées donnant sur les immeubles zébrés d'escaliers métalliques. On y grignote sain aussi : sandwichs, salades et petits déj.

☞ *Doughnut Plant* (zoom 3, D4, *715*) : 379 Grand St (entre Essex et Norfolk). ☎ 212-505-3700. Ⓜ (F, J) Delancey St-Essex St. Cette petite échoppe dotée de quelques places assises sert les meilleurs *doughnuts* de New York, déclinés à tous les parfums et, surtout, d'une légèreté (si, si) et d'un moelleux incomparables. Excellents cafés et *chai tea* aux herbes fraîches d'Inde. Succursale au rez-de-chaussée du *Chelsea Hotel* (voir le chapitre « Chelsea »).

☞ *Sugar Sweet Sunshine* (zoom 3, D4, *316*) : 126 Rivington St (entre Essex et Norfolk). ☎ 212-995-1960. Ⓜ (F, J, M) Delancey St-Essex St. Mignonne pâtisserie spécialisée dans les *cupcakes* (petits gâteaux ronds nappés d'un glaçage au beurre, un péché typiquement new-yorkais). Grand choix de thés et prix doux. Atmosphère bohème-cosy-*arty* du Lower East Side sous le regard de la belle Jacky Kennedy. Polaroïds rigolos des bébés et des chiens des clients...

🍦 *Van Leeuwen* (zoom 3, C3, *248*) : 48 ½ E 7th St (entre 1st et 2nd Ave). Ⓜ (6) Astor Pl. Excellent glacier artisanal dans une jolie petite échoppe au décor vintage. Parfums de saison seulement, élaborés à partir de produits locaux et naturels. Vaste salle à l'ancienne pour la dégustation et fond musical bien dosé (des vinyles !).

🍦 *Il Laboratorio del Gelato* (zoom 3, D4, *329*) : 188 Ludlow St (entrée sur Houston). ☎ 212-343-9922. Ⓜ (F) 2 Ave. Un labo tout blanc au design minimaliste (ça sent même l'hôpital !) avec en *front desk* pas moins d'une cinquantaine de parfums souvent originaux. Fait également *espresso bar*.

🍵 **Ninth Street Espresso** (zoom 3, D3, **395**) : 341 E 10th St (entre Ave A et B). ☎ 212-777-3508. Ⓜ (L) 1 Ave. Contrairement à beaucoup de *coffee shops*, largement de quoi se poser un moment dans celui-ci et un appréciable effort de déco sur fond de murs blanchis. Café torréfié maison et bio.

Dans la tradition

🍰 **Veniero's** (zoom 3, C3, **225**) : 342 E 11th St (entre 1st et 2nd Ave). ☎ 212-674-7070. Ⓜ (L) 1 Ave. Dans cette 11th Street rendue célèbre par le film *Ragtime* de Milos Forman, voici l'une des pâtisseries les plus anciennes (1894) et les plus réputées de Manhattan. C'est bien simple, on se croirait à Milan ! Une tonne de pâtisseries et de gâteaux, dont d'excellents *cannoli*. Salon de thé au fond.

🍰 **Moishe's Bake Shop** (zoom 3, C3, **122**) : 115 2nd Ave (et E 7th St). ☎ 212-505-8555. Ⓜ (6) Astor Pl. Tlj sf sam 7h-21h (ven ferme 1h avt le coucher du soleil). Boulangerie juive traditionnelle de East Village, qui régale le quartier depuis les années 1970. Goûter aux *rugelach* (petits croissants de pâte feuilletée fourrés de fruits secs, noix, chocolat...), la reine des pâtisseries d'Europe centrale. Le gâteau au fromage blanc (*plain cheese strudel*) est aussi excellent. À emporter seulement.

Où boire un verre ?

Ce quartier en mouvance perpétuelle vibre au rythme d'une effervescence de bars, concentrés notamment sur Saint Mark's Place, Bowery et autour du Tompkins Square Park. Et il y en a pour tous les goûts. De vieux rades pour *bikers* repentis, des lounges cosy, des pubs irlandais, des décors délurés, des clubs de rock, de jazz, des *speakeasies* improbables, remakes des bars clandestins de la Prohibition, où l'on *shake* des cocktails dernier cri. Tous ces établissements ouvrent généralement en fin d'après-midi et ferment tard dans la nuit.

Dans East Village et NoHo

🍸 **7B Horseshoe Bar** (*Varzac* ; zoom 3, D3, **371**) : 108 Ave B (angle 7th). ☎ 212-677-6742. Ⓜ (6) Astor Pl. Les guitares hurlent dans ce vieux troquet des années 1940, dont la déco n'a pas beaucoup bougé. Murs patinés, force néons, long comptoir en U, juke-box, flipper et TV pour clientèle *Eastsider* tendance hard-rock. On tourna ici quelques scènes de films, dont *Verdict* avec Paul Newman, *Angel Heart* avec Mickey Rourke ou encore *Le Parrain II*.

🍸 **Beauty Bar** (zoom 3, C3, **368**) : 231 E 14th St (entre 2nd et 3rd Ave). ☎ 212-539-1389. Ⓜ (L) 3 Ave. Tlj 17h (14h w-e)-4h. Installé dans un ancien salon de beauté figé dans les années 1960, ce bar vaut vraiment le détour : serveuses lookées pin-up, comptoir en formica, étagères où s'entassent les flacons d'eau de Cologne, perruques, vieilles pubs... On peut même siroter son drink sous les cloches sèche-cheveux en se faisant vernir les ongles (*cocktail-manucure env 10 $*) ! Décoiffant, non ?

🍸 **Please Don't Tell** (zoom 3, D3, **336**) : 113 Saint Mark's Pl. ☎ 212-614-0386. Ⓜ (6) Astor Pl ou (L) 1 Ave. Tlj 18h-2h (3h ven-sam). Une énorme saucisse rouge siglée « *Eat Me* » jaillit de la façade, annonçant un fast-food à hot dogs tout ce qu'il y a de plus banal. Sauf que... Pendant que les autres font la queue pour leur ration de graillon, faufilez-vous dans la cabine téléphonique rouge, à gauche en entrant. Composez le 1... et le mur s'ouvre sur une hôtesse, dévoilant un minuscule *speakeasy* entre le vintage et le pavillon de chasse, avec même une tête de cerf empaillée ! Après ça, le barman pourrait nous servir une grenadine qu'on serait tout de même béat d'être là ! Allez, on va quand même s'offrir un cocktail... Si vous voulez compter parmi les *happy few* en fin de semaine, pointez-vous avant 19h ou réservez. Sinon, il ne vous restera qu'à vous rabattre sur les hot dogs et les vieux jeux vidéo des années 1980...

The Blind Barber (zoom 3, D3, **395**) : 339 E 10th St (entre Ave A et B). ☎ 212-228-2123. Ⓜ (L) 1 Ave. Tlj à partir de 18h. Happy hours 18h-21h. Besoin de se faire tailler la barbe ? Repérez la vitrine du coiffeur-barbier, une porte coulissante au fond du salon permet d'accéder à un improbable *speakeasy*. Le vigile a parfois ses têtes le samedi, il faut dire que la foule fait la queue jusque dans la rue en attendant le DJ. Autant venir en semaine pour se taper la discute plus tranquillou sur une banquette ou mieux, tenir salon dans la petite bibliothèque d'un autre âge avec miroir et loupiotes intimistes. La spécialité maison ce sont les cocktails un peu délire, moins chers en tout début de soirée. Pas de souci, ils ne coupent pas les pattes non plus !

Pouring Ribbons (zoom 3, D3, **366**) : 225 Ave B (entre 14th et 13th). ☎ 917-656-6788. Ⓜ (L) 1 Ave. Tlj 18h-2h (4h ven-sam). Perché au-dessus d'un *liquor shop*, un grand *speakeasy* au cachet rétro très Art déco, ouvert sur une fenêtre en demi-lune donnant sur une façade en brique typique d'Alphabet City. Musique pop, grands canapés et petites tables rondes pour qui recherche plus d'intimité. Surprenants cocktails maison qu'on choisit en se fiant à la jauge que propose la carte, du *comforting* au plus *adventurous*...

McSorley's Old Ale House (zoom 3, C3, **367**) : 15 E 7th St (entre 2nd et 3rd Ave). ☎ 212-254-2570. Ⓜ (6) Astor Pl. C'est la plus vieille taverne irlandaise de New York (1854), fréquentée jadis par Abraham Lincoln. Sa chaise traîne d'ailleurs sous la toiles d'araignée derrière le comptoir, tout comme l'affiche originale (1865 !) réclamant la tête de son meurtrier, parmi un fatras de photos et d'autographes de célébrités. Vieilles cloisons en bois, sol couvert de sciure, odeur de houblon... C'est rustique et convivial, même si les serveurs tirent parfois aussi bien la bière que la gueule. Le samedi soir, déplacer sa carcasse jusqu'au fond de ce troquet est un véritable défi. Quand on pense que ce bar a été interdit aux femmes jusqu'en... 1970 ! L'endroit s'enorgueillit aussi de n'avoir jamais fermé, même pendant la Prohibition. Et on y sert toujours la bière par paires de demi-pintes. Seulement 2 variétés : une blonde, une brune !

The Wayland (zoom 3, D3, **356**) : 700 9th St (angle Ave C, à Alphabet City). ☎ 212-777-7022. Ⓜ (L) 1 Ave. Tlj 17h-4h. Élégant bar rétro aux faux airs de bibliothèque, prisé de la jeunesse WASP chic et décontractée, chemise à carreaux et cravate adroitement dénouée, qui s'entasse bruyamment par grappes le long du grand comptoir de marbre. Quelques tables pour grignoter, sur un fond de *soul music* ou de groupe live, luttant pour concurrencer le brouhaha des éclats de voix.

KGB Bar (zoom 3, C3, **381**) : 85 E 4th St (entre 2nd et 3rd Ave) ; à l'étage. ☎ 212-505-3360. ● *kgbbar.com* ● Ⓜ (6) Astor Pl. Ancien siège de l'*American-Ukrainian League* (à partir de 1947) et du bar qui allait avec, le *KGB* (qui ne signifie rien d'autre que *Kraine Gallery Bar* pour ne pas se mettre hors la loi !) était essentiellement fréquenté par les sympathisants communistes. À l'étage, avec ses murs tout rouges, ses portraits de dignitaires soviétiques et ses affiches du Parti, il est désormais devenu un *hot spot* littéraire où, souvent, de 19h à 21h, des auteurs viennent lire des extraits de leurs livres et discuter avec le public. Changement d'ambiance en soirée, en particulier le week-end, où l'on peine à se frayer un passage entre les camarades fêtards, pas franchement venus épiloguer sur la dictature du prolétariat. Que veux-tu coco, Lénine, c'est vintage !

Dans Lower East Side

Mr Purple (zoom 3, D4, **17**) : 171 Ludlow St (entre E Houston et Stanton St). Au 15e étage de l'hôtel Indigo LES. ☎ 212-237-1790. Ⓜ (F, J) Delancey St-Essex St. Tlj 16h (11h w-e)-2h (3h mer, 4h jeu-sam). Un des derniers *rooftops* en vue et de ce côté-là, on est servi ! Panorama époustouflant à 360° sur tout New York, espace lounge-resto à la déco design particulièrement réussie et terrasses extérieures à tout casser. Clientèle mode, musique *loud* et éclairage ultra-tamisé pour laisser la vedette aux lumières de la ville. *Amazing* !

¶ 🍴 **Schiller's** *(zoom 3, D4, 385)* : 131 Rivington St (angle Norfolk). ☎ 212-260-4555. Ⓜ (F, J) Delancey St-Essex St. Tlj 11h (10h w-e)-1h (3h ven-sam, minuit dim). Symbole du renouveau de Lower East Side, souvent bondé, un superbe bistrot à la déco entièrement recréée dans le style années 1920. Miroirs vieillis, appliques en verre dépoli, néons vintage, carrelage jusque sur les piliers, l'illusion est parfaite. On y va pour boire un verre, pour voir... et être vu. Plein de journaux à disposition. On y brunche volontiers tous les jours jusqu'à 16h. Agréable aussi pour un sandwich ou un café l'après-midi.

¶ 🍴 **Spitzer's Corner** *(zoom 3, D4, 93)* : 101 Rivington St (angle Ludlow). ☎ 212-228-0027. Ⓜ (F, J) Delancey St-Essex St. Tlj 12h (10h w-e)-1h (4h ven-sam). Plats 11-17 $. Du bois, de l'inox, de grandes baies vitrées ouvertes sur le quartier, une déco industrielle pour un *pub corner* du nouveau millénaire. On se perche au comptoir pour écluser plus de 40 bières, à moins de squatter au coude à coude l'une des longues tablées pour se taper une *pub food* bien troussée qui connaît ses classiques, burger et *fish & chips* en tête. Musique pop et bonne ambiance *casual*.

¶ 🍴 **Beauty & Essex** *(zoom 3, D4, 191)* : 146 Essex St (entre Stanton et Rivington). ☎ 212-614-0146. Ⓜ (F, J) Delancey St-Essex St. Tlj 17h-minuit. On entre par une petite brocante psychédélique qui ne laisse rien deviner du décor glamour et sophistiqué du *speakeasy* caché juste derrière. Tentures gris-bronze, lustres façon méduse, murs en moumoute le long de la cage d'escalier créent une atmosphère très *posh*, prisée des quadras au portefeuille bien lesté. Cocktails originaux bien sûr, et *small plates* pour picorer. Possibilité d'y dîner (cher hormis le burger) et d'y bruncher au champagne le week-end.

¶ **Top Hops** *(zoom 3, D4, 44)* : 94 Orchard St (entre Delancey et Broome). ☎ 212-254-4677. Ⓜ (D) Grand St ou (F, J) Delancey St-Essex St. Accoudé à un comptoir en demi-lune, faites votre choix parmi 700 bières différentes du monde entier ! Décryptez le tableau façon Dow Jones où sont inscrites à la craie la vingtaine d'élues à la pression du moment, leur degré d'alcool, l'origine, etc. Sans risquer le délit d'initié, on conseille l'assortiment de 4 petits verres pour étancher sa curiosité sans trop débourser.

Où écouter de la bonne musique live ?

Ce ne sont pas les endroits qui manquent, même depuis la disparition, en 2006 déjà, du mythique *C.B.G.B.* où débutèrent le Velvet Underground et Patti Smith. Au programme : jazz, country, folk, rock, hard-rock, etc., selon affinités musicales. Souvent un petit *cover charge* ou un nombre de boissons minimum, mais ça ne va pas bien loin... Notez qu'une pièce d'identité *(ID)* peut être réclamée et que les moins de 21 ans sont généralement refoulés à cause du *drinking age*.

♪ **Pianos** *(zoom 3, D4, 391)* : 158 Ludlow St (entre Stanton et Rivington). ☎ 212-505-3733. ● pianosnyc. com ● Ⓜ (F) 2 Ave. Ts les soirs dès 19h, bar ouv en journée. Dress code casual-chic à partir de 22h. Derrière la façade rétro d'un ancien facteur de pianos, un grand bar débraillé dans lequel s'entassent joyeusement barbus rugissants et gominés hilares, venus profiter de la bière pas chère et des concerts du soir, donnés dans une salle à l'arrière *(accès payant : env 8-10 $)*. Programmation plus qu'éclectique, du rock au raï. 2de salle à l'étage, où ça joue aussi, mais gratuit cette fois-ci.

♪ **Arlene's Grocery** *(zoom 3, D4, 365)* : 95 Stanton St (entre Ludlow et Orchard). ☎ 212-358-1633. ● arlenesgrocery.net ● Ⓜ (F) 2 Ave. Tlj dès 18h. Cover charge env 10 $. Petite salle, petit *stage*, bonne sono, telles sont les 3 mamelles de cette adresse 80 % rock. La petite épicerie d'Arlene distille des concerts en sous-sol chaque soir mais aussi (et surtout ?) un original karaoké rock, voire punk-metal, assuré par un vrai groupe chaque lundi (gratuit) ! Si vous avez envie de déballer vos tripes, c'est le moment !

♪ **Nuyorican Poets Café** *(zoom 3, D3-4, 388)* : *236 E 3rd St (entre Ave B et C). ☎ 212-505-8183. ● nuyorican. org ● Ⓜ (F) 2 Ave. Tlj dès 18h30.* Compter 5-20 $ selon type de soirée. Fondé en 1973 dans ce quartier alors infréquentable, voici un des points de rencontre de la culture new-yorkaise et portoricaine. À sa manière, il reflète bien les changements sociologiques et culturels d'East Village. Belle salle, pas grande mais cosy, genre hangar à jazz. En principe, *latin jazz jam session* le jeudi soir, slam ou hip-hop le vendredi soir et puis, selon les jours, poésie, théâtre, courts-métrages, etc. En fin de semaine, pointez-vous de bonne heure, ça rentre au compte-gouttes...

♪ **Rock Wood Music Hall** *(zoom 3, D4, 22)* : *196 Allen St (entre Houston et Stanton). ☎ 212-477-4155. ● rock woodmusichall.com ● Ⓜ (F) 2 Ave.* Pas de cover charge ou max 20 $ pour certains events. Pas facile de se frayer un passage ici certains soirs. Au programme, 3 bars de poche et autant de scènes, sur lesquelles se succèdent de jolies voix et de petites formations de jazz-rock et country dans une ambiance attentive et décontractée. Début des festivités vers 19h et jusqu'à la fermeture, c'est-à-dire 1h, voire 3h, quand les musicos ont la patate.

♪ **Nublu** *(zoom 3, D3, 361)* : *62 Ave C (entre 4th et 5th). ☎ 212-375-1500. ● nublu.net ● Ⓜ (F) 2 Ave ou (F, J) Essex St. Ts les soirs dès 20h.* Cover charge env 10 $. Aucun signe particulier si ce n'est ce sas gris et cette petite lumière bleue juste au-dessus. À l'intérieur, pas grand-chose pour s'asseoir, le long du bar, c'est vite plein. Ici, c'est tout pour la musique : du jazz et encore du jazz, quelquefois de la soul, et un DJ pour faire patienter entre les *sets*. Belle petite terrasse sur l'arrière aux beaux jours. Un endroit très sympa pour siroter une caïpirinha.

♪ **Mercury Lounge** *(zoom 3, D4, 329)* : *217 E Houston St (entre Essex et Ludlow). ☎ 212-260-4700. ● mercury loungenyc.com ● Ⓜ (F) 2 Ave.* Cover charge env 10-15 $. L'une des scènes de rock indépendant les plus réputées de New York. Du coup, la file d'attente a tendance à s'étirer le long du trottoir. Plusieurs groupes chaque soir, parfois dès 18h30.

Bains

Avant l'arrivée des sushis, des cocktails à 15 $ et des magasins de fripes, une douzaine de saunas faisaient partie du paysage d'East Village. À l'époque où les appartements n'avaient qu'une plomberie rudimentaire, ces saunas et bains-douches étaient essentiels. Aujourd'hui, il ne reste plus qu'un établissement dans le quartier.

■ **The Russian & Turkish Baths** *(zoom 3, D3)* : *268 E 10th St (entre 1st et Ave A). ☎ 212-674-9250. ● rus sianturkishbaths.com ● Ⓜ (L) 1 Ave. Accès mixte 12h-22h en sem (sf mer 10h-14h, femmes slt, et jeu 12h-17h, hommes slt), sam 9h-22h, dim 8h-14h* (hommes slt) et mixte 14h-22h. Entrée : env 40 $. Un vrai voyage dans le temps. À part les photos des *movie stars* aux murs et le comptoir derrière lequel reposent des *pirojki* et du hareng macéré dans du vinaigre, rien ne semble avoir changé depuis 1892 au « shvitz » (« transpirer », en argot yiddish), comme l'appellent les habitués. Moyennant supplément, possibilité de bains de boue et de massages suédois, thaïs ou russes (très toniques, avec les mains, coudes, genoux et même les pieds : attachez vos ceintures !). Bref, une institution du Village où la décompression est garantie. Resto sur place (tout à moins de 10 $).

Shopping

Sur 9th Street, entre Avenue A et 2nd Avenue, beaucoup de petits magasins (brocanteurs et antiquaires, vintage, déco). De quoi chiner tranquillement loin des foules des grandes avenues. Les adresses suivantes sont généralement ouvertes de 12h à 20h.

Boutiques spécialisées

✿ *Economy Candy* (zoom 3, D4, **538**) : 108 Rivington St (entre Essex et Ludlow). ☎ 212-254-1531. Ⓜ (F, J) Delancey St-Essex St. Cette échoppe de bonbons à l'ancienne (ouverte en 1937) devrait assouvir toutes les frustrations enfantines : des friandises en veux-tu en voilà, empilées du sol au plafond, de toutes époques, formes, couleurs, textures... de la plus chimique à la plus naturelle. Au fond, sacs géants de *M&M's* à prix attractifs. Bref, plein d'idées de cadeaux originales.

✿ *Dinosaur Hill* (zoom 3, C3, **185**) : 306 E 9th St. ☎ 212-473-5850. Ⓜ (6) Astor Pl. Magasin de jouets à l'ancienne où l'on trouve tout ce qui pend, saute, couine ou cajole, des peluches originales aux marionnettes, des cubes en bois aux vêtements faits main... Des idées de cadeaux plein la hotte !

✿ *Halloween Adventure Shop* (zoom 3, C3, **214**) : 104 4th Ave (et 11th). Autre entrée au 808 Broadway, juste derrière. ☎ 212-673-4546. Ⓜ (6) Astor Pl ou (N, R) 8 St-NYU. Un hypermarché du déguisement, classé par thèmes. Tellement grand qu'un plan est disponible à l'entrée ! Choix colossal et mauvais goût assumé complètement délirant. À côté, la version gothique Renaissance, qui appartient à la même maison.

Mode et beauté

✿ *Zacky's* (zoom 3, C3, **508**) : 686 Broadway (entre Great Jones et E 4th). ☎ 212-533-2005. Ⓜ (6) Bleecker St. Sur 2 niveaux, un choix énorme de chaussures et baskets de marques genre *Converse, Dr Martens, Ugg, Sebago, Timberland, New Balance,* mocassins indiens *Minnetonka...* Également quelques *Levi's* et du *streetwear.*

✿ *New Era* (zoom 3, C3, **557**) : 9 E 4th St (entre Broadway et Lafayette). ☎ 212-533-2277. Ⓜ (6) Bleecker St. Pour se rapporter une casquette new-yorkaise de rappeur branchouille, c'est ici ! On trouve dans le *flagship* de la célèbre marque les classiques des équipes sportives américaines (*New Era* est le fournisseur officiel) et d'autres modèles plus originaux (dès 35 $). Ils vendent même les coques de transport pour éviter d'abîmer son couvre-chef dans la valise ! Également des bonnets à pompon pour être à la mode en hiver (à partir de 25 $).

✿ *John Varvatos* (zoom 3, C4, **539**) : 315 Bowery (et Bleecker). ☎ 212-358-0315. Ⓜ (D, F) Broadway-Lafayette ou (6) Bleecker St. On vous indique cette boutique de vêtements branchés style rocker seventies surtout pour son emplacement mythique, dans les murs du *C.B.G.B.*, le lieu de naissance du rock underground où débutèrent les B-52's, Blondie, Patti Smith... Quelques éléments du décor d'origine sont toujours là. Pèlerinage obligatoire pour les nostalgiques, mais pour les achats, produisez d'abord un disque d'or ! Cela dit, quelques rails d'occase au fond du magasin, près de la couturière qui fait les retouches en direct.

✿ *Kiehl's* (zoom 3, C3, **527**) : 109 3rd Ave (et 13th). ☎ 212-677-3171. Ⓜ (L) 3 Ave. On est toujours accueilli par le célèbre Mr Bones (le squelette, comme dans les cours de sciences nat' !) et ses congénères dans la maison mère de la fameuse marque new-yorkaise de cosmétiques ! Créé en 1851, *Kiehl's* est connu pour son engagement dans les grandes causes. La partie ancienne du magasin d'apothicaire est encore là. Les vendeurs distribuent volontiers des échantillons pour faire découvrir leurs produits, sérieux et écolos.

✿ *Search & Destroy* (zoom 3, C3, **528**) : 25 Saint Mark's Pl (et 2nd Ave). ☎ 212-358-1120. Ⓜ (6) Astor Pl. Tlj 13h-22h. Ce « *dangerous clothing store* » plaira aux néopunks et aux gothiques. Plein de fringues et accessoires de très mauvais goût et, pour le coup, vraiment *destroy*. Évitez donc d'y traîner vos gamins...

✿ *Blades* (zoom 3, C4, **549**) : 659 Broadway (entre Bleecker et Bond). ☎ 212-477-7350. Ⓜ (6) Bleecker St. Magasin spécialisé dans les sports de glisse, sur roulettes ou sur neige : planches, patins, surf et accessoires, fringues, baskets... Le style *streetwear* tendance, mais assez cher quand même.

Livres et disques

⊛ *Saint Mark's Comics* (zoom 3, C3, 528) : 11 Saint Mark's Pl (et 2ⁿᵈ Ave). ☎ 212-598-9439. Ⓜ (6) Astor Pl. Toutes les bandes dessinées US et mangas d'aujourd'hui, et surtout d'hier, avec pas mal de vintage des années 1960 et tous les produits dérivés (posters, T-shirts et poupées, de Betty Boop à Superman).

⊛ *Other Music* (zoom 3, C3, 557) : 15 E 4ᵗʰ St (entre Broadway et Lafayette). ☎ 212-477-8150. Ⓜ (6) Bleecker St. Un petit disquaire sympa spécialisé dans les raretés en matière d'électro, hip-hop et indie rock. CD et vinyles, voire cassettes. Malgré l'air artisanal des lieux, ici au moins les vendeurs savent de quoi ils parlent, leurs suggestions du moment sont indiquées sur un tableau.

⊛ Et aussi la *boutique du Tenement Museum* (zoom 3, D4, 717) : belle sélection de livres sur New York et sur l'immigration new-yorkaise, fac-similé de vieux journaux, gadgets et souvenirs bien choisis. Lire plus loin « À voir, Lower East Side ».

À voir

EAST VILLAGE

Broadway, 14ᵗʰ Street, Houston Street et East River sont les quatre artères qui délimitent East Village. Ce quartier fit longtemps partie du Lower East Side avant de prendre ce nom spécifique. En 1988, cédant aux demandes des yuppies nouvellement installés, les autorités ont fermé *Tompkins Square* la nuit, afin d'en évacuer les centaines de marginaux et de clochards établis ici depuis des années. La résistance de ces derniers ainsi que la violence policière qui s'ensuivit ont contribué à radicaliser la population résidente à l'endroit du processus de « gentrification » de leur quartier. Depuis, son développement en tant que lieu de vie nocturne, notamment, a fait que cette vindicte s'est quelque peu assagie.

Aujourd'hui, le quartier est en pleine restructuration. Mais l'un des gros problèmes, c'est la fermeture progressive de tous les petits commerces de proximité qui laissent leur place aux restos branchés ou boutiques de fringues. Quant à l'ambiance le soir, elle réside surtout autour de *Saint Mark's Place,* l'autre nom de la 8ᵗʰ Street, à l'ouest du parc public Tompkins. Outre la diversité sociale, voire « ethnique », c'est la cohabitation entre l'ancien et le nouveau mode de vie qui rend donc le quartier intéressant.

East Village côté nature

🍴 Pour goûter le côté nature d'East Village, rendez-vous au *Tompkins Square Park* (zoom 3, D3) : c'est le poumon vert d'East Village, très grand, arboré, avec des myriades de bancs et des tables pour pique-niquer ou jouer aux échecs. On y accompagne ses enfants aux jeux et ses chiens au vaste *dog run* qui leur est réservé. Pas malheureux, les toutous !

🍴 Puis enfoncez-vous dans le secteur d'*Alphabet City* (Avenues A à D situées à l'est du parc)

LES AREUH D'HARE

La secte d'inspiration hindoue Hare Krishna fit ses premiers pas non pas en Inde, mais bien à East Village en 1966. Tompkins Park, dans lequel son inventeur charismatique Bhaktivedanta Swami Prabhupada dansait, fut l'épicentre du lancement. Ce mouvement mystique s'appuie sur un mantra que les adeptes doivent réciter des centaines de fois par jour : « Hare Krishna, Krishna Krishna, Hare Rama, Hare Rama, Rama Rama, Hare Hare ».

pour découvrir les nombreux jardins communautaires qui caractérisent le quartier. On est bien toujours dans Manhattan ! À l'angle de 6th Street et Avenue B se trouve l'un de ces **community gardens** (zoom 3, D3), aménagés sur des terrains vacants appartenant à la Ville de New York. Menacés par la spéculation immobilière, ils ont été rachetés par des organismes de protection de l'environnement (notamment Green Thumb) soutenus financièrement par la chanteuse Bette Midler. Les gens du quartier s'y retrouvent pour discuter ou lire des poésies. Dans le même genre, un petit **jardin botanique** agrémenté de bassins et de fleurs se trouve dans East 6th Street, entre Avenue B et C (zoom 3, D3). Il y en a en plein d'autres, le mieux est encore de se promener en se perdant vaguement dans le coin.

Itinéraire architectural dans NoHo et East Village

Pour découvrir les richesses architecturales du quartier, cela se passe essentiellement à l'ouest de Tompkins Square Park, là où se situent aussi la plupart des lieux pour sortir, restaurants et boutiques. Nous en indiquons ici quelques-uns, reportez-vous à notre sélection complète plus haut et au zoom 3 détachable pour les repérer.

➢ **Saint Mark's in the Bowery** (plan Itinéraire Noho et East Village, **A**) : 131 E 10th St (angle 2nd Ave). Cette élégante église de style géorgien tardif fut élevée en 1799 sur la propriété de l'ancien gouverneur Peter Stuyvesant, dont la tombe se trouve dans le cimetière attenant. Son grand-père, Petrus, a droit à son buste. Le clocher de style Greek Revival fut ajouté en 1828, et le porche d'inspiration italienne en 1854. Magnifique jardin fleuri aux beaux jours et bel orgue à l'intérieur. Un véritable havre de paix au cœur de ce quartier animé. L'église est aussi parfois le lieu d'initiatives culturelles, le pasteur permettant l'organisation de spectacles, en dehors des offices !

➢ **Renwick Triangle** (plan Itinéraire Noho et East Village, **B**) : juste à l'est d'Astor Place, découvrez une image typique de ce que fut le quartier au XIXe s. Sur East 10th Street, entre 2nd et 3rd Avenue, s'étendait la propriété de Peter Stuyvesant (l'homme qui fonda New York). Son petit-fils fit ouvrir plusieurs rues en 1787, avec un plan triangulaire inhabituel pour Manhattan : Stuyvesant Street épouse exactement l'allée qui menait à The Bowerie (soit « la ferme »), la maison de la propriété. À partir de l'église Saint Mark's in the Bowery, 10th Street offre une vision d'une rue de l'époque : perrons caractéristiques, élégants frontons de porte, rangées d'arbres.

➢ **Grace Church** (plan Itinéraire Noho et East Village, **C**) : angle E 10th St et Broadway, à la limite avec Greenwich Village. Beau travail Gothic Revival de James Renwick Jr. (l'architecte de la cathédrale Saint-Patrick) qui produisit là, en 1846, alors qu'il n'avait à peine 23 ans, le chef-d'œuvre de sa vie. On remarquera surtout les 46 vitraux et le joli chœur.

➢ **Astor Place** (plan Itinéraire Noho et East Village, **D**) : plusieurs styles architecturaux se télescopent sur cette place où ont parfois lieu, aux beaux jours, des petits concerts improvisés et gratuits. Si vous descendez dans la **station de métro,** notez les petits panneaux en céramique représentant le castor, dont la fourrure fit la fortune de l'empire financier Astor. En face, impossible de manquer **Cooper Union Building** (plan Itinéraire Noho et East Village, **E**), l'immeuble édifié en 1859 par Peter Cooper, ingénieur, industriel à succès et de surcroît philanthrope. Il construisit la première locomotive à vapeur (la Tom Thumb), travailla sur le câble transatlantique et développa le télégraphe avec Samuel F. B. Morse. Voici donc le premier building construit avec des poutres métalliques, en l'occurrence des rails de chemin de fer (de taille standard, pratique). De style Renaissance italienne, en grès rouge, il devait être le premier collège privé gratuit (aujourd'hui une école d'architecture – payante !). Cooper s'était souvenu qu'il n'avait pas pu

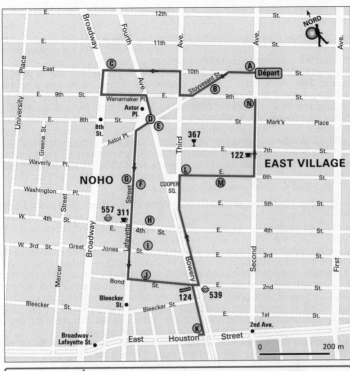

ITINÉRAIRE NOHO ET EAST VILLAGE

A	Saint Mark's in the Bowery	L	41 Cooper Square
B	Renwick Triangle	M	Ukrainian Museum
C	Grace Church	N	Deutsches Dispensary
D	Astor Place		
E	Cooper Union Building		Où faire une pause ?
F	Joseph Papp Public Theater		
G	Colonnade Row	122	Moishe's Bake Shop
H	Old Merchant's House	124	Mile End Sandwich Shop
I	Great Jones Street	311	La Colombe
J	Bond Street	367	McSorley's Old Ale House
K	Fresque murale	539	John Varvatos
		557	New Era

faire d'études. Une plaque côté nord rappelle que Lincoln y fit, en 1860, un speech retentissant qui contribua à son élection à la présidentielle (le fameux « Le droit fait la force »).

➤ *Joseph Papp Public Theater* (plan Itinéraire Noho et East Village, *F*) : *425 Lafayette St.* Reconnaissable aux grands calicots à l'effigie d'un pub, ce bâtiment massif est l'ancienne *Astor Library* construite en 1849, la première grande bibliothèque publique gratuite. De 1921 à 1965, le bâtiment abrita la *Hebrew Immigrant Aid and Sheltering Society* qui contribua à l'insertion de plus de 4 millions d'immigrants juifs aux États-Unis. En 1965, le producteur de théâtre Joseph Papp mobilisa l'opinion pour sauver cet édifice de style Renaissance italienne, le racheter et y installer des salles de théâtre, ainsi que le *New York Shakespeare Festival.*

➢ **Colonnade Row** *(plan Itinéraire Noho et East Village, G) :* 428-434 Lafayette St *(entre Astor et E 4th), juste en face du théâtre.* Édifié en 1833, cet alignement de maisons aux colonnades corinthiennes en comprenait à l'origine neuf. Cinq furent démolies au début du XXe s pour ouvrir l'entrée d'un garage ! Adresse de prestige puisque John Jacob Astor, Cornelius Vanderbilt et Warren Delano (grand-père du président Franklin D. Roosevelt) y possédèrent une demeure, et que quelques locataires de renom l'habitèrent (William Thackeray, Charles Dickens, Washington Irving...). La bourgeoisie fortunée finit par quitter ce qu'on appelait alors The Golden Coast (la « côte d'Or »), devenue trop « populaire ». Dommage pour eux, le café *La Colombe (plan Itinéraire Noho et East Village, 311)* un peu plus loin, au 400 Lafayette Street, est devenu la coqueluche des bobos new-yorkais en manque de caféine. Une pause idéale dans votre itinéraire avant d'aller investir dans une casquette *trendy* à la boutique voisine **New Era** *(plan Itinéraire Noho et East Village, 557)* au 9 East 4th Street (entre Broadway et Lafayette).

➢ **Old Merchant's House** *(plan Itinéraire Noho et East Village, H et zoom 3, C3) :* 29 E 4th St *(entre Lafayette St et Bowery).* ☎ 212-777-1089. ● merchantshouse. org ● Ⓜ (6) Astor Pl. Tlj sf mar-mer 12h-17h (20h jeu). Entrée : 13 $; réduc. Visite guidée (gratuite) à 14h (plus 18h30 jeu) ; durée 45 mn.
L'une des très rares demeures du XIXe s restées miraculeusement intactes (celles d'à côté ont été abattues), construite en 1832 pour Seabury Tredwell et sa famille. La dernière descendante mourut en 1933, à l'âge de 93 ans, et cette demeure devint rapidement un musée. Ce qui explique qu'elle arrive aujourd'hui brute de forme, comme un témoignage de l'art de vivre dans l'*upper middle class* au XIXe s. Aujourd'hui, la maison revit aussi grâce aux soirées culturelles qui s'y déroulent (concerts de musique de chambre, lectures...) et aux visites de nuit à la recherche du fantôme (voyez la photo de la silhouette éthérée à l'accueil !).
La façade est de style *Federal,* tandis qu'à l'intérieur, c'est le *Greek Revival* qui domine sur cinq étages. Voir la *dining room,* joliment meublée, avec son portrait de Joseph Brewster, l'architecte de la maison. Au sous-sol, la *cuisine,* avec son imposant fourneau en fonte d'origine, son évier en stéatite *(soapstone)* et sa pompe au-dessus d'une citerne de 16 000 l. Au 1er étage, notez les cheminées de marbre (seul moyen de chauffage jusqu'en 1933) et le décor de colonnes ioniennes rappelé dans l'encadrement qui sépare les deux pièces. Joli mobilier d'origine : armoire à colonnes avec pieds en forme d'animaux, élégants sofas de 1830, lampes de 1840 qui brûlaient à l'huile de baleine, lampes de style *Rococo Revival* des années 1850-1860.

➢ **Great Jones Street** *(plan Itinéraire Noho et East Village, I) :* toute la rue offre un échantillonnage architectural intéressant jusque dans Lafayette Street... Au n° 42, un bel exemple de caserne de pompiers de 1898 avec son immense baie vitrée centrale. Au n° 39, façade en céramique blanche ornementée, en piteux état. Au n° 31, à l'angle de Lafayette Street, les *Beinecke Stables,* alliance de brique peinte rouge et de corniches noires.

➢ Même remarque pour **Bond Street** *(plan Itinéraire Noho et East Village, J),* la rue suivante, où les réalisations architecturales modernes vivent en totale harmonie avec les plus anciennes. Au 40 Bond Street, Herzog & de Meuron revisitent le *cast-iron* avec un spectaculaire immeuble résidentiel de grand luxe (rez-de-chaussée « gaudiesque », une œuvre d'art en soi). Au n° 24, des danseuses dorées évoluent gracieusement depuis 1998 le long de la façade néo-Renaissance construite en 1893 (abritant aujourd'hui le Gene Frankel Theatre). En face, au n° 25, le showroom de la marque de chaussures *United Nude* vaut le coup d'œil tant pour ses modèles extravagants que pour sa mise en scène futuriste. Au 330 Bowery (angle Bond), l'ancienne **Bond Street Savings Bank** de 1874 est un petit chef-d'œuvre de *Greek Revival.* Et parce que lever la tête ça creuse, au n° 53,

EAST VILLAGE, NOHO ET LOWER EAST SIDE

régalez-vous d'un sandwich haut de gamme au **Mile End Sandwich Shop** (plan Itinéraire Noho et East Village, **124**).

➤ Descendez sur Bowery jusqu'à East Houston. À l'angle nord-ouest, la grande **fresque murale** (plan Itinéraire Noho et East Village, **K**) est régulièrement repeinte par des artistes de street art commandités par la ville. En remontant Bowery, repérez la boutique de vêtements branchés très rock seventies **John Varvatos** (plan Itinéraire Noho et East Village, **539**) au n° 315. C'est l'ancien C.B.G.B., le lieu de naissance du rock underground où débutèrent les B-52's, Blondie, Patti Smith... Empruntez Bowery donc, vers le nord puis 3rd Avenue. Voir au **41 Cooper Square** (plan Itinéraire Noho et East Village, **L**), le spectaculaire building à la silhouette audacieuse qui abrite le centre académique de la Cooper Union (noter la faille qui zèbre sa façade). Une réalisation de l'architecte américain Thom Mayne (2010), champion des bâtiments basse consommation. Au 15 East 7th Street (entre 2nd et 3rd Avenue), poussez la porte de la vieille taverne irlandaise **McSorley's Old Ale House** (plan Itinéraire Noho et East Village, **367**) et trinquez à la mémoire du premier président américain assassiné, Abraham Lincoln.

➤ **Ukrainian Museum** (plan Itinéraire Noho et East Village, **M**) : 222 E 6th St (entre 2nd et 3rd Ave). ☎ 212-228-0110. ● ukrainianmuseum.org ● Tlj sf lun-mar 11h30-17h. Fermé j. fériés américains et ukrainiens. Entrée : 8 $; réduc. Intéressant musée consacré à la culture ukrainienne. Les collections sont présentées à travers des expos thématiques qui tournent régulièrement. Beaucoup d'art populaire, de magnifiques vêtements brodés aux couleurs chatoyantes, des œufs de Pâques délicatement peints (pysanky), des céramiques, des bijoux mais aussi des tableaux et des sculptures. Joli artisanat vendu à la gift shop. Pause possible à la boulangerie juive traditionnelle **Moishe's Bake Shop** (plan Itinéraire Noho et East Village, **122**), pour une petite grignote ethnique dans l'esprit de la balade.

➤ **Deutsches Dispensary** (New York Public Library ; plan Itinéraire Noho et East Village, **N**) : 137 2nd Ave (entre 8th et 9th). Bâti en 1883-1884 par l'architecte William Schnickel, on finit par cet intéressant édifice en terra cotta (terre cuite) qui abritait d'un côté un dispensaire allemand construit dans le style Renaissance italienne et de l'autre la première bibliothèque de prêt de Manhattan, de style victorien tardif. Dans ce quartier, autour de Saint Mark's Place, tout un choix de bars, restaurants et boutiques originales.

LOWER EAST SIDE

Si East Village demeure un foyer de la contre-culture des sixties, Lower East Side est toujours associé à l'immigration pauvre de New York, malgré la « gentrification » généralisée de tout le secteur.
Orchard Street en est la colonne vertébrale. On y trouve de belles petites boutiques de créateurs ainsi que des galeries d'art qui raviront les amateurs de shopping « tendance ». Toutes les infos sur ● lowereastside.org ●

L'immigration juive

Les **premiers juifs,** au nombre de 23, arrivèrent à New Amsterdam (New York) en **1654.** D'origine séfarade, et principalement ibères, ils avaient été chassés du Brésil quand les Portugais prirent la ville de Recife aux Hollandais. Ils passèrent d'abord par la case prison sous ordre de Peter Stuyvesant, premier magistrat de la ville, à la solide réputation d'antisémite.
En 1664, New Amsterdam passa aux mains des Anglais et devint New York. Lower East Side n'était alors qu'un verger (d'où le nom d'Orchard Street). La communauté juive se développa très lentement. Au moment de la révolution, elle ne comptait guère plus de 2 000 membres. C'est **entre 1820 et 1850** que se produisit

la **première vague d'immigration vraiment significative** (200 000 personnes), principalement d'Allemagne et de Bohême, fuyant déjà répression et pauvreté. Puis, voulant échapper aux sanglants pogroms tsaristes, la **deuxième vague** arriva **entre 1881 et 1924,** jusqu'à ce qu'en 1925 le gouvernement américain stoppe l'immigration. En tout, 5 millions de juifs passèrent par New York et un tiers d'entre eux s'installa dans Lower East Side, où l'on comptait alors cinq fois plus d'habitants que dans le reste de la ville. Beaucoup de familles vivaient dans les **tenements,** à 8 ou 10 par pièce, transformés le jour en ateliers de confection. En 1910, on estime que quelque 600 000 personnes vivaient ici dans des conditions très misérables.

Au plus fort de l'immigration, on compta jusqu'à 300 synagogues et des dizaines de théâtres de langue yiddish. Cependant, pour beaucoup Lower East Side ne fut qu'un lieu de transition, le temps d'une génération. Mais, alors que le métro permettait la création d'autres communautés dans Brooklyn, le Bronx, Queens, Upper East Side et Upper West Side de Manhattan, L.E.S. se vidait petit à petit de sa communauté ; nombre de synagogues fermèrent, les journaux en yiddish mirent la clé sous la porte et, victime du vieillissement de la population et de l'américanisation des nouvelles générations, le quartier perdit de sa singularité. Aujourd'hui, il n'y reste guère plus que 20 000 juifs.

🍴🍴 **Tenement Museum** (zoom 3, D4) : 97 (visite) et 103 (Visitor Center et boutique) Orchard St. ☎ 212-982-8420. ● tenement.org ● Ⓜ (F, J, M) Delancey-Essex St. Visitor Center tlj 10h-18h30 (20h30 jeu). Visites guidées slt, tlj 10h30-18h30 (fréquence selon affluence) ; durée : 1-2h. Résa des billets conseillée (groupe de 12-15 pers max) via le site internet ou par tél au ☎ 877-975-3786. Tarif : env 25 $; réduc. Organise aussi des promenades guidées à travers le quartier.

Plutôt qu'un vrai musée, il s'agit d'une association qui propose de faire découvrir, à travers différentes visites guidées thématiques, un tenement d'époque (au 97 Orchard Street) et les conditions de vie des immigrants au début du XXᵉ s. Un bon complément à la visite d'Ellis Island. On ne visite pas tous les appartements de l'immeuble (qui se trouve à côté), il faudrait pour cela faire toutes les visites guidées, ce qui paraît malheureusement un peu fastidieux (et onéreux). Très intéressant si vous comprenez bien l'anglais (les tours en français sont rares), mais évidemment longuet si ça n'est pas le cas (et atmosphère suffocante en été !). Le musée prête un texte explicatif traduit en français.

Cette partie de Manhattan est une vaste ferme quand Jacob Astor – un milliardaire enrichi par le commerce de la fourrure, notamment celle du castor – en fait l'acquisition en 1814. Puis l'homme d'affaires se sépare de son bien au bénéfice de la Dutch Reformed Congregation, qui décide d'installer dans le quartier les premières vagues d'immigrants. Fleurissent alors, dès 1833, les tenements, des mini-immeubles aménagés pour entasser le plus de personnes possible. En 1850, ces tenements connaissent leur véritable développement. Avec parfois plus de 20 appartements de deux pièces, par bâtiment, ils reçoivent dans un premier temps des familles principalement d'origines irlandaise ou allemande. D'ailleurs, ce quartier aura tôt fait d'être surnommé « Kleindeutschland » (« la Petite Allemagne »). Au rez-de-chaussée, une taverne-brasserie sert à la fois de centre d'accueil pour les immigrants et de lieu de vie de la communauté. Puis, entre 1881 et 1910, déferle une vague d'immigration d'environ 1,5 million de juifs originaires d'Europe centrale. La communauté s'implante dans ces tenements, afin d'y établir des ateliers de confection. Au départ, il n'y avait ni électricité ni eau courante, et les w-c étaient dans la cour... En 1935, une loi de prévention anti-incendie sonne le glas de ces tenements. Le remplacement des escaliers de bois étant jugé trop coûteux, les immeubles sont peu à peu désaffectés et l'immigration se déplace à Brooklyn et dans Queens. Certains tenements servent alors d'entrepôts pour les magasins du quartier, ce qui leur évite d'être squattés et explique qu'ils soient restés « dans leur jus ». Aujourd'hui, en dépit du processus de « gentrification » qui s'amorce, ce sont les dernières vagues d'immigration (noire, portoricaine et asiatique) qui tentent de prendre l'ascenseur social du Lower East Side.

⚜ *Boutique-librairie :* très bien fournie en ouvrages sur le quartier, sur New York et l'immigration. Au fond, projection en continu d'un film de 30 mn, très intéressant.

🍴 *New Museum* (zoom 3, C4) : 235 Bowery St (et Prince). ☎ 212-219-1222. ● newmu seum.org ● Ⓜ (6) Bowery. Tlj sf lun-mar 11h-18h (21h jeu). Entrée : 16 $; réduc ; gratuit moins de 18 ans et donation libre pour ts jeu 19h-21h. Ce musée, dédié à l'art contemporain, est surtout connu pour l'originalité de son bâtiment, dessiné par le groupe d'architectes japonais SANAA : un empilement de blocs blancs décentrés, aux proportions inégales, recouverts d'un fin treillage métallique. L'effet visuel est saisissant. L'intérieur s'avère cependant assez décevant, tout comme l'agencement parfois étri-

GRANDEUR ET DÉCADENCE DE BOWERY

Bowery, la plus vieille artère de Manhattan, était à l'origine un sentier indien, transformé par le gouverneur Peter Stuyvesant en voie d'accès desservant sa propriété rurale. Au XIXe s, le Bowery est un quartier chic et se pare de théâtres, devenant le Broadway de l'époque. Mais la mise en service du métro aérien transforme le coin en un lieu de perdition fréquenté par les gangsters et les sans-abri. Aujourd'hui encore, malgré le développement artistique (lié au New Museum), le quartier peine à émerger de ce lourd passé.

qué des expos temporaires proposées. Pointues, celles-ci intéressent surtout un public averti. Jolie vue sur le quartier depuis la terrasse du 7e et dernier niveau. 🍽 ☕ Petite *cafétéria* design.

Itinéraire historique dans Lower East Side (zoom 3, D4)

🍴🍴 Balade historique dans ce creuset de l'immigration, principalement juive, que fut Lower East Side. Aujourd'hui, une petite quarantaine de nationalités cohabitent dans ce quartier.

Pendant longtemps, le patrimoine architectural se dégrada ou fut modifié. La communauté asiatique, dynamique, en pleine expansion et en quête de nouveaux espaces, occupa nombre d'anciens édifices juifs, publics ou religieux, vacants ou abandonnés. Ce changement sociologique inéluctable, les télescopages culturels et architecturaux qu'il entraîne, ne sont pas, dans cette balade, les éléments les moins intéressants ! Des clins d'œil insolites, émouvants... Depuis quelque temps cependant, conscients de la disparition dramatique d'un riche patrimoine, des organismes culturels, des historiens, des amoureux de la culture juive tentent de sauvegarder et de mettre en valeur un certain nombre de sites. Attention, la balade commence tout au sud du Lower East Side historique, à la limite de Lower Manhattan et à l'entrée de Chinatown, à Chatham Square (repérez la statue de Lin Xezu).

➤ *L'un des plus anciens cimetières juifs d'Amérique* (plan Itinéraire Lower East Side, **A**) : 55 St James Pl (et Oliver). Ce petit cimetière aujourd'hui noyé dans le paysage urbain ferma en 1831. Il daterait de 1682 et la tombe la plus ancienne, celle de Benjamin Bueno de la Mesquita, de 1683.

➤ À côté, sur Oliver Street, *Mariners Temple Baptist Church* (plan Itinéraire Lower East Side, **B**) date de 1843. C'est la plus ancienne église baptiste de New York. Elle est de style *Greek Revival*. La grosse cloche de navire, devant, rappelle qu'elle fut longtemps le lieu de culte des marins et navigateurs.

EAST VILLAGE, NOHO ET LOWER EAST SIDE

➢ *Henry Street* (plan Itinéraire Lower East Side, *C*) fut une rue symbole de l'immigration juive. Elle aligne de beaux immeubles résidentiels. On ne construisait pas que des *tenements* dans Lower East Side ! Bien détailler les nos 109 à 117 (entre Rutgers et Pike Street). Beaux porches. Façades ouvragées élégantes. Au n° 123, cariatides, et au n° 127, frises, linteaux en terre cuite ciselés, jolie corniche. Au n° 166 (entre Jefferson et Rutgers Street), autre corniche remarquable en arche. Au n° 177 (angle Jefferson), façade de style néo-Renaissance ondulant élégamment avec coin d'angle rond.

➢ *Henry Street Settlement* (plan Itinéraire Lower East Side, *D*) : 263-265-267 Henry St (angle Samuel Dickstein Plaza). Voici un intéressant petit bloc de style fédéral, aux sobres façades, datant de 1832. À la fin du XIXe s, il accueillait l'un des premiers centres sociaux de la ville, attaché au souvenir de Lillian Wald, une infirmière qui se dévoua pour les malades et les pauvres. Juste à côté, une minuscule mais élégante *caserne de pompiers* (avec une jolie corniche).

➢ Retour au centre par *East Broadway Street* (plan Itinéraire Lower East Side, *E*), moins plaisante qu'Henry Street mais qui fut l'une des rues les plus animées de Lower East Side. Du n° 255 au n° 229 (en gros, entre Clinton et Montgomery Street) se succèdent les *yeshivot* et autres institutions religieuses, en un bloc presque homogène. Au n° 192 (angle avec Jefferson Street) s'élève depuis 1910 la *New York Public Library,* l'une des premières bibliothèques gratuites de New York. Presque en face, voir l'imposant *Jewish Daily Forward Building,* aux nos 173-175 (entre Rutgers et Jefferson Street). C'est l'ancien siège de *Forward,* le plus important journal quotidien en yiddish de New York, fondé en 1897. Le nom du journal figure toujours fièrement sur le fronton de l'édifice et sous la pendule, en grandes lettres hébraïques.

🎋 *Museum at Eldridge Street Synagogue* (plan Itinéraire Lower East Side, *F* ; et plan 1, D4-5) : 12 Eldridge St (entre Canal et Division). ☎ 212-219-0302. ● eldridgestreet.org ● Ⓜ (F) E Broadway. S'adresser à la boutique (située sous la synagogue). Tarif : 14 $; réduc ; donation libre lun. Visites guidées gratuites dim-jeu, ttes les heures 10h-17h (dernière visite à 16h), ven 10h-15h. Sinon visite libre avec doc en français. Dans un quartier très chinois aujourd'hui, elle fut la première synagogue construite en 1887 par les immigrants d'Europe de l'Est. Superbe façade avec des réminiscences mauresques (baies en fer à cheval) et beaux vitraux (admirez la rosace dans les tons bleus réalisée par Kiki Smith et les bijoux en verre teinté sur les autres vitraux). La synagogue ferma, faute de fidèles dans les années 1940 et 1950, et fut sauvée par un groupe de citoyens. Après 20 ans de travaux, elle rouvrit ses portes en 2007 pour célébrer ses 120 ans. Trois vidéos et des tables interactives au sous-sol sur l'histoire de la communauté juive. Une visite qui fait écho au Museum of Jewish Heritage de Lower Manhattan.

➢ *Orchard Street* (plan Itinéraire Lower East Side, *G*) : rue autrefois connue pour ses magasins de vêtements bon marché, elle appartient aujourd'hui à cette partie de Lower East Side qui est entrée dans sa phase de branchitude, où les galeries d'art, les restos, les bars et les boutiques de mode ont pignon sur rue. Elle croise *Hester Street,* aujourd'hui considérablement « asiatisée » qui, dans les années 1880-1900, fut la rue commerçante la plus animée de Lower East Side.

➢ En tournant à droite dans *Grand Street,* si vous poussez jusqu'à l'angle d'Essex (au 49 Essex précisément), vous pourrez voir une boutique traditionnelle de pickles, *Pickle Guys* (plan Itinéraire Lower East Side, *H* ; ● pickleguys.com ● ; fermé sam). Il n'en reste plus beaucoup des comme ça. Les légumes vinaigrés sont présentés dans de grosses barriques et le raifort est fraîchement râpé devant vous. Revenez sur vos pas, puis à droite Orchard, à gauche Broome et à droite Forsyth.

➢ Sur *Forsyth Street* (plan Itinéraire Lower East Side, *I*), une rue bordée d'un petit parc tout en longueur, quelques vieux édifices intéressants et une alignée de façades aux styles et couleurs disparates, certaines joliment ouvragées comme

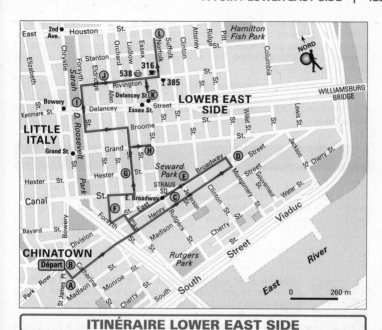

ITINÉRAIRE LOWER EAST SIDE

A Cimetière juif	**J** Rivington Street (First Warsaw
B Mariners Temple Baptist Church	Congregation)
C Henry Street	**K** Essex Street Market
D Henry Street Settlement	**L** La plus ancienne synagogue de New York
E East Broadway Street	
F Museum at Eldridge Street Synagogue	☕ 🍴 ⚙ **Où faire une pause ?**
G Orchard Street	**316** Sugar Sweet Sunshine
H Pickle Guys	**385** Schiller's
I Forsyth Street	**538** Economy Candy

celle dans les tons blanc et brique délicieusement meringuée au nº 110 (angle Broome). Aux nºˢ 100 à 104 (entre Grand et Broome Street), des immeubles au style plus italien (belles corniches). De l'autre côté du square, à l'angle de Grand et Chrystie Street, immeuble en brique rouge avec encadrements de fenêtres en pierre blanche abondamment ornementées.

➤ Sur **Rivington Street,** voir au nº 58 l'ancienne **First Warsaw Congregation** (*plan Itinéraire Lower East Side, J*), de 1903. Intéressante façade et style éclectique avec son gros oculus au milieu (aujourd'hui, lofts d'artistes). Au nº 108, plein d'idées de cadeaux originaux dans l'échoppe de bonbons à l'ancienne **Economy Candy** (*plan Itinéraire Lower East Side, 538*). Et, au rayon guère moins diététique, d'appétissants *cupcakes* dans la mignonne pâtisserie **Sugar Sweet Sunshine** (*plan Itinéraire Lower East Side, 316*), au nº 126.

➤ **Essex Street Market** (*plan Itinéraire Lower East Side, K*) **:** à l'angle d'Essex et de Delancey St. Une institution du quartier que ce petit marché couvert datant des années 1940. Les échoppes à l'ancienne (dont un coiffeur !) côtoient quelques stands de *gourmet food*, une boulangerie à la française, un producteur de saumon fumé, etc. À l'arrière-plan du marché, la silhouette toute bleue de l'immeuble de Bernard Tschumi, l'architecte franco-suisse du parc de la Villette à Paris. Une petite soif ? Au bloc suivant, 131 Rivington Street, on recommande *Schiller's* (plan Itinéraire Lower East Side, **385**), un superbe bistrot dans le style années 1920.

➤ *La plus ancienne synagogue de New York* (plan Itinéraire Lower East Side, **L**), édifiée en 1849. Façade décatie rouge avec fenêtres trilobées et portail vaguement gothique, le tout inspiré de la cathédrale de Cologne. À l'intérieur, autel doré à la feuille d'or.

CHELSEA

● Adresse et info utiles.. 125	chocolat ? Où manger une pâtisserie ? 130	● Où danser ?................ 132
● Où dormir ? 125		● Shopping.................... 132
● Où manger ? 127	● Où boire un verre ? Où sortir ?.................. 131	● À voir.......................... 133
● Où boire un café ou un		

> ● Pour se repérer, voir le plan détachable 1 en fin de guide.

Chelsea n'est pas seulement cette carte postale de Manhattan montrant des ruelles ourlées de maisons en brique rouge caressées par le vert des grands arbres. D'un bloc à l'autre, les ambiances sont étonnamment différentes. Il y a d'abord le Chelsea bohème et artiste, de 20th à 25th Street (entre 9th et 11th Avenue), un quartier d'entrepôts rebaptisé Galleries District et traversé par la High Line, l'ancienne ligne de chemin de fer transformée en jardin suspendu. Vient ensuite, avec ses nombreux commerces et restos, le Chelsea animé et populaire, entre 23rd et 34th Street. Puis le quartier gay, regorgeant d'adresses branchées dans le rectangle compris entre 16th et 20th Street et 6th et 8th Avenue. Chelsea, devenu en quelques années *the place to be,* devrait se retrouver sur le devant de la scène avec le pharaonique chantier des Hudson Yards qui ceinture le tronçon nord de la High Line (entre 30th et 34th Street). Un éco-quartier novateur de plus de 1 million de mètres carrés qui regroupera à terme bureaux, logements, boutiques, espaces verts et même, à l'horizon 2019, une plate-forme d'observation suspendue au flanc du gratte-ciel principal, à 335 m de haut, c'est-à-dire légèrement au-dessus de l'Empire State Building. La ligne 7 du métro a même été prolongée pour desservir Hudson Yards.

UN PEU D'HISTOIRE

En 1850, consécutivement à la construction de la voie ferrée de la Hudson River le long de 11th Avenue, la classe ouvrière vient habiter dans ce qui ressemblait alors au Chelsea de Londres. L'ambiance change. Le quartier connaît alors une période d'activité théâtrale intense. Puis, suite au redéploiement des salles sur Broadway, parallèlement au développement du cinématographe, le secteur devient un lieu très prisé des réalisateurs. Malheureusement, avec la fermeture de la ligne de chemin de fer en 1930, Chelsea retombe dans une douce léthargie. Ce sont les antiquaires installés dans 9th Avenue et le marché aux fleurs de la 6th Avenue, qui redonneront au quartier un certain élan. Le *Galleries District,* la High Line et le nouveau quartier des Hudson Yards ont aujourd'hui pris le relais.

Adresse et info utiles

✉ **General Post Office** *(plan 1, B1-2) :* *31st-33rd St (entre 8th et 9th Ave). Tlj jusqu'à 22h en sem (21h sam, 19h dim).* La boutique qui vend des timbres est à l'angle droit dans la galerie.
📶 *Une partie de Chelsea et du* **Meatpacking District est en wifi** (merci Google, qui a ses bureaux en face du Chelsea Market), dans un périmètre compris entre West 19th Street, Gansevoort Street, 8th Avenue et la High Line.

Où dormir ?

Très bon marché

🛏 **Chelsea International Hostel** *(plan 1, B2, 29) :* 251 W 20th St *(entre 7th et 8th Ave).* ☎ 212-647-0010. ● *chelseahostel.com* ● Ⓜ *(C, E, 1) 23 St. Nuitée en double 40-80 $/ pers, single 65-95 $, petit déj inclus.* 🖥 📶 Un hôtel d'une petite centaine de chambres doubles avec salle de bains privée ou non, réparties dans un alignement de 9 buildings. Cuisine et salle à manger commune, terrasse extérieure, soirée pizza le mercredi, tours organisés, bref une AJ bien dans la tradition.

De bon marché à prix moyens

🛏 **City Rooms NYC Chelsea** *(plan 1, B2, 34) :* 368 8th Ave *(entre 28th et 29th St) ; réception à l'étage.* ☎ 917-475-1285. ● *cityrooms.nyc* ● Ⓜ *(A, C, E) 23 ou 34 St. Doubles 80-180 $, avec sdb partagée.* 📶 Entrée discrète pour cet hôtel spécial petits budgets, doté de 13 chambres doubles, la plupart avec lit *queen* (3 avec lits superposés). Pas bien grandes mais impeccables et épurées, toutes avec parquet, fresque murale réalisée par un artiste de Brooklyn, frigo et lavabo. À chaque étage, 2 salles de bains et 2 w-c à partager, nickel, à l'image de l'ensemble. Boissons chaudes à dispo dans le mini-lobby. Une très bonne adresse dans cette gamme de prix, avec succursale à SoHo sur le même modèle (voir ce quartier).
🛏 **Hotel 309** *(plan 1, B3, 500) :* 309 W 14th St *(entre 8th et 9th Ave).* ☎ 212-243-7757 ou 1-888-309-4683. ● *hotel309.com* ● Ⓜ *(A, C, E) 14 St ou (L) 8 Ave. Doubles sans sdb 100-250 $, avec sdb 150-350 $.* 📶 Ambiance très new-yorkaise dans cet immeuble ancien de 5 étages qui propose une bonne quarantaine de chambres rénovées et fonctionnelles, toutes avec kitchenette. Certaines ont les sanitaires sur le palier, d'autres ont carrément le look d'une minisuite, avec grand lit et canapé convertible. Demander une chambre au calme, sur l'arrière. Bonne atmosphère et accueil gentil comme tout. Bref, un excellent plan.
🛏 **Riff Chelsea** *(plan 1, B2, 85) :* 300 W 30th St *(et 8th Ave).* ☎ 212-244-7827 ou 1-877-827-6969. ● *riffhotels.com* ● Ⓜ *(1, 2, 3) 28 St. Doubles 70-300 $ (moyenne de 180 $) ; apparts 4-6 pers avec cuisine 155-330 $.* 🖥 📶 Cet hôtel tout simple à l'esprit *hostel* propose un large éventail de chambres de configurations diverses allant jusqu'à l'appart fonctionnel et spacieux. Déco *groovy* très années 1980, rock et rétro-pop avec des guitares électriques. Ça change des plantes vertes ! Petite terrasse commune avec tables et chaises. Café et thé gratuits. Un endroit accueillant et pas prise de tête.
🛏 **The Leo House** *(plan 1, B2, 30) :* 332 W 23rd St *(entre 8th et 9th Ave).* ☎ 212-929-1010. ● *leohousenyc. org* ● Ⓜ *(C, E) 23 St. Résa conseillée min 3 mois à l'avance ; min 2 nuits en sem et 3 nuits le w-e ; max 2 sem. Doubles 145-165 $; familiale 325-350 $ (6 pers max) ; petit déj-buffet env 9 $. Réduc janv-mars.* 🖥 📶 Hôtel tenu par une institution catholique, mais tout le monde est bienvenu, et ce depuis 1889. Atmosphère un chouia austère, forcément, mais bel immeuble ancien aux chambres bien tenues

CHELSEA

(demandez-en une rénovée, c'est le même prix), toutes avec toilettes et lavabo ; les moins chères partagent la douche. Tarifs intéressants surtout en haute saison, sinon on trouve de meilleurs rapports qualité-prix ailleurs. Salon commun bien cosy avec cheminée, cafétéria pour le petit déj *(tlj sf dim),* jardin à la belle saison ouverte 24h/24 ! Laverie à pièces.

📍 *Holiday Inn Express Madison Square (plan 1, B2, 95) :* 232 W 29ᵗʰ St (entre 7ᵗʰ et 8ᵗʰ Ave). ☎ 212-695-7200. ● midtownnychotel.com ● Ⓜ *(1, 2, 3)* 28 St. Doubles 130-400 $, petit déj inclus. 📶 Pas de surprise, ni bonne ni mauvaise, dans cet hôtel de chaîne comptant 13 étages. Chambres avec 2 lits doubles, étroites dans l'ensemble, mais modernes et confortables dans les tons bleu et beige. Literie douillette. Bonne note également pour l'accueil pro. Une solution centrale et avantageuse pour ne pas dépenser tous ses dollars dans l'hébergement et les transports.

De prix moyens à plus chic

📍 *The Paul Hotel (plan 1, B2, 25) :* 32 W 29ᵗʰ St (et Broadway). ☎ 212-204-5750. ● thepaulnyc.com ● Ⓜ *(N, R)* 28 St. Doubles 110-370 $. 🖥 📶 Bien placé à la limite de Chelsea et NoMad, ce nouveau petit boutique-hôtel a plus d'une corde à son arc : un style urbain pêchu et fonctionnel à la fois, des vues dignes de ce nom (même dans les étages inférieurs) et des prix qui savent se tenir. Pratiques en famille, les chambres à 2 lits superposés (avec écran TV pour chaque plumard !) peuvent se connecter à une double. Jolies salles de bains noir et blanc, très Art déco. Et panorama splendide sur l'Empire State Building depuis le *rooftop bar* au 22ᵉ. Seul petit bémol : le chantier de construction au pied de l'immeuble (nuisances sonores possibles) mais qui ne devrait pas gêner la vue à priori.

📍 *Chelsea Inn (plan 1, B3, 28) :* 46 W 17ᵗʰ St (entre 5ᵗʰ et 6ᵗʰ Ave). ☎ 212-645-8989. ● chelseainn.com ● Ⓜ *(F)* 14 St. Doubles sans sdb 90-170 $, avec sdb 160-200 $; familiales 210-300 $. 📶 Dans une vieille maison classée, presque une quarantaine de chambres dont 5 seulement avec salle de bains privative. Pour New York, toutes sont assez spacieuses, même la plus petite. Certaines communicantes sont idéales pour les familles. Demandez à être à l'arrière si vous voulez du calme. Ambiance un peu vieillotte, meubles en bois sombre, moquette parfois défraîchie et radiateurs en fonte, voilà pour le tableau. Cela dit, bien situé et accueil serviable.

📍 *Colonial House Inn (plan 1, B2, 76) :* 318 W 22ⁿᵈ St (entre 8ᵗʰ et 9ᵗʰ Ave). ☎ 212-243-9669 ou 1-800-689-3779. ● colonialhouseinn.com ● Ⓜ *(C, E)* 23 St. Chambres 100-180 $; 2 suites 5 pers env 375 $ (à partir de 270 $ si occupation à 2) ; petit déj compris. 📶 Une belle maison d'hôtes, dans une demeure de 1850, aux intérieurs chaleureux et pleins de charme. Il y règne une atmosphère bohème chic et *arty* avec des repros de tableaux célèbres aux murs. Une vingtaine de petites chambres (dont la moitié sans salle de bains), bien cosy, avec cheminée pour certaines. Également 2 suites qui en jettent pour 5 personnes, l'une d'elles donnant sur un patio. Cerise sur le gâteau, la petite terrasse sur le toit, où l'on peut faire la crêpe, allongé sur des transats, et même prendre une douche ! Thé, café et pâtisseries à volonté. Accueil charmant.

📍 *Hilton New York Fashion District (plan 1, B2, 32) :* 152 W 26ᵗʰ St (entre 6ᵗʰ et 7ᵗʰ Ave). ☎ 212-858-5888. ● www3.hilton.com ● Ⓜ *(C, E, 1)* 23 St. Rooftop bar-resto 17h-minuit jeu-sam en hiver, tlj en été. Doubles 170-450 $. 📶 Mannequins en devanture, tableau de bobines de fil façon Mondrian derrière le *front desk,* dans cet hôtel de standing, on se la joue haute couture, clin d'œil au quartier, le Fashion District. Déco contemporaine sobre dans les chambres, qui gagnent en lumière aux étages supérieurs. À partir du 16ᵉ, vue sensationnelle sur l'Empire State Building d'un côté, et de l'autre sur une forêt de citernes et la Freedom Tower au loin. Même panorama depuis le *rooftop,* vitré l'hiver, découvert en été.

Très chic

🛏 ***Chelsea Pines Inn*** *(plan 1, B3,* **500***) :* 317 W 14th St. ☎ 212-929-1023. ● *chelseapinesinn.com* ● Ⓜ *(A, C, E) 14th St ou (L) 8 Ave. Doubles 250-350 $, petit déj inclus.* 📶 Un petit hôtel de charme, malin et vintage, installé dans un mignon immeuble de brique prolongé d'une cour-jardin à l'arrière. Plus d'une vingtaine de chambres, chacune dédiée à un acteur de l'âge d'or d'Hollywood dont les vieilles affiches de films recouvrent les murs. Confort optimal, café et snacks en libre-service, petit déj continental varié.

🛏 ***Dream Downtown*** *(plan 1, B3, 75) :* 355 W 16th St (et 9th Ave). ☎ 646-625-4847 ou 1-877-753-7326. ● *dream hotels.com* ● Ⓜ *(A, C, E) 14 St ou (L) 8 Ave. Doubles standard 275-450 $.* 📶 De 16th Street, on remarque tout de suite la façade en inox, perforée de hublots comme un paquebot. À l'intérieur, tout baigne dans le luxe clinquant tendance seventies. Réception dorée, grandes plantes vertes, on se croirait dans un *James Bond* début Roger Moore. Les chambres sont du même tonneau, papier peint à pastilles argenté, mobilier moulé à la *Orange mécanique* et rideau de douche en cotte de mailles très *Barbarella.* Toutes ont au moins une de ces fenêtres-hublots qui sont la signature du building, les plus chères en ont même plusieurs (les *Platinum King* livrant les vues les plus spectaculaires). Côté loisirs, une piscine avec *beach club* miamiesque (couverte l'hiver) dont on aperçoit le fond depuis le lobby, un *rooftop* au 12e étage *(PhD)* et un club ultra-branché et sélectif au sous-sol, *Electric Room.* Un style original qui en fera rêver plus d'un.

🛏 ***The Maritime Hotel*** *(plan 1, B3,* **75***) :* 363 W 16th St (entre 8th et 9th Ave). ☎ *212-242-4300.* ● *themaritime hotel.com* ● Ⓜ *(A, C, E) 14 St ou (L) 8 Ave. Doubles standard à partir de 250 $.* 📶 Même architecte et même esprit transatlantique que le *Dream Downtown* pour cet hôtel à la fière façade truffée de hublots. La réception cossue et chaleureuse invite déjà au voyage avec des tons bleus et un mobilier rétro. Les 130 chambres ne sont pas très grandes pour les standard mais très originales, façon cabine de paquebot de 1re classe. Au bout de chaque couloir, de jolies vues à la dérobée et une ambiance générale reposante, voire feutrée, à 20 000 lieues de l'agitation. Un port d'attache plein de personnalité pour rayonner dans Manhattan.

🛏 ***Hôtel Americano*** *(plan 1, A2,* **221***) :* 518 W 27th St (entre 10th et 11th Ave). ☎ *212-216-0000.* ● *hotel-americano. com* ● Ⓜ *(C, E) 23 St. Doubles 250-400 $.* 🖥 📶 L'hôtel contemporain de Chelsea sur le parcours de la High Line (Meatpacking a bien le *Standard* !) : un building à l'architecture pointue, mais pas intimidante, et des chambres entièrement vitrées offrant des vues urbaines incroyables. Très original, le lit posé sur une plate-forme en bois intégrée dans la chambre, inspiré des *ryokan* (auberges japonaises). Autres petits plus : l'iPad dans chaque chambre et le peignoir en jean. Mais la cerise sur le gâteau, c'est le *rooftop bar* haut perché avec sa petite piscine en été et une vue privilégiée. On allait oublier la touche écolo-chic : la location de vélos pour se balader le long de l'Hudson River.

Où manger ?

Spécial petit déjeuner et brunch

🍴 🛏 ***Chelsea Market*** *(plan 1, A-B3,* **709***) :* 9th Ave (entre 15th et 16th). ☎ *212-243-5678.* Ⓜ *(A, C, E) 14 St. Tlj 8h-20h.* Le Chelsea Market (lire plus loin « À voir »), avec ses épiceries fines, ses bonnes boulangeries-pâtisseries et ses petits restos locavores, offre une intéressante sélection d'endroits gourmets où se poser à toute heure de la journée. Pour le petit déj, direction ***Amy's Bread,*** le salon de thé ***Sarabeth's*** ou bien la laiterie ***Ronny Brook***

Milk Bar. Le midi, pourquoi pas *Dicksons's Farmstand Meats* (boucherie-rôtisserie plébiscitée entre autres pour ses bons *Frankfurters,* entendez par là hot dogs), *The Green Table* ou *Friedman's Lunch,* dans le registre cuisine *modern American.* Ou encore *Rana* et ses pâtes fraîches et la sandwicherie asiatique *Num Pang.* Mais le fun absolu, c'est peut-être encore le *Lobster Place* dans la section produits de la mer, où l'on peut déguster debout une part de homard en barquette pour 30 $ (ils en servent 500 t par an !).

▲ *The City Bakery* (plan 1, B-C2, **234**) : 3 W 18ᵗʰ St (entre 5ᵗʰ et 6ᵗʰ Ave). ☎ 212-366-1414. Ⓜ (L, N, Q, R, 4, 5, 6) 14 St-Union Sq. Lun-sam 7h30-19h, dim 9h-18h. Petit déj env 10 $. Dans un immeuble *cast-iron,* ce vaste espace style loft à l'ambiance de cantine ne désemplit pas depuis près de 25 ans. Les aficionados y font la queue pour le *pretzel croissant* et le fameux *hot chocolate,* épais et crémeux, mais très sucré. Le must est de le demander avec chamallow maison plongé dedans ! Aussi un *salad bar* très varié, avec options végétariennes, soupes, plats *comfy...* Pas donné, mais la qualité est là.

▲ Et aussi : *Eataly, Murray's Bagels, Eisenberg's Sandwich Shop, Cookshop, Le Grainne Café, Sullivan Street Bakery, Doughnut Plant* et *Cafe el Presidente.* Voir plus loin.

Sur le pouce, bon marché

|●| ▲ ➛ *Eataly* (plan 1, B-C2, **187**) : 200 5ᵗʰ Ave (entre 23ʳᵈ et 24ᵗʰ). ☎ 646-398-5100. Ⓜ (C, E, 1) 23 St. Tlj 8h-23h. *À partir de 7-8 $ le sandwich ou la part de pizza (beaucoup plus pour un vrai repas assis).* Ni plus ni moins la plus grande épicerie du monde dédiée à la gastronomie italienne. Il y a un peu tous les (bons) goûts et (presque) toutes les bourses dans ce temple-vitrine de l'art culinaire italien, réplique de l'enseigne turinoise remodelée par le chef médiatisé Mario Batali. Pas moins de 7 petits restos proposent *pasta, pizze, pesce, formaggi* et *salumi,* sans oublier les *gelati,* bien sûr ! Pour déjeuner plus tranquille, montez tout en haut

à la *Birreria* (voir plus loin). Et avant de repartir, non sans avoir dégusté un excellent vrai espresso, méditez sur cette citation de Sophia Loren inscrite au mur : « Tout ce que vous voyez, je le dois aux spaghettis ! ».

➛ ▲ *Murray's Bagels* (plan 1, B2, **251**) : 242 8ᵗʰ Ave (entre 22ⁿᵈ et 23ʳᵈ). ☎ 646-638-1335. Ⓜ (C, E) 23 St. En sem 6h30-20h, w-e 7h-18h30. Env 6-12 $; formule petit déj très bon marché. Les meilleurs bagels du quartier ne manquent pas de fans, alors préparez-vous à patienter avant de goûter à l'un de ces petits pains fourrés avec toutes sortes de garnitures du jour, en version sucrée ou salée. Quelques tables pour se poser, mais le cadre date singulièrement.

|●| ▲ *Eisenberg's Sandwich Shop* (plan 1, B-C2, **232**) : 174 5ᵗʰ Ave (entre 22ⁿᵈ et 23ʳᵈ). ☎ 212-675-5096. Ⓜ (N, R) 23 St. Tlj 6h30 (9h w-e)-20h (18h sam, 17h dim). Breakfast dès 3 $; plats max 12 $. Eisenberg's alimente le taux de cholestérol des New-Yorkais depuis 1929 ! Une salle tout en longueur (préférer le fond) parcourue par un comptoir où s'alignent des tabourets recouverts de moleskine rouge. Dans cette vieille institution, on sert le breakfast toute la journée mais aussi soupes, salades, sandwichs. Le décor, graillonneux et si typiquement américain, n'a pas beaucoup changé, ni les prix d'ailleurs : café et thé sont à 1,50 $!

|●| *Garden of Eden* (plan 1, B2, **199**) : 162 W 23ʳᵈ St. ☎ 212-675-6300. Ⓜ (F, 1) 23 St. Tlj 7h-22h. Repas 8-12 $. Des panneaux à l'ancienne, dans une forêt d'osier pour cette épicerie fine aux rayons débordant de choses appétissantes, avec section traiteur, boulangerie, *espresso bar, salad bar* ultra-frais, *antipasti,* plats chauds, soupes... Que des bons produits ! Délicieux, à emporter surtout, même si l'on trouve quelques chaises hautes en vitrine. Succursale à Union Square (plan 1, C3).

|●| ▲ *Sullivan Street Bakery* (plan 1, B2, **140**) : 236 9ᵗʰ Ave (et 24ᵗʰ). ☎ 212-929-5900. Ⓜ (C, E) 23 St. Tlj 7h-20h (19h w-e). Env 10-12 $, part de pizza autour de 4 $. Pour leurs vrais bons paninis (classiques ou revisités), leurs pizzas fines et croustillantes et les

suggestions du jour (voir texte dans la rubrique suivante).

|●| ☜ ▼ **Cafe el Presidente** (plan 1, B2, **556**) : 30 W 24th St (entre 5th et 6th Ave). ☎ 212-242-3491. Ⓜ (C, E, 1) 23 St. Tacos 2-5 $, quesadillas 6-8 $. Ces Mexicains-là ont franchi sans problème la frontière américaine : tous les classiques latinos servis du matin au soir, dans un cadre industriel bien new-yorkais, à fond les baffles pour en rajouter au tohu-bohu. Petit déj, bar à cocktails, cervezas et aguas frescas, café de Veracruz, tacos en apéro ou quesadillas au repas, tout le monde y trouve son compte tout en zieutant les chefs dans leur cuisine ouverte.

|●| **Whole Foods Market** (plan 1, B2, **190**) : 250 7th Ave (entre 24th et 25th). ☎ 212-924-5969. Ⓜ (1) 23 St. Tlj 7h30-23h. Env 10 $. Un des magasins de la grande chaîne de supermarchés bio, aux délicieux buffets de salades ou autres plats chauds. Contrairement à d'autres, celui-ci ne dispose malheureusement pas d'espace cafétéria où se poser pour dévorer ses emplettes.

De bon marché à prix moyens

≋ **Bareburger** (plan 1, B2, **337**) : 153 8th Ave (et 18th). ☎ 212-414-BARE. Ⓜ (A, C, E) 14 St ou (L) 8 Ave. Burgers 9-14 $. On aime beaucoup cette petite chaîne de burgers gourmets et bio, où même le décor écolo est sympa (voir le descriptif dans « Greenwich et West Village. Où manger ? »).

|●| ☜ **Le Grainne Café** (plan 1, A-B2, **175**) : 183 9th Ave (angle 21st). ☎ 46-486-3000. Ⓜ (C, E) 23 St. Tlj 8h-minuit. Sandwichs, crêpes, salades 10-15 $, « vrai » plat env 20 $. Joli petit bistrot à la déco d'inspiration franco-américaine, très chaleureuse. Pour des œufs-mayo, des crêpes, une soupe à l'oignon, une moules-frites ou un croque-monsieur... Sans oublier les desserts maison et petits déj. Cuisine simple mais soignée, goûteuse et bien présentée, à arroser d'un verre de vin.

≋ **Grimaldi's** (plan 1, B2, **526**) : 656 6th Ave (et 21st). ☎ 212-359-5523. Ⓜ (F) 23 St. Ferme à 21h45 (22h45 w-e). Pizzas dès 14 $. CB refusées.

L'annexe à Manhattan de la pizzeria de Brooklyn qui attire depuis plus d'un siècle le Tout-New York. Une petite salle modeste, sans aucun décor, flanquée dans un recoin d'église désaffectée reconvertie en club de gym... On y retrouve les mêmes pizzas que dans la maison mère, ce qui réjouira leurs fans.

|●| **Pepe Giallo** (plan 1, A2, **257**) : 253 10th Ave (entre 24th et 25th). ☎ 212-242-6055. Ⓜ (C, E) 23 St. Tlj sf dim midi. Paninis et salades 7-10 $, plats 7-18 $. Sur place ou à emporter en balade le long de la High Line. Si les environs immédiats n'ont aucun charme, la courette à l'arrière (couverte l'hiver), elle, est carrément mimi ! Paninis et pasta copieux et savoureux à prix justes. Vins italiens au verre et pas trop chers non plus.

≋ |●| **Co.** (plan 1, B2, **140**) : 230 9th Ave (et 24th). ☎ 212-243-1105. Ⓜ (C, E) 23 St. Pizzas 10-20 $. Cette pizzeria branchée est l'annexe de la réputée Sullivan Street Bakery (la porte à côté). En spécialistes émérites de la pâte à pain, leurs pizzas (ils disent « pies », ça fait plus chic) sont renversantes de légèreté et de croustillant à la fois, et garnies des meilleurs produits. Plus cher qu'une bonne pizza classique à New York, mais la différence est flagrante, et puis on paie aussi le décor, design tendance scandinave. Les salades sont aussi exquises.

De prix moyens à plus chic

|●| **Blossom** (plan 1, A-B2, **137**) : 187 9th Ave (entre 21st et 22nd St). ☎ 212-627-1144. Ⓜ (C, E) 23 St. Plats 20-23 $. Un resto bio et vegan de haute volée qui enthousiasmera les plus réfractaires ! La carte donne envie, les délicieuses effluves aussi et les assiettes réjouissent yeux et papilles. Rien de tristounet ici, bien au contraire. D'ailleurs c'est souvent plein. Un bloc plus bas, au 174 9th Avenue, la Blossom Bakery. Annexes à Greenwich Village, 41-43 Carmine St (entre Bedford et Bleecker) et Upper West Side, 507 Columbus Ave (entre 84th et 85th St).

|●| ▼ **Birreria** (plan 1, B-C2, **187**) : 200 5th Ave (entre 23rd et 24th).

☎ 212-937-8910. Ⓜ (C, E, 1) 23 St. Plats 17-30 $. C'est la brasserie de l'énorme concept-store dédiée à la gastronomie italienne, *Eataly*. La version ritalo-new-yorkaise néo-industrielle du *Biergarten*. Perché au 15e étage, le *rooftop* de la *Birreria* offre toute l'année (verrière en hiver) une vue inédite sur le sommet du Flatiron (de jour car, le soir, il n'est pas éclairé). Au menu : pas de pâtes mais des assiettes de charcuteries et fromages à picorer avec une bière maison (goûtez celle au thym) ou un verre de vin de la Botte, des saucisses maison et autres plats plutôt rustiques mettant en valeur les bons produits de la maison.

|●| ☒ *The Park* (plan 1, A2, *148*) : 118 10th Ave (entre 17th et 18th). ☎ 212-352-3313. Ⓜ (A, C, E) 14 St ou (L) 8 Ave. Plats 12-20 $ le midi, max 25 $ le soir. Cet ancien garage reconverti en énorme resto-lounge vaut le coup pour sa situation, au pied de la High Line, et son décor *amazing*. Surtout la partie jardin-serre avec ses érables du Japon et le piaf-piaf des oiseaux même en hiver. La cuisine, tendance italienne, est moins convaincante, mais l'atmosphère l'emporte. On peut se contenter d'un verre, campé dans de délirants canapés taillés dans une racine d'arbre !

|●| ☒ *Cookshop* (plan 1, A2, *380*) : 156 10th Ave (entre 19th et 20th). ☎ 212-924-4440. Ⓜ (C, E) 23 St. Plats 15-25 $ le midi, 18-32 $ le soir. La cantine de quartier nouvelle génération, au design vaguement scandinave et aux vastes espaces lumineux. Ce cadre soigné sert d'écrin à une cuisine américaine saine et copieuse à base de produits en direct de la ferme. Service énergique dans un joyeux brouhaha. Essayer d'arriver tôt ou tard et, aux beaux jours, autant s'asseoir à l'extérieur. Cette adresse du matin et du midi rencontre un succès fou. Le soir, étrangement, les tarifs s'envolent !

Où boire un café ou un chocolat ? Où manger une pâtisserie ?

☞ *Café Grumpy* (plan 1, B2, *460*) : 224 W 20th St (entre 7th et 8th Ave). ☎ 212-255-5511. Ⓜ (1) 18 St. L'un de ces endroits dont New York raffole : un petit café de quartier qui sent bon le grain fraîchement moulu, où tout le monde « wifise » à gogo sur son iPad (mais les *laptops* ne sont pas les bienvenus !). Ambiance rêveuse, jeune et décontractée.

☞ *The City Bakery* (plan 1, B-C2, *234*) : 3 W 18th St (entre 5th et 6th Ave). ☎ 212-366-1414. Ⓜ (L, N, Q, R, 4, 5, 6) 14 St-Union Sq. Voir « Spécial petit déjeuner et brunch » plus haut.

☞ *Doughnut Plant* (plan 1, B2, *715*) : 220 W 23rd St (entre 7th et 8th Ave). ☎ 212-675-9100. Ⓜ (1, C, E) 23 St. Au rez-de-chaussée du mythique *Chelsea Hotel*, voici le temple du *doughnut* revisité avec légèreté et créativité par un pâtissier spécialisé là-dedans depuis plus de 15 ans (voir sa 1re boutique à Lower East Side). Rien à voir avec ceux d'Homer Simpson ni des chaînes genre *Dunkin Donuts*... On aime aussi le décor à la gloire du beignet troué, mais en version *arty*, et les ferronneries datant de la construction de l'immeuble (1884). Quelques places assises, prises d'assaut. Même les toilettes valent le coup.

☞ *Intelligentsia Coffee* (plan 1, A2, *430*) : 180 10th Ave (entre 20th et 21st St). ☎ 212-933-9736. Ⓜ (C, E) 23 St. Tlj 7h-18h (19h ven-sam) ; après, cela redevient le bar du High Line Hotel. Adorable petit café bien planqué dans un ancien séminaire néogothique reconverti en boutique-hôtel chic et charme. À l'intérieur, atmosphère surannée de vieux manoir (peu de places assises en revanche) et superbes terrasses dehors (devant et derrière), donnant sur les façades en brique rouge du XIXe s. On se croirait en Angleterre. Formidable l'été après une balade sur la High Line.

☞ *Sullivan Street Bakery* (plan 1, B2, *140*) : 236 9th Ave (et 24th). ☎ 212-929-5900. Ⓜ (C, E) 23 St. Boulangerie rustique haut de gamme, d'inspiration italienne, réputée pour la qualité de ses pains et de ses pâtisseries, à tomber par terre. Tables ou comptoir pour s'asseoir. Également une excellente pizzeria juste à côté, Co. (voir plus haut).

☛ *Billy's Bakery* (plan 1, B2, **330**) : 184 9th Ave (entre 21st et 22nd). ☎ 212-647-9956. Ⓜ (C, E) 23 St. Une des bonnes pâtisseries de la ville pour ses *cupcakes*. N'ayez pas les yeux plus gros que le ventre, les parts de « gâteaux à étages » typiquement américains sont vraiment pour 2. Cadre charmant, façon cuisine des années 1950

(formica, papier peint à fleurs et tons pastel assortis aux gâteaux !). 2 tables seulement.

☛ *Pushcart Coffee* (plan 1, B2, **396**) : 401 W 25th St (et 9th Ave). ☎ 646-649-3079. Ⓜ (C, E) 23 St. Un café névralgique dans le quartier, tendance moderne où l'on entre et on sort comme dans un moulin. Les employés de start-up viennent s'y connecter et bosser, les autres se perchent sur les tabourets pour *chatter* en regardant la rue. Le tout dans une délicieuse odeur de pâtisseries maison et de café moulu en live.

Où boire un verre ? Où sortir ?

🍸 ∞ *The Lodge & Gallow Green at the McKittrick Hotel* (plan 1, A2, **328**) : 542 W 27th St (entre 10th et 11th Ave). *Différentes entrées selon les lieux.* ☎ 212-564-1662. ● mckittrickhotel. com ● Ⓜ (C, E) 23 St. Résa conseillée. Cet hôtel désaffecté des années 1930 (qui inspira Hitchcock dans *Vertigo*) a été entièrement reconverti en complexe conceptuel pour noctambules branchés, le maître mot étant la mise en scène. Une partie accueille le show *Sleep No More* : une expérience théâtrale multisensorielle et hallucinatoire de 3h, très *Eyes Wide Shut*, dans l'univers du *Macbeth* de Shakespeare *(résa obligatoire via ● sleepnomore.com ● ; places dès 85 $).* Quant au *rooftop bar*, il se métamorphose au gré des saisons : l'hiver, chalet de montagne tout de bois vêtu (*The Lodge,* donc) pour siroter un vin chaud dans les différentes pièces d'une vraie « Petite Maison dans la prairie » (oui, on peut même s'asseoir sur les lits dans les chambres !). L'été, ils démontent tout pour faire place à un jardin-serre touffu et panoramique (*Gallow Green* ; on y brunche aussi). Et ce n'est pas fini, il y a encore un jazz bar (*Manderley*), un resto très haut de gamme scénographié lui aussi (*The Heath*) et tout plein d'événements expérimentaux dans le même esprit (es-tu là ?).

🍸 *Bathtub Gin* (plan 1, B2, **314**) : 132 9th Ave (entre 18th et 19th). ☎ 646-559-1671. Ⓜ (1) 18 St. Tlj 18h-2h (4h jeusam). Résa conseillée le w-e. Ça c'est

du *speakeasy,* un revival électrique du New York des Années folles. Comme d'hab, qui croirait que se cache un bar derrière ce *coffee shop* banal, le *Stone Street Coffee Company* ? On vient y siroter un espresso en journée sans se douter qu'à la nuit tombée, derrière une porte dérobée, vibre une caverne jazzy, punchy, offrant un vrai saut dans le temps, période Prohibition, du décor jusqu'au veston des mixologistes. Plafond en laiton, canapés rayés, alcôves, lampes à franges et, au milieu, la baignoire, toute cuivrée. Même les chiottes semblent d'époque ! Excellents cocktails, surtout à base de gin, mais pas que. Et quelle énergie !

🍸 *The Tippler* (plan 1, A3, **338**) : 425 W 15th St. Ⓜ (A, C, E) 14 St. Pas d'enseigne. Tlj à partir de 16h. Cet immense bar, génial, à mi-chemin entre le pub avec son écran géant et le *speakeasy,* a pris possession du sous-sol d'une imposante fabrique réhabilitée. Murs en brique, piliers d'acier, tapis élimés et tables de bois, sur lesquelles végètent des romans de gare jaunis. Derrière le long comptoir en marbre s'agitent les shakers et les pompes à – bonnes – bières. Ambiance cool et fraternelle dès le brouhaha de l'*afterwork beer*, que vient souligner une *playlist roots* reggae. Toasts et paninis pour prolonger l'apéro.

🍸 *Barcade* (plan 1, B2, **457**) : 148 W 24th St (entre 6th et 7th Ave). ☎ 212-390-8455. Ⓜ (F, N, R) 23 St. Tlj 12h-2h (4h ven-sam). *Interdit moins de*

CHELSEA

CHELSEA

21 ans. 25 ou 50 cts la partie. Comme son nom l'indique, vaste bar à jeux d'arcade version *old school*. À vous les Super Mario Bros, Tetris et autres jeux Atari du bon vieux temps. Une soirée animée en perspective, d'autant que la liste de bières locales est impressionnante.

♥ *The Raines Law Room* (plan 1, B3, **363**): *48 W 17th St (entre 5th et 6th Ave).* Ⓜ *(F) 14 St. Tlj 17h (19h dim)-2h (3h ven-sam, minuit dim). Pas de résas possibles.* Atmosphère feutrée, service distingué, dans ce *speakeasy* élégant mais pas guindé, lové dans le soubassement d'un immeuble (pas d'enseigne, *of course*). Cocktails originaux, à siroter dans de confortables canapés agencés en alcôve, dans une ambiance tamisée comme il se doit. Idéal pour un tête-à-tête.

♥ |●| *Frying Pan* (plan 1, A2, **370**): *pier 66, au bout de 26th St.* ☎ 212-989-6363. Ⓜ *(C, E) 23 St. Mai-sept, tlj 12h-minuit. Plats 10-22 $.* Bâti en 1929, ce vénérable *lightboat* à la retraite servait jadis aux garde-côtes de phare mobile pour signaler des récifs immergés. C'est l'un des derniers survivants du genre, et encore, il s'en est fallu de peu. Dans les années 1970, le *Frying Pan* coula corps et biens et resta 3 ans sous l'eau avant d'être renfloué, puis remorqué jusqu'ici. Désormais, sur son vieux pont transformé en bar-grill, on profite du coucher de soleil sur l'Hudson bercé par le crissement des amarres.

Où danser ?

♪ *Marquee* (plan 1, A2, **456**): *289 10th Ave (et 27th).* ☎ 646-473-0202. ● *marqueeny.com* ● Ⓜ *(C, E) 23 St. Fermé dim-mar. Entrée : 20-30 $.* La boîte tendance de Chelsea au décor très bling-bling. Volumes cathédrale, giga *dance floor* surmonté d'une énorme boule scintillante et banquettes capitonnées pour profiter du spectacle. Entrée sélecte et boissons chères.

Shopping

Mode, vintage

🕸 *Dave's New York* (plan 1, B3, **564**): *581 6th Ave (entre 16th et 17th).* ☎ 212-989-6444. Ⓜ *(F) 14 St ou (L) 6 Ave.* Si vous cherchez un jean *Levi's* basique pour homme (501, 511, 514), c'est dans cette caverne d'Ali Baba que vous trouverez les moins chers de NYC *(env 45 $).* En revanche, n'espérez pas trouver les dernières coupes à la mode, surtout pour femme. Également d'autres marques à des prix intéressants par rapport à ceux pratiqués en Europe, notamment chez *Carhartt.* Quelques modèles *Schott, Canada Goose* et de belles chemises de bûcherons made in US. Certains vendeurs parlent le français.

🕸 *Family Jewels* (plan 1, B2, **562**): *130 W 23rd St (entre 6th et 7th Ave).* ☎ 212-633-6020. Ⓜ *(F, 1) 23 St.* Une jolie boutique de mode qui fait dans le vintage, depuis la période victorienne jusqu'aux années 1980 ! Même les vendeuses sont lookées rétro. Tout est bien classé et présenté, et les prix restent convenables.

🕸 *Pippin* (plan 1, B3, **564**): *112 W 17th St (entre 6th et 7th Ave).* ☎ 212-505-5159. Ⓜ *(F, 1, 2, 3) 14 St.* Un des meilleurs choix à New York en matière de bijoux fantaisie vintage. Beaucoup de pièces colorées pas très chères, des fifties aux années 1980. Ne pas hésiter à ouvrir les tiroirs où sont rangés d'autres trésors puis à passer à l'arrière par un corridor. Vous y découvrirez une sorte de chalet où tout l'intérieur d'une maison a été reconstitué avec des antiquités, encore plus de bijoux et une garde-robe à la Audrey Hepburn.

Disques

🕸 *Jazz Record Center* (plan 1, B2, **565**): *236 W 26th (entre 7th et 8th Ave).* ☎ 212-675-4480. ● *jazzrecordcenter. com* ● Ⓜ *(1) 28 St.* Prendre l'ascenseur jusqu'au 8e étage, appart 804. Tlj sf dim 10h-18h. Sans doute l'un des meilleurs disquaires de jazz à New York. Tous ceux qui ont fait pleurer leurs instruments ont leur place dans cet improbable appart-magasin tenu par Fred Cohen, un vrai puits de science. Vieux vinyles (30 000 !), CD, DVD, T-shirts... Également des revues spécialisées (gratuites) pour les dates de concerts, posters de jazzmen, arbre généalogique du jazz (passionnant)...

Enfants

☺ ⅞ *Lego Store* (plan 1, B-C2, **187**) : 200 5th Ave (et 23rd). ☎ 212-255-3217. Ⓜ (F, 6) 23 St. Situation de choix pour ce nouveau *flagship* de la marque *Lego*, pile en face du Flatiron et à côté d'*Eataly*, le temple de la gastronomie italienne. Pas vraiment plus grand que la boutique du Rockefeller Center cela dit. Voir la maquette du quartier en briquettes. Salle de jeu au fond avec un mur pour exposer ses créations.

Boutiques spécialisées

☺ *B & H* (plan 1, B1, **513**) : angle 34th St et 9th Ave. ☎ 212-444-6600. Ⓜ (A, C, E) 34 St-Penn Station. Fermé ven ap-m et sam. Réputé mondialement, voici le *Darty* new-yorkais, le plus grand magasin d'appareils photo, vidéo, audio, informatique de la Big Apple, tenu par des juifs hassidiques. Un choix dingue, un monde fou, un système de livraison des achats fascinant (levez la tête) et des prix vraiment intéressants. N'oubliez pas les taxes !
☺ *Chisholm Larsson Gallery – Vintage Posters* (plan 1, B2, **337**) : 145 8th Ave (entre 17th et 18th). ☎ 212-741-1703. ● chisholm-poster.com ● Ⓜ (A,

C, E) 14 St. Installé depuis plus de 30 ans à Chelsea, Robert Chisholm, qui parle le français, a rassemblé plus de 60 000 affiches de cinéma originales (dont plus des trois quarts du cinéma français), affiches de propagande (notamment soviétique) et autres réclames d'antan. Possibilité de faire son choix en ligne sur les Mac à dispo dans la boutique.
☺ *Bed, Bath & Beyond* (plan 1, B2, **529**) : 620 6th Ave (entre 18th et 19th). ☎ 212-255-3550. Ⓜ (F) 14 St. Dans un des *landmarks* architecturaux du quartier, tout pour équiper sa maison. Le rayon cuisine est impressionnant, avec une batterie d'ustensiles typiquement américains à rapporter chez soi.
☺ *Abracadabra* (plan 1, B2, **554**) : 19 W 21st St (entre 5th et 6th). ☎ 212-627-5194. Ⓜ (F) 23 St. Les farces et attrapes version NYC ! Postiches, masques et tatouages, du plus trash au plus kitsch et une foultitude d'artifices pour effets spéciaux, des déguisements en veux-tu en voilà, plus ou moins de bon goût, et tout plein d'articles pour prestidigitateurs en herbe ou patentés. Demandez à l'illusionniste de service qu'il vous montre un de ses trucs et prévenez quand même les petits que tout ça, c'est du toc ! On ne vous dit pas à Halloween...
☺ *The City Quilter* (plan 1, B2, **542**) : 133 W 25th St (entre 6th et 7th Ave). ☎ 212-807-0390. Ⓜ (F, N, R) 23 St. Pour les fans de DIY typiquement US, voici, en plein Garment District (le quartier de la confection), le temple du tissu de décoration spécial *quilt*, le patchwork américain. Les métrages sont impeccablement classés par thèmes, couleurs et graphismes. Prix raisonnables.

À voir

⅞ *Rubin Museum of Art* (plan 1, B2-3) : 150 W 17th St (entre 6th et 7th). ☎ 212-620-5000. ● rubinmuseum.org ● Ⓜ (A, C, E) 14 St. Tlj sf mar 11h-17h (21h mer, 22h ven, 18h w-e). Entrée : 15 $; réduc ; gratuit ven 18h-22h. Audioguide gratuit. Visites guidées gratuites (programme). Avec plus de 2 000 peintures, sculptures et textiles anciens dans son fonds permanent, ce musée est l'un des plus grands du monde occidental entièrement consacré à la culture himalayenne ; disons plutôt de la sphère d'influence du bouddhisme tibétain. Autour d'un élégant escalier en colimaçon, la muséographie met admirablement bien en valeur les œuvres sur cinq étages. De nombreux artistes contemporains y sont régulièrement exposés, souvent en relation directe avec les œuvres maîtresses qui les ont inspirés. Ici, tout a été pensé pour permettre au visiteur le recul nécessaire à l'épanouissement de la relation artiste-œuvre-spectateur.

🍸 ☕ Agréable *cafétéria* ouvrant sur une jolie *gift shop*.

🍴 **The Museum at FIT (Fashion Institute of Technology** ; plan 1, B2) : angle 7th Ave et W 27th St. ☎ 212-217-4558. ● fitnyc.edu/museum ● Ⓜ (1) 28 St. Mar-ven 12h-20h, sam 10h-17h. Fermé dim-lun et j. fériés. GRATUIT. Le musée de la Mode possède 50 000 vêtements et accessoires datant du XVIIIe s à nos jours, dont 4 000 paires de chaussures et de très nombreux tissus, les plus anciens datant du Ve s. Cette importante collection est présentée par roulement à travers de passionnantes expos temporaires et thématiques, souvent plus riches que celles du Costume Institute au Metropolitan Museum. Tous les plus grands couturiers sont représentés (y compris les créateurs contemporains) : Paul Poiret, Chanel, Balenciaga, YSL, Dior, Courrèges, Vivienne Westwood, Manolo Blahnik, Roger Vivier...

🍴🍴🍴 **The High Line** (plan 1, A1-2-3) : *plusieurs entrées possibles le long du parcours, de l'angle de Gansevoort et Washington St dans le Meatpacking District à 34th St (entre 10th et 11th Ave).* ● thehighline.org ● Voir le descriptif dans « Greenwich et West Village ».

🍴🍴 **Le long de l'Hudson River** (plan 1, A2) : la High Line d'en bas ! Poursuite de cet itinéraire commencé à l'extrême pointe de Manhattan, via Greenwich et Meatpacking le long duquel s'égrènent des dizaines de *piers,* en ruine ou aménagés. Joggeurs, poussettes *trendy* à trois roues, skaters... tous perfusés aux écouteurs. Voir notre descriptif dans « Greenwich et West Village ».

🍴🍴 **Chelsea Market** (plan 1, A-B3) : 75 9th Ave (entre 15th et 16th). ☎ 212-243-5678. Ⓜ (A, C, E) 14 St. Lun-sam 7h-21h, dim 8h-20h. Dans un spacieux bâtiment en brique qui abrita naguère la fabrique de gâteaux *Nabisco,* puis une imprime-rie, bordée par la **High Line.** Belle rénovation (même si elle commence à dater), mettant en valeur le passé industriel du lieu, sans oublier les belles expos photo temporaires. Plusieurs commerces alimentaires frais s'y sont installés, avec le concept

L'ART DE L'*OREO*

Oreo, *le biscuit le plus vendu au monde, fut créé en 1912 dans le four de l'usine Nabisco, devenu aujourd'hui le Chelsea Market. Commercialisé pour concur-rencer les biscuits anglais, l'Oreo est dégusté par une majorité d'Américains selon un cérémonial précis. On tourne d'abord les deux biscuits pour les décoller de la partie crémeuse au cen-tre, puis on lèche la crème à la vanille avant de tremper les biscuits dans un verre de lait. Presque une religion !*

commun (assez novateur à l'époque de l'ouverture) de montrer l'envers du décor : le boucher hachant les os, le boulanger dans le pétrin, etc. Pour faire ses courses (les prix sont plutôt corrects), manger un morceau ou simplement visiter les lieux en flânant.

🍴 **General Post Office** (plan 1, B1-2) : 31st-33rd St, entre 8th et 9th Ave. Entrée sur 8th Ave. Tlj 24h/24. C'est un peu la poste du Louvre locale, pour ceux qui connaissent celle de Paris, avec colonnes et escalier monumental. D'ailleurs, la France y est à l'honneur, puisqu'il est inscrit sur les frontons du bâtiment que Louis XI créa la première poste royale et que Richelieu mit en place le premier service postal public. Et à l'intérieur, le plafond dévoile un « R.F. » plutôt familier. Cocorico !

CHELSEA

Itinéraires dans Chelsea

🏃 Voici un itinéraire dans Chelsea que nous avons découpé en plusieurs étapes, pour satisfaire tous les centres d'intérêt. La balade commence le long de 6th Avenue (*Ladie's Mile*) et de ses grands magasins, puis longe 23rd Street, avec notamment des édifices *cast-iron* et Art déco. Puis cap sur les vieilles *brownstones* de Chelsea... et les galeries d'art qui ont délogé les entrepôts, entre 10th et 11th Avenue.

Une autre façon de lire la ville, pas toujours spectaculaire en soi mais certainement chargée d'Histoire (et d'histoires), si l'on prend le temps de lever le nez. *Ready, steady, go !*

Ladie's Mile

➤ La balade commence sur la 6th Avenue. Ⓜ *(F) 1 St ou (1) 18 St.* La portion comprise entre 18th et 23rd Street faisait autrefois partie du Ladie's Mile. À la fin du XIXe s et au début du XXe s, ses trottoirs étaient arpentés par les New-Yorkaises élégantes qui venaient faire leurs achats dans les grands magasins de l'époque, en attestent aujourd'hui les remarquables et massifs bâtiments qui abritent parfois toujours de grandes enseignes. Voici une petite sélection, mais levez le nez pour faire vos propres découvertes :

➤ À l'angle nord-ouest de 625 6th Avenue (et 18th Street), un bel exemple de *cast-iron building (plan Itinéraire Chelsea, A),* construit en 1876. Juste en face, au nº 620, édifice plus monumental de 1896 avec d'immenses colonnes de bronze soutenant de larges voûtes ouvragées et un balcon. Il abrita la **Siegel-Cooper Company,** un *big store,* une véritable ville dans la ville. Aujourd'hui, on y trouve, entre autres, le magasin **Bed, Bath & Beyond** *(plan Itinéraires Chelsea, 529).*

➤ En remontant, côté gauche, entre 19th et 20th Street, aux nºs 635-641 *(plan Itinéraire Chelsea, B),* remarquer la porte impressionnante de l'immeuble **Simpson Crawford and Simpson** construit en 1900. En face, au nº 650, l'immeuble **Cammeyer's,** de style italien (fonte et brique rouge), élevé en 1893.

➤ De l'autre côté de 20th Street, **Church of the Holy Communion** *(plan Itinéraire Chelsea, C),* de style *Gothic Revival,* date de 1846. Elle a longtemps abrité une boîte de nuit mythique avant d'être reconvertie en club de gym et en... pizzeria. En face, au 655 de 6th Avenue, le **Hugh O'Neill Store,** *cast-iron* érigé en 1876. Il fut jadis le royaume de la machine à coudre. Le patron, Hugh O'Neill, voulait en faire entrer une dans chaque foyer ! Remarquez les fenêtres d'angle incurvées, les colonnes corinthiennes et les pilastres.

➤ Contournez le bâtiment par 21st Street à gauche. Vous découvrez une curiosité, un minuscule cimetière ombragé, l'un des trois **cimetières de la première congrégation juive d'Amérique, d'origines espagnole et portugaise** *(plan Itinéraire Chelsea, D).*

23rd Street

➤ De retour sur 6th Avenue, tourner à gauche et empruntez 23rd Street à droite. Au milieu du bloc (32-36 West 23rd Street ; *plan Itinéraire Chelsea, E*) se dresse le gigantesque et splendide **Stern Brothers Department Store** (on voit encore les initiales « S. B. » entrelacées au-dessus de la porte). Les enfants d'un couple d'immigrants pauvres, les Stern, avaient créé là un petit empire, le plus grand magasin de New York jusqu'à la construction du *Siegel-Cooper Store.* L'immeuble est très bien conservé et présente un superbe exemple de façade blanche *cast-iron* ouvragée avec de fines colonnes. Si vous ne l'avez pas encore vu, ne

CHELSEA

manquez pas le célèbre Flatiron Building en forme de fer à repasser, au bout la rue sur Madison Square (plus d'infos dans le chapitre « Union Square et Flatiron District »).

➤ Retour sur vos pas dans 23rd Street pour admirer le **Traffic Building,** au n° 163 (entre 6th et 7th Avenue ; plan Itinéraire Chelsea, **F**). Construction originale en briques disposées en quinconce, décorée de frises et de colonnes torsadées en haut. À la base du fronton, deux aigles semblent surveiller les environs. Un peu plus loin, sur le même trottoir, jetez un œil à **Garden of Eden** (plan Itinéraire Chelsea, **199**), au n° 162, une épicerie fine débordant de choses appétissantes pour se requinquer sur le chemin.

➤ Traversez 7th Avenue pour observer, à gauche, le mythique **Chelsea Hotel** (plan Itinéraire Chelsea, **G**), célébré par Leonard Cohen dans sa chanson éponyme (écrite en l'honneur de Janis Joplin). Ouvert en 1884 en tant que « coopérative d'appartements », il devint hôtel en 1905. Le bâtiment, superbe et extravagant, fut dessiné par le studio Hubert (architecte né en France et inventeur du duplex). Difficile d'en définir le style ; certains parleront de Queen Anne, d'autres de gothique victorien. Ce qui est sûr, c'est que sa structure est de type Florida cast-iron. Le toit est plutôt exubérant et la jolie série de balcons est en acier richement orné.

CHELSEA PEOPLE

Le Chelsea Hotel a toujours eu des hôtes illustres. En 1912, il accueille les rescapés du Titanic. On y rencontra Mark Twain, Sarah Bernhardt, Dylan Thomas, Thomas Wolfe, Nelson Algren (l'amant de Simone de Beauvoir), Arthur Miller, William Burroughs ou encore Bob Dylan (chambre n° 205...), Andy Warhol (qui y tourne son film Chelsea Girls), Patti Smith et Robert Mapplethorpe, Milos Forman, etc. Y a séjourné dans la chambre n° 100 Nancy Spungen... sans doute assassinée par son compagnon Sid Vicious, le bassiste des Sex Pistols.

Malheureusement, cet hôtel légendaire, dont les « invités » pourraient remplir un bottin mondain, a vécu ses dernières heures en 2011. Son classement comme patrimoine culturel en 1981 n'a pas suffi à tenir en respect l'ogre de la rentabilité à outrance. Et tant pis pour l'exception culturelle. Pendant 50 ans, c'est toute la bohème artistique de New York qui le fréquenta assidûment, métamorphosant ce vieux coucou en un lieu de rencontres, de débats, de créations. Un musée vivant en quelque sorte, puisque les artistes résidents (certains l'ont habité 35 ans !) avaient coutume de laisser quelques œuvres en cadeau. C'est la fin d'un mythe, la mort d'une époque où tout était permis... La direction de l'hôtel a changé de main, sa destinée aussi : les chambres sont en train d'être modernisées pour être louées au plus offrant. On parle d'une réouverture en 2017... Quelques appartements devraient toujours être loués à des artistes en résidence, comme au bon vieux temps.

➤ Impossible de passer par là sans mentionner une autre référence du quartier, au rez-de-chaussée du Chelsea Hotel, **Doughnut Plant** (plan Itinéraire Chelsea, **715**), le temple du doughnut !

Chelsea Historic District

➤ Poursuivez sur 23rd Street. Tout le bloc entre 23rd et 24th Street et 9th et 10th Avenue (plan Itinéraire Chelsea, **H**) est occupé par le **London Terrace Towers,** remarquable et imposant immeuble de brique à la façade superbement dessinée. Construit en 1930, ce complexe abrite plus de 1 500 logements.

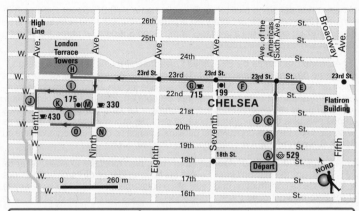

ITINÉRAIRE CHELSEA

A	625 6th Avenue et 620 (Siegel-Cooper Company)	**J**	Guardian Angel Roman Catholic Church
B	635-641 (Simpson Crawford and Simpson) et 650 (Cammeyer's) 6th Avenue	**K**	21st Street
		L	The General Theological Seminary
C	Church of the Holy Communion et 655 6th Avenue (Hugh O'Neill Store)	**M**	401 21st Street
		N	162 9th Avenue
D	Cimetière de la première congrégation juive d'Amérique	**O**	20th Street
E	32-36 W 23rd Street (Stern Brothers Department Store)	|◉| 🍴 ⚙ **Où faire une pause ?**
F	163 W 23rd Street (Traffic Building)	**175**	Le Grainne Café
G	Chelsea Hotel	**199**	Garden of Eden
H	London Terrace Towers	**330**	Billy's Bakery
I	22nd Street	**430**	Intelligentsia Coffee
		529	Bed, Bath & Beyond
		715	Doughnut Plant

CHELSEA

➤ Dans **22nd Street** *(plan Itinéraire Chelsea, I)*, une des belles rues plantées d'érables et de chicots du Canada *(coffeetree)*, vous voilà dans Chelsea Historic District. Les grands édifices laissent maintenant place aux maisons individuelles. Rues ombragées et calmes où l'on se demande si l'on est bien à New York. La rangée entre les nos 400 et 412, construite en 1856 et connue sous le nom de **James N. Wells Row,** est un exemple de style italien. Son originalité tient notamment aux corniches du toit. Le no 450 est un autre témoin de l'architecture *Greek Revival.* De l'autre côté, aux nos 443-445, **The Frederic Fleming House** attire l'œil avec sa façade de brique multicolore. L'entrée ouvragée contraste avec la simplicité de la façade. Chez sa voisine, aux nos 447-449, le grès rouge brut donne un caractère massif et peu commun à l'édifice.

➤ Après **Clement Clarke Moore Park,** tournez à gauche dans 10th Avenue. En face, au no 193, **The Guardian Angel Roman Catholic Church** *(plan Itinéraire Chelsea, J)* fut édifiée par John Van Pelt en 1930, dans un style italien romantique assez fantaisiste. Amusez-vous à détailler la façade et ses sculptures très fines présentant une galerie complète de personnages ailés ou non.

➤ Engagez-vous dans **21st Street,** direction la 9th Avenue. Du no 473 au no 465 *(plan Itinéraire Chelsea, K)*, longue rangée de **maisons Greek Revival** construites en 1853. **The General Theological Seminary** occupe quant à lui tout le bloc entre 20th et 21st Street *(plan Itinéraire Chelsea, L)*, depuis 1825. En cas de fatigue, pause récupératrice dans son paisible jardin, entrée au n° 440 21st Street *(lun-ven 10h-18h)*. Sa *Christoph Keller Jr Library* est la plus riche bibliothèque ecclésiastique du pays. Jetez un coup d'œil à la *chapel of the Good Sheperd,* et particulièrement à ses imposantes portes en bronze.

➤ Au n° 401 (à l'angle de 9th Avenue ; plan *Itinéraire Chelsea, M*) se dresse la **deuxième plus vieille maison** (1831-1832) de Chelsea Historic District, construite selon le *Federal Style*. La corniche simple sur une façade assez sobre également, les lucarnes du toit et la porte d'entrée de côté en sont très caractéristiques. Aujourd'hui, le rez-de-chaussée est occupé par **Le Grainne Café,** une de nos étapes paisibles dans le quartier pour un petit déj ou un en-cas *(plan Itinéraires Chelsea, 175)*. En face, *cupcakes* et gâteaux américains dans un cadre vintage au **Billy's Bakery** (184 9th Ave ; *plan Itinéraire Chelsea, 330*).

➤ À l'angle sud-est de **9th Avenue** (au n° 162 ; *plan Itinéraire Chelsea, N*) et de 20th Street, grande maison *Greek Revival* qui fut la résidence de l'architecte James N. Wells. De sa construction originelle, elle a notamment conservé sa large entrée et ses colonnes doriques.

➤ Dans **20th Street** *(plan Itinéraire Chelsea, O)*, au n° 402, une maison de style Renaissance de 1897, dotée de bow-windows. Au n° 404, la plus vieille maison de Chelsea Historic District, érigée en 1829-1830. De style *Federal,* l'encadrement de sa porte fut ensuite remanié à la sauce *Greek Revival*. Du n° 406 au n° 418, une rangée de maisons *Greek Revival,* construites par Don Alonzo Cushman en 1839-1840 et considérées comme le plus bel ensemble de ce style aux États-Unis. D'élégants ananas stylisés, fruits exotiques rares à l'époque, ornent les rampes d'escalier du n° 416 en symbole de bienvenue. Rares aussi sont les petites fenêtres de grenier encadrées par des couronnes sculptées dans le bois et non pas en béton, comme on pourrait le croire. Ce petit bout de rue d'une grande harmonie apparaît souvent au cinéma ou dans les séries TV.

Les fans de Kerouac iront voir le petit immeuble en brique au 454 West 20th Street (et 10th Avenue), où il vécut en 1951 et écrivit une grande partie de son livre mythique *On the Road*. Et pour clôturer cette balade, on vous propose un café dans un ancien séminaire néogothique très british, l'**Intelligentsia Coffee** (situé dans le High Line Hotel ; *plan Itinéraire Chelsea, 430*).

Galleries District *(plan 1, A2)*

À l'ouest de 10th Avenue, entre 20th et 25th Street, s'étend la dernière « frontière » de Chelsea : dans les années 1990, suivant le mouvement initié par le *Dia Center for the Arts,* les galeries d'art ont investi cette zone de garages et d'entrepôts au bord de l'eau. On en dénombre aujourd'hui environ 250, sans compter les ateliers qui ne se visitent pas, comme ceux de Jeff Koons. La plupart se cachent dans les immeubles, ce qui fait que – malgré leur nombre – elles ne s'offrent pas au premier regard. Vous serez sans doute surpris par le cadre et l'espace dont disposent certaines, de quoi faire rêver même les plus grands musées français ! Larry Gagosian, qui possède une douzaine de galeries éponymes, est sans doute le marchand le plus puissant de la planète avec près de 1 milliard de dollars de chiffre d'affaires annuel... Voici donc une courte sélection des galeries les plus influentes sur le marché de l'art mondial, à voir autant pour la beauté de leur espace que pour les œuvres exposées : *Paula Cooper Gallery* (534 W 21st St), *Gagosian Gallery* (522 W 21st St et 555 W 24th St), *Gladstone Gallery* (530 W 21st St), *Matthew Marks Gallery* (523 W 24th St), *PaceWildenstein* (545 W 22nd St) et *Sonnabend* (536 W 22nd St). Pour éviter de vous casser le nez, sachez que les galeries sont généralement fermées le dimanche et le lundi. La balade est particulièrement agréable vers le milieu d'après-midi et avec un temps clément, mais sans intérêt le soir car tout est fermé, à moins de tomber sur le tout dernier vernissage (et le « défilé de mode » qui s'ensuit dans la rue !), ces derniers ayant souvent lieu le jeudi à partir de 18h.

Autre particularité du Galleries District, il est traversé par la High Line, cette voie aérienne désaffectée reconvertie en promenade paysagère (voir « Greenwich et West Village »). Au coucher du soleil, les reflets des rayons sur ces structures métalliques créent un bel effet visuel.

➢ Si, après la visite des galeries, vous en redemandez encore, sautez dans un train pour vous rendre, en 1h30, au nord de New York à :

♥♥♥ ⚐ *Dia:Beacon :* 3 Beekman St, à *Beacon.* ☎ 845-440-0100. ● diaart.org ● *Départ de Grand Central Terminal. Prendre la Hudson Line jusqu'à Beacon Station ; bien fléché de la gare (à 5 mn à pied). Départ ttes les heures (dans les 2 sens) pdt les heures d'ouverture du musée. Possibilité de billet combiné musée-train (env 35 $) en passant par ● mta.info/mnr/html/getaways/outbound_diabeacon. htm ● Horaires du musée : avr-oct, tlj sf mar-mer 11h-18h ; en hiver, ven-lun 11h-16h (plus jeu nov-déc). Entrée : 12 $; réduc ; gratuit moins de 12 ans.* Fondée en 1974, la Dia Art Foundation possède une des plus importantes collections d'art contemporain (des années 1960 à aujourd'hui) des États-Unis et continue à soutenir et à mettre en place des projets d'envergure, dont la qualité est reconnue au niveau international. Depuis 2003, elle a investi cette ancienne usine de papeterie sur les bords de l'Hudson River. Ce site dédié à l'art contemporain s'étend sur plus de 2 ha, et les œuvres proposées, d'une grandeur notable (au propre comme au figuré), ont trouvé un espace à leur mesure ! Le lieu est véritablement mis au service de l'art et des artistes. On pourrait citer des noms, on ne le fera pas (allez, si, pour un petit avant-goût disons que la première galerie, qui souffle le visiteur, est dédiée à Andy Warhol). L'art contemporain vous laisse froid ? Ce lieu exceptionnel pourrait bien être une belle façon de vous y sensibiliser.

UNION SQUARE ET FLATIRON DISTRICT

● Adresses utiles 140	● Où boire un café ?....... 147	jazz ?............................ 148
● Où dormir ? 140	● Où boire un verre ? 147	● Shopping 148
● Où manger ? 143	● Où écouter du bon	● À voir............................ 150

● Pour se repérer, voir le plan détachable 1 en fin de guide.

Quartier situé à l'est de Broadway, 5th Avenue, entre 14th et 42nd Street. Union Square marque la limite entre le sud de Manhattan (avec son tracé de rues pas toujours rectiligne) et le nord de l'île, quadrillée selon le *Commissioner's Plan* de 1811, c'est-à-dire en damier. Cette place immense, bordée par de remarquables buildings anciens, est le cœur battant du quartier et un point de rendez-vous incontournable chez les New-Yorkais. De nombreuses manifestations publiques ont aussi lieu ici, une tradition contestataire qui remonte au XIXe s. Mais ce qui attire le plus les foules, c'est le fabuleux

UNE USINE À VIP

La célèbre Factory d'Andy Warhol était située, de 1968 à 1973, au 33 Union Square West (il s'agit de sa seconde Factory : la première, mythique, se trouvait sur 47th Street, aujourd'hui un parking !). C'est au 6e étage de ce studio-galerie-boîte de nuit que le pape du pop art produisait à la chaîne ses sérigraphies et qu'il recevait toute la jet-set : The Velvet Underground, Mick Jagger, David Bowie, Yves Saint Laurent, Truman Capote... C'est également dans le hall de cette Factory qu'il fut victime d'une tentative d'assassinat (perpétrée par Valerie Solanas, une activiste). Malheureusement, l'immeuble ne se visite pas.

marché fermier *(greenmarket)* qui se tient ici 4 jours par semaine et réunit une grosse centaine de producteurs de la région. Trois autres petits parcs donnent à ce secteur résidentiel un côté british : Gramercy Park, Madison Square et Stuyvesant Square. Un aspect noble et propret qui s'explique par l'histoire paisible de ces rues, habitées par de grandes familles bourgeoises. En revanche, beaucoup d'agitation aux alentours de Broadway et de 32nd à 34th Street...

Adresses utiles

✉ **Postes :** 39 W 31st St (plan 1, B-C2). Lun-sam 9h-20h. Service postal au fond d'une petite épicerie. Un autre bureau au 143 E 23rd St (entre Lexington et 3rd Ave ; plan 1, C2). Lun-ven 9h-19h, sam 9h-16h.

Où dormir ?

Bon marché

🛏 **Americana Inn** (plan 1, B1, **37**) : 69 W 38th St (entre 5th et 6th Ave). ☎ 212-840-6700. ● theamericanainn.com ● Ⓜ (D, F, N, Q, R) 34 St. Réception à l'étage. Doubles 80-200 $. 🖥 📶 (payant). À deux pas de l'Empire State Building, un petit *budget hotel* très bien tenu et lumineux, d'un bon rapport qualité-prix. Chambres impeccables avec lavabo, 5 salles de bains communes par palier, irréprochablement propres, et même une kitchenette par étage avec frigo et micro-ondes. En revanche, assez bruyant côté rue (fréquent à NYC). Bon accueil.

🛏 **Hotel Deauville** (plan 1, C2, **86**) : 103 E 29th St (entre Park et Lexington Ave). ☎ 212-683-0990. ● hoteldeauville.com ● Ⓜ (6) 28 St. Doubles avec sdb partagée 80-150 $, avec sdb privée 100-220 $. 📶 Hôtel *old style* de la fin du XIXe s, avec une jolie façade et un porche élégant. Vous apprécierez son ascenseur d'époque fonctionnant encore à la manivelle, ses 2 petits salons dont un avec piano et sa cinquantaine de chambres au confort standardisé, parfaitement tenues. Celles sur rue sont plus lumineuses quoiqu'un peu bruyantes. Minifrigo et micro-ondes pour certaines. Une bonne petite adresse.

🛏 **Hotel 31** (plan 1, C2, **39**) : 120 E 31st St (entre Park et Lexington Ave). ☎ 212-685-3060. ● hhotel31.com ● Ⓜ (6) 33 St. Doubles avec sdb partagée 80-160 $, avec sdb privée 110-210 $. 📶 Au-delà de l'imposant porche à colonnes, on découvre un hôtel de 60 chambres sans histoire, très correct, rénové récemment en mode *old style* (on aime ou pas). Chambres nickel, avec salle de bains privée pour les plus chères. Celles avec sanitaires communs ont un prix vraiment raisonnable pour Manhattan. Pas de parties communes, hormis la toute petite réception. Un bon rapport qualité-prix-situation.

🛏 **Hotel 17** (plan 1, C2-3, **36**) : 225 E 17th St (entre 2nd et 3rd Ave). ☎ 212-475-2845. ● hotel17ny.com ● Ⓜ (L) 3 Ave. Doubles avec sdb partagée 80-160 $. 🖥 📶 Situé dans une rue calme non loin d'East Village, cet établissement à l'ancienne propose plus d'une centaine de chambres pour 1, 2 ou 3 personnes, au style désuet : moquette un peu défraîchie, dessus-de-lit aux imprimés chargés. Lavabo seulement, sanitaires communs sur le palier. Ensemble bien tenu et très clean, même si toutes les chambres ne se valent pas. David Bowie et Madonna y auraient séjourné... et Woody Allen y a tourné quelques scènes extérieures de son désopilant *Meurtre mystérieux à Manhattan*.

🛏 **Carlton Arms Hotel** (plan 1, C2, **42**) : 160 E 25th St (entre Lexington et 3rd Ave). ☎ 212-684-8337 ou 212-679-0680. ● carltonarms.com ● (avec photos des chambres). Ⓜ (6) 23 St. Résa indispensable longtemps à l'avance en saison. Doubles avec sdb *partagée 80-130 $, avec sdb privée 90-160 $.* 🖥 📶 *Réduc de 10 % pour 1 sem sur présentation de ce guide.* Hôtel indescriptible, décoré du sol au plafond par des artistes différents depuis les années 1980 (fresques, mosaïques, détails décalés...). C'est bien simple, il n'y a pas un seul centimètre carré de libre, même dans les chambres ! Toutes sont assez basiques niveau confort : pas de TV, literie neuve mais *cheap,* salles de bains simples et communes pour la moitié d'entre elles. Pas de ménage pendant le séjour, en revanche serviettes et draps changés sur demande. Une atmosphère unique (on adore !), mais à réserver à nos lecteurs routards vrais de vrais, aux graffeurs et branchés *street art.* Accueil décontracté et plein d'humour du proprio.

🛏 ***American Dream Hostel*** *(plan 1, C2, 46) :* 168 E 24ᵗʰ St (entre Lexington et 3ʳᵈ Ave). ☎ 212-260-9779. ● americandreamhostel.com ● Ⓜ (6) 23 St. *Singles 80-95 $ (110 $ pour 2 nuits ven-sam) ; doubles 120-150 $ (170 $ pour 2 nuits ven-sam) ; petit déj compris.* 🖥 📶 Une petite AJ sans grande animation, proposant de petites chambres basiques (*single, double* et *triple*), avec lits superposés et lavabo. Salle de bains nickel à chaque étage, cuisine commune impec aussi, minisalon. L'ensemble a été rénové dans un style actuel assez sympa, mais le prix reste surévalué (sauf le week-end où les tarifs sont très attractifs).

De prix moyens à plus chic

🛏 |●| 🍸 ***Pod 39*** *(plan 1, C1, 61) :* 145 E 39ᵗʰ St (entre Lexington et 3ʳᵈ Ave). ☎ 212-865-5700 ou 1-855-POD-5700. ● thepodhotel.com ● Ⓜ (S, 4, 5, 6, 7) Grand Central-42 St. *Doubles 100-300 $; formule petit déj pas chère.* 🖥 📶 *Pod,* c'est un concept d'hôtel-capsule urbain branché au très bon rapport qualité-ambiance-prix. Les chambres-cabines, minuscules mais ultra-fonctionnelles et confort, font même dans le design. Plusieurs types : *single, queen* ou lits

superposés *(bunk),* avec salle de bains carrelée façon couloirs du métro. Attention, certaines ont des fenêtres aveugles. Au rez-de-chaussée, restolounge latino *Salvation Taco* (ouvert dès le breakfast, voir plus loin « Où manger ? ») dans un super décor ethnique revisité. Et aux beaux jours, cerise sur le *cheesecake,* un *rooftop* d'anthologie au 17ᵉ étage avec vue sur l'Empire State Building et le Chrysler, à travers les arches et colonnes corinthiennes du vénérable édifice de style Renaissance italienne.

🛏 ***Best Western Premier Herald Square*** *(plan 1, B-C1, 41) :* 50 W 36ᵗʰ St (entre 5ᵗʰ et 6ᵗʰ Ave). ☎ 212-776-1024. ● bestwesternnewyork. com ● Ⓜ (D, F, N, Q, R) 34 St. *Doubles 100-300 $, petit déj-buffet inclus.* 🖥 📶 Un hôtel de chaîne, oui, mais d'un très bon rapport qualité-situation-prix (surtout en basse et moyenne saison). D'abord, l'architecture toute vitrée sur rue livre des vues urbaines extra, surtout à partir du 13ᵉ étage. L'arrière donne directement sur l'Empire State Building voisin, mais sans les grandes baies vitrées. On salue aussi la déco actuelle des chambres, dans les tons olive et prune, les plus belles étant les 4 *king executive* aux 16ᵉ et 17ᵉ étages (à peine plus chères). Bar avec terrasse sur l'arrière. Dommage, la salle du petit déj (en sous-sol) est un peu déprimante.

🛏 ***Holiday Inn Express Herald Square*** *(plan 1, B1, 45) :* 60 W 36ᵗʰ St (entre 5ᵗʰ et 6ᵗʰ Ave). ☎ 212-897-3388. ● ihg.com/holidayinnexpress ● Ⓜ (D, F, N, Q, R) 34 St. *Doubles 110-300 $, petit déj-buffet inclus.* 🖥 📶 Là encore, le gros atout de cet hôtel de chaîne impeccablement situé, ce sont les vues, côté rue comme côté cour, où l'on se retrouve quasi nez à nez avec l'Empire State Building ! Du 14ᵉ au 19ᵉ étage, c'est même très impressionnant. Sinon, aménagement fonctionnel, standardisé mais tout moderne, douche tropicale dans les salles de bains (petites mais coquettes).

🛏 ***La Quinta Manhattan*** *(plan 1, B1, 152) :* 17 W 32ⁿᵈ St (entre 5ᵗʰ Ave et Broadway). ☎ 212-736-1600 ou 1-800-567-7720.

● laquintamanhattanny.com ● Ⓜ *(D, F, N, Q, R)* 34 St. *Doubles 105-300 $, petit déj continental inclus.* 🖥 📶 De l'extérieur, la magnifique façade de style Beaux-Arts en jette. Cet hôtel de chaîne, bien situé à mi-chemin entre Union Square et Times Square, vaut surtout le coup au creux de l'hiver (janvier-février), car les prix y sont alors cassés. Les chambres (petites) rassemblent les critères de ce genre d'établissement : confort (literie top) et fonctionnalité. Le petit plus : le *rooftop bar* au 14e étage, littéralement au pied de l'Empire State Building.

🛏 ***Herald Square Hotel*** *(plan 1, B-C1-2, 43) :* 19 W 31st St *(entre Broadway et 5th Ave).* ☎ 212-279-4017 *ou* 1-800-925-4943. ● *heraldnyc.com* ● Ⓜ *(D, F, N, Q, R)* 34 St. *Doubles 150-300 $.* 📶 Immeuble en pierre et brique à la façade élégante (1893), où étaient situés les anciens locaux de *Life Magazine*, et dont l'hôtel a conservé l'entrée aristocratique. Dommage que les parties communes ne soient pas aussi avenantes... Heureusement, les chambres rénovées rattrapent le coup avec leur lit en fer à l'ancienne et le parquet au sol. Les « anciennes » (avec salle de bains privée également) ont l'avantage d'être moins chères mais sont nettement moins folichonnes. Tarifs corrects au plus creux de l'année (janvier-février) mais un poil surestimés en haute saison.

De très chic à très, très chic

🛏 ***Ace Hotel*** *(plan 1, B-C2, 84) :* 20 W 29th St *(et Broadway).* ☎ 212-679-2222. ● *acehotel.com/newyork* ● Ⓜ *(N, R)* 28 St. *Doubles et suites 200-600 $.* 📶 L'hôtel urbain et branché par excellence. D'emblée, le vaste lobby où pianotent dans la pénombre des dizaines de fiévreux internautes, à la lueur de lampes antiques, donne le ton : tout, de la clientèle *hipster* à la déco mêlant moderne et vintage, est hyper pointu. Quant aux chambres, accessibles par des couloirs aux lignes industrielles, elles se partagent entre 7 catégories différentes ! De la double avec lits superposés façon dortoir

chic aux suites, il y en a pour tous les goûts, et presque toutes les bourses. Dans tous les cas, c'est très tendance, un poil déjanté mais pas toujours très fonctionnel (rien pour ranger ses affaires). Sur place, un excellent *coffee shop (Stumptown Coffee Roasters)*, un gastro-pub *(The Breslin)*, un *Oyster Bar* et une sandwicherie gourmet *(N° 7 Sub)*.

🛏 ***The William*** *(plan 1, C1, 48) :* 24 E 39th St *(et Madison Ave).* ☎ 646-922-8600 *ou* 1-855-692-9455. ● *the williamnyc.com* ● Ⓜ *(S, 4, 5, 6, 7)* Grand Central-42 St. *Doubles 250-350 $.* 📶 Dans 2 *brownstones* reliées entre elles, un boutique-hôtel à la fois intime (une trentaine de chambres, rare à New York) et personnalisé. De leur passé de club universitaire, les parties communes ont conservé une ambiance british ultra-cosy et tamisée, avec boiseries, canapés Chesterfield et cheminée en marbre. Contraste total dans les chambres monochromes très seventies, aussi pop que high-tech ! Toutes différentes, certaines avec cuisine et terrasse, même les standard sont top, avec literie dernier cri et superbes salles de bains. Pub à l'ancienne et bar.

🛏 ***The NoMad Hotel*** *(plan 1, B-C2, 79) :* 1170 Broadway *(et 28th).* ☎ 212-796-1500. ● *thenomadhotel.com* ● Ⓜ *(N, R)* 28 St. *Doubles standard env 300-500 $.* 🖥 📶 Ce superbe immeuble de style Beaux-Arts, à l'esthétique néoclassique baroque, était l'écrin rêvé pour le décorateur Jacques Garcia, fan du style cocotte. Le lobby, tout en noir et vieil or, est à l'image du reste : un summum de raffinement. Dans les chambres, c'est la grande classe à l'ancienne avec tout le confort moderne. Tête de lit en cuir frappé, mobilier patiné, parquet en érable, tapis ancien, tableaux, gravures... Un paravent damassé cache timidement une baignoire sur pieds (il y a aussi une douche à l'italienne bien cloisonnée !). Les plus petites (32 m² quand même) ont des vues moins dégagées, mais restent lumineuses. Resto et salon-bar-bibliothèque complètent ce tableau idyllique.

🛏 ***Gansevoort Park Avenue*** *(plan 1, C2, 56) :* 420 Park Ave S *(et 29th).*

☎ 212-317-2900 ou 1-877-830-9889. ● gansevoorthotelgroup.com ● Ⓜ (6) 28 St. Doubles 290-490 $. 📶 Voici l'alter ego Midtown du *Gansevoort* du Meatpacking District. On y retrouve les ingrédients qui ont fait la renommée de ce luxueux hôtel toujours *successful* auprès de la jet-set : la piscine sur le toit, chauffée toute l'année (avec sa pin-up en mosaïque dans le fond !) et le bar-lounge panoramique qui se prolonge même à l'extérieur pour une vision encore plus plongeante sur New York (plancher de verre sous les tables pour la séquence frissons !). Côté chambres, déco contemporaine et vastes baies vitrées descendant jusqu'au sol, offrant pour les plus belles des vues urbaines assez incroyables. Dans certaines, on a quasiment l'impression de dormir en pleine rue !

🛏 **The Roger** (plan 1, C2, **47**) : 131 Madison Ave (angle 31st). ☎ 212-448-7000 ou 1-888-448-7788. ● *the rogernewyork.com* ● Ⓜ (6) 28 St. Doubles standard 160-500 $, petit déj inclus. 📶 Dans un building ancien en pierre et brique, un boutique-hôtel au style cosy-feutré chic et harmonieux, certes moins looké que les précédents mais moins intimidant aussi. Canapés Chesterfield en velours bleu-gris, murs de brique blanchie, bar en cuir capitonné, plancher clair et luminaires design. Quelques portraits en noir et blanc de rock stars. Voilà pour le lobby. Vous serez séduit par l'atmosphère chaleureuse et décontractée, que l'on retrouve aussi dans les belles chambres tout confort, à la déco sobre et raffinée du même acabit. Certaines (plus chères *of course*) ont même de petites terrasses privées !

Où manger ?

Spécial petit déjeuner et brunch

👉 Voir plus loin **Whole Foods Market, Penelope, 2nd Avenue Deli, Coffee Shop, 71 Irving Place Coffee & Tea Bar** et enfin **ABC Kitchen** et **230 Fifth** pour leur brunch du week-end.

En mezzanine du lobby, un café-resto sert une sélection de produits gourmets made in NY (viennoiseries de *Balthazar,* etc.).

Spécial folie

🛏 **Gramercy Park Hotel** (plan 1, C2, **97**) : 2 Lexington Ave (et Gramercy Park). ☎ 212-920-3300 ou 866-784-1300 (résas). ● *gramercy parkhotel.com* ● Ⓜ (6) 23 St. Doubles 400-1 000 $! 🖥 📶 Ouvert en 1925, le mythique *Gramercy Park Hotel* accueillit 80 ans durant de nombreux et prestigieux artistes et écrivains (Humphrey Bogart y a même fêté son mariage). Métamorphosé dans les années 2000 par le peintre et cinéaste Julian Schnabel, il demeure un des hôtels les plus fous de New York. Les tarifs des chambres sont d'ailleurs aussi délirants que la déco ! Cela dit, pour le prix, les clients ont quand même le privilège d'avoir la clé du jardin privé devant l'hôtel, accessible seulement aux résidents du quartier... Entrez au moins dans l'hôtel pour voir l'impressionnant lobby à colonnes, avec lustres de Venise, lourdes tentures de velours rouge, cheminées italiennes, qui donne un bon aperçu du reste. Une ambiance à la fois baroque, médiévale, et même Renaissance. Mais le clou reste l'extraordinaire collection d'œuvres d'art moderne qui décorent les lieux, signées Basquiat, Andy Warhol, Damien Hirst... Superbe *Rose-bar* avec billard et cheminée pour profiter à moindres frais (tout est relatif) de ce lieu hors du commun, ouvert aux *non-guests* avant 22h...

Sur le pouce, de très bon marché à bon marché

🍴 **Shake Shack** (plan 1, C2, **203**) : au milieu de Madison Square Park (et 23rd). ☎ 212-889-6600. Ⓜ (N, R) 23 St. Burgers-frites env 8-12 $. Au milieu des arbres, c'est le petit kiosque design au toit végétalisé, d'où s'étire une longue, longue file d'attente... Cela ne décourage pas pour autant les New-Yorkais ni les touristes, qui patientent sagement pour commander burgers, hot dogs et *shakes* de fast-food mais « signés » par le restaurateur de renom Danny Meyer. Extra en été (pas de salle abritée, mais tables et chaises dans le jardin avec parasols chauffants en hiver). D'autres succursales à Manhattan et ailleurs, mais c'est ici que tout a commencé.

🥡 ***Ilili Box*** (plan 1, C2, **200**) : *sur la partie piétonne de Broadway, au croisement avec 24th St et 5th Ave.* ☎ 646-771-4090. Ⓜ *(N, R) 23 St. Mai-oct slt. Env 8-13 $.* Ce container repeint en blanc et bleu est la petite annexe « à emporter » du resto méditerranéen *Ilili* (voir plus loin « De plus chic à très chic »). Sandwichs, *shawarma*, falafels variés, *manoushe* (pizza libanaise aux herbes)... et une poignée de desserts. Une bonne option si la file d'attente du voisin *Shake Shack* vous rebute ! Quelques tables en terrasse là aussi.

|●| 🍴 ***Whole Foods Market*** (plan 1, C3, **511**) : *4 Union Sq S (angle Broadway).* ☎ 212-673-5388. Ⓜ *(L, N, Q, R, 4, 5, 6) Union Sq. Tlj 7h-23h.* Cette chaîne de supermarchés bio, qui a largement contribué au succès de la vague *organic* aux USA, propose un rayon traiteur des plus alléchant. Superbe buffet de crudités, soupes, plats chauds souvent originaux (végétariens, latinos, asiatiques, indiens...), desserts, etc. Bien aussi pour un petit déj (bons bagels, *scones*, etc.) à emporter ou à déguster à l'étage dans une grande salle avec vue panoramique sur Union Square et l'Empire State Building en arrière-plan. C'est logiquement un des plus fréquentés...

|●| 🌿 ***Union Square Greenmarket*** (plan 1, C3) : *sur Union Sq, côté 17th St et Union Sq W.* Ⓜ *(L, N, Q, R, 4, 5, 6) Union Sq. Lun, mer et ven-sam tte la journée.* Lire plus loin, dans la rubrique « Shopping », le descriptif de ce marché fermier historique.

De bon marché à prix moyens

|●| 🍴 ***Penelope*** (plan 1, C2, **290**) : *159 Lexington Ave (angle 30th).* ☎ 212-481-3800. Ⓜ *(6) 28 St. Tlj 8h-23h. Plats 12-19 $; petits déj en sem 8-13 $, plats brunch w-e 19 $.* Le brunch est une institution aux US. Et comme *Penelope* ne manque pas d'admirateurs (à juste titre !), on a toutes les chances de faire la queue avant d'espérer dégoter un bout de table et un coin de banquette en bois. Il faut reconnaître que la salle est charmante et intime, avec sa déco champêtre et rétro, et que ses petits plats *homemade* simples et sains sont d'un remarquable rapport qualité-prix. Atmosphère bourdonnante, service parfois un peu débordé mais une valeur sûre du quartier.

|●| ***Pongal*** (plan 1, C2, **282**) : *110 Lexington Ave (entre 27th et 28th).* ☎ 212-696-9458. Ⓜ *(6) 28 St. Tlj 12h-23h. Plats 9-11 $ (7-8 $ le w-e), thali 16 $.* Sur un bloc multipliant les restos indiens, une petite salle à la fois sobre et coquette, avec 2 rangées de tables alignées dans une demi-pénombre. Bon, cela ne laisse pas beaucoup de place pour l'intimité, mais on se console vite avec les très bonnes spécialités du Tamil Nadu, mais aussi du Gujarat et du Pendjab. Le tout en version exclusivement végétarienne. Excellents *dosa*, crêpes croustillantes fourrées aux oignons et aux légumes.

Prix moyens

|●| 🍴 ***2nd Avenue Deli*** (plan 1, C1, **420**) : *162 E 33rd St (entre Lexington et 3rd Ave).* ☎ 212-689-9000. Ⓜ *(6) 33 St. Tlj 6h-minuit. Plats 15-32 $.* Ni sa relocalisation, ni ses tarifs prohibitifs n'ont eu raison de sa popularité. Le *2nd Avenue Deli* est toujours un incontournable de la cuisine juive d'Europe de l'Est. Carte vraiment exhaustive. Les sandwichs (au pastrami chaud notamment) sont énormes et goûteux. Le dénommé *Instant Heart Attack* (« mort subite ») est un pur plaisir calorique où le pain est remplacé par 2 galettes de pommes de terre genre rösti allemand. Mais il serait dommage de passer à côté des

poissons fumés, des *knishes* (croquettes aux pommes de terre, aux épinards, à la viande) ou des *blintzes* et des *pierogen* polonais. Un monument.

🍽️ *Vezzo* (plan 1, C2, **238**) : 178 Lexington Ave (et E 31st). ☎ 212-839-8300. Ⓜ (6) 33 St. Tlj 11h-23h. Pizzas 11-14 $ (larges 21-28 $), pâtes 15 $. Si vous êtes adepte des pizzas à pâte fine et croustillante, ce resto chaleureux aux allures de bistrot est une des meilleures adresses du secteur. D'autant que les garnitures sont préparées avec des produits frais, très bons et parfois originaux. Seul bémol : il y a souvent foule, forcément. Et comme la cuisine ouverte et le bar mangent la moitié de la salle, prévoir un peu d'attente. À noter que les pizzas *personal* ne sont pas immenses : opter pour la taille supérieure en cas de grosse faim. Terrasse.

🍽️ *Spice Symphonie* (plan 1, C2, **201**) : 182 Lexington Ave (entre E 31st et E 32nd). ☎ 212-545-7742. Ⓜ (4, 5, 6) 33 St. Tlj 11h-22h30 (23h30 w-e). Plats 16-22 $. Très bon resto indien, jugé par certains comme l'un des meilleurs de NY. Une petite salle sobre aux murs boisés, sans déco particulière, pour mieux se concentrer sur l'assiette qui joue la symphonie de saveurs des *Z'Indes*. Et le chef est un virtuose ! Il suffit de goûter son *Lamb Rogan Josh* pour s'en convaincre. Bon choix également de plats *veg'* et de tandooris, qui incitent au voyage. À l'inverse de l'addition, les plats sont pas mal relevés.

🍽️ *Cannibal* (plan 1, C2, **189**) : 113 E 29th St (entre Park Ave et Lexington). ☎ 212-686-5480. Ⓜ (4, 5) 28 St. Tlj 11h-23h30. Assiettes 14-16 $. Un concept très masculin de « boucherie et bières » qui propose un bon choix d'assiettes de charcuterie et de saucisses maison à partager pour un apéro dînatoire, ainsi que des tartares, d'énormes côtes de bœuf pour 2 (plus chères) ou de succulents os à moelle (coupés dans la longueur). Les carnivores auront les crocs du bonheur ! Le tout à accompagner d'une bière à choisir parmi plus de 400 références. Ça se passe dans une salle rustique, tout en longueur, agrémentée d'une terrasse intérieure pour les beaux jours.

🍽️ 📶 *Coffee Shop* (plan 1, C3, **231**) : 29 Union Sq W (angle 16th St et Broadway). ☎ 212-243-7969. Ⓜ (L, N, Q, R, 4, 5, 6) 14 St-Union Sq. Tlj 23h/24. Sandwichs et burgers env 12-15 $; le soir, plats 16-23 $ (un peu moins le midi). Vaste resto-bar agencé comme un *diner*, avec un long comptoir qui serpente, servant les classiques de la cuisine US et des spécialités latinos (brésiliennes, caribéennes, mexicaines...). Le tout convenable, mais on vient surtout pour l'emplacement stratégique, en plein sur Union Square. Clientèle très variée selon les heures de la journée mais toujours jeune et branchée ! Bar plus calme au fond et terrasse aux beaux jours.

🍽️ *Posto* (plan 1, C2, **115**) : 310 2nd Ave (angle 18th). ☎ 212-716-1200. Ⓜ (L) 3 Ave. Formule déj 8-12 $; pizzas 11-14 $. Petite adresse de quartier au cadre sympa et chaleureux (avec banquettes à l'ancienne et vitres largement ouvertes sur la rue), plébiscitée pour ses délicieuses pizzas à la pâte bien fine et croustillante, à composer soi-même. Également salades et pâtes. Aux beaux jours, quelques grosses tables dehors. Beaucoup de monde.

De plus chic à très chic

🍽️ 🎵 *Blue Smoke* (plan 1, C2, **244**) : 116 E 27th St (entre Park et Lexington Ave). ☎ 212-447-7733. Ⓜ (6) 28 St. Plats 20-28 $ le midi, puis jusqu'à 32 $ le soir. On ne présente plus ce temple du BBQ attenant à un club de jazz réputé, le *Jazz Standard* (voir plus loin). Dans l'assiette : d'excellentes et copieuses pièces de viande et volaille grillées au barbecue avec toutes sortes de bois parfumés (du pommier notamment) pour un fumet inimitable. Parmi le choix de *ribs* (les accompagnements sont à prendre en plus), on conseille les *Texas Salt & Pepper*, fondants et sans excès de sauce. Savoureux *brisket* (poitrine de bœuf) aussi, et puis des sandwichs et burgers moins chers, le tout servi dans une salle de brasserie spacieuse et moderne, toute de brique et de bois. Atmosphère décontractée et super fond musical.

|●| ♟ *Salvation Taco* (plan 1, C1, 61) : *145 E 39th St (entre Lexington et 3rd Ave).* ☎ 212-865-5800. Ⓜ *(S, 4, 5, 6, 7) Grand Central-42 St. Tlj 7h-minuit. Addition env 30 $ (3 tacos 13-15 $), margarita 14 $.* C'est le resto-bar-lounge latino de l'hôtel-capsule *Pod 39.* Tacos, *empanadas* et autres spécialités tex-mex sont revisités dans un décor du même tonneau, festif, coloré et *trendy.* Il y a même des tables de ping-pong au fond ! Attention, les portions sont petites. Quand on ajoute la boisson (la margarita est du tonnerre, ça serait triste de s'en priver), l'addition grimpe vite...

|●| 🏠 *ABC Kitchen* (plan 1, C2, 188) : *35 E 18th St (et Broadway). Autre accès au rdc du magasin* ABC Home *sur Broadway.* ☎ 212-475-5829. Ⓜ *(L, N, Q, R, 4, 5, 6) Union Sq. Résa vivement conseillée (min 1h de queue sinon). Plats 24-40 $ (pâtes et pizzas 16-27 $) ; lunch menu 33 $.* Une des nombreuses tables de Jean-Georges Vongerichten, chef étoilé d'origine alsacienne à la tête d'une quarantaine de restos dans le monde ! Celui-ci, sur le thème bio-écolo, n'est pas une énième figure de style mais une réussite. Dans un décor de toute beauté (un vaste chalet tout blanc avec des matériaux bruts), on savoure le meilleur de la nouvelle cuisine américaine tendance locavore et *organic.* Clientèle chic et mode, en accord avec le lieu. À un bloc vers le nord (38 East 19th Street), le petit frère *ABC Cocina* décline le même concept en version fusion.

|●| *Hangawi* (plan 1, C1-2, 242) : *12 E 32nd St (entre 5th et Madison Ave).* ☎ 212-213-0077. Ⓜ *(6) 33 St. Le midi en sem, menu env 25 $ (4 miniplats) ; le soir, menu 60 $ (2 pers min) ou plats 20-30 $.* Une véritable expérience. La déco vaut à elle seule le détour : toute boisée, la salle élégante et zen est surélevée pour permettre aux tables, situées à peine au-dessus du niveau du plancher, de dissimuler un espace pour les jambes. On a par conséquent l'impression de manger par terre (il y a tout de même des coussins). Effet visuel garanti, d'autant que les serveurs sont en costume traditionnel et les convives en chaussettes (on se déchausse obligatoirement !). Et la cuisine ? Coréenne, végétarienne, elle se révèle à la hauteur du cadre : sophistiquée, savoureuse et servie avec art. Le végétarien préféré de Nicole Kidman !

|●| *Ilili* (plan 1, C2, 470) : *236 5th Ave (entre 27th et 28th).* ☎ 212-683-2929. Ⓜ *(N, R, 6) 28 St. Menus 25 $ le midi, 28 $ le soir ; mezze royale 155 $ pour 4. Vins très chers (au verre aussi).* Superbe resto, aussi séduisant par son décor inspiré du grand architecte Frank Lloyd Wright que par son excellente cuisine libanaise, fine et parfumée. Impressionnante salle tout en longueur, entièrement couverte de cloisons de bois à motifs géométriques. Un style très épuré, réchauffé par la couleur miel du bois, les chaises rouge sombre et les éclairages tamisés. Parfait pour un dîner de *mezze* en amoureux.

|●| *IchiUmi* (plan 1, C1-2, 242) : *6 E 32nd St (entre Madison et 5th Ave).* ☎ 212-725-1333. Ⓜ *(D, F, N, Q, R) 34 St-Herald Sq et (6) 33 St. Tlj 11h45-15h, 17h30-22h. Buffet à volonté déj 19 $ en sem, 25 $ w-e ; buffets dîner 32-35 $; ½ tarif moins de 4 ans et demi (précis !).* Ce buffet asiatique à volonté, calqué sur ceux de Las Vegas, est la providence des routards qui ne font qu'un vrai repas par jour ! Profusion de sushis, sashimis, yakitori, crustacés (huîtres Rockefeller), poissons grillés, nouilles sautées... sur un linéaire impressionnant d'environ 30 m ! Frais et appétissant. Clientèle majoritairement asiatique. Venez le ventre bien creux pour rentabiliser l'affaire !

|●| ♟ *Dos Caminos* (plan 1, C2, 197) : *373 Park Ave (entre 26th et 27th).* ☎ 212-294-1000. Ⓜ *(6) 28 St. Plats 12-20 $ en moyenne (le soir, spécialités 19-28 $).* Vaste resto mexicain à l'originale déco ethnico-design, plus cosy que celui de Times Square. Plafond constellé de lustres en écorce de bois percé diffusant une lumière ultra-tamisée façon lounge. Atmosphère très bruyante, clientèle jeune et branchée venue pour le cadre et la cuisine goûteuse et parfumée (à prix honnêtes), des tacos aux enchiladas en passant par les *ceviche.* Une centaine de tequilas à la carte et des margaritas du tonnerre, à accompagner obligatoirement de guacamole maison, préparé quasi

devant vous (le *mild* est déjà assez épicé). Goûter au *ceviche* de thon (relevé lui aussi, attention !).

Très, très chic

I●I *Keens Steakhouse* (plan 1, B1, **237**) : 72 W 36th St (et 6th Ave). ☎ 212-947-3636. Ⓜ (D, F, N, Q, R) 34 St-Herald Sq. Lun-ven 12h-22h30, sam 17h-22h30, dim 17h-21h30. *Steak 26-39 $ le midi, 42-58 $ le soir ; burger env 19 $ (au pub slt).* Si vous voulez vous taper un vrai steak à l'américaine dans un décor *old New York*, très *Mad Men*, c'est ici (ou chez *Peter Luger* à Brooklyn) qu'il faut casser le petit cochon. Tout y est : la qualité de la viande, « rassie » 28 jours en chambre de maturation, le décor de vieille taverne sombre et basse de plafond (ouverte depuis 1885 !), le service stylé de ce genre de bonne maison. Rendez-vous des acteurs, producteurs, écrivains et éditeurs du Herald Square District, la taverne accueillait aussi un club privé et possède la plus importante collection au monde de pipes en terre à long tuyau (couvrant murs et plafonds). Une tradition anglaise qui remonte au XVIIe s, lorsque les voyageurs laissaient leur joujou dans leur auberge favorite. Dans une vitrine à l'entrée, ne manquez pas ceux de Theodore Roosevelt et Buffalo Bill, membres du club. Plein de coins et recoins, dont une partie pub plus décontractée, où l'on sert une cuisine plus simple et moins chère (notamment d'excellents burgers) et un bar servant des cocktails *old-fashioned*.

Où boire un café ?

🍷 I●I ☕ **71 Irving Place Coffee & Tea Bar** (plan 1, C2, **413**) : 71 Irving Pl (entre 18th et 19th). ☎ 212-995-5252. Ⓜ (L, N, Q, R, 4, 5, 6) 14 St-Union Sq. Charmant et chaleureux café typiquement new-yorkais, niché à l'entresol d'un immeuble *brownstone*. Toujours plein à craquer, car la réputation du café torréfié par la maison, dans la vallée de l'Hudson, a largement dépassé les frontières du quartier (plusieurs succursales *Irving Farm* à Manhattan). À siroter tranquillement, avec éventuellement une pâtisserie, sur un petit air jazzy. Également des paninis, salades et sandwichs.

Où boire un verre ?

Pas mal de pubs autour de Union Square, furieusement animés dès la sortie des bureaux.

🍷 *Old Town Bar and Restaurant* (plan 1, C2, **400**) : 45 E 18th St (entre Park Ave et Broadway). ☎ 212-529-6713. Ⓜ (L, N, Q, R, 4, 5, 6) 14 St-Union Sq. Tlj 11h30-minuit. Fondé en 1892, c'est l'un des plus vieux pubs de Manhattan, ancien *speakeasy* pendant la Prohibition. Il a fière allure avec son long comptoir en acajou et marbre, ses box à l'ancienne et ses hauts plafonds en *tin ceiling* ouvragé (voir aussi les urinoirs d'époque !). Populaire chez les écrivains irlandais ou irlando-américains et toujours plein en fin de semaine. Fait aussi resto, dans une 2de salle à l'étage.

🍷 *Lillie's* (plan 1, C2-3, **401**) : 13 E 17th St (entre Broadway et 5th Ave). ☎ 212-337-1970. Ⓜ (L, N, Q, R, 4, 5, 6) 14 St-Union Sq. Tlj 11h-4h. Ouvert en 1901, cet immense et adorable pub victorien semble tout droit sorti d'une boutique d'antiquaire. Pas de quoi en faire une bonbonnière compassée pour autant, dès la sortie des bureaux, les rares canapés et les 2 tables romantiques donnant sur la rue sont prises d'assaut, et les retardataires se tassent alors le long de l'interminable comptoir en marbre, dans une ambiance rugissante à la fois chic et décontractée. Une institution !

🍷 *Pete's Tavern* (plan 1, C2, **414**) : 129 E 18th St (et Irving Pl). ☎ 212-473-7676. Ⓜ (L, N, Q, R, 4, 5, 6) Union Sq. Tlj 11h-2h30. *Copieux sandwichs et burgers*

UNION SQUARE ET FLATIRON DISTRICT

env 10 $ le midi, plus cher le soir. Vieille taverne datant de 1864. Célèbre pour n'avoir jamais fermé (déguisée en boutique de fleurs pendant la Prohibition), elle fut l'antre de O'Henry, chroniqueur de la vie new-yorkaise, mais Johnny Depp et Patti Smith sont également passés par là (voir la galerie de photos de célébrités)... Un bar et 2 belles salles de charme à la déco traditionnelle de pub, pour une ambiance animée. Bien entendu, possibilité de se restaurer. Attention, bondé en soirée !

🍸 ♪ **Middle Branch** *(plan 1, C1, 420)* **:** *154 E 33rd St.* ☎ 212-213-1350. Ⓜ *(6) 33 St. Tlj 17h-2h. Live music dim 20h-23h. Pas de cover charge.* Insoupçonnable. Un immeuble borgne, 3 marches descendant sous le niveau de la rue. À droite, une porte, et, derrière, un *speakeasy* cosy, plongé dans la pénombre, bercé de swing. Beau choix de cocktails, originaux, à siroter dans des canapés de cuir. Pourquoi ne pas tenter un *1933*, rhum et liqueur de poire, pour arroser la date de la fin de la Prohibition... Même maison que *Little Branch* à Greenwich.

🍸 ☞ **230 Fifth** *(plan 1, C2, 470)* **:** *230 5th Ave (entre 26th et 27th).* ☎ 212-725-4300. Ⓜ *(N, R) 28 St. Tlj 16h-4h. Brunch w-e 10h-16h (buffet 29 $).* Nous sommes à Manhattan, donc les *rooftops* (bars en étage élevé) ne manquent pas. Mais ce qui distingue le *230*, un bar panoramique, c'est son immense terrasse accessible toute l'année : avec plantes vertes, palmiers, larges parasols et un aménagement de bric et de broc plutôt sympa, elle offre une superbe vue dégagée (notamment sur l'Empire State Building et le Chrysler). Peignoir à dispo pour ceux qui auraient un peu froid ! Très sympa pour le brunch. Aussi un magnifique *Penthouse Lounge,* au cadre sophistiqué, avec de confortables canapés style années 1940, une atmosphère tamisée dans les tonalités rouges et violacées, des coins et recoins intimes... Consos pas données en revanche, on paie la vue !

🍸 **Pod 39 Rooftop** *(plan 1, C1, 61)* **:** *145 E 39th St (entre Lexington et 3rd Ave).* ☎ 212-865-5700. Ⓜ *(S, 4, 5, 6, 7) Grand Central-42 St. Ouverture saisonnière selon météo, tlj 16h-2h.* Cet hôtel-capsule urbain branché (voir « Où dormir ? » plus haut) cache au 17e étage un *rooftop* original et intimiste, offrant des vues sur l'Empire State Building et le Chrysler à travers les arches et colonnes corinthiennes du bâtiment de style Renaissance italienne (1919).

🍸 **Gansevoort Park Avenue Rooftop** *(plan 1, C2, 56)* **:** *420 Park Ave S (et 29th).* ☎ 212-317-2900 ou 1-877-830-9889. Ⓜ *(6) 28 St. Tlj 11h-1h (4h jeu-sam, 20h dim).* Encore un *rooftop,* ultra-design celui-là, perché en haut du luxueux et très glamour hôtel *Gansevoort* (voir « Où dormir ? » plus haut). Plusieurs ambiances différentes, à ciel ouvert ou non, toutes avec vues panoramiques sur NY. La classe, à prix encore abordables pour un cocktail.

Où écouter du bon jazz ?

♪ **Jazz Standard** *(plan 1, C2, 244)* **:** *116 E 27th St (entre Park et Lexington Ave).* ☎ 212-576-2232. ● *jazzstandard. com* ● Ⓜ *(6) 28 St. Concerts tlj à 19h30 et 21h30. Cover charge 25-30 $.* Un club de jazz dont la réputation n'est plus à faire dans la nuit new-yorkaise. Chaque soir, programme de grande qualité avec des jazzmen qui ont bien roulé leur bosse. Un truc super, sur leur site : la *Music Library,* pour écouter une sélection de live des meilleurs musiciens passés ici ! Et en cas de petite faim, on peut commander les *ribs* du *Blue Smoke,* fameux resto mitoyen qui fait partie de la maison.

Shopping

Librairie

🌐 **Barnes & Noble** *(plan 1, C2, 530)* **:** *33 E 17th St (entre Broadway et Park Ave).* ☎ 212-253-0810. Ⓜ *(L, N, Q, R, 4, 5, 6) 14 St.* On vous l'indique pour sa situation, pile sur Union Square, et aussi parce que les grandes librairies se font malheureusement de plus en plus rares à New York...

Produits bio

⚜ *Union Square Greenmarket* (plan 1, C3) : *Union Sq S.* Ⓜ (L, N, Q, R, 4, 5, 6) Union Sq. *Lun, mer et ven-sam tte la journée.* Qui a dit que les Américains mangeaient mal ? Pour se convaincre du contraire, venez donc arpenter les allées de ce marché bio créé en 1976, dont les étals regorgent de bonnes et belles choses prove-nant des fermes des environs : fruits, légumes, fleurs, fromages, volailles, pains, gâteaux et tartes, *pretzels*, confi-tures, vin et cidre, miel (celui récolté sur les toits de New York est au prix du caviar !), sirop d'érable, etc. À chaque saison ses plaisirs et son camaïeu de couleurs : citrouilles et courges à l'automne, fruits rouges et tomates en été...

⚜ *Whole Foods Market* (plan 1, C3, 511) : *4 Union Sq S (angle Broadway).* ☎ 212-673-5358. Ⓜ (L, N, Q, R, 4, 5, 6) Union Sq. Voir « Où manger ? » plus haut.

Boutiques de sport

⚜ *Yankees Clubhouse Shop* (plan 1, C1, 589) : *393 5th Ave (entre 36th et 37th).* ☎ 212-685-4693. Ⓜ (D, F, N, Q, R) 34 St Herald Sq. Arrêt incontour-nable pour les fans de cette mythique équipe de base-ball : T-shirts, cas-quettes, souvenirs en tout genre... Vente des billets pour leurs matchs au Yankee Stadium.

⚜ *Paragon Sports* (plan 1, C2-3, 571) : *867 Broadway (angle 18th).* ☎ 212-255-8889. Ⓜ (L, N, Q, R, 4, 5, 6) Union Sq. Ouvert en 1908, l'un des temples du sport de New York, sur 3 niveaux. Tout le nécessaire pour presque toutes les disciplines. Mar-chandises de qualité, avec beaucoup de petites marques mais aussi le meil-leur des grandes.

Mode, déco

⚜ *ABC Home* (plan 1, C2, 188) : *888 et 881 Broadway (2 magasins l'un en face de l'autre, entre 18th et 19th).* ☎ 212-473-3000. Ⓜ (L, N, Q, R, 4, 5, 6) Union Sq. Énorme et specta-culaire magasin de déco, où tous les styles sont réunis, magnifiquement présentés : design, ethnique, hippie chic, baroque, campagne... Pour le plaisir des yeux au moins. Au rez-de-chaussée, un resto locavore toujours très en vogue : *ABC Kitchen* (voir « Où manger ? » plus haut).

⚜ *Beads of Paradise* (plan 1, C2-3, 243) : *16 E 17th St (entre 5th Ave et Broadway).* ☎ 212-620-0642. Ⓜ (L, N, Q, R, 4, 5, 6) Union Sq. Le temple de la perle et du colifichet, tendance ethnique très coloré. Beaucoup de matières naturelles et de pierres semi-précieuses (certaines rares ou anciennes) mais aussi de la fantaisie en provenance d'Afrique, d'Asie et du Mexique. Le tout déjà monté en col-liers et autres, ou au détail pour celles qui aiment fabriquer de leurs mains. Un spectacle pour les yeux en tout cas.

⚜ *J. Crew* (plan 1, C3, 546) : *91 5th Ave (et 17th).* ☎ 212-255-4848. Ⓜ (L, N, Q, R) 14 St. C'est le *flags-hip* (magasin amiral) de la marque de vêtements *casual chic* qui a le vent en poupe, et le seul qui accueille les 3 collections, femme, enfant et homme. Comme Michelle Obama, on a un faible pour ce style vintage et sobre à la fois. Très intéressant pen-dant les soldes. Tout à côté, la bou-tique *Anthropologie,* bien connue des fashionistas pour ses pièces hippie chic très originales (vêtements femme et déco).

⚜ *Lord and Taylor* (plan 1, C1, 596) : *424-434 5th Ave (et 39th).* Ⓜ (S, 4, 5, 6, 7) 42 St-Grand Central. Grand magasin luxueux, donc cher, mais moins touris-tique que *Macy's* et les soldes perma-nents sur les grandes marques valent parfois le coup.

Boutique de musée

⚜ *Museum of Sex* (plan 1, C2, 714) : *233 5th Ave (et 27th).* ☎ 212-689-6337. Ⓜ (N, R, 6) 28 St. *Tlj 10h-21h (23h ven-sam). Interdit moins de 18 ans.* Rien de vulgaire ici mais des sex-toys colorés et *arty*, des beaux livres, des accessoi-res rigolos et autres gadgets décalés, bref de tout pour tous les goûts ! Voir le descriptif du musée plus loin.

UNION SQUARE ET FLATIRON DISTRICT

À voir

♥♥♥ ⚔ *Empire State Building* *(plan 1, B-C1) :* *350 5ᵗʰ Ave (entre 33ʳᵈ et 34ᵗʰ).* ☎ *1-877-NYC-VIEW ou 212-736-3100.* ● *esbnyc.com* ● Ⓜ *(D, F, N, Q, R) 34 St ou (6) 33 St. Tlj 8h-2h (dernier ascenseur à 1h15). Entrée (86ᵉ étage) : 32 $; 26 $ 6-12 ans ; gratuit moins de 6 ans ; audioguide en français inclus (de quoi tuer le temps dans la file d'attente). Compter respectivement 52 et 46 $ pour le 102ᵉ étage en plus. La **résa sur Internet** (2 $ de plus par billet) comme le **CityPass** permettent d'éviter la queue aux caisses (mais pas les suivantes...). Avec le CityPass, accès slt au 86ᵉ étage mais 2ᵈᵉ visite de nuit à condition de revenir le même j. Seul l'Express Pass permet de « squeezer » ttes les queues, env 65 $ (86ᵉ) et 85 $ (102ᵉ) pour ts ; en vente sur place ou en ligne mais surtout pas auprès des rabatteurs sur le trottoir qui ne sont pas habilités (arnaque assurée !).*

*– Conseils : **montez-y le matin à l'ouverture, à l'heure du déjeuner, ou après 23h (20h en hiver),** pour éviter de faire la queue trop longtemps, et jouir de la vue en toute sérénité. Car les touristes choisissent généralement la fin de l'après-midi pour admirer New York dans tous ses états : de jour, puis au coucher du soleil, et enfin by night. Certes, c'est le meilleur moment, mais quelle pression ! La queue y est la plus longue de la journée, avec au moins 1h d'attente pour acheter votre ticket et autant pour arriver en haut ! En plus, les files d'attente sont savamment étudiées pour qu'on ait toujours l'impression d'être arrivé au bout. Eh non, il y en a encore une derrière !*

Un peu d'histoire

Construit en 1930, en pleine dépression économique, ce gratte-ciel était un défi du capitalisme américain, un acte d'optimisme et de confiance. Mais les affaires étaient dans un tel marasme que les promoteurs eurent du mal à louer les bureaux ; à tel point d'ailleurs qu'on surnomma l'édifice l'« Empty State Building ». Il fut construit en 1 an et 45 jours, et inauguré par le président Hoover le 1ᵉʳ mai 1931. En 1933, King Kong l'escalada. Aujourd'hui, 15 000 New-Yorkais y ont leur bureau et le bâtiment possède même son propre code postal :

> ## À VOS MARCHES, PRÊTS, PARTEZ !
>
> *La course la plus difficile du monde a lieu chaque année en février dans les escaliers de l'Empire State Building. 1 576 marches à gravir sans s'étouffer dans l'étroite cage d'escalier, depuis le hall d'entrée jusqu'à la terrasse de l'emblématique gratte-ciel. Une course verticale en somme, à laquelle participent un maximum de 450 sportifs (au-delà, ce serait dangereux) depuis 1978. Les meilleurs franchissent la ligne d'arrivée en 10-12 mn...*

10118. Après l'effondrement des Twin Towers le 11 septembre 2001, il redevint une douzaine d'années durant le plus haut gratte-ciel de Manhattan (448 m au bout de la flèche), le temps que le nouveau One WTC atteigne sa hauteur totale de 541 m. De nuit, on le repère de loin grâce à ses éclairages de couleurs qui varient d'un jour à l'autre, selon les événements : rouge et vert à Noël, rose pour la Saint-Valentin, orange-noir-blanc le soir d'Halloween...

Avant de prendre l'ascenseur, admirez le beau hall d'entrée Art déco tout en marbre avec une représentation en relief de l'immeuble, réalisée en aluminium.

Au 86ᵉ étage

En 1 mn à peine, l'ascenseur s'élève jusqu'au 80ᵉ étage ! Coup d'œil en passant à la petite expo retraçant la construction du gratte-ciel, avant d'emprunter un autre ascenseur qui grimpe jusqu'au 86ᵉ étage, situé à 320 m au-dessus de 5ᵗʰ Avenue : impressionnant ! Le jour comme la nuit, le spectacle est vraiment extraordinaire. Du haut de cet observatoire, les cheveux au vent (même en plein été, prévoir une petite laine, car ça souffle vraiment !), on se rend bien compte qu'on est sur une île : côté ouest on voit le New Jersey, et côté est, Queens et Brooklyn ainsi que les ponts qui les relient à Manhattan. Mais les vues les plus spectaculaires demeurent sur les côtés nord et sud. Nord d'abord, avec tous les gratte-ciel de Midtown, le poumon vert Central Park puis, au loin, le Bronx ; sud ensuite, où l'on se croirait dans un décor du comics *Sin City* en regardant la cité volante du Financial District, sans oublier la statue de la

---

À L'ÉPOQUE, LES TOURS ÉTAIENT SOLIDES !

En juillet 1945, un bombardier s'écrasa contre l'Empire State Building, à hauteur du 79e étage. L'immeuble résista au choc ! Le brouillard était tel que le pilote dit à la tour de contrôle : « Je ne vois même pas l'Empire State ! » Quatorze morts au total, et une rescapée miracle qui survécut à la chute de son ascenseur depuis le 75e étage. Elle eut droit aux honneurs du Guinness des records.

Liberté et l'entrée du mythique port de New York. Un musicien de jazz accompagnera vos découvertes nocturnes du jeudi au samedi de 21h à 1h.

Au 102e étage
Encore un peu plus haut, encore plus cher, et pas indispensable car la vue sur New York n'apporte honnêtement pas grand-chose de plus. Et le fait d'être derrière une vitre vous prive des sensations de la ville, de ses bruits notamment !

🍴🏛 *Morgan Library & Museum (plan 1, C1) :* 225 Madison Ave (et 36th). ☎ 212-685-0008. ● themorgan.org ● Ⓜ (6) 33 St. Mar-jeu 10h30-17h, ven 10h30-21h, sam 10h-18h, dim 11h-18h. Fermé à Thanksgiving, Noël et au Jour de l'an. Entrée (audioguide en anglais compris) : 18 $; réduc ; gratuit moins de 12 ans et pour ts ven 19h-21h et, à l'exception des galeries d'expos temporaires, mar 15h-17h, dim 16h-18h. Accès libre au café et resto.
Splendide édifice de style néo-Renaissance construit en 1906 par McKim, Mead et White pour accueillir la collection du banquier John Pierpont Morgan, agrandi par Renzo Piano. L'architecte du Centre Pompidou à Paris a réalisé une cage de verre et d'acier lumineuse qui sert de *piazza* communiquant avec les anciens bâtiments. Très réussi. Ici ou là, quelques vitrines mettent en valeur une sélection de belles pièces d'art religieux médiéval (ciboires, reliquaires...).
– *Morgan Library and Study (rez-de-chaussée) :* nous voici donc dans la *library* de 1906. On entre d'abord dans le bureau de Mr Morgan, remarquable par son plafond à caissons du XIVe s, acheté en Europe par McKim, Mead et White, démonté en plusieurs parties pour être transporté par bateau jusqu'à New York et recomposé ici. Notez également les vitraux du XVe et du XVIIe s, qui proviennent de monastères et d'églises suisses. Dans un coin de la pièce, une porte discrète mène à un petit réduit voûté où le financier entreposait sa collection de manuscrits du Moyen Âge. Parmi les œuvres d'art exposées, une *Madone et Saints* du Pérugin et trois tableaux du peintre flamand Hans Memling : un portrait d'homme avec un œillet à la main, considéré comme un des plus beaux tableaux de la Morgan, et deux panneaux appartenant à l'origine à un triptyque (remarquable visage ridé de la sœur agenouillée). Également un superbe polyptyque espagnol en bois doré et peint (XIVe s), illustrant des épisodes de la vie du Christ, deux portraits de Morgan père et fils (même attitude et même moustache !), des porcelaines et de ravissantes majoliques...
– *Le bureau du bibliothécaire :* on ressort du bureau de Mr Morgan pour pénétrer dans la rotonde, tout en marbres de différentes couleurs et plafond en mosaïques, qui donne, côté gauche, sur un bureau richement décoré, autrefois dévolu au bibliothécaire. On y découvre de rares pièces comme ces sceaux cylindriques en albâtre (3500-2900 av. J.-C.), des tablettes cunéiformes, statuettes égyptiennes et sumériennes, bijoux en or, du temps des invasions (Ve-XIe s). Une mise en bouche avant de découvrir avec émerveillement la bibliothèque.

– *La bibliothèque :* fabuleuse ! Sur les rayonnages, pas mal d'auteurs français, et des ouvrages religieux en veux-tu, en voilà. Mais la pièce maîtresse est bien sûr la célèbre et rarissime bible de Gutenberg de 1455, le premier livre imprimé du monde. Seule une cinquantaine d'exemplaires de cette bible subsistent encore aujourd'hui en état divers de conservation, sur les 180 édités à l'époque. Et la Morgan Library en possède trois ! De même, collection exceptionnelle de manuscrits : notamment (mais la collection tourne) du roi John d'Angleterre en latin gothique daté de 1205, des *Capitaines courageux* de Rudyard Kipling, partitions originales de Mozart, Schubert, Brahms, évangiles superbement enluminés, etc.

– *Clare Eddy Thaw Gallery, Morgan Stanley Gallery (rez-de-chaussée) et Engelhard Gallery (1ᵉʳ étage) :* salles consacrées aux expos thématiques temporaires (Hemingway, Matisse, Warhol...). Le fonds richissime comprend également quelque 1 300 manuscrits médiévaux, ainsi que les éditions originales de *Babar* et du *Petit Prince* ! Belle boutique et librairie en fin de visite.

|●| ✗ *Morgan Café* (prix abordables) et *Morgan Dining Room* (resto haut de gamme situé dans l'ancienne salle à manger de la famille Morgan), tous 2 au rez-de-chaussée. *Résa au* ☎ *212-683-2130.*

✗✗ *Flatiron Building (plan 1, C2) : au cœur du bloc formé par 5ᵗʰ Ave, Broadway, 22ⁿᵈ et 23ʳᵈ St.* Ⓜ *(N, R) 23 St.* Au sud de *Madison Square Park,* voici l'un des buildings les plus emblématiques de New York, en forme de fer à repasser (d'où son nom !). Si l'on se place dans l'axe du building, il a l'air squelettique même s'il mesure quand même 87 m de haut. Ce fut d'ailleurs le premier gratte-ciel de la ville. Construit en 1902 dans le style néo-Renaissance, il épouse l'angle très aigu formé par le croisement de Broadway et de 5ᵗʰ Avenue. Pas de visite possible, on admire juste sa silhouette de l'extérieur, en jetant éventuellement un œil, à travers les baies vitrées, à la « proue » de l'immeuble qui accueille une minigalerie d'art. Deux blocs plus loin, sur Madison Avenue et 24ᵗʰ Street, se dresse la *Met Life Clock Tower* (1909), inspirée du Campanile de la place Saint-Marc à Venise. Noter l'amusant « pont des Soupirs » reliant les beaux immeubles de part et d'autre de 24ᵗʰ Street ! Toujours sur Madison Avenue, entre 26ᵗʰ et 27ᵗʰ Street, le building de la *New York Life Insurance Company,* reconnaissable à son toit-clocher tout doré, est un chef-d'œuvre de l'architecture néogothique. *Visite guidée gratuite du quartier (Flatiron District) organisée par le BID en saison. Infos sur* ● *flatirondistrict.nyc* ●

✗ *Gramercy Park (plan 1, C2) : sur Lexington Ave (entre 20ᵗʰ et 21ˢᵗ).* Ⓜ *(6) 23 St.* Charmant petit square entouré de résidences bourgeoises. On se croirait un peu à Londres. Il suffit d'aller sur Park Avenue, à seulement un bloc de là, pour retrouver l'ambiance new-yorkaise. Détail insolite : le square est privé, et seuls les habitants du quartier en ont la clé (et les clients du très sélect *Gramercy Park Hotel*) ! C'est l'unique jardin de la ville à être régi de la sorte. Il est toujours fermé au public... sauf le 24 décembre.

✗ *Marble Collegiate Church (plan 1, C2) : 1 W 29ᵗʰ St (angle 5ᵗʰ Ave).* ☎ *212-686-2770.* Ⓜ *(N, R) 28 St. Dim 8h-16h ; horaires variables les autres jours (infos sur* ● *marblechurch.org* ●*).* Construite en 1854, c'est la plus ancienne église protestante de New York. À sa consécration, un chemin marquait la limite de la ville au niveau de 23ʳᵈ Street, ce qui explique la clôture en fonte, nécessaire pour maintenir le bétail à distance. De style néoroman, elle est tout en marbre, avec un clocher de plus de 65 m de hauteur. À voir surtout pour ses deux magnifiques vitraux Tiffany, datant de 1901.

✗ *Museum of Sex (plan 1, C2) : 233 5ᵗʰ Ave (et 27ᵗʰ).* ☎ *212-689-6337.* ● *museum ofsex.com* ● Ⓜ *(N, R, 6) 28 St. Tlj (sf Thanksgiving et Noël) 10h-21h (11h-23h ven-sam). Interdit moins de 18 ans. Entrée : 18,50 $; réduc.* Il eût été surprenant qu'un tel musée n'existe pas à New York, d'autant que la ville a joué, depuis le XIXᵉ s, un rôle crucial dans l'évolution et la libération des mœurs et attitudes de la population américaine vis-à-vis du sexe. Le lieu explore, à travers des expositions changeantes (et un matériel très explicite !), l'histoire, l'évolution et la portée culturelle de la sexualité humaine dans son ensemble. Tous les arts sont représentés, avec parfois quelques grands noms : peinture, photo, sculpture, cinéma, B.D., manga, magazines *(L'Écho des savanes...)*, etc. Bref, un musée à la fois sérieux et complet (qui aborde aussi les questions de santé, médecine et contraception), et surtout pas racoleur comme on pourrait le craindre.

♟ *Bar* au sous-sol, proposant des cocktails aphrodisiaques...

🦂 *Boutique* assez amusante, forcément (voir plus haut « Shopping »). D'ailleurs, on entre par là, histoire de vous mettre en bouche.

TIMES SQUARE ET THEATER DISTRICT

TIMES SQUARE ET THEATER DISTRICT

• Adresses utiles 154	glaces 160	• Où jouer
• Où dormir ? 154	• Où boire un verre ? 160	au bowling ? 162
• Où manger ? 157	• Où écouter de la	• Shopping 163
• Café, pâtisseries et	musique ? 161	• À voir 164

• Pour se repérer, voir les plans détachables 1 et 2 en fin de guide.

Délimité par 59th Street, 34th Street, 6th Avenue et l'Hudson River, Theater District brille par ses attractions touristiques et ses spectacles en tout genre. Point d'orgue du quartier et rendez-vous incontournable de tous les touristes ou presque, *Times Square* se trouve à l'angle de Broadway et de 44th Street. Cette place, anciennement appelée Longacre Square, doit son nom au journal *New York Times* : d'abord installé au sud de Manhattan, le célèbre quotidien déménagea sur 42nd Street au Nouvel an 1904. Quelques semaines plus tard apparut la première publicité sur l'immeuble d'une banque, à l'angle de Broadway et de 46th Street. Times Square était né !

Quartier des cinémas et des théâtres (les fameux shows de Broadway !), ce fut longtemps l'un des endroits les plus extraordinaires et symboliques de New York, malgré sa mauvaise réputation. Débauche de néons, de publicités scintillantes et agressives, c'était le point de chute des laissés-

9, 8, 7, 6, 5, 4, 3, 2, 1... !

Le 31 décembre, à Times Square, une énorme boule en cristal scintillante descend en 60 s depuis l'un des buildings de la célèbre place aux mille néons, afin de marquer la dernière minute de l'année. Une foule gigantesque en profite alors pour scander le plus célèbre des comptes à rebours. Cette coutume, inaugurée en 1907, se déroule depuis sans discontinuer.

pour-compte de l'Amérique, tout un monde de Noirs en manque et de Blancs décavés, *gogo girls,* strip-teaseuses et clients pochtronnés...

Mais le quartier s'est littéralement métamorphosé lors du passage de Rudolph Giuliani à la mairie de NY (voir « Histoire » dans « Hommes, culture, environnement » en fin de guide). Ainsi, dès le début des années 1990, Times Square s'est attelé à rénover ses théâtres, ériger des tours de bureaux et des grands hôtels à donner le vertige, et ouvrir de nombreux commerces (des chaînes pour la plupart) tous plus clinquants les uns que les autres.

Contrairement aux New-Yorkais qui évitent volontiers le périmètre de Times Square (on les comprend), de nombreux touristes viennent à New York rien que pour ça. Pour cette débauche de lumière, cette saturation visuelle générée par toutes ces publicités qui défilent simultanément sur des dizaines d'écrans géants... Même la nuit, on se croirait en plein jour ! Si le passage est obligé et la photo mythique, vous constaterez qu'entre la foule, les voitures, le bruit, l'atmosphère devient vite oppressante. Et puis, il y a tellement d'autres choses à découvrir à New York...

Adresses utiles

🛈 NYC Information Center at Macy's (plan 1, B1, **1**) : 151 W 34th St (angle Broadway). ☎ 212-484-1222. Ⓜ (D, F, N, Q, R) 34 St. Tlj 9h (10h sam, 11h dim)-19h. Bureau d'informations touristiques au rez-de-chaussée du grand magasin (en mezzanine). Tableau tactile d'infos, livrets touristiques, plan de la ville, vente du *CityPass, NYC Explorer Pass* et du *NY Pass,* mais personnel peu motivé.
🛈 NYC Information Center – Times Square (plan 2, G11, **5**) : 7th Ave (entre 46th et 47th St). ☎ 212-484-1222. Ⓜ (N, Q, R, S, 1, 2, 3, 7) Times Sq-42 St. Tlj 9h-18h. Petit guichet jouxtant un bureau de change où l'on peut se procurer un plan de Manhattan. Vente des *passes.* Peu d'infos.
✉ Post Office (plan 2, G11) : 340 W 42nd St (entre 8th et 9th Ave). Lun-ven 10h-17h30. Un **autre bureau** au 322 W 52nd St (entre 8th et 9th Ave). Lun-ven 7h30-18h (19h jeu), sam 9h-16h.

Où dormir ?

De bon marché à prix moyens

🛏 Hotel St. James (plan 2, G11, **57**) : 109 W 45th St (entre Broadway et 6th Ave). ☎ 212-730-9444. ● hotelstjames.net ● Ⓜ (D, F) 42 St ou (N, Q, R, S, 1, 2, 3, 7) Times Sq-42 St. Doubles 70-190 $. Pas de petit déj. 📶 Au cœur de Times Square, un hôtel de taille moyenne, sans charme particulier, mais attractif pour ses prix cassés, particulièrement en hiver. De confort variable, les 150 chambres, à la déco un brin datée, sont classiques et fonctionnelles, mais bien tenues, et calmes aux étages supérieurs. Par téléphone ou en direct, ne pas hésiter à négocier les prix !

De prix moyens à plus chic

🛏 414 Hotel (plan 2, F-G11, **83**) : 414 W 46th St (entre 9th et 10th Ave). ☎ 212-399-0006. ● 414hotel.com ● Ⓜ (A, C, E) 42 St-Port Authority. Doubles 160-380 $, petit déj inclus. 🖥 📶 Sommes-nous bien à New York, à 5 mn à peine de Times Square ? En découvrant ce petit immeuble de caractère en brique rouge, la table commune en bois et la cheminée du salon d'accueil, on pourrait en douter ! C'est justement la force de ce petit hôtel, qui joue à fond la carte de la pension de famille version moderne : à peine une vingtaine de chambres de style très contemporain, rénovées, coquettes et confortables, et, pour couronner le tout, une courette bien agréable pour siroter un café au calme. Il y a même une cuisine (micro-ondes) à dispo. Personnel disponible. Vraiment sympa.
🛏 Moderne Hotel (plan 2, G10, **59**) : 243 W 55th St (entre 8th Ave et Broadway). ☎ 212-397-6767. ● modernehotelnyc.com ● Ⓜ (A, C, D, 1) 59 St-Columbus Circle. Doubles 160-350 $. 🖥 📶 Jolie façade étroite en brique pour ce petit boutique-hôtel à taille humaine, très stylé, où la quarantaine de chambres affiche des tons neutres (noir, blanc, gris) égayés par des touches de rouge, du mobilier chromé et des tableaux... modernes, forcément. En revanche, on aime moins la vue sur un mur aveugle pour celles qui donnent sur l'arrière.
🛏 Staybridge Suites Inn (plan 1, B1, **49**) : 340 W 40th St (entre 8th et 9th Ave). ☎ 212-757-9000 ou 1-888-617-3376. ● staytimessquare.com ● Ⓜ (A, C, E) 34 St. Doubles 130-400 $, copieux petit déj-buffet inclus. 🖥 📶 C'est le

gros hôtel standardisé haut de gamme, fonctionnel et confortable. Ses meilleurs atouts : les chambres, plus grandes que la moyenne dans le quartier, qui sont en fait des petits studios, avec cuisine équipée. Et les apéros dînatoires offerts 3 soirs par semaine (en général mardi, mercredi et jeudi) avec la possibilité d'emporter ce qu'on veut dans des boîtes jetables ! Idem au buffet du breakfast.

🛏 *Belvedere Hotel* (plan 2, G11, **53**) : 319 W 48th St (entre 8th et 9th Ave). ☎ 212-245-7000 ou 1-888-HOTEL-58 (résas). ● belvederehotelnyc. com ● Ⓜ (C, E) 50 St. Doubles 100-300 $. 📶 🌐 (payant). Tout proche de l'animation de Times Square, un hôtel à la façade datant de l'époque Art déco, mixant brique grise, arches et colonnes décorées d'ornementations polychromes. Classiques mais plutôt élégantes, les chambres s'avèrent aussi spacieuses et, bonne surprise, équipées de kitchenette (micro-ondes, cafetière et frigo seulement). Si vous êtes sensible à la vue, demandez-en une donnant sur 48th Street et au-delà du 10e étage, vous aurez alors un panorama dégagé sur Downtown. Tarif intéressant pour les chambres non refaites.

🛏 *Row NYC* (plan 2, G11, **55**) : 700 8th Ave (entre 44th et 45th St). ☎ 212-869-3600 ou 1-888-352-3650 (résas). ● rownyc.com ● Ⓜ (A, C, E) 42 St-Port Authority. Doubles 100-350 $ (bonnes promos sur leur site). 📶 🌐 Idéalement situé à deux pas de Times Square, mais dans un environnement plus calme, ce gros hôtel au lobby très new-yorkais, qui se prête aux rencontres, est appréciable pour ses tarifs compétitifs, surtout en basse saison où les prix sont cassés. Chambres nickel, bien que petites pour les standard, avec vue dégagée pour les *deluxe*. Sinon, fitness center à dispo, *live music* au bar certains soirs et accès direct au *food court City Kitchen* pour un repas économique ou un bon *doughnut* de chez *Dough*. En prime, 8 ascenseurs intelligents pour limiter le temps d'attente.

🛏 *Broadway at Times Square Hotel* (plan 2, G11, **50**) : 129 W 46th St (entre Broadway et 6th Ave). ☎ 212-221-2600 ou 1-800-567-7720 (résas).

● applecorehotels.com ● Ⓜ (D, F) 42 St ou (N, Q, R, S, 1, 2, 3, 7) Times Sq-42 St. Doubles 100-280 $, petit déj modeste inclus. 📶 🌐 Cet hôtel de chaîne sans charme a le mérite de pratiquer des prix planchers en basse saison (janvier-février). C'est principalement pour cette raison qu'on vous l'indique, et pour sa situation centrale, à mi-chemin entre Times Square et Midtown. Sans surprise, les chambres sont très standardisées et sans vue (l'immeuble est cerné de buildings plus hauts). Certaines donnent sur la rue (nos préférées), les autres sur de minuscules courettes assez sombres.

🛏 *Washington Jefferson Hotel* (plan 2, G11, **52**) : 318 W 51st St (entre 8th et 9th Ave). ☎ 212-246-7550 ou 800-567-7550. ● wjhotel.com ● Ⓜ (C, E) 50 St. Doubles 110-340 $. 🌐 Un hôtel sans prétention, mais rénové en 2013. Déco contemporaine sobre, sans style particulier ni faute de goût : tons gris et noir sur murs blancs, jolies salles de bains anthracite. Tout de même un peu cher en haute saison pour le confort proposé.

De plus chic à très chic

🛏 *Citizen M Times Square* (plan 2, G11, **99**) : 218 W 50th St (entre Broadway et 8th Ave). ☎ 212-461-3638. ● citizenm.com ● Ⓜ (1, C, E) 50 St. Doubles 160-400 $. 📶 🌐 Un nouveau concept de boutique-hôtel design jeune et original qui mise tout sur l'accueil (aux petits soins mais cool) et la convivialité de ses parties communes. Dès l'entrée, le regard est happé par les énormes volumes, les couleurs qui claquent, les clins d'œil pop et *arty*. Rien à voir avec un lobby d'hôtel classique, on est ici dans un vrai lieu de vie, tout ouvert et vitré, avec différents espaces dédiés : salon TV, bibliothèque, lounge, bar, resto, patio et *rooftop* au 21e étage. Les 230 chambres-cabines sont toutes sur le même moule : minuscules mais avec lit *king-size* (largeur de la piaule = largeur du lit, pas 1 cm de plus !) et déco épurée. Tout est contrôlé par une tablette tactile : rideaux, température de la pièce et même les effets de lumière multicolore !

Super pour des jeunes couples. Une oasis urbaine branchée qui détonne franchement à Times Square.

🛏 👫 *Novotel Times Square* (plan 2, G11, **90**) : 226 W 52nd St (et Broadway). ☎ 212-315-0100. ● novotel.com ● Ⓜ (1) 50 St. Doubles et quadruples 150-500 $. 🖥 📶 L'unique *Novotel* des USA bénéficie d'un emplacement emblématique au cœur de Times Square ! Et quelle vue depuis sa terrasse panoramique, son lobby-lounge aux vastes espaces ouverts avec bar, resto, jeux vidéo pour les enfants (XBox, tables Samsung) et des chambres, toutes situées au-delà du 9e étage (à partir du 15e, le spectacle est carrément féerique) ! Redécorées récemment (comme tout l'hôtel, du reste), elles affichent un style contemporain doublé d'un excellent niveau de confort et, fait rare, les fenêtres s'ouvrent ! Le revers de la médaille, c'est que c'est énorme (500 chambres...) mais en famille, on n'est pas déçu.

🛏 *Courtyard by Marriott Manhattan – Central Park* (plan 2, G10, **119**) : 1717 Broadway (entrée sur 54th St). ☎ 212-324-3773. ● marriott. com ● Ⓜ (1) 50 St. Doubles 150-400 $. 🖥 📶 Le gros atout de cet hôtel de chaîne tout neuf et tout vitré, situé à mi-chemin entre Times Square et Central Park : les vues urbaines incroyables du 20e au 30e étage (en dessous, on est trop encaissé et au-delà, la tour est occupée par des condos). À la réservation, bien insister d'ailleurs pour obtenir un étage élevé. Pour le reste, déco contemporaine plutôt design, dans les tons sobres avec quelques touches de couleurs. Salon-lounge en surplomb de la rue. Laverie à pièces.

🛏 👫 *Tryp by Wyndham Times Square South* (plan 1, B1, **51**) : 345 W 35th St (entre 8th et 9th Ave). ☎ 212-600-2440 ou 1-855-698-7974. ● tryp timessquaresouth.com ● Ⓜ (A, C, E) 34 St. Doubles 160-440 $; family rooms 250-600 $. 🖥 📶 Encore un hôtel de chaîne neuf et pêchu dont on salue l'effort de déco totalement dans le coup ! Le lobby donne déjà le ton, accueillant et chaleureux avec une partie gastro-bar et une autre dans l'esprit bibliothèque. Du bois blond, des petites touches de

couleur bien dosées, un look *trendy*, indéniablement. Les chambres sont top, parquet clair, confort dernier cri et style très actuel, mention spéciale pour les *family rooms*, immenses et bien conçues. De configurations différentes, certaines sont de véritables apparts-lofts high-tech (avec cuisine équipée et coin salle à manger) et peuvent loger jusqu'à 6 personnes. Situation bien commode, à quelques enjambées du métro, à mi-chemin entre Times Square et Chelsea.

🛏 *Hudson* (plan 2, G10, **58**) : 356 W 58th St (et 9th Ave), pas d'enseigne à l'extérieur. ☎ 212-554-6000. ● morganshotelgroup.com/hudson/ hudson-new-york ● Ⓜ (A, C, D, 1) 59 St-Columbus Circle. Doubles 120-350 $. 📶 L'un des premiers boutiques-hôtels design de New York, conçu par Philippe Starck. Pas vraiment intime avec ses 900 chambres, mais quel style ! Ici, tout est décalé, tout accroche le regard, à commencer par le lobby avec ses escaliers mécaniques, son étonnante verrière géante couverte de lierre, son comptoir Art nouveau ou encore l'élégant salon-bar-bibliothèque-billard. Coffrées de bois façon Frank Lloyd Wright, les chambres sont en revanche trop petites à notre goût (sauf pour celles qui disposent de 2 lits et d'une salle de bains plus grande), mais les vastes parties communes rattrapent largement le coup ! Si vous n'y logez pas, tâchez au moins de venir y un boire un verre, juste pour le plaisir des yeux (voir plus loin « Où boire un verre ? »). Multiples espaces avec des ambiances différentes, *rooftop bar*... et même un night-club dans le *basement* !

🛏 *Yotel* (plan 2, F11, **91**) : 570 10th Ave (et 42nd). ☎ 646-449-7700. ● yotelnewyork.com ● Ⓜ (A, C, E) 42 St-Port Authority. Doubles 150-400 $. 🖥 📶 Inspiré des hôtels-capsules japonais et des premières classes dans les avions, le *Yotel* propose non pas des chambres classiques mais des cabines au design high-tech où la fonctionnalité est poussée à l'extrême (lits escamotables par exemple). Ici, on s'enregistre comme à l'aéroport, et la consigne à bagages est entièrement robotisée. Tout un concept. Dommage que les prix ne soient pas proportionnels à la taille des chambres, car la nuitée reste fort chère... Il faut dire que le confort est haut de gamme, la déco signée par un cabinet d'archi de renom. Bon, les toilettes auraient quand même pu être un peu plus intimes... Resto japonais, bar-lounge, club et grande terrasse.

Où manger ?

Sur Broadway, entre 35th et 59th Street, et autour de Times Square, on trouve essentiellement des restos touristiques insipides. Pour plus d'authenticité, il faut s'éloigner de quelques blocs pour rejoindre **Hell's Kitchen,** vieux quartier populaire compris entre 8th et 10th Avenue, et 42nd et 57th Street.

Spécial petit déjeuner et brunch

🍴 *Amy's Bread* (plan 2, G11, **249**) : 672 9th Ave (entre 46th et 47th). ☎ 212-977-2670. Ⓜ (C, E) 50 St. Lun-sam 7h (8h w-e)-22h (23h ven-sam). Formules petit déj et en-cas 5-9 $. Succursales au Chelsea Market, 75 9th Ave (et 15th), et dans le Village, 250 Bleecker St (entre 6th et 7th Ave). Une petite boulangerie dont la réputation rayonne dans tout NYC ! Voici donc une foule de délicieuses pâtisseries, *scones*, *muffins, cupcakes, carrot cake*, etc., sans oublier les petits déj à la française pour les nostalgiques des tartines beurre-confiture. Également de délicieux pains, sandwichs, pizzas, soupes et salades pour le lunch. Une poignée de tables à l'intérieur, mais pas de toilettes.

🍴 *Kingside* (plan 2, G10, **295**) : 124 W 57th St (entre 6th et 7th Ave). ☎ 212-707-8000. Ⓜ (N, Q, R) 57 St-7 Ave. Brunch 17-18 $. Au rez-de-chaussée du chic *Hotel Viceroy*, dans un cadre très new-yorkais de style Art déco, excellent brunch servi tous les jours jusqu'à 16h (*eggs Benedict*, pizza aux Saint-Jacques, pancake citron à la ricotta...). En revanche, les plats nous ont paru bien chers et peu copieux pour les autres repas.

🍴 Et aussi : **Whole Foods Market, Dean & Deluca** et **Sbarro** (pour un bon petit déj). Voir plus loin.

Sur le pouce et *street food*

🍴 *Halal Guys (New York's Best Halal Food ; plan 2, G11, **435**)* : à l'angle NW de 53rd St et 6th Ave (un autre food truck un bloc au-dessous, 53rd St et 7th Ave). Ⓜ (D, E) 7 Ave. Tlj 10h-4h. Env 7 $. Attention, ne pas confondre avec les *Halal Food* dans les roulottes chromées que l'on trouve à tous les coins de rue, celui-ci, on le repère à sa file d'attente. Surtout le samedi soir : il faut parfois patienter 20 mn avant d'obtenir sa dose de *chicken and rice* ou d'agneau ! C'est bon (car bien cuit et épicé juste comme il faut), arrosé au besoin de sauce blanche (la sauce rouge est ultra-*spicy*, attention !), et accompagné de riz et d'un morceau de pain. Vraiment inattendu pour de la *street food* traditionnelle.

🍴 🍴 ✸ *Whole Foods Market* (plan 2, G10, **261**) : au sous-sol du Time Warner Center, 10 Columbus Circle (angle Broadway et 58th). ☎ 212-823-9600. Ⓜ (A, C, D, 1) 59 St-Columbus Circle. Tlj 7h-23h. Plats cuisinés au poids, env 9 $ la livre. Ce supermarché bio est un bon plan pour acheter les ingrédients d'un pique-nique à Central Park, tout simple mais gourmet (sandwichs, pizzas) ou somptueux (sushis, nombreux plats chauds tous plus appétissants les uns que les autres, bars à thés et à jus de fruits...). S'il fait mauvais, possibilité de s'asseoir dans une grande salle à manger en sous-sol (petits box ou longues tables). Et pour ceux qui préféreraient un vrai resto, le pub *On Tap* (tlj 12h-23h), tout de bois vêtu, sert quelques plats bien ricains (max 12 $) accompagnés de bières artisanales.

🍴 ✸ 🍴 *Dean & Deluca NY Times Café* (plan 1, B1, **436**) : 620 8th Ave (et 40th). ☎ 212-221-0308. Ⓜ (N, Q, R, S, 1, 2, 3, 7) 42 St-Times Sq. Tlj 7h (8h w-e)-20h. Env 8-12 $.

Tous les gourmets connaissent l'épicerie-traiteur *Dean & Deluca*. Cette annexe de la maison mère créée à SoHo en 1977 occupe le rez-de-chaussée de l'immeuble high-tech du *NY Times*, réalisé par Renzo Piano. Choix ici plus restreint (salades, sandwichs, sushis, pâtisseries), mais la qualité est la même et puis l'espace est fort agréable, très haut de plafond et entièrement vitré. Tables pour se poser. Pratique pour un lunch rapide et sain.

Bon marché

🍴 *Burger Joint at Le Parker Meridien* (plan 2, G10, *422*) : 119 W 56th St (entre 6th et 7th Ave). ☎ 212-708-7414. Ⓜ (F, N, Q, R) 57 St. Burger-frites-soda env 16 $. Dans le lobby de cet hôtel de luxe, derrière l'immense rideau à gauche après la réception, se cache un *burger joint* aux airs de café' universitaire, avec les murs graffités, les banquettes défoncées, la musique forte... Totalement décalé ! Pas de choix, c'est burger-frites et basta, mais vous aurez votre mot à dire sur la cuisson et la garniture. Simple et bon, mais portion congrue. Attention, l'adresse est très courue, prévoir de faire la queue et de réserver une place assise (surtout le midi). Une combine : remplir le bon de commande qui se trouve juste avant la porte d'entrée (existe en français), on vous appellera dès qu'elle sera prête.

🍴 *Shake Shack* (plan 2, G11, *196*) : 691 8th Ave (et 44th). ☎ 646-435-0135. Ⓜ (A, C, E) 42 St-Port Authority. Burgers-frites env 8-12 $. Succès oblige, l'expansion de ces comptoirs à burgers se poursuit à travers Manhattan et ailleurs. Il faut dire que la recette est bonne et les prix doux ! Celui-ci est très Times Square, avec son enseigne bien clinquante. N'oubliez pas de préciser la cuisson de votre burger et si vous le voulez avec laitue, tomate, oignons et *pickle*, sinon on vous le servira nature. En dessert, des crèmes glacées bien onctueuses *(frozen custard)* aux parfums variés.

🍴 *Sapporo* (plan 2, G11, *219*) : 152 W 49th St (entre 6th et 7th Ave). ☎ 212-869-8972. Ⓜ (N, Q, R) 49 St. Plats 10-13 $. CB refusées. Une cantine japonaise classique, pourtant toujours prise d'assaut par une foule d'habitués attirée par les prix, la qualité de la cuisine et l'efficacité du service. Beaucoup d'ambiance au comptoir, en prise directe avec les cuisines. Pas de sushis, mais des *ramen* (soupes de grosses nouilles agrémentées de porc et de légumes). Le tout servi généreusement et un peu relevé. *Sapporo* fut le 1er resto à en servir à New York, dès 1975.

🍴 *Margon* (plan 2, G11, *226*) : 136 W 46th St (entre 6th et 7th Ave). ☎ 212-354-5013. Ⓜ (D, F) 47-50 St-Rockefeller Center. Tlj sf dim 7h-17h. Sandwichs et plats 8-10 $. Les employés du quartier ont fait de cet étroit boui-boui cubain leur cantine du midi. La plupart optent pour le *sandwich cubano* (dinde, jambon, pickles et fromage coulant) servi avec 2 accompagnements (fameuses bananes plantains) mais les plats du jour ne sont pas mal non plus et tout aussi copieux. Prendre son tour dans la queue, mais réserver en amont une place assise en posant un vêtement dessus.

🍴 *Sbarro* (plan 2, G11, *233*) : 1606 Broadway (angle 49th). ☎ 212-707-8214. Ⓜ (N, Q, R) 49 St. Tlj 7h-23h. Buffet env 10 $ (au poids). Petit déj 10 $. Au cœur de Times Square, une café' qui marche fort pour ses repas complets à petit prix. Grand buffet de plats variés (plutôt bien cuisinés), avec nombreux légumes, salades composées et fruits de saison. On remplit son assiette en plastique et on file à la caisse la faire peser. Rien de bien gastro, mais les fauchés s'y pressent à toute heure. La salle du niveau inférieur est agréable et plus calme.

De bon marché à prix moyens

🍴 *Pure Thai Cookhouse* (plan 2, G11, *224*) : 766 9th Ave (entre 51st et 52nd). ☎ 212-581-0999. Ⓜ (C, E) 50 St. Plats 10-13 $. Cet étroit resto thaï, façon cantine de rue revue à la sauce new-yorkaise, est une perle de *Hell's Kitchen* et ça se sait. Attendez-vous donc à patienter aux heures chaudes... Spécialités de woks et de nouilles maison (recette familiale), servies sautées ou en soupe. Sain, savoureux, parfumé à souhait et d'un remarquable rapport qualité-prix. À déguster sur fond de hits thaïlandais bien pêchus.

l●l *Ippudo* (plan 2, G11, **239**) : 321 W 51st St (entre 8th et 9th Ave). ☎ 212-974-2500. Ⓜ (C, E) 50 St. Ramen env 15 $ (midi et soir). Succursale récente d'une de nos excellentes adresses d'East Village, spécialisée dans les *ramen*, ces soupes de nouilles japonaises à la fois copieuses et subtilement parfumées. Cadre de cantine design avec table-comptoir central donnant sur les cuisines et salle attenante en entresol, très sobre. Un peu bruyant en revanche (c'est souvent le cas...).

l●l *Obao* (plan 2, G11, **312**) : 647 9th Ave (entre 45th et 46th). ☎ 212-245-8880. Ⓜ (N, Q, R, S, 1, 2, 3, 7) 42 St-Times Sq. Lunch 9 $. Plats 11-18 $. Un excellent thaï, bluffant pour son rapport qualité-prix et son cadre romantique en diable. Tout de bois vêtu, on adore son éclairage orangé et chaud, ses 4 000 cloches dorées suspendues au plafond à l'étage et son bouddha bienveillant au rez-de-chaussée. Dans cette atmosphère zen, on se régale de copieux et savoureux plats *modern-thaï* (mais également *viet'*) servis avec sourire et délicatesse. *Succursales à Midtown (222 E 53rd, entre 2nd et 3rd Ave) et sur Financial District (38 Water St, angle Coenties Slips).*

l●l 🍴 *Patzeria Family & Friends* (plan 2, G11, **313**) : 311 W 48th (entre 7th et 8th Ave). ☎ 212-245-4343. Ⓜ (C, E) 50 St. Plats et pizzas 10-17 $. Ce petit resto familial (et *friendly*), qui ne paie pas de mine, s'avère une excellente table pour les amateurs de pizzas croustillantes et bien garnies, ainsi que pour ses généreux plats de pâtes (celles aux fruits de mer sont succulentes !). De nombreux artistes des *musical* de Broadway y vont après leur représentation (voir les affiches dédicacées aux murs). La bonne adresse pas chère où l'on retourne avec plaisir et que l'on recommande à ses amis au coin de l'oreille.

≅ *5 Napkin Burger* (plan 2, G11, **286**) : 630 9th Ave (et 45th). ☎ 212-757-2277. Ⓜ (N, Q, R, S, 1, 2, 3, 7) 42 St-Times Sq. Plats 15-20 $. Les amateurs de burgers « gourmets » sont à l'honneur ici, et dans un décor qui a de la gueule en prime. Murs carrelés de blanc, box et banquettes de moleskine, long comptoir avec en arrière-plan les bouteilles du bar tout éclairées. Effectivement, il faut bien 5 *napkins* (serviettes) pour venir à bout de son énorme burger sans ravager son T-shirt ! Également des sushis, quelques salades et des burgers *veggie* ou au thon pour les réfractaires à la chose carnée. *Succursale à Upper West Side (2315 Broadway et 84th).*

De prix moyens à plus chic

l●l *Ootoya* (plan 1, B1, **252**) : 141 W 41st St (entre Broadway et 6th Ave). ☎ 212-704-0833. Ⓜ (D, F) 42 St-Bryant Park ou (N, Q, R, S, 1, 2, 3, 7) Times Sq-42 St. Plats complets 15-30 $. Au cœur de Times Square, ce restaurant traditionnel japonais (de chaîne, certes, mais originaire d'Asie) est un havre de paix inattendu ! Décor épuré, clientèle majoritairement asiatique, service tout en délicatesse et spécialités de *teishoku*, autrement dit des plats principaux variés, présentés sous forme de plateau-repas avec du riz, une soupe *miso* et un flan aux œufs *(egg custard)*. Très copieux et pas si cher que ça puisqu'on ne prend rien d'autre. Présentation raffinée, beaucoup de saveurs. Le tofu est maison, un délice, rien à voir avec ce qu'on connaît.

l●l *Yakitori Totto* (plan 2, G10, **59**) : 251 W 55th St (entre Broadway et 8th Ave), au 1er étage. ☎ 212-245-4555. Ⓜ (A, C, D, 1) 59 St-Columbus Circle. Résa conseillée. Tlj sf le midi w-e. Plats lunch 10-13 $; le soir, repas env 25-30 $. Ce tout petit resto japonais situé à l'étage (ne pas confondre avec celui du rez-de-chaussée, hors de prix) est spécialisé dans les *yakitori*, mais malgré le grand choix, se distingue de tout ce qu'on peut trouver dans le registre « brochettes à la chaîne ». Petites assiettes absolument délicieuses, à piocher dans la longue carte et à partager avec sa tablée. Les *gyoza* (raviolis) sont aussi à tomber.

TIMES SQUARE ET THEATER DISTRICT

|●| 🏃 *Carmine's* (plan 2, G11, **241**) : 200 W 44ᵗʰ St (entre 8ᵗʰ Ave et Broadway). ☎ 212-221-3800. Ⓜ (N, Q, R, S, 1, 2, 3, 7) 42 St-Times Sq. Résa très conseillée. Plats à partager 27-40 $. Immense resto italien au chaleureux décor à l'ancienne et à l'atmosphère rugissante. Les Américains adorent car les portions sont énormes : quand vous commandez un plat de pâtes (une bonne vingtaine de choix), c'est carrément un saladier pour 3-4 personnes qu'on vous apporte ! L'idée, c'est de venir en famille ou en bande pour partager avec sa tablée (ramené au nombre de personnes, ça fait pas cher !). Très festif et convivial mais toujours bondé (sans résa, compliqué... ou alors venir tôt ou tard).

Café, pâtisseries et glaces

🍴 *Little Pie Company* (plan 2, F11, **258**) : 424 W 43ʳᵈ St (entre 9ᵗʰ et 10ᵗʰ Ave). ☎ 212-736-4780. Ⓜ (A, C, E) 42 St-Port Authority. À l'écart de l'agitation de Broadway, cette petite pâtisserie sans décor particulier avec tables et comptoir est idéale pour démarrer la journée ou pour recharger les batteries. Excellentes tartes aux parfums envoûtants (*southern pecan, three berries, banana-coconut, key lime...*), d'après des recettes de grand-mère, et puis aussi de très bons *muffins, scones, cheesecakes...*

🍴 *Zibetto Espresso Bar* (plan 2, G10, **333**) : 1385 6ᵗʰ Ave (entre 56ᵗʰ et 57ᵗʰ). ☎ 646-707-0505. Ⓜ (F) 57 St. Le vrai petit café italien. Minuscule, juste un comptoir en marbre pour boire debout son ristretto, son cappuccino ou son chocolat chaud. Quelques tiramisù et *cannoli* pour accompagner le nectar, torréfié sur place. Le meilleur café de Manhattan ! *What else ?*

🍦 *Grom* (plan 2, G10, **254**) : 1796 Broadway (et 58ᵗʰ). ☎ 212-974-3444. Ⓜ (N, Q, R) 57 St-7 Ave ou (A, C, D, 1) 59 St-Columbus Circle. Env 6 $. Le secret de fabrication de ce glacier italien haut de gamme, posé en face du musée du Design et de Central Park : des fruits de saison exclusivement pour les sorbets (donc en hiver, seulement pomme, poire, mandarine...), du bon lait entier et des œufs bio, aucun colorant ni additif. L'hiver, ils servent aussi un onctueux chocolat chaud avec de la crème fouettée en option.

🍴 *Junior's Bakery* (plan 2, G11, **259**) : W 45ᵗʰ St (entre Broadway et 8ᵗʰ Ave). ☎ 212-302-2000. Ⓜ (N, Q, R, S, 1, 2, 3, 7) Times Sq-42 St. Env 7-8 $ la part de cheesecake. Si on ne conseille pas le resto-*diner*, succursale de la maison mère de Downtown Brooklyn, le comptoir de vente à emporter attenant est une bonne occasion de goûter les fameux *cheesecakes* qui font la joie des gourmands depuis 1950 ! Une part pour 2 suffit, vous verrez c'est très riche.

Où boire un verre ?

Pas grand-chose de notable dans ce quartier ultra-touristique, à moins d'opter pour un faux pub irlandais blindé de touristes étrangers ou de s'offrir un drink chic dans le lounge design ou le *rooftop* d'un hôtel de luxe. Nombreux clubs de jazz en revanche (lire plus bas).

🍸 *R Lounge at Two Times Square* (plan 2, G11, **452**) : entrée par le Renaissance Hotel, 714 7ᵗʰ Ave (et W 48ᵗʰ). ☎ 212-261-5200. Ⓜ (N, R) 49 St. Tlj 11h-minuit (1h ven-sam). Ce bar d'hôtel chicos n'est pas le plus *trendy* de la ville mais la vue panoramique sur Times Square, en surplomb de la place, y est digne d'une carte postale et les consommations restent abordables (rare dans ce genre de lieu !). Très agréable aussi pour y boire un thé ou un café l'après-midi, cerné par tous les écrans lumineux mais au calme !

🍸 *Bar de l'hôtel Knickerbocker* (plan 1, B1, **403**) : 6 Times Sq (entrée par 42ⁿᵈ St). ☎ 212-204-4980. Ⓜ (N,

Q, R, S, 1, 2, 3, 7) 42 St-Times Sq. Tlj 17h-minuit (1h ven-sam). Dominant Times Square, cet hôtel mythique à la façade haussmannienne où passèrent, dans les années 1920, Rockefeller, Scott Fitzgerald et Caruso (sa femme accoucha dans une des suites), a été rénové à grands frais. C'est sur son *rooftop (St. Cloud)* que fut créé le cocktail Martini (si, si !). Mur végétal, canapé en cuir, long bar chromé, terrasse chauffée en hiver... quelle classe ! Et on ne parle pas de la vue. Les consommations, pourtant pas données, sont encore abordables.

🍸 *Bar de l'hôtel Mandarin Oriental (plan 2, G10, 468) :* 80 Columbus Circle (mais entrée par 60*th*). ☎ 212-805-8800. Ⓜ *(A, C, D, 1) 59 St-Columbus Circle. Tlj 16h-minuit (1h ven-sam).* Dès l'ouverture des portes de l'ascenseur au 35ᵉ étage, le regard est hypnotisé par la vue fantastique. Les immenses baies vitrées, qui occupent tout l'espace disponible, font de Central Park et des gratte-ciel qui l'environnent un spectacle saisissant. Alors on se cale benoîtement dans les fauteuils du lounge chic et cosy, et c'est presque distraitement qu'on commande une bière ou un thé parfumé, voire un bon cocktail qui plombera le budget.

🍸 *B.54 Rooftop Lounge (plan 2, G11, 404) :* 135 W 45*th* St (entre Broadway et 6*th* Ave). ☎ 646-364-1234. Ⓜ *(N, Q, R, S, 1, 2, 3, 7) 42 St-Times Sq. Tlj 16h-1h (2h le w-e).* Au 54ᵉ étage de l'hôtel *Hyatt Times Square,* le *rooftop* le plus haut de Manhattan ! Salons cosy à la déco sobre, d'inspiration seventies, amusantes bulles transparentes et chauffées sur la terrasse pour se réfugier en hiver, vue (forcément) exceptionnelle et vertigineuse... tout comme le prix des consommations !

🍸 *The Press Lounge (plan 2, F11, 402) :* au 16ᵉ étage du Ink48 Hotel, 653 11*th* Ave (entre 47*th* et 48*th*). ☎ 212-757-2224. Ⓜ *(C, E) 50 St. Tlj 17h-1h.* À peine quelques bougies, faudrait pas gâcher ce pour quoi on est monté jusqu'ici, la vue, sublime, presque à 360°, à déguster depuis une vaste terrasse en L encadrant le bar vitré. Ambiance lounge, poufs et banquettes en osier, pour siroter un cocktail au coin du poêle l'hiver, avec Times Square scintillant d'un côté et l'Hudson River glissant de l'autre...

🍸🎵 *Bars de l'hôtel Hudson (plan 2, G10, 58) :* mer-sam 17h-2h min. Voir le descriptif dans « Où dormir ? » plus haut. Plusieurs ambiances différentes dans cet hôtel design décoré par Philippe Starck. Concert de jazz le mercredi dès 22h, DJ les autres soirs. Billard.

Où écouter de la musique ?

Bonne programmation en général dans les clubs du secteur, mais réservation indispensable en saison pour espérer en profiter. Pour les budgets serrés, mieux vaut aller à Harlem !

🎵 *Dizzy's Club (plan 2, G10, 261) :* au centre commercial Time Warner Center, 10 Columbus Circle (angle Broadway et 60*th*), 5*th* Floor. ☎ 212-258-9595. ● jazz.org/dizzys ● Ⓜ *(A, C, D, 1) 59 St-Columbus Circle. Accessible par les ascenseurs situés à droite du hall principal. Sets à 19h30 et 21h30 (plus 23h15 mar-sam, sans résa). Cover charge 20-45 $ (5 $ mar-mer à 23h15), plus 10 $ min de conso/set (5 $ slt au bar).* Petit club de jazz très couru (en

lien avec le complexe Jazz at Lincoln Center), dont les larges baies vitrées donnent sur Central Park *by night.* Tous les soirs, programmation de qualité.

🎵 *Birdland (plan 2, G11, 465) :* 315 W 44*th* St (entre 8*th* et 9*th* Ave). ☎ 212-581-3080. ● birdlandjazz. com ● Ⓜ *(N, Q, R, S, 1, 2, 3, 7) 42 St-Times Sq. Sets mar-dim à 20h30 et 23h, lun à 19h et 21h30. Sinon, concerts mer à 17h30, jeu et dim à 18h et ven à 17h15. Cover charge 25-50 $ selon groupe. Plats 15-33 $.* « *The jazz corner of the world* », indique l'enseigne de ce club chic et élégant largement réputé dans NYC, et dont le nom rend hommage au grand Charlie Parker. C'est sa 3e adresse, on est loin du sous-sol enfumé des années 1950-1960 sur Broadway et des 1,50 $ de *cover charge !* Très bonne programmation avec régulièrement des pointures, à écouter en dînant ou en sirotant un cocktail. Salle cosy enveloppée d'une lumière tamisée et d'une atmosphère intime, un peu celle du film *Bird* de Clint Eastwood...

♪ **B.B. King Blues Club & Grill** (plan 1, B1, **463**) : *237 W 42nd St (entre 7th et 8th Ave).* ☎ 212-997-4144. ● *bbkingblues.com* ● Ⓜ *(N, Q, R, S, 1, 2, 3, 7) 42 St-Times Sq. Au club, sets à 19h, 19h30 ou 20h. Musique live 20h-1h au bar-resto (plats 18-35 $). Cover charge slt au club 15-65 $ selon groupe. Résa conseillée (un peu moins cher en plus) :* ☎ 212-307-7171. *Beatles brunch sam (11h-14h) et gospel brunch dim (12h30-14h30) ; env 44 $ si résa à l'avance, sinon 49 $.* Le roi du blues, B.B. King, a ouvert un lieu hybride très chaleureux. Au choix, un bar-resto sympa, le *Lucille's,* où se produisent des formations mineures mais de qualité reprenant des standards (en principe, blues lundi-mardi, soul *motown* dimanche, jazz le reste du temps), ou un superbe club doté d'un excellent *sound system* : jazz, bien sûr, mais aussi gospel, reggae, funk, rock, etc., et beaucoup de grands noms à l'affiche : B.B. en personne, Jean-Luc Ponty, Little Richard, David Crosby, The Fabulous Thunderbirds et Eddie Clendening (une des vedettes de *Million Dollar Quartet*)... Cuisine moyenne en revanche, mais on n'est pas venu pour ça !

♪ **Iridium Jazz Club** (plan 2, G11, **455**) : *1650 Broadway (et 51st).* ☎ 212-582-2121. ● *theiridium.com* ● Ⓜ *(1) 50 St. Sets tlj à 20h et 22h certains j. Cover charge 25-50 $, plus 15 $ min de conso.* Ex-QG du guitariste Les Paul, pionnier mythique de la gratte électrique décédé en 2009, l'*Iridium* est une petite institution dans Midtown pour écouter de très bons concerts de jazz et de blues. On s'y installe au coude à coude sur de longues tables, dans un cadre hésitant entre le *diner* et le club, décoré de guitares passées entre les doigts de célébrités (Eric Clapton, Paul McCartney...). Si le repas, quasi obligatoire, n'est pas d'une grande qualité, c'est tout l'inverse sur la scène, où passent régulièrement des grands. L'*Iridium* s'est même doté d'un studio d'enregistrement pour immortaliser ses concerts !

♪ **Carnegie Hall** (plan 2, G10, **454**) : *887 7th Ave (angle 57th).* ☎ 212-247-7800. ● *carnegiehall.org* ● Ⓜ *(N, Q, R) 57 St-7 Ave. Box-office ouv 11h (12h dim)-18h, et jusqu'à 30 mn après le début du concert. Places dès 25-35 $. Résas aussi par tél 8h-20h, avec surcharge de 6 $/billet. Vente de quelques billets à 10 $ le j. même du show dès l'ouverture du box-office* (rush tickets) *jusqu'à 1h avt le concert. Également des billets à 50 % du tarif normal concernant les places peu commodes (vue partielle ou peu d'espace pour les jambes).* Inaugurée en 1891 par Tchaïkovski, qui dirigeait alors le New York Philharmonic, voici l'une des plus vieilles salles de concerts de NYC (l'équivalent de Pleyel à Paris), réputée pour sa forme en fer à cheval capitonné de velours rouge qui lui donne chic et chaleur tout en lui concédant une acoustique parfaite (on s'y passe de micros). Avec ses 2 804 places, elle est la scène de tous les genres et attire les plus grands noms du show-biz. Les Beatles s'y sont produits, tout comme Caruso, Benny Goodman et sa clarinette, Madonna, Sting, Steevie Wonder... On compte également quelques scientifiques à s'y être exprimés, comme Einstein, ou encore des hommes politiques, tels Roosevelt, Martin Luther King, JFK... Qu'on se le dise, monter sur la scène du Carnegie Hall est une véritable consécration !

Où jouer au bowling ?

♟ **Bowlmor Lanes** (plan 2, G11, **360**) : *222 W 44th St (entre 7th et 8th Ave).* ☎ 212-680-0012. ● *bowlmor.com* ● Ⓜ *(N, Q, R, S, 1, 2, 3,*

7) Times Sq-42 St. Tlj 14h (12h ven, 11h w-e)-minuit (3h ven-sam). Tarifs : 7-12 $/pers la partie selon j. et heure, sinon 22 $ lun après 20h (unlimited bowling). *Loc chaussures : env 7 $/ pers. Interdit moins de 21 ans sans parent ven-sam après 21h.* Près de 50 pistes réparties dans différentes sections aux décors sur le thème de New York (Chinatown, Art déco...), toutes inondées d'une musique assourdissante. Possibilité de se restaurer (enfin, de se nourrir) et plusieurs bars.

Shopping

Spécial enfants et ados

❀ 🕺 **M&M's World** *(plan 2, G11, 518) : 1600 Broadway (et 48th).* ☎ 212-295-3850. Ⓜ *(N, R) 49 St.* Pour ceux qui veulent vivre à fond l'expérience américaine, voici LA boutique à ne pas rater. Outre les célèbres cacahuètes enrobées de chocolat déclinées ici dans toutes les couleurs (et même personnalisables !), on trouve pléthore de gadgets à leur effigie. Faut le voir pour le croire !

❀ **Garrett Pop Corn** *(plan 1, B1, 540) : 242 W 34th St (entre 7th et 8th Ave).* ☎ 212-290-0044. Ⓜ *(1, 2, 3) 34 St-Penn Station.* Pas typiquement new-yorkais (*Garrett* nous vient de Chicago) mais bien ricain, et puis, il n'y a pas à tortiller, c'est tout simplement le meilleur pop-corn qui existe ! Le top : les mélanges aux noix de pécan, macadamia et cajou caramélisées.

❀ 🕺 **Hershey's Times Square** *(plan 2, G11, 572) : 1593 Broadway (angle 48th).* ☎ 212-581-9100. Ⓜ *(N, R) 49 St.* Le royaume de la marque *Hershey's,* véritable institution du chocolat US (beaucoup de sucre et à peine de cacao, pas pour les vrais amateurs de chocolat, donc !), créée en 1892 dans la région de Chicago (du matériel vintage le rappelle).

❀ 🕺 **Midtown Comics** *(plan 1, B1, 581) : 200 W 40th St (angle 7th Ave), au 1er étage.* ☎ 212-302-8192. Ⓜ *(N, R, S, 1, 2, 3, 7) 42 St-Times Sq.* Sur 2 niveaux, le paradis des fans de comics et mangas. Immense choix d'albums évidemment, dont de très nombreuses raretés (des séries épuisées, des collectors...), mais aussi tous les produits dérivés possibles : statuettes, T-shirts, déguisements, magnets, DVD...

Grands magasins, mode, sport

❀ **Macy's** *(plan 1, B1) : 151 W 34th St (angle Broadway).* ☎ 212-695-4400. Ⓜ *(D, F, N, Q, R) 34 St.* Ce magasin plus que centenaire est l'un des plus grands au monde avec ses 100 000 m² sur 10 étages ! En avril, ne manquez pas le *Macy's Flower Show,* une tradition aussi attendue que l'arbre de Noël du Rockefeller Center : vitrines et rayons du rez-de-chaussée sont envahis de fleurs en tout genre, transformant le magasin en un somptueux jardin odorant. En mezzanine du rez-de-chaussée, *NYC & Company,* un petit bureau de l'office de tourisme, délivre gratuitement une carte aux touristes sur présentation du passeport qui permet d'acheter détaxé (11 % de réduction, sauf sur les parfums bien sûr).

❀ **Urban Outfitters** *(plan 1, B1, 263) : 1333 Broadway (et 35th).* ☎ 212-239-1673. Ⓜ *(D, F, N, Q, R) 34 St-Herald Sq.* Pile en face de *Macy's,* cet énorme *concept store* façon entrepôt décrépi abrite le must de la branchitude urbaine en matière de fringues et accessoires pour hommes et femmes, dans ce style cool-vintage-rock qui est la marque de fabrique de l'enseigne. Les prix savent se tenir mais le plus sage est de viser le rayon permanent des soldes.

❀ **Time Warner Center** *(plan 2, G10, 261) : 10 Columbus Circle (angle Broadway et 58th).* Ⓜ *(A, C, D, 1) 59 St-Columbus Circle.* Centre commercial de luxe doté d'une architecture toute vitrée (2003), offrant de beaux points de vue sur Columbus Circle et la pointe sud de Central Park. 2 plantureuses sculptures de Botero montent la garde dans l'atrium. Nombreuses enseignes à tendance haut de gamme :

le supermarché bio *Whole Foods Market*, les marques américaines de fringues *J. Crew* et *Lucky Brand*, la papeterie *Papyrus*, le bar à jus *Jamba Juice*... Le complexe abrite aussi un des restos les plus réputés de la ville, *Per Se*, mais on vous prévient, le menu est à plus de 300 $!

🕸 *Levi's Store* *(plan 2, G11, 265) : 1501 Broadway (entre 43rd et 44th).* ☎ 212-944-8555. Ⓜ *(N, Q, R, S, 1, 2, 3, 7) Times Sq-42 St.* Si une envie de jean vous taraude à la sortie d'une comédie musicale, pas de problème, la boutique est ouverte jusqu'à minuit ! Au moment des soldes de janvier et de juillet, les réductions atteignent des sommets, de quoi remplir les valises.

🕸 *Yankees Clubhouse Shop (plan 1, B1, 589) : 245 W 42nd.* ☎ 212-768-9555. Ⓜ *(N, Q, R, S, 1, 2, 3, 7) 42 St-Times Sq.* Arrêt incontournable pour les fans de cette mythique équipe de base-ball : T-shirts, casquettes, souvenirs en tout genre... Vente des billets pour leurs matchs au Yankee Stadium.

🕸 *Clothing Line Sample Sale :* coordonnées de ces *ventes privées* plus loin, dans « À voir », avec le descriptif de Garment District.

Boutique de musée

🕸 *Museum of Arts and Design (MAD ; plan 2, G10) : 2 Columbus Circle (et 59th).* ☎ 212-299-7700. Ⓜ *(A, C, D, 1) 59 St-Columbus Circle.* Mardim 10h-19h (21h jeu-ven, 18h dim). Magnifique sélection de bijoux contemporains (à la hauteur de la collection du musée) dont quelques pièces de créateurs new-yorkais. Et puis de la déco, des foulards, un peu de vaisselle et de verrerie, le tout signé par des artistes. Cher mais original et pointu.

À voir

👫👫👫 👫 *Times Square (plan 1, B1) :* des dizaines d'écrans publicitaires géants diffusent un flot d'images 24h/24 et illuminent tout le quartier le soir venu... Un des visages mythiques de New York. Atmosphère évidemment ultra-touristique, mais visite incontournable, à faire de préférence à la nuit tombée (encore plus magique, et ce malgré la foule !). Pour une vue panoramique, monter l'escalier rouge qui sert de toit au kiosque *TKTS*. Vision assez étrange d'une foule compacte venue admirer des écrans de pub géants... Le plus grand, d'une hauteur de huit étages et d'une longueur équivalente à celle d'un terrain de football américain, occupe carrément tout un bloc (sur 7th Avenue, entre 45th et 46th Street) !

👫 👫 *Madame Tussauds (plan 1, B1) : 234 W 42nd St (entre 7th et 8th Ave).* ☎ 212-512-9600 ou 1-866-841-3505. ● *madame tussauds.com/newyork* ● Ⓜ *(N, Q, R, S, 1, 2, 3, 7) 42 St-Times Sq.* Tlj (même j. fériés) 10h (9h en hte saison)-20h (22h ven-sam et tlj hte saison). Entrée (trop) chère : 37 $; 30 $ 4-12 ans. Réduc respectivement de 30 % et 15 % via leur site internet. Caisse rapide avec paiement par CB à droite de l'escalier. Malgré les files d'attente et le prix d'entrée délirant (comparé au MoMA ou au Met par exemple...), ce musée de cire continue de séduire petits et grands. Il faut dire que les personnages sont saisissants de

RIEN À CIRER !

Née à Strasbourg en 1761, Marie Tussaud apprit l'art de modeler la cire chez un médecin-sculpteur. Elle se fit la main en réalisant les figures de l'époque : Voltaire, Rousseau, Benjamin Franklin, avant d'être engagée à Versailles où elle créa les portraits de Louis XVI et de sa famille. Sympathisante royaliste, elle fut arrêtée par les révolutionnaires mais graciée pour ses talents de sculpteur ! Elle réalisa alors les masques mortuaires de Marie-Antoinette, Marat et Robespierre. Exilée en Angleterre, elle ouvrit à Londres son musée à l'âge de 74 ans. Depuis, d'autres ont été créés à New York donc, Amsterdam, Las Vegas, Hong Kong...

réalisme et très accessibles puisqu'on peut les approcher et même les prendre par le coude pour mieux se faire photographier auprès d'eux ! On aime ou pas ce genre d'attraction, mais reconnaissons-le, le résultat est souvent bluffant. Six mois sont nécessaires pour réaliser ces figures de cire, d'après les mensurations exactes des modèles originaux. La visite est organisée en plusieurs sections où évoluent les figures, qui tournent d'ailleurs régulièrement selon les aléas de l'actualité : le hall des *célèbs*, kitsch à souhait avec sa pelletée de *stars* ; la *galerie historique* et ses grandes figures de l'histoire américaine et internationale ; la partie *pop culture et sports*, notre préférée et enfin celle des djeun's, avec les vedettes de la musique d'aujourd'hui.

🎗 *Carnegie Hall (plan 2, G10)* : 881 7th Ave (angle 57th). • *carnegiehall.org* • Ⓜ *(N, Q, R) 57 St-7th Ave. La meilleure façon de le visiter est d'assister à un spectacle. Sinon, visite guidée organisée (oct-juin slt, lun-ven à 11h30, 12h30, 14h et 15h, sam à 11h30 et 12h30, dim à 12h30). Les visites sont annulées en cas de spectacle ou de répétitions. Tarif : 17 $; réduc. Infos : ☎ 212-903-9765. Pour l'histoire du Carnegie Hall, voir plus haut « Où écouter de la musique ? ».*

🎗 *Times Square Church (plan 2, G11)* : 237 W 51st St (entre Broadway et 8th Ave). ☎ 212-541-6300. • *tscnyc.org* • Ⓜ *(1) 50 St. Service dim à 10h, 15h et 18h (durée : 2h). GRATUIT mais donation bienvenue.* Pour ceux qui n'auraient pas le temps de « monter à Harlem » pour assister à une messe gospel de 3-4h, cette église (éminemment touristique) est une excellente alternative. Certes, la ferveur qui anime les petites églises de quartier est moindre, mais la partie musicale est pro et le chœur d'une centaine de personnes de très bonne qualité (on y chante et danse que entrain !). Le texte des chansons défile sur un écran géant et la prêche du pasteur (qui ne dure que 45 mn, ouf !) est traduit en simultané (casque à retirer à l'étage du hall). Ça se passe dans un superbe théâtre à l'italienne converti en église en 1987. Ceux qui ne comptent pas rester jusqu'à la fin iront au balcon.

🎗 *Garment District (plan 1, B-C1)* : entre 5th et 9th Ave, et 34th et 42nd St. • *gar mentdistrictnyc.com* • Ⓜ *(N, Q, R, S, 1, 2, 3, 7) 42 St-Times Sq.* Depuis près d'un siècle, ce quartier est celui de la mode, des créateurs (grands ou petits) aux fabricants de tissu. C'est ici qu'a longtemps été conçue et même fabriquée une grosse partie de l'industrie vestimentaire américaine. Aujourd'hui, si certains créateurs sont toujours implantés dans le secteur (comme Calvin Klein et Donna Karan, par exemple), la fabrication se fait ailleurs. Les usines et autres showrooms ont laissé la place aux grandes chaînes comme *Old Navy* et consorts. On peut toutefois espérer faire encore quelques bonnes affaires dans une solderie *(Sample Sale)* qui écoule chaque semaine *(lun-jeu 10h-18h ou 19h)* des pièces de créateurs à prix cassés : *261 W 36th St (entre 7th et 8th Ave), au 2e étage. ☎ 212-947-8748. Dates des prochaines ventes sur leur site • clothingline.com •*

🎗🚶 *Intrepid Sea, Air & Space Museum (plan 2, F11)* : Pier 86 (angle W 46th St et 12th Ave), au bord de l'Hudson River. ☎ 212-245-0072. • *intrepidmuseum. org* • Ⓜ *(C, E) 50 St ou bus M42 depuis Times Sq. Avr-oct, tlj 10h-17h (18h w-e et j. fériés) ; le reste de l'année, tlj (sf Thanksgiving et Noël) 10h-17h. Entrée : 24 $; 19 $ 7-17 ans ; 12 $ 3-6 ans. Avec le Space Shuttle Pavilion, respectivement 31, 24 et 17 $ (inclus dans le CityPass). Audioguide 5 $. Attention, les attractions (simulateurs) sont en plus : 9 $ chacune ou pass 24 $ pour les 3... Demander le plan à l'entrée, indispensable pour se repérer.* Inauguré en 1943, le porte-avions *Intrepid* débuta sa carrière au cours de la Seconde Guerre mondiale avant de reprendre du service pendant la guerre froide et celle du Vietnam. Il joua même un rôle dans la conquête de l'espace en récupérant plusieurs capsules de spationautes, notamment pour la mission *Mercury*. C'est un musée flottant depuis 1982, qui intéressera surtout les passionnés de marine et d'aviation. Mesurant 275 m sur 93 m, il abritait 3 500 marins et jusqu'à 103 avions. Le niveau principal *(Hangar Deck)* correspond à la partie musée à proprement parler avec vitrines interactives, petits films et nombreuses animations.

Les simulateurs de vol sont payants comme le *XD Theater,* le *G-Force* ou le *Transporter FX* (sur le quai), malheureusement trop chers pour quelques minutes de « vol ». Ne manquez pas de jeter un œil à la monumentale hélice de l'*Intrepid* (12 247 kg !). Il en fallait quatre comme elle pour déplacer le porte-avions.

La visite se poursuit ensuite dans la tour de contrôle du pont d'envol *(flight deck)* : la salle de navigation et de commandement, les quartiers de l'équipage avec les couchettes, la cuisine, la salle à manger, etc. Sur le pont également sont entreposés une bonne vingtaine d'engins de guerre : le surprenant *A-12 Blackbird* (un des plus rapides du monde),

LANCE-PIERRES

Sur les porte-avions, la piste est trop courte (environ 70 m) pour que l'aéroplane puisse décoller par ses propres moyens. On utilise donc une catapulte qui permet de propulser l'avion à 100 nœuds (185 km/h) en quelques secondes.

l'hélico *Bell AH-15* utilisé au Vietnam, le *Tomcat* de Tom Cruise dans le film *Top Gun,* un *Super-Étendard* de la marine française... Depuis 2012, un nouveau résident de prestige est venu enrichir un aréopage déjà dense : le célèbre *Space Shuttle Enterprise* (la navette spatiale), amenée par un Boeing 747. On peut l'admirer (mais l'intérieur ne se visite pas) dans le nouveau *Space Shuttle Pavilion* édifié exprès pour elle ! Pour finir, ne pas manquer la visite du sous-marin nucléaire *USS Growler,* amarré au quai. Il rodait dans les eaux du Pacifique ouest durant la guerre froide de 1960 à 1963. Les passionnés qui auront réservé à l'avance une visite guidée spéciale pourront explorer un des avions de ligne *Concorde* sur le quai à côté du porte-avions *(20 $ en plus du billet d'entrée ; 15 $ 3-17 ans ; ça commence à faire chérot...).*

🚶🚶 *MAD (Museum of Arts and Design ;* plan 2, G10) *:* 2 Columbus Circle (et 59th). ☎ 212-299-7777. ● madmuseum.org ● Ⓜ (A, C, D, 1) 59 St-Columbus Circle. *Mar-dim 10h-18h (21h jeu-ven). Entrée : 16 $; réduc ; gratuit moins de 18 ans. Donation libre jeu dès 18h.* Un musée injustement méconnu, car tout à fait étonnant, dans un building en béton des sixties entièrement rhabillé de brique translucide, offrant des vues panoramiques aux visiteurs. Son objectif : appréhender les multiples processus de la création, du travail artisanal sur des matières premières au numérique dernier cri, à travers les œuvres d'artistes et de designers du monde entier. Difficile de rester indifférent devant ces créations avant-gardistes, décalées, pointues, grandioses, loufoques (le musée porte bien son nom !)... présentées dans le cadre d'expositions temporaires uniquement. Seule la galerie de bijoux est permanente et encore, les modèles exposés (modernes et anciens) tournent constamment. N'hésitez pas à ouvrir les tiroirs, il y a encore plein de trésors à découvrir ! Enfin, possibilité de rencontrer et de discuter art et technique avec les jeunes artistes travaillant dans les *open studios* du musée.

🏛 ▮●▮ Belle *boutique* (exceptionnellement chère !) et resto *Robert,* panoramique *of course,* d'un design contemporain du dernier chic. *Tlj 11h30-23h30 (1h lounge). Lunch encore abordable (sandwichs et burgers 15-18 $), dîner plus cher (plats 22-39 $) et vins hors de prix...*

MIDTOWN

● Adresses utiles 167	● Café, pâtisseries......... 171	jazz ?............................ 172
● Où dormir ? 167	● Où boire un verre ? 171	● Shopping.................... 172
● Où manger ? 168	● Où écouter du bon	● À voir.......................... 175

● Pour se repérer, voir les plans détachables 1 et 2 en fin de guide.

Midtown et Wall Street sont les quartiers qui représentent le mieux le gigantisme de la ville de New York. Tout y est démesuré : la foule, les avenues bordées d'immenses gratte-ciel, sortes de grands canyons à perte de vue qui donnent l'impression d'être devenu lilliputien... Comme tout bon touriste, vous déambulerez le nez en l'air pour profiter de l'architecture créative de ces bâtiments ! Ces derniers temps, la tendance est au « toujours plus haut », particulièrement autour de la pointe sud de Central Park où les promoteurs rivalisent d'ambition pour construire des gratte-ciel résidentiels aussi luxueux que longilignes, avec vue imprenable sur le poumon vert de la ville. Au détriment des promeneurs du parc, qui se voient, eux, privés de soleil... le comble ! L'activité du quartier bat son plein pendant les heures de boulot, quand une marée de cols blancs envahit les rues, tous engagés dans une course contre la montre effrénée (*time is money*, c'est bien connu !). Le trafic y est alors démentiel et, au milieu du concert des sirènes de police et de pompiers, les chauffeurs de taxis paraissent tous en être à leur 10e tasse de café !

Ce rythme trépidant ne fait pas de Midtown l'endroit le plus reposant pour flâner ou siroter un verre en terrasse. Pourtant, il arrive qu'à la pause de midi ces mêmes New-Yorkais sortent profiter du soleil estival en envahissant les rares espaces verts du coin. Le quartier devient alors un observatoire privilégié du mode de vie de toute une population, qui profite aussi de ces rares instants de loisir pour faire les boutiques...

Car il faut bien dépenser l'argent gagné pendant toutes ces journées de travail à rallonge ! Tout au long de ces interminables artères commerciales, dont la plus fameuse est bien sûr la mythique 5th Avenue, Midtown aligne ses hôtels de luxe et ses grands magasins, qui rivalisent de magnificence, d'extravagance et, bien sûr, d'architecture. Raison pour laquelle aussi, à la différence de Lower Manhattan, ce n'est pas désert le week-end... Enfin, à Noël et au Nouvel An, l'ambiance est magique, avec des illuminations et des sapins à tous les coins de rue.

Adresses utiles

✉ **Postes :** Lexington Ave (entre 44th et 45th St ; plan 2, H11). Lun-ven 7h30-21h, sam 7h30-13h. Autres bureaux : angle 3rd Ave et 54th St (plan 2, H10). Lun-ven 8h-20h, sam 9h-16h. Et au sous-sol de Rockfeller Plaza (plan 2, H11).

@ **Internet :** connexions gratuites sur les nombreux ordinateurs de démonstration à l'*Apple Store* (plan 2, H10, **566**), sur 5th Ave, entre 58th et 59th St (en sous-sol : accessible par le kiosque en verre situé au centre de la place). 24h/24.

Où dormir ?

Très peu de possibilités d'hébergement « Bon marché » et à « Prix moyens » dans ce quartier chic. Si vous tenez à séjourner dans le secteur, piochez plutôt dans les chapitres « Union Square et Flatiron District » et « Times Square et Theater District ».

Bon marché

🛏 **Vanderbilt YMCA** (plan 2, H11, **60**) : 224 E 47th St (et 2nd Ave).

☎ 212-912-2500. ● ymcanyc.org/van derbilt ● Ⓜ (S, 4, 5, 6, 7) 42 St-Grand Central. En été, résas min 1 mois à l'avance. Doubles 120-160 $. 📶 Une YMCA pour les sportifs : il faut voir l'activité qui règne au *fitness center*, au sauna ou à la piscine (le tout en accès libre pour les résidents) ! En revanche, les non-bodybuildés risquent de s'ennuyer ferme dans les espaces communs aux allures d'hôpital. De plus, les 350 chambres sont minuscules avec des lits superposés

MIDTOWN

(pas très romantique !), vieille TV et salle de bains sur le palier. Vraiment basique pour le prix. Sinon, une seule cuisine avec salle commune pour tous, coffre-fort à la réception, machines à laver à pièces... C'est à vous de voir.

De très chic à très, très chic

🛏 **Library Hotel** (plan 1, C1, **63**) : 299 Madison Ave (et 41st). ☎ 212-983-4500. ● libraryhotel.com ● Ⓜ (D, F) 42 St-Bryant Park. Doubles 250-450 $, petit déj inclus. 📶 Hôtel de charme chic et classique, spécial bibliophiles et papivores ! Pile en face de la NY Public Library, dans un bel immeuble Art déco. Son concept est inspiré de la classification décimale de Dewey, développée au XIXe s. Chacun des 10 étages est dédié à un thème : philosophie, beaux-arts, histoire-géo... et les 60 chambres ont leur bibliothèque explorant un sujet particulier : botanique, astronomie... Chambres confortables, douillettes, avec belle vue sur les buildings environnants. Parties communes fort agréables : rooftop (en partie couvert) accessible à tout moment, salle de lecture bien cosy avec boissons et pâtisseries à volonté, et wine and cheese offert en fin de journée. Pour les sportifs, pass gratuit dans les NY Sports Clubs (le plus proche est à 5 blocs). Une excellente adresse.

🛏 **Bryant Park Hotel** (plan 1, C1, **82**) : 40 W 40th St (entre 5th et 6th Ave). ☎ 212-869-0100 ou 1-877-640-9300. ● bryantparkhotel.com ● Ⓜ (D, F) 42 St-Bryant Park. Doubles vue sur le parc 250-550 $. 📶 L'hôtel a investi le premier gratte-ciel Art déco de la ville : l'impressionnant et massif

American Radiator Building (1924), tout en brique noire. Un chef-d'œuvre architectural peint par Georgia O'Keeffe. Si l'intérieur s'avère très dépouillé comparé au style flamboyant de la façade, l'hôtel est très apprécié pour sa situation, au pied de Bryant Park, animé été comme hiver, et pour ses chambres donnant dessus. Certes, la déco épurée presque minimaliste (tout blanc et bois blond) manque un peu d'originalité, mais le niveau de confort est excellent et le service impeccable sans être guindé. Resto japonais au décor spectaculaire et cave gothique branchée pour boire un verre le soir (open bar pour les guests 17h-18h en sem).

🛏 **The Algonquin** (plan 2, G11, **87**) : 59 W 44th St (entre 5th et 6th Ave). ☎ 212-840-6800. ● algonquin hotel.com ● Ⓜ (N, Q, R, S, 1, 2, 3, 7) 42 St-Times Sq. Doubles 200-450 $. 📶 Depuis 1902, l'Algonquin est l'hôtel historique des écrivains, éditeurs et critiques littéraires. Simone de Beauvoir et Gertrude Stein y descendaient, le magazine The New Yorker fut fondé dans ses murs (les clients de l'hôtel le reçoivent toujours gratuitement) et William Faulkner y rédigea son discours avant de recevoir le prix Nobel en 1950. Rénové de fond en comble dans un style colonial d'une grande élégance, l'hôtel a conservé son atmosphère littéraire. Superbe lobby avec ses colonnes peintes en noir, plantes vertes luxuriantes, fauteuils et canapés invitant à la paresse... Petites mais raffinées, les chambres arborent d'originales têtes de lit avec des vues de New York rétroéclairées et de charmantes salles de bains revisitant le thème Art déco. Un bémol, l'insonorisation, faiblarde dans certaines chambres.

Où manger ?

Spécial petit déjeuner et brunch

🍴 **Pershing Square Café** (plan 1, C1, **446**) : 90 E 42nd St (et Park Ave) ; sous le viaduc. ☎ 212-286-9600. Ⓜ (S, 4, 5, 6, 7) 42 St-Grand Central. Petit déj

tlj 7h (8h w-e)-10h30, brunch en plus le w-e 11h30-16h. Breakfast 13-15 $. Pile en face de Grand Central (que l'on aperçoit derrière les vastes baies vitrées), c'est le grand « buffet de la gare », ouvert du matin (petit déj) au soir. Une adresse avant tout très pratique, au décor bien ricain, spacieux

MIDTOWN

mais chaleureux avec ses box capitonnés. Spécialités US basiques mais pas données cela dit : omelettes, *eggs Benedict*, pancakes, *oatmeal* (porridge), bagel au saumon... Grande terrasse aux beaux jours.

🍴 *Upstairs* (plan 2, H11, *471*) : au 30ᵉ étage du Kimberly Hotel, 145 E 50ᵗʰ St (entre Lexington et 3ʳᵈ Ave). ☎ 212-888-1220. Ⓜ (6) 51 St. *Brunch* w-e 12h-16h. Plats 14-21 $. Cet élégant bar panoramique, dont le toit rétractable s'ouvre aux beaux jours, sert un excellent brunch gourmet le week-end (avec *live music* en général). Confortable cadre genre baroque contemporain, superbe bar. Le bon plan consiste à choisir un plat avec bloody mary ou mimosa offert (repérer le picto cocktail sur le menu). Une ambiance très *Sex and the City*.

🍴 Et aussi : *Ess-a-Bagel, Buttercup Bake Shop, Whole Foods Market, Magnolia Bakery* et *Lady M.* Voir plus loin.

Très bon marché

🍴 *Ess-a-Bagel* (plan 2, H11, *116*) : 831 3ʳᵈ Ave (angle 51ˢᵗ). ☎ 212-980-1010. Ⓜ (6) 51 St. Tlj 6h-21h (17h w-e). *Attention, fermé plusieurs j. au moment des grandes fêtes juives. Env 5-7 $.* Employés et habitants du quartier affectionnent cette échoppe vieillotte, célèbre depuis des lustres pour ses excellents bagels garnis d'un large choix d'assortiments salés et sucrés, à manger sur les quelques tables ou à emporter. Bon choix également de sandwichs au tofu. Idéal aussi pour le petit déj.

Bon marché

🍴 *Xi'an Famous Foods* (plan 2, H11, *162*) : 24 W 45ᵗʰ St (entre 5ᵗʰ et 6ᵗʰ Ave). Ⓜ (D, F) 42 St-Bryant Park. Tlj 11h-20h30. Plats 4-11 $. *CB refusées. Pas de w-c.* Zéro cadre, une poignée de places assises seulement, en rang d'oignons face au mur (tout au fond), et pourtant, quel succès pour cette minichaîne new-yorkaise spécialisée dans la cuisine de Xi'an ! Il faut dire que les prix sont doux et que les nouilles

sautées, soupes, *dumplings*... bien parfumés et épicés. Pour commander, donner le numéro du plat et le degré de piment souhaité : le *mild* est déjà bien costaud !

🍴 *Fuku +* (plan 2, H10, *206*) : 15 W 56ᵗʰ St (entre 5ᵗʰ et 6ᵗʰ Ave). Pas de tél. Ⓜ (F) 57 St. Tlj 11h30-22h (23h mer-sam). Plats 9-16 $. C'est la dernière petite adresse originale du chef David Chang (celui du resto étoilé *Momofuku* proche de NoHo), une sorte de fast-food gourmet installé dans une petite salle, surplombant un autre resto du groupe (*Ma Pêche,* plus cher), le tout au bout d'un couloir derrière un *milk bar* ! L'endroit n'a pas de charme mais les quelques plats proposés sont copieux et pas chers. Si le burger est décevant, on a apprécié les saveurs un brin asiatiques (mais *spicy,* attention !) des *fried chicken fingers, nachos* et *flatbreads.* Personnel peu souriant, dommage.

🍴 *Dining Concourse de Grand Central Station* (plan 2, H11, *323*) : *au sous-sol de la gare de Grand Central.* ☎ 212-983-2845. Ⓜ (S, 4, 5, 6, 7) 42 St-Grand Central. Tlj 5h-22h (21h sam). Repas env 10-12 $. Un *food court* typiquement américain, pratique pour un déjeuner sur le pouce ou une pause en cours de route. Possibilité de choisir un plat à un stand et le dessert dans un autre, on s'assied ensuite où on veut. Voici nos enseignes préférées (que l'on retrouve ailleurs dans NY) :

– *Shake Shack :* burgers, hot dogs, frites fraîches, crèmes glacées et bière de Brooklyn.

– *Zaro's Bakery :* d'excellents et énormes *deli sandwichs*, wraps et bagels garnis de produits d'une grande fraîcheur. De bons croissants également. Le top de la sandwicherie.

– *Magnolia Bakery :* cupcakes colorés, *cheesecake* au citron, gâteaux à étages bien *creamy*... Une de nos pâtisseries favorites.

– *Irving Farm Coffee Roasters :* pour un bon petit café après déjeuner ! Grains sélectionnés avec soin, espresso et cappuccino préparés dans les règles de l'art.

🍴 *Whole Foods Market* (plan 2, H10, *321*) : 226 E 57ᵗʰ St (entre 2ⁿᵈ et 3ʳᵈ Ave). ☎ 646-497-1222. Ⓜ (4, 5,

MIDTOWN

6) 59 St. Tlj 8h-23h. Plat au poids env 10 $. Voir le descriptif de ce supermarché bio haut de gamme dans « Times Square et Theater District. Où manger ? ». À noter que cette succursale possède également un vaste espace à l'étage, tout en baie vitrée, pour s'attabler et déguster les suggestions du jour.

≋ *Five Guys* (plan 2, H10, **205**) : 43 W 55th St (entre 5th et 6th Ave). ☎ 212-459-9600. Ⓜ (E) 5 Ave-53 St ou (6) 51 St. Burger-frites env 12 $. Un honnête fast-food de chaîne, plébiscité pour ses burgers-frites mais aussi ses hot dogs et *grilled cheese*. On peut demander tous les *toppings* pour le même prix : champignons et oignons grillés, poivrons... Bien copieux, mais on ne choisit pas la cuisson : c'est *well done* (bien cuit) pour tout le monde. Cacahuètes entières à volonté, pour patienter. Zéro cadre et confort sommaire, mais au cœur de Midtown, aussi près du MoMA, on ne va pas faire la fine bouche.

De prix moyens à plus chic

|●| ≋ 🚄 🛶 🍴 *Urban Space Vanderbilt* (plan 2, H11, **293**) : 230 Park Ave (et 45th). Ⓜ (S, 4, 5, 6, 7) 42 St-Grand Central. Lun-ven 6h30-21h, w-e 9h-17h. Compter 10-20 $ pour un repas. Le *food hall* (la nouvelle marotte des New-Yorkais pour un repas rapide et peu onéreux) est la version gourmet du *food court*. Celui-ci, récemment ouvert à côté de la gare Grand Central, sous une halle de structure métallique, attire du monde et réunit les hits du moment : les pizzas de *Roberta's* à Bushwick, les sandwichs au poulet frit de *Daniel Delaney*, les petits pains à la langouste du *Red Hook Lobster Pound* et les excellents *doughnuts* de chez *Dough*, mais aussi tacos, chinois, thaï, coréen, japonais... En tout, une vingtaine de comptoirs où l'on peut retirer le plat de son choix pour le déguster sur de grandes tablées au centre de la halle, dans un joyeux brouhaha.

|●| *Chola* (plan 2, H10, **168**) : 232 E 58th St (entre 2nd et 3rd Ave). ☎ 212-688-4619. Ⓜ (4, 5, 6) 59 St. Menus le midi 15-16 $; plats 11-25 $. Si vous êtes dans le coin à l'heure du déjeuner, le buffet à volonté de ce bon resto indien est d'un surprenant rapport qualité-prix. Certes, les plats proposés (une quinzaine) sont simples, mais la qualité est là. On vous apporte en plus à table un *naan* tout chaud, un petit accompagnement et une pièce de viande (du poulet tandoori par exemple). Banquettes confortables et décor pas désagréable du tout, sans folklore.

|●| *Sakagura* (plan 2, H11, **220**) : 211 E 43rd St (entre 2nd et 3rd Ave). ☎ 212-953-7253. Ⓜ (S, 4, 5, 6, 7) 42 St-Grand Central. Ouv le soir tlj, plus le midi lun-ven. Le midi, formule 22 $ et menu dégustation 33 $; plus cher le soir. Ce resto-bar à saké est l'une de nos adresses les plus mystérieuses : il faut entrer dans un triste immeuble gardé par un vigile puis descendre un escalier à gauche... pour découvrir une authentique *izakaya* (auberge traditionnelle japonaise). Cadre spacieux (bois blanc, brique blanche et bambou), ménageant quelques coins intimes et un comptoir pour les pressés. Fine cuisine, formules très abordables le midi et principe de *small plates* à la carte le soir. N'oubliez pas le petit tour aux toilettes, aménagées dans d'authentiques barriques de saké !

|●| *Pershing Square Café* (plan 1, C1, **446**) : 90 E 42nd St (et Park Ave) ; sous le viaduc. ☎ 212-286-9600. Ⓜ (S, 4, 5, 6, 7) 42 St-Grand Central. Tlj 7h (8h w-e)-22h30. Plats 15-26 $, salades 10-18 $. Une adresse « Spécial petit déjeuner » (lire plus haut) qui peut aussi servir de point de chute le midi ou pour dîner si vous êtes dans le coin de Grand Central. Cuisine américaine familiale sans génie mais honnête : burgers, poulet rôti, ravioli à la ricotta maison, ce genre de choses.

De plus chic à très chic

|●| *Sushi Yasuda* (plan 2, H11, **280**) : 204 E 43rd St (entre 2nd et 3rd Ave). ☎ 212-972-1001. Ⓜ (S, 4, 5, 6, 7) 42 St-Grand Central. Tlj sf sam midi et dim. Résa vivement conseillée. Compter 40 $ min. Un resto japonais élitiste au vrai sens du terme : pas d'enseigne, seul un petit poisson joliment stylisé (à peine

visible) indique le lieu. Si on opte en plus pour une place au comptoir, ce n'est plus seulement une halte gastronomique, mais une vraie expérience. Observer les cuisiniers au travail est un show en soi, puis on a droit aux commentaires, avant de croquer à pleines dents dans les sushis, sashimis et autres *rolls* d'une fraîcheur irréprochable. À moins d'avoir vraiment les moyens, pour une fois, ne suivez pas les habitués qui commandent l'*omakase,* le menu surprise du chef facturé environ 150 \$...

I●I *Grand Central Oyster Bar & Restaurant (plan 2, H11, 323) : au sous-sol de Grand Central Station.* ☎ 212-490-6650. Ⓜ *(S, 4, 5, 6, 7) 42 St-Grand Central. Tlj sf dim 11h30-21h30. Plats 23-36 \$.* Ce vaste resto centenaire, ouvert peu après la construction de la gare en 1913, est un incontournable pour déguster poisson et fruits de mer. La fraîcheur est à toute épreuve, et le choix fabuleux (une vingtaine de variétés d'huîtres) ! 4 lieux : la grande salle sous les voûtes, le lounge intime face à l'entrée, les longues tables conviviales pour les pressés ou le saloon au fond à droite (avec aussi un long comptoir). Énorme sélection de vins du monde entier (chers !) et bières locales microbrassées. Un must dans son genre, malgré le service brusque et le vacarme ambiant (dû à la hauteur sous plafond).

Café, pâtisseries

☞ *Blue Bottle Coffee (plan 1, B-C1, 332) : 54 W 40th St (entre 5th et 6th Ave).* ☎ 510-435-7350. Ⓜ *(D, F) 42 St-Bryant Park.* Cette enseigne californienne, dans le même esprit que *La Colombe* et *Stumptown Coffee Roasters,* a rapidement conquis les New-Yorkais, qui ne jurent plus que par le bon café passé à l'ancienne. Quelques tabourets hauts seulement pour s'asseoir, mais Bryant Park vous tend les bras pour siroter un cappuccino à l'ombre des magnifiques buildings. Le chocolat chaud préparé avec du cacao Mast Brothers (made in Brooklyn) vaut aussi le coup.

☞ *Magnolia Bakery (plan 2, G11, 318) : 1240 6th Ave (et 49th).* ☎ 212-767-1123. Ⓜ *(D, F) 47-50 St-Rockefeller Center.* Pas de places assises dans cette succursale de la fameuse pâtisserie de Greenwich Village spécialisée dans les *cupcakes* (voir commentaire dans ce chapitre), située au pied du Rockefeller Center. Heureusement, la file d'attente est quand même moins démoniaque ici !

☞ *Lady M (plan 1, B-C1, 332) : 36 W 40th St (entre 5th et 6th Ave).* ☎ 212-452-2222. Ⓜ *(D, F) Bryant Park.* Décor minimaliste façon laboratoire pour cette pâtisserie américaine d'inspiration française aux accents japonais. Le *signature cake* est le « Mille Crêpes », un millefeuille de crêpes ultra-fines caramélisé au-dessus (existe en version thé vert). Un peu cher (environ 7 \$ la part) mais exquis, crémeux et léger à la fois. Tables pour la dégustation, sinon Bryant Park est juste en face.

☞ *Buttercup Bake Shop (plan 2, H11, 275) : 973 2nd Ave (entre 51st et 52nd).* ☎ 212-350-4144. Ⓜ *(6) 51 St. Banana pudding* (riche mais ô combien addictif !), *cupcakes, cheesecakes,* etc., telles sont les douceurs typiquement américaines que vous dégusterez sans compter dans cette bonne petite pâtisserie. Le décor ne paie pas de mine mais on ne boude pas pour autant les quelques places assises !

Où boire un verre ?

Ambiance yuppie dans ces bars chic et chers, bien à l'image du quartier.

🍷 I●I *PJ Clarke's (plan 2, H10, 310) : 915 3rd Ave (angle 55th).* ☎ 212-317-1616. Ⓜ *(N, R, 4, 5, 6) 59 St. Tlj 11h30-4h.* Installé dans une pittoresque maison basse de 1868 en brique rouge cernée de gratte-ciel, ce

MIDTOWN

pub vieilli dans son jus – véritable institution – a abreuvé des générations de New-Yorkais depuis sa création en 1884. À l'intérieur, brique encore, vieilles pendules et grand bar en bois où il faut jouer des coudes pour siroter sa bière ou gober une paire d'huîtres, parmi les quadras en bras de chemise tout juste sortis du bureau. On peut aussi y manger des *pubs classics* assez chers, autour des nappes à carreaux de la salle ronflante à l'arrière. Beaucoup d'ambiance en fin de semaine, sur fond de standards rock.

🍸 *The Refinery Rooftop* (plan 1, B1, **406**) : 63 W 38th St (entre 5th et 6th Ave). ☎ 646-664-0372. Ⓜ (D, F) Bryant Park. Tlj 16h-1h (3h ven-sam). Au 13e étage, avec une belle vue sur l'Empire State Building, un *rooftop* efficace et aux consommations encore abordables. On apprécie l'espace couvert, convivial et chaleureux, mêlant briquette rouge, sol en carreau de terre cuite et cheminée en hiver, ainsi que sa terrasse semi-ouverte éclairée par des photophores. Ambiance détendue, calme en semaine.

🍸 *Salon de Ning* (plan 2, H10, **362**) : au sommet de l'hôtel Peninsula, 700 5th Ave (et 55th). ☎ 212-903-3097. Ⓜ (E) 5 Ave-53 St. Tlj 17h-1h (minuit dim). Au 23e étage d'un hôtel de luxe, superbe terrasse avec vue sur la *skyline*, offrant un mobilier design et coloré au style éclectique, mélangeant réminiscences asiatiques et Art déco. Poufs à l'orientale et larges lits à la chinoise amplifient son atmosphère relax. Les jours de frimas, on se rabat sur le petit bar intérieur élégant, vitré évidemment pour ne rien perdre de la vue. Cocktails sophistiqués et très chers (compter 20-40 $), ça va de soi !

🍸 *The Campbell Apartment* (plan 2, H11, **405**) : accès par Vanderbilt Ave, il faut sortir de Grand Central Terminal. ☎ 212-953-0409. Ⓜ (S, 4, 5, 6, 7) 42 St-Grand Central. Tlj 15h-1h (23h dim). Étonnant de trouver un tel endroit dans une gare ! En fait, il s'agit de l'appartement qu'occupait dans les années 1920 le magnat de la finance J. W. Campbell, rénové depuis avec beaucoup de goût. Grande salle de style florentin avec plafond à caissons peint, meubles sculptés, murs en marbre et cheminée monumentale. Atmosphère intime et ambiance jazzy. Le bar est assez classe (et pas donné !), alors ne vous y pointez pas en jean déchiré.

🍸 *Upstairs* (plan 2, H11, **471**) : au 30e étage du Kimberly Hotel, 145 E 50th St (entre Lexington et 3rd Ave). ☎ 212-888-1220. Ⓜ (6) 51 St. Bar 17h (16h w-e)-1h (2h jeu-sam, 23h dim). DJ mer-sam. *Rooftop bar* typiquement new-yorkais, décrit plus haut dans « Où manger ? Spécial petit déjeuner et brunch ». Cocktails chers, mais quelle vue !

Où écouter du bon jazz ?

🎵 *Saint Peter's Church* (plan 2, H11, **464**) : 619 Lexington Ave (angle 54th). ☎ 212-935-2200. ● saintpeters.org ● Ⓜ (6) 51 St. Décidément, tout est très concentré, voire imbriqué à Manhattan. Un exemple, cette église luthérienne installée sous la Citicorp Tower, qui culmine à 274 m ! La congrégation s'est fait pas mal d'argent en vendant son vaste terrain à la Citicorp, il y a quelques décennies, à la condition qu'une nouvelle église soit intégrée dans le complexe. Tous les dimanches à 17h s'y tiennent les *Jazz Vespers*, cérémonies religieuses ponctuées d'« intermèdes musicaux » interprétés par des artistes de talent. C'est gratuit. La messe est suivie d'un goûter auquel les ouailles sont chaleureusement conviées. Concerts gratuits donnés également en extérieur, sur la *plaza* (jeu 12h30-13h30, juin-août slt).

Shopping

Mode

👔 *Abercrombie & Fitch* (plan 2, H10, **621**) : 720 5th Ave (et 56th). ☎ 212-306-0936. Ⓜ (N, R) 5 Ave-59 St. On ne présente plus cette marque *casual*, connue des ados pour ses gros sweats douillets à capuche estampillés, ses T-shirts, polos et autres chemises à carreaux. Les boutiques sont toutes conçues sur le même principe : éclairages ultra-tamisés, musique assourdissante façon boîte de nuit et sent-bon maison *(Fierce)* vaporisé à tout-va pour l'ambiance olfactive. Les files d'attente sont au moins aussi légendaires que les play-boys bodybuildés qui posent à l'entrée. Pas de soldes, ici !

⚜ *Hollister* *(plan 2, H11, 588) : 668 5th Ave (entre 52nd et 53rd)*. ☎ 646-924-2555. Ⓜ *(E) 53 St*. C'est le magasin amiral de la ligne californienne d'Abercrombie, un poil moins chère, pour une qualité et un style équivalents. La boutique vaut largement le détour elle aussi, avec sa devanture noire et ses écrans à l'intérieur retransmettant en live Huntington Beach (la plage des surfeurs à Los Angeles). N'oublions pas le staff de jeunes recrutés pour leur plastique, déambulant en tongs et maillot de bain ! Pas vraiment de soldes, mais quelques promos.

⚜ *Brooks Brothers* *(plan 2, H11, 598) : 346 Madison Ave (et 44th)*. ☎ 212-682-8800. Ⓜ *(S, 4, 6, 7) 42 St-Grand Central*. Depuis 1818, *Brooks Brothers* fait la loi en matière de chemises pour hommes. Cette institution, très prisée par le monde de la finance, est le fournisseur officiel des présidents américains, d'Abraham Lincoln à Barack Obama, à l'exception de Jimmy Carter et Ronald Reagan. Du classique, également décliné en *leisure wear* B.C.B.G. Prix convenables vu la qualité, d'autant qu'ils proposent régulièrement des promos. *D'autres boutiques au 901 Broadway (et 20th St ; quartier Flatiron) et 1270 6th Ave (et 50th St, près du Rockefeller Center).*

⚜ *Victoria's Secret* *(plan 2, H10, 601) : 34 57th St (entre Madison et Park Ave)*. ☎ 212-758-5592. Ⓜ *(N, R) 5 Ave-59 St*. Le saviez-vous ? Les Américains, qui nous la jouent tout en pudibonderie *politically correct*, ont une passion pour la lingerie féminine ! Beaucoup de choix, modèles alléchants et prix démocratiques ; en revanche, la qualité est loin de celle de la lingerie française... *Succursale à SoHo, 565 Broadway (entre Spring et Prince).*

⚜ *Ugg Australia* *(plan 2, H10, 626) : 600 Madison Ave (et 58th)*. ☎ 212-845-9905. Ⓜ *(N, R) 5 Ave-59 St*. Pour les fans des fameuses bottes fourrées australiennes, pas forcément super élégantes mais douillettes et toujours fashion. Et puis, à New York en plein hiver, reconnaissons que c'est adapté. Modèles pour hommes, femmes, enfants, bébés et accessoires : gants, chaussons, sacs... Très peu de soldes et jamais sur les classiques.

⚜ *Anthropologie* *(plan 2, G-H11, 552) : 45 Rockefeller Plaza (entre 50th et 51st)*. ☎ 212-246-0386. Ⓜ *(D, F) 47-50 St-Rockefeller Center*. Une marque de vêtements pour femmes (née à Philadelphie) qu'on aime particulièrement pour son style original et raffiné, tendance vintage, rétro ou hippie chic. Cher, mais vraiment unique. Également de la belle vaisselle et de la déco. Les boutiques valent le coup d'œil.

⚜ *J. Crew* *(plan 2, H11, 546) : 347 Madison Ave (et 45th)*. ☎ 212-949-0570. Ⓜ *(S, 4, 5, 6, 7) 42 St-Grand Central*. La marque *casual* chic pour hommes et femmes, remise au goût du jour par Michelle Obama. Les collections changent régulièrement, toujours dans le style « week-end dans les Hamptons ». Cher, mais le coin des soldes réserve parfois des surprises. *Autres adresses à proximité au 30 Rockefeller Center (50th St, entre 5th et 6th Ave) et dans l'Upper East Side, au 769 Madison Ave (et 66th) et au 1035 Madison Ave (et 79th).*

⚜ *Uniqlo* *(plan 2, H11, 588) : 666 5th Ave (et 53rd)*. ☎ 1-877-486-4756. Ⓜ *(6) 51 St et (E, M) Lexington Ave et 53 St*. C'est le *flagship* de la chaîne de prêt-à-porter japonaise (avec son alter ego de Tokyo à Ginza), spécialisée dans les fringues sobres et basiques, déclinées dans plein de couleurs et à prix doux. Architecture d'avant-garde (signée Masamichi Katayama), conçue comme une immense et lumineuse cathédrale de la fringue. Son triple escalator monte directement au 3e étage et on accède aux autres par des escaliers aux lumières flashy...

Bijoux

⚜ *Tiffany & Co* *(plan 2, H10, 595) : 727 5th Ave (et 57th)*. ☎ 212-755-8000. Ⓜ *(N, R) 5 Ave-59 St*. Immortalisé à l'écran par Blake Edwards dans

MIDTOWN

Breakfast at Tiffany's (Diamants sur canapé) avec la délicieuse Audrey Hepburn, d'après le roman de Truman Capote. Imaginez une grande surface où les rayons ne présenteraient que des bijoux. Pas du toc, au minimum de l'argent, et vraiment des pièces de valeur, avec des pierres somptueuses. Si vous voulez vous offrir un petit souvenir, montez direct au 3ᵉ, au rayon des *charms* (breloques). Compter 75 $ le petit cœur en argent gravé de la célèbre mention : « *Please return to Tiffany & Co* ». Pour la petite histoire : c'est à la tête d'une modeste bijouterie que Charles Tiffany commença, dès le milieu du XIXᵉ s, à acquérir une certaine notoriété en rachetant aux aristocrates parisiens des parures de bijoux qu'il exposait ensuite dans sa boutique new-yorkaise... et qui connurent un rapide succès. Son fils, Louis Comfort Tiffany, a décoré le magasin de vases et d'abat-jour Art nouveau, pour finalement devenir un grand décorateur d'intérieur. Il figure d'ailleurs en bonne place au Metropolitan Museum.

Spécial enfants

✿ ☆☆ ***Nintendo World*** *(plan 2, H11, 599)* : *10 Rockefeller Plaza (48th St, entre 5th et 6th Ave)*. ☎ 646-459-0800. Ⓜ *(D, F) 47-50 St-Rockefeller St*. Vous voulez faire plaisir à vos enfants après une journée dans les musées ? Voici le temple de la console de jeux avec DS et Wii à dispo gratuitement ! Également des tas de produits dérivés à l'effigie de Mario et ses copains, et une vitrine-musée de la marque...

✿ ☆☆ ***Lego Store*** *(plan 2, H11, 625)* : *620 5th Ave (entrée sur Rockefeller Plaza)*. ☎ 212-245-5973. Ⓜ *(D, F) 47-50 St-Rockefeller St*. La boutique qui ravira les inconditionnels des petites briques danoises. Quelques éditions typiquement américaines dans la série *Architecture* qui sont malheureusement assez chères (Empire State Building et autres), et un mur de briquettes multicolores pour se composer ses propres créations.

✿ ☆☆ ***The Eloise Shop*** *(plan 2, H10, 594)* : *5th Ave (angle 58th), dans la galerie commerciale au sous-sol du Plaza Hotel*. ☎ 212-546-5460. Ⓜ *(N, Q, R)*

5 Ave-59 St. Bienvenue dans le monde kitschissime de l'espiègle Eloise, la fillette de 6 ans des romans de Kay Thompson des années 1950-1960. Le magasin propose toute une garde-robe et pyjamas rose bonbon que seuls les Américains osent offrir à leur petite fille riche et gâtée ! Les décors inspirés du livre (salons de thé et de lecture, avec minipiano, coiffeuse et scène de star) valent à eux seuls la visite !

✿ ☆☆ ***American Girl Place*** *(plan 2, H11, 619)* : *609 5th Ave (et 49th)*. ☎ 1-877-247-5223. Ⓜ *(E) 5 Ave-53 St*. Le concept de ce magasin : s'occuper de sa poupée comme d'une vraie personne. On commence par élire sa poupée (de préférence celle qui ressemble le plus à votre petite fille), puis on choisit pour les deux vêtements et accessoires assortis, et même un petit animal de compagnie, avant de passer dans un vrai salon de coiffure, de se faire photographier dans un vrai studio et de lui offrir une tasse de thé dans un vrai restaurant. Il y a aussi une clinique pour les poupées malades... que l'on vous rendra avec une blouse d'hôpital et un certificat de bonne santé ! À prendre impérativement au 2ᵉ degré (voire plus) ou comme une bonne leçon de consommation à l'américaine.

Boutiques de sport

✿ ***NBA Store*** *(plan 2, H11, 602)* : *545 5th Ave (angle 45th)*. ☎ 212-457-3120. Ⓜ *(E) 5 Ave-53 St*. La nouvelle boutique officielle de la fameuse *NBA (National Basketball Association)*. Immense, sur 3 niveaux ! Grand choix de vêtements à l'effigie de votre équipe favorite. Au sous-sol, les fans apprécieront les ballons et T-shirts dédicacés de joueurs stars.

✿ ***Nike Town*** *(plan 2, H10, 515)* : *6 E 57th St (entre 5th et Madison Ave)*. ☎ 212-891-6453. Ⓜ *(N, R, 4, 5, 6) 59 St*. Le *flagship* de la marque. Sur 5 niveaux, toutes les dernières créations en matière de *running*, basket-ball, base-ball, ou tout simplement *sportswear*. Un peu moins cher qu'en France. À voir aussi pour l'architecture du lieu (extérieure et intérieure).

✿ ***Yankees Clubhouse Shop*** *(plan 2, H10, 589)* : *110 E 59th St (entre Park* *et Lexington Ave).* ☎ *212-758-7844.* ⓜ *(N, R, 4, 5, 6) 59 St.* Arrêt indispensable pour les fans de l'équipe de base-ball chérie des New-Yorkais : fringues, accessoires, souvenirs et vente des billets pour leurs matchs au Yankee Stadium dans le Bronx.

Boutiques de musées

🏛 *MoMA Design & Book Store (plan 2, H10-11) :* 11 W 53ᵉ St (entre 5ᵗʰ et 6ᵗʰ Ave). ☎ 212-708-9700. ● momastore.org ● ⓜ (E) 5 Ave-53 St. Tlj 9h30-18h30 (21h ven). La boutique du MoMa est une référence dans le monde du design, on vous met au défi d'en ressortir bredouille ! Plein d'idées de cadeaux originaux et stylés à (à peu près) tous les prix.

🏛 🛍 *New York Transit Museum Store (plan 2, H11, 323) :* dans Grand Central Station, Park Ave et 42ⁿᵈ St. ☎ 1-866-289-6986. ● transitmuseumstore.com ● ⓜ (S, 4, 5, 6, 7) Grand Central-42 St. Au rez-de-chaussée, à l'ouest du grand hall, derrière les escaliers, c'est la boutique du formidable musée des Transports en commun (qui, lui, se trouve à Brooklyn).

On y trouve les classiques T-shirts, mugs, magnets à l'effigie des stations de métro, mais plein d'autres produits dérivés, des idées de cadeaux sympas et un immense circuit de train électrique qui fera la joie des enfants et des passionnés de la vie du rail.

Marchés

🏛 *Grand Central Market (plan 2, H11, 323) :* dans Grand Central Station, au niveau de Lexington Ave et 43ʳᵈ St. ⓜ (S, 4, 5, 6, 7) Grand Central-42 St. Sem 7h-21h, sam 10h-19h, dim 11h-18h. Un marché dans une gare ? C'est dire si Grand Central est unique. Ce marché aux étals alléchants est en réalité une petite galerie reliant Lexington au hall principal, réunissant plusieurs enseignes d'épicerie fine : fruits, légumes et fruits secs de chez *Eli Zabar*, charcuterie et fromages de chez *Murray's*, crab cakes de *Pescatore*, pâtisseries de *Zaro's*... Bien sûr, ce n'est pas donné, mais difficile de rester insensible !

🏛 *Whole Foods Market (plan 2, H10, 321) :* 226 E 57ᵗʰ St (entre 2ⁿᵈ et 3ʳᵈ Ave). ☎ 646-497-1222. ⓜ (4, 5, 6) 59 St. Tlj 8h-23h. Voir « Où manger ? » plus haut.

MIDTOWN

À voir

🎨🎨🎨 *MoMA (Museum of Modern Art* ; plan 2, H10-11) : 11 W 53ʳᵈ St (entre 5ᵗʰ et 6ᵗʰ Ave), avec aussi une entrée sur 54ᵗʰ St (où s'achètent les billets). ☎ 212-708-9400. ● moma.org ● ⓜ (E) 5 Ave-53 St. Tlj (sf Thanksgiving et Noël) 10h30-17h30 (20h ven). Entrée : 25 $; réduc ; gratuit moins de 16 ans et pour ts ven dès 16h. Entrée au MoMA PS 1 incluse dans les 2 sem qui suivent (voir « Queens » plus loin). Audioguide en français gratuit (carte d'étudiant, carte d'identité ou permis de conduire exigés comme caution, **passeport non accepté**), sinon possibilité de podcaster gratuitement le contenu sur un iPod. Compter ½ journée. Lors des nocturnes gratuites du ven, les files d'attente à l'entrée, souvent impressionnantes, avancent très vite. En revanche, l'attente au vestiaire (gratuit) est très longue, donc évitez de venir avec un gros sac sous peine de devoir obligatoirement le laisser.

Malgré un prix d'entrée carabiné, c'est une des visites à ne rater sous aucun prétexte ! Créé en 1929 par trois collectionneuses riches et audacieuses, le MoMA est alors le premier musée d'art moderne du monde, à une époque où le public comme la critique sont plutôt hermétiques à cette nouvelle esthétique. Les Cézanne, Gauguin, Seurat et Van Gogh y sont à l'honneur parmi une centaine de toiles exposées dans un grand appartement de 5ᵗʰ Avenue (angle 57ᵗʰ Street) prêté par le milliardaire Rockefeller... Puis, le succès venant, la collection de tableaux et sculptures s'agrandit, pour finalement déménager en 1939 à son adresse actuelle avant de connaître une vaste campagne de rénovation de 2002 à 2004, dirigée par l'architecte japonais Yoshio Taniguchi. Voici donc un spacieux bâtiment de cinq étages et quelque 12 000 m² d'exposition, aussi zen et aéré que lumineux, dont l'architecture modeste et discrète n'entre pas en concurrence avec les œuvres.

Avec près de 150 000 œuvres, le MoMA compte aujourd'hui *la plus importante collection d'art moderne et contemporain au monde,* également ouverte à la photographie, au cinéma, à l'architecture et au design. Autant dire que *les œuvres sont présentées par roulement.* Nous décrivons simplement un échantillon d'entre elles et des artistes incontournables que vous découvrirez au fil des salles, mais certains ne seront peut-être pas exposés le jour de votre passage. Et puis *renseignez-vous sur les nombreuses expos temporaires* du moment pour affiner votre parcours.
– *Important :* on conseille d'effectuer la visite en descendant à partir du 4e étage (*5th Floor*), le 5e et dernier étage (*6th Floor*) étant consacré à des expos temporaires.

Le 4e étage (5th Floor), 1880-1940
On y trouve les chefs-d'œuvre qui ont forgé la réputation du MoMA, organisés par thématiques, un véritable festin artistique ! Avec **Les Demoiselles d'Avignon,** Picasso fustige la beauté féminine en offrant une provocatrice tranche de vie dans un bordel, certaines dames dénudées portant des masques africains... Dans la **Baigneuse debout,** il présente certaines parties du corps sur le même plan, ainsi les fesses dans le prolongement du

SUR LE PONT

Contrairement à ce que l'on pourrait croire, le célèbre tableau des Demoiselles d'Avignon *(exposé au MoMA) n'a rien à voir avec la ville française. La toile cubiste qui révolutionna la peinture est en fait un vibrant hommage aux filles de joie de Barcelone qui travaillaient à l'époque dans la* carrer d'Avinyó, *vieille rue du centre...*

ventre, dans un original travail de déconstruction qui fera date. Le cubisme est d'ailleurs abordé en globalité, à travers Juan Gris, Braque, Fernand Léger, les Russes Malevich et Popova. Puis viennent les futuristes avec Delaunay et Chagall, les dadaïstes avec Picabia, Man Ray et la fameuse **Roue de vélo** de Duchamp, les surréalistes dont **La Naissance du monde** de Miró, les montres molles de **La Persistance de la mémoire** de Dalí jouxtent des Magritte et des Ernst. Admirez encore des Gauguin de la période tahitienne, le Douanier Rousseau avec **Le Rêve** (où les éléments de décor sont aplatis et superposés sans perspective, comme au théâtre), Van Gogh et sa **Nuit étoilée,** ses **Oliviers** ou encore son **Portrait de Joseph Roulin,** figé avec barbe et fleurs.

Matisse, dont on peut voir une première version de **La Danse,** nous invite dans son charmant **Atelier rouge** parisien pour une rétrospective de ses œuvres, ainsi que dans sa **Piscine** à laquelle une salle est entièrement consacrée. Également une élégante section autour des sculptures de Brancusi, avec ses êtres hybrides et si stylés, encadrées de **Compositions** de Mondrian

UN BATEAU À L'ENVERS

En 1961, on exposa Le Bateau *de Matisse au MoMA. Une de ses dernières œuvres constituées de papiers découpés. Il fallut 47 jours pour que l'on remarque que le tableau était accroché à l'envers. Plus de 100 000 personnes l'avaient admiré sans s'en rendre compte.*

et d'œuvres angoissantes de De Chirico. Monet apparaît à travers des grands formats étudiant les nuances et reflets d'un étang entouré de verdure ; une préfiguration des fameux *Nymphéas* (que l'on peut admirer, entre autres, à l'Orangerie à Paris). Pêle-mêle encore, on trouve de nombreux Cézanne dont un célèbre **Autoportrait** et son non moins fameux **L'Estaque,** des Degas, Seurat, Derain, Arp, Klee, Breton, Kandinsky, Klimt, et on en passe...

Le 3e étage (4th Floor), 1940-1980
Les musts plus récents du MoMA, tout aussi prestigieux. Attention, en cas d'exposition temporaire de grande envergure, les œuvres de cet étage peuvent être déplacées ailleurs dans le musée, le plus souvent dans les couloirs d'accès aux

salles. Sinon, la priorité est donnée ici à l'art américain, qui prend le pas sur le Vieux Continent au lendemain de la Seconde Guerre mondiale. On verra les toiles géniales de Pollock, dont la technique si caractéristique du *dripping* a littéralement révolutionné le paysage artistique. Toujours quelques toiles de Bacon. Parmi les autres Américains d'envergure, on retiendra encore Newman, Rauschenberg, Gorky, Still, Gottlieb, de Kooning, Lichtenstein. Et puis Rothko, Cy Twombly, Jasper Johns et Hopper dont les toiles tournent bien sûr, mais avec un peu de chance vous verrez *Gas* (la station-service au milieu de nulle part) et *House by the Railroad,* qui inspira Hitchcock pour son *Bates Motel* de *Psychose*. Warhol est toujours là, en tant que roi du pop art, alignant ses **Boîtes de soupe Campbell's,** une **Gold Marilyn Monroe,** peinte comme une icône l'année de sa mort et la fameuse fermeture Éclair du jean de **Sticky Fingers** que les fans des Rolling Stones connaissent bien...

MIDTOWN

Le 2e étage (3rd Floor)

En grande partie consacré à l'**architecture** et au **design,** sous forme d'expositions temporaires. La révolution industrielle du XIXe s a modifié la manière dont les concepteurs voient désormais meubles, objets domestiques et habitations... Les objets usuels produits en masse sont aujourd'hui portés au rang d'œuvres d'art. À cet étage, même principe pour le département **dessins** et la galerie retraçant les grands courants artistiques de la **photographie,** dont les clichés varient selon les expos.

Le 1er étage (2nd Floor)

Les **galeries d'art contemporain** (Contemporary Galleries) sont consacrées à d'autres expos temporaires, tout comme le département des **imprimés et livres illustrés** (prints and illustrated books) présentant en rotation régulière : gravures, affiches publicitaires, livres d'art et lithographies. Enfin, la **Media Gallery** montre des installations s'appuyant sur les nouveaux supports pour l'art contemporain (vidéos, réalisations sonores...). Dans ce domaine encore, le MoMA se veut à la pointe.

Le rez-de-chaussée (1st Floor)

Aux beaux jours, promenez-vous dans le *Abby Aldrich Rockefeller Sculpture Garden,* pour admirer de magnifiques sculptures dont la célébrissime chèvre de Picasso (son ventre est constitué d'un panier en osier). Les passionnés de **cinéma** ne manqueront pas les trois salles (accès payant et indépendant du musée, sauf pour certaines séances accessibles avec le billet d'entrée du musée) où sont projetés des films qui ont marqué leur époque. Enfin, le **centre de recherche et d'éducation pour enfants** (dans un bâtiment mitoyen, sur réservation), et puis la très belle **boutique du musée** au rez-de-chaussée (voir plus haut « Shopping »), la riche librairie à l'entresol du 1er étage, et le resto-bar très chic et hors de prix, **The Modern.**

I●I Aux 2e et 5e niveaux, deux **cafétérias, Cafe 2** et **Terrace 5** (qui jouit d'une vue aérée), excellentes mais un peu chères et où l'on fait souvent la queue.

🎬🎬 **Rockefeller Center** (plan 2, G-H11): *entre 5th et 6th Ave d'une part, W 48th et W 51st St d'autre part.* ☎ 212-698-2000. ● *rockefellercenter.com* ● Ⓜ *(D, F)* 47-50 St-Rockefeller Center. *Visite guidée de 75 mn, en anglais slt (pas passionnante) tlj ttes les 30 mn 10h-17h30, puis 19h-19h30 (billets en vente au guichet de l'observatoire de Top of the Rock ou en ligne, 20 $; 44 $ avec la montée à Top of the Rock). Plan (payant) très utile pour se repérer parmi les buildings.* Ensemble de 22 gratte-ciel bâtis sur 9 ha. La *Rockefeller Plaza* (esplanade transformée en patinoire l'hiver, horriblement chère et surpeuplée la plupart du temps) en est le centre, sous la garde d'une statue dorée de Prométhée dominant la fontaine. Mignonne petite allée du centre depuis cette place vers 5th Avenue parsemée de fleurs, de sculptures, et de bancs pour faire une petite pause. Réalisé en pleine dépression économique des années 1930, le Rockefeller Center constitue, avec ses rues, boutiques et équipements culturels, un modèle d'intégration urbaine pour de nombreux architectes contemporains. Vendu aux Japonais, puis racheté, seul le sapin de 25 m de haut, symbole de la prospérité retrouvée après le krach de 1929, demeure immuable : on le dresse depuis cette époque, chaque 1er mardi de décembre, à 18h précises ; et l'une des grandes stars de l'année presse alors un bouton allumant 20 000 ampoules en même temps. Si le tour guidé du complexe ne vaut pas le coût (et le coup), il faut bien sûr monter en haut de l'observatoire, *Top of the Rock* (voir ci-après) et entrer au moins dans le hall de l'*International Building* (c'est gratuit), au 45 Rockefeller Plaza et 50th Street, pour admirer son impressionnant hall en marbre vert avec plafond en cuivre, du plus pur style Art déco. Les éclairages qui habillent les murs latéraux sont une création des années 1970 : 16 000 feuilles d'acier patinées d'or en équilibre le long de câbles, une merveille.

|●| ☙ *Food Court :* *au sous-sol du Rockefeller Center* (Concourse Level). Pratique pour grignoter ou boire un coup en cas de besoin mais l'espace n'a aucun charme. Parmi les enseignes représentées : *Blue Bottle Coffee* (excellents cafés et chocolat chaud), *Prêt à Manger* (sandwichs), *Hale & Hearty* (soupes), *Jamba Juice* (jus et *smoothies*).

🏃🏃🏃 *Top of the Rock* (plan 2, G-H11) : 30 Rockefeller Plaza, entrée sur W 50th St, entre 5th et 6th Ave. Infos : ☎ 212-698-2000. ● topoftherocknyc.com ● Ⓜ (D, F) 47-50 St-Rockefeller Center. Tlj 8h-minuit (dernière montée à 23h). *Résa en ligne conseillée.* Si vous n'avez pas réservé à l'avance, possibilité de le faire directement sur place au guichet ; selon l'affluence, vous aurez un ticket pour tt de suite ou pour plus tard dans la journée. Ticket : 32 $; 26 $ 6-12 ans. Inclus dans le City-Pass. W-c au 66e étage (accès par l'ascenseur). C'est l'*observatoire du Rockefeller Center,* situé aux 67e, 69e et 70e étages du *NBC Building.* Passé une montée expresse des plus impressionnants en ascenseur au plafond vitré, on admire à partir des trois terrasses d'observation à l'air libre (mais protégées par des parois vitrées) l'architecture de Manhattan dans toute sa grandeur, notamment au soleil couchant... Un peu moins fréquenté et tout aussi grisant que l'Empire State Building, notamment parce qu'on peut justement profiter de la vue sur ce dernier et sur Central Park. Le panorama est d'ailleurs très différent puisqu'on est ici au cœur de Midtown, entouré d'une forêt de gratte-ciel d'où émerge la vertigineuse *tour 432.* Bref, l'un ne remplace pas l'autre, idéalement il faudrait faire les deux !

🏃 *Radio City Music Hall* (plan 2, G11) : 1260 6th Ave (angle 50th). ☎ 212-247-4777. ● radiocity.com ● Ⓜ (D, F) 47-50 St-Rockefeller Center. Visite guidée ttes les 30 mn 10h-17h ; durée : 1h15. Achat des billets en ligne ou à la boutique (entrée sur 6th Ave), ouv lun-sam 9h30-18h. Entrée chère : 27 $ (20 $ sur le site officiel, mais pour certaines heures slt) ; réduc. Créée par Rockefeller, la plus grande salle de spectacle de New York dispose de 6 000 places. Il y a plus de spectateurs qui y sont passés depuis 1932 que d'habitants aux États-Unis ! Le style Art déco domine partout. La salle est grandiose, et son décor évoque le soleil couchant sur l'océan. Les grands noms de la musique s'y produisent régulièrement. Ceux qui n'auront pas la chance (ou le budget) d'assister à un spectacle pourront faire la très mercantile visite guidée des coulisses (enfin, surtout de ses couloirs !), jeter un œil à la salle, visionner un court documentaire puis rencontrer une *rockette* (pour la photo en sa compagnie, prévoir 35 $!).

🏃🏃 *Grand Central Station* (plan 1, C1 et plan 2, H11) : 42nd St (et Park Ave). ● grandcentralterminal.com ● Ⓜ (S, 4, 5, 6, 7) 42 St-Grand Central. La plus ancienne gare de New York est connue pour son immense hall de style Beaux-Arts, où des millions de New-Yorkais pressés prennent le train chaque jour pour le Connecticut ou le nord de Manhattan. Ne faites pas comme eux, levez la tête pour admirer le splendide plafond représentant les constellations du zodiaque, qui brillent grâce à de petites lampes halogènes. Le hall, éclairé par des verrières de 25 m de haut, a des allures de cathédrale. Marbres polis, lustres dorés à l'or fin, chandeliers... Même les guichets sont des œuvres d'art ! C'est ici que Hitchcock tourna une des fameuses scènes de *La Mort aux trousses.* Bref, le décor vaut vraiment le détour, et, en plus, on trouve sur place un superbe marché (*Grand Central Market*) avec des produits d'une grande fraîcheur, un *food court* au sous-sol (le *Dining Concourse*) avec des enseignes de qualité et un excellent resto de *seafood*, véritable institution new-yorkaise, le *Oyster Bar & Restaurant* (voir « Où manger ? »)...

♨♨♨ Chrysler Building (plan 2, H11 et plan 1, C1) : *entrée sur Lexington Ave, au niveau de 42nd St. Ⓜ (S, 4, 5, 6, 7) 42 St-Grand Central.* Reconnaissable à sa grande flèche d'acier haute

LES MURS ONT DES OREILLES

Au sous-sol de la gare, entre le resto Oyster Bar et le Dining Concourse, se trouve une voûte dont la courbure porte le son. Pour en faire l'expérience, placez-vous le nez contre un des quatre piliers et parlez à voix basse à la personne située contre le pilier diagonalement opposé. Elle vous entendra comme si vous étiez à côté d'elle ! La Whispering (chuchotements) Gallery est un des lieux de rendez-vous les plus prisés à NYC pour les demandes en mariage, particulièrement le jour de la Saint-Valentin !

MIDTOWN

de 30 m qui en a fait l'un des symboles les plus élégants de Manhattan. Construit en 1930 par l'architecte William Van Alen, ce gratte-ciel de 77 étages est au summum du style Art déco, que l'on pourrait qualifier ici de « flamboyant ». Le hall d'entrée – tout en marbre et aluminium – vaut vraiment le coup d'œil. Remarquez les portes d'ascenseur décorées de fleurs de lotus... La flèche évoque une calandre de voiture, et les gargouilles sont inspirées des emblèmes du capot de la Chrysler Plymouth de 1929. Le bâtiment est occupé par des bureaux et ne se visite pas.

♨♨ United Nations (ONU ; *plan 1, D1*) **:** *sur 1st Ave, entre 42nd et 48th St. Guichet de contrôle d'identité pour les tours guidés face à l'entrée (à l'angle de 46th St et 1st Ave). ☎ 212-963-7539. Ⓜ (S, 4, 5, 6, 7) 42 St-Grand Central. Visites guidées slt (dont 1-3/j. en français), départ ttes les 15-45 mn (sf pause déj). Lun-ven 9h45-16h45 (fermé certains j. fériés, voir le calendrier sur Internet). Arriver 30-45 mn en avance pour passer les contrôles de sécurité à l'entrée. Durée : 1h.* **Il est préférable de réserver ses billets en ligne à l'avance (env 2 mois en hte saison),** *sur ● visit.un.org ●, sinon, 1/3 des billets sont réservés pour une vente sur place le j. même (1er arrivé, 1er servi). Prix : 18-20 $ selon saison (+ 2 $ de frais/billet) ; réduc. Interdit moins de 5 ans. Une fiche d'info bien faite (gratuite et en français) est à retirer au Visitor Center du sous-sol (escalier à droite dans le hall).*

Vous voici dans l'enceinte des Nations unies, donc en territoire international et non aux États-Unis ! L'ONU se compose en fait de plusieurs bâtiments reliés les uns aux autres, et la visite vous entraîne à travers ce grand complexe, évitant toutefois la haute tour de verre, qui abrite le secrétariat.

Avant même qu'une ville n'ait été élue pour accueillir le siège des Nations unies, on envisageait qu'il puisse se trouver sur un navire sillonnant en permanence les océans... Le bâtiment de l'ONU a quand même des allures de paquebot amarré au bord de l'East River ; est-ce un hasard ?

Sur un ton évidemment très consensuel, la visite (malgré tout passionnante) explique l'origine, la fonction et les missions des différents services de l'ONU, et permet de voir certaines des salles qui leur correspondent, les plus connues étant celle de l'*Assemblée générale* (la plus grande) où siègent les 193 pays membres, et la salle du *Conseil de sécurité* (que l'on voit souvent à la TV quand il y a de grosses crises : souvenez-vous de l'allocution de Dominique de Villepin lors de la guerre en Irak...). Naturellement, les grands problèmes planétaires sont évoqués : on apprend par exemple que le monde dépense chaque année 1 747 milliards de dollars dans l'armement (voir le cadran qui montre en temps réel la dépense du jour !), alors que seuls 10 milliards suffiraient pour que les terriens aient tous accès à l'eau potable, ou encore que 5 milliards permettraient d'éradiquer totalement l'illettrisme. Bref... Enfin, on découvre encore, au fil de la visite, les dons de différents États, à savoir des œuvres d'art (toutes très symboliques), disséminées un peu partout à l'intérieur des bâtiments (la liste exhaustive avec photos est consultable au *Visitor Center*). Certaines valent vraiment le coup d'œil, notamment le pendule de Foucault, en entrant à droite, et le grand vitrail de Chagall, juste après. Profitez-en également pour vous attarder aux expositions temporaires, souvent de qualité.

Enfin, le jardin est maintenant fermé pour raisons de sécurité. Dommage pour sa belle roseraie et ses sculptures. On peut toutefois voir la sculpture offerte par le Luxembourg à l'entrée, représentant un gigantesque revolver au canon noué, ce qui a le mérite d'être clair...

🏵 **Boutique** du monde (assez kitsch), **librairie** et **poste.** Un truc très rigolo : on peut faire faire des planches de **timbres** estampillés des Nations unies avec sa propre photo dessus. Succès assuré auprès de la famille et des copains ! Il faut impérativement poster les cartes sur place (bureau de poste au sous-sol), car ces timbres ne sont valables que dans l'enceinte des Nations unies.

🍴 **Delegates Dining Room :** ☎ 212-963-7626 ou 917-367-3314. ● *visit.un.org/content/delegates-dining-room* ● *Lun-ven 11h30-14h30. Résa impérative (facile sur leur site), passeport obligatoire aussi. Buffet déj 35 $.* C'est la cantine chic des Nations unies, ouverte à tous ce week-end à condition d'être vêtu « *business casual* » (jeans, short et baskets proscrits !). Le prix est un peu élevé pour le midi mais on y déjeune à volonté et au milieu des diplomates, avec vue sur l'East River.

➢ Si vous êtes dans le coin de l'ONU, un coup d'œil sur l'architecture des buildings de *Tudor City* vaut la grimpette *(42nd St, entre 1st et 2nd Ave).* Ce petit quartier sur les hauteurs avec vue sur l'East River et sur le bâtiment des Nations unies a des airs d'Angleterre. On est ici au calme, loin de l'effervescence new-yorkaise. Des séquences mythiques de *Taxi Driver* de Scorsese et de la trilogie des *Spiderman* y furent tournées.

🍴 **Waldorf Astoria** *(plan 2, H11)* **:** 301 Park Ave, à la hauteur de 49th St. Ⓜ (6) 51 St. Le palace historique de New York, qui a servi de cadre à de nombreux films, de *Gatsby le Magnifique* à *Hannah et ses sœurs,* en passant par *Broadway Danny Rose...* Le *Waldorf* se tenait autrefois à l'emplacement même de l'Empire State Building. Il fut détruit en 1929 pour être rebâti à sa place actuelle. Si la façade est plutôt austère, il faut voir le grand lobby, chef-d'œuvre de l'Art déco avec ses colonnes massives en

UN SECRET BIEN GARE-DÉ

Le plus célèbre client du Waldorf Astoria, *Franklin D. Roosevelt, avait une entrée privée depuis la gare de Grand Central, sur le quai 61 (juste derrière le 24). Un train spécialement construit pour accueillir sa limousine blindée lui permettait d'arriver directement à l'hôtel, sans quitter sa voiture. Toute sa vie, il a dissimulé son handicap et ne voulait surtout pas être vu en fauteuil roulant. Les photographes respectèrent son souhait.*

marbre, son plafond richement décoré de bas-reliefs où virevoltent des muses et sa grosse horloge en bronze. Au bar, un pianiste joue sur le vieux Steinway de Cole Porter, qui fut un habitué de l'hôtel. La clientèle ultra-conservatrice tout endimanchée fait aussi partie du décorum. N'hésitez pas à entrer et à déambuler à votre guise pour « vous y croire » ! Même les toilettes sont en accès libre. Attention, la fermeture est annoncée en 2017.

🍴 **New York Public Library** *(plan 1, B-C1)* **:** 5th Ave (entre 41st et 42nd). ☎ 917-275-6975. ● *nypl.org* ● Ⓜ (D, F) 42 St-Bryant Park ou (7) 5 Ave. *Lun-sam 10h-18h (20h mar-mer), dim 13h-17h. Fermé j. fériés. GRATUIT. Sur résa, visites guidées gratuites du bâtiment lun-sam à 11h et 14h, dim à 14h (durée 1h) ; intéressant mais un peu longuet.* Construit en 1902 dans le style Art nouveau, cet édifice, classé Monument national, vaut vraiment le coup d'œil. Voici donc la deuxième bibliothèque du pays, après celle du Congrès à Washington. Elle possède plus de 4,5 millions de livres, à consulter sur place. On vous fera noter sur un bout de papier le bouquin de votre choix, qui sera acheminé jusqu'à vous via un tuyau pneumatique d'époque. Vous pouvez aussi y voir de bonnes expos, disséminées dans le bâtiment, et surfer gratuitement sur Internet au 2e étage *(3rd Floor)*. Bien sûr, ne manquez pas de jeter un œil à la superbe **reading room,** de la taille d'un terrain de foot avec une hauteur équivalente à cinq étages ! Une salle de lecture bien d'aujourd'hui dans un décor d'hier. Sur les vénérables tables lustrées, plus de bouquins, seulement des ordis... Levez les yeux car c'est surtout le plafond, majestueux et superbement ouvragé, qui vaut le détour, notamment pour son trompe-l'œil de ciels nuageux, encadré d'or fin.

🎋🎍 **Bryant Park** *(plan 1, B1)* : *6th Ave, entre 40th et 42nd St.* ● bryantpark.org ● Ⓜ *(D, F) 42 St-Bryant Park.* 📶 Ce charmant petit parc, un des favoris des New-Yorkais, est bordé par la New York Public Library et de superbes buildings de toutes époques et tous styles architecturaux ; voir notamment le *Radiator Building,* chef-d'œuvre Art déco tout en brique noire incrustée de dorures (1924), et la *Bank of the America Tower* (2009), dont la flèche culmine à 370 m, ce qui en fait un des plus hauts buildings de la ville. Particulièrement agréable aux beaux jours, avec ses tables et chaises de jardin ombragées par de beaux arbres. Plein d'activités possibles, au gré des saisons : ping-pong, pétanque, échecs et prêt de jeux de société, carrousel pour les enfants, salle de lecture en plein air (avec livres de la NY Public Library à dispo), festival de cinéma les lundis soir d'été... Et ce n'est pas tout, de fin octobre à début mars, la grande pelouse centrale se transforme en patinoire *(gratuite, seule la loc de patins est payante mais chère, env 15 $).*

🍴 Parmi les différents restos implantés dans le parc, on conseille le **Bryant Park Café** *(ouv de mi-avr à nov),* adossé à la New York Public Library. Ne pas confondre avec le *Bryant Park Grill,* qui est la version haut de gamme, donc plus chère *(ouv tte l'année).* En plein air, sous de vastes parasols, on déguste de grandes salades, des plats de pâtes ou des grillades, le tout copieux et plutôt bon, pour un prix encore raisonnable *(plats env 15-20 $).* Dès la sortie des bureaux, les jeunes employés du quartier viennent s'accouder dans la partie bar. Bref, une immersion très new-yorkaise, limite *Sex and the City* ! D'autres kiosques de restauration rapide dans le parc.

Itinéraire à la découverte des buildings les plus marquants de Midtown

Voici quelques petites notions d'architecture pour apprécier à leur juste valeur les chefs-d'œuvre qui font de certaines rues de Manhattan un véritable musée à ciel ouvert. Bien sûr, levez les yeux tout le temps et laissez-vous distraire par d'autres buildings que ceux que nous décrivons (il y en a tellement !). *Enjoy !*
– **Style Art déco (1925-1940) :** façades en brique, terre cuite ou pierre polie aux lignes verticales, ornées d'éléments décoratifs travaillés et souvent géométriques. Emblèmes : Empire State Building et Chrysler Building.
– **Style international (1940-1970) :** apparition des premières tours de verre, béton et acier, sans aucune ornementation, semblables à d'immenses monolithes érigés au-dessus de grandes esplanades. Emblème : Seagram Building.
– **Style postmoderne (de 1975 à nos jours) :** verre et acier toujours, mais lignes moins lisses, avec des références historiques et de la fantaisie en plus.

➤ Rendez-vous à l'angle de West 57th Street et 8th Avenue, au pied de la **Hearst Tower** *(plan Itinéraire Midtown, A),* le premier gratte-ciel « vert » de New York (en forme de serre géante). Commandité en 1927 par le magnat de la presse William Randolph Hearst qui voulait y établir le siège de son empire, le building fut interrompu 2 ans plus tard à cause de la crise de 1929. Seule la base était construite... C'est l'architecte anglais Norman Foster qui acheva le projet... près de 80 ans plus tard ! Sans toucher à la façade Art déco, il prit le parti de la chapeauter d'une tour avant-gardiste et écolo, construite en matériaux recyclés.

➤ Remonter un bloc sur 8th Avenue et tourner à droite dans 58th Street. À l'angle de 7th Avenue se trouve l'immeuble *Alwyn Court (plan Itinéraire Midtown, B)*, construit en 1909 et abritant aujourd'hui le restaurant *Petrossian*. Sa façade, finement travaillée en terre cuite dans le style Renaissance, est une pure merveille. Les salamandres couronnées au-dessus de l'entrée rappellent d'ailleurs le symbole de François Ier.

➤ Descendre 7th Avenue sur un bloc seulement et tourner à gauche dans 57th Street. On repère de loin la silhouette élancée et bleutée du *One57 (plan Itinéraire Midtown, C)*, de l'architecte français *Christian de Portzamparc* (2013), premier gratte-ciel longiligne pour milliardaires. Cette luxueuse tour de logements, qui abrite aussi un hôtel 5 étoiles, culmine à 306 m, soit la même hauteur que la tour Eiffel. Ses lignes expriment l'énergie d'une cascade dans la verticalité de la ville et son scintillement est dû à l'utilisation de deux teintes de verre différentes, créant un effet de pixellisation qui rappelle certains tableaux de Gustav Klimt.

➤ Continuer sur 57th Street. Entre 5th et 6th Avenue s'élance une tour de verre noir encastrée dans un cadre de pierre de travertin, réalisée en 1974 par Skidmore, Owings et Merrill, et baptisée aujourd'hui *Solow Building (plan Itinéraire Midtown, D)*. Sa base évasée et ses grosses croix de Saint-André nécessaires au contreventement du bâtiment font toute son originalité.

➤ Avant de traverser 5th Avenue, remarquer en passant sur la gauche l'immeuble Art déco de *Bergdorf Goodman,* la boutique du joaillier *Tiffany* au carrefour opposé et tourner à gauche dans 57th Street.

🛍 Pour les amateurs, pause *shopping* possible dans le quartier, le long de 5th et Madison Avenue : *Tiffany* donc, mais aussi *Nike, Abercrombie,* *Hollister, American Girl Place* (voir la rubrique « Shopping » plus haut ; *plan Itinéraire Midtown,* respectivement *595, 515, 621, 588, 619)*...

➤ À l'angle de 57th Street et Madison, le *Fuller Building (plan Itinéraire Midtown, E),* avec son élégante structure de granit noir surmontée d'une tour en pierre, typiquement Art déco (1928-1929).

➤ Difficile maintenant d'échapper à cette espèce d'aiguille (ou de règle d'écolier) qui jaillit au milieu des gratte-ciel : c'est la nouvelle tour *432 Park Avenue (plan Itinéraire Midtown, F* ; au nº 432 de la très huppée Park Avenue, entre 56th et 57th Street), une résidence de grand luxe de 420 m de haut dont l'ambition est d'offrir à ses richissimes résidents un panorama à 360° sur toute la ville et notamment Central Park. Cette verrue architecturale, largement conspuée par les New-Yorkais, est néanmoins une prouesse technique. Pour éviter qu'elle ne se brise sous l'effet du vent, un vide de 2 étages (sans fenêtres) a été aménagé tous les 12 étages.

➤ Suivre 56th Street sur un bloc vers l'ouest. À l'angle de Madison, entrer dans l'*IBM Building (plan Itinéraire Midtown, G ;* 1983). Haut, lumineux et verdoyant, son atrium abrite de gigantesques bambous et des petits oiseaux. Petite buvette au milieu, mais aucune obligation de consommer si l'on s'assoit pour faire une agréable pause... surtout dans le froid de l'hiver !

➤ De là, accès direct dans la *Trump Tower (plan Itinéraire Midtown, H)*, sur 5th Avenue (entre 56th et 57th Street). C'est le château de *Citizen Kane* accessible au quidam, né de l'imagination et de la fortune de l'inénarrable Donald Trump, qui voulait avoir son nom gravé en lettres d'or sur la plus haute tour de la plus belle avenue de la plus grande ville du monde ! Il apporta la preuve que la crise ne frappait pas tout le monde. La nouveauté (pour l'époque bien sûr, car aujourd'hui

ITINÉRAIRE MIDTOWN

A	Hearst Tower	**N**	Saint Patrick's Cathedral
B	Alwyn Court	**O**	Austrian Cultural Forum
C	One57	**P**	CBS Building
D	Solow Building	**Q**	Rockefeller Center
E	Fuller Building	**R**	Chrysler Building
F	432 Park Avenue		
G	IBM Building	☕ ⌘	**Où faire une pause ?**
H	Trump Tower		
I	Saint Regis	**318**	Magnolia Bakery
J	Lever House	**515**	Nike Town
K	Seagram Building	**588**	Hollister et Uniqlo
L	Citicorp Center	**595**	Tiffany & Co
M	General Electric Building	**619**	American Girl Place
		621	Abercrombie & Fitch

c'est très daté) dans la conception de ce gratte-ciel, érigé en 1983, réside dans l'atrium, tout en marbre d'Italie couleur saumon, mâtiné de dorures, avec cascade murale au fond. Des vitrines présentent les produits dérivés du maître des lieux : chemises et cravates signées, lingots d'or à son effigie, manuels pour devenir riche et penser comme un champion (sic)... L'argent et le bon goût ne font pas toujours bon ménage...

➢ Ressortir par 5th Avenue et descendre jusqu'à 55th Avenue. Admirer la façade de style Beaux-Arts du *Saint Regis* (plan Itinéraire Midtown, I). Un immeuble haussmannien à l'échelle new-yorkaise ! Propriété de John Jacob Astor (qui détenait aussi une partie du *Waldorf Astoria* et périt sur le *Titanic*), l'hôtel fut entre autres le *home sweet home* de Salvador Dalí et de sa nurse Gala.

MIDTOWN

➤ Tourner à gauche dans 54th Street. À l'angle de Park Avenue (côté droit) se dresse la **Lever House** (plan Itinéraire Midtown, **J**), qui, en 1952, fut la première tour de verre et d'acier de New York et le premier gratte-ciel entièrement climatisé et équipé de baies vitrées fixes. Mini-expos d'art contemporain dans le hall (entrée libre).

➤ Juste en face, à l'angle opposé de 53rd Street et Park Avenue, se détache le **Seagram Building** (plan Itinéraire Midtown, **K**), tout noir, de Mies Van der Rohe, et Philip Johnson pour la décoration intérieure (1958). Sa sobriété, ses proportions parfaites et l'élégance de ses « murs-rideaux » en font encore un des plus beaux buildings de New York, malgré la concurrence de sa tour jumelle, en construction, et des nouvelles et impressionnantes tours qui poussent comme des champignons dans ce secteur.

De là, on aperçoit la silhouette gainée d'aluminium du **Citicorp Center** (1977), à l'angle de Lexington Avenue et de 53rd Street (plan Itinéraire Midtown, **L**). On le reconnaît de très loin grâce à son sommet biseauté culminant à 274 m. À l'abri de ses piliers se nichent la surprenante **Saint Peter's Church** (un véritable défi architectural !), ainsi qu'un complexe commercial avec un atrium, très agréable pour une pause déjeuner.

➤ Descendre Lexington Avenue jusqu'à l'angle de 51st Street pour admirer le **General Electric Building** (RCA Victor Building), chef-d'œuvre de l'Art déco érigé en 1931 (plan Itinéraire Midtown, **M**). Remarquable sommet travaillé à la manière d'une flèche de cathédrale gothique.

➤ Poursuivre dans 51st Street en direction de l'ouest, jetez un œil en passant à **Saint Bartholomew's Church** (sur la gauche), complètement inattendue dans le décor avec son look italo-byzantin. À l'angle de 5th Avenue se dresse sur la droite l'**Olympic Tower** (1976, réalisée par Skidmore, Owings & Merrill). Commanditée par Aristote Onassis, c'est une boîte de verre de 51 étages dominant **Saint Patrick's Cathedral** (1878) à laquelle elle sert de miroir (plan Itinéraire Midtown, **N**). Le contraste entre le gratte-ciel et l'élégante église de style néogothique est une image forte de New York. La taille de Saint Patrick's peut paraître un peu insignifiante, mais en entrant, on se rend mieux compte de ses dimensions : 100 m de long sur 50 m de large... Une vaste campagne de rénovation a redonné tout son éclat au marbre blanc de la façade.

➤ Remontez 5th Avenue sur un bloc et tournez à droite dans 52nd Street pour découvrir l'originale silhouette gris foncé de l'**Austrian Cultural Forum** (2002, Raimund Abraham) évoquant une colonne vertébrale ou un totem (plan Itinéraire Midtown, **O**). Très étroit (moins de 8 m), pas très haut non plus (24 étages), il

COMBIEN POUR LE SEPTIÈME CIEL ?

C'est un principe : à New York, la réglementation urbaine indique pour chaque quartier une hauteur moyenne à respecter. Mais pas maximale ! Ce qui signifie que si cette moyenne n'est pas atteinte, des architectes peuvent construire une tour nettement plus grande... à condition de racheter les droits de ciel (air rights) des voisins ! Ce fut le cas de la Trump Tower. Et aujourd'hui, les tours vertigineuses de 57th Street profitent aussi du filon.

BEN MON COCHON !

Tout au fond de la cathédrale Saint-Patrick, à l'extérieur de la chapelle de la Vierge, un cochon dodu (plutôt un monstre à pattes courtes en fait) grimpe sur une colonne. Mais que fait-il là ? Personne n'en sait rien. Juste un architecte qui a voulu rigoler ?

détonne pourtant franchement parmi les autres buildings de la rue et demeure un des projets architecturaux les plus audacieux de ces années. Revenez sur vos pas, traversez 5th Avenue et continuez sur 52nd Street.

➤ À droite, à l'angle de 52nd Street et 6th Avenue s'élance la façade noire et massive du **CBS Building** *(plan Itinéraire Midtown, P),* surnommé par les New-Yorkais « *the Black Rock* » (« le Rocher Noir ») et réalisé en 1965 par le célèbre architecte et designer finlandais Eero Saarinen, connu pour son terminal TWA de l'aéroport JFK. Les amateurs de palaces d'exception pourront faire un petit détour par la 53rd Street pour voir le **Baccarat Hotel,** face au MoMA. L'un des plus luxueux hôtels de la ville avec sa façade spectaculaire composée de panneaux de verre prismatiques, son hall d'entrée de 2 000 verres éclairés de l'intérieur, son bar Second Empire aux lustres imposants. Ce nouveau temple de cristal Baccarat est français, môssieur !

➤ Sur 6th Avenue, au niveau de 52nd-51st Street, notez *la photogénique enfilade de gratte-ciel de même style* (« international ») et de même hauteur, ajoutés dans les années 1960 au complexe du Rockefeller Center.

➤ Possibilité de terminer la balade par deux fleurons du style Art déco, le **Rockefeller Center** *(plan Itinéraire Midtown, Q),* à trois blocs au sud (pause gourmande possible chez **Magnolia Bakery** ; *plan Itinéraire Midtown, 318)* et bien sûr le **Chrysler Building** *(plan Itinéraire Midtown, R),* un peu plus loin (voir textes détaillés plus haut). Les insatiables pousseront jusqu'au **Fred French Building** au 551 5th Avenue (et 45th Street), dont le hall est une curiosité du style Art déco babylonien (1927), inspiré du film muet hollywoodien *Intolérance,* de D. W. Griffith. Voir les portes d'ascenseur en bronze, les voûtes peintes d'animaux mythiques dorés et les lustres délicats.

➤ À cet itinéraire non exhaustif des principaux buildings de Midtown, nous pourrons ajouter d'ici quelques années des tours de plus en plus folles, en cours de construction ou encore dans les cartons d'architectes émérites : notamment, en 2017, le **520 Park Place** (238 m), le **30 Park Place** (282 m) et le **220 Central Park South** (289 m), toutes du même architecte, Robert Stern, à qui l'on doit le *Carpe Diem* à La Défense (Paris). La **Steinway Tower** (411 m !) au 111 West 57th Street, elle, sera la plus fine de la ville avec une base de 18 m de large. Le **MoMa Expansion** (53 West 53rd Street, 320 m), un projet de Jean Nouvel qui devrait abriter, d'ici 2019, appartements, hôtel et de nouvelles galeries du MoMA attenant. Le **One Vanderbilt,** qui dominera en 2020 la gare de Grand Central (51 East 42nd Street, 457 m). Sans oublier le projet assez sidérant de Mark Foster Cage, inspiré par la ville imaginaire de Batman, *Gotham City,* qui, s'il voit le jour, devrait atteindre les 450 m avec une façade gothique mêlant pierre sculptée et bronze, décrit comme « le chaînon manquant entre les Beaux-Arts, l'Art déco, l'expressionnisme, le Gaudí-modernisme et l'architecture contemporaine » ! À suivre, donc...

UPPER EAST SIDE

• Adresse utiles 186	chocolat ? Où déguster	• Shopping.................... 189
• Où dormir ? 186	une glace ?................. 188	• À voir........................... 190
• Où manger ? 186	• Où boire un verre ?	• À faire 205
• Où boire un café ou un	Où jouer au billard ? ... 189	

• Pour se repérer, voir le plan détachable 2 en fin de guide.

À l'est de Central Park, de East 59th à East 96th Street, s'étend le quartier le plus chic de Manhattan, tout au moins le long de Park et Madison Avenues. Au pied des immeubles cossus gardés par des concierges en livrée, des

employés promènent par grappes le long des boutiques de luxe des toutous miniatures impeccablement toilettés. Ici, le prix du mètre carré des appartements, détenus par des cadres au salaire annuel à six chiffres ou des retraités, ferait pâlir d'envie les propriétaires parisiens de Saint-Germain-des-Prés. Jusqu'à la fin de la guerre civile, l'Upper East Side était le lieu de villégiature estivale des New-Yorkais. Aux XVIIIe et XIXe s, l'urbanisation gagna la zone, qui devint le quartier des industriels milliardaires, surnommé le « quartier des bas de soie ». Les hôtels particuliers des familles Carnegie, Vanderbilt, Whitney, etc. colonisaient alors 5th Avenue, face à Central Park. En 1920, le *New York Times* disait d'Upper East Side que c'était « un collier de perles : les perles sont les immeubles des milliardaires, et le fil, Madison Avenue ». Ensuite, ce fut le coin des stars : Greta Garbo, Marilyn, Marlene Dietrich, Elia Kazan, George Gershwin et Paul Newman, entre autres, y habitèrent. Les jazzmen Charlie Parker et Benny Goodman y passèrent les dernières années de leur vie. Robert Redford, Madonna et Woody Allen y vivent encore...

Mais l'Upper East Side, c'est aussi et surtout le quartier des musées. Entre East 70th et East 104th Street, 5th Avenue prend le nom symbolique de Museum Mile, vous comprendrez vite pourquoi en découvrant ce qui vous attend dans la rubrique « À voir » !

Plus à l'est, et notamment sur 1st et 2nd Avenues, le quartier devient plus populaire, de nombreux bars et restos distillant une ambiance bien plus relax, malgré la construction bruyante en journée d'une nouvelle ligne de métro (sur 2nd Avenue). Quant à la corne coincée contre la rivière, entre East 80th et East 90th Street, elle est toujours appelée Yorkville, du nom d'une ancienne colonie allemande et d'Europe de l'Est, dont il reste encore quelques signes résistant au temps...

Adresses utiles

✉ **Poste** *(plan 2, H8) : à l'angle de 91st St et 3rd Ave. Lun-ven 9h-18h, sam 9h-16h.*
@ **Internet :** *connexions gratuites sur les nombreux ordinateurs de démonstration de ce nouvel **Apple*** **Store** *(plan 2, H9, 566), à l'angle de Madison Ave et 74th St. Tlj 9h-20h. Installé dans une ancienne banque, allez jeter un coup d'œil au sous-sol sur la porte du coffre-fort au mécanisme impressionnant !*

Où dormir ?

Peu d'hôtels, ou alors hors de prix, dans ce fief de la haute bourgeoisie. Mieux vaut loger de l'autre côté du parc, à Upper West Side, ou plus au sud.

Où manger ?

Spécial petit déjeuner et brunch

☞ **Orwashers** *(plan 2, H-I9, 157) : 308 78th St (entre 1st et 2nd Ave).* ☎ *212-288-6569.* Ⓜ *(6) 77 St. Tlj 7h30-20h (18h dim).* Tenue par une mamie adorable, une excellente boulangerie casher ouverte depuis 1916 et qui ne cesse de faire des adeptes dans le quartier. Sur les étalages : une foule d'appétissants muffins, cookies, *rolls,* croissants et toutes sortes de pains fantaisie fabriqués maison.

☞ **Two Little Red Hens** *(plan 2, H-I8, 255) : 1652 2nd Ave (entre 85th et 86th).* ☎ *212-452-0476.* Ⓜ *(4, 5, 6) 86 St. Lun-jeu 7h30-21h, ven-sam 8h-22h, dim 8h-20h.* Bons classiques de la pâtisserie US plébiscités par les habitants du quartier : les alléchantes *pies* aux fruits sont tout simplement extra. À emporter plutôt, car les places assises sont rares.

🍴 **World Cup Café** *(plan 2, H9, 245)* : 956 Lexington Ave *(entre 69th et 70th)*. ☎ 212-717-6888. Ⓜ (6) 68 St. Tlj 7h-20h. *CB refusées.* Une échoppe minuscule mais envahie de rayonnages bourrés de choses appétissantes, dotée d'un coin de comptoir pour dévorer muffins, cakes et cookies, et siroter un café ou un savoureux *smoothie.* Aussi des soupes du jour et des *empanadas.* Simple et bon.

🍴 **Sarabeth's** *(plan 2, H8, 299)* : 1295 Madison Ave *(entre 92nd et 93rd)*. ☎ 212-410-7335. Ⓜ (6) 96 St. Tlj 8h-23h (21h30 dim) ; brunch w-e jusqu'à 16h. *Plats brunch et lunch env 15-20 $.* Qualité et tradition sont les maîtres mots de Sarabeth Levine, qui ouvrit une petite boulangerie en 1981, pour vendre notamment sa confiture orange-abricot, recette de famille vieille de 200 ans... Salle huppée et clientèle assortie, présentation soignée et brunch du week-end auquel les bonnes familles du quartier et les élégantes bijoutées ne dérogeraient sous aucun prétexte. Bonnes omelettes et viennoiseries (pour accompagner les délicieuses confitures), portions généreuses et atmosphère très new-yorkaise.

🍴 Et aussi : **Bluestone Lane** et **Café Sabarsky** *(petit déj servi tlj sf mar)*. Voir plus loin.

Sur le pouce

🍴🛥🚃 **Bluestone Lane** *(plan 2, H8, 276)* : 5th Ave et 90th St. ☎ 646-869-7812. Ⓜ (4, 5, 6) 86 St. Tlj 7h30-18h. Brunch tlj jusqu'à 16h. *En-cas et brunch 9-17 $.* « Divin » petit café blotti dans une église épiscopale, à côté du Guggenheim. À la belle saison, quelques tables aussi dehors, face à Central Park. Parfait pour un brunch de produits frais, une bonne salade, un jus de fruits ou un vrai expresso.

🍴 **Dean & Deluca** *(plan 2, H8, 279)* : 1150 Madison Ave *(et 85th)*. ☎ 212-717-0800. Ⓜ (4, 5, 6) 86 St. Tlj 7h (8h w-e)-20h. Une des annexes de l'épicerie fine-traiteur de SoHo (voir ce chapitre), bien pratique pour

se concocter un pique-nique gourmand ou boire un bon café au comptoir dans une atmosphère typiquement new-yorkaise.

🍴🛥🚃 **Agata & Valentina** *(plan 2, I9, 277)* : 1505 1st Ave *(et 79th)*. ☎ 212-452-0690. Ⓜ (6) 77 St. Tlj 8h-21h. *En-cas et plats 5-13 $.* Une vaste et appétissante épicerie italienne, parfaitement approvisionnée en produits de 1er choix. Mais ce qui attire vraiment les foules, ce sont ses rayons traiteur : un comptoir pour les pizzas à la pâte bien fine (vendues à la coupe), un autre pour les soupes et les salades, et un dernier avec les plats chauds du jour, les incontournables *turkey meat loaf,* paninis et les desserts. Après avoir déposé son butin à l'une des tables, il ne reste plus qu'à commander un espresso... et c'est la dolce vita !

Bon marché

🍴 **Cascabel Taqueria** *(plan 2, H-I9, 281)* : 1556 2nd Ave *(et 81st)*. ☎ 212-717-8226. Ⓜ (6) 77 St. *Plats env 10-17 $.* Néo-*taqueria* au décor plutôt new-yorkais, tout de même constellée de dessins bariolés de catcheurs de *lucha libre* pour la touche latino. Tacos de toutes sortes frais et bien garnis, servis par paires (2 fois le même) dans des écuelles en inox façon cantoche. Copieux *burritos,* bon guacamole (le *medium* est déjà bien épicé) et *daily specials* variant tous les jours. Cool, convivial et pas cher, surtout dans ce quartier, mais ils se rattrapent sur les boissons. En soirée, plein à craquer. Quelques tables sur le trottoir.

🍴🕴 **Shake Shack** *(plan 2, H8, 296)* : 154 E 86th St *(entre Lexington et 3rd Ave)*. ☎ 646-237-5035. Ⓜ (4, 5, 6) 86 St. *Env 8-12 $.* Encore une annexe du petit kiosque à burgers de Madison Square Park ! Celui-ci bénéficie d'une vaste et agréable salle ouverte sur une terrasse verdoyante légèrement en contrebas de la rue. Burgers, hot dogs et *frozen custard* (crèmes glacées hyper riches) tiennent leurs promesses et attirent toujours autant de monde, notamment les familles avec poussettes.

🍴 **J. G. Melon** *(plan 2, H9, 324)* : 1291 3rd Ave *(et 74th)*. ☎ 212-744-0585.

Ⓜ (6) 77 St. *Tlj 11h30-3h. Burger env 12 $. CB refusées.* Indéboulonnable ! Valeur sûre depuis plusieurs générations, ce pub *old school* ouvert en 1932 n'a guère changé depuis (plafond *tin ceiling* d'origine). La salle à l'entrée de style New England est minuscule, mais il y en a une autre au fond, sinon on n'hésite pas à jouer des coudes au bar pour déguster leur fameux cheeseburger (avec bacon, c'est encore mieux) accompagné d'une pinte. Les frites sont aussi excellentes. En revanche, le reste de la carte ne mérite guère qu'on s'y attarde. Toujours bondé, armez-vous de patience donc.

🍽 *Jackson Hole Burger (plan 2, H10, 223) : 232 E 64th (entre 2nd et 3rd Ave).* ☎ 212-371-7187. Ⓜ *(F) 63 St. Tlj 10h30-minuit. Burgers 9-15 $.* Difficile de trouver une table abordable dans ce quartier huppé de boutiques chic ! Aussi, ce resto ricain d'une petite chaîne de burgers est une aubaine. Au choix, une quarantaine d'énormes burgers bien garnis, d'assiettes de poulet grillé, de salades et sandwichs qui combleront les plus gros appétits. Service dans 2 salles en contrebas de la rue, à la déco très fifties avec affiches de western et objets hétéroclites décalés.

I●I *The Meatball Shop (plan 2, H-I9, 218) : 1462 2nd Ave (entre 76th et 77th).* ☎ 212-257-6121. Ⓜ *(6) 77 St. Tlj 11h30-minuit (2h ven-sam). Plats 9-12 $.* Comme son nom l'indique, dans ce bistrot vintage arrosé de musique pop on ne mange que des boulettes, servies par 4, dont on choisit la viande, les sauces et l'accompagnement. Et pour le dessert, *ice cream sandwich* ! Un concept qui plaît beaucoup aux jeunes et a fait plusieurs petits en ville.

Prix moyens

I●I *Poke Restaurant (plan 2, I8, 198) : 343 E 85th St (entre 1st et 2nd Ave).* ☎ 212-249-0569. Ⓜ *(4, 5, 6) 86 St. Tlj sf dim 17h-22h30 min. Repas env 20 $; plateau de sushis dès 25 $. CB refusées.* Vos papilles ne tariront pas d'éloges sur ce bon resto japonais dont les prix ont su rester simples. Dans l'assiette, de délicieux sushis, sashimis, *rolls,* etc. Autre bonne surprise : c'est un *BYOB,* donc on apporte sa propre bouteille de vin... et on limite encore un peu plus l'addition (en cash seulement). Venir tôt car toujours plein. Un bémol toutefois : la salle est bruyante.

I●I *Candle Café (plan 2, H9, 228) : 1307 3rd Ave (entre 74th et 75th).* ☎ 212-472-0970. Ⓜ *(6) 77 St. Plats 14-22 $.* Qui, après un repas ici, irait encore dire que la cuisine végétarienne est triste et ennuyeuse ? La carte n'aligne que des plats préparés avec soin et inventivité, à base de produits bio, direct de la ferme sur la table. On s'en lèche les babines ! Également de bons jus de fruits frais, bières bio (et cocktails *veggie*) à siroter dans un joli bistrot aux tentures beiges. Une adresse garantie 100 % *eco-friendly* !

Où boire un café ou un chocolat ?
Où déguster une glace ?

🍽 *Café Sabarsky (plan 2, H8, 411) : dans la Neue Galerie, 1048 5th Ave (angle 86th).* ☎ 212-628-6200. Ⓜ *(4, 5, 6) 86 St. Tlj sf mar 9h-18h (21h jeu-dim).* Face à Central Park mais caché dans le musée d'art autrichien de la ville (réputé pour ses Klimt et Egon Schiele), voici un authentique café viennois de la grande époque où il fait bon se poser en hiver. Boiseries, cheminée, piano, tables et chaises bistrot... Devant un bon chocolat chaud nappé de crème fouettée et une *Linzertorte,* on se croirait vraiment à Vienne.

🍦 ⛄ *Serendipity (plan 2, H10, 423) : 225 E 60th St (entre 2nd et 3rd Ave).* ☎ 212-838-3531. Ⓜ *(N, R, 4, 5, 6) 59 St. Glaces 14-25 $!* C'est presque un conte de fées moderne : il y a près d'un demi-siècle, des copains débarquent à New York avec l'intention d'y faire du théâtre. Finalement, ils laissent tomber le théâtre, ou plutôt... créent le leur : *Serendipity,* un lieu kitsch et clinquant mais charmant aux tons pastel évoquant *Alice au pays des merveilles,* avec une horloge géante, des lustres style Tiffany qui tombent de partout, des miroirs et des tables rondes... Rien n'a bougé depuis, et l'on y déguste toujours la même chose :

des *sundaes* (coupes glacées), énormes, *outrageous* même, si on y met le prix ! Grande spécialité de « chocolat chaud glacé ». Seul bémol, la foule (souvent 1h d'attente même au cœur de l'hiver !).

Où boire un verre ? Où jouer au billard ?

🍸 *Brandy's Piano Bar* (plan 2, H8, **407**) : 235 E 84th St (entre 2nd et 3rd Ave). ☎ 212-744-4949. ● *brandyspianobar. com* ● (4, 5, 6) 86 St. *Happy hours 16h-20h, concerts 21h30-3h. Pas de cover charge, mais 2 boissons min pdt les concerts.* On a beaucoup aimé traîner dans ce petit bar vraiment sympa, en écoutant de bons groupes de musique live reprenant les grands standards du rock, pop, jazz... Très fréquenté le week-end, mais parfois désert en semaine.

🍸 *Ryan's Daughter* (plan 2, I8, **408**) : 350 E 85th St (entre 2nd et 1st Ave). ☎ 212-628-2613. ● (4, 5, 6) 86 St. *Tlj 10h-4h.* Un pub irlandais classique, avec long bar en bois, photos du célèbre film de David Lean et plein

de souvenirs et clins d'œil à la vieille Erin. Pas mal de bières à la pression, et les incontournables billards et jeux de fléchettes.

🍸 *East Side Billiards* (plan 2, H8, **733**) : 163 E 86th St (entre Lexington et 3rd Ave), au 1er étage. ☎ 212-831-7665. ● (4, 5, 6) 86 St. *Tlj 14h (12h w-e)-2h (4h ven-dim). Compter 9-10 $/h par pers selon j. et heure. Interdit moins de 18 ans après 20h.* Immense salle de billard alignant 16 *Brunswick Gold Crown III* (les tables les plus réputées). 5 joueurs maximum par table. Également un baby-foot, pour qui craindrait de lacérer le tapis. Dans les « MP3 juke-boxes », près de 400 000 chansons !

Shopping

Grands magasins

🌸 *Bloomingdale's* (plan 2, H10, **612**) : entrée principale sur Lexington Ave (entre 59th et 60th). ☎ 212-705-2000. ● (N, R, 4, 5, 6) 59 St. Un superbe grand magasin, où toutes les grandes marques ont pignon sur rayon. Au 6e niveau, petit coup d'œil au resto *Train Bleu* (☎ 212-705-2100 ; lun-sam 10h30-17h – 20h jeu –, dim 11h30-16h30 ; plats 20-30 $) entièrement aménagé dans la réplique d'un wagon-lit de la Belle Époque. Vraiment inattendu, et toujours plein pour le lunch. Pour les gourmands, la pâtisserie *Magnolia Bakery* a un corner au rez-de-chaussée.

🌸 *Barneys New York* (plan 2, H10, **622**) : 660 Madison Ave (et 61st). ☎ 212-826-8900. ● (N, R, 4, 5, 6) 59 St. Grand magasin extrêmement chic et cher, spécialisé dans les créateurs les plus en vue (un peu l'équivalent du *Bon Marché* à Paris). Totalement branché, sélection

pointue de vêtements, chaussures, sacs et accessoires pour fashionistas exigeantes. À voir surtout pendant les soldes parce qu'au prix fort, ça calme...

Mode

🌸 *Ralph Lauren* (plan 2, H9, **614**) : 867 Madison Ave (angle 72nd). ☎ 212-606-2100. ● (6) 68 St. Tout l'univers de ce mythe de l'élégance américaine réuni dans un sublime hôtel particulier de style Tudor. N'hésitez pas à y entrer car de nombreux détails d'époque ont été conservés. Si vos moyens vous le permettent, les prix sont un poil moins élevés qu'en France... Succursale sur le trottoir d'en face, consacrée à la gamme *leisure wear* de la marque, ainsi qu'aux vêtements pour enfants.

Boutiques spécialisées

🌸 *Albertine* (plan 2, H9, **11**) : 972 5th Ave (entre 78th et 79th).

☎ 212-650-0070. Ⓜ (6) 77 St. Tlj 11h-19h (18h dim). C'est la nouvelle librairie française de New York, vaste choix de classiques et des dernières nouveautés sur 2 niveaux. Bons conseils de lecture de l'équipe francophone. Nombreux guides de voyage également, dont votre collection favorite pour toute l'Amérique. Voir aussi le descriptif dans le chapitre « Informations et adresses utiles ».

✸ *Kitchen Arts & Letters* (plan 2, H8, *617*) : 1433 Lexington Ave (entre 93rd et 94th). ☎ 212-876-5550. Ⓜ (6) 96 St. Tlj sf lun mat et dim (et sam en juil-août). Une librairie spécialisée dans les bouquins de cuisine du monde entier (et la plus grande du monde dans le genre, dit-on !). Ils changent régulièrement le thème de leur vitrine : riz, chocolat... Idéal pour trouver des recettes de grand-mère américaine, et réaliser chez vous en rentrant les musts de la pâtisserie US : cookies, muffins, *pies*, etc.

✸ 🚶 *Dylan's Candy Bar* (plan 2, H10, *585*) : 1011 3rd Ave (angle 60th).

☎ 646-735-0078. Ⓜ (N, R, 4, 5, 6) 59 St. Bienvenue dans le monde merveilleux de Dylan (la fille de Ralph Lauren), spécialiste des bonbons ! Cette immense maison de Dame Tartine d'un nouveau genre regorge de sucreries et autres douceurs, à admirer (les escaliers sont en bonbons), à dévorer et à offrir : *jelly beans* à tous les parfums, barres chocolatées et chewing-gums d'antan... Dur de résister !

Boutique de musée

✸ *Metropolitan Museum* (plan 2, H8-9) : 1000 5th Ave (au niveau de 82nd). ☎ 212-570-3984. ● metmuseum. org ● Ⓜ (4, 5, 6) 86 St. Tlj (sf Thanksgiving, Noël et Jour de l'an) 10h-17h15 (20h45 ven-sam). La boutique du Met (voir le descriptif ci-après) est un passage obligé. À l'image du musée, donc immense et très attractive, avec une foultitude de produits dérivés de ses œuvres emblématiques et une section librairie particulièrement fournie.

À voir

🦌 *Upper East Side,* ce sont les Champs-Élysées, Neuilly-sur-Seine et la place Vendôme réunis ! C'est ici, sur *5th Avenue,* que *Jackie Onassis* avait son appartement. Tout près, *Madison Avenue* se glorifie de ses loyers qui excèdent 3 000 $ par mois pour 25 m². Pour appréhender un peu ce luxe, commencez à l'angle de East 57th Street et 5th Avenue, puis marchez vers l'est. Entre 5th et Madison Avenue, arrêtez-vous dans ces galeries qui drainent le marché mondial de l'art moderne. Continuez ensuite vers Park Avenue et ses immeubles fastueux...

BOTTIN MONDAIN

Le Barbizon Hotel, ou Barbizon 63, bel immeuble Gothic Revival dressé au 104 East 63rd Street, fut bâti en 1926 pour accueillir des jeunes filles de bonne famille désireuses de tenter leur chance à New York. Pour qu'elles n'y perdent pas leurs bonnes mœurs – et leur réputation –, l'hôtel était interdit aux hommes, qui ne pouvaient dépasser le hall d'entrée. Ce n'est qu'en 1983 qu'ils furent autorisés à y séjourner. Ce foyer pour jeunes filles huppées abrita quelques célébrités, parmi lesquelles Grace Kelly, Lauren Bacall et Liza Minnelli.

Metropolitan Museum of Art (Met ; plan 2, H8-9)

🦌🦌🦌 🚶 Un véritable must ! Seuls le Grand Louvre à Paris, le British Museum à Londres et le musée de l'Ermitage à Saint-Pétersbourg peuvent rivaliser avec le Met. À lui seul, il justifie un voyage à New York !
Le Met, c'est 250 000 œuvres exposées (sur les quelque 2 millions que compte le musée !) dans 270 salles représentant une vingtaine de départements sur une

surface totale de 180 000 m² ; le tout visité chaque année par plus de 6,2 millions de personnes ! Le Met, c'est aussi *la plus riche collection d'art américain au monde, d'art de l'Égypte ancienne* en dehors d'Égypte, et l'un des plus importants regroupements de *peintures et sculptures européennes,* sans oublier les *arts décoratifs* des cinq continents, depuis les débuts de l'histoire à nos jours... Le Met, c'est encore un musée en mouvement, qui ne cesse d'être aménagé, restauré, et des salles, voire des sections entières peuvent être fermées pour rénovation. Faudra revenir ! La muséographie est exceptionnelle. Tout est mis en œuvre pour rendre votre visite agréable et dynamique : des jardins chinois aux espaces aérés et lumineux habités par des statues, en passant par des reconstitutions de façades entières de bâtiments, temples, des *period rooms...* L'accent mis sur le côté théâtral est une véritable invitation à déambuler à votre guise dans ce musée car, de toute façon, même en une année, vous ne pourriez admirer tous les objets un à un ! Enfin, le Met a ceci d'américain qu'il y a tout, et certainement le meilleur de tout ! Un best of de ce que l'homme a su créer, en quelque sorte.

Un peu d'histoire

Bizarrement, ce n'est pas aux États-Unis mais à Paris, en 1866, que l'idée de créer un musée pouvant concurrencer les plus grands musées d'Europe a germé dans la tête d'une poignée de riches Américains. Ils ont réuni subventions philanthropiques, leaders d'opinions et œuvres d'art de diverses collections pour enfin ouvrir le Metropolitan Museum of Art en 1870 en plein centre de Manhattan. Dix ans plus tard, il déménagea vers les beaux quartiers d'East Side, où il se trouve aujourd'hui. Le bâtiment de style néoclassique date du début du XXᵉ s, et il n'a pas cessé depuis d'être agrandi par de nouvelles ailes. Il appartient, avec son terrain, à la Ville de New York, alors que les collections demeurent la propriété du musée, essentiellement financées et régulièrement enrichies par des fonds privés... Aujourd'hui, le musée voit son potentiel de croissance bien limité... sauf à s'élever vers le ciel ! L'accord signé avec le Whitney Museum (relocalisé depuis 2015 dans le Meatpacking District, au sud de Manhattan) prévoit l'exploitation, pendant 8 ans au moins, de l'édifice de Marcel Breuer (élève du Bauhaus) à l'angle de Madison Avenue et de 75th Street, renommé *The Met Breuer.* Des expositions temporaires du Met, confrontant toutes les formes d'art et toutes les époques, y sont présentées depuis le printemps 2016 *(infos sur ● metmuseum.org/visit/the-met-breuer ● ; voir aussi descriptif plus loin, dans « Les autres musées de Upper East Side »).*

Renseignements pratiques

Le Met se trouve sur le côté est de Central Park, entre 80th et 84th St (entrée sur 5th Ave, au niveau de 82nd St ; plan 2, H8-9). ☎ 212-535-7710. ● metmuseum. org ● Ⓜ *(4, 5, 6) 86 St. Tlj (sf 1er lun de mai, Thanksgiving, Noël et Jour de l'an) 10h-17h30 (21h ven-sam). Donation suggérée : 25 $; réduc ; gratuit moins de 12 ans. Inclus dans le CityPass.* **Précision importante** *: chacun est libre de donner ce qu'il veut (et pas nécessairement 25 $) en fonction du temps passé sur place, dans une limite raisonnable bien sûr ! Audioguide (en français) : 7 $. Le ticket donne également accès, le même jour, au nouveau musée d'art* **The Met Breuer** *(situé à 5 blocs plus au sud) et au remarquable* **Cloisters Museum,** *l'une des sections médiévales du Met, située à la pointe nord de Manhattan. Nombreuses visites guidées thématiques et gratuites tlj en anglais (voir site internet et, sur place, demander le* **programme des visites** *Guided Tours).* **Visites guidées gratuites en français** *: « Chefs-d'œuvre du musée » lun-ven à 11h (excellente introduction aux richesses du Met) ; « Art moderne » mar à 13h30 et « Arts du monde islamique » lun à 13h.*

🛈 **Point info :** *au milieu du hall d'entrée.* Indispensable de récupérer le **plan général gratuit** en français, ainsi que le plan détaillé des *European Paintings and Sculptures Galleries* et celui de l'*American Wing,* pour mieux vous y retrouver dans ces fabuleuses parties du musée... Ceux que ça intéresse pourront aussi se procurer le parcours spécial *Monuments Men*, recensant les trésors sauvés pendant la Seconde Guerre mondiale. Pour les enfants, plein de *livrets-jeux thématiques* et une affiche pliée en quatre, représentant les collections du musée à la manière de *Charlie* ! Un super souvenir pour les gamins.

Pour se restaurer, plusieurs endroits, pour tous les goûts, à l'intérieur du musée :

🍴 *American Wing Café :* tlj 10h-16h30 (20h30 ven-sam). Sandwich env 10 $. Cher, mais vue agréable sur le grand patio.

🍴 *The Cafeteria :* accessible derrière le hall médiéval. En sem 11h30-16h30 (19h ven), w-e 11h-19h (16h30 dim). Cadre de cantoche mais conviendra à ceux qui veulent un repas chaud pas trop, trop cher.

🍴 ☕ *Petrie Court Café :* tlj 11h30-16h30 (22h30 ven-sam). Plats 18-25 $; menu 2 plats 30 $. Café lumineux avec vue dégagée sur Central Park. Salon de thé l'après-midi. Sur résa le week-end pour le dîner.

🍸 *Great Hall Balcony Bar :* ven-sam 16h-20h30. Au balcon du grand hall (quelle vue !), avec musique classique live. Cocktails, champagne et snacks. Pas mal d'allure.

🍸 *Roof Garden Café :* voir plus loin.

🍴 Enfin, pour un en-cas plus populo, direction la rangée de *roulottes* installées à l'extérieur devant l'entrée du musée, pour un hot dog à dévorer sur les marches du Met ou sur les quelques tables disposées sur le parvis.

Orientation

Les œuvres sont exposées sur deux niveaux : le *rez-de-chaussée (1st Floor)* présente les antiquités gréco-romaines et égyptiennes, le temple de Dendur, l'art médiéval, les arts décoratifs européens, une partie de l'art américain, les armes et armures, l'art d'Afrique, d'Océanie et des Amériques, la collection Robert Lehman et un pan de l'art du XXe s ; le *1er étage (2nd Floor)* montre les arts asiatiques, les instruments de musique, l'art islamique, les antiquités du Proche-Orient, les peintures et sculptures européennes du XIIIe s au XIXe s, une autre partie des antiquités gréco-romaines, de l'art du XXe s et de l'art américain, et enfin des dessins, estampes et photographies.

Au *sous-sol (Ground Floor)* se trouve uniquement la petite section mode et costumes (temporairement fermée).

Bis repetita, n'oubliez pas de prendre le *plan gratuit du musée* au bureau d'information. L'essentiel y est très clairement indiqué...

Quelques conseils

Il est totalement impossible de tout voir en 1 jour. Pour une première visite, on conseille de vous concentrer sur *deux ou trois sections bien précises, choisies selon vos goûts artistiques.* Nombreux itinéraires thématiques proposés aussi sur le site internet du Met. Toutefois, il serait dommage de s'y tenir trop fermement... Alors laissez-vous porter au hasard d'une salle, au détour d'un couloir ! Mais ne ratez pas ces *incontournables* : le temple de Dendur, le Charles Engelhard Court et les sublimes vitraux de Tiffany et John LaFarge et la reconstitution du salon de Frank Lloyd Wright (American Wing).

Art médiéval (1st Floor)

Apprêtez-vous à ne découvrir que des chefs-d'œuvre, à commencer par la *salle 305* où s'élève la majestueuse *grille* (bon point de repère pour s'orienter dans le musée) qui séparait, façon jubé, le chœur de la nef de la cathédrale de Valladolid (1763). Plus une sélection de superbes retables et statues polychromes. Salle 306, le « trésor médiéval » où l'on n'aura jamais admiré des vitraux des XVe et XVIe s de si près, une émouvante pietà de 1515 et une débauche d'orfèvrerie religieuse, calices, ciboires, encensoirs, reliquaires, crucifix, triptyques en ivoire ciselé, tous plus riches les uns que les autres... *Salle 307,* un pur chef-d'œuvre, des lambris provenant de la chartreuse de Pavie (Lombardie), festival de délicats motifs en os gravé et bois ciselé, figurant légendes et mythologie...

Collection Robert Lehman *(1st Floor)*

On l'atteint après avoir traversé la salle médiévale. Si le Met regroupe les œuvres d'art par périodes, pays, etc., la collection Lehman échappe à cette règle, car cette donation avait pour condition expresse que l'intégrité de la collection personnelle de M. Lehman soit respectée. D'où le côté intimiste : on se croirait dans sa demeure, avec les tables, tapisseries aux murs, lustres et sa somptueuse collection de peintures, allant du Quattrocento aux postimpressionnistes, en passant par l'école flamande. Un vrai musée dans un musée et une liste de chefs-d'œuvre impressionnante. En vrac, *Annonciation* de Botticelli (probablement le joyau de la collection Lehman), superbe *Princesse de Broglie* d'Ingres, drapée dans un taffetas bleu étincelant, contrastant avec le brocart jaune du fauteuil, les célèbres *Jeunes filles au piano* de Renoir, *Nu devant un miroir* de Balthus, l'amusante composition de Félix Vallotton pour son *Coin de rue à Paris, Leisure Time in an Elegant Setting* du Hollandais Pieter de Hooch, dont les effets de lumière rappellent Vermeer. Et puis encore Hans Memling, Rembrandt, El Greco, Goya, Pierre Bonnard, Matisse et même Van Gogh.

Arts décoratifs et sculptures européennes *(1st Floor)*

C'est l'une des sections les plus riches, une époustouflante présentation d'objets d'art, mobilier, décors les plus beaux du monde ! Au fil des salles, vous croiserez les meubles les plus fous, les tissus les plus somptueux, des tables d'échecs sculptées, un secrétaire Biedermeier en forme de harpe, les célèbres commodes de Jacob Desmalter, un vase énorme de Philippe Thomire réalisé pour un palais florentin, de magnifiques tapisseries et cette prodigieuse paire de *bookcases* italiens sculptés... Sans oublier l'orfèvrerie religieuse, les vitraux, une table à la remarquable marqueterie de marbre et pierres semi-précieuses du XVIe s, plus tous ces objets d'art d'un kitsch si invraisemblable qu'ils en deviennent beaux ! Et puis surtout, dans cette *salle 531,* la chambre de Louis XIV tendue de velours rouge, avec une cheminée sculptée, un beau portrait de femme par Nicolas de Largillière, et le lit royal de 1700, orné de tentures décrivant les saisons. *Salle d'Europe centrale* livrant aussi son pesant de mobilier incroyable. *Salle 533,* une merveille : un dos de stalles d'église de 1723, finement marqueté bois et ivoire, orné de quatre figures polychromes... *Salle 539,* reconstitution d'une pièce du XVIIIe s, avec tableaux de Boucher. *Salle 534,* on a droit à un immense palais espagnol, avec une élégante loggia à colonnade richement sculptée par des artistes lombards, typique de l'art de la Reconquista. Puis *salle 529,* une série de pièces somptueusement reconstituées, comme la salle de réception de l'hôtel de Tessé à Paris, celle du palais Vaar à Vienne, la chambre Lauzin, son magnifique lit à baldaquin et un portrait de Louis XV enfant par Rigaud... *Salle 545,* on découvre une très rare boutique parisienne du XVIIIe s, récupérée par le musée dans les années 1920 (question : pourquoi le Louvre a-t-il laissé partir un tel patrimoine ?). Pour finir, signalons encore, *salle 505,* une pièce d'un château suisse ornée de superbes panneaux muraux et d'un époustouflant plafond entièrement ciselé (1682). *Salle 507,* chambre à coucher du palais Sagredo à Venise au lourd et sombre décor de *putti* et, là aussi, doté d'un plafond incroyable...

Sous un vaste atrium, entre deux bâtiments, on découvre une salle des sculptures. Les grands classiques sont à l'honneur, de Canova avec un *Pâris* chichement vêtu à Carpeaux (et son célèbre *Ugolin et ses fils*) en passant par Bourdelle (l'*Héraklès archer,* bien sûr) et Rodin et ses fameux *Bourgeois de Calais.* Pour faire une pause, le *Petrie Court Café,* juste à côté.

UPPER EAST SIDE

Galerie des armes et armures *(1st Floor)*

Enfin, les amateurs d'armures de guerre et de parade seront aux anges. Dans cette riche et sublime collection, on est accueilli, *salle 371,* par quatre chevaliers fièrement montés sur des chevaux caparaçonnés, décorés de scènes légendaires comme David et Goliath (tout un symbole !). L'armure d'Henri VIII, roi d'Angleterre, révèle bien combien il était corpulent. On trouve aussi, dans les petites salles adjacentes, l'armure du roi de France Henri II, véritable œuvre d'art décorée de la tête aux pieds. *Salle 377,* on se transporte dans *Ran* et *Kagemusha,* les films de Kurosawa : magnifiques armures japonaises, dont une datant du début du XIVe s, pièce rarissime. Mais aussi armures italiennes, allemandes, syriennes... notamment de spectaculaires ensembles « cheval cavalier » des XVIe et XVIIIe s ! Pour les amateurs, des armes à foison, des objets d'art là aussi, dont un superbe fusil allemand avec des parties en ivoire ; des épées au manche serti de pierreries, offertes par la France au Congrès américain pour le féliciter de ses actes de bravoure contre les Anglais ! Également de superbes fusils et sabres ottomans... et même de l'équipement tibétain.

Art américain *(1st, 2nd et 3rd Floors)*

Cette vaste section **(The American Wing)** s'organise sur trois niveaux à partir d'un magnifique patio *(Charles Engelhard Court),* oasis de lumière agrémentée de nombreuses sculptures très académiques. Fantastiques vitraux de Louis Comfort Tiffany, tout à la fois décorateur, paysagiste, architecte, designer (et fils du fondateur de Tiffany & Co, le célèbre joaillier de 5th Avenue). Sa technique est très particulière : il plisse le verre, le froisse, le superpose et travaille les couleurs et la lumière à la manière impressionniste. Admirer l'effet de profondeur du célèbre *Autumn Landscape,* avec l'eau qui semble couler vers le spectateur. Également de nombreuses reconstitutions d'intérieurs de différentes époques *(period rooms),* dont un magnifique salon provenant d'une demeure conçue en 1914 par le célèbre architecte Frank Lloyd Wright. Une des toutes premières maisons « organiques » du père du Guggenheim. Immenses baies vitrées ouvertes sur l'extérieur, nature omniprésente dans les motifs décoratifs et briques apparentes. Si vous avez le temps, jetez un œil au *Luce Study Center,* sortes de coulisses du musée et réserves, visibles de tous, où sont savamment rangés peintures, mobilier et textiles. Quant à la galerie de peintures, elle présente entre autres de magnifiques portraits du XIXe s signés Mary Cassatt (*The Cup of Tea,* très impressionniste), John Singer Sargent (*Madame X,* considéré par l'artiste comme une de ses plus belles réussites), et William Merritt Chase. Pour les artistes américains du XXe s, direction la section *Modern and Contemporary Art* (lire plus loin).

Temple de Dendur *(1st Floor)*

Le clou du département des antiquités égyptiennes. Dans cette immense salle vitrée donnant sur Central Park, on a remonté pièce par pièce un temple offert par le gouvernement égyptien aux États-Unis en 1965, en remerciement de l'aide apportée au sauvetage des sublimes temples d'Abou Simbel. Resté sur place, le temple que nous admirons aujourd'hui aurait été submergé par le lac Nasser, formé par le barrage d'Assouan... La seule condition de ce don était que le monument fût toujours visible depuis l'extérieur du musée. Édifié par l'empereur Auguste sous la période romaine, au Ier s av. J.-C. à la fin de l'époque ptolémaïque, il est dédié à la déesse Isis, mère des dieux égyptiens, représentée à l'intérieur du temple dans différentes postures. Les bas-reliefs sont sculptés en creux, à l'inverse de ceux de l'extérieur où l'on reconnaît Isis, Osiris et Horus, leur enfant, avec un doigt dans la bouche. Il y a même un graffiti du XIXe s ! Petite pièce d'eau pour figurer le Nil, au bord de laquelle on peut faire une pause rafraîchissante.

Antiquités égyptiennes *(1st Floor)*

Remettez-vous de vos émotions ! En poussant la porte située devant la façade du temple de Dendur, on accède maintenant aux collections égyptiennes comptant parmi les plus belles au monde. En vrac : sarcophages polychromes magnifiquement conservés ; mobilier funéraire (bandelettes, barques funéraires, amulettes, céramiques, bijoux, papyrus, etc.) sorti des tombes ; trois statues en granit rose de la reine Hatchepsout, datant du XVe s av. J.-C., retrouvées en mille morceaux au cours de fouilles entreprises par le musée lui-même, puis soigneusement recollées. Pour donner un peu de vie à tout cela, ne manquez pas les maquettes mises au jour dans la tombe de Meketrê, qui sont autant de scènes de la vie quotidienne (la boulangerie, la brasserie, le grenier à grain, etc.) et la reconstitution assez impressionnante de la tombe de Perneb, trouvée à Saqqarah. Brrr... Voir également les trois figures de la tombe de Merti, censées être la représentation du gouverneur provincial à différents moments de sa vie, les beaux portraits dit du Fayoum et l'impressionnant livre des Morts...

Collections grecques et romaines *(1st et 2nd Floors)*

Ces salles de toute beauté offrent au visiteur des objets de la vie quotidienne à Rome et dans le reste de l'Italie (Pompéi), puis une foule de statues en marbre ou bronze. Voici nos coups de cœur : *salle 150,* magnifique collection de vases grecs attiques (700 av. J.-C.), dont les personnages dessinés à « figures rouges » représentent les grands événements de la mythologie. Ce sont certainement les céramiques les plus abouties de l'art grec ancien, en témoigne ce cratère montrant Hercule tirant Nessos par les cheveux et tout simplement considéré comme l'un des plus beaux au monde... Également des « vases » plus anciens, aux décors plus archaïques. Casques finement ciselés de scènes de combat et statuettes des Cyclades qui inspirèrent sans doute le grand Brancusi ! *Salle 154,* stèle de marbre de la période archaïque, la plus ancienne connue, figurant un jeune homme et une petite fille (530 av. J.-C.). *Salle 153,* relief représentant une copine de Dionysos dansant (beau travail sur les plis). Énorme colonne et chapiteau de marbre du temple d'Artémis de Sardis. *Salle 161,* fascinante armure complète d'un guerrier grec du IVe s av. J.-C (l'hoplite : casque, thorax, cnémides). La *salle 165* est une chambre de villa romaine (récemment reconstituée), recouverte de fresques (50-40 av. J.-C.). *Salle 168,* un lit romain dans un état exceptionnel (Ier-IIe s apr. J.-C.). Dans le patio, orgie de sculptures et bustes, dont un beau Dionysos s'appuyant sur une femme. Remarquables sarcophages sculptés. À l'étage, statues hellénistiques et romaines de Chypre.

Collections africaines, latino-américaines et océaniennes *(1st Floor)*

Salle 350, fascinants arts africains : masques divers dont de magnifiques du Burkina-Faso et de Guinée – on reste scotché par ces figures qui séduisirent tant Picasso –, bibles enluminées d'Éthiopie, défenses d'éléphants ciselées et belles cariatides yoruba du Nigeria. Surtout, ne pas manquer la pittoresque collection de plaques de bronze qui ornaient les palais du Bénin *(salle 352).* Certaines se révèlent de vrais chefs-d'œuvre ! Dans la partie océanienne *(salles 353-355),* dont les œuvres impressionnent non seulement par leur beauté mais aussi par leur taille, notamment d'impressionnants totems de Nouvelle-Guinée, où des personnages superposés sont sculptés dans un seul tronc d'arbre. Également de magnifiques canoës de cérémonie ornés de figures mi-homme, mi-animal et de tortues, ainsi qu'une longue barque et d'insolites habits en écorce délicatement ornés. Enfin, impossible de rater le monumental plafond kwoma composé de nombreux panneaux peints. Côté Amériques, *salle 357,* vous serez ébloui par l'exceptionnelle et incroyable collection de masques et d'objets rituels en or mis au jour dans les tombes de l'Empire inca.

Pro-di-gieux ! Ces trésors, découverts lors de fouilles archéologiques en Amérique du Sud, sont rarissimes, car les conquistadors avaient pour coutume de les fondre en lingots avant de les rapatrier en Espagne ! De même, superbes couteaux de cérémonie ornés de pierres précieuses et des bijoux de la culture *moche* (en fait très beaux !) ornés de mosaïque d'opales, bijoux en or du Panamá, de Colombie, du Costa Rica, poteries peintes, vases en argent des Chimú du Pérou... Puis encore les chefs-d'œuvre aztèques et mayas... Trop, c'est trop !

Peintures européennes du XVIe au XVIIIe s *(2nd Floor)*

Revenez à l'entrée principale, et cette fois, montez au 1er étage *(2nd Floor)*. Face à vous s'ouvre la galerie des toiles européennes du XVIe au XVIIIe s, montrant des chefs-d'œuvre flamands, espagnols, italiens, anglais, hollandais et français. Les grands maîtres se bousculent : Botticelli, Vélasquez, Rubens, le Caravage, Poussin, Goya, Rembrandt, David... sans compter leurs talentueux élèves.

Écoles flamande et allemande

Salle 625, délicats portraits de Dieric Bouts et d'Hugo Van der Goes, mais surtout Hans Memling, qui nous attire par la grâce de sa *Vierge à l'Enfant et Sainte Catherine d'Alexandrie.* Au passage, une sublime *Crucifixion et Jugement dernier* de Jan Van Eyck (noter la délicieuse représentation de tous les supplices de l'Enfer !). La magie continue avec les toiles et triptyques de Gérard David, l'un des plus riches ensembles de cet artiste. Attachante *Nativité avec anges* de Bernaert Van Orley (tout en tendresse et finesse du paysage), puis plusieurs œuvres marquantes de Joos Van Cleve, les *Adoration des Mages* de Quentin Metsys et de Jérôme Bosch et puis le must : la grande *Annonciation* de Hans Memling, aux couleurs éclatantes. *Les Moissonneurs* de Bruegel l'Ancien (XVIe s) est l'un des cinq tableaux que le peintre a consacrés aux différents mois de l'année et aux activités humaines *(salle 627)* ; les autres toiles étant restées en Europe, à Vienne notamment. *Salle 628,* beaucoup de Lucas Cranach le Vieux, dont le *Martyr de sainte Barbara* et les portraits tout en finesse d'Albrecht Dürer, de Hans Holbein le Jeune...

École italienne

L'école florentine est représentée avec *L'Épiphanie* de Giotto, qui a peint en un seul tableau l'Annonce de la naissance de Jésus faite aux bergers (au second plan) et l'Adoration des Mages (au premier plan). Dans la série « primitifs religieux », *salle 603,* Fra Angelico signe une belle *Crucifixion* et des retables d'anthologie. *Vierge à l'Enfant* de Duccio di Buoninsegna qui marque l'apparition du sentiment dans la peinture. Le petit Jésus a bien l'air d'un bébé (et non d'un homme) et il semble vouloir toucher sa maman. Un trésor inestimable et la plus grosse acquisition du Met (45 millions de dollars en 2004). *Salle 604,* tout le grand Ghirlandaio et *salle 606,* on reste béat devant le Christ portant la couronne d'épines, l'air si triste d'Antonello de Messine. Idem devant l'*Adoration des bergers* de Mantegna (même salle), d'une grande qualité narrative et d'un réalisme s'inspirant de l'école flamande. Plus Bellini, Carlo Crivelli et *Méditation sur la Passion*, un étonnant Carpaccio, dans le genre ! *Salle 607,* Philippo Lippi, le maître de Botticelli, ainsi que le Pérugin. Place ensuite, *salle 609,* à la généreuse étreinte de *Vénus et Adonis* de Titien (XVIe s) et pas moins géniale, sa vision de *Vénus et du Joueur de luth...* Suit *Mars et Vénus* (encore elle !) réunis par l'amour de Véronèse et des œuvres du Tintoret. Puis, *salle 608,* Raphaël nous transporte avec sa *Madone à l'Enfant* et son manteau piqueté, près de saint Jean-Baptiste dans sa peau de bête. *Salle 611,* le célèbre *Rome moderne* de Panini (1757), une expo de tableaux dans un palais présentant les plus beaux monuments de Rome. *Salle 624,* les « photographes » de Venise (et d'ailleurs) de l'époque : Guardi, Canaletto et Bellotto et la *salle 622* est presque entièrement dédiée à Tiepolo. Stop ou encore ! Bon, on vous laisse trouver seul le Caravage...

École hollandaise

Rembrandt s'impose comme le héros de cette section avec une vingtaine de tableaux. Son *Aristote contemplant le buste d'Homère (salle 614)* est un véritable hymne à la pensée (voir la pile de bouquins à l'arrière-plan), incarnée ici par quelques grands personnages, à savoir Homère et Aristote, bien sûr, mais aussi Alexandre le Grand, qui est représenté sur le médaillon d'Aristote, pendant au bout de la chaîne (noter le traitement presque impressionniste des maillons qui illuminent son habit). Tous trois sont unis par la relation de maître à disciple : Alexandre le Grand fut l'élève d'Aristote qui, lui, rend hommage à Homère, le père de l'*Illiade* et de l'*Odyssée*. Ce tableau, qui a coûté 5 millions de dollars au Met, a pu être acheté en 1961 grâce à de nombreux dons. Ne manquez pas non plus son *Homme au costume oriental,* magistral. Dans *Bellona,* on n'en finit pas d'admirer son travail sur la lumière... Abordons maintenant, *salle 616,* les tableaux de Vermeer, dont les célèbres *Portrait d'une jeune femme* (portrait curieux et énigmatique, presque ingrat mais qui semble un visage d'apparition), *Allégorie de la Foi catholique* et *Jeune femme à la cruche* (noter la dominante de bleu que l'on retrouve partout, y compris dans la coiffe blanche). Quand on sait que seulement une quarantaine de tableaux lui ont été attribués, dont quatre sont au Met, on jauge encore mieux leur valeur ! *Salle 613,* une curiosité, la *Visite* de Pieter de Hooch, qu'un critique français attribuait plutôt à Vermeer, à cause de sa géniale distribution de la lumière !

École espagnole

Ne pas manquer les toiles de Goya, et ses portraits d'aristocrates *(salle 623)* ainsi que *Les Majas au balcon,* prises sur le vif, avec derrière elles deux intrigants voilés. Ce tableau inspirera Manet et son célèbre *Balcon,* comme un hommage au génie de Goya. Le portrait de *Juan de Pareja* de Vélasquez *salle 618,* quant à lui, a été acquis pour une misère :

> ## UN ARTISTE BIEN ORGANISÉ
>
> *Le Greco fut l'un des premiers à utiliser son talent telle une PME prospère. Ses élèves préparaient les œuvres bien à l'avance. Certaines étaient pratiquement similaires (plein de Saint François, très à la mode). Il avait inventé l'art à la chaîne, comme Warhol plus tard.*

5 millions de dollars ! Suivent inévitablement les acolytes : Zurbarán, Murillo et Ribera. Dans un style différent, la célèbre *Vue de Tolède* du Greco (1597, *salle 619*) a vraiment de quoi donner des cauchemars, tandis que le cardinal tout à côté se révèle extrêmement moderne.

École anglaise

Tous les grands sont là, formidablement représentés. *Last but not least,* Gainsborough (qui se réclamait de l'influence de Van Dyck), dont le portrait de *Grace Dalrymple Elliot* enchante par son élégance et ses délicates couleurs. Puis George Romney (non, pas le républicain mormon qui tenta de devenir président !), John Hoppner, sir Joshua Reynolds et Thomas Laurence, ces immenses portraitistes. De ce dernier, la magnifique *Elizabeth Farren* et, surtout, les charmants *Enfants Calmady,* d'une grâce totalement confondante et qui le consacrèrent digne successeur de Reynolds !

École française

Salle 601, David nous emballe avec son *Lavoisier et sa femme,* mais beaucoup moins avec *La Mort de Socrate,* très théâtrale, trop classique, peinte à l'aube de la Révolution française. On lui préfère la fraîcheur, le charme, la légèreté et le sens de la lumière d'Élisabeth Vigée-Lebrun dans son portrait de *Madame Grand.* Noter la manière très flamande dans les *Œufs cassés* de Greuze. *Salle 621,* tous les grands du XVIIIe s, les Chardin, Fragonard, Pater, Boucher, Van Loo, Watteau et

UPPER EAST SIDE

son *Mezzetin,* personnage de la commedia dell'arte qui, déçu par l'amour, gratte sa guitare. *Salle 620,* la superbe *Madeleine repentie* et la *Diseuse de bonne aventure* de Georges de La Tour. On s'amuse du jeu des complices qui font les poches de la naïve victime ! Puis Poussin, le Lorrain (le mentor de Turner) et tant d'autres...

Instruments de musique (*2nd Floor*)

Une petite section mais néanmoins très riche. On peut y voir un clavecin *(harpsichord)* complètement rococo, le plus vieux piano du monde, construit en 1720 et sorti tout droit du palais des Médicis à Florence. Impossible d'échapper à ce prétentieux piano, finement marqueté, mais outrageusement décoré de clinquantes figures de bronze (de 1838). Également un étrange *trumpet marine* du XVIIIe s, une belle guitare italienne incrustée d'ivoire, un baryton de Bohême de 27 cordes, ainsi que quelques très curieux instruments aux formes assez biscornues, d'origine apache, sioux, africaine ou asiatique. Vous noterez aussi l'extrême variété des cornemuses, binious, *bag pipes,* vielles à roue et autres *gaitas*...

Arts asiatiques (*2nd Floor*)

Un exquis moment de « zénitude » dans la galerie d'art japonais ! Les paravents font rêver. D'une formidable finesse d'exécution, ils décoraient les intérieurs japonais en illustrant généralement les saisons ou les grandes batailles (comme celle de *Ichinotami* et *Yashima* au XVIIe s)... D'autres batailles, tout aussi joliment calligraphiées sur de longs rouleaux. Beaux vêtements brodés. Remarquez en passant la très sobre et non moins spectaculaire *fontaine* d'Isamu Noguchi, taillée dans un seul bloc de granit. Aucune onde ne fait trembler l'eau qui pourtant s'écoule gentiment ! Continuer tout droit à travers les boîtes laquées, vêtements, estampes (viens donc voir ma collection !) et autres statues japonaises, avant de traverser ce jardin chinois reconstitué – l'*Astor Court* – d'une tranquillité extraordinaire. Tout y est : pavillon, rochers, plantes, eau... Fascinants arts de la Chine d'ailleurs ! *Salles 209 et 210,* les délicates terres cuites polychromes Tang (VIIe-Xe s) et, remarquez, *salle 207,* ce splendide ensemble chameau et cavalier Tang... Romantiques paysages montagnards traditionnels sur rouleaux verticaux. Superbes intérieurs chinois dans le style Ming ; puis formidable collection de bouddhas de Thaïlande, du Cambodge, du Laos et même du Shanxi (Chine) ; et encore de magnifiques statues des dieux hindous, céramiques, bronzes, etc. Ne surtout pas manquer, *salle 241,* les arts indiens et de l'Himalaya. En particulier, l'admirable coupole d'un temple du Gujarat, chef-d'œuvre de ciselage de bois précieux, comme de la dentelle... encadrée d'une ravissante loggia et balustrades sculptées. Accès ensuite en mezzanine, aux arts népalais et aux manuscrits enluminés du Rajasthan. Mandalas tibétains de toute beauté, comme ce *Yamantaka* détruisant la divinité de la Mort (du XVIIIe s). Nombreux bouddhas de bronze népalais. Dans les arts indonésiens, section Java, on tombe sur une ravissante collection de clochettes de cérémonie et de délicieux petits bronzes. Hallebardes aux formes particulièrement sophistiquées *(salle 246).* La culture hindoue au Vietnam fournit une superbe statuaire figurant Vishnou. *Salle 208,* bouddhas période Yuan (XIIIe et XIVe s), ainsi que des bouddhas en bois polychrome des Xe et XIe s. *Salle 240,* admirables bronzes indiens.

Peintures et sculptures européennes des XIXe s et début XXe s (*2nd Floor*)

Une fabuleuse collection, notamment d'œuvres impressionnistes acquises par les Américains à un moment où, en Europe, on ne s'y intéressait pas... Plusieurs Van Gogh, dont un *Autoportrait* peint des deux côtés de la toile par souci d'économie. Rappelez-vous que de son vivant, il ne vendit qu'une seule toile... L'orgie artistique se poursuit avec une série de marbres et bronzes signés Rodin. Du bronze encore avec les statuettes de Degas, représentant des danseuses, en relais avec sa série de tableaux, dont la célèbre *Classe de danse,* où le peintre fait une incursion discrète à l'Opéra de Paris. Parmi les fameux portraits de femmes par Renoir, on retiendra celui de *Madame Charpentier,* qui lança l'artiste. Et puis Monet, Manet. De ce dernier, *La Femme au perroquet,* clin d'œil à la toile éponyme de Courbet, fit scandale en 1866, après *Le Déjeuner sur l'herbe* et *Olympia.* Victorine Meurent (le modèle favori du peintre) y est représentée en déshabillé rose pâle avec un perroquet pour mascotte, cet oiseau terriblement indiscret et à connotation sexuelle. Ambiance tristoune au *Lapin agile,* où Picasso se représente dans une tenue d'Arlequin, en très charmante compagnie. Et puis la chère Sainte-Victoire du grand Cézanne (une des cinq versions qui existent) et encore des toiles de Courbet, Sisley, Corot, Gauguin, Signac, Seurat, Ingres, Toulouse-Lautrec, Daumier, Millet, Matisse, Géricault, Delacroix... Deux Klimt et un superbe Egon Schiele complètent cette prodigieuse section. Enfin, ne manquez pas la *Wisteria Dining Room,* reconstitution d'un salon parisien des années 1910, le seul ensemble Art nouveau du Met.

Arts moderne et contemporain *(1ˢᵗ et 2ⁿᵈ Floors)*

Un musée dans le musée. Vous pouvez y consacrer une demi-journée, tant les chefs-d'œuvre sont légion (et bien moins de monde qu'au MoMA !). La collection, dont les œuvres sont présentées par roulement, montre autant de choses et de styles différents que l'expression « Art du XXᵉ siècle » est fourre-tout : cela va de la *Crucifixion* de Dalí (une fusion du catholicisme, des mathématiques et de la science !) aux abstractions de Frank Stella, en passant par le roi du pop art, Andy Warhol (*Mao* et aussi *Nine Jackies,* réalisé dans les mois qui suivirent l'assassinat de Kennedy), la peinture gestuelle de Jackson Pollock, les fonds monochromes et de plus en plus sombres de Rothko, les toiles réalistes de Hopper et hyperréalistes de James Rosenquist ; il y en a vraiment pour tous les goûts. Admirez aussi les autoportraits triturés de Bacon, le sexuel iris noir de Georgia O'Keeffe, les statues incongrues et si fluides de Brancusi, en passant par le caricaturiste au grand cœur du *Washington Post,* Norman Rockwell, les mobiles de Calder et l'intéressant *White Flag* de Jasper Johns (pour voir la version colorée, direction le MoMA !). Également présents : une importante collection de cubistes (Braque, Léger, Gris... légués récemment par la famille d'Estée Lauder), des Modigliani, Matisse, Balthus, Klee, Miró, Chagall, Bonnard, Dubuffet, Giacometti, Soutine, Derain, Ernst et Picasso, ainsi qu'une très riche collection de peintres américains... N'en jetez plus ! D'autant que le musée acquiert régulièrement de nouvelles réalisations et que les œuvres précitées sont présentées par roulement.

Art de l'Islam et art ancien du Proche-Orient *(2ⁿᵈ Floor)*

Cette nouvelle collection d'art islamique (la plus complète au monde) présente plus de 12 000 pièces, datant du VIIᵉ au XXᵉ s. Elle reflète le champ culturel et historique de la civilisation islamique, du Maroc jusqu'à l'Extrême-Orient. Fascinantes calligraphies du IXᵉ au XIIIᵉ s *(salles 450-451),* mihrab en mosaïques polychromes, céramiques, astrolabes et autres pièces d'exception qui pouvaient servir d'échange entre le monde arabe et l'Europe pendant le Moyen Âge *(salles 452-453-454).* Importante collection de tapis, de taille démesurée ou de prière, aux formes florales géométriques. La *salle 461* est une reconstitution d'une salle de réception syrienne à Damas pendant la période ottomane (notez la décoration raffinée et les poèmes inscrits aux murs). Voir également un jeu d'échecs du XIIᵉ s, l'un des plus anciens au monde. Filer ensuite dans les *salles 400-401* de la section consacrée à l'art ancien du Proche-Orient, pour voir les impressionnants monuments centaures et bas-reliefs néo-assyriens du palais reconstitué d'Ashurnasirpal II de Nimrod (883 av. J.-C.) Au passage, d'autres trésors de la Mésopotamie, de l'Anatolie et de l'Iran. Quant aux stèles syriennes de Palmyre, elles véhiculent forcément de fortes émotions depuis la récente destruction d'une grande partie du site...

Costume Institute *(Ground Floor)*

Rouverte depuis 2014, et portant désormais le nom de la célèbre rédactrice en chef du *Vogue* américain Anna Wintour (qui inspira *Le diable s'habille en Prada*), c'est la plus importante collection de ce genre au monde, réunissant plus de 35 000 costumes, robes et accessoires, du XVe s à nos jours. En raison de la fragilité des textiles, les pièces ne sont présentées que par roulement, dans le cadre de toutes petites expos thématiques (deux par an).

Roof Garden

Au final (ouf !), prendre l'ascenseur pour aller au Roof Garden, le toit-terrasse avec ses expositions de sculptures (ouvert seulement de mai à octobre). Vue superbe sur la *skyline* entourant Central Park. Les riches donateurs exigent même de voir leurs sculptures sur le toit du musée quand ils descendent à NYC, histoire de les apercevoir depuis leurs terrasses des immeubles environnants. Classe, non ?
☕ *Roof Garden Café (mai-oct, tlj 10h-16h30 – 20h ven-sam)*, où prendre un cocktail en tête à tête avec Manhattan.

Les autres musées d'Upper East Side

🍴🍴 *Guggenheim (plan 2, H8)* : *1071 5th Ave (et 89th).* ☎ *212-423-3500.* ● *guggen heim.org* ● Ⓜ *(4, 5, 6) 86 St. Tlj sf jeu 10h-17h45 (19h45 sam). Fermé Thanksgiving, Noël et Jour de l'an. Entrée : 25 $; réduc ; gratuit moins de 12 ans. Donation libre sam dès 17h45. Inclus dans le CityPass. Audioguide en anglais compris.*
L'expo temporaire en cours occupe l'essentiel du musée, soit toute la rotonde, cette galerie longue de 800 m grimpant en spirale et dominée par une coupole qui fait office de puits de lumière. Le reste du Guggenheim présente – dans la petite Thannhauser Gallery – une infime partie de la très riche collection permanente du musée, faute de place ! On ne vient donc pas pour ces quelques œuvres mais pour admirer cette architecture mythique et unique. Cependant, convenons que le prix d'entrée très élevé peut être dissuasif si le thème de l'expo ou l'artiste ne vous parle pas spécialement (et si vous n'êtes pas branché plus que ça par l'architecture).

Le bâtiment
Il a été édifié en 1951 par le père de l'architecture moderne américaine : Frank Lloyd Wright. Sa construction délicate dura près de 10 ans, de sorte que Guggenheim lui-même, propriétaire des collections, ne le vit jamais terminé. On comprend, en voyant cette grosse « machine à laver », selon ses détracteurs, que Wright était un architecte hors du commun, et que ce bâtiment est une œuvre d'art en soi. En plus des gratte-ciel qu'il bannissait, il déplorait aussi les maisons américaines du XIXe s « en forme de boîtes », et préférait les constructions basses, en harmonie avec leur environnement, et dont la forme découle de la fonction. Raison pour laquelle le musée est construit en spirale, car pour lui, cela devait permettre de mieux exposer des œuvres dans leur chronologie et leur continuité... En 1990, le Guggenheim Museum a reçu la distinction suprême : être reconnu *landmark* (monument classé). Depuis, d'autres bâtiments new-yorkais ont été gratifiés du même label d'excellence.

Les collections
Outre les expos temporaires qui occupent l'essentiel de l'espace, le musée est célèbre pour posséder la plus importante collection de **Kandinsky** jamais cataloguée (195 tableaux). Toutes ces œuvres ont été réunies par le richissime Solomon

Guggenheim, propriétaire de mines et grand amateur d'art, avec l'aide de sa femme, Irène de Rothschild. À cela vient s'ajouter une série non négligeable de toiles d'impressionnistes et de postimpressionnistes, parmi lesquelles des chefs-d'œuvre de Renoir, Cézanne, Pissarro, Toulouse-Lautrec, Van Gogh, Chagall, Monet, Degas, Léger, Picasso, Manet, Gauguin, Braque, Pollock... Seule la *Thannhauser Gallery*, aux 1er et 2e niveaux, abrite en permanence une infime partie de ces œuvres, qui tournent régulièrement.

UNE MÉCÈNE TRÈS AVISÉE

En 1943, le peintre Jackson Pollock se retrouve au chômage pour alcoolisme. Peggy Guggenheim, la nièce de Solomon, le prend sous son aile en lui faisant signer un contrat qui le rémunère 150 $ par mois... en échange de 60 % sur la vente de ses tableaux. Quelques années plus tard, sa toile N° 5 sera vendue 140 millions de dollars !

UPPER EAST SIDE

☛ *Café 3 :* au 3rd Floor. Assez agréable pour une pause-café face à Central Park et au Réservoir. En revanche, trop cher payé pour y manger un sandwich (rien à moins de 16-18 $!).

🏛🏛🏛 *Frick Collection* (plan 2, H9) : 1 E 70th St (et 5th Ave). ☎ 212-288-0700. ● frick.org ● Ⓜ (6) 68 St-Hunter College. Mar-sam 10h-18h, dim 11h-17h. Fermé une dizaine de j. fériés dans l'année (voir site internet). Entrée : 20 $; réduc ; donation libre dim 11h-13h. Interdit moins de 10 ans. Audioguide en français compris. Vous voici dans l'époustouflant hôtel particulier de Henry Clay Frick (le bien nommé !), riche industriel de Pittsburgh (1849-1919), construit en 1913 dans un mélange hybride de styles européens du XVIIIe s. Ce musée, ouvert en 1935, présente sa collection personnelle d'œuvres d'art d'une incroyable densité, constituée sans relâche pendant près de 40 ans. Un musée à taille humaine et chaleureux, car on a, dans une certaine mesure, l'impression d'être un invité qui se balade dans la demeure de son hôte : vous remarquerez d'ailleurs qu'aucun cordon de sécurité ne protège les œuvres, pourtant exceptionnelles. À ne pas manquer. Commencez par le petit film projeté toutes les 20 mn.

– *Salle Boucher :* les fresques murales de cette chambre ont été réalisées autour de huit panneaux peints vers 1750 par François Boucher pour la marquise de Pompadour (« pompe l'amour », disaient ses amants !). Ces panneaux représentent les Arts et les Sciences. Également des porcelaines de Sèvres et autres meubles du XVIIIe s.

THANK YOU DARLING !

En 1912, le milliardaire Frick réserve une cabine luxueuse à bord du Titanic. *Sa femme souffrant d'une entorse à la cheville, il annule son voyage, attristé. Il le sera beaucoup moins par la suite.*

– *Anteroom :* salle consacrée aux peintres primitifs religieux. De Jan Van Eyck, une *Vierge à l'Enfant* (1440) : grande richesse de détails, comme les pierreries de la couronne que porte Élisabeth de Hongrie à droite. Également *Trois soldats* de Bruegel l'Ancien (1568) et *Purification du Temple* du Greco (1600). Dans une petite rotonde attenante, superbe Greco (il est placé là lorsqu'il est chassé de sa salle par certaines expos temporaires) et *Annonciation* de Filippo Lippi (environ 1440).

– *Dining Room :* Frick y donnait deux repas par semaine. Décor anglais XVIIIe s, où naturellement la peinture british est à l'honneur, avec notamment Gainsborough, George Romney, John Hoppner. On a particulièrement flashé pour la sublime *Frances Duncombe* de Gainsborough et le superbe travail sur la lumière, le drapé, les magiques tonalités de bleus... Jamais la filiation avec Van Dyck n'avait été aussi évidente !

– *West et East Vestibule :* orné de quatre galants tableaux de François Boucher représentant les quatre saisons. L'été est évoqué par des femmes nues, les seuls nus de la collection Frick, un point c'est tout ! Noter également de très belles horloges Boulle.

– **South Hall :** de Vermeer, *Enfant à sa leçon de musique* et *Officier et Jeune Fille,* avec leur légendaire lumière dorée ; puis *Madame Boucher* peinte par Boucher dans un joyeux bric-à-brac (1743) ; la *Fileuse de laine* de Greuze, la *Comtesse Daru* par David et un tableau de Renoir, *Mère et Enfants.* Également un beau bureau Boulle (1700) à huit pieds en marqueterie.

– **Salle Fragonard :** c'est ici que les dames avaient coutume de se retirer après dîner, contemplant les 11 œuvres géantes – rachetées à prix d'or au Met – ornant les murs de la pièce. Les quatre plus grandes, de part et d'autre de la cheminée et sur le mur sud, évoquent les quatre âges de l'amour. Elles furent commandées par la comtesse du Barry qui, finalement, les renvoya à son auteur parce qu'elle ne les aimait pas, la capricieuse !

– **Living Hall :** deux portraits de Titien très contrastés, réalisés au début et à la fin de la carrière de l'artiste, celui d'un jeune homme anonyme, séduisant et sensible, et le portrait de l'auteur Pietro Aretino, un homme mûr qui dégage puissance et richesse (superbe palette mordorée). De Hans Holbein le Jeune, *Sir Thomas More* (1527) : admirez le plissé des manches en velours rouge, le délicat rendu du col en fourrure, l'or du collier... et approchez-vous pour détailler les rides autour de ses yeux et sa barbe naissante. Quel réalisme ! À l'opposé, un autre portrait de Hans Holbein représentant l'ennemi mortel de Thomas More, *Thomas Cromwell* ; *Saint Jérôme* du Greco ; et *Saint François* de Giovanni Bellini. Frick devait aussi affectionner les mélanges de styles, comme en témoigne cette commode française parée de dorures italiennes et de panneaux japonais, sans oublier les bronzes Renaissance !

– **Library :** collection de livres anciens, recueils encyclopédiques couvrant tous les domaines des sciences, des arts et même... de la richesse ! Quelques titres crous- tillants, un temps oubliés par les conservateurs bien-pensants, vous feront sourire. Bien sûr, quelques tableaux ornent la pièce, comme le splendide et romantique *Lady Peel* de Thomas Lawrence ; *Lady Innes* de Gainsborough ; la gracieuse *Lady Hamilton* de George Romney ; *Mortlake Terrace* et le *Port de Calais* de Turner qui commencent à annoncer l'abstraction flamboyante de l'ultime période ; la *Cathé- drale de Salisbury* de Constable ; et un grand portrait de Henry Clay Frick *himself.*

– **North Hall :** encore d'autres tableaux ; atmosphère glaciale de *Vétheuil en hiver* de Monet, qui aurait été peint depuis une barque ; *Répétition* de Degas, mon- trant des danseuses au palais Garnier de Paris, thème de prédilection de l'auteur. Également Théodore Rousseau, la lumineuse *Comtesse d'Haussonville* d'Ingres et Watteau. Et puis, une pure merveille que cette console en marbre bleu ornée d'éléments décoratifs en bronze, un des meubles les plus coûteux de l'histoire, fabriqué en France à la fin du XVIIIe s.

– **West Gallery :** toutes les toiles sont accrochées dans une véritable galerie d'art éclairée par une immense verrière, voulue par M. Frick pour montrer les œuvres à ses visiteurs. Le Lorrain, puis Van Dyck et un *Venise* de Guardi. Extraordinaire *Port de Dieppe* de Turner, faisant face à celui de *Cologne...* Divers portraits de Hals ; *Le Cheval blanc* de Constable ; Gérard David ; Véro- nèse ; de Rembrandt, impressionnant *Autoportrait,* monumental *Cavalier polo- nais,* ainsi qu'un portrait de *Nicolaes Ruts.* Saisissante *Éducation de la Vierge* réalisée par le studio de Georges de La Tour (remarquer les ongles sales de la Vierge, éclairés par la flamme de la bougie, et le tressage du panier au centre de la scène) ; *Maîtresse et Servante* de Vermeer ; le Greco et aussi Vélasquez avec un magnifique *Philippe IV d'Espagne.*

– **Enamel Room :** dans cette petite salle prolongeant la West Gallery, découvrez le *Couronnement de la Vierge* de Veneziano ; *La Tentation du Christ* de Duccio di Buoninsegna (début du XIVe s) ; *Flagellation du Christ* de Cimabue (1280) ; Piero della Francesca, etc. Cette pièce devait accueillir le bureau de M. Frick, mais elle fut finalement consacrée à l'exposition de sa remarquable collection d'émaux de Limoges et de coffrets (XVIe et XVIIe s), toujours en place.

– **Oval Room** *(rotonde) :* la salle la plus dépouillée de toutes, qui se partage les faveurs de quatre superbes portraits de Whistler (le seul artiste américain repré- senté à la Frick Collection, hormis le portrait de Washington par Gilbert Stuart).

– *East Gallery :* *La Comtesse Daru* de David, *La Forge* de Goya, plusieurs Van Dyck, Corot et pour finir : une *Corrida* de Manet, olé ! Après cette orgie d'œuvres sublimes, vous aurez bien mérité une petite pause dans l'adorable et romantique *Garden Court*. À propos, l'*East Gallery* est parfois utilisée pour des expos temporaires, ses œuvres sont alors réparties sur d'autres galeries.

🍴♟ **The Met Breuer** *(plan 2, H9) : 945 Madison Ave (et 75th St).* ☎ 212-731-1675. ● *metmuseum.org/visit/met-breuer* ● Ⓜ *(6) 77 St. Tlj sf lun 10h-17h30 (21h jeu-ven). Fermé Thanksgiving, Noël et 1ᵉʳ janv. Donation suggérée (chacun est libre de donner ce qu'il entend) : 25 $ (entrée au Met et aux Cloisters incluse, mais impossible de faire les 3 le même jour évidemment !) ; réduc ; gratuit moins de 12 ans.* Ce singulier building, réalisé en 1966 par Marcel Breuer, élève du Bauhaus et l'un des architectes du siège de l'Unesco à Paris, fut le siège du Whitney Museum jusqu'à son déménagement en 2015 au pied de la High Line. Depuis mars 2016 et pour une durée de 8 ans, il est devenu une annexe du Metropolitan Museum accueillant exclusivement des expos temporaires, pointues mais accessibles et variées, confrontant toutes les époques et tous les arts. Des œuvres du Met mais pas seulement. Original et passionnant.
L'édifice, rebaptisé en l'honneur de son créateur, vaut vraiment la peine qu'on en dise deux mots : si le Guggenheim est tout en courbes, le Whitney, lui, est tout en angles, « brutal » ; si le Guggenheim est blanc et lisse, le Whitney, lui, est gris et rugueux. L'architecte Marcel Breuer a voulu prendre le contre-pied du Guggenheim en construisant cette pyramide inversée plaquée de granite noir, une vraie sculpture géante où même les rares fenêtres ont un air bizarre. Le design intérieur, dont il faut saluer la récente rénovation, est tout aussi remarquable, respectant l'esthétique de la structure tout en améliorant les infrastructures.

🍵 *Pop up Café :* au 5ᵉ niveau.

🍴 *Estela Breuer :* annexe du resto branché Estela de SoHo.

🍴♟ **Neue Galerie** *(plan 2, H8) : 1048 5ᵗʰ Ave (angle 86ᵗʰ).* ☎ 212-628-6200. ● *neuegalerie.org* ● Ⓜ *(4, 5, 6) 86 St. Tlj sf mar-mer 11h-18h (20h 1ᵉʳ ven du mois). Entrée : 20 $; réduc ; gratuit 1ᵉʳ ven du mois dès 18h. Interdit moins de 12 ans, et les moins de 16 ans doivent être accompagnés.* Installée dans une belle demeure édifiée en 1914 par Carrère & Hastings (mêmes architectes que la *NY Public Library*), la Neue Galerie est spécialisée dans l'art allemand et autrichien de 1890 à 1940. Pas de collection permanente, uniquement des expos temporaires mettant en scène, autour de thèmes variés, des œuvres de Gustav Klimt et d'Egon Schiele, mais aussi Oskar Kokoschka, August Macke, Max Beckmann, Ernst Ludwig Kirchner, les architectes autrichiens Josef Hoffman, Otto Wagner et Adolf Loos, sans oublier le mouvement du Bauhaus, avec Marcel Breuer et Ludwig Mies Van der Rohe... La période expressionniste est souvent évoquée à travers les nus radicaux de Christian Schad, ainsi qu'Otto Dix, Georg Grosz et par des peintres contemporains bien dans la continuation de l'expressionnisme, comme Marküs Lüpertz et Eugen Schönebeck. Riche cabinet de dessins (Degas, Cézanne, Van Gogh). Salle médiévale avec quelques armures et des arquebuses, véritables œuvres d'art (incrustation d'ivoires gravés), magnifiques coffrets en cuivre, émaux et ivoires ciselés, châsse de sainte Ursule. Quelques toiles intéressantes aussi comme le *Vieil Homme* de Quentin Metsys.

🍵 Au rez-de-chaussée, le décor et l'ambiance du magnifique **Café Sabarsky** *(plan 2, H8, 411 ; tlj sf mar 9h-21h, 18h lun et mer)* vous transportent tout droit à Vienne : pas donné et très fréquenté, mais il faut au moins y prendre un café viennois pour l'ambiance.

🛍 *Boutique* de livres d'art et petite section dédiée au design (cher, mais de fort belles choses).

🍴 **Cooper Hewitt** *(plan 2, H8) : 2 E 91ˢᵗ St (et 5ᵗʰ Ave).* ☎ 212-849-8400. ● *cooperhewitt.org* ● Ⓜ *(4, 5, 6) 86 St. Tlj 10h-18h (21h sam). Fermé Thanksgiving et Noël.*

Entrée : 18 $ (16 $ en ligne) ; gratuit moins de 18 ans. Donation libre sam 18h-21h.
Rattaché à la prestigieuse Smithsonian Institution de Washington, ce musée des
arts décoratifs (inspiré à sa création de son homologue parisien mais récemment
agrandi et relooké high-tech) est établi dans cette magnifique demeure de style
néogothique comptant une soixantaine de pièces, qui fut la résidence d'Andrew
Carnegie, l'un des hommes les plus fortunés d'Amérique... Époustouflante abon-
dance des ornements intérieurs : panneaux muraux, plafonds et surtout incroyable
escalier en bois ; une richesse qui contraste avec le style épuré des pièces de
design qui y sont présentées... Ne pas manquer la *Teak Room,* salon-bibliothèque
de la famille Carnegie, tout en boiseries de teck ciselées à la mode asiatique, très
en vogue au XIXe s. Les œuvres exposées dans le musée tournent souvent, mais
l'idée directrice est de présenter des pièces de tous styles, toutes époques, toutes
fonctions, et de les confronter ensemble, unies par une couleur, une forme, une
texture, un motif ou une ligne. Un parti pris non conventionnel certes, mais pas
toujours facile à suivre et à apprécier... Si vous êtes vraiment branché design, le
MAD à Columbus Circle est bien plus étonnant à notre avis (voir « Times Square
et Theater District »).
※ *Boutique* pour les amateurs de design un peu pointu et librairie du même
niveau. Peu de petits prix...

🍴 *Jewish Museum (plan 2, H8)* **:** 1109 5th Ave ; entrée sur 92nd St. ☎ 212-423-
3200. • *thejewishmuseum.org* • Ⓜ (6) 96 St. Tlj sf mer, j. fériés et fêtes du calen-
drier juif 11h-17h45 (20h jeu, 16h ou 17h ven selon période de l'année). Entrée :
15 $; réduc ; gratuit moins de 18 ans et pour ts sam. Donation libre jeu 17h-20h.
Parfois, supplément pour les expos temporaires. Audioguide en anglais compris, et
visites guidées gratuites en sem à 12h15, puis (sf ven) 14h15 et 15h15.
Installé dans une somptueuse demeure néogothique édifiée en 1908 par le banquier Félix Warburg (en désaccord avec son beau-père prétendant que les fastes
de la maison provoqueraient des réactions antisémites), cet intéressant musée
retrace avec brio l'histoire mouvementée du peuple juif, en explorant toutes ses
particularités, jusqu'à la notion même de judaïté. On en ressort... éclairé !
– La visite commence par l'*expo permanente* installée aux 2e et 3e étages
(*3rd* et *4th Floors*). D'abord, une évocation des premiers peuples de Palestine, du
Temple de Salomon, puis du Premier Exil marquant la naissance de l'identité
juive. S'ensuivent les premières synagogues (voir celle de Doura-Europos), le
rabbinisme, le Talmud... Ensuite, à travers des objets archéologiques, on voit toute
l'influence, sur les différentes communautés juives de la diaspora, des cultures
qui les ont accueillies. Dans la foulée, on découvre (*3rd Floor*) les principaux rituels
juifs à grand renfort d'objets liturgiques, orfèvrerie religieuse... Voir aussi le seul
sofa de mariage encore existant (enfin, on n'en connaît pas d'autres...) et, juste
en face, un bout d'arche du XVIe s abritant une torah. Et puis, assez amusant : les
fêtes ayant évidemment été réglées sur les saisons d'Israël, elles sont souvent en
décalage dans la réalité climatique du pays où elles se célèbrent ; comme la fête
du Printemps en Russie, où il gèle encore, ou bien celle des Récoltes d'automne
en Australie, alors que c'est le printemps ! Pour finir, section sur l'intégration progressive des juifs dans les sociétés européenne et américaine et leur participation
à la vie sociale et politique. Le parcours s'achève par une évocation de l'antisémi-
tisme en Europe (voir les portraits et slogans abominables !), qui, bien sûr, culmine
avec la Shoah.
– *Expos temporaires* (peintures, photos, objets divers...) au rez-de-chaussée
(*1st Floor*) et au 1er étage (*2nd Floor*).

🍴 *Museum of the City of New York (plan 2, H7)* **:** 1220 5th Ave (entre 103rd et
104th). ☎ 212-534-1672. • *mcny.org* • Ⓜ (6) 103 St. Tlj 10h-18h. Fermé Thanks-
giving, Noël et Jour de l'an. Entrée : 14 $; gratuit moins de 19 ans. Installé
depuis 1923 dans un superbe hôtel particulier, cet intéressant musée a pour mission de retracer l'évolution et les transformations de la Big Apple sous toutes ses
coutures, au travers d'expositions thématiques temporaires (architecture, mode,

grands événements, etc.). Un documentaire de 20 mn présente les grandes lignes historiques qui marquèrent la ville de ses origines à nos jours, prolongé par une passionnante exposition sur l'activisme new-yorkais (pour l'abolition de l'esclavage, le vote des femmes, la tolérance entre religion, contre la récente gentrification...). Au passage, on pourra apprécier une curiosité : la *Stettheimer Dollhouse,* une maison de poupée très particulière dont les tableaux qui ornent les murs sont de véritables œuvres d'art miniatures. On peut ainsi admirer une réplique de *Nu descendant un escalier* de Marcel Duchamp, de la taille d'un timbre poste !
Ψ ⊛ *Café* et *boutique.*

🍴 *Museo del Barrio* (plan 2, H7) : 1230 5*th* Ave (et 104*th*). ☎ 212-831-7272. ● elmuseo.org ● Ⓜ (6) 103 St. Mar-sam 11h-18h. Fermé Nouvel An, 4 juil, Thanksgiving et Noël. Donation suggérée : 9 $; réduc ; gratuit moins de 12 ans et pour ts 3*e* sam du mois. Ce musée a pour vocation de préserver et de promouvoir la culture latino-américaine (30 % de la population new-yorkaise et 40 % des élèves de *public schools*), et plus particulièrement celle de la communauté portoricaine. C'est pourquoi il partage son espace entre d'intéressantes expositions temporaires, fréquemment renouvelées, et une toute petite collection permanente qui s'efforce cependant de toucher à tout : on verra aussi bien des objets traditionnels et de l'artisanat populaire que de l'art contemporain, ainsi qu'une sélection d'œuvres notables d'artistes reconnus qui, soit sont issus de la communauté, soit traitent du sujet (Orozco, Diego Rivera, Frida Kahlo, Picabia ou Motherwell).
Ψ ⊛ *Café* et *boutique.*

À faire

➢ *Roosevelt Island Tram* (plan 2, H-I10) : départ à l'angle de 60*th* St et 2*nd* Ave. ☎ 212-832-4540. Ⓜ (N, R, 4, 5, 6) 59 St. Tlj 5h45-2h30 (3h30 w-e) ; départs ttes les 7-15 mn selon heure. Ce petit tram aérien, suspendu par des câbles à 90 m au-dessus de l'East River, parcourt le kilomètre qui sépare Manhattan de Roose-

TRAMWAY DES CIMES

Créé dans les années 1970, ce tramway aérien a été rénové en 2010 par une entreprise grenobloise qui s'est inspirée de son Vanoise Express, *un téléphérique ultramoderne reliant les stations de ski de La Plagne et des Arcs.*

velt Island en 3 mn chrono. Pour seulement 2,50 $ le trajet (*MetroCard* acceptée), on bénéficie d'une vue inédite sur le Queensboro Bridge, surtout à la lumière du soleil couchant. Mais attention, c'est un vrai moyen de transport, pas une attraction ! Cependant, si vous êtes dans le coin, le survol vaut le coup.

UPPER WEST SIDE

UPPER WEST SIDE

● Adresse utile 206
● Où dormir ? 206
● Où manger ? 208
● Pâtisseries 210
● Où boire un verre ?
Où écouter du jazz ?... 211
● Shopping 212
● À voir............................ 213

● Pour se repérer, voir le plan détachable 2 en fin de guide.

Fief d'une importante communauté juive, ce quartier tout en longueur situé à l'ouest de Central Park est limité par West 59*th* Street et Columbus Circle au sud, et par West 110*th* Street au nord. Il fait bon vivre et se balader dans Upper West Side, où les terrasses fleurissent, tout comme les restos et les boutiques de mode, pour une ambiance quand même plus décontractée que dans le quartier cousin d'en face, East Side. La présence de Columbia University et de ses nombreux étudiants y est certainement pour beaucoup... L'architecture de cette partie de New York est aussi particulièrement riche et intéressante (perles de l'Art déco, belles *brownstone houses*...), et les bâtiments demeurent à taille humaine. De plus, où que vous soyez, la verdure n'est pas loin, Upper West Side étant bordé à l'est par Central Park, « le poumon de NY », et à l'ouest par Riverside Park. Culturellement parlant, le quartier n'est pas en reste avec son Lincoln Center, « *the biggest cultural center in the world* », comme le nomment les New-Yorkais. Construit au milieu des années 1950-1960 pendant le mouvement de rénovation urbaine de New York (alors que le quartier était encore économiquement faible...), il abrite une vingtaine de salles de spectacle, dont le très prestigieux Metropolitan Opera (dit Met, comme le musée).

Adresse utile

@ *Internet :* connexions gratuites à l'*Apple Store* (plan 2, F-G10, *566*), 1981 Broadway (angle 67th St). Lunsam 9h-21h, dim 10h-20h.

Où dormir ?

De très bon marché à bon marché (AJ)

🏠 *Hostelling International New York* (plan 2, F7, *65*) : 891 Amsterdam Ave (et 103rd). ☎ 212-932-2300. ● hinewyork. org ● Ⓜ (1) 103 St. Réception 24h/24. Lits en dortoir 4-12 lits 40-70 $; quadruples avec sdb privée 200-280 $. Prévoir 3 $ en plus pour les nonmembres. ▢ 🛜 La plus grande AJ des États-Unis (et la 2e du monde : près de 700 lits !), abritée dans un élégant édifice de style gothico-victorien. Entièrement relookée dans un style presque design, en tout cas très épuré. Dortoirs mixtes ou non (de 4 à 12 lits), et chambres pour 4 personnes avec ou sans salle de bains privée (celles avec sont un super plan en famille ou entre copains). Et puis de nombreux services : machines à laver, cuisine spacieuse et impeccable, café, petite boutique d'alimentation, plusieurs salons dont un avec home cinéma et un autre avec son mur végétal, billards, Wii... et toutes sortes d'animations quotidiennes, souvent gratuites. Très complet donc, parfaitement bien tenu, atmosphère extra, mais la dernière bonne surprise, c'est la vaste cour intérieure (avec tables et chaises) prolongée par un jardin. Irrésistible aux beaux jours. Accueil pro.
🏠 *Broadway Hotel and Hostel* (plan 2, F7, *68*) : 230 W 101st St (et Broadway). ☎ 212-865-7710. ● broadwayhotelnyc.com ● Ⓜ (1) 103 St. Réception 24h/24. Dortoirs (2 lits slt) 35-65 $; doubles avec sdb privée 100-180 $, avec sdb partagée 80-150 $. ▢ 🛜 Un *hostel* haut de gamme avec entrée élégante à la déco orientalo-chic. Espaces colorés et murs en briques apparentes dans les parties communes. Concernant les chambres, les doubles version hôtel sont confortables et bien arrangées (celles avec juste lavabo et salle de bains partagée sont encore moins chères) et les doubles version dortoir sont évidemment basiques, mais propres (douches et sanitaires sur le palier). Gros avantage, on échappe aux chambrées suffocantes. Salon TV, coin cuisine et accueil sympa pour couronner le tout. Bref, un très bon rapport qualité-situation-prix.
🏠 *International Student Center* (plan 2, G8, *64*) : 38 W 88th St (et Central Park W Ave). ☎ 212-787-7706. ● nystudentcenter.org ● Ⓜ (C) 86 St. Réception 8h-23h. Lits en dortoir 30-50 $. Prévoir une caution de 10 $ pour la clé. Acceptent les « jeunes » 18-35 ans ! ▢ 🛜 Dans une jolie rue résidentielle et calme, à deux pas de Central Park, c'est l'un des hébergements les moins chers de New York, donc la providence des budgets serrés. Et une curiosité dans son genre. Car cette auberge est plus proche d'une maison particulière que d'un

hôtel : agencée curieusement dans une belle *brownstone,* meublée de bric et de broc et non dénuée d'originalité (par exemple, on laisse ses valises à la réception pendant le séjour). Elle abrite plusieurs dortoirs (de 8 à 10 lits, 40 en tout), dont certains mixtes, tous avec salles de bains. Ensemble assez sommaire et vieillot mais propre. Salon confortable au sous-sol et cuisine colorée à dispo.

🛏 *Jazz on the Park Hostel* (plan 2, G7, **66**) : 36 W 106th St (et Central Park W Ave). ☎ 212-932-1600. • jazz hostels.com • Ⓜ (C) 103 St. Ouv 24h/24. Lits en dortoir 20-70 €, doubles 60-125 €. 🖵 🛜 À 50 m de Central Park, une AJ répartie entre 2 bâtiments proposant des petits dortoirs sympas et propres (de 2 à 8 lits en version mixte ou non), avec sanitaires sur le palier. Également 3 chambres doubles et une familiale avec salle de bains. Terrasses l'été, petit bar et TV au rez-de-chaussée, espace lounge de style indus avec billard au sous-sol pour les soirées festives et coin cuisine avec frigo et micro-ondes. Bonne ambiance et bon accueil.

🛏 *Central Park West Hostel* (plan 2, F8, **173**) : 201 W 87th St (et Amsterdam Ave). ☎ 646-490-7348. • ssanago@centralparkwesthostel • Ⓜ (1, 2, A, B, C) 86 St. Ouv 24h/24. Lits 25-70 $; doubles avec sdb privée 90-180 $. 🛜 Une petite AJ assez simpliste mais en pleine mutation, abritant une trentaine de chambres un peu fatiguées mais correctes (pas de dortoirs), avec 2 lits superposés, ou bien un lit double pour celles avec salle de bains privée (trop cher payées). Cuisine attenante à la réception et salon TV au sous-sol. Rien de génial mais le nouveau proprio (francophone), plein d'allant, compte faire des travaux importants de rénovation.

De bon marché à prix moyens

🛏 *Newton Hotel* (plan 2, F8, **69**) : 2528 Broadway (entre 94th et 95th). ☎ 212-678-6500 ou 1-800-643-5553 (résas). • thehotelnewton.com • Ⓜ (1, 2, 3) 96 St. Doubles avec sdb privée env 110-300 $, avec sdb partagée 100-200 $. 🖵 🛜 Dans un beau bâtiment, un hôtel sans histoire abritant une centaine de chambres (dont 12 suites avec kitchenette), confortables et fonctionnelles. On vous l'indique surtout pour les chambres avec salle de bains sur le palier, de confort équivalent aux autres (TV écran plat, sèche-cheveux, frigo et micro-ondes) mais nettement moins chères. Une bonne affaire, donc ! Bon accueil francophone.

🛏 *Park 79 Hotel* (plan 2, G9, **78**) : 117 W 79th St (et Columbus). ☎ 212-787-3300. • park79hotel.com • Ⓜ (C, A) 79 St. Doubles avec sdb privée 120-280 $, avec sdb partagée 90-180 $. 3 nuits min. 🖵 🛜 Très bien situé, à deux pas de Central Park et de l'animation de B'way (et en face du musée d'Histoire naturelle), dans un bel immeuble ancien, avec façade travaillée et porche à colonnes. Bon, les chambres ne sont pas aussi stylées, même si elles réunissent les critères habituels du standard américain. Intéressant principalement pour ses prix bradés en hiver (de janvier à mars) et, toute l'année, pour ses chambres avec salle de bains partagée (une pour 2 chambres).

🛏 *West Side YMCA* (plan 2, G10, **67**) : 5 W 63rd St (et Central Park W Ave). ☎ 212-912-2600. • ymcanyc. org • Ⓜ (A, C, D, 1) 59 St-Columbus Circle. Réception jusqu'à 23h30. Doubles avec ou sans sdb privée env 120-180 $. 🖵 En bordure de Central Park, derrière une belle façade en brique d'inspiration romane de 1928, cette grande YMCA mixte et ouverte à tous (des habitués y vivent à longueur d'année) propose 370 petites chambres propres et basiques. Lits superposés et sanitaires communs pour la plupart, les plus abordables. Les chambres rénovées n'ont aucun charme mais sont fonctionnelles. Sur place : laverie, cafétéria et, bien sûr, un centre sportif doté de 2 piscines, d'une salle de muscu et d'un sauna.

De prix moyens à très chic

🛏 *Nylo* (plan 2, F9, **72**) : 2178 Broadway (et 77th). ☎ 212-362-1100

UPPER WEST SIDE

ou 1-800-509-7598. ● nylo-nyc. com ● Ⓜ (1) 79 St. Doubles 120-350 $. 📶 (payant). À 2 blocs d'une station de métro, un boutique-hôtel récemment relooké dans un style actuel bien pêchu, mix assez réussi d'industriel et de vintage. Lobby-lounge très accueillant avec ses différents espaces : bar, bibliothèque... Murs de brique, sol en béton, banquettes en velours rouge, poufs en cuir capitonné et éclairages tamisés comme il se doit. Dans les chambres (avec vue panoramique pour les plus chères), parquet gris, bois clair, tête de lit bleu nuit et œuvres d'artistes locaux. Petit manque d'insonorisation dans certaines. Au 16e étage, terrasse donnant sur Central Park. Service un peu brouillon et souvent de l'attente aux ascenseurs.

🏠 **The Lucerne** (plan 2, F9, **73**) : 201 W 79th St (angle Amsterdam Ave). ☎ 212-875-1000. ● thelucernehotel.com ● Ⓜ (1) 79 St. Doubles 180-310 $. 🖥 📶 Ce bel hôtel datant de 1904, à la superbe façade rouge de style Beaux-Arts mâtiné de baroque,

fidélise sa clientèle classique par son style cosy rassurant. Passé le porche monumental, on trouve un lobby accueillant avec colonnades, puis des chambres au diapason, confortables, douillettes et soignées. Accueil et service impeccables. Pour le petit déj (en supplément), le resto français de l'hôtel, *Nice Matin*, est bien coté à NYC dans cette catégorie (15 % de réduc pour les clients de l'hôtel).

🏠 **Hotel Belleclaire** (plan 2, F9, **71**) : 250 W 77th St (et Broadway). ☎ 212-362-7700. ● hotelbelleclaire. com ● Ⓜ (1) 79 St. Doubles 100-300 $. 🖥 📶 Hôtel cossu ouvert en 1903, à l'architecture Art nouveau Sécession. Comme souvent à New York, les chambres ne sont pas bien spacieuses mais contemporaines d'allure, gaies avec leurs têtes de lit capitonnées d'un beau rouge, et bien équipées (station iPod, frigo...). Certaines ont même une jolie vue sur l'Hudson River. Accueil pro et sympa. Un bémol : l'absence de double vitrage est problématique si on loge côté Broadway.

Où manger ?

Spécial petit déjeuner et brunch

🍴 **Silver Moon Bakery** (plan 2, F7, **298**) : 2740 Broadway (angle 105th). ☎ 212-866-4717. Ⓜ (1) 103 St. Lun-ven 7h30-20h, w-e 8h-19h. Gentille petite boulangerie de quartier, plébiscitée par les locaux pour ses très bons pains, quiches, viennoiseries et *scones* (entre autres). Pratique pour une petite pause salée et sucrée en cours de balade, mais soyez prévenu, aucune place assise ! On achète et on embarque.

🍴 **Isabella's** (plan 2, G9, **425**) : 359 Columbus Ave (angle 77th). ☎ 212-724-2100. Ⓜ (C) 81 St. Brunchs w-e 10h-16h30 env 16-21 $ (boisson offerte dim). Ce resto chic, très apprécié des familles et véritable institution dans West Side à l'heure du brunch, sert une cuisine américaine classique mais de qualité à des prix encore raisonnables :

eggs Benedict variés, bagel au saumon, *French toast*... Grande salle aux tons doux s'ouvrant sur de grandes baies à arcades, ambiance classe et service impeccable. Terrasse. Seul problème, l'attente... pendant laquelle vous avez des chances de croiser des people, ça occupe !

🍴 **Sarabeth's** (plan 2, F9, **270**) : 423 Amsterdam Ave (entre 80th et 81st). ☎ 212-496-6280. Ⓜ (1) 79 St. Petit déj en sem et brunch w-e 8h-16h env 14-24 $ (résa conseillée) ; plats 18-27 $. Une autre institution ! La *success story* de Sarabeth a commencé en 1981 quand elle a ouvert une petite boulangerie proposant du pain et de la confiture maison. La belle a aujourd'hui plusieurs adresses dans New York et ailleurs, et sa marque d'épicerie fine... Au menu du breakfast et du brunch, des omelettes réussies, des assiettes joliment présentées et savoureuses. Sympa aussi pour le déjeuner et le dîner (carte variée à l'américaine), notamment le jeudi soir lorsqu'il y a des concerts de jazz *(18h-21h)*. Belle terrasse.

☝ Et aussi : ***Absolute Bagels, Jacob's Pickles*** *(breakfast tlj et brunch version vieux Sud le w-e)*, ***Good Enough to Eat*** *(breakfast tlj jusqu'à 16h)*, ***Barney Greengrass the Sturgeon King*** (pour son fameux *bagel lox*), ***Levain Bakery*** et ***Magnolia Bakery*** (pour leurs pâtisseries typiquement ricaines), ***Birdbath*** (petit déj continental sur le pouce). Voir plus loin.

Sur le pouce, bon marché

🥪 ☝ ***Absolute Bagels*** *(plan 2, F7, 528)* **:** 2788 Broadway *(entre 107th et 108th)*. ☎ 212-932-2052. Ⓜ (1) 110 St. *Tlj 6h-21h. Env 4-6 $*. Le cadre : nul. L'ambiance : quelle ambiance ? La seule chose qui compte ici, ce sont les bagels. Préparés au gré de la demande (observez donc la dextérité des pâtissiers), ils ont une consistance idéale et la croûte est croustillante à souhait. On les choisit nature, au sésame, aux raisins, *everything* (piquetés de sel, oignon, ail, pavot), puis on les garnit de ses ingrédients préférés. Grande variété de *cream cheese* aromatisés sucrés et salés (tomate séchée, noix-raisin, mûre, etc.). Délicieux... et bien costaud ! Quelques tables pour se poser.

🍔 🧍 ***Shake Shack*** *(plan 2, G9, 346)* **:** 366 Columbus *(entre 77th et 78th)*. ☎ 646-747-8770. Ⓜ (1) 79 St. *Burgers-frites env 8-12 $*. Une des succursales du fameux kiosque de Madison Square Park (voir « Union Square et Flatiron District »). Décor de fast-food sans surprise, mais vue sur le Museum of Natural History. Précisez la cuisson de votre burger (du vrai bœuf Angus) en passant commande, sinon on vous le servira à point d'office. Bons milk-shakes et crèmes glacées customisées.

🍽 🧍 ***Hampton Chutney & Co*** *(plan 2, F8, 192)* **:** 464 Amsterdam Ave *(entre 82nd et 83rd)*. ☎ 212-362-5050. Ⓜ (1) 86 St ou 79 St. *Plats 9-15 $ (portions enfants 6-10 $)*. Resto indien moderne, cadre simple, avec un coin pour les enfants (le Children Museum est juste derrière). Cuisine du sud de l'Inde. Spécialités de *dosa* (crêpes de riz et lentilles fourrées de plein de bonnes choses), *uttapam* (même chose en version pancake), *thalis* et sandwichs. Bon *chaï* (thé au lait épicé). Tout est bio.

Prix moyens

🍽 ☝ ***Jacob's Pickles*** *(plan 2, F8, 160)* **:** 509 Amsterdam Ave *(entre 84th et 85th)*. ☎ 212-470-5566. Ⓜ (1, C) 86 St. *Tlj 10h (9h w-e)-2h (4h ven-sam). Plats 15-21 $; plats breakfast et brunch 10-16 $*. L'esprit du Deep South revu à la new-yorkaise. Très beau cadre, à mi-chemin entre la grange en bois et l'entrepôt design industriel. On s'y régale de spécialités du Sud, rustiques mais bien cuisinées et servies en portions énormes (certains plats sont pour 2). Les *pickles* (légumes vinaigrés) sont maison, à goûter absolument en entrée et pourquoi pas en version *fried* comme dans le Sud. Pour faire descendre tout ça, vraie *lemonade, root beer* pression, cocktails traditionnels et, bien sûr, toute une cargaison de bières artisanales des quatre coins des États-Unis. Brunch le week-end, ultra-prisé cela va sans dire...

🍽 ☝ ***Barney Greengrass the Sturgeon King*** *(plan 2, F8, 294)* **:** 541 Amsterdam Ave *(entre 86th et 87th)*. ☎ 212-724-4707. Ⓜ (1) 86 St. *Tlj sf lun 8h-18h. Plats 10-28 $*. Ouvert depuis 1908, ce *delicatessen* « dans son jus », et toujours dans la même famille, est spécialisé dans le saumon fumé maison *(lox)* et l'esturgeon, à emporter ou à déguster sur place (à l'assiette ou en sandwich) dans un cadre typiquement *old New York*, avec formica vieillot et fresques murales kitsch. Plusieurs plats roboratifs d'Europe de l'Est, notamment les superbes plateaux de poissons fumés ou toutes les déclinaisons de *herrings*.

🍔 ***5 Napkin Burger*** *(plan 2, F8, 286)* **:** 2315 Broadway *(et 84th)*. ☎ 212-333-4488. Ⓜ (1) 86th St. *Plats 16-18 $*. On aime beaucoup cette minichaîne de vrais restos de burgers, née à New York et qui s'étend maintenant ailleurs aux USA. Au moins une dizaine de burgers différents (classiques ou revisités, avec bœuf, agneau, thon mi-cuit, etc.),

UPPER WEST SIDE

accompagnés de frites maison dans un beau décor de bistrot-boucherie tout carrelé de blanc.

|●| ☞ **Good Enough to Eat** (plan 2, G8, **125**) : 520 Columbus Ave (et 85th). ☎ 212-496-0163. Ⓜ (1) 86 St. Plats 10-20 $. Une de nos adresses les plus anciennes, fidèle au poste depuis plus de 30 ans même si elle a déménagé à un petit bloc de son lieu d'origine. Toujours la même chaleureuse déco fermière assortie d'une cuisine américaine style *comfy food*, plutôt saine. Le midi, le *combo* (soupe et demi-sandwich) est parfait. Également de très bons *pies* en dessert. Breakfast servi tous les jours jusqu'à 16h.

De prix moyens à plus chic

|●| 👫 **Carmine's** (plan 2, F8, **297**) : 2450 Broadway (et 91st). ☎ 212-362-2200. Ⓜ (1) 86 St. Résa conseillée pour dîner. Plats gargantuesques 25-40 $ (env 15 $ le midi mais portions individuelles). Resto-bar très prisé des New-Yorkais, heureux de se retrouver dans cette immense salle digne d'un décor de cinéma, où ventilos, lampes et une accumulation de vieilles photos aux murs distillent une ambiance d'un autre temps... Au menu, cuisine italienne rustique et ultra-copieuse à partager, c'est d'ailleurs ce qui fait le succès de la maison puisqu'un plat peut nourrir au moins 3 personnes. En revanche, ils se rattrapent sur les vins (coup de bambou).

|●| **Gennaro** (plan 2, F8, **325**) : 665 Amsterdam Ave (entre 92nd et 93rd). ☎ 212-665-5348. Ⓜ (1, 2, 3) 96 St. Tlj 17h-22h30. Plats 15-30 $. CB refusées. Un resto italien de quartier qui fidélise sa clientèle grâce à une carte courte de pâtes maison (pas chères) et quelques plats de viande et de poulet bien fagotés. Les gnocchis frais tomate, crème et basilic et le *stinco di agnello* (agneau sauce vin rouge) sont les *signature dishes* de la maison. À déguster dans une

plaisante petite salle voûtée d'une chaleureuse simplicité. Un très bon rapport qualité-prix mais un un peu cher !

|●| **Vai Restaurant** (plan 2, F9, **127**) : 429 Amsterdam Ave (entre 80th et 81st). ☎ 212-362-4500. Ⓜ (1) 79 St. Résa quasi indispensable. Tlj le soir, plus le midi le w-e. Plats 19-32 $. Une façade discrète, sans enseigne, juste un logo au format timbre-poste... et une petite salle chaleureuse d'à peine 10 tables. Le chef, italien, la joue sobre : juste 2-3 choix de pâtes, poisson ou viande, plus quelques suggestions du jour. Mais dans l'assiette, que du grandiose ! Une cuisine méditerranéenne contemporaine bien pensée et maîtrisée, riche en saveurs harmonieuses, dès les premiers prix ! Un petit resto de grand chef donc, bien dans l'air du temps, qui attire people et habitués au porte-monnaie garni.

Très chic

|●| **Nougatine at Jean Georges** (plan 2, G10, **264**) : dans le Trump International Hotel, 1 Central Park W. ☎ 212-299-3900. Ⓜ (A, C, D, 1) 59 St-Columbus Circle. Formule déj prix fixe 38 $ (lun-ven 12h-15h) ; également menu dégustation ou carte (mais beaucoup plus cher of course, surtout le soir). Jean-Georges Vongerichten est une icône de la gastronomie new-yorkaise (d'origine alsacienne, en fait), doté d'un sens aigu des affaires : il possède plus de 20 restaurants dans le monde, dont une dizaine à Manhattan. Le *Jean Georges* est le principal, accolé à une annexe plus décontractée, *Nougatine*, qui propose le midi un menu pour un prix tout à fait raisonnable. L'occasion de goûter à peu de frais à la gastronomie de ce chef talentueux (qui élabore une cuisine française aux accents asiatiques) dans un cadre lumineux, chic et design, avec vue sur Central Park (et terrasse toute verdoyante). Desserts particulièrement réussis. Service stylé mais pas guindé.

Pâtisseries

☞ ☞ **Levain Bakery** (plan 2, F9, **284**) : 167 W 74th St (entre Columbus et Amsterdam Ave). ☎ 212-874-6080. Ⓜ (1, 2, 3) 72 St. En entresol ; pas *forcément très visible (et c'est tt petit).* Les meilleurs cookies de Manhattan d'après le *NY Times*. Et on approuve ! Très denses (presque un repas à eux seuls ou alors partagez-les à 2), croustillants dehors, moelleux au cœur, avec le chocolat qui coule dans la bouche... Le *dark chocolate chip* est un must (doublé d'une bombe calorique), mais tout est bon de toute façon (*scones, muffins...*). Minicomptoir pour s'accouder et savourer tout ça, ou aller à Central Park à 2 blocs. Succursale à Harlem.

🍴👣 ***Magnolia Bakery*** *(plan 2, G9, 318)* : *200 Columbus Ave (et 69th).* ☎ 212-724-8101. Ⓜ *(1) 66 St-Lincoln Center.* Voici la succursale locale de la pâtisserie de Greenwich Village rendue célèbre par les héroïnes de *Sex and the City* (et désormais exportée à Dubai, Abu Dhabi, Tokyo, Moscou...). On y retrouve les meilleurs *cupcakes* de New York et toute une panoplie de *cheesecakes, carrot cakes* et autres « gâteaux à étages » typiquement ricains, mais réellement délicieux ici. Venir une fois revient à prendre un abonnement ! Sympa aussi pour le breakfast (muffins, cakes...), d'autant qu'il y a ici une petite salle au charme rétro pour s'asseoir, ce qui n'est pas le cas des autres.

🍴 ***Beard Papa's*** *(plan 2, F9, 317)* : 2167 Broadway *(entre 76th et 77th).* ☎ 212-799-3770. Ⓜ *(1) 79 St.* Les Japonais et les gens du quartier se régalent des choux à la crème de *Beard Papa* depuis 1952. Voici donc un vrai repaire de gourmands ! Pour moins de 3 $ pièce, ces choux sont garnis à la demande d'une sorte de crème pâtissière ultra-aérienne (les saveurs changent chaque semaine mais la nature est déjà extra et pas trop sucrée), une vraie merveille... Une poignée de places assises seulement.

🍴👣 ***Birdbath*** *(plan 2, F9, 609)* : 2444 Broadway *(entre 80th et 81st).* ☎ 212-277-8268. Ⓜ *(1) 79 St. Birdbath* est une minichaîne new-yorkaise de boulangeries qui poussent assez loin le concept *trendy* bio-écolo. Construction en matériaux de récup, fonctionnement à l'énergie éolienne et discount de 15 % pour les clients qui jouent le jeu et arrivent à vélo ou en skate ! Évidemment, rien que de bons produits locaux et de saison dans leurs gâteaux (cookies, muffins, bretzels, croissants), pizzas toutes fines, sandwichs originaux et *healthy*. Quelques places assises pour consommer sur place, dont une zone cosy informelle en mezzanine, avec tapis et coussins autour d'une table basse (où l'on peut faire du yoga le lundi matin).

UPPER WEST SIDE

Où boire un verre ? Où écouter du jazz ?

🍸 🎵 ***Smoke Jazz Club*** *(plan 2, F7, 466)* : *2751 Broadway (et 106th).* ☎ 212-864-6662. • *smokejazz.com* • Ⓜ *(1) 103 St.* Sets à 19h, 21h, 22h30 et 23h30, plus dim à 11h30, 13h et 14h30. Cover charge en sem 9-12 $, plus dépense min 20 $/set ; ven-sam, cover 20-45 $ selon soirée. En principe, pas de cover au dernier set, ni au jazz brunch du dim. Petit club chaleureux et intimiste avec lumière tamisée et canapés en velours rouge, pour dîner (prix moyens) ou boire un verre en écoutant du jazz live de très bon niveau. L'un des plus réputés dans la nuit de West Side, mais pas donné au final : avant de s'installer, bien vérifier le montant du *cover charge* et des dépenses minimum en conso, très variables selon le jour et l'heure !

🍸 ***Boat Basin Café*** *(plan 2, F9, 417)* : tt au bout de W 79th St, au bord de l'Hudson River. ☎ 212-496-5542. • *boatbasincafe.com* • Ⓜ *(1) 79 St,* bus M79 « crosstown ». Pour atteindre le café, au croisement de W 79th St et Riverside Dr, il faut continuer vers l'Hudson et passer sous la route par un escalier (panneaux) ; c'est là, « sous » le rond-point. Ouv 12h-23h30 (23h lun-mer, 22h dim), avr-oct slt, et selon le temps. En plein air, sous des arcades ou en terrasse, le bar fait face à l'Hudson River et à une petite marina : superbe vue et couchers de soleil romantiques à souhait. Le soir, éclairage aux lampions, et concerts de musique classique certains week-ends. Possibilité de se restaurer : burgers, sandwichs et carte limitée. Plutôt une bonne surprise !

Shopping

Vêtements, chaussures

❀ *Century 21* (plan 2, G10, *618*) : 1972 Broadway (entre 66th et 67th). ☎ 212-518-2121. Ⓜ (1, 2, 3) 66 St-Lincoln Center. C'est le petit frère du temple du dégriffé qui fait face au World Trade Center. Plus petit mais bonne sélection, présentation plus aérée et, surtout, beaucoup moins de monde !

❀ *Harry's Shoes* (plan 2, F8, *628*) : 2299 Broadway (et 83rd). ☎ 1-866-442-7797. Ⓜ (1) 86 St. Grande boutique de chaussures pour hommes et femmes (depuis 1931) avec une bonne sélection de marques confortables prisées des Français : les bottes Ugg et Hunter, les chaussures de sport à orteils Vibram... En hiver, pas mal de bottes fourrées ou en cuir waterproof. Le magasin enfants est un bloc au-dessus, au 2315 Broadway.

❀ *The North Face* (plan 2, F9, *615*) : 2101 Broadway (angle 73rd). ☎ 212-362-1000. Ⓜ (1, 2, 3) 72 St. La célèbre marque de vêtements de montagne, d'exploration et de loisirs s'est offert un *landmark* architectural pour son *flagship* new-yorkais : le Ansonia Building, chef-d'œuvre de style Beaux-Arts (1903). Un peu moins cher qu'en France et promos régulières sur de nombreux articles.

Spécial enfants

❀ 🏃 *American Museum of Natural History* (plan 2, G9) : Central Park W et 79 St. ☎ 212-769-5100. ● amnh.org ● Ⓜ (C) 81 St. Tlj (sf Thanksgiving et Noël) 10h-17h45. Vêtements, bijoux, sacs, objets de déco et gadgets inspirés par les collections du musée d'Histoire naturelle ainsi que tout un tas de jeux éducatifs et livres en relation avec les sciences.

Épicerie fine et supermarchés bio

❀ *Zabar's* (plan 2, F9, *507*) : 2245 Broadway (et 80th). ☎ 212-787-2000. Ⓜ (1) 79 St. Lun-sam 8h-19h30 (20h sam), dim 9h-18h. Une des premières épiceries fines de New York, l'ancêtre de *Whole Foods Market* et *Trader Joe's* en somme (présentation moins léchée, en revanche). Amoncellement de pâtisseries, charcuteries, fromages, olives, bagels, cafés odorants cohabitant avec toute une quincaillerie d'articles ménagers (à l'étage)... Le saumon fumé passe pour être le meilleur de la ville. Au coin de la rue, attenant à la maison mère, un snack sans charme pour déguster plusieurs formules de petit déj, de bonnes soupes, paninis et *frozen yogurt*. Clientèle pas toute jeunette.

❀ *Trader Joe's* (plan 2, F9, *627*) : 2073 Broadway et 72nd St. ☎ 212-799-0028. Ⓜ (1, 2, 3) 72 St. Tlj 8h-22h. Cette chaîne de supermarchés bio est devenue en un rien de temps le QG des New-Yorkais bobos-écolos. Plusieurs adresses dans la Big (et Green) Apple, mais celui-ci est très grand et peut-être un peu moins fréquenté que les autres (c'est relatif bien sûr !). Prix très attractifs pour la qualité.

❀ 🍴 *Whole Foods Market* (plan 2, G7, *181*) : 808 Columbus Ave (et 97th). ☎ 212-222-6160. Ⓜ (1, 2, 3) 96 St. Tlj 8h-23h. Voir le descriptif de ce supermarché bio haut de gamme dans « Times Square et Theater District. Où manger ? ». À noter que cette succursale possède également un vaste espace avec mur végétal pour s'attabler et déguster les suggestions du jour.

Papeterie, livres et disques

❀ *Paper Source* (plan 2, G9, *523*) : 309 Columbus Ave (entre 74th et 75th). ☎ 646-861-2879. Ⓜ (1, 2, 3, C) 72 St. Une de ces papeteries dont les Anglo-Saxons ont le secret : cartes originales pour toutes les occasions, papiers imprimés graphiques et vintage, superbes calendriers et autres gadgets et petits cadeaux.

❀ *Westsider Books* (plan 2, F9, *609*) : 2246 Broadway (entre 80th et 81st). ☎ 212-362-0706. Ⓜ (1) 79 St. Des montagnes de bouquins. Occasions éclectiques et nombreuses premières éditions pour les collectionneurs. À l'extérieur, les *bargains* à 1-5 $.

☻ **Westsider Records** *(plan 2, F9, 611) : 233 W 72nd St (près de Broadway).* ☎ *212-874-1588.* Ⓜ *(1, 2, 3) 72 St.* L'alter ego du bouquiniste, version vinyles (plus de 30 000 !).

Surtout du classique, mais aussi du jazz, du rock, de la musique ethnique, un grand choix de variété étrangère, des musiques de films, etc. Nombreux CD et livres anciens également.

À voir

🎭 **Lincoln Center** *(plan 2, F-G10) : 70 Lincoln Center Plaza (angle Broadway et Columbus Ave).* ☎ *212-875-5000.* ● *lc.lincolncenter.org* ● Ⓜ *(1) 66 St. Tlj 10h30-16h30, différentes visites guidées thématiques : salles de spectacle, architecture, jazz... Résa par e-mail (● tour_desk@lincolncenter.org ●) ou tél conseillée : ☎ 212-875-5350 (tour en français). Tarif (guichet dans le David Rubensteim Atrium) : env 18 $; réduc.*

La vraie vedette, c'est peut-être cet ensemble de salles, inauguré en 1966 et largement modernisé depuis, qui fait partie de l'un des plus grands centres culturels au monde, essentiellement construit grâce à des dons (5 millions de visiteurs annuels !). Moyennant la bagatelle de 1 000 $, les donateurs ont eu leur nom inscrit sur l'un des fauteuils, mais pas le droit de s'asseoir dessus ! Le Lincoln Center comprend le mythique *Metropolitan Opera,* le *David H. Koch Theater* (où se produisent le *New York City Opera* et le *New York City Ballet),* l'*Alice Tully Hall,* le nouveau *David Rubenstein Atrium* et le *David Geffen Hall* (où se produit le *New York Philharmonic).* De plus, on y trouve un théâtre, une école de musique, un cinéma *(Elinor Bunin Monroe Film Center)* et, à droite du Met, une fantastique bibliothèque des *performing arts* où vous trouverez tout ce que vous pouvez imaginer sur le cinéma, le théâtre, la danse, etc.

– **David Rubenstein Atrium :** *Broadway (entre 62nd et 63rd). Tlj 8h (9h w-e)-22h. Public Visitor Center* où l'on peut acheter ses billets pour tous les spectacles (avec discount de 25 à 50 % parfois), recueillir les infos. Retenir surtout les **concerts gratuits du jeudi à 19h30,** ainsi que certains samedis à 11h (représentations gratuites de tous styles, destinées à un public de tous âges : opéra, danse, jazz, théâtre...).

– **Metropolitan Opera :** le centre du complexe. Le foyer est décoré par deux peintures murales de Chagall, visibles depuis l'esplanade. Magnifique escalier éclairé par de gigantesques lustres en cristal autrichien évoquant des constellations, d'une beauté rare. On en retrouve de similaires dans l'auditorium, qui remontent comme par magie avant le lever de rideau (le plus grand du monde, il paraît !). Chaque spectateur dispose de surtitres individuels incrustés dans le dossier du fauteuil devant lui, un vrai luxe. Pour les amateurs, la **boutique** (au fond du hall d'accueil) est un must : CD rares, DVD d'opéra... *Programme sur ● metopera. org ●* ☎ *212-362-6000. Achat des billets sur Internet (le plus pratique), par tél ou sur place 10h (12h dim)-20h (parfois des réducs). Sur Internet, rush tickets à 25 $ pour un spectacle le j. même (limité à 2 places), sinon les places les moins chères, dans les premiers rangs de la catégorie* Family Circle, *sont d'un formidable rapport qualité-prix (env 25-35 $), ne vous en privez pas !*

– **David Geffen Hall :** la maison du *New York Philharmonic (angle Columbus Ave et 65th).* Son acoustique a été longtemps décriée : les musiciens sur scène ne s'entendaient pas les uns les autres, ce qui était un peu gênant... Le plafond de la scène a donc été réaménagé avec des panneaux en chêne qui ont résolu ce gros problème technique *(infos :* ☎ *212-875-5656 ;* ● *nyphil.org ●).*

– **David H. Koch Theater :** ☎ *212-496-0600.* L'une des salles les plus prestigieuses pour assister aux représentations du *New York City Ballet* (● *nycballet. com ●),* qui fut dirigé par George Balanchine... Tous les ans à la période de Noël, on y donne *Casse-Noisette.*

– **Alice Tully Hall :** *65th St, entre Broadway et Amsterdam Ave.* ☎ *212-721-6500.* Réservé aux concerts de musique de chambre, c'est le seul espace du Lincoln Center ouvert sur l'extérieur, donc aussi lumineux. Silhouette tout en angles, légère et élancée comparée à celle des autres halls, massifs et austères. Quelques concerts gratuits et de qualité donnés par les étudiants de la Julliard School.

🎭 *American Folk Art Museum* (plan 2, G10) : 2 Lincoln Sq (Columbus Ave, entre 65th et 66th). ☎ 212-595-9533. ● folkartmuseum.org ● Ⓜ (1) 66 St. Tlj sf lun 11h30 (12h ven et dim)-19h (19h30 ven, 18h dim). GRATUIT. Ce musée d'art populaire ne présente que des expositions temporaires (mais régulièrement renouvelées) autour d'objets d'art et d'artisanat américains du XVIIIe au XXe s : dessins, sculptures sur bois, objets en faïence, peintures, mobilier... Également des œuvres d'artistes contemporains autodidactes de différentes nationalités. À notre avis, pour un public averti.

🎭🎭🎭 👫 *American Museum of Natural History* (plan 2, G9) : Central Park W et 79th St. ☎ 212-769-5100. ● amnh.org ● Ⓜ (C) 81 St. Tlj (sf Thanksgiving et Noël) 10h-17h45. Donation suggérée : musée + Rose Center 22 $ (12,50 $ 2-12 ans ; autres réducs) ; billet combiné avec le planétarium-Space Show ou IMAX 27 $ (16 $ enfants) ; combiné pour tt 35 $ (22 $ enfants). Plan du musée en français à demander au point info du Memorial Hall au 1er étage. Audioguide gratuit en anglais (pour le Rose Center slt). Visites guidées, gratuites et en anglais, ttes les heures 10h15-15h15 (départ à l'entrée du hall of American Mammals au 1er étage). Également 1 visite en français/sem (en principe mar à 13h30, mais vérifier sur leur site internet).

Vous voici donc au cœur de l'un des plus grands musées d'histoire naturelle au monde, installé dans un bâtiment à l'architecture triomphaliste et pompière du XIXe s qui servit de décor au premier volet de La Nuit au musée, avec Ben Stiller. L'énorme hall d'entrée (la Theodore Roosevelt Rotunda), avec ses deux impressionnants squelettes de dinosaures, rappellera aux enfants de bons souvenirs du film. On vous conseille au moins deux visites si vous ne voulez pas rester sur votre faim ni épuiser d'un coup d'un seul votre progéniture... Voici néanmoins les principales attractions.

– *Les dioramas d'animaux naturalisés :* au centre du musée (aux niveaux 1, 2 et 3) sont exposés les mammifères de différents continents (Afrique, Amérique du Nord et Asie) mis en scène de manière très réaliste dans des décors rappelant leur environnement naturel, avec leurs petits, de la végétation et plein de détails amusants à observer. Leurs poses sont souvent très expressives, pas du tout statiques. Bref, un enchantement. Également des salles plus récentes sur les primates et invertébrés (3rd Floor) et les oiseaux (2nd et 3rd Floors).

– *Les peuples et civilisations :* de la reconstitution des habitats traditionnels aux armes de chasse, en passant par les statues, masques et autres objets rituels, sans oublier les outils, bijoux, vêtements, instruments de musique, etc., le musée nous emmène en voyage sur tous les continents, en nous plongeant dans les habitudes sociales des peuples. Ne manquez pas, en particulier avec vos enfants, la section consacrée aux Indiens d'Amérique (3rd Floor), d'une originalité sans pareille.

– *Les dinosaures :* ces galeries, les plus connues du musée, qui occupent tout le dernier étage (4th Floor), offrent un vaste panorama d'espèces animales impressionnantes du Jurassique. Squelettes de T-Rex, Allosaures, Albertosaures... et un nouveau venu, un Titanosaure, le plus gros de tous (37 m de long, 70 t, soit le poids d'environ 10 éléphants !). Les enfants adorent évidemment !

– *La vie océanique :* plongez dans cette section résolument moderne et fabuleuse, totalement dédiée à la vie marine, et dominée par une impressionnante baleine bleue longue de 30 m en fibre de verre. Du rez-de-chaussée (1st Floor) à la mezzanine du 1er étage (2nd Floor), les poissons et autres animaux marins sont présentés par famille dans leur environnement naturel, pour une compréhension immédiate.

– *Biologie et biodiversité :* au rez-de-chaussée (1st Floor), à l'entrée de la vie océanique, belle salle didactique sur la biodiversité (barrière de corail, forêt primaire, océans...), mettant l'accent sur l'épuisement des ressources planétaires et la nécessité de les préserver, de recycler, pour mieux protéger l'environnement... Suivent ensuite des salles consacrées aux forêts d'Amérique du Nord et au pôle Nord.

– *Le cinéma IMAX :* au rez-de-chaussée *(1st Floor),* projection d'un film animalier de 30 mn, toujours de très grande qualité, en 3D, sur l'écran géant de l'Imax Theater *(ttes les heures 10h30-16h30 ; rens sur la programmation sur le site).*

– *Le planétarium et le Rose Center for Earth and Space :* un musée dans le musée ! *Entrée sur Central Park W et 81st St, ou accès par l'intérieur du musée (audioguide gratuit en anglais).* Sa splendide architecture moderne contraste avec les vieilles pierres du musée : une boule en aluminium de près de 27 m de diamètre emprisonnée dans un cube en verre de 29 m de côté ! C'est dans ce planétarium qu'est projeté le *Space Show,* à voir absolument : un voyage magnifique de 20 mn, dans l'espace et le temps, aux images sidérantes (commentaires en anglais mais les images se suffisent presque à elles seules). En général, on vous fixe une séance à l'achat des billets, donc regardez bien l'horaire écrit dessus.

Au pied de la sphère, après un passage par le *Hayden Big Bang Theatre* pour une courte projection d'un autre film (au sol cette fois) s'étire le *Cosmic Pathway,* une rampe circulaire longue de 110 m qui expose chronologiquement une foule de photos astronomiques illustrant les 13 milliards d'années de l'univers, du *Big Bang* à l'apparition d'*Homo sapiens,* en passant par les dinosaures (à chaque pas, on avance de 75 millions d'années !). Enfin, le *Hall of Planet Earth* : plus de 800 m² consacrés aux 4,5 milliards d'années d'histoire de la planète Terre, avec des sections différentes et très instructives, répondant aux questions suivantes : Comment la planète a-t-elle évolué ? Pourquoi a-t-il des océans, continents et montagnes ? Comment un scientifique lit-il une roche ? Qu'est-ce qui crée le climat et ses changements ? Pourquoi la Terre est-elle habitable ? Des réponses concrètes sont apportées avec, à l'appui, de nombreux échantillons de roches, cristaux, pierres précieuses, météorites... Le musée présente même des cheminées sulfureuses qui poussent au fond des océans (certains scientifiques pensent que la vie a commencé comme ça...) et donnent des explications sur la formation des Alpes, de l'Himalaya et du Grand Canyon. Et puis des écrans vidéo avec les derniers événements terriens : ouragans, tremblements de terre, éruptions volcaniques, crues, érosions créées par les glaciers, etc.

UPPER WEST SIDE

🍽 *Food court* au sous-sol, sous forme de self. Moyen (à part le *salad bar*) et pas donné. Sinon, plusieurs *cafés* pour faire une pause. Il y aussi un

Shake Shack (burgers) juste derrière le musée (voir « Où manger ? » plus haut). 🛍 Plusieurs *boutiques,* bien sûr, à différents endroits du musée.

🎭 🚶 *New York Historical Society (plan 2, G9) :* 170 Central Park W (angle 77th). ☎ 212-873-3400. • nyhistory.org • Ⓜ (C) 81 St. Mar-sam 10h-18h (20h ven), dim 11h-17h. Fermé lun. Bibliothèque tlj sf dim-lun 10h-16h45. Entrée : 20 $; réduc ; gratuit moins de 4 ans ; donation libre ven 18h-20h.

Le plus ancien musée de New York, fondé en 1804. L'essentiel des espaces est occupé par une riche section ethnographique et de remarquables expos temporaires sur l'histoire de la ville. Dans le hall d'entrée, au-dessus du comptoir, un fragment du plafond peint par Keith Haring pour sa *Pop Shop* de SoHo, où il vendait en direct ses T-shirts et autres posters imprimés. *Living History Days* : de février à avril, toutes les semaines (le samedi ou le dimanche et le 4 juillet), un régiment de la guerre d'Indépendance, disséminé autour et dans le musée, raconte sa guerre au quotidien. Projection toutes les 30 mn de *New York Story,* un film multimédia sur la ville à travers les siècles. Bon cycle de conférences littéraires...

– *Level Four :* (à partir de fin 2016) : éclectique collection permanente retraçant 400 ans d'histoire à travers tableaux et objets divers (mobilier, lampes Tiffany, etc.).

– *Level Two and One :* expos temporaires tous les 5 ou 6 mois sur des aspects historiques, culturels ou sociaux de la vie new-yorkaise. Richesse des documents et de l'iconographie.

– Lower Level (sous-sol) : les enfants ont même droit à leur propre musée dans le musée, avec animations ludiques et interactives. Là aussi, quatre siècles d'histoire racontés à travers les yeux des enfants de chaque époque !

🍴 🧍 ***Children's Museum of Manhattan*** *(plan 2, F8) : 212 W 83rd St (entre Broadway et Amsterdam Ave).* ☎ *212-721-1234.* ● *cmom.org* ● Ⓜ *(1) 86 St. Mardim 10h-17h (19h sam). Fermé Thanksgiving, Noël et Jour de l'an. Entrée : 12 $ (adulte et enfant au-dessus de 12 mois) ; réduc ; gratuit pour ts 1er ven du mois 17h-20h.* Créé en 1973 (74 ans après celui de Brooklyn !), il est consacré aux enfants et à leurs parents sur le thème « Apprendre en jouant ». Nombreuses activités interactives : ateliers temporaires de peinture, théâtre de marionnettes, familiarisation avec les institutions de la vie quotidienne (médecin, transports, médias...), etc.

Itinéraires du sud au nord dans Upper West Side

Voici deux itinéraires dans Upper West Side, au cours desquels découvrir de beaux édifices Art déco. Le premier longe paisiblement Central Park. Le second remonte la bouillonnante Broadway. Dans les deux cas, le départ se fait de *Columbus Circle (plan 2, G10).*

Le long de Central Park West *(plan Itinéraires Upper West Side, de A à P)*

➤ On démarre donc à Columbus Circle, dominé par la statue de Christophe Colomb et les tours jumelles du Time Warner Center, signé par l'architecte David Childs. Coup d'œil en passant à l'immense (et vilaine) ***Trump Tower (A),*** une autre des tours de Donald, qui abrite un hôtel de luxe et surtout l'un des plus prestigieux restos de NYC, le *Jean Georges* et son annexe bistrot *Nougatine* (voir « Où manger ? »). Empruntez ensuite Central Park West, l'avenue longeant le parc. L'itinéraire Art déco commence dès le n° 25 avec le ***Century (B),*** immeuble typique du style, construit en 1931 par l'architecte Jacques Delamarre.

➤ Avant de découvrir d'autres bâtiments dans la même veine, crochet par deux édifices affichant leur infidélité au style dominant du quartier. D'abord la ***West Side YMCA (C),*** au 5 West 63rd Street (voir « Où dormir ? »), qui se cache derrière une étonnante façade en brique rouge d'inspiration romane (1928), évoquant

A	Trump Tower	**III**	Blessed Sacrament Church
B	Century Building	**IV**	112 West 72nd Street
C	West Side YMCA	**V**	Ansonia Building
D	New York Society for Ethical	**VI**	Hotel Belleclaire
	Culture et Harperley Hall	**VII**	Apthorp Building
E	Holy Trinity Lutheran Church	**VIII**	First Baptist Church
	et 55th Central Park West	**IX**	Belnord Building
F	Hôtel des Artistes	**X**	West Park Presbyterian Church
G	Majestic	**XI**	Astor Court Apartments
H	Dakota Building	**XII**	Cornwall Building
I	San Remo	**XIII**	Pomander Walk
J	Studio Building		
K	Beresford	🍴 🍷 ☕	**Où faire une pause ?**
L	241 Central Park West		
M	285 Central Park West	**284**	Levain Bakery
N	El Dorado	**294**	Barney Greengrass
O	The Ardsley		the Sturgeon King
P	Raleigh	**318**	Magnolia Bakery
I	Lincoln Center	**346**	Shake Shack
II	Dorilton Building	**507**	Zabar's

| 217

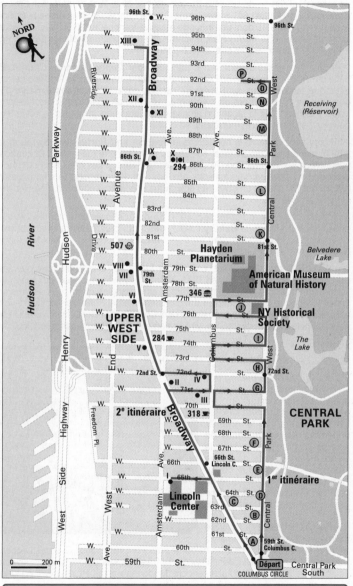

ITINÉRAIRES UPPER WEST SIDE

un monastère fortifié de la vieille Europe. Suit la **New York Society for Ethical Culture (D)**, au 2 West 64ᵗʰ Street (angle Central Park West). Un pompeux édifice Art nouveau de 1910, dont la silhouette massive tranche avec son vis-à-vis érigé la même année, l'**Harperley Hall,** un immeuble prémoderniste élancé au sommet duquel court une frise d'inspiration vénitienne.

➤ Après être passé devant la néogothique **Holy Trinity Lutheran Church (E)** bâtie en 1904 et le mitoyen **55ᵗʰ Central Park West,** un immeuble Art déco caractéristique, arrêtez-vous au 1 West 67ᵗʰ Street, devant l'**hôtel des Artistes (F),** construit en 1918 et autrefois fréquenté par Rudolph Valentino et la danseuse Isadora Duncan. Sur la façade, d'amusantes figures néoclassiques représentent des peintres, écrivains et musiciens.

➤ Après avoir observé la néoclassique **Spanish and Portuguese Synagogue** (1897), plantée au coin de West 70ᵗʰ Street, prendre cette rue jusqu'à Columbus, puis revenir sur Central Park West par West 71ˢᵗ Street. Les deux rues sont bordées de **row houses,** ces maisons aux bow-windows rebondis construites fin XIXᵉ-début XXᵉ s dans un style très éclectique : néogrec, néoroman, néo-Renaissance, baroque, etc.

🍴 Pause *cupcake* ou *cheesecake* possible chez **Magnolia Bakery** *(200 Columbus Ave et 69ᵗʰ St ; plan Itinéraires Upper West Side, 318),* une de nos pâtisseries favorites (voir le descriptif plus haut dans la rubrique consacrée).

➤ Au 115ᵗʰ Central Park West, entre West 71ˢᵗ et 72ⁿᵈ Street, un autre ouvrage Art déco, le **Majestic (G),** bâti en 1931. Notez le style épuré et ses deux tours qui se terminent par des motifs architecturaux en rectangles et en courbes, très en vogue à l'époque. Construit sur le site d'un ancien hôtel Renaissance, l'immeuble accueillit Fred Astaire et les gangsters Frank Costello et Lucky Luciano. Elia Kazan enfin, infidèle à l'Upper East Side, vint finalement s'y installer à partir de 1960.

➤ Tout près du *Majestic,* toujours sur Central Park West, entre West 72ⁿᵈ et West 73ʳᵈ Street, s'élève le **Dakota Building (H),** incroyable immeuble de style gothique Tudor construit en 1881 par l'architecte du *Plaza Hotel.* Cet immeuble fut le premier ensemble d'appartements de luxe de la ville. Façade de style *German Renaissance* en brique jaune. Le bâtiment fut conçu comme un château : entouré de douves ! L'entrée se fait par une grande porte en arche, cernée de becs de gaz et gardée par une guérite (visite interdite). Polanski a filmé l'endroit dans *Rosemary's Baby,* et l'on ne compte plus les célébrités qui y ont vécu : Judy Garland, Leonard Bernstein, Lauren Bacall... John Lennon, lui, vivait tranquillement au 7ᵉ étage, côté est, où sa veuve Yoko Ono habite encore. Madonna y aurait été refusée il y a longtemps, trop connue à l'époque pour ses tapages nocturnes !

COUPS DE FEU SUR CENTRAL PARK

Les immeubles Art déco de Central Park West connurent quelques épisodes sanglants. En 1957, le gangster Frank Costello reçut en pleine tête une giclée de plombs dans le hall du Majestic, *à laquelle il survécut pour mourir tranquillement dans son lit en 1973. Si, lui, chantait la paix, John Lennon n'eut pas la même chance. C'est devant le* Dakota Building *qu'il fut abattu par un déséquilibré une sale nuit de décembre 1980.*

➤ Nouvelle petite escapade *row houses* sur West 73ʳᵈ Street, jusqu'à Columbus Avenue. Au 102 West 73ʳᵈ Street (angle Columbus Avenue), pause possible au *Alice's Tea Cup,* charmant salon de thé niché en contrebas de la rue et décoré sur le thème d'*Alice au pays des merveilles* (très longue carte de thés et bons gâteaux)... Puis revenez sur Central Park West par West 74ᵗʰ Street. Du n° 18 au nº 52, bel alignement de façades à colonnades. Au 145-146 Central Park West, entre West 74th et West 75th Street, le **San Remo (I)**, édifié en 1930, est, lui aussi, doté de tours jumelles destinées, à l'origine, à dissimuler de petits châteaux d'eau. Remarquez le sommet de ces tours, inspiré par l'architecture des temples romains. Il fut habité par Rita Hayworth et, plus récemment, par Dustin Hoffmann, Paul Simon et Diane Keaton.

➤ Prenez ensuite West 76th Street et revenez par West 77th Street pour un dernier festival de *row houses*, dont l'architecture n'a maintenant plus aucun secret pour vous ! Au 44 West 77th Street, vous apprécierez la belle façade néogothique du **Studio Building (J)**.

🍔 Si c'est l'heure du lunch, pause burger chez **Shake Shack** *(plan Itinéraires Upper West Side, 346)* : *366 Columbus,* *entre 77th et 78th St.* Voir plus haut dans « Où manger ? ».

➤ Après avoir longé le *musée d'Histoire naturelle*, vous trouverez le **Beresford (K)**, au 211 Central Park West, à l'angle de West 81st Street. Construit en 1929, la silhouette Art déco de cet édifice commandité par Emery Roth se distingue encore par ses deux tours jumelles et ses briques jaunes.

➤ Continuez en remontant toujours **Central Park West.** Coup d'œil en passant au **nº 241** (entre West 84th et West 85th Street), affichant en façade ces fleurs de lotus stylisées si typiques de l'architecture Art déco **(L)**. Si vous n'êtes pas lassé des *row houses*, crochet possible par 87th Street (puis retour par la 88th Street). Sinon, poursuivez sur Central Park West. Au **nº 285** (entre West 88th et West 89th Street), notez la coupole presque haussmannienne **(M)** qui orne l'unique tour simple de l'avenue (toutes les autres sont jumelles).

➤ Au 300 Central Park West (entre West 90th et West 91st Street), voici **El Dorado (N)** et ses tours jumelles Art déco, où vécurent Marilyn Monroe et Groucho Marx (mais pas ensemble !). L'architecte, Emery Roth, a d'ailleurs colonisé l'avenue, en témoigne **The Ardsley (O)**, dressé à quelques pas de là au 320 Central Park West, à l'angle de 92nd Street. Érigé en 1931, voilà encore un édifice caractéristique de la période, formé de parallélépipèdes empilés dont les dimensions vont décroissant. Un goût pour les équilibres géométriques encore souligné par les bandes de brique noire se croisant à angle droit le long de la façade.

➤ Prenez maintenant West 92nd Street vers Columbus Avenue. Au nº 7, le **Raleigh (P)** avec ses charmantes et généreuses formes arrondies semble nous inviter à un petit repos dans l'herbe de Central Park. C'est tant mieux, la balade est finie !

➤ Pour revenir vers le sud d'Upper West Side, on vous conseille de descendre en flânant dans Central Park (voir le chapitre suivant). Si vous traînez les pieds, la ligne C du métro vous attend à l'angle de West 96th Street et de Central Park West.

En remontant Broadway *(plan Itinéraires Upper West Side, de I à XIII)*

Commencez votre balade à Columbus Circle et remontez Broadway.

➤ Entre West 62nd et West 65th Street, on est dans la zone du **Lincoln Center (I)**, décrit plus haut. Asseyez-vous donc quelques instants au bord de la fontaine du Lincoln Center et admirez ce gigantesque complexe artistique avec, bien sûr, le majestueux **Metropolitan Opera.**

➤ À l'angle de Broadway et de West 71st Street se dresse, au nº 171 de cette rue, l'immeuble **Dorilton (II)** construit en 1902. Remarquez la porte massive de ce bâtiment de style Beaux-Arts et sa décoration fantaisiste, mélange subtil de différents matériaux de construction, avec notamment deux personnages sculptés sur la façade côté Broadway.

➢ Prenez alors West 71st Street vers Columbus Avenue. Au n° 150, jetez donc un petit coup d'œil à la façade néogothique fort réussie de la **Blessed Sacrament Church (III)**. Immense rosace, tympan sculpté, et même des gargouilles ! Puis continuez vers Columbus Avenue.

➢ En revenant vers Broadway par **West 72nd Street,** sur la gauche, au **n° 112 (IV)**, notez cet édifice Belle Époque d'inspiration parisienne de... 12 étages. Au rez-de-chaussée, un pressing, le *French Cleaners...* Ça ne s'invente pas ! Une fois revenu sur Broadway, au croisement de West 72nd Street, deux anciennes et charmantes entrées de métro.

➢ Au 2109 Broadway (entre West 73rd et West 74th Street) se dresse l'**Ansonia (V),** à notre avis le plus bel édifice de l'Upper West Side. Achevé en 1903, il présente une façade très parisienne assez démente, de style Beaux-Arts, avec une superbe tour d'angle, de multiples tourelles, gargouilles, décrochements bizarres. La boutique *The North Face* occupe aujourd'hui le rez-de-chaussée de l'immeuble.

Abritant deux piscines, un *roof garden* et réputé insonorisé, il attira forcément les musiciens :

Yehudi Menuhin, Toscanini, Stravinski, Chaliapine, Caruso y vécurent, ainsi que le célèbre showman Ziegfeld. Dans les années 1990, on y campa le décor du film *J.F. partagerait appartement,* avec Bridget Fonda et Jennifer Jason Leigh...

🖝 Minicrochet obligatoire pour les gourmets à la pâtisserie **Levain Bakery** *(plan Itinéraires Upper West Side, 284)* : 167 W 74th St, entre Columbus *et Amsterdam Ave.* Ses cookies sont légendaires ! Voir le descriptif plus haut dans « Pâtisseries ».

➢ Un peu plus loin, au 250 West 77th Street (angle Broadway), l'**Hotel Belleclaire (VI)** combine les styles Beaux-Arts et Art nouveau. Cela dut plaire à Gorki, qui y séjourna en 1906 mais fut contraint de quitter les lieux quand on découvrit que sa prétendue femme ne l'était pas et, qui plus est, qu'elle exerçait le métier d'actrice *(so shocking !)*.

➢ Un peu plus haut encore, au 2209 Broadway (entre West 78th et West 79th Street), voici l'**Apthorp (VII),** l'un des édifices de style *Renaissance Revival* les mieux conservés de New York. Notez l'arche monumentale de son entrée, surmontée de quatre statues de facture grecque. Cour intérieure avec sa fontaine. Dommage, on ne peut pas entrer...

➢ Juste en dessus de l'*Apthorp*, à l'angle de Broadway et de West 79th Street, l'exubérante **First Baptist Church (VIII)** qui prend des allures de petit château avec ses tourelles.

➢ Après une petite pause culinaire bien méritée chez **Zabar's** *(plan Itinéraires Upper West Side, 507* ; voir aussi « Shopping. Épicerie fine et supermarchés », plus haut), à l'angle de West 80th Street, remontez sur Broadway jusqu'à West 86th Street, prenez-la vers l'est et, aux nos 225-201, pénétrez dans la cour intérieure de l'édifice **Belnord (IX).** Si vous demandez gentiment, on vous laissera passer. Grandes baies vitrées verticales en cuivre de style Art nouveau.

➤ Continuez jusqu'à l'angle avec Amsterdam Avenue où se dresse la **West Park Presbyterian Church (X)**, une église originale, construite en *brownstone* en 1899, dans le style roman avec un clocher d'angle.

|●| Juste à côté, ne pas manquer de jeter un œil (et même de vous attabler !) à l'intérieur de **Barney Greengrass the Sturgeon King** *(plan Itinéraires Upper* *West Side, 294),* une vieille institution du quartier spécialisée dans les poissons fumés. Voir le descriptif dans « Où manger ? ».

➤ Revenez sur Broadway et levez les yeux pour admirer deux belles corniches cuivrées : celle de l'**Astor Court Apartments (XI),** au 205 West 89th Street, sur le côté est de Broadway ; puis celle encore plus surprenante du **Cornwall (XII),** au 255 West 90th Street, à l'angle de Broadway, côté ouest, vraiment digne d'un temple grec !

➤ Toujours plus haut ! Continuez sur Broadway jusqu'à **Pomander Walk (XIII)** située au 265 West 94th Street (entre Broadway et West End Avenue). Au milieu du bloc, une charmante allée intérieure bordée de « cottages anglais » des années 1920 relie West 94th à West 95th Street. Vous devrez vous contenter de la regarder du bout des yeux (meilleure vue depuis 94th Street) car elle est privée.

➤ À ce stade de la balade, si vous êtes épuisé, le métro vous attend à l'angle de West 96th Street et Broadway. Sinon, rejoignez à l'ouest l'agréable **Riverside Drive,** qui surplombe élégamment Riverside Park. Avec un peu de chance, vous arriverez pour le coucher du soleil...

➤ Pour redescendre vers le sud de West Side, deux solutions : rester sur Riverside Drive pour découvrir quelques alignements de *row houses,* ou bien entrer dans **Riverside Park** et longer l'Hudson River vers le sud, jusqu'à West 72nd Street. C'est le terrain de jeux de nombreux New-Yorkais qui parcourent la promenade à pied, en poussette, à vélo, à rollers, et parfois même avec leur toutou pomponné ! Le week-end, les petits Américains y jouent au base-ball. La balade est fort jolie, le parc et les jardins bien entretenus. Dommage qu'ils soient bordés par une voie rapide...

➤ La promenade s'arrête au niveau de West 72nd Street, au sud du parc. À l'angle de cette rue et de Riverside Drive, en sortant du parc, statue très réaliste d'**Eleanore Roosevelt,** surnommée « The First Lady of the World ».

CENTRAL PARK

● Adresses et infos utiles .... 222 | ● À voir. À faire 222

● Pour se repérer, voir le plan détachable 2 en fin de guide.

Central Park est un espace vert artificiel entièrement aménagé par l'homme. L'un des rares endroits à New York où l'on peut marcher sur de la terre et non du bitume. Au départ, c'était un terrain vague, et, dès 1844, un journaliste du *New York Post,* William Cullen Bryant, eut l'idée de faire campagne pour l'aménager. La décision fut prise par l'assemblée de l'État de New York le 21 juillet 1853 et les travaux débutèrent en 1857, pour s'achever 16 ans plus tard.

Plus de 4 millions de mètres cubes de terre et de pierres ont été remués et 250 000 arbres ont été plantés pour aménager ce parc de 340 ha. Frederic Law Olmsted et Calvert Vaux, les fameux architectes paysagistes, voulaient le plus grand contraste entre Central Park et les rues, les magasins et les immeubles avoisinants (côté ouest, les stars du show-biz, côté est, les riches banquiers). Les architectes souhaitaient aussi que tout le monde puisse venir là facilement après sa journée de boulot, au milieu des écureuils, ou pour la pause déjeuner (les businessmen qui pique-niquent en cravate sont toujours au rendez-vous). Avec plus de 37 millions de visiteurs par an, c'est un pari totalement réussi !

ARBRES RESCAPÉS

On trouve à Central Park plusieurs centaines d'ormes, ce qui est exceptionnel de nos jours. Grâce à leur isolement au milieu de l'immense mégalopole, ils n'ont pas encore été affectés par l'ophiostoma ulmi, ce champignon parasite qui a décimé les ormes d'Amérique depuis son introduction sur le continent en 1928.

Adresses et infos utiles

– **Site internet de Central Park :** ● centralparknyc.org ● Une mine d'informations remises régulièrement à jour : programme des activités culturelles, sportives, photos, cartes (avec emplacement des w.-c...), histoire, etc.

🛈 **Dairy Visitor Center** *(plan 2, G10, 8)* **:** *dans la partie sud du parc, au nord du Wollman Rink, au niveau de 65th St.* ☎ *212-794-6564. Tlj 10h-17h.* Centre d'information distribuant des plans du parc, très utiles pour se repérer.

🛈 2 autres **Visitor Centers** dans Central Park, au *Belvedere Castle (plan 2, G9)* et au *Charles A. Dana Discovery Center (plan 2, H7 ;* lire plus loin « À voir. À faire »).

– Les *urban park rangers* organisent des **visites thématiques du parc :** animaux crépusculaires, architecture, flore, oiseaux, etc. Gratuit et très sympa. *Infos :* ☎ *212-628-2345.*

● nycgovparks.org ● D'autres balades, plus sportives, avec la **Conservancy Central Park :** ☎ 212-310-6600. ● *centralparknyc.org* ●

■ *Location de vélos : Central Park* **Bike Tours** *(plan 2, G10, 16),* 203 W 58th St (et 7th Ave). ☎ 212-541-8759. ● *centralparkbiketours.com* ● *Tlj 9h-17h (20h en été). Loc 2h : 14 $, journée : 28 $.* Propose également des tours à vélo de 2h environ dans Central Park *(env 50 $; 35 $ si vous réservez en ligne). Et* **Central Park Bike Rental** *(plan 2, G10, 15), 892 9th Ave (W 58th St, à 2 blocs de Columbus Circle).* ☎ 212-664-9600. ● *bikerentalcentralpark.com* ● *Loc 2h : 20 $, journée : 40 $; respectivement 14 et 32 $ pour une résa en ligne.* Loue également des tandems. Tours guidés de Central Park à vélo *(50 $; 37 $ pour résa en ligne).* Casque, panier, antivol et carte fournis.

À voir. À faire

🎾🎾🎾 Dans la folie de New York, cet océan de verdure (on ne peut pas parler d'îlot ici) est une promenade à ne pas manquer. Le week-end, les Américains à vélo ou à rollers envahissent Central Park. Plein d'activités sportives dans l'enceinte du parc : tennis, natation, base-ball, bowling sur gazon, escalade, handball, patin à glace l'hiver, rollers, skateboard, pêche... Et partout de jolies surprises attendent les promeneurs comme la **statue d'Alice au pays des merveilles (9)** que les enfants adorent !

La balade que nous vous proposons est organisée du sud vers le nord *(plan 2, G-H7-8-9-10).*

➤ Entrez par 5th Avenue pour rejoindre le poste d'information *The Dairy* (voir « Adresses et infos utiles »). Logé dans une pittoresque maison gothico-victorienne datant de 1870, c'est là que la municipalité distribuait du lait pour les enfants des familles déshéritées. À proximité, le **Wollman Rink (1),** une piste de rollers (on peut en louer, assez cher) qui se transforme en patinoire en hiver. Passez sous le tunnel pour éviter la circulation. Direction la **maison aux échecs (2)** pour les passionnés du jeu *(tlj sf lun – plus mar en hiver – 10h-17h)* avec tables et jeu incrusté dans la pierre à l'extérieur du bâtiment. Plus loin, le **vieux carrousel (3)** plein de charme pour les enfants *(tlj en hte saison, slt le w-e hors saison)* et, en continuant vers l'ouest, après le terrain de base-ball **Heckscher Ballfields** *(fermé en hiver),* le célèbre **Sheep Meadow (4)** où les New-Yorkais passent des heures à faire bronzette aux beaux jours.

➤ Les fans du dessin animé *Madagascar* reviendront sur leur pas (vers l'est, donc) pour visiter le **Central Park Zoo (5).** ☎ 212-439-6500. • *centralparkzoo. com* • *Tlj (même j. fériés) 10h-17h (17h30 w-e) ; ferme à 16h30 nov-mars. Entrée : 12 $; 7 $ 3-12 ans. Billet combiné avec la ferme* (Tisch Children's Zoo) *: 18 $; 13 $ 3-12 ans ; réducs possibles sur Internet.* Cafétéria en plein air très agréable, mais bondée à l'intérieur quand il pleut. Quelque 200 espèces d'animaux répartis en trois zones climatiques : tropicale, tempérée et polaire. Pas essentiel. En sortant, vers le nord, découvrez le **Tisch Children's Zoo,** une ferme avec des animaux en liberté, sympa pour les tout-petits.

➤ En remontant vers le nord le long des allées qui se présentent à vous, on rejoint le petit stadium **Rumsey Playfield (6)** où ont lieu les concerts du *Summer Stage* (voir « Spectacles » dans « Hommes, culture, environnement » en fin de guide) et, sur la gauche, le lieu de rencontre des *rollerbladers* dansant sur du R'n'B ou du funk (ils valent le coup d'œil !).

➤ À quelques pas, vous voilà à la **Bethesda Fountain (7),** lieu de passage incontournable où vous pouvez écouter des groupes jouer. Passez la fontaine pour admirer le lac où, dès les beaux jours, les amoureux louent des barques à la **Loeb Boathouse (8).** ☎ 212-517-2233. *Barques (pour 4 pers) env 15 $ la 1re heure et 4 $/15 mn supplémentaires (caution 20 $).* Il y a aussi des gondoles comme à Venise *(jusqu'à 6 pers, 45 $/30 mn).*

🍽 🏃 Bonne **cafétéria** sur place pour boire un café ou grignoter une salade, un sandwich ou un bon burger *(compter 4-8 $).* Attention, dans le même bâtiment, un resto beaucoup plus chic et peu convaincant !

➤ Après la pause, repassez par la fontaine pour filer vers l'ouest jusqu'à 72nd Street, vous tomberez sur **Strawberry Fields** *(plan 2, G9),* un jardin dont Yoko Ono finance l'entretien pour en faire le *Jardin de la Paix,* en souvenir de son mari John Lennon (assassiné à deux pas, en 1980). Au sol, mosaïque *Imagine* en forme de rosace où les fans de tous horizons déposent toujours des fleurs, des offrandes ou des bijoux.

➤ Après ce rapide recueillement, revenez vers le lac puis traversez l'élégant petit pont **(Bow Bridge, 10)** pour rejoindre le *Belvedere Lake* par une agréable promenade à travers les sentiers du **Ramble (11),** ce bois qui paraît incroyablement sauvage.

➤ On rejoint, non sans surprise, le **Belvedere Castle (12),** sorte de minichâteau écossais ! On y trouve un *Visitor Center (mar-dim 10h-17h).* Ancien centre météo, on y prend encore la température et le taux de précipitations. Pas une réussite architecturale, mais de ses terrasses, joli point de vue sur le parc, le lac des Tortues et les immeubles de West Side : au nord, le Beresford Building et ses deux tours. Un peu au sud, le San Remo Building et ses tours à consonance romaine.

➤ À l'ouest du Belvedere Castle, à droite en descendant les marches, le **Shakespeare Garden (13)** est un jardin qui descend vers la maison aux marionnettes *(Swedish Cottage ; représentations mat ou ap-m ; appeler pour le programme,* ☎ *212-988-9093).* Également le **Delacorte Theater (14),** théâtre à la grecque où se déroulent pièces et concerts de musique classique en été *(tlj sf lun).* Il faut se présenter à partir de 12h pour des billets gratuits pour les représentations du soir même. Premiers arrivés, premiers servis ! Si vous êtes dans les parages, tentez votre chance *(infos sur* ● *shakespeareinthepark.org* ●*).*

➤ Au nord du Belvedere Castle (entre 79th et 85th Street) se trouve la **Great Lawn (15).** On y donne des représentations d'opéras en plein air les trois premières semaines de juillet *(*☎ *1-800-247-3030 ; GRATUIT).* Toujours deux-trois groupes ou solistes qui répètent. Très agréable. Il y a aussi des matchs de base-ball le week-end et les gens viennent y faire bronzette et pique-niquer aux beaux jours. À l'est de la Great Lawn, l'obélisque et le Met.

➤ Chaussez vos baskets pour retrouver les fondus de **footing** autour du **Réservoir (16),** cette grande réserve d'eau. C'est sur cette boucle de 2,5 km que Dustin Hoffman s'entraîne dans *Marathon Man.* Et ils sont des centaines à suivre l'exemple et à enfiler les tours, toujours dans le sens inverse des aiguilles d'une montre (vieille habitude). Ne vous avisez pas, même pour vous balader, de marcher dans l'autre sens ! Notez que pour le

**BANCS PUBLICS...
BANCS PUBLICS**

En vous promenant dans Central Park, vous remarquerez que certains bancs sont étiquetés avec le nom de leur propriétaire, en gage de souvenir. Faites comme eux, adoptez un banc ! Il vous en coûtera la bagatelle de 7 500 $... Renseignements au Charles A. Dana Discovery Center.

marathon, c'est 17 tours obligatoires. L'hiver, l'immense plan d'eau gelé et son geyser offrent une vision des plus romantiques.

➤ Au nord du parc, entrée libre pour le superbe **Conservatory Garden (17),** le long de 5th Avenue (entrées au niveau des 105th et 106th Street) : la seule partie du parc qui ressemble à un jardin de particulier, de style français d'un côté, anglais de l'autre, avec une fontaine au milieu et des bancs autour. *Jardins ouv de 8h au coucher du soleil (17h-20h selon saison). Tours organisés avr-oct par le Charles A. Dana Discovery Center (voir plus loin).*

➤ À côté, faisant l'angle de Central Park North et 5th Avenue, le **lac Harlem Meer (18)** dans lequel vivent 50 000 poissons et où l'on peut **pêcher,** gratuitement mais pour le plaisir seulement (il vous faudra relâcher votre proie). Au **Charles A. Dana Discovery Center (19),** possibilité d'emprunter une canne à pêche et tout le nécessaire *(*☎ *212-860-1370 ; tlj 10h-17h).* Le *Discovery Center* réalise de petites expositions sur Central Park qui changent régulièrement et organise des balades à la rencontre de la flore, de la faune et des lieux iconiques du parc *(en principe gratuites le w-e à 11h, sinon 15 $/pers).*

➤ Pour un retour en métro vers Times Square et le sud de Manhattan (ou Harlem, vers le nord), la station est à quelques encablures (Ⓜ *2,3 ; Central Park Nord 110 St).* Ouf !

– Dernier conseil : pour votre sécurité, ÉVITEZ ABSOLUMENT CENTRAL PARK DÈS QUE LA NUIT TOMBE. Tout le monde le sait, mais mieux vaut le répéter.

HARLEM ET LES HEIGHTS

- Info utile 226
- Où dormir ? 227
- Où manger à Harlem, Hamilton Heights, Morningside Heights et autour de Columbia University ? 231
- Où prendre un café ?
- Où manger une pâtisserie ? Où grignoter ? .. 234
- Où boire un verre (en mangeant un morceau) ? 235
- Où écouter du bon jazz ? Où voir un spectacle ? Où sortir ? 236
- Shopping 237
- Où écouter un gospel à Harlem ? 238
- À voir 239
  - Harlem • Morningside Heights • Hamilton Heights • Washington Heights • Plus au nord, The Cloisters

• Plan p. 228-229

C'est le plus grand quartier de Manhattan, le seul qui occupe toute la largeur de l'île d'est en ouest, de l'Hudson à l'East River. Il n'y a encore pas si longtemps, Harlem faisait peur aux touristes qui découvraient New York. Heureusement, durant les 15 dernières années, Harlem a beaucoup gagné en sécurité, à l'image de tout New York d'ailleurs, et on peut aujourd'hui s'y promener en toute tranquillité.

Harlem, c'est d'abord le symbole de la communauté noire de New York et de son combat. Pour venir au contact de l'atmosphère authentique et conviviale du quartier, il vous faudra déambuler dans sa partie historique, autour de Mount Morris Park, et admirer ses jolies maisons *brownstone* et ses églises. N'hésitez pas non plus à assister à une messe gospel le dimanche matin, venir écouter un groupe de jazz le soir, ou encore goûter à la *soul food* du sud des États-Unis et à des plats typiquement africains... Attention aux amalgames cependant : il n'y a pas grand-chose en commun entre la culture noire américaine et celle des immigrants africains arrivés plus récemment.

Harlem, c'est aussi le berceau du jazz. Certes, on est loin désormais de l'ambiance des années 1920 et de la Prohibition, époque fiévreuse où fleurissaient les *speakeasies*, où les Blancs en smoking venaient s'enivrer de jazz au *Cotton Club*. La grande Billie Holiday, qui fit ses débuts à Harlem, déclara même un jour : « La 133rd Street, c'est le cœur du swing. » Depuis, ce jazz, jadis confiné à ce quartier

BACCHANALES SECRÈTES

À l'époque de la Prohibition, on appelait speakeasies *les bars clandestins où l'on s'enivrait d'alcool et de jazz dès la tombée de la nuit. Ce nom venait tout simplement de l'avertissement que les tenanciers, inquiets, lançaient à leurs clients éméchés : « Hey, speak easy ! », c'est-à-dire « Parlez doucement ! ». Histoire que le bruit n'attire pas la police.*

de la ville, a fait le tour du monde, grâce à des interprètes comme Duke Ellington, Count Basie, Louis Armstrong... Pas de quoi déposséder pour autant Harlem de son amour de la note bleue, qui vibre toujours dans une myriade de clubs.

Car Harlem vit une nouvelle « Renaissance » (en référence à la Harlem Renaissance, ce mouvement culturel qui marqua l'apogée du quartier dans les années 1920-1930). Les *slums* (taudis) ont pratiquement disparu, même si la pauvreté est toujours visible par endroits. Et puis il y a les théâtres, la musique, les musées. En un mot, la culture : New York doit désormais compter avec Harlem.

HARLEM ET LES HEIGHTS

Les signes ne trompent pas : depuis quelques années, les loyers ont fortement augmenté, de grandes chaînes de magasins, restos, etc. ont maintenant pignon sur rue et les projets d'hôtels commencent à voir le jour. Symbole de la culture bobo-bio, un *Whole Foods Market* a même ouvert à l'angle de Lenox et 125th Street. Les Blancs « reviennent », à l'image de Bill Clinton, qui a installé ses bureaux ici. Harlem, le creuset de l'identité black, se « branchise » mais sans perdre son esprit relax, bon enfant.

Le quartier est également dominé par les Heights, les « hauteurs ». Aujourd'hui, Morningside Heights est un pôle intellectuel important à Manhattan. Columbia University et Barnard College donnent à la partie ouest de Harlem, entre West 110th et West 125th Street, un visage complètement différent qui tranche avec le reste du quartier : celui d'un super campus au milieu de la ville. Les milliers d'étudiants qui vivent ici ont attiré restos, bars et commerces, d'où cette ambiance jeune, cosmopolite et plutôt aisée.

UN PEU D'HISTOIRE

Au XVIIe s, *les Hollandais fondent un village qu'ils appellent « Haarlem »,* nom d'une petite ville située à 15 km d'Amsterdam. Au départ, il s'agit d'un quartier très résidentiel, construit de jolies *maisons brownstone.* Plus tard, les travaux du métro souterrain attirent de nombreux promoteurs immobiliers désireux de faire de Harlem un *quartier destiné à la bourgeoisie.* Mais le projet capote et une multitude de logements restent vacants. C'est alors que, pour éviter de faire faillite, un riche promoteur nommé Payton propose ces logements à prix cassés à une population modeste, essentiellement composée de *Noirs* et d'*Irlandais.* Certains coins de Harlem abritent aussi une importante *population juive,* surtout de 1890 à 1920, qui part s'installer progressivement dans d'autres quartiers, d'autres boroughs. Au fur et à mesure, les Noirs gagnent donc du terrain, chassant les derniers Blancs... Harlem est ainsi devenue *l'une des plus grandes communautés noires des États-Unis.* Mais la crise économique de 1929 dévaste le quartier. En mars 1935, la fausse rumeur d'un jeune Noir battu à mort pour avoir volé un canif engendre les premières émeutes. En 1943, un policier blanc tue un jeune Noir : nouvelles émeutes... À la fin de la Seconde Guerre mondiale, la crise du logement et de l'emploi a atteint un tel niveau que Harlem devient un quartier délabré où il n'est pas rare de voir des immeubles murés et abandonnés. Dans les années 1960, les Noirs commencent à fuir le quartier devant les problèmes d'insécurité et de drogue. En 1964 et en 1968, deux bavures policières engendrent encore des émeutes, puis encore une autre en 1977 ; décidément ! L'injustice sociale se trouve aussi accentuée par la dégradation de l'éducation publique et, à la fin des années 1970, le taux de chômage dépasse 30 % à Harlem. En 1990, une étude démontre même que l'espérance de vie moyenne d'un homme y est inférieure à celle d'un habitant du Bangladesh (beaucoup de cas de sida, tuberculose et cancer)...

Mais, depuis quelques années, Harlem connaît un *important processus de rénovation,* tant matériel que culturel ; le même phénomène qu'ont connu Georgetown (Washington) et Beacon Hill (Boston), aujourd'hui devenus des quartiers de la bourgeoisie blanche aisée. Cette « *gentrification* » alerte nombre d'habitants. Il en va de l'identité profonde de Harlem, le vrai berceau de la culture noire. Il ne faudrait pas qu'à terme elle devienne strictement du folklore, dans un genre de Disneyland du jazz et du gospel, avec quelques références embaumées à ses luttes et à sa riche histoire culturelle et politique.

Info utile

– *Taxis :* depuis 2013, une flotte de *taxis officiels vert pomme,* en tous points communs aux jaunes à part leur couleur, est dédiée à la zone nord de

New York, notamment Harlem, ainsi que Queens, Brooklyn, le Bronx et Staten Island. Et puis il y a toujours les *taxis privés noirs,* légaux mais sans compteur.

Où dormir ?

De très bon marché à bon marché

🛏 *La Sienna (plan Harlem, zoom, 10) :* 241 W 123rd St (entre Frederick Douglass et Adam Clayton Powell Jr Blvd). ☎ 1-347-664-2860. ● lasiennany@aol. com ● Ⓜ (A, C, D) 125 St. Doubles 70-85 $; singles 55-65 $; studios 100-135 $. 3 nuits min (négociable en basse saison). AC pour 10 $ de plus (inclus dans les studios). 📶 Réduc de 5 % sur présentation de ce guide. Un vrai plan routard que cette *brownstone* centenaire à l'esprit pension de famille. Tout est patiné par les ans, mais non sans âme et entretenu du mieux possible par Yvette, très à cheval sur le ménage. Réparties dans les étages, 6 chambres au confort simple, avec salle de bains partagée et cuisine commune à dispo, le tout bien organisé (chacun a sa propre vaisselle et son espace dans le frigo). Idéal pour les petits budgets, mais attention, à 2 les lits sont un peu étroits (à peine 140 cm). Également 2 grands studios au rez-de-chaussée, avec bains et kitchenette privés, un peu plus chers forcément. Le n° 1, donnant sur la jolie rue, a de la gueule avec sa belle hauteur sous plafond et ses boiseries d'époque.

🛏 *Harlem YMCA (plan Harlem, zoom, 11) :* 180 W 135th St (entre Lenox Ave et Adam Clayton Powell Jr Blvd). ☎ 212-912-2100. ● ymcanyc.org ● mais résa conseillée sur ● hostelworld. com ● pour obtenir des réducs. Ⓜ (2, 3) 135 St. Doubles 95-125 $; singles 80-115 $ (70-105 $ étudiants). 🖥📶 Une YMCA pour sportifs, avec *fitness center,* piscine et hammam. En revanche, les chambres sont sans aucun charme, petites avec 2 lits superposés ou *twin,* fenêtre riquiqui, TV mini-écran et minifrigo. Sanitaires et douches sur le palier, micro-ondes à chaque étage. Entretien correct, mais atmosphère froide et triste. Pas génial pour l'hébergement en somme, surtout que, pour quelques dollars de plus, on a une chambre d'hôtes dans le quartier.

Prix moyens

🛏 *Easyliving Harlem (plan Harlem, zoom, 12) :* W 137th St (entre Frederick Douglass Blvd et Adam Clayton Powell Jr Blvd). Résa impérative par mail, l'adresse exacte vous sera communiquée dès votre 1er échange. ● easyli vingharlem@aol.com ● easylivingharlem. com ● Ⓜ (2, 3) 135 St. Doubles avec sdb privée ou non 125-150 $ (20 $ de plus pour une 3e pers). 📶 Heidi et Tom ont restauré avec beaucoup de goût cette magnifique *brownstone* de 1910 qu'ils ont toujours un grand plaisir à partager avec leurs hôtes, dans la grande tradition de cet esprit communautaire toujours aussi vivant à Harlem. Escalier majestueux, parquets et marqueterie, boiseries d'époque mises en valeur par des murs blancs et une déco très sobre. 4 chambres au calme (dont 2 avec salle de bains privée), notre préférée étant la grande au 1er avec bow-window et volets intérieurs en bois, cheminée imposante, lit *king-size* et salle de bains épurée. Salon et jardinet sont à la disposition des *guests,* sans oublier la cuisine familiale dans laquelle vous pourrez faire la popote selon vos proprios. En prime, café, fruits et muffins à dispo. Un rapport qualité-charme-convivialité-prix exceptionnel pour Manhattan. Au fait, Heidi parle le français, encore un plus !

🛏 *Harlem Flophouse (plan Harlem, zoom, 13) :* 242 W 123rd St (entre Frederick Douglass et Adam Clayton Powell Jr Blvd). ☎ 212-662-0678 ou 1-347-632-1960. ● harlemflo phouse.com ● Ⓜ (A, C, D) 125 St. Résa obligatoire. Doubles 100-125 $. Pas de petit déj ni de cuisine à dispo. L'adresse vintage par excellence, dans une *brownstone* fin XIXe s. C'est-à-dire sans confort moderne (ni clim, ni TV, ni Internet) mais soigneusement

228 |

HARLEM ET LES HEIGHTS

♙ Où dormir ?

10 La Sienna
11 Harlem YMCA
12 Easyliving Harlem
13 Harlem Flophouse
14 Chez Michelle
15 My Room NYC
16 La Maison d'Art
19 Mount Morris House
20 Aloft Harlem
21 Jumel Terrace B & B

⎮⊙⎮🍴 Où manger ?

30 Jacob Restaurant
31 Harlem Shake
32 Yatenga et Shrine
33 Streetbird
34 The Grange
35 Dinosaur Bar-B-Que
36 The Edge
37 Community Food and Juice
38 Vinateria
39 Pisticci
40 Chaiwali
41 Red Rooster
42 BLVD
43 The Cecil
44 Babbalucci

☕ Où prendre un café ?
⎮⊙⎮ Où manger une pâtisserie ?
Où grignoter ?

37 Nussbaum and Wu
50 Levain Bakery
51 Lee Lee's Baked Goods
52 Lenox Coffee
53 Lenox Saphire
54 Make my Cake

♪ Où boire un verre ?
♫ Où écouter du bon jazz ?
🍸 Où voir un spectacle ?
Où sortir ?

32 Shrine
41 Ginny's Supper Club
43 Minton's
53 Lenox Saphire
65 Harlem Public
66 Corner Social
67 Harlem Tavern
68 Silvana
69 Paris Blues
70 American Legion Post
71 Bill's Place
72 Apollo Theater

⊛ Shopping

20 Serengeti Teas & Spices
80 Best Market
81 Harlem Underground
82 Malcolm Shabazz Harlem Market
83 Columbia University Bookstore

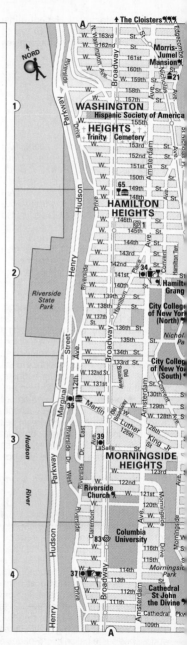

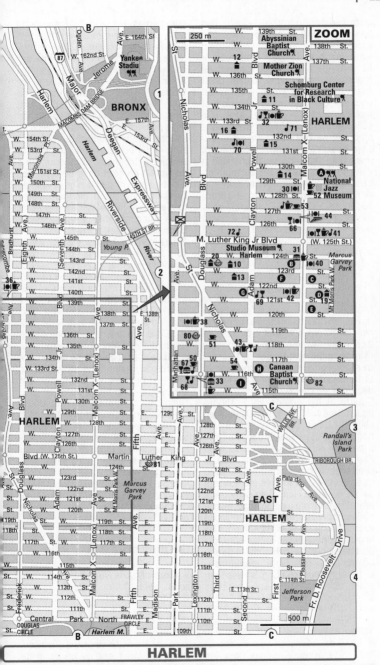

HARLEM ET LES HEIGHTS

HARLEM

restaurée pour retrouver le lustre des années 1930. Il faut reconnaître que le résultat est concluant. Living-room avec piano et lampes magnifiques. Et dans les 5 chambres (portant de grands noms du jazz), papier peint désuet, parquet, cheminée, lavabo encastré dans un meuble en bois et mobilier ancien. À chaque étage, une salle de bains commune avec, sans surprise, sa baignoire sur pieds *old style* et son look rétro. Simple donc, mais bien tenu (on se déchausse à l'entrée siou plaît !) et, surtout, un caractère et un charme fous.

■ *Chez Michelle* (plan Harlem, zoom, **14**) : W 130th St (entre Lenox Ave et Adam Clayton Powell Jr Blvd). ● chezmichellenyc.com ● Ⓜ (2, 3) 125 St. Résa impérative par mail : ● chezmichelle10027@gmail.com ● Double avec sdb privée 150 $; twin avec sdb partagée 110 $. Tél gratuit (France, USA, etc, appels portables compris). ▭ 🛜 Grosse réduc en hiver. Michelle est une Française amoureuse de Harlem qui vit aux États-Unis depuis plus de 30 ans. Elle met à disposition 2 chambres lumineuses, confortables et impeccablement tenues au 1er étage de sa maison, une *brownstone* récente et fonctionnelle, idéalement située à deux pas du métro desservant Times Square et les grands spots touristiques. Une *twin* (la *James Dean,* avec salle de bains sur le palier) et une double très spacieuse, la *John Lennon,* avec bow-window, lustre rescapé du *Plaza* et salle de bains privative. Les chambres se partagent un palier avec bibliothèque bien fournie (notamment sur New York et Harlem en particulier), ordi et imprimante à dispo, frigo, micro-ondes, machine Nespresso, bouilloire et thé. Bonne literie et lit bébé pour les familles. Une adresse-valeur sûre, qui tient beaucoup à la personnalité de son adorable et bienveillante propriétaire.

■ 🕺 *My Room NYC* (plan Harlem, zoom, **15**) : 156 W 132nd St (entre Lenox et Adam Clayton Powell). ☎ 1-347-401-0413. ● myroomnyc.com ● Ⓜ (2, 3) 135 St. Appart familial pour 6 pers 340 $ (réduc en janv-fév). 3 nuits min et 100 $ de ménage si séjour inférieur à 7 j. 🛜 L'adresse idéale pour les familles avec enfants ! Jeunes parents eux-mêmes, les proprios *Frenchy* de cette *brownstone* récente (Marie est architecte d'intérieur et Pierre professeur à Columbia) ont tout misé sur l'accueil *baby, kids & family-friendly* ! Aménagé au rez-de-chaussée et au 1er étage de leur maison, le duplex de 90 m² est totalement indépendant, avec un niveau pour les parents, un autre pour les loulous, 2 salles de bains attenantes aux chambres et même un petit jardin privé ! Hyper bien conçu, spacieux, lumineux et décoré avec beaucoup de goût dans un style très contemporain mixant design et vintage. Grand salon-salle à manger-cuisine tout équipée (high-tech même) et kit bébé au complet : lit parapluie, petite baignoire, poussette, jouets...

■ *La Maison d'Art* (plan Harlem, zoom, **16**) : 259 W 132nd St (entre Frederick Douglass et Adam Clayton Powell Jr Blvd). ☎ 917-533-4605 ou 1-718-593-4108. ● lamaisondartny.com ● Ⓜ (A, B) 135 St. Doubles 75-140 $; suites 3 pers 120-180 $, suites 4 pers 130-210 $; appart 5 pers 165-300 $; pas de petit déj. Dans une belle *brownstone* de rue résidentielle, Stéphanie, Lorraine et amatrice d'art, a développé un concept original de chambres d'hôtes-galerie. Lounge, couloirs et jardin s'ornent d'œuvres de talentueux jeunes artistes. Chambres d'excellent confort, décorées avec personnalité par l'hôtesse qui mélange vintage et récup. Toutes avec kitchenette (micro-ondes, mini-four, Nespresso, frigo, etc.). Au dernier étage, un bel appart avec salon-salle à manger, vraie cuisine équipée, pour 4 ou 5 personnes. Apéro informel le soir et concerts payants (jazz ou gospel) organisés occasionnellement dans la galerie.

De plus chic à très chic

■ *Mount Morris House* (plan Harlem, zoom, **19**) : 12 Mount Morris Park W. ☎ 1-917-478-6213. ● mountmorris houseandb.com ● Ⓜ (2, 3) 125 St. Résa à l'avance impérative. Doubles 175-225 $; suites pour 4 pers 225-295 $. 🛜 Il y a une vingtaine d'années, Dimitri et Vasili ont eu un coup de cœur pour cette *brownstone* cossue et spacieuse (donnant sur un joli parc) qu'ils ont patiemment restaurée selon le plan d'origine puis meublée d'antiquités et de beaux objets chinés. Une atmosphère élégante et raffinée que l'on retrouve partout dans la maison, du salon-bibliothèque avec son magnifique parquet d'époque aux immenses chambres. Les suites sont carrément énormes avec, derrière la tête de lit, un pan de boiserie ouvrant discrètement sur une chambre communicante, idéale en famille. Pas de petit déj sur place mais thé et café à dispo et plusieurs lieux à proximité pour le prendre.

🏠 **Aloft Harlem** (plan Harlem, zoom, **20**) : 2296 Frederick Douglass Blvd (entre 123rd et 124th). ☎ 212-749-4000 ou 1-866-716-8143. ● aloftharlem. com ● Ⓜ (A, C, D) 125 St. Doubles 150-380 $. 🖥 📶 Inauguré en 2010, le 1er hôtel ouvert à Harlem en 45 ans joue le registre design branché mais avec un esprit décontracté et festif, pas guindé pour 2 cents, à l'image du quartier ! Accueilli par un staff sélectionné pour sa cool attitude, on s'y sent immédiatement à l'aise. Les chambres, spacieuses et au design vintage, sont dotées d'un équipement audio-vidéo high-tech qui séduiront les lecteurs les plus trendy. Salles de bains tendance avec douche à l'italienne. Dans le lobby, expo d'artistes locaux, billard, bar-lounge avec éclairages interactifs selon l'heure de la journée et un minisnack avec micro-ondes à dispo pour se réchauffer un petit plat ! Seul petit bémol : pas vraiment de vue.

🏠 **Jumel Terrace B & B** (plan Harlem, A1, **21**) : 426 W 160th St (entre Saint Nicholas et Edgecombe Ave). ☎ 212-928-9525. ● jumelterracebnb.com ● Ⓜ (A, C, D) 145 St. Nuitée env 375-500 $ pour 4 (2 chambres doubles), 450-600 $ pour 5 (2 doubles + 1 single). 🖥 📶 Le B & B le plus original de Harlem, tenu par un couple étonnant : un libraire spécialisé dans l'histoire locale et la culture afro-américaine et une artiste-styliste qui a habillé Aretha Franklin, Oprah Winfrey et Katy Perry. Leur brownstone de style Queen Anne, située en face de la Morris-Jumel Mansion dans ce joli quartier vallonné de Washington Heights, vit défiler des hôtes prestigieux : la reine d'Angleterre vint y boire le thé et Andy Warhol y repeignit les radiateurs en rose. Aujourd'hui, la maison abrite la collection de bouquins rares du monsieur, les créations de madame et 3 charmantes chambres d'hôtes à louer d'un seul tenant (pour 4-5 personnes). 2 sont situées au rez-de-jardin, avec ravissante salle de bains, cuisine tout équipée (même le frigo est rempli), et la 3e est à l'étage, avec son lit français du XIXe s et sa baignoire sur pieds. Le superbe salon, avec piano à queue, vieux parquet et œuvres d'art, est à la disposition des guests, comme le jardin. Un lieu insolite, qui fera le bonheur des intellos arty.

HARLEM ET LES HEIGHTS

Où manger à Harlem, Hamilton Heights, Morningside Heights et autour de Columbia University ?

Spécial petit déjeuner et brunch

🍴 Voir plus loin : **Harlem Shake**, **Yatenga** (brunch w-e 10h-16h), **The Edge** (brunch servi tlj 9h-16h30), **Community Food and Juice**, **Nussbaum and Wu**, **Lenox Coffee** (pour un café ou thé-bagel), **Lenox Saphire** (excellentes viennoiseries), **The Grange** (jazz brunch dim), **Vinateria** (brunch w-e), **Red Rooster** (brunch w-e) et son lounge-bar, **Ginny's Supper Club** (gospel brunch dim 11h-15h30 avec buffet à volonté), **Minton's** (jazz brunch dim), **BLVD** (brunch w-e), **The Cecil** (brunch w-e) et **Streetbird** (brunch tlj).

De très bon marché à bon marché

🍴 **Jacob Restaurant** (plan Harlem, zoom, **30**) : 373 Lenox Ave (et 129th).

☎ 212-866-3663. Ⓜ (2, 3) 125 St. Tlj 10h-22h. Prix au poids, repas complet env 6-10 $. Jacob résume à lui tout seul l'esprit de Harlem. Il s'agit d'une cafétéria avec un vaste buffet garni de salades fraîches et de plats de soul food simple mais délicieux, à prix démocratique, qu'on savoure sans façons dans une salle toute simple avec les habitués (on peut aussi emporter). Fraternel et typique donc, et providentiel pour les petits budgets. Accueil en français et live music le week-end (ven 17h-21h, w-e 13h-17h ; sf l'hiver).

🍴 👫 🐾 **Harlem Shake** (plan Harlem, zoom, **31**) : 100 W 124th St (et Lenox Ave). ☎ 212-222-8300. Ⓜ (2, 3) 125 St. Tlj 8h-23h (2h ven-sam). Petits déj 7-9 $, burgers 10-12 $. Voici la version harlémite du fast-food Shake Shack ! Décor de diner façon fifties et grande terrasse aux beaux jours. Au menu : petits déj typiques ricains, burgers classiques ou plus soul food qui tiennent la route, grilled cheese, hot dogs, salade kale et pois chiches, shakes, malts (laits maltés), sodas old-fashioned et bière brassée à Harlem. Tous les produits sont dûment sélectionnés, voire bio, mais portions légères du coup.

🍴 🍷 👫 **Streetbird** (plan Harlem, zoom, **33**) : 2149 Frederick Douglass Blvd (et 116th). ☎ 212-206-2557. Ⓜ (C) 116 St. Poulets grillés, burgers et brunch env 11-18 $. C'est la nouvelle rôtisserie du Red Rooster (voir plus loin), à la déco colorée extravagante de diner très ricain, revendiquée « old fashion but good ! ». On s'installe sur une banquette en skaï ou une chaise en bakélite pour déguster un bon poulet rôti, décliné sous toutes ses formes : en sauce BBQ, en burger, en salade, avec des pâtes au cheddar, en chili, en soupe thaï et même au sirop d'érable sur une gaufre (waffle) pour le brunch. Bon et pas cher.

🍴 👫 **Yatenga** (plan Harlem, zoom, **32**) : 2269 Adam Clayton Powell Jr Blvd (entre 133rd et 134th). ☎ 212-690-0699. Ⓜ (2, 3) 135 St. Tlj 16h-minuit (1h ven-sam) ; brunch w-e 10h-16h. Plats 16-26 $ et entrées consistantes env 10-15 $; brunch 7-20 $. C'est le resto attenant au Shrine's, une de nos scènes musicales préférées à Harlem.

Cadre récup vintage, murs de brique blanchis, longue table conviviale en bois, musique africaine ou afro-américaine en fond sonore, pas trop forte (pour une fois !). En été, une grande terrasse avec des plantes se déploie sur le trottoir. Accueil sympa du manager originaire du Burkina. Cuisine classique aux accents français, très saine et à prix modérés : soupe du jour, salades fraîches, très bon tartare de thon...

🍴 🍷 🎵 **Shrine** (plan Harlem, zoom, **32**) : 2271 Adam Clayton Powell Jr Blvd (entre 133rd et 134th). Voir plus loin « Où écouter du bon jazz ? Où voir un spectacle ? Où sortir ? ».

🍴 🍷 **Harlem Public** (plan Harlem, A1-2, **65**) : voir plus loin « Où boire un verre (en mangeant un morceau) ? ».

Prix moyens

🍴 👫 🍷 **The Grange** (plan Harlem, A2, **34**) : 1635 Amsterdam Ave (et 141st). ☎ 212-491-1635. Ⓜ (1) 137 St ou 145 St. Plats 15-25 $; le midi et brunch 10-15 $. C'est une adresse comme on les aime, conviviale, cool, branchée juste ce qu'il faut, de celles où on passe un bon moment. Même le niveau sonore est sans excès pour une fois ! La cuisine joue le registre typiquement ricain twisté au goût d'aujourd'hui, avec des produits en provenance des fermes environnantes : mac n'cheese à la truffe, burger gourmet, poulet rôti, short ribs... Le tout arrosé de bières locales, d'excellents cocktails et servi dans une grange relookée à la sauce hipster. La bonne adresse de Hamilton Heights.

🍴 🍴 **Dinosaur Bar-B-Que** (plan Harlem, A3, **35**) : 700 W 125th St (et 12th Ave). ☎ 212-694-1777. Ⓜ (1) 125 St. Résa conseillée. Plats 16-25 $, burgers 10-13 $. Dans un coin un peu isolé de Harlem, quasi sous le métro aérien, en bordure de l'Hudson River. Une fois dedans, super décor à mi-chemin entre l'entrepôt réhabilité et la grange texane, long bar en brique et bois, box confortables, un vrai plaisir ! La spécialité, ce sont les travers de porc (Bar-B-Que pork ribs), marinés 24h, puis fumés lentement et caramélisés dans leur sauce originale, un régal (la plus petite portion, le demi-rack, suffit). Bons accompagnements et large choix de bières pour faire glisser le tout. Excellent rapport qualité-ambiance-décor-prix. *Live music* jeudi, vendredi et samedi de 22h30 à minuit : blues, jazz, rock, funk. Succursale à Brooklyn *(604 Union St, à Park Slope).*

I●I ☞ *The Edge (plan Harlem, B2, 36) :* 101 Edgecombe Ave (et 139th). ☎ 212-939-9688. Ⓜ (C) 135 St. Tlj 9h (11h w-e)-22h (23h jeu-sam). Plats brunch et lunch 10-20 $, le soir 15-20 $. Dans une charmante rue de Hamilton Heights, blottie à l'ombre de la silhouette néogothique du City College of NY, voici un nouveau petit resto qui fait déjà le bonheur des locaux. Pour son atmosphère paisible et conviviale, sa déco moderne et chaleureuse et sa cuisine légère, fraîche et soignée, aux accents jamaïcains, british et US. Même le café est excellent (torréfié localement). Très sympa à toute heure.

I●I *Chaiwali (plan Harlem, zoom, 40) :* 274 Lenox Ave (et W 124th St). ☎ 646-688-5414. Ⓜ (2, 3) 125 St. Tlj sf lun. Plats 7-10 $, 16-29 $ le soir. Un vrai coup de cœur pour ce délicieux resto indien à la déco élégante et *arty,* tendance zen avec son petit jardin sur l'arrière, plus folle et décalée à l'étage. Idéal pour une pause gourmande le midi (salade au poulet tandoori, *kale burger, samosa sandwich,* assiette veg'), ou un repas plus élaboré le soir dans l'esprit cuisine indienne contemporaine et savoureuse. Une adresse dans l'air du temps, à l'ambiance détendue et calme, ça fait du bien !

I●I 🚲 *Babbalucci (plan Harlem, zoom, 44) :* 331 Lenox Ave (entre 126th et 127th). ☎ 646-918-6572. Ⓜ (2, 3) 125 St. Pizzas et pâtes 14-24 $. Dans une petite salle chaleureuse mêlant briquette rouge et papier peint tendance, on déguste de généreux plats de pâtes ou de croustillantes pizzas cuites au four à bois. Bonne ambiance sonore jazzy. Plébiscité par les gens du quartier, ce nouveau resto italien a trouvé sa place au cœur d'Harlem.

I●I ☞ *Community Food and Juice (plan Harlem, A4, 37) :* 2893 Broadway (entre 112th et 113th). ☎ 212-665-2800. Ⓜ (1) 110 St. Tlj 8h (9h w-e)-21h30 (22h ven-sam), pause tlj 15h30-17h.

Plats 10-15 $ le midi, 15-24 $ le soir ; formules petit déj et brunch 10-15 $. Look industrialo-design pour ce vaste resto contemporain, tout en bois, brique peinte et grandes baies vitrées. Franchement dans le camp bio (veg', poisson et sans gluten). Tables individuelles ou longue tablée commune et conviviale, où l'on échange volontiers avec ses voisins, dans une atmosphère bien *friendly.* Carte très éclectique, présentation soignée, avec du bon jazz en fond sonore. Bref, un succès amplement mérité !

I●I ☞ *Vinateria (plan Harlem, zoom, 38) :* 2211 Frederick Douglass Blvd (et 119th). ☎ 212-662-8462. Ⓜ (C) 116 St ou (A, C, D) 125 St. Tlj le soir slt (dès 17h), brunch w-e dès 11h. Pâtes 16-21 $, vrais plats 22-30 $. Néobistrot à vins italien au décor contemporain très *trendy* (Harlem se « branchise » radicalement dans ce coin !) : devanture toute noire, murs et plafonds itou, éclairages tamisés par de charmantes petites lampes en suspension au-dessus des tables. Un peu froid peut-être, mais croyez-nous, la cuisine subtile et parfumée réchauffe avantageusement l'atmosphère ! Pâtes maison divines, desserts originaux et longue carte de vins de la Botte et de l'Hexagone.

I●I *Pisticci (plan Harlem, A3, 39) :* 125 Lasalle St (entre Broadway et Claremont). ☎ 212-932-3500. Ⓜ (1) 125 St. Brunch w-e. Plats 11-16 $ le midi, 13-21 $ le soir. Un resto italien somme toute assez classique, mais qui séduit les habitués par son remarquable rapport qualité-prix et son décor coquet et chaleureux : brique rouge, bois, papier peint fleuri, miroirs et tableaux. Dans l'assiette, une cuisine simple mais authentique puisant son inspiration dans ses origines (la Basilicate). Inutile de faire un détour, mais si vous êtes dans le coin, n'hésitez pas, surtout le dimanche en début de soirée, pour les concerts de jazz. Aux beaux jours, sympathique terrasse sur rue tranquille.

Plus chic

I●I ☞ *Red Rooster (plan Harlem, zoom, 41) :* 310 Lenox Ave (entre

125th et 126th). ☎ 212-792-9001. Ⓜ (2, 3) 125 St. Résa conseillée via ● open table.com ● ou ● redroosterharlem. com ● Plats 18-30 $; menu déj en sem 25 $; brunch 14-17 $. Toujours un gros succès pour ce vaste resto (le plus couru de Harlem), qui a ouvert la voie à toute une flopée d'adresses branchées dans le coin et qui porte le nom d'un fameux speakeasy de la Prohibition. Aux manettes, Marcus Samuelsson, un chef talentueux d'origine éthiopienne, proche d'Obama et fidèle habitant du quartier. Dans un cadre classe et branché, hommage à la culture afro-américaine et à la renaissance de Harlem, on savoure une nouvelle cuisine inspirée des classiques de la comfy food US, avec des accents sudistes. Viandes et poissons grillés excellents. Rôtisserie high-tech ouverte au fond de la salle, très populaire comptoir en U à l'entrée, tables hautes pour les pressés ou les étourdis qui n'ont pas réservé et encore un bar-lounge au sous-sol (Ginny's Supper Club ; voir plus loin « Où écouter du bon jazz... ? »). Cadre chaleureux, super musique (bands tous les jours), cocktails à gogo, terrasse aux beaux jours...

|●| ☞ BLVD (plan Harlem, zoom, 42) : 239 Lenox Ave (et 122nd). ☎ 212-678-6200. Ⓜ (2, 3) 125 St. Tlj sf lun 17h-23h (18h dim) ; brunch sam 11h-16h, dim 10h-18h. Plats 16-30 $, brunch 16-24 $. Nouveau petit bistrot chic et cosy, en contrebas d'une brown-stone typique de Lenox. La carte est dédiée aux spécialités du sud des États-Unis, très généreusement servies mais fort bien cuisinées aussi : shrimp & grits crémeux à souhait, St Louis style ribs... accompagnés de délicieux biscuits (petits pains chauds). Une bonne adresse, intime et chaleureuse, pour dîner confortablement et au calme (pour une fois, volume sonore raisonnable !).

|●| ☞ The Cecil (plan Harlem, zoom, 43) : 210 W 118th St (et Saint Nicholas Ave). ☎ 212-866-1262. Ⓜ (C, 2, 3) 116 St. Résa conseillée via ● openta ble.com ● ou ● thececilharlem.com ● Tlj 17h30-22h30 (23h ven-sam, 21h30 dim) ; plus le midi jeu-ven 11h-15h et brunch w-e dès 11h. Plats 22-36 $, lunch et brunch 11-21 $ et menu fixe 32 $. Dans la lignée du Red Rooster, The Cecil est une des adresses du moment à Harlem, very very successful. Le décor glamour, l'atmosphère résolument branchée et mode (mais pas guindée, Harlem oblige) et la cuisine fusion aux confins de l'Asie et de l'Afrique en font un lieu vraiment original. Juste à côté, le très chic club mythique Minton's, lieu de naissance du be-bop dans les années 1930, a rouvert ses portes sous la houlette du même proprio dans la grande tradition des supper clubs. Voir plus loin la rubrique « Où écouter du bon jazz ?... ».

Où prendre un café ?
Où manger une pâtisserie ? Où grignoter ?

☞ Levain Bakery (plan Harlem, zoom, 50) : 2167 Frederick Douglass Blvd (entre 116th et 117th). ☎ 646-455-0952. Ⓜ (C) 116 St. La miniboulangerie d'Upper West Side, célèbre pour ses cookies d'anthologie (les plus riches, épais et moelleux qu'on connaisse), a ouvert une antenne à Harlem ! Mieux vaut avoir faim pour en venir à bout, sinon prenez-en un pour 2. Très bons scones également, tout aussi dodus. Vente à emporter seulement, rien pour s'asseoir.

☞ Lee Lee's Baked Goods (plan Harlem, zoom, 51) : 283 W 118th St (entre Saint Nicholas et Frederick Douglass Blvd). ☎ 917-493-6633. Ⓜ (C) 116 St. La minuscule boutique ne paie vraiment pas de mine. Mais dans son genre, c'est une petite perle, le seul endroit à Harlem où l'on élabore encore les rugelach traditionnels, pâtisserie au beurre d'origine autrichienne qui rappelle le passé juif du quartier. Ceux à l'abricot (et autres fruits secs), tout de vrais, sont une merveille. Une vraie curiosité, comme le patron, un old brother pur jus. Quelques places assises seulement.

☞ Lenox Coffee (plan Harlem, zoom, 52) : 60 129th St (et Lenox

Ave). ☎ 646-833-7839. Ⓜ (2, 3) 125 St. Un café bien représentatif de la « hipsterisation » de Harlem. Murs recouverts de miroirs, comptoir façon *tin ceiling*, plancher usé et petites tables en bois pour « wifiser ». Belle palette de cafés (les grains viennent de chez *Stumptown Roasters*, la crème de la crème) et thés sélectionnés aussi avec soin, chocolat chaud pour les autres, le tout à siroter avec un bagel ou un yaourt-granola le matin.

👣 🍺 **Lenox Saphire** (plan Harlem, zoom, 53) : 341 Lenox Ave (et 127th). ☎ 212-866-9700. Ⓜ (2, 3) 125 St. Cette pâtisserie, tenue par une équipe sénégalaise (francophone, donc), a en un rien de temps fidélisé la clientèle locale. Il faut dire que les viennoiseries (notamment les croissants aux amandes mais aussi les autres gâteaux à la française) sont dignes des grandes maisons. Fait aussi resto, mais la cuisine nous a moins emballés. Belle terrasse aux beaux jours où il est agréable de traînasser (sans être poussé à la conso !).

🍴 👣 🍺 **Nussbaum and Wu** (plan Harlem, A4, 37) : 2897 Broadway (angle 113th). ☎ 212-280-5344. Ⓜ (1) 110 St. Tt à moins de 10 $. Pour boire un café ou grignoter bagels, pâtisseries, sandwichs, *grilled cheese* (croque-monsieur américain sans jambon), soupes du jour, salades et *smoothies* dans une ambiance relax et cosmopolite. Les étudiants de Columbia University y lisent, discutent et prennent un bain de soleil sur la terrasse en été.

🍺 **Make my Cake** (plan Harlem, zoom, 54) : 121 Saint Nicholas Ave (et 116th). ☎ 212-932-0833. Ⓜ (C) 116 St. Quitte à vivre l'expérience US à fond, ne manquez pas les énormes gâteaux aux couleurs extravagantes qui font l'apanage des authentiques pâtisseries. Celle-ci ne déroge pas à la règle : *cheesecake* ou *red velvet cake, lemon meringue pie, key lime* et *cupcakes* aussi roboratifs que délicieux. Quelques tables pour faire la pause et observer les habitués commander des gâteaux d'anniversaire géants.

Où boire un verre (en mangeant un morceau) ?

🍷 🍺 **Harlem Public** (plan Harlem, A1-2, 65) : 3612 Broadway (entre 148th et 149th). ☎ 212-939-9404. Ⓜ (1) 145 St. Tlj 12h-2h (4h ven-sam). Burger env 13 $. Difficile de se croire à Harlem dans ce bar à l'ambiance très Williamsburg, plein à craquer de jeunes *hipsters* (accrochez-vous pour avoir une place assise, surtout le samedi soir). La liste de bières brassées dans le coin est pointue et la cuisine s'avère une excellente surprise. Fameux burgers (celui au beurre de cacahuète et bacon caramélisé est un must), originales frites d'avocat. En revanche, entre le fond musical et le brouhaha des conversations, pas évident pour discuter mais les Américains y arrivent très bien visiblement !

🍷 🍴 **Corner Social** (plan Harlem, zoom, 66) : 321 Lenox Ave (et 126th). ☎ 212-510-8552. Ⓜ (2, 3) 125 St. Tlj 11h-2h (4h ven-sam). Plats 16-30 $. Encore une adresse branchée du « néo-Harlem ». Comptoir sur fond de brique et écrans géants façon *sports bar*, longue tablée commune pour fraterniser ou petites tables éclairées à la bougie le soir, cheminée... le décor est chaleureux et l'ambiance animée, surtout du jeudi au samedi soir (DJ). Tous les jours une sélection de *drinks* (cocktails, bières artisanales) à prix réduits. Cuisine honnête dans le style *new American*, mais pas donnée pour Harlem.

🍷 🍺 ♪ **Harlem Tavern** (plan Harlem, zoom, 67) : 2153 Frederick Douglass Blvd (et 116th). ☎ 212-866-4500. Ⓜ (C) 116 St. Tlj 12h (11h w-e)-2h (4h ven-sam). Burgers 12-13 $. Ouvert sur un grand *beer garden*, un immense *sports bar* populaire tout de brique rouge vêtu, constellé d'écrans diffusant les matchs du soir. Concert de jazz le mercredi et pour le brunch du dimanche. Super ambiance l'été. On peut y manger.

Où écouter du bon jazz ?
Où voir un spectacle ? Où sortir ?

Harlem est, avec West Village, l'un des 2 grands lieux du jazz à New York. Voici quelques bonnes adresses.

♪ ♟ |●| **Shrine** (plan Harlem, zoom, **32**) : 2271 Adam Clayton Powell Jr Blvd (entre 133rd et 134th). ☎ 212-690-7807. ● shrinenyc.com ● Ⓜ (2, 3) 135 St. Tlj 16h-4h. Plats 10-17 $. Pas de cover charge en sem, 10 $ après 22h le w-e. Sympathique repaire africain au beau milieu de Harlem, entièrement tapissé de pochettes de disques. Au menu de ce resto-théâtre-salle de concerts énergique et foutraque, de la poésie, du théâtre, et bien sûr des performances reggae, world, afro ou rock par des groupes locaux et/ou africains ou jamaïcains. Tous les dimanches après-midi, super groupe de jazz local de 17h à 20h. Quant aux nourritures terrestres, elles se présentent sous forme de salades ou plats simples, à moins d'opter pour les spécialités d'inspiration française servies dans le resto attenant (le Yatenga), au cadre écolo-récup-branché très tendance. Proprios et personnel sont du Burkina Faso et le responsable de la programmation musicale est breton ! Bref, un petit bout de francophonie détonnant dans ce lieu gastronomico-culturel qui nous a conquis.

♪ ♟ **Silvana** (plan Harlem, zoom, **68**) : 300 W 116th St. ☎ 646-692-4935. ● silvana-nyc.com ● Ⓜ (C) 116 St. Tlj 15h-4h ; musique live dès 18h. Pas de cover charge en sem, 10 $ après 22h le w-e. Zapper le petit coffee shop donnant sur la rue, c'est au sous-sol que ça se passe. C'est là que bat la fièvre de la musique, éclectique, reggae, blues, hip-hop, world, cubaine et souvent africaine, on est dans une cave afro-israélienne. Le public vibre collé-serré, entre les quelques tables et l'étroit comptoir, face à la petite scène de plain-pied. Salon marocain sur l'arrière, pour grignoter un falafel sans – grâce aux écrans – rien perdre de l'événement. Car, les soirs de week-end, c'en est un d'événement. Une adresse tonique, tenue par la même équipe que le Shrine.

♟ ♪ |●| ☝ **Ginny's Supper Club** (plan Harlem, zoom, **41**) : au sous-sol du Red Rooster (entrée par le resto), 310 Lenox Ave (entre 125th et 126th). ☎ 212-421-3821. ● ginnyssupperclub.com ● Ⓜ (2, 3) 125 St. Jeu-sam, 18h-23h (cover 15-25 $) ; gospel brunch dim 10h30-12h30, 40 $ adultes, 15 $ enfants (buffet à volonté). C'est le bar-lounge du Red Rooster (voir plus haut « Où manger... »), dans l'esprit des speakeasies de la grande époque de Harlem. Programmation musicale de grande qualité (voir le calendrier sur leur site), beau décor et fameux cocktails, classiques ou revisités, préparés dans les règles de l'art. On peut aussi y dîner (l'occasion de goûter la cuisine du chef Marcus Samuelsson) et y bruncher le dimanche, en musique toujours. Beaucoup, beaucoup de monde le week-end. Réserver, et se pointer bien sapé.

♪ ♟ ☝ **Minton's** (plan Harlem, zoom, **43**) : 206 W 118th St. ☎ 212-243-2222. ● mintonsharlem.com ● Ⓜ (C, 2, 3) 116 St. Ven-dim 18h-1h (23h dim) ; jazz brunch dim 12h-15h. Cover 25 $ (15 $ dim), plus 2 consos min. Ouvert en 1938 sous la houlette du saxophoniste Henry Minton, ce club feutré, désormais classé Monument historique, a accompagné la naissance du be-bop et vu défiler plus de grands noms du jazz qu'on a de place pour l'écrire. Dévasté par un incendie en 1974, il a depuis peu rouvert pour devenir le repaire de la bourgeoisie noire amatrice de blue note. Si la fièvre des premières heures du jazz est retombée, on y donne toujours des concerts d'excellente facture, menés par des musiciens en smoking. Atmosphère chic, veste de costard obligatoire mais, pas de panique, on vous en prête une si vous vous pointez en sweat à capuche. Contentez-vous d'un cocktail en revanche, les plats sont très chers en dehors du brunch.

♪ |●| **American Legion Post** (plan Harlem, zoom, **70**) : 248 W 132nd St (entre Adam Clayton Powell Jr Blvd et Frederick Douglass Blvd). ☎ 212-283-9701. Ⓜ (C, 2, 3) 135 St. En principe, mer-jeu et sam 19h30-minuit, mais mieux vaut appeler avt. Pas de cover charge. CB refusées. Surtout des jams entre copains, pros et amateurs mêlés, dans ce petit bar associatif funky où socialiser sur la piste de danse avec les quinquas guincheurs de Harlem. Bonne atmosphère qui chauffe vite et possibilité de grignoter une soul food simple et goûteuse (plat env 10 $). Si vous voulez une table, venez dès l'ouverture, sinon ça sera au bar et encore, pas forcément assis.

♪ ♈ Paris Blues (plan Harlem, zoom, 69) : 2021 Adam Clayton Powell Jr Blvd (angle W 121st St). ☎ 917-257-7831. ● parisbluesharlem.com ● Ⓜ (2, 3) 116 St. Tlj 17h-1h (plus late session ven-sam 1h-4h). Pas de cover charge mais 2 consos min. Depuis 1969, ce tout petit club à l'ancienne, au cadre vieillot et poisseux, satisfait les puristes par son authenticité et ses concerts de jazz et blues de bonne qualité. D'autres lui reprocheront son allure désuète, son manque de confort et son faible éclairage. Poussez la porte et faites-vous votre avis !

♪ Bill's Place (plan Harlem, zoom, 71) : 148 W 133rd St (entre Lenox et Adam Clayton Powell Jr Blvd). ☎ 212-281-0777. ● billsplaceharlem.com ● Ⓜ (2, 3) 135 St. Ven-sam slt, sets à 20h et 22h. Résa obligatoire. Cover charge 20 $. Bienvenue chez Bill Saxton, un saxophoniste énergique et talentueux qui se produit avec son quartet... dans son propre salon ! L'exiguïté des lieux crée une atmosphère chaleureuse et attentive, qui permet aux privilégiés (places limitées) de savourer pleinement la musique. Un retour aux sources ! Si vous voulez boire un coup, pensez à apporter votre bouteille.

♪ Apollo Theater (plan Harlem, zoom, 72) : 253 W 125th St (entre Adam Clayton Powell Jr et Frederick Douglass Blvd). ☎ 212-531-5305. Ticketmaster : ☎ 800-745-3000. ● apollotheater.org ● Ⓜ (A, C, D, 2, 3) 125 St. Box-office ouv en sem 10h-18h, sam 12h-17h. Depuis les années 1930, ce music-hall a vu défiler tous les plus grands jazzmen du monde, de Dizzy Gillespie à Aretha Franklin en passant par Billie Holiday, Ella Fitzgerald et Duke Ellington... Plus tard, il lança aussi James Brown et les Jackson Five. Programme varié avec un accent particulier sur la musique noire américaine, africaine, reggae et parfois latina. Tous les mercredis soir (sauf en janvier à priori, mais à vérifier) a lieu la célèbre Amateur Night (billets 21-33 $). Programmation éclectique : jazz bands, danse, claquettes et groupes de musique en tout genre (même des enfants). Le spectacle est autant dans la salle que sur scène ! N'hésitez pas à prendre les places les moins chères, au 2e balcon, au milieu des gens du cru qui sifflent et hurlent leurs commentaires sur ceux qui se produisent sur scène, toujours dans la bonne humeur.

♪ Et aussi Lenox Saphire (plan Harlem, zoom, 53 ; voir plus haut « Où prendre un café ? Où manger une pâtisserie ?... »), pour ses concerts de jazz gratuits en principe les mardi et jeudi à 19h. Pas nécessaire de manger, on peut juste boire un verre ou grignoter une pâtisserie en profitant de la musique dans une atmosphère chaleureuse et bon enfant très couleur locale.

Shopping

Les grandes enseignes (H & M, Gap Factory Store, Old Navy, Foot Locker, American Apparel, Banana Republic...) ont fini par envahir aussi 125th Street, mais cohabitent avec les vendeurs de rue qui tentent d'écouler CD maison et huiles parfumées. Également beaucoup de choix en matière de streetwear : sneakers dernier cri, survêtements...

⊛ Best Market (plan Harlem, zoom, 80) : 2187 Frederick Douglass Blvd. ☎ 212-377-2300. Ⓜ (C) 116 St. Tlj 6h30-minuit. Supermarché très bien fourni et assez haut de gamme, dans le style Fairway. Plats cuisinés, bar à soupes, salades... Quelques tables à l'étage, à côté de l'énorme rayon de bières américaines. Si vous logez en appart, c'est vraiment le bon plan.

HARLEM ET LES HEIGHTS

⊛ *Harlem Underground* (plan Harlem, B3, *81*) : 20 E 125th St (entre Madison et 5th Ave). ☎ 212-987-9385. Ⓜ (4, 5, 6) 125 St. Si vous voulez rapporter un souvenir original et branché du quartier, cette boutique est spécialisée dans les T-shirts et autres sweats à capuche (hoodies) avec une thématique Harlem. Célébrités locales, héros nationaux de la communauté afro-américaine (Bob Marley, Malcolm X...) sont à l'honneur. Grand choix de graphismes et couleurs.

⊛ *Serengeti Teas & Spices* (plan Harlem, zoom, *20*) : 2292 Frederick Douglass Blvd (entre 123rd et 124th). ☎ 212-866-7100. Ⓜ (A, C, D) 125 St. Une boutique qui fera le bonheur des amateurs de thé, mais des vrais, c'est-à-dire prêts à mettre un certain prix pour une qualité exceptionnelle ! Sélection ultra-pointue de variétés exclusivement africaines (grand choix de rooibos), cultivées de façon artisanale et bio. Les mélanges (blends) sont exquis, agrémentés de fruits, épices et herbes sélectionnés avec un soin extrême. Dégustation possible.

⊛ *Malcolm Shabazz Harlem Market* (plan Harlem, zoom, *82*) : 116th St (entre 5th et Lenox Ave). Ⓜ (2, 3) 125 St. Petit marché d'artisanat africain : statuettes, masques, instruments de musique, vêtements et tissus. On y parle le français et tout est à négocier, comme là-bas ! Juste à côté, un *Fish Market* très pittoresque, où l'on vous cuit à la demande des portions de seafood avec des légumes.

Où écouter un gospel à Harlem ?

Pour *écouter un gospel dans une église,* il faut bien sûr venir un dimanche. Même les anticléricaux garderont un grand souvenir de ces célébrations hautes en couleur. Les choristes ont toujours des tenues colorées et, dans l'assistance, les hommes sont en costume et les femmes arborent souvent des chapeaux aussi élégants que tape-à-l'œil. Qu'il est loin le temps où l'on se refilait le tuyau à l'oreille, presque confidentiellement, avec à la clé un bon repas southern food dans une petite adresse de derrière les fagots... Depuis un certain nombre d'années déjà, les agences de voyages se sont emparées du créneau et déversent leurs bus de touristes dans les églises de Harlem avant de les envoyer dans les restos de soul food pour le traditionnel gospel brunch. Il est vrai que certaines paroisses pauvres ont vu là un moyen inespéré de collecter de l'argent pour leurs œuvres sociales, leurs programmes d'éducation et de lutte contre la drogue, les réparations de l'église, etc. Alors, conflit entre églises riches et églises démunies (il y en a près de 600 à Harlem) ? Pas si simple !

– *La plupart des messes commencent vers 10h-11h* (certaines dès 9h) et durent en général 3h. *Vu l'affluence, on vous déconseille absolument d'opter pour une église « connue ».* D'abord, parce qu'il arrive très souvent (surtout en haute saison) que les touristes soient refoulés, ensuite parce que les conditions sont pénibles et gâchent franchement l'aventure : obligation de se pointer au moins 1h à l'avance, service d'ordre musclé à l'entrée à cause justement du nombre de touristes... La meilleure option consiste à vous perdre dans les rues de Harlem et à pousser la porte d'une petite église de quartier qui vous paraît sympa. L'atmosphère y sera plus intime, authentique et l'émotion plus puissante que dans les églises certes « mythiques » mais noires... de touristes ! Les églises baptistes sont particulièrement recommandées pour leurs chants. Il suffit de demander gentiment à l'entrée si votre présence ne gêne pas. En général, pasteur et fidèles sont ravis de cet intérêt.

– *Quelques règles de bienséance :* beaucoup de touristes oublient souvent qu'ils assistent à une messe, qui est un moment de célébration et de communion, et non un spectacle. Alors, au risque de nous répéter encore, adoptez une *tenue correcte (pas de sac à dos* et même s'il fait chaud en été, évitez débardeurs et tongs) ! De même, rangez téléphones et appareils photo (sauf autorisation préalable) et ne partez pas avant la fin.

Parce que c'est difficile de ne pas les citer, voici une courte liste des églises les plus emblématiques, mais, on le répète, on ne vous conseille pas vraiment d'aller là, sauf peut-être au cœur de l'hiver, quand les touristes se font plus rares, et encore...

🍴 *Abyssinian Baptist Church* (plan Harlem, zoom) *: 132 Odell Clark Pl (W 138th St), entre Lenox Ave et Adam Clayton Powell Jr Blvd.* ☎ 212-862-7474. ● abyssinian.org ● Ⓜ (2, 3) 135 St ; ou bus M2 ou M7 sur Amsterdam Ave. Services dim à 9h et 11h, mais seul celui de 11h est officiellement ouv aux touristes ; en théorie, car il arrive qu'on refuse également l'accès au service de 11h ! Également mer à 19h (moins de monde). Fondée en 1808, c'est la plus vieille église noire de New York. Célèbre grâce à son prédicateur, Adam Clayton Powell Jr, élu à la Chambre des représentants en 1945, qui proposa des lois sur le salaire minimum et la suppression de la ségrégation dans l'armée. Le pasteur actuel, Calvin O. Butts, compte également parmi les principaux défenseurs de la cause des Noirs de New York. Le dernier dimanche du mois au service de 11h, c'est jour de baptême (par immersion)... plutôt spectaculaire ! Malheureusement, cette église ultra-célèbre est aujourd'hui victime de son succès : énormément de touristes (une entrée spécifique leur est même réservée, c'est dire), pas toujours autorisés à entrer en fonction de l'affluence, et un service d'ordre de plus en plus rude (qui aboie plus qu'il ne dialogue) assorti d'un code vestimentaire digne d'une boîte de nuit ultra-hype : pas de débardeur, même en pleine canicule, pas de chaussures ouvertes non plus... Sans compter l'attente parfois de plus de 1h pour s'entendre dire qu'il n'y a plus de place... Il est clair qu'on n'y supporte plus l'overdose de visiteurs ! Pour toutes ces raisons, nous déconseillons désormais vivement cette église.

🍴 Un bloc plus au sud se trouve *Mother Zion Church* (plan Harlem, zoom). Située au 136 West 137th Street (entre Lenox Avenue et Adam Clayton Powell Jr Boulevard), cette église méthodiste a l'avantage d'être un peu moins connue que l'Abyssinian Baptist Church. Service dimanche à 11h. Là, c'est la qualité du chœur et de la sono qui fait débat !

🍴 Autour de West 116th Street, on trouve notamment *Canaan Baptist Church* (plan Harlem, zoom), au 132 West 116th Street (entre Lenox Avenue et Adam Clayton Powell Jr Boulevard). Service dimanche à 10h, avec un gospel remarquable. Également un *Sunday service* à la *First Corinthian Baptist Church,* à 7h30, 9h30 et 11h30 (au coin d'Adam Clayton Powell Jr Boulevard et de la West 116th Street).

🍴 Vers West 128th et West 129th Street (plan Harlem, B3) : *Salem United Methodist Church,* 2190 Adam Clayton Powell Jr Boulevard (et 129th Street), et sa voisine d'en face *Metropolitan Baptist Church* (angle Adam Clayton Powell Jr Boulevard et 128th Street).

🍴 Enfin, sur Lenox Avenue, entre 120th et 125th Street, plus d'une dizaine d'églises sont alignées des deux côtés de la rue !

À voir

HARLEM

Découvrir Harlem aujourd'hui ne pose *pas de problèmes de sécurité majeurs,* surtout dans les secteurs de plus en plus touristiques. Le métro et le bus sont les meilleurs moyens pour vous y rendre, mais si vous gardez une petite appréhension (le soir tard notamment), prenez un taxi. En débarquant ici, on peut être impressionné car la pauvreté reste présente dans certains coins, accentuée par de nombreuses maisons encore murées comme sur Lenox Avenue. Bien sûr, inutile de faire de la provoc avec vos bijoux et vos fringues de marque, ou de photographier le quartier comme si vous étiez au zoo. De même, à la nuit tombée, restez dans les rues animées et évitez les coins trop excentrés (du bon sens, quoi !). Bref, sachez vous fondre dans Harlem et vous découvrirez un accueil, des sourires de sympathie et une atmosphère toute particulière.

Certaines avenues ont été rebaptisées avec les noms d'hommes politiques noirs. Ainsi, 6th Avenue, au-dessus de Central Park, s'appelle aussi Lenox Avenue (d'après James Lenox, grand philanthrope) ou encore Malcolm X Boulevard (les deux noms sont utilisés ; nous, on a opté pour Lenox !). 7th Avenue se nomme également Adam Clayton Powell Jr Boulevard (député et défenseur des droits civiques), et 8th Avenue s'appelle aussi Frederick Douglass Boulevard. Enfin, il y a aussi une avenue diagonale : Saint Nicholas Avenue. Il y en a d'autres, mais ces quatre-là sont les indispensables pour pouvoir s'orienter dans le quartier. Tout comme dans le reste de Manhattan, 5th Avenue marque la frontière entre les parties est et ouest.

🎨 *Studio Museum Harlem* (plan Harlem, zoom) : 144 W 125th St (entre Adam Clayton Powell Jr Blvd et Lenox Ave). ☎ 212-864-4500. ● studiomuseum.org ● Ⓜ (2, 3) et (A, B, C, D à 2,5 blocs) 125 St. Jeu-ven 12h-21h, sam 10h-18h, dim 12h-18h. Donation suggérée : 7 $; réduc ; gratuit moins de 12 ans et pour ts dim. D'abord, c'est un très beau lieu. Il présente d'intéressantes expos temporaires (peinture, sculpture et photographie) principalement réalisées avec les œuvres du fonds du musée. Le studio organise aussi des lectures et des concerts certains soirs (voir programme). Jolie boutique.

🎨 *Schomburg Center for Research in Black Culture* (plan Harlem, zoom) : 515 Lenox Ave (angle 135th). ☎ 917-275-6975. ● schomburgcenter.org ● Ⓜ (2, 3) 135 St. Expos tlj sf dim (et lun parfois) 10h-18h (20h mar-mer). Voir site internet pour horaires des différents centres d'archives. Centre de recherche consacré à la culture black, mais avant tout l'une des plus importantes bibliothèques sur la civilisation noire. C'est ici qu'Alex Haley fit ses recherches pour son roman *Roots* (« Racines » en français), prix Pulitzer en 1977. On peut y voir de belles œuvres d'art africaines et écouter des enregistrements de musiques africaines, jazz et blues. Expos temporaires, lectures et concerts (programme sur leur site).

🎨🎨 *National Jazz Museum* (plan Harlem, zoom) : 58 W 126th St (et Lenox). ☎ 212-348-8300. Ⓜ (2, 3, 4, 5, 6) 125 St. ● jazzmuseuminharlem.org ● Visitor Center lun-ven 11h-17h30. GRATUIT (mais donation suggérée pour les concerts : 10 $). Plus un petit centre culturel du jazz qu'un véritable musée même si le lieu possède entre autres la *collection Savory*, du nom d'un ingénieur du son qui enregistra près de 1 000 disques des plus grands dans les années 1930 jusqu'au début des années 1940. Propose un programme de conférences, lectures, petites expos temporaires et des concerts certains mardis et jeudis à 19h. Renseignements sur leur site.

Itinéraire dans le quartier de Marcus Garvey Park

Le Mount Morris Park a été rebaptisé *Marcus Garvey Park,* du nom d'un célèbre activiste nationaliste. Voici donc une balade pour découvrir l'architecture harlemite le long de rues désormais classées *Historic District.* Délimité par Lenox Avenue, Mount Morris Park West, entre 124th et 119th Street *(plan Harlem, B3),* le secteur connut son premier développement vers 1880 dans la foulée de la création du métro aérien sur 8th Avenue, bientôt remplacé par l'underground en 1900...

Les premiers habitants du quartier étaient d'abord des familles blanches aisées. Au début du XXe s, elles furent progressivement remplacées par des familles

pauvres d'Europe centrale récemment immigrées. Les belles *brownstones* furent alors divisées en petits appartements, voire en studios. Beaucoup de ces immigrants étaient des familles juives, ce qui transforma Mount Morris Park et tout le secteur sud en deuxième pôle d'installation juif, après Lower East Side... Au cours des années 1920 et 1930, nouveau changement sociologique avec l'arrivée de la communauté noire. Le système de location « à la chambre » fut, bien entendu, maintenu. L'essor et la rénovation actuels du secteur ont fait grimper les prix, au grand dam de ceux qui habitaient jusqu'ici ces jolies maisons.
Accès pour la balade : Ⓜ *(2, 3) 116 ou 125 St.*

🍴 🍽 🍷 Si vous avez besoin (ou envie) de faire une pause-café ou de casser la graine en cours de balade, les adresses suivantes sont toutes situées le long du parcours (voir le descriptif plus haut dans les rubriques « Où manger... », « Où prendre un café ?... », « Où boire un verre... »)... : *Lenox Coffee, Jacob Restaurant, Lenox Saphire, Red Rooster, Chaiwali, Babbalucci, Corner Social, Harlem Shake, BLVD.*

➤ *Lenox Avenue* (ou Malcolm X) est le prolongement de 6th Avenue. C'est l'artère principale de Harlem. Sur West 130th Street, entre Lenox et 5th Avenue, l'*Astor Row (plan Harlem, zoom, A)* est un bel exemple du style banlieusard des premières maisons construites à Harlem (1880). Avec leurs façades en brique rouge, elles sont aussi reconnaissables à leur porche et au carré de gazon devant, comme dans le sud des États-Unis. Entre West 125th et West 119th Street, Lenox Avenue offre également de superbes alignements de *brownstone houses*. Si certaines sont encore en piteux état, la rénovation va bon train...
Les plus anciennes demeures avec escaliers et porches à colonnes datent de 1883 et s'étendent des nos 241 à 259. Quelques blocs au sud, au 267 Lenox Avenue (et 123rd Street) s'élève *The Reformed Low Dutch Church of Harlem (plan Harlem, zoom, B),* devenue aujourd'hui église adventiste du 7e jour. Beau grès jaune, style néogothique.

➤ Toujours sur Lenox Avenue, à l'angle de West 123rd Street (côté pair), s'élève un bloc particulièrement intéressant. D'abord, l'*Atlah World Missionary Church (plan Harlem, zoom, C),* au coin, imposant édifice en brique rouge, avec de hautes cheminées, fenêtres cintrées en pointe de diamant sur colonnettes et chapiteaux ciselés. Un des plus beaux exemples de style Queen Anne.
Au 32 West 123rd Street, attenante, la *Harlem Library* (1891). L'une des premières bibliothèques publiques à New York. Aujourd'hui, elle abrite une des plus anciennes églises noires de Manhattan, la Greater Behtel A.M.E. Church.
À côté encore, aux nos 28-30, deux délicieuses demeures étroites de style Queen Anne. Combinaison harmonieuse de la brique et de la pierre ciselée. Joli décor floral. Du no 26 au no 4, succession de *brownstone houses* de style néogrec ou *Greek Revival*.

➤ À l'angle de West 123rd Street et de Mount Morris Park West s'élève le bâtiment d'une ancienne **synagogue (Ethiopian Hebrew Congregation)** qui accueillait la plus importante communauté de juifs noirs à New York. Magnifique portail de style néo-Renaissance italienne... Tourner ensuite à droite.
Aux 26-30 Mount Morris Park West, maisons de style néogrec avec de très élégants porches à portique et colonnes. Aux nos 22-24, fenêtres style néo-Renaissance joliment ornementées.

➤ À l'angle de West 122nd Street, on trouve la massive *Mount Morris Ascension Presbyterian Church (plan Harlem, zoom, D).* Sur le même trottoir, du 6 au 16 West 122nd Street, alignement de *brownstone houses* cossues réalisées par William Tuthill, l'architecte du Carnegie Hall. Balcons sur consoles, corniches ornées de frises aux motifs différents, décor floral d'inspiration néo-Renaissance. Symboles de l'opulence bourgeoise de l'époque, admirer les hauts escaliers monumentaux qui menaient au 1er étage avec leurs rampes ouvragées. Ces demeures

HARLEM ET LES HEIGHTS

furent longtemps les quelques rares à ne pas avoir été divisées et à continuer à être occupées par une seule famille... Retour sur Mount Morris Park West.
– Aux 11-14 **Mount Morris Park West** s'élèvent plusieurs intéressantes maisons aux frontons tous différents. Belle tourelle d'angle et, en face, à l'angle de West 121st Street, ce gros bâtiment en brique rouge abritait... une prison pour femmes ! En continuant sur Mount Morris Park West, nos 1 à 9, encore une belle succession de *brownstones* joliment rénovées, dans un style différent de ce qu'on a vu jusque-là mais d'une belle harmonie.

➤ Du 4 au 22 West 121st Street, encore une belle série de **brownstone houses** *(plan Harlem, zoom, E)*, datant de 1887. Porches avec décor floral et feuillage abondant, bow-windows avec encorbellements sculptés. Continuer vers Lenox Avenue.
Entre West 120th et 121st Street, sur Lenox Avenue, s'alignent des demeures cossues (chacune avec sa personnalité), témoignages du standing du quartier à l'époque.

➤ À l'angle de West 120th Street et de Lenox Avenue, colossale façade de la **Mount Olivet Baptist Church** (ancienne synagogue du Temple Israël of Harlem), reflet de la prospérité de la communauté juive d'origine allemande à l'époque. Elle fut construite en pierre de calcaire en 1906 par un ancien élève des Beaux-Arts de Paris, qui s'inspira, dit-on, de l'architecture du Second Temple de Jérusalem... Paradoxalement, cette synagogue eut une vie très brève puisque, en 1920, le quartier était déjà en grande partie déserté par sa communauté juive. En 1925, l'édifice fut donc racheté par la Mount Olivet Baptist Church.

➤ De l'autre côté de Lenox Avenue, à l'angle de West 121st Street (225 Lenox Avenue), s'élève **Unitarian Church** (aujourd'hui *Ebenezer Gospel Tabernacle*), de style *Gothic Revival*, le symbole des changements sociologiques du quartier. À sa construction en 1889, c'était une église pour Blancs protestants ; en 1919, la synagogue d'une communauté juive orthodoxe pauvre. En 1942, le quartier devint définitivement noir, et le bâtiment fut vendu pour devenir une nouvelle église afro-américaine.

➤ À l'angle de Lenox et de West 122nd Street, l'imposante **Holy Trinity Episcopal Church** (aujourd'hui *Saint Martin Church*) date de 1887. Certainement la plus intéressante église de style néoroman à New York, avec son curieux clocher-cheminée d'usine.

➤ Pour finir, une dernière série de belles **brownstone houses** sur West 122nd Street. Du n° 103 au n° 111, détailler de près ces façades d'inspiration maure, dont certaines fenêtres sont en fer à cheval. Belles portes ciselées et nombreuses sculptures florales, fruits, oiseaux, etc. Joli travail sur les corniches toutes différentes.
À la suite, du 133 au 143 West 122nd Street, **le plus bel alignement Queen Anne de New York** *(plan Harlem, zoom, F)*, œuvre de Francis H. Kimball, architecte de très grande réputation à l'époque. Multiplicité des détails et différences entre les maisons, et pourtant, elles s'intègrent harmonieusement à l'ensemble (le but recherché, à l'évidence !). L'architecte sut utiliser habilement la *terra cotta*, technique médiévale qui consistait à mouler la brique avant usage et à l'utiliser pour créer de splendides décors à moindre coût !

➤ En continuant, on croise 7th Avenue, rebaptisée **Adam Clayton Powell Jr Boulevard** (premier député noir de Harlem au Congrès). Avec ses magasins, théâtres et clubs, ce fut historiquement l'avenue la plus importante et la plus animée dans les *roaring twenties-thirties*. C'est ici que se dérouleront toutes les grandes parades des noires de l'époque : victoires de sportifs, manifestations politiques...
Au n° 2034 (et 122nd Street), les **Washington Apartments** *(plan Harlem, zoom, G)*, construits en 1883, furent les premières habitations collectives de Harlem. Avec leur base en pierre de taille, et le reste en brique sur sept étages, ils parvinrent

à séduire la classe moyenne de l'époque qui ne jurait que par les *brownstone houses* ! Plus au sud, au n° 1925 (et 116th Street), la **Graham Court** *(plan Harlem, zoom, H)*, édifiée en 1901, fut longtemps le plus luxueux immeuble de Harlem. Particulièrement imposant, à l'image de l'immense hall d'entrée à colonnes de marbre et chapiteaux ioniques. Au-dessus, oculi ornés d'une exubérante végétation sculptée. Côté 116th Street, le dernier étage reproduit le même décor... Diamétralement opposée, au n° 1910, la **First Corinthian Baptist Church** *(plan Harlem, zoom, I)*, à la façade tarabiscotée soi-disant inspirée du palais des Doges à Venise, est un ancien théâtre-cinéma construit en 1913.

MORNINGSIDE HEIGHTS

🍴 **Columbia University** *(plan Harlem, A3-4)* : 201 Dodge Hall (angle 116th St et Broadway). ☎ 212-854-4900. Ⓜ (1) 116 St. Entre West 114th et West 121st Street, dominant le parc de Morningside, s'étend Columbia University, l'une des plus célèbres et des plus riches des États-Unis (comptez 57 000 $ l'année de scolarité !). Produit de la fusion, en 1784, du King's College et de l'université de l'État de New York, elle fut installée ici à la fin du XIXe s. Nombre de personnalités y étudièrent : Teddy Roosevelt, Barack Obama, Jack Kerouac, Paul Auster... Cet énorme complexe universitaire est dominé par la *Low Memorial Library*, genre d'énorme panthéon romain édifié en 1896. Le samedi après-midi, on a des chances d'assister à des séances de photos de mariage en grande pompe (les Américains ne lésinent pas sur les moyens dans ces occasions !) sur les marches de la Library. Limousines en pagaille. *Balade libre dans l'enceinte de l'université ; plan gratuit en français au* Visitor Center *situé dans la fameuse Library, ouv lun-sam 9h-17h.*

🏬 **Columbia University Bookstore** *(plan Harlem, A4, 83)* : 2922 Broadway (et 116th). ☎ 212-854-4131. Ⓜ (1) 116 St. Pour ceux qui ont toujours rêvé d'y aller sans pouvoir y entrer, on y trouve toute la panoplie de sweat-shirts, T-shirts et autres produits dérivés affichant crânement le blason de la prestigieuse université ! Sachez quand même que les prix des vêtements sont à la hauteur des frais de scolarité (et rarement soldés)... *Business is business.*

🍴 **Cathedral Church of Saint John the Divine** *(plan Harlem, A4)* : 1047 Amsterdam Ave (et 112th). ☎ 212-316-7540. ● stjohndivine.org ● Ⓜ (1) 110 St. Tlj 7h30-18h. Demander un plan à l'accueil pour repérer les « highlights ». Visites guidées pour 10 pers min, sur résa en ligne ou par tél au ☎ 212-932-7347, lun-sam 9h-16h (départ à chaque heure). Compter 10 $ (16 $ avec accès en haut de la cathédrale). La plus grande église de style « byzantino-gothique français » du monde, mais aussi un vrai gag. Commencée en 1892, elle est bâtie seulement aux deux tiers ! D'où son surnom de « Saint John the Unfinished » ! Il manque encore le transept sud, et sa construction devrait s'achever vers 2050... On dit bien devrait, car les crédits manquent : l'engagement du cardinal de Saint John the Divine en faveur de la lutte contre le sida et ses actions répétées pour la défense des Indiens sont loin de faire l'unanimité...

Consacrée au culte épiscopal (la branche américaine de l'Église anglicane, fondée après l'indépendance et qui ordonne des femmes prêtres), la cathédrale est aussi la troisième basilique du monde en terme de taille, après Saint-Pierre de Rome et Notre-Dame-de-la-Paix de Yamoussoukro en Côte-d'Ivoire. D'une longueur de 183 m, large de 44 m, avec un transept prévu de plus de 100 m ! Si sa façade grossière manque cruellement d'harmonie, les volumes à l'intérieur sont impressionnants et la sensation de verticalité est vertigineuse.

La décoration de la cathédrale n'a rien d'inoubliable en revanche, hormis les vitraux de la nef : couleurs éclatantes et thèmes pas seulement religieux (les sports, les arts, la médecine, etc.). En cherchant bien, on trouve même quelques sujets un peu décalés, comme ce prototype de télévision datant de 1925 (dans la section « Communication » en entrant à droite) ! Derrière l'autel, dans la chapelle *Saint Saviour*, les fans de Keith Haring admireront un retable en bronze (réalisé 2 semaines seulement avant son décès en 1990), dont on trouve un autre exemplaire à la Grace Cathedral de San Francisco. Dans le chœur, un bas-relief en marbre blanc illustre les personnages marquants de la chrétienté. Le XXe s est représenté tout à gauche, avec Gandhi et

> ### DOG BLESS YOU
>
> *La plus grande cathédrale gothique du monde n'a pas fini de nous surprendre. Le 1er dimanche d'octobre, tous les ans, a lieu un événement hautement populaire : la bénédiction des animaux. Veaux, vaches, cochons, couvées... tout le monde est bienvenu, y compris les dromadaires ! Fin avril, on peut aussi venir faire bénir son vélo... Œcuménique !*

Martin Luther King, entre autres. Autres curiosités, les différents mémoriaux dédiés aux génocides dans le monde, aux pompiers de la ville, aux victimes du sida...

🏛 Riverside Church (plan Harlem, A3) : *91 Claremont Ave (entre 120th et 122nd).* ☎ 212-870-6700. ● *theriversidechurchny.org* ● Ⓜ (1) 125 St. Tlj 7h-22h. Fondée en 1896 par J. Rockefeller et largement inspirée de la cathédrale de Chartres, l'une de ses particularités est certainement son énorme carillon de 74 cloches, le plus gros du monde ! Une des cloches, pesant 20 t, serait également la plus lourde que l'on connaisse...

HAMILTON HEIGHTS

Très joli quartier à explorer à pied, avec de belles *brownstone houses* autour de Convent Avenue et West 145th Street, non loin de Hamilton Grange.

🏛 Hamilton Grange (plan Harlem, A2) : *dans Saint Nicholas Park (au niveau de 141st).* ☎ 212-926-2234. ● *nps.gov/hagr* ● Ⓜ (A, C, D) 145 St. Mer-dim 9h-17h. Visites guidées à 10h, 11h, 14h et 16h. Visites libres dans les créneaux 12h-13h et 15h-16h. GRATUIT. C'est l'ancienne maison de campagne d'Alexander Hamilton, secrétaire du Trésor et grand copain de Washington avec lequel il rédigea la Constitution des États-Unis (son portrait figure sur les billets de 10 $). Elle fut construite en 1802 dans le style fédéral par l'architecte du City Hall, au 202 Convent Avenue, juste à côté d'une jolie église... et déplacée (sur des roulettes !) en 2008 à quelques dizaines de mètres de là, dans Saint Nicholas Park. Hamilton défendit une nation ouverte sur le monde, industrielle et avec un pouvoir fédéral fort, s'opposant ainsi à une tendance isolationniste, sécessionniste et rurale. Hommage posthume, les États-Unis suivront définitivement le chemin qu'il avait tracé après la fin de la guerre civile. D'ailleurs, ce n'est pas un hasard si Hamilton Grange est l'un des quelques monuments new-yorkais administrés par l'État fédéral américain.

🏛 City College of New York (plan Harlem, A2-3) : *Convent Ave (entre 131st et 140th).* Infos : ☎ 212-650-6476. ● *ccny.cuny.edu* ● Fondé en 1847, ce fut le premier établissement public supérieur gratuit aux États-Unis. Surnommé le « Harvard des pauvres », le CCNY engendra une dizaine de Prix Nobel et se fit aussi remarquer pour son activisme politique dans les années 1930 à 1950. Un gigantesque et étonnant complexe architectural de style néogothique, à découvrir en accès libre.

WASHINGTON HEIGHTS

C'est dans ce secteur de Harlem que vécut le grand compositeur de jazz Duke Ellington, de 1939 à 1961. Il habita entre autres à Sugar Hill, au **555 Edgecombe Avenue,** tout près de la Morris-Jumel Mansion. Cet immeuble prestigieux (coupole Tiffany dans le lobby) fut d'ailleurs un vivier de musiciens noirs : imaginez que ses murs ont aussi logé Count Basie, le saxophoniste Coleman Hawkins, la chanteuse Lena Horne et, dans un autre registre, le champion du monde de boxe Joe Louis ! Aujourd'hui encore, les notes de jazz résonnent tous les dimanches après-midi (dès 16h) chez la *pianiste Marjorie Eliot* qui, en l'honneur de son fils disparu trop tôt, reçoit gratuitement qui veut dans son appartement pour assister à des bœufs d'excellents musiciens. Malgré son grand âge, elle est toujours au piano et sert elle-même les rafraîchissements à la fin du *set*.

🍴 *Hispanic Society of America (plan Harlem, A1) :* 613 W 155th St (angle Broadway). ☎ 212-926-2234. ● hispanicsociety.org ● Ⓜ (1) 157 St. Entrée sur Broadway, puis dans la 2de cour sur la gauche. Tlj sf lun 10h-16h30. GRATUIT. Visite guidée gratuite sur résa. Encore un milliardaire à l'initiative de ce petit musée : Archer Milton Huntington. Comme son nom l'indique, il est consacré aux civilisations espagnole et portugaise, de la Préhistoire à nos jours. On peut y voir de beaux objets liturgiques des XIVe et XVe s : statuettes, calices, crucifix, morceaux d'églises... Mais aussi quelques toiles de grands peintres espagnols : Joaquín Sorolla y Bastida, Murillo, Vélasquez, le Greco, Zurbarán et Goya ; vraiment inattendues !

🍴 *Morris-Jumel Mansion (plan Harlem, A1) :* 65 Jumel Terrace (au niveau de 160th St, ruelle pavée entre Saint Nicholas et Edgecombe Ave, à l'est). ☎ 212-923-8008. ● morrisjumel.org ● Ⓜ (C) 163 St. Mar-dim 10h-16h (17h le w-e) ; lun sur rdv slt par tél ou via leur site. Entrée : 10 $; réduc ; gratuit moins de 12 ans. Visite guidée sam à 12h et 1ers ven et dim du mois à 13h (12 $, résa conseillée). Construite en 1865 dans le style géorgien, dont elle est aujourd'hui la dernière représentante à NY, cette maison, entourée d'un petit parc, servit de quartier général à Washington pendant la guerre d'Indépendance en 1776. Mobilier des XVIIIe s américain et XIXe s français, car les Jumel qui achetèrent la maison en 1810 étaient français, et qui plus est, proches de notre petit empereur... Pour les passionnés d'histoire surtout.
– Juste à côté, admirez l'allée pavée, *Sylvan Terrace,* bordée de croquignolettes maisons de bois peint du XVIIIe s.

PLUS AU NORD, THE CLOISTERS

🍴🍴🍴 *The Cloisters (Metropolitan Museum ; hors plan Harlem par A1) :* 99 Margaret Corbin Dr, dans Fort Tryon Park (près de Washington Bridge, au bord de l'Hudson). ☎ 212-923-3700. ● metmuseum.org/visit/visit-the-cloisters ●
– *Accès :* Ⓜ (A) 190 St (compter 20 mn de la station 59 St-Columbus Circle). Sortir par l'ascenseur et prendre le bus M4 en face (un arrêt pour le musée). Sinon, suivre un des sentiers qui traversent le parc et longent l'Hudson River (ils mènent ts aux Cloisters). Promenade bucolique de 10 mn, très agréable s'il fait beau. Le parc de Fort Tryon à lui seul vaut le détour avec sa flore variée et sa vue sur l'Hudson River et le Washington Bridge. En prenant son temps, on peut aussi prendre le bus M4 (Fort Tryon Park-The Cloisters) qui remonte depuis le sud de Manhattan, via Madison Ave et Harlem, jusqu'aux Cloisters. En 1h30, les jours sans circulation, on a une impression très contrastée de la ville, des quartiers huppés aux coins crados... Enfin, si on arrive du Met : prendre le bus M79 (au niveau de 79th St) qui traverse Central Park, et descendre au 2e arrêt pour récupérer le métro (B ou C). À la station 125 St, changer pour le A. Fastidieux mais c'est le plus rapide.
– *Tlj (sf Thanksgiving, Noël et Jour de l'an) 10h-17h15 (16h45 nov-fév). En théorie, nocturne ven jusqu'à 19h30. Donation suggérée (donc chacun peut donner ce qu'il veut, dans une limite raisonnable bien sûr) : 25 $; réduc ; gratuit moins de 12 ans, ou sur présentation du billet du Metropolitan Museum of Art ou du Met Breuer. Inclus dans le CityPass.* On conseille de louer l'audioguide en français : 7 $ (durée de la visite : 1h30) ; réduc. Prendre également le plan des salles en français. Visite

guidée gratuite en anglais, tlj sf sam à 15h (durée : env 1h). Visite des jardins tlj à 13h, mai-oct slt.

Le Moyen Âge et la Renaissance en plein New York ! En 1925, Rockefeller acheta la collection de sculptures et d'éléments architecturaux religieux réunie par le sculpteur George Grey Barnard au cours de ses voyages en France. Puis, en 1930, après avoir ajouté quelques pièces de sa collection personnelle, il offrit le Fort Tryon Park à la Ville de NY, en réservant le sommet du site pour construire cet étonnant monastère-musée aux quatre cloîtres, dans lequel il n'y eut jamais l'ombre d'un moinillon ! Les différents éléments de l'édifice et les objets religieux qu'il renferme datent tous des XIIᵉ-XVᵉ s, et proviennent essentiellement du midi de la France... L'ensemble est un véritable bijou, et l'harmonie architecturale totale. Et puis, l'atmosphère paisible et reposante est si bien rendue qu'on se rappelle à peine être à Manhattan !

– *La galerie romane :* deux fresques murales provenant d'un monastère espagnol du XIIᵉ s, représentant un menaçant lion au visage humain et un dragon. Au fond, le magnifique portail gothique provenant de Bourgogne donne accès à la chapelle de Langon (Gironde), décrite plus loin. On a ainsi dans une même salle l'évolution entre les deux styles roman et gothique, avec l'arc en plein cintre et l'arc en ogive. Les têtes des anges ont probablement été brisées par des iconoclastes. Noter aussi les traces de pigment vert bleuté sur le tympan.

– *La chapelle Fuentidueña :* on entre dans une véritable chapelle du XIIᵉ s, dont l'abside en calcaire doré provient d'une église de la région de Madrid (la nef a été reconstruite pour donner au visiteur une impression d'ensemble). Les chapiteaux des piliers sont chargés de personnages bibliques, et la belle fresque au fond a été démontée dans une autre église espagnole des Pyrénées. Imaginez son transport pierre par pierre ! La chapelle, qui possède une acoustique exceptionnelle, est devenue un lieu très prisé pour les concerts de musique ancienne.

– *Le cloître de Saint-Guilhem-le-Désert :* colonnes et chapiteaux (XIIᵉ s) proviennent de la célèbre abbaye du même nom, située au cœur du Languedoc (Hérault). Côté Hudson River, une *Bouche de l'Enfer* sculptée sur une colonne. La fontaine centrale du cloître était à l'origine un chapiteau.

– *La chapelle de Langon :* au fond, sur le chapiteau de droite, les deux têtes couronnées seraient celles d'Henry II d'Angleterre et de sa femme, Aliénor d'Aquitaine. Au centre de la salle, deux remarquables *Vierge à l'Enfant,* en bois. La première, couronnée comme une reine, a été sculptée d'une seule pièce dans du bouleau (XIIᵉ s, Bourgogne). Notez les incrustations de lapis-lazuli dans l'œil droit. Dommage que la tête de l'Enfant Jésus ait été perdue. La seconde, juste en face, nous vient d'Auvergne. Elle a la mine austère, mais quelle facture ! Ces deux Vierges partagent le même secret : une petite cavité creusée dans le dos, qui devait, à l'origine, renfermer une relique.

– *La salle capitulaire de Notre-Dame-de-Pontaut :* attenante au cloître de Cuxa (Pyrénées françaises). En provenance de Gascogne, c'est une des rares structures des Cloisters qui soient complètement intactes (en dehors du sol et du plâtre des voûtes). Les moines s'y réunissaient le matin, s'asseyaient sur les bancs de prière pour écouter la lecture d'un chapitre de leur règlement. Encore un bon exemple de transition entre les styles roman et gothique : les colonnes sont plus minces et les fenêtres plus grandes que dans la chapelle Fuentidueña, vue plus haut. Le *cloître de Saint-Michel-de-Cuxa* est une des pièces maîtresses du musée. Colonnes et chapiteaux à motif de palmettes sont sculptés en marbre veiné de rose provenant des carrières proches de Cuxa. Elles furent exceptionnellement rouvertes pour permettre la réalisation de nouveaux éléments architecturaux, lorsque la reconstitution fut entreprise, ici, à New York.

– *La tapisserie de la Licorne :* six superbes tapisseries tissées en Belgique au tout début du XVIᵉ s, racontant la légende de la chasse à la licorne. Certains disent que c'est une allégorie de la vie du Christ représenté sous les traits de cet animal imaginaire ; d'autres que c'est un symbole de la séduction et de l'amour. Les couleurs sont restées belles. C'est l'un des documents les plus admirables que nous ait laissé le Moyen Âge.

– *La salle Campin (dite aussi Merode) :* on y admire le *triptyque de l'Annonciation,* admirablement réalisé en 1425 par le peintre Robert Campin, aussi appelé « maître de Flémalle », qui nous offre ici un chef-d'œuvre du réalisme gothique flamand marquant le tout début de la Renaissance. Il utilisa la technique alors révolutionnaire de l'huile sur bois (alors qu'on utilisait couramment la technique *a tempera,* couleurs mélangées à de l'œuf), qui donne plus de brillance et de précision à sa peinture. Le travail sur la lumière, les ombres et les textures est tout simplement extraordinaire.

– *La chapelle gothique :* éclairée par de beaux vitraux autrichiens (tout début XVe s), sur lesquels vous reconnaîtrez les épisodes marquants de l'Ancien Testament. À gauche, l'Annonciation, la présentation de Jésus au Temple, l'Adoration des Mages et, à droite, le baptême du Christ (noter la différence de couleurs de la chair selon qu'elle est immergée dans l'eau ou non), son agonie dans le jardin des Oliviers... La chapelle renferme une série de pierres tombales appelées gisants : au centre, un jeune homme, Jean d'Alluye, en armes, grandeur nature ; le lion à ses pieds symbolise son courage (XIIIe s).

– *Le trésor :* il recèle les joyaux du musée, des objets précieux parvenus jusqu'à nous depuis le fin fond du Moyen Âge. Voir surtout le *calice de Bertin* en argent massif, le *grain de Rosaire* en buis d'origine flamande (XVIe s), le *Livre d'heures de Jeanne d'Évreux,* beau petit manuscrit enluminé (XIVe s), et un jeu de cartes datant du XVe s.

– *Le cloître de Bonnefont :* à côté des éléments architecturaux rapportés du sud-ouest de la France (XIIIe et XIVe s), on y découvre plus de 250 variétés de plantes médicinales et potagères du Moyen Âge, cultivées dans le cadre typique des jardins monastiques de cette époque... Juste à côté, le *cloître de Trie* réunit notamment toutes les plantes symboliques que l'on peut observer sur les tapisseries de la Licorne !

|●| ☕ *Cafétéria* sur place, à la belle saison seulement, sous les arcades du cloître français de Trie.

BROOKLYN

- Adresses et infos utiles.............. 251
- Transports.................... 252
- Se loger et manger à Brooklyn.................... 252
- Vie nocturne.............. 252
- Fêtes et manifestations............ 252
- DUMBO 253
- Brooklyn Heights........ 260
- Downtown Brooklyn et Fort Greene............. 262
- Williamsburg, Greenpoint et Bushwick 265
- Park Slope, Prospect Heights et Gowanus ... 277
- Carroll Gardens, Cobble Hill et Boerum Hill.................................... 287
- Red Hook 290
- Coney Island et Brighton Beach....... 293

- Pour se repérer, voir le plan détachable 1 en fin de guide.
- Plan d'ensemble p. 249 • Downtown Brooklyn (zoom 1) p. 255
- Williamsburg (zoom 2) p. 267 • Park Slope et Prospect Heights (zoom 3) p. 279 • Carroll Gardens, Cobble Hill et Red Hook (zoom 4) p. 289

Une énorme ville à elle toute seule : 2,6 millions d'habitants ! Brooklyn est le plus peuplé des cinq boroughs de New York. Si c'était une ville indépendante, ce serait la quatrième des États-Unis, après... New York, Los Angeles et Chicago. D'ailleurs, Brooklyn fut longtemps une ville à part entière. Son rattachement au grand New York ne date que de 1898. Ce qui lui vaut, entres autres, un musée rivalisant avec le Met et un parc à la hauteur de Central Park.

BROOKLYN

Délaissée après son incorporation à New York, durement frappée par la désindustrialisation, Brooklyn s'enfonça dans la misère durant la seconde moitié du XXe s. Ce sont peut-être ces années noires, parce qu'elles ont figé une partie de Brooklyn dans le passé, qui rendent sa découverte passionnante aujourd'hui. Nos lecteurs fans de New York et qui ont bien sillonné de long en large Manhattan auront l'impression d'explorer une tout autre ville, et même, dans certains secteurs, de remonter le temps jusqu'au New York des années 1950-1960, celui d'avant la gentrification. Non pas que Brooklyn échappe au phénomène. C'est justement ce qui lui est déjà arrivé dans bon nombre de quartiers ! La concentration en maisons de ville, les fameuses *brownstone houses,* l'une des plus grandes de tout le pays, en fait un lieu résidentiel très convoité des yuppies.

Aujourd'hui, les artistes et intellos de tout poil qui s'y étaient aventurés en premier ont été rejoints par des bobos en mal de lofts, ainsi que par de jeunes familles aisées attirées par la qualité de vie propre à ce secteur désormais considéré comme privilégié. Autre atout : après avoir été une grande puissance industrielle au XIXe s, Brooklyn est devenu une scène alimentaire locale sans équivalent, pionnière en matière d'agriculture urbaine.

HIP, HIP, HIP... *HIPSTER* !

Apparus à Brooklyn dans les années 1990, les hipsters *sont les nouveaux bobos, des artistes branchés écolos au look caractéristique de bûcheron urbain. Leur ancêtre : Allen Ginsberg. Leur fief : Williamsburg. Signes distinctifs : la barbe (souvent fournie), le bonnet avachi hiver comme été, la chemise à carreaux, le vélo. Philosophie : le culte de l'authentique, du vintage.*

Un peu partout (y compris sur les toits !), on cultive plantes, fruits et légumes, vendus ensuite dans les commerces locaux. Le « fabriquer » et le « consommer » locaux sont aujourd'hui un véritable art de vivre brooklynite. Après la bière brassée à Williamsburg (la fameuse Brooklyn Brewery), les brasseries artisanales et distilleries de whisky, rhum et gin pullulent à DUMBO et Red Hook, ainsi que des fabriques de chocolat qui vendent leurs tablettes à prix d'or dans tout New York et au-delà. Même les chips sont frites ici ! Brooklyn est LE borough le plus branché de New York. Au pied des ponts de Brooklyn, Manhattan et Williamsburg, l'ancien quartier industriel de DUMBO s'est reconverti en cité résidentielle de luxe. Les *hipsters* prennent le taxi à Manhattan pour venir profiter des bars et des clubs de Williamsburg, tandis que le charmant secteur de Park Slope est couvert de boutiques coquettes pour satisfaire les nouveaux venus. Brooklyn n'est plus Crooklyn (*crook* pour « filou ») la mal-aimée, mais l'eldorado des bobos. En même temps, Brooklyn n'a jamais cessé d'accueillir de nouveaux immigrés. Les plus récentes vagues, en provenance d'Europe de l'Est, d'Afrique, d'Amérique latine, des Caraïbes, d'Asie et du sous-continent indien, ont rejoint les communautés plus anciennes. Elles font de Brooklyn, tout comme son voisin Queens, un vrai melting-pot : on estime à près de 100 le nombre de groupes et nationalités qui y cohabitent. Dans les quartiers de Crown Heights et de Williamsburg, par exemple, Noirs et Latinos voisinent avec des juifs orthodoxes, bien que pas toujours dans la meilleure entente.

Mais c'est cette mosaïque de *neighborhoods,* ces ambiances de quartier qu'on retrouve dans les films de Spike Lee *(Do the Right Thing, Crooklyn),* Paul Auster *(Smoke, Brooklyn Boogie)* ou James Gray *(Little Odessa),* qui définissent sans doute le mieux Brooklyn.

S'il est impossible de décrire ici la totalité du borough tant il est vaste, nous avons choisi de vous présenter quelques quartiers faciles d'accès depuis Manhattan (notamment les fameux Williamsburg, DUMBO, Brooklyn Heights et Park Slope, mais aussi les stars montantes Fort Greene, Bushwick,

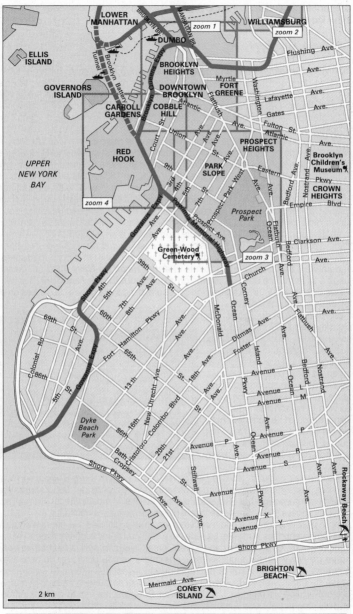

BROOKLYN

BROOKLYN – Plan d'ensemble

Labels visible on map:

LOWER MANHATTAN
ELLIS ISLAND
DUMBO
WILLIAMSBURG
zoom 1
zoom 2
Flushing Ave.
Ave.
BROOKLYN HEIGHTS
Myrtle
FORT GREENE
Washington
GOVERNORS ISLAND
DOWNTOWN BROOKLYN
Lafayette
Gates
Ave.
CARROLL GARDENS
COBBLE HILL
Atlantic
Flatbush
Fulton St.
Atlantic
Ave.
Union St.
Court
St.
PROSPECT HEIGHTS
Brooklyn Children's Museum
Bedford
Nostrand
Pkwy
CROWN HEIGHTS
Empire
Blvd
Eastern
Ave.
RED HOOK
9th
3d
4th
5th
7th
PARK SLOPE
Prospect Park West
Flatbush
Ocean
UPPER NEW YORK BAY
Prowima Montauman Highway
zoom 4
Prospect Park
zoom 3
Clarkson Ave.
Bedford
Ave.
Green-Wood Cemetery
Church
39th
St.
Ave.
Corney
McDonald
Ocean
Shore Pkwy
4th
5th
7th
8th
60th
Hamilton Pkwy
65th
Fort
Ditmas
Foster
Island
Ave.
Flatbush
Ave.
Bedford
Nostrand
69th
St.
Ave.
Colonial Rd
86th
5th
St.
Ave.
13th
New Utrecht Ave.
18th Ave.
Ave.
Avenue
J
Ocean
L
M
Ave.
Dyke Beach Park
16th
Cristoforo Colombo Blvd
86th
St.
20th
21st
Avenue
P
Ave.
Ocean
P
Bath
Cropsey
Avenue
Avenue
R
S
Stillwell
Avenue
U Pkwy
Avenue
Ocean
Ave.
Rockaway Beach
Avenue
X
Y
Shore Pkwy
Shore Pkwy
Mermaid Ave.
BRIGHTON BEACH
CONEY ISLAND
2 km

Greenpoint et Gowanus), à moins que vous ne décidiez d'y loger (voir plus loin « Où dormir ? »).

UN PEU D'HISTOIRE

Au XVIIe s, **Brooklyn était une colonie hollandaise** de quelques villages. D'ailleurs, le nom de Brooklyn vient de **Breuckelen** ou « la terre brisée », le plus ancien de ces villages, fondé en 1642 et nommé en souvenir d'une petite ville près d'Utrecht. Les Anglais occupant surtout les rives, l'influence hollandaise se fit longtemps sentir (jusqu'au XIXe s) dans les fermes et les champs du centre de Brooklyn.

L'urbanisation ne commença vraiment qu'après la **mise en service du ferry à vapeur** de Robert Fulton, en 1814, à la hauteur de l'actuel Brooklyn Bridge. Une petite agglomération se forma autour de l'embarcadère et grossit rapidement. Il fut déjà question d'une fusion avec New York, en 1833, mais elle échoua : les quelque 30 000 habitants refusèrent, protestant qu'il n'y avait « rien en commun entre New York et Brooklyn, que ce soit dans les activités, les projets ou les mentalités ». L'année suivante, Brooklyn obtint le statut de ville. Son **expansion** se poursuivit, réduisant peu à peu les terres agricoles. Vers le milieu du siècle, Brooklyn avait déjà son quotidien, le *Daily Eagle,* son musée d'art, et bientôt son « Central Park » (le futur Prospect Park). Les rives de l'East River et de la baie se couvrirent de docks, d'entrepôts et d'industries : raffineries de sucre et d'huile, brasseries, imprimeries, métallurgie, et surtout le **chantier naval de Navy Yard** qui devint, jusqu'à sa fermeture en 1969, **le plus gros pôle industriel de New York.** Des centaines de bateaux y furent affrétés ou construits pendant la guerre de Sécession et les deux guerres mondiales.

L'**achèvement du pont de Brooklyn en 1883** changea radicalement les relations des deux voisins. Pourtant, l'incorporation de Brooklyn à la grande agglomération de New York ne fut signée qu'en 1898, et encore, de justesse : la population de Brooklyn ne vota le rattachement qu'à une infime majorité ! Le pont de Brooklyn est le seul pont de New York qui ne soit pas métallique, avec son arche de 2 005 m et ses piliers de granit de 90 m de haut. L'indus-

> ## QUEL CIRQUE !
>
> *Après 14 ans de travaux, le pont de Brooklyn est achevé en 1883. Mais, 1 semaine après son inauguration, une rumeur d'effondrement provoque un mouvement de panique sur le pont et la mort de 12 personnes. Pour prouver sa solidité, Phineas Taylor Barnum y fait défiler les 21 éléphants de son cirque. S'assurant, par la même occasion, un sacré coup de pub.*

trialisation se poursuivit, facilitée par l'ouverture du **Williamsburg Bridge,** en 1903, puis des premières lignes de métro traversant la rivière à partir de 1905. Ce qui attira forcément les **immigrants** : Russes, Polonais, Italiens, Irlandais, Grecs, Allemands... Dans les années 1930, ils représentaient plus de la moitié des habitants.

Avec la crise économique commencèrent les années difficiles. De nombreux quartiers tombèrent dans la misère. La série noire continua après la guerre avec le recentrage des activités portuaires dans le New Jersey, le **déclin** puis la **fermeture définitive de Navy Yard.** La classe moyenne migra vers la banlieue, de nouveaux quartiers sombrèrent dans la décrépitude et l'insécurité. Même le *Daily Eagle* cessa de paraître et, coup encore plus rude pour l'amour-propre brooklynite, la célèbre équipe de base-ball, les **Brooklyn Dodgers,** se vendit au plus offrant et déménagea pour Los Angeles en 1957, 2 ans après avoir remporté son premier titre de champion du monde ! Aujourd'hui, Brooklyn renaît, les fabriques reprennent pied dans le borough sous une nouvelle forme. Fini les grandes usines aux immenses entrepôts, place aux petites structures créant des produits de haute qualité, consommés d'abord localement.

BROOKLYNITES CÉLÈBRES

Les feux de la rampe brillent peut-être à Manhattan, mais nombre de ses vedettes ont grandi à Brooklyn. La liste est longue, à commencer par le maire de New York, Bill de Blasio ainsi que Bernie Sanders. Spike Lee, Harvey Keitel, Woody Allen, Mel Brooks, Barbra Streisand, Lauren Bacall, Michael Jordan et le rappeur Jay-Z sont nés ou ont passé leur enfance à Brooklyn. L'artiste d'origine haïtienne Jean-Michel Basquiat y est né et décédé ; quant à l'auteur Paul Auster, il vit toujours à Park Slope après avoir habité un temps à Carroll Gardens et Cobble Hill. Henry Miller est un enfant de Williamsburg, qu'il décrit dans son roman *Tropique du Capricorne.* Il y eut aussi le compositeur George Gershwin, les écrivains Thomas Wolfe, Arthur Miller et Norman Mailer. Et parmi la nouvelle génération, les comédiennes Michelle Williams (Prospect Park) et Lena Dunham (Brooklyn Heights), la chanteuse Norah Jones (Cobble Hill), etc.

Mais le grand homme, dont Brooklyn est sans doute le plus fier, c'est le poète Walt Whitman (1819-1892). Né dans un petit village de Long Island, il a passé la plus grande partie de sa vie à Brooklyn Heights, travaillant et retravaillant inlassablement à ses *Feuilles d'herbe,* son unique recueil de poésies.

Adresses et infos utiles

■ *Brooklyn Attitude :* ☎ 718-398-0939. ● *info@brooklynattitudetours. com* ● *eniles@brooklynattitude.net* ● *busyfingers.com/brooklynattitude* ● *Tarifs : 25-75 $/pers selon nombre de participants (limité à 15) ; réduc enfants de 10 $. Paiement* paypal *ou cash. CB refusées.* Eliot Niles, un Brooklynite de la 3ᵉ génération qui parle un français impeccable, a monté cette agence proposant des tours guidés personnalisés pour individuels ou groupes. Tout est à la carte, donc n'hésitez pas à lui demander quelque chose de précis si vous souhaitez une thématique particulière. Visites de DUMBO, Brooklyn Heights, Williamsburg, Park Slope, entre autres, et en décembre-janvier, Dyker Heights pour les illuminations de Noël. Pour les voyageurs les plus curieux à la recherche d'une découverte en profondeur, Eliot conseille le *Brooklyn Select,* une visite à pied de 3 quartiers de Brooklyn très contrastés (Fort Greene et Crown Heights notamment), avec transport rapide en métro entre chaque quartier.

■ *Made in Brooklyn Tours :* ☎ 917-747-1711. ● *dom@madeinbrook lyntours.com* ● *madeinbrooklyntours. com* ● *Tarif : 40 $/pers (paiement en ligne). Durée : env 3h. En anglais slt.* Dom Gervasi, natif de Bensonhurst (sud de Brooklyn), a quitté l'industrie high-tech pour faire découvrir son Brooklyn sous l'angle du *made locally,* des industriels qui ont façonné le quartier hier et des artisans qui le font renaître aujourd'hui. La classique – et passionnante – visite historique est ainsi ponctuée d'incursions dans les ateliers d'artistes, de créateurs de mode, torréfacteurs, brasseurs, distilleries, chocolatiers, fabricants de bagels ou d'huile d'olive, etc. Et ça n'a rien d'un *shopping tour,* Dom ne touche aucune commission sur d'éventuels achats, mais agrémente chaque visite d'une foule d'anecdotes. Une façon originale de découvrir Brooklyn via ceux qui la font vivre. 5 tours possibles : DUMBO, Williamsburg, Red Hook, Gowanus et, bien sûr, Bensonhurst, pour une immersion presque sociologique dans ce quartier italo-américain.

■ *New York Off Road :* ● *newyork offroad.com* ● *elise@newyorkoffroad. com* ● *Tarif : 55 $ adultes, 35 $ enfants (durée 3h30) ; réduc de 10 % pour nos lecteurs (code « routardNYOR2017 »).* Expatriées depuis quelques années à New York, les jeunes et sympathiques guides francophones de New York Off Road ont à cœur de vous faire découvrir le Brooklyn qu'elles aiment, de Bushwick à Williamsburg en passant par Brooklyn Heights et DUMBO et jusqu'à Red Hook. En privatif ou en petit groupe, ces visites en français bien dans l'air du temps sont l'occasion

BROOKLYN

d'échanges spontanés et de discussions sur les 2 modes de vie. Une expérience conviviale.

■ *TKTS* (plan 1, E6 ou zoom 1, A2, 7) : 1 MetroTech Center (angle Jay St et Myrtle Ave Promenade), Downtown Brooklyn. Ⓜ (A, C, F, R) Jay St-MetroTech. Mar-sam 11h-18h (interruption 15h-15h30). Réduc 25-40 %

sur les places les plus chères (billets d'orchestre env 60 $ + frais). Ce kiosque revend des places de théâtre et de comédie musicale à prix réduits. Même principe qu'à Times Square, les files d'attente en moins ! Sont affichés les spectacles pour lesquels il reste des places disponibles le jour même (le lendemain pour les matinées).

Transports

N'imaginez pas visiter tout Brooklyn en 1 jour ! D'abord, on le répète, c'est immense, et puis les différents quartiers décrits sont mal reliés entre eux par le *métro*. Seule la ligne G dessert approximativement la plupart des quartiers décrits plus loin, courant de Greenpoint (nord de Williamsburg) à Park Slope, via Downtown Brooklyn et Carroll Gardens. Heureusement, certains quartiers sont desservis et connectés par le *bateau* : DUMBO, Williamsburg et Greenpoint avec l'*East River Ferry* (● eastriverferry.com ●) et DUMBO et Red Hook avec le *New York Water Taxi* (● nywatertaxi.com ●).

Attention, des *changements* dans les *dessertes et fréquences des compagnies de ferry* sont à prévoir fin 2016 et courant 2017, dans le cadre du projet de modernisation et de développement du réseau entrepris par le maire Bill de Blasio. Renseignez-vous bien avant !

Se loger et manger à Brooklyn

Loger à Brooklyn (particulièrement à Park Slope et Prospect Heights qui comptent quelques adresses de charme) offre plusieurs avantages : d'abord, découvrir cette partie de New York digne d'intérêt et parfois encore ignorée – à tort – des touristes ; ensuite, y trouver plus de calme qu'à Manhattan et une atmosphère qui n'existe que là.

– Voir plus loin les *rubriques « Où dormir ? »* présentées par quartiers.

C'est à Brooklyn que la *fièvre culinaire* s'est emparée de New York, il y a une dizaine d'années. C'est ici, dans ce borough tranquille, bobo et alternatif, que les habitants ont, les premiers, privilégié une alimentation saine, souvent bio, et lancé le fameux mouvement « locavore » (né à San Francisco) qui depuis a déferlé sur Manhattan. Les bons restos y foisonnent. Attention, nombre d'entre eux *ne prennent pas les cartes de paiement* (petit snobisme ?), alors prévoyez du cash.

– Voir plus loin les rubriques *« Où manger ? »* présentées par quartiers.

Vie nocturne

Brooklyn est devenu un endroit incontournable du circuit nocturne, y compris pour les *Manhattanites* (un truc encore impensable il y a quelques années) : l'ambiance y est plus détendue, et la vie moins chère. Faites comme les locaux et baladez-vous de bar en bar le week-end, en particulier à Williamsburg, qui regorge de lieux aussi sympas que branchés.

– Voir plus loin les rubriques *« Où boire un verre ? »*, *« Où écouter de la musique ? »*, *« Où voir un spectacle ? »* présentées par quartiers.

Fêtes et manifestations

– *Brooklyn Film Festival :* fin mai-début juin, pdt 10 j. Rens : ● brooklynfilmfestival.org ● Ce festival accueille des réalisateurs indépendants du monde entier venus partager leur art avec les Brooklynites. Films de fiction, courts-métrages et documentaires sont projetés dans différents cinémas de Brooklyn. Certains jours, des soirées dansantes ouvertes au public donnent la chance à certains de rencontrer les stars du cinéma de demain.

– *Mermaid Parade :* *1er sam de l'été, sur Surf Ave et Boardwalk, entre W 21st St et W 10th St, à Coney Island.* Fête du Solstice d'été, au bord de l'océan. Sur un thème nautique, une ambiance aussi délirante que les *Gay Pride* et *Halloween Parade* du Village : une procession de Brooklynites déguisés en sirènes, Neptune, le tout très kitsch et coloré...

– *Giglio, Feast of Saint-Paulinus :* *vers la mi-juil, pdt une grosse semaine, la grande fête annuelle de la communauté italienne de Williamsburg (voir plus loin).* Depuis 1887, on y célèbre saint Paulinus, curé de Nola qui, au Moyen Âge, sauva la vie d'un jeune homme enlevé par les Turcs. Le clou de la fête, c'est la procession : une armée de 135 personnes porte la *Giglio Tower*, une tour haute de quatre étages ornée de lys (*giglio* en italien) et d'angelots en papier mâché, en haut de laquelle se trouve la statue du saint. La procession, qui se déroule les deux dimanches, part de l'église Our Lady of Mont Carmel (angle de Havemeyer et North 8th Street).

– *West Indian-American Day Crown Heights Parade :* *à Crown Heights, pour Labor Day (1er lun de sept).* La plus grande parade au monde des différentes nations des Caraïbes, avec chars décorés, costumes, musique et victuailles. La parade se déroule sur Eastern Parkway et commence à Grand Army Plaza (Park Slope). Dépaysant et exotique. Attention les filles : l'alcool aidant, certains se lâchent parfois un peu trop !

DUMBO

> ● Pour se repérer, voir le plan détachable 1 en fin de guide.
> ● Downtown Brooklyn (zoom 1) *p. 255*

*Ttes les adresses citées dans ce chapitre sont desservies par les stations de **métro** High St (lignes A, C) ou York St (ligne F).*
*Accès possible en **navette-bateau** avec l'East River Ferry, qui dessert DUMBO (Fulton Ferry Pier) au départ de Wall St-Pier 11, avt de poursuivre sa trajectoire vers Williamsburg, Greenpoint, Long Island City et Midtown. Env 4 $ le trajet en sem, 6 $ le w-e ; 12 $ pass journée en sem et 18 $ pass journée le w-e. En sem, passage ttes les 20 mn 7h-9h et 16h30-20h env (entre, ttes les heures), le w-e ttes les 40 mn 10h-20h. Rens et horaires précis sur ● eastriverferry.com ●*
*Autre option, mais plus chère car pass à la journée slt (31 $; 19 $ enfants), le **New York Water Taxi**, qui propose plusieurs arrêts à Manhattan (dont Battery Park et Wall St-Pier 11) et dessert aussi DUMBO. Env 10 départs/j. 10h-18h. Rens sur ● nywatertaxi.com ● Vérifiez bien ces renseignements car des changements sont à prévoir dans les compagnies de ferry à partir de fin 2016.*

✸✸✸ 🛆🛆🛆 Acronyme de *Down Under the Manhattan Bridge Overpass*, DUMBO désigne le petit quartier au bord de l'eau, coincé entre les deux travées d'accès (*overpass*) des Brooklyn et Manhattan Bridges. Robert Fulton, le célèbre inventeur du bateau à vapeur (qui tenta vainement de vendre un sous-marin à Napoléon), installa à cet endroit l'arrivée de son ferry, en 1814. C'est d'ici que les productions des fermes de Brooklyn partaient pour Manhattan. L'ouverture du pont en 1883 porta, bien entendu, un coup d'arrêt au *traffic* vers Manhattan. Le ferry pour passagers s'arrêta, quant à lui, en 1924. Abandonnés progressivement depuis l'après-guerre, les anciens entrepôts et locaux commerciaux ont été redécouverts par des artistes au début des années 1990. À New York, la naissance d'un nouvel acronyme signifie en général qu'il y a de la « yuppisation » ou « gentrification » dans l'air. DUMBO n'a pas fait exception, au grand dam des artistes qui ont vu leurs chers entrepôts se reconvertir en lofts de luxe. Le quartier est même en train de se transformer en une sorte de Downtown au bord de l'eau, avec bureaux, condos très haut de gamme et *malls*. C'est donc le moment ou jamais de visiter DUMBO, très facilement et rapidement accessible depuis Manhattan. On adore son côté ville fantôme en train de se réveiller, ses vues superbes sur Manhattan, ses petites rues pavées plantées d'entrepôts rougeâtres d'un autre temps et les masses géantes des deux ponts qui les enjambent dans le fracas des voitures et des métros. Un vrai décor de cinéma. Sergio Leone y a d'ailleurs campé l'action de *Il était une fois l'Amérique,* avec De Niro.

Où manger ?

Spécial brunch

🍴 *River Café* (plan 1, D5 ou zoom 1, A1, **841**) : 1 Water St (entre Furman et Old Fulton), au débarcadère du ferry. ☎ 718-522-5200. Ⓜ (F) York St ou (A, C) High St. Brunch (2 plats) env 55 $ (eh oui, quand même !). Inabordable pour le dîner, l'une des plus belles tables de la ville est toutefois encore fréquentable à l'heure du brunch dominical. Le magnifique panorama sur Manhattan et le Brooklyn Bridge vaut à lui seul le détour : depuis cette péniche débordant de plantes amarrée au ponton de l'ancien Fulton Ferry, rien ne vient troubler le spectacle des bateaux glissant au fil de l'eau. Cuisine américaine de très haute volée. Dernier détail : tenue correcte exigée.

De bon marché à prix moyens

🍴 *Shake Shack* (plan 1, D5-6 ou zoom 1, A1, **842**) : 1 Old Fulton St (angle Water). ☎ 347-435-2676. Ⓜ (F) York St ou (A, C) High St. Burgers-frites env 10-12 $. La petite chaîne de burgers et crèmes glacées continue son expansion avec cette enseigne offrant une vue sur le pont de Brooklyn et la *skyline ;* mais vu le monde, encore faut-il arriver à dégoter une table ! Voir le descriptif dans « Union Square et Flatiron District ».

🍕 *Grimaldi's Pizzeria* (plan 1, D5-6 ou zoom 1, A1, **842**) : 1 Front St (et Fulton). ☎ 718-858-4300. Ⓜ (F) York St ou (A, C) High St. Env 20 $ pour 2. CB refusées. C'est depuis des lustres l'une des meilleures pizzerias de New York. Les touristes viennent de loin pour ce monument et n'hésitent pas à faire la queue même au beau milieu de l'après-midi... Relocalisé dans un superbe *cast-iron* (beaucoup plus grand et à deux pas du précédent resto), le nouveau *Grimaldi's* se tire la bourre avec son ancien fondateur, Patsy Grimaldi, qui a racheté leurs anciens locaux (et l'antique four à charbon) du 19 Fulton Street pour ouvrir à son tour *Juliana's* (lire ci-après). Quelle mafia !

🍕 *Juliana's* (plan 1, D5-6 ou zoom 1, A1, **842**) : 19 Old Fulton St (et Front). ☎ 718-596-6700. Ⓜ (F) York St ou (A, C) High St. Pizzas small (6 parts) 16-30 $. *Juliana's,* c'est le surnom de la mère de Patsy Grimaldi, le fondateur de la fameuse pizzeria du même nom, désormais juste à l'angle. L'histoire est assez compliquée mais disons que, contrarié d'avoir vendu son affaire il y a une quinzaine d'années, le vieux Patsy a décidé de racheter son ancienne adresse pour y ouvrir une nouvelle pizzeria ! Malin, il a récupéré son vieux four à charbon, celui-là même qui fit le succès de la maison. Bon, le décor de la nouvelle salle manque, lui, un peu de patine mais les pizzas, fines et bien garnies, tiennent leurs promesses.

Plus chic

🍽 🍴 *Vinegar Hill House* (plan 1, E5 ou zoom 1, B1, **847**) : 72 Hudson Ave (entre Front et Water). ☎ 718-522-1018. Ⓜ (F) York St. Tlj 18h-23h (23h30 ven-sam) ; brunch

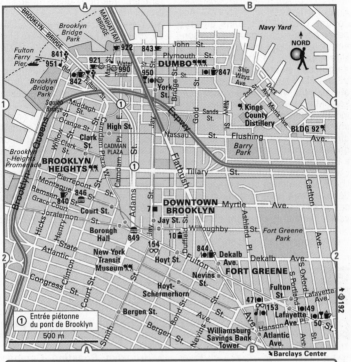

BROOKLYN – Downtown Brooklyn (Zoom 1)

BROOKLYN

■	**Adresse utile**	☕ ♨	**Où boire un café ou un chocolat ? Où manger une glace ou une douceur ?**
7	TKTS		
		841	Brooklyn Ice Cream Factory
🏠	**Où dormir ?**	843	Brooklyn Roasting Company
10	Aloft Brooklyn	921	Jacques Torres Chocolate
		922	One Girl Cookies
🍽 🍴	**Où manger ?**	🍷 ♪ ∞	**Où boire un verre ? Où écouter de la musique ? Où voir un spectacle ? Où assister à un gospel ?**
47	La Caye		
49	Habana Outpost		
50	Nº 7		
840	Teresa's	153	BAM (Brooklyn Academy of Music) et BAM Café
841	River Café		
842	Shake Shack, Grimaldi's Pizzeria, Juliana's et Gran Electrica	154	The Brooklyn Tabernacle
		950	Superfine
		951	Bargemusic
844	Junior's	⊛	**Shopping**
846	Five Guys		
847	Vinegar Hill House	192	Brooklyn Flea
849	Shake Shack (Downtown Brooklyn)	921	Jacques Torres Chocolate
		950	Brooklyn Flea
		990	PowerHouse Arena

w-e 10h30-15h30. *Résa conseillée. Plats 24-32 $; brunch 15-17 $.* Aux confins de DUMBO, dans une rue pavée bordée de mignonnes maisonnettes encerclées par les entrepôts. Une vraie table de chef qui mérite le détour tant pour sa cuisine de bistrot revisitée que pour sa chaleureuse atmosphère vintage de vieille maison. Murs décrépits, parquet, cheminée, comptoir en cuivre ouvert sur une cuisine étonnamment petite, où officient pourtant avec brio une poignée de cuisiniers (noter le four à bois à l'ancienne), courette-jardin en été. Carte courte et simplissime dans le libellé (le summum de la branchitude dans les très bons restos), mais qui cache en réalité une cuisine très travaillée, servie chichement en revanche. Parmi leurs spécialités, la *Red Wattle country chop* (côte de porc fermier). Très bons desserts aussi et brunch réputé.

IOI Y P *Gran Electrica* *(plan 1, D5-6 ou zoom 1, A1, 842)* **:** 5 *Front St (et Fulton).* ☎ *718-852-2700.* Ⓜ *(F) York St ou (A, C) High St. Tlj (sf lun en basse saison) dès 18h ; brunch w-e dès 11h. Env 25-35 $/pers.* Littéralement au pied du pont de Brooklyn, accolé à la pizzeria *Grimaldi's,* un petit immeuble de brique tout en profondeur, prolongé par une courette ombragée en été. Charmant décor industriel vintage et clientèle branchée venue savourer une cuisine mexicaine revisitée (à base de produits locaux essentiellement) dans une ambiance festive, voire... électrique ! Si vous voulez siroter votre margarita dans le calme, la salle du fond se prête mieux aux conversations.

Où boire un café ou un chocolat ?
Où manger une glace ou une douceur ?

♥ *Brooklyn Ice Cream Factory* *(plan 1, D5 ou zoom 1, A1, 841)* **:** *Fulton Ferry Pier Landing ; c'est la maison en bois blanc, à côté du* River Café. Ⓜ *(F) York St ou (A, C) High St. CB refusées.* Une excellente fabrique de glaces artisanales sise dans une pittoresque bâtisse (l'ancienne station de pompiers de l'East River, avec son adorable tour de guet). Seulement 8 parfums (classiques), à déguster sur le ponton ou dans le Brooklyn Bridge Park, avec vue gratuite sur Manhattan !

🍴 *Jacques Torres Chocolate* *(plan 1, D5 ou zoom 1, A1, 921)* **:** 66 *Water St.* ☎ *212-414-2462.* Ⓜ *(F) York St ou (A, C) High St. Lun-sam 9h-20h, dim 10h-18h.* Oubliez votre régime en poussant la porte de cette enseigne merveilleuse créée par un Meilleur Ouvrier de France pâtissier, pionnier du chocolat haut de gamme aux États-Unis ! Sur les beaux rayonnages, d'innombrables bocaux remplis de bouchées originales et, occupant tout l'espace, les odeurs entêtantes de cacao. Autant dire qu'on aura bien du mal à ne pas s'offrir au minimum un verre de chocolat chaud. Épais, goûteux, on le sirote à petites gorgées sur place ou dans le parc voisin.

🍴 *Brooklyn Roasting Company* *(plan 1, E5 ou zoom 1, A1, 843)* **:** 25 *Jay St (angle John).* ☎ *781-855-1000.* Ⓜ *(F) York St. Tlj 7h-19h.* Emblématique du renouveau de DUMBO, ce torréfacteur *green* (il livre même ses paquets à vélo !) s'est installé dans l'un des immenses entrepôts occupés du temps de l'âge d'or industriel du quartier par une compagnie de café, qui a depuis bien longtemps mis la clé sous la porte. Un retour aux sources plébiscité par une foule jeune et bien dans le vent, dispersée entre les longues tables et les profonds canapés, pour profiter du wifi, une tasse de jus torréfié sur place à la main. Bonne ambiance, cool et affairée.

🍴 *One Girl Cookies* *(plan 1, D5 ou zoom 1, A1, 922)* **:** 33 *Main St (et Water).* ☎ *347-338-1268.* Ⓜ *(F) York St. Tlj 8h (9h w-e)-19h. Cupcakes, whoopie pies* et autres biscuits US, à déguster dans un décor industriel réhabilité design, typique de DUMBO.

Où boire un verre ?

▼ I●I *Superfine (plan 1, E5 ou zoom 1, A1, 950)* : 126 Front St. ☎ 718-243-9005. Ⓜ *(F) York St. Fermé lun.* Comme nombre de ses semblables, cet ancien entrepôt a été métamorphosé en un grand loft éclairé et décoré avec goût : un grand bar central en contrebas de la salle, des œuvres d'artistes locaux aux murs, des meubles dépareillés, des canapés moelleux et un billard (gratuit). Boissons à prix raisonnables, qui font le bonheur d'une ribambelle d'habitués. Si on veut s'éterniser et y rester dîner, la partie resto sert une bonne cuisine italo-américaine *(plats 15-17 $ le midi, jusqu'à 30 $ le soir)*. Également très apprécié pour ses brunchs en musique.

Où écouter de la musique ?

♪ *Bargemusic (plan 1, D6 ou zoom 1, A1, 951)* : Fulton Ferry Landing. ☎ 718-624-2083. ● bargemusic. org ● Ⓜ *(F) York St ou (A, C) High St. En général, ven-sam à 20h, dim à 16h (15h aux beaux jours). Résa min 1 sem à l'avance. Place env 35 $; réduc. Ts les sam, concert gratuit au programme « surprise » offert à 16h (voir site web). Pas de résas pour celui-ci,* venir tôt. Pionnière du renouveau du quartier, cette péniche amarrée au bord de l'East River sert depuis 1978 d'écrin à des concerts, principalement de musique de chambre (jazz le jeudi). Porté par le cadre génial (belle vue sur Manhattan) et la qualité de sa programmation, son succès ne s'est jamais démenti.

Shopping

✿ *Brooklyn Flea (zoom 1, A1, 950)* : sous les arches du Manhattan Bridge, au niveau de Pearl et Water St. Ⓜ *(F) York St ou (A, C) High St. Avr-nov, dim 10h-17h.* Le célèbre marché aux puces de Brooklyn dans une de ses versions estivales : fringues et accessoires vintage, artisanat de récup, créateurs locaux et stands de bouffe gourmet et locavores (80 exposants en tout).
✿ *PowerHouse Arena (plan 1, D5 ou zoom 1, A1, 990)* : 37 Main St (et Water). ☎ 718-666-3049. Ⓜ *(F) York St.* Vaste loft reconverti en librairie-galerie d'art, très représentatif de l'esprit DUMBO. Sélection restreinte mais pointue, présentation épurée voire minimaliste. Un lieu à voir pour les amateurs d'architecture industrielle.
✿ *Jacques Torres Chocolate (plan 1, D5 ou zoom 1, A1, 921)* : 66 Water St. ☎ 212-414-2462. Ⓜ *(F) York St.* Pour d'excellents chocolats artisanaux. Voir plus haut « Où boire un café ou un chocolat ? Où manger une glace ou une douceur ? ».

À voir

🍸 *Kings County Distillery (zoom 1, B1)* : entrée par les grilles à l'angle de Sands et Navy St (c'est le bâtiment en brique rouge tt de suite à droite en suivant l'allée). ● kingscountydistillery.com ● Ⓜ *(F) York St. Visite slt sam 13h-16h (aussi mer et ven à 15h, mais sur résa en ligne) ; 8 $ (dégustation comprise) ; compter env 45 mn.* Ouverte en 2010 dans un entrepôt centenaire de l'ancien chantier naval, c'est la plus vieille distillerie légale de whisky à New York depuis la Prohibition ! Si le Kentucky se taille aujourd'hui la part du lion en matière de production, New York fut aussi un haut lieu du whisky avant les années 1920, avec pas loin de 1 200 distilleries. Aujourd'hui, avec la baisse des taxes sur l'alcool à New York et les facilités offertes à ces nouveaux petits producteurs de spiritueux, on assiste à une éclosion de microdistilleries. La visite de celle-ci vous éclairera sur les différentes étapes de la fabrication, de la fermentation des céréales (maïs et orge) au stockage en fût de chêne. Pas d'âge minimum pour le bourbon, contrairement au whisky. À la fin, dégustation gratuite des nectars maison, notamment le *Moonshine* (non vieilli en fût, d'où la couleur claire), dont le nom signifiant « clair de lune » rappelle l'époque où la production d'alcool se faisait – illégalement – de nuit, le bourbon classique et celui au

> ## METAL'HIC
>
> *Si les alambics des distilleries sont en cuivre, ce n'est pas pour faire joli. Outre sa malléabilité – pratique pour façonner la tuyauterie –, le cuivre agit comme un catalyseur, éliminant les substances toxiques sécrétées lors de la distillation. Ainsi, pendant la Prohibition aux USA, de nombreux buveurs impénitents s'empoisonnèrent en consommant du whisky de contrebande fabriqué dans des alambics sans cuivre. Le fameux whisky frelaté...*

chocolat, élaboré en collaboration avec la fabrique artisanale de chocolat basée à Williamsburg, *Mast Brothers.* Compter 25 $ la flasque de 200 ml (forcément... c'est une petite production), un souvenir à la fois original et peu encombrant dans vos bagages !

🏛 **BLDG 92 (musée du Navy Yard ; zoom 1, B1) :** 63 Flushing Ave (angle Carlton Ave). ☎ 718-907-5992. ● bldg92.org ● Ⓜ (F) York St. Mer-dim 12h-18h. GRATUIT. Immense chantier naval militaire occupant toute la largeur de Wallabout Bay, le *Navy Yard,* actif pendant près de deux siècles, vit sortir de ses cales plus de 250 navires de guerre, de l'*USS Adams,* mis en service en 1799, à l'*USS Duluth,* dernier bateau conçu ici, inauguré en 1965. Au plus fort de son activité, durant la Seconde Guerre mondiale, ce chantier naval employait 70 000 personnes, se relayant 24h/24. Pilier de l'économie brooklynite, le *Navy Yard* déclina ensuite peu à peu, jusqu'à fermer définitivement en 1969. Réhabilité, le site abrite aujourd'hui une multitude d'entreprises (du secteur high-tech notamment), dans lesquelles travaillent environ 7 000 personnes. Installé dans un des innombrables bâtiments du secteur, le BLDG 92 présente sur trois niveaux l'histoire du *Navy Yard,* intimement liée à celle des guerres auxquelles participèrent les États-Unis. Frises, maquettes, photos et témoignages sonores constituent une expo intéressante mais modeste, qui attirera surtout les passionnés d'histoire navale, d'autant que le musée est assez loin de tout. Également des expos temporaires et des visites guidées thématiques (payantes).

Balades dans le quartier

🚶🚶🚶 **DUMBO spécial pressés :** prendre le métro (lignes A ou C) jusqu'à High Street et rejoindre le parc aménagé en bord de rivière *(Brooklyn Bridge Park),* aujourd'hui presque achevé. Plus d'un mile de promenade entre le nord de Manhattan Bridge et Atlantic Avenue, avec pelouses, espaces paysagés, bancs et tables de pique-nique, aires de jeux pour les enfants... Vue splendide sur tout Manhattan, sans doute la plus belle de NYC. L'été, nombreuses animations (gratuites pour la plupart), concerts, expos, stands culinaires... Revenir ensuite à Manhattan **en traversant le Brooklyn Bridge à pied.** Au coucher du soleil, c'est fantastique. Il y a une passerelle pour piétons au-dessus des voitures. De là, on peut faire de superbes photos de Lower Manhattan (pour la lumière, c'est mieux le matin). Restez bien du côté « piétons » ou vous risquez de vous faire insulter par les cyclistes !

🚶🚶🚶 **DUMBO version longue :** si vous disposez de plus de temps, vous pouvez aussi opérer dans le sens contraire. Traversez le pont en partant de

Manhattan (entrée au pied du Municipal Building) et consacrez quelques heures à la visite de DUMBO.

Quelques escales

➤ *Eagle Warehouse :* 28 Old Fulton St. Datant de 1893, cet édifice massif en brique est l'un des premiers entrepôts du secteur à avoir été reconvertis en appartements. Le nom de la compagnie, gravé au-dessus de la porte d'entrée au niveau de l'horloge, rappelle le *Brooklyn Daily Eagle* qui avait une imprimerie sur ce site. Autre bâtiment emblématique du quartier, le *Watchtower Building,* dont l'enseigne domine DUMBO. Il s'agit d'une propriété des témoins de Jéhovah...

➤ *Fulton Ferry Landing :* au bout de Old Fulton St. L'ancien embarcadère du ferry est un lieu chargé d'histoire : c'est ici que Washington et ses troupes embarquèrent pour Manhattan, la nuit du 29 août 1776, après la bataille de Long Island. Des plaques rappellent l'épisode qui faillit couper court au rêve américain, 4 semaines seulement après la déclaration d'indépendance : le 27 août 1776, 33 000 soldats anglais et mercenaires allemands débarquèrent sur Long Island dans le but de reprendre New York aux troupes de Washington. Le gros de la bataille se déroula sur le site de l'actuel Prospect Park. Écrasés par le nombre, les Américains battirent en retraite vers Brooklyn Heights, et Washington évita la capture de justesse. Aujourd'hui, sur la rambarde au bout du ponton, des amoureux accrochent des cadenas, comme sur le pont des Arts à Paris. On peut aussi lire, gravés sur cette même rambarde, quelques vers de Walt Whitman : « *Flow on, River !...* »

➤ À côté de l'embarcadère s'étend le nouveau et très agréable *Brooklyn Bridge Park,* aménagé pour les promeneurs et les familles avec des jeux pour les enfants, des pelouses vallonnées, des pistes cyclables et même une marina. Depuis ce petit coin de verdure, dont la présence est incongrue dans un cadre aussi peu bucolique, le point de vue sur Manhattan et les ponts est superbe. Le fait d'être littéralement entre les Brooklyn et Manhattan Bridges avec, derrière soi, la silhouette rougeoyante du *Tobacco Warehouse* (les entrepôts les plus emblématiques de DUMBO, reconvertis en théâtre), est assez génial. Il y a, bien sûr, des bancs stratégiquement placés pour la vue et même des tables en bois pour pique-niquer face à l'Empire State Building. C'est aussi de là que sont tirés les incroyables feux d'artifice du 4 juillet. Le site accueille, enfin, un pavillon dessiné par Jean Nouvel abritant un joli carrousel de 1923 restauré avec art, le *Jane's Carousel.* La vue depuis le Manhattan Bridge sur le manège et le pont de Brooklyn à l'arrière-plan est franchement cinématographique. En allant vers le sud, un pont suspendu en bois de robinier (le *Squibb Bridge*) relie directement le Brooklyn Bridge Park au quartier de Brooklyn Heights. On sort au niveau de Middagh Street.

> ## LA MALÉDICTION DU PONT DE BROOKLYN
>
> *La direction des travaux fut confiée à John Roebling, brillant architecte et ingénieur en chef. Mais avant la pose de la première pierre, il se fait écraser le pied par un ferry et meurt du tétanos. C'est son fils, Washington Roebling, qui reprend le flambeau. Victime d'un accident de décompression lors du creusement des fondations (la grande innovation de ce projet architectural fut l'utilisation de caissons hyperbares pour construire sous l'eau), il reste paralysé et confie la direction du chantier à son épouse, Emily. C'est elle qui achèvera le pont avec succès.*

BROOKLYN

➤ *Clocktower Building :* à l'angle de Main et Plymouth St. Un des bâtiments les plus célèbres de DUMBO. Érigé en 1915 pour accueillir une fabrique d'emballages en carton ondulé, cet entrepôt appartenait alors à l'industriel Robert Gair, dont le nom est gravé sur une bonne partie des bâtisses du coin. Il a aujourd'hui été reconverti en condominiums de luxe. Considéré comme l'appart le plus cher de tout Brooklyn, le *penthouse* qui occupe les trois derniers étages de la tour à horloges peine à trouver repreneur depuis 2010 (18 millions de dollars, faut dire !). Pour une photo insolite, poussez dans la rue voisine, Washington Street, jusqu'à l'angle avec Water Street. Vu d'ici, l'Empire State Building se détache entre les piles du Manhattan Bridge.

BROOKLYN HEIGHTS

> • Pour se repérer, voir le plan détachable 1 en fin de guide.
> • Downtown Brooklyn (zoom 1) *p. 255*

*Accès : en **métro** de Manhattan par les lignes A et C (station High St), 2 et 3 (station Clark St) ou 4 et 5 (station Borough Hall).*

🍴🍴 Au sud de DUMBO, sur un promontoire dominant quais et entrepôts, s'étend Brooklyn Heights, l'un des plus séduisants quartiers résidentiels de Brooklyn. Brooklyn Heights a été la première banlieue résidentielle de Manhattan, formée après l'ouverture du Fulton Ferry en 1814. Mais avec l'industrialisation de Brooklyn et l'afflux de populations, les riches habitants des Heights quittèrent les lieux vers la fin du XIXe s, et leurs belles maisons furent divisées en appartements. Elles échappèrent à la démolition, ce qui vaut à ce quartier de posséder la plus grande densité d'édifices construits avant 1860 (près d'un millier), soigneusement restaurés depuis une trentaine d'années et de nouveau hors de prix sur le plan immobilier.

Où manger ?

Spécial petit déjeuner et sur le pouce

🍴 **Teresa's** *(plan 1, D6 ou zoom 1, A2, 840)* : 80 Montague St (entre Henry et Hicks). ☎ 718-797-3936. Ⓜ (2, 3) Clark St. Tlj 7h-23h. Petits déj 6-10 $, sandwichs 9-12 $. Tenue par une famille polonaise, une adresse historique du quartier, où les habitués se retrouvent autour d'un solide petit déj servi toute la journée (supplément après 16h). Large choix d'omelettes, pancakes nature ou aux fruits, *waffles*... et des *specials* pour le brunch du week-end. Également des sandwichs honnêtes et quelques plats plus chers. Le tout à dévorer dans une salle d'un classicisme gentiment démodé, avec boiseries et fausses plantes.

Bon marché

🍴 **Five Guys** *(plan 1, E6 ou zoom 1, A2, 846)* : 138 Montague St (entre Henry et Clinton). ☎ 718-797-9380. Ⓜ (2, 3) Clark St. Tlj 11h-22h. Burger-frites env 12 $. Le cadre de cette minichaîne originaire de Washington DC est nul, mais l'important ici, ce sont les burgers. Copieux (on peut demander tous les *toppings* pour le même prix : champignons, poivrons, sauces différentes...), cuits comme il faut (même si c'est *well done* pour tout le monde) et accompagnés de bonnes frites. Cacahuètes entières à volonté. Un vrai bon fast-food.

Balades dans le quartier

Impossible de décrire ici tous les *landmarks* de Brooklyn Heights, mieux vaut se laisser guider par le hasard. Voici quelques coups de cœur.

➤ *24 Middagh Street :* modeste, cette bâtisse en bois est la plus ancienne demeure du quartier (1820). Bel exemple de style *Federal,* alors très en vogue dans la jeune Amérique. Joli porche à colonnettes ioniques (aujourd'hui de guingois) et vitraux latéraux typiques de ce style. Entre Willow et Hicks Street, d'autres maisons de bois de la même époque (certaines ont subi quelques modifications postérieures). Walt Whitman (voir « Brooklynites célèbres », plus haut) a passé son enfance à deux pas, à Cranberry Street.

➤ *Orange Street :* entre Henry et Hicks Street, sur le côté nord de la rue, passer voir la jolie *Plymouth Church of the Pilgrims,* fondée en 1847 par le pasteur Henry Ward Beecher, l'un des grands prêcheurs antiesclavagistes du pays (sa sœur, Harriet Beecher Stove, est l'auteur de *La Case de l'oncle Tom*). L'église faisait partie de l'*underground railroad,* un réseau de routes clandestines et de caches qui permettaient aux esclaves fugitifs de rejoindre les États abolitionnistes, puis le Canada. Abraham Lincoln avait son banc,

LES CHEMINS DE LA LIBERTÉ

*L'*Underground Railroad *était un réseau de routes clandestines empruntées de nuit par les esclaves au XIXᵉ s pour fuir vers le Canada. Beaucoup d'églises de Brooklyn ont participé à cette entraide collective et servirent d'étape, particulièrement la* Plymouth Church of the Pilgrims. *Une entreprise à risques puisqu'un esclave pouvait être récupéré n'importe quand par son maître, même s'il se trouvait dans un État où l'esclavage avait été aboli. Certains trouvèrent refuge dans des tribus indiennes.*

Charles Dickens faisait des lectures de ses livres et Martin Luther King y a prononcé le discours annonciateur du fameux *I Have a Dream.* Si vous arrivez à entrer dans l'église, jetez un œil aux vitraux, tous sur le thème de la liberté et de l'émancipation : liberté de la presse, éducation des femmes... Mais le clou, ce sont les trois splendides panneaux de Tiffany, provenant de l'église maronite de Remsen Street (voir plus loin) et installés ici en 1953. Dignes du Metropolitan Museum... *Visite guidée dim vers 12h30 (résa conseillée) ou en sem sur rdv* (☎ 718-624-4743).

➤ *Willow Street :* des nᵒˢ 20 à 26, belle rangée de maisons de style *Greek Revival* (1846-1848). Le nᵒ 57, de style *Federal,* date de 1824. Pour la petite histoire, c'est au nᵒ 70 que Truman Capote écrivit entre autres *De sang-froid* et *Petit déjeuner chez Tiffany.* Au nᵒ 102, belle *brownstone house.* Aux nᵒˢ 108, 110 et 112, intéressants exemples du style *Shingle,* aux façades pleines de fantaisie (1880). Du nᵒ 155 au nᵒ 159, petites maisons en brique de 1830, de style *Federal.*

➤ *Pierrepont Street :* nombreuses maisons et placettes pittoresques. Au nᵒ 128 (angle de Clinton Street), la *Brooklyn Historical Society and Museum,* de style Queen Anne, l'un des immeubles les plus beaux de Brooklyn Heights, par la richesse de l'ornementation, datant de 1881. Son architecte est celui de la Bourse de Wall Street. Sur la façade, bustes de Christophe Colomb et Benjamin Franklin. À deux pas, au nᵒ 82, une curiosité médiévale aux allures de manoir ne manque pas de cachet avec son bestiaire fantaisiste.

➤ *Montague Street :* la rue commerçante des Heights. À l'angle avec Clinton Street, la *Church of Saint Ann and the Holy Trinity :* belle église en grès brun de style *Gothic Revival,* datant de 1847. L'église est réputée pour ses vitraux et l'intérieur gothique rococo vaut le coup d'œil. Peu avant d'arriver à la Promenade, *Montague Terrace* (1886), au style très british.

➤ *Pierrepont Place :* aux nᵒˢ 2 et 3, deux belles *brownstone houses* (1850), œuvres de l'architecte de Trinity Church à Wall Street.

➤ **Brooklyn Heights Promenade :** au bout de Montague Street. Les riverains et les touristes viennent en nombre y contempler le coucher du soleil sur Manhattan. Elle a été construite en 1950 pour couvrir la voie rapide Brooklyn-Queens Expressway (la BQE, prononcer « bi-kiou-i »), qui passe juste en dessous et mène au Verrazano Bridge. Une sorte d'immense balcon sur Manhattan et le pont de Brooklyn, planté d'arbres et de parterres fleuris. Vue absolument superbe.

➤ **Remsen Street :** la grande église maronite (élevée au rang de cathédrale en 1977) qui fait l'angle avec Henry Street (1846) possède une curiosité : les panneaux en bronze des portes sud et ouest proviennent du paquebot *Normandie*, qui a brûlé à New York en 1942, alors qu'il était amarré à un quai de l'Hudson. On y voit gravés la cathédrale de Rouen, le Gros-Horloge, le château de Falaise, etc.

➤ **Grace Court Alley :** dans Hicks Street (entre Remsen et Joralemon), adorable allée bordée d'anciennes écuries reconverties en maisons de poupée (vendues à prix d'or). Arthur Miller a habité là. Juste en face, *Grace Church,* charmante église en grès rouge construite aussi par Richard Upjohn, l'architecte de Trinity Church.

DOWNTOWN BROOKLYN ET FORT GREENE

● Downtown Brooklyn (zoom 1) *p. 255*

*Accès : en **métro** de Manhattan par les lignes 2, 3, 4 et 5 (stations Borough Hall, Nevins St, Atlantic Ave-Barclays Center et Hoyt St), A, C, F et R (station Jay St) ou B et Q (station Atlantic Ave-Barclays Center).*

🎋 Pour le touriste de passage, le populaire et bourdonnant **Downtown Brooklyn,** peuplé quasi exclusivement d'Afro-Américains, ne frappe ni par son homogénéité architecturale ni par son charme. Pourtant, le coin ne manque pas de bonnes adresses. Et puis il y a la proximité de **Fort Greene,** le quartier afro-américain branché des eighties aujourd'hui « gentrifié », au grand dam de Spike Lee, qui a longtemps habité ici et y possède toujours son studio de production, sur South Elliott Place. Son film *She's gotta have it* fut tourné ici même, autour de Fort Greene Park. Créé par Olmsted et Vaux (le duo de Central Park mais aussi de Prospect Park), bordé de belles *brownstone houses,* c'est le poumon vert et épicentre du quartier. On y donne des concerts l'été et tous les samedis de l'année s'y tient un *greenmarket.* L'animation se concentre sur Fulton Street, particulièrement entre Fort Greene Place et Cumberland Street, où s'alignent boutiques, cafés et restos. Dominant le quartier de ses 156 m, la Williamsburgh Savings Bank Tower, à l'angle de Hanson Place et Ashland Street, était, lors de son inauguration en 1929, l'immeuble le plus haut de Brooklyn. Elle a depuis été détrônée, mais n'a rien perdu de son caractère, avec son étonnant style néobyzantin et son horloge à quatre faces en guise de dôme.

Adresse utile

■ **TKTS** *(plan 1, E6 ou zoom 1, A2, 7)* **:** 1 MetroTech Center *(angle Jay St et Myrtle Ave Promenade), Downtown Brooklyn.* Ⓜ *(A, C, F, R) Jay St-MetroTech. Mar-sam 11h-18h* *(interruption 15h-15h30).* **Billets de spectacles à prix réduits** (voir le descriptif complet plus haut, dans les « Adresses et infos utiles » générales de Brooklyn).

Où dormir ?

🛏 **Aloft Brooklyn** *(zoom 1, B2, 10)* **:** 216 Duffield St *(entre* Fulton Mall et Willoughby), Downtown Brooklyn. ☎ 718-256-3833.

● aloftnewyorkbrooklyn.com ● Ⓜ (A, C, F, R) Jay St-MetroTech ou (2, 3) Hoyt St. Doubles 160-300 $. 🛏 📶 Les hôtels *Aloft* sont les *low-cost* (toutes proportions gardées) de la chaîne de luxe *W*. On retrouve dans celui-ci, situé au cœur de Downtown Brooklyn, les principaux ingrédients de son grand frère de Harlem. Design pop dans les parties communes, touche vintage chic dans les chambres qui n'en oublient pas pour autant d'être fonctionnelles en plus d'être classe (minifrigo, nécessaire à thé et café), et des petits plus qui séduiront nos lecteurs urbains branchés : *rooftop* avec club-lounge au 24e étage et accès gratuit à la piscine du *Sheraton* attenant.

Où manger ?

À Downtown Brooklyn

|●| 🍴 ***Junior's*** (zoom 1, B2, **844**) : 386 Flatbush Ave Extension (et Dekalb Ave). ☎ 718-852-5257. Ⓜ (B, Q, R) Dekalb Ave. Tlj 6h30-minuit (1h ven-sam). Plats 10-20 $. Ce *diner* typique est une institution qui régale les habitués et les amateurs du genre depuis 1950. Grande salle rétro avec beaucoup d'orange où officient des serveuses d'une gentillesse imparable. Beaucoup d'ambiance le dimanche, car c'est la sortie des familles afro-américaines du coin. On y sert une cuisine *comfy* métissée (un peu yiddish, un peu *soul food*) correcte et variée, quand on n'est pas au régime vu les portions énormes ! Ne commandez pas trop, car on vous apporte d'emblée un assortiment de petits pains, *pickles* et *coleslaw* pour patienter. Mais la star de *Junior's*, c'est le célèbre *cheesecake*, si crémeux qu'une part pour 2 suffit.

🍴 ***Shake Shack*** (plan 1, E6 ou zoom 1, A2, **849**) : 409 Fulton (entre Willoughby et Adams). ☎ 718-307-7590. Ⓜ (2, 3, 4) Borough Hall. Burger-frites env 10-12 $. Grande salle vitrée donnant sur l'animation de Downtown, où se taper toute la panoplie de burgers, hot dogs et *custards* (crèmes glacées) proposés par la minichaîne née à Madison Square Park (voir chapitre « Union Square et Flatiron District »). Succursale entre autres au 170 Flatbush Ave (et 5th Ave), juste en face du *Barclays Center* (la grande salle omnisports).

À Fort Greene

|●| ***Habana Outpost*** (zoom 1, B2, **49**) : 757 Fulton St (et S Portland). ☎ 718-858-9500. Ⓜ (C) Lafayette Ave ou (G) Fulton St. Ouv aux beaux jours slt, avr-oct. Plat env 12 $. Cette maisonnette bariolée tout en hauteur abrite un étonnant écoresto. Entendez par là avec panneaux solaires (produisant aussi l'électricité des voisins), système de récupération d'eaux de pluie pour alimenter les toilettes, station de compost et même un vélo-mixer ! *So Brooklyn...* Carte d'inspiration mexicaine pas chère, bons *drinks*. Une chouette ambiance, notamment sur la belle terrasse attenante où, tous les dimanches soir d'été, sont projetés des films sur écran géant.

|●| ***La Caye*** (zoom 1, B2, **47**) : 35 Lafayette Ave. ☎ 718-858-4160. Ⓜ (B, Q, 2, 3, 4, 5) Atlantic Ave-Barclays Center. Tlj 17h-22h (minuit jeu-sam) ; jazz brunch w-e 12h-15h30. Plats 17-30 $. Pile en face de la *BAM*, une adresse de poche à la fois chic et énergique, léchée et bariolée, repaire de la fringante *upper class* haïtienne. Cuisine créole soignée, genre lambi boucané, poulet créole en sauce. Bonnes vibrations, colorées d'un petit live le jeudi soir. Jardin à l'arrière aux beaux jours.

|●| 🍷 🍴 ***No 7*** (zoom 1, B2, **50**) : 7 Greene Ave (et Fulton Ave). ☎ 718-522-6370. Ⓜ (C) Lafayette Ave ou (G) Fulton St. Tlj sf lun 17h-23h min (bar ouv plus tard) ; brunch w-e 12h-15h. Plats env 15-25 $. Bar-resto de cuisine *new American*, dans un beau cadre, classe mais pas léché. Atmosphère et clientèle branchouilles, sans excès non plus. Long comptoir autour duquel se concentre l'animation, gros parquet, petites tables noires écaillées, éclairages tamisés. Bref, un lieu cool où il fait bon dîner ou boire un verre, avant ou après un concert à la *BAM*. Carte courte mais appétissante et bonnes bières locales.

Où écouter de la musique ? Où voir un spectacle ? Où assister à un gospel ?

∞∿ **BAM (Brooklyn Academy of Music** ; zoom 1, B2, **153**) : 30 Lafayette Ave (et Ashland Pl), Fort Greene. ☎ 718-636-4100. • bam.org • Ⓜ (B, Q, 2, 3, 4, 5) Atlantic Ave-Barclays Center. La BAM, fondée en 1861, est le plus ancien centre artistique des États-Unis. Elle occupe ce vaste et remarquable édifice italianisant depuis 1908 ! Programmation très intéressante et novatrice dans plusieurs domaines : théâtre, danse contemporaine, opéra... Abrite également un cinéma d'art et d'essai.

♪ ๏l **BAM Café** (zoom 1, B2, **153**) : à la Brooklyn Academy of Music (voir plus haut). ☎ 718-623-7811. Ven-sam à partir de 21h et les soirs de spectacle à la BAM. Pas de cover. Plats 20-25 $ (10-15 $ au bar). À l'étage de la Brooklyn Academy of Music, dans l'ancien foyer de l'Opera House, cet immense café-restaurant accueille de la musique live de bonne qualité, dans un beau décor : grandes baies vitrées, plafonds aux poutrelles métalliques, plantes vertes... Programmation très variée : jazz, classique, musique latino et des Caraïbes, rock, folk, etc.

∞∿ **The Brooklyn Tabernacle** (plan 1, E6 ou zoom 1, A2, **154**) : 17 Smith St (entre Fulton Mall et Livingston). ☎ 718-290-2000. • brooklyntabernacle.org • Ⓜ (2, 3) Hoyt St ou (A, C, F, R) Jay St-MetroTech. Messes dim à 9h, 11h et 13h. Venir env 30 mn avt le début du service pour avoir une bonne place (les 1ers rangs du balcon offrent un bon point de vue) et compter 2h de service. Eh oui, Brooklyn a aussi sa messe gospel, en plein Downtown, une alternative pour ceux qui n'iraient pas à Harlem. Un vrai show à l'efficacité américaine, avec retransmission sur écran géant et tout le tremblement, dans une immense église aux airs de salle de concerts. Le chœur, formé de plus de 200 voix, est très réputé et a d'ailleurs été récompensé par plusieurs awards. Assistance multiculturelle et diversifiée, entre touristes et locaux.

Shopping

⊛ **Brooklyn Flea** (hors zoom 1 par B2, **192**) : à l'extérieur, 176 Lafayette Ave (entre Clermont et Vanderbilt). • brooklynflea.com • Ⓜ (G) ou (C) Clinton-Washington Ave. Avr-nov slt, sam 10h-17h. Fort Greene accueille en plein air l'une des versions estivales du marché aux puces de Brooklyn, un must pour les chineurs et les fans de vintage. L'hiver, le marché prend ses quartiers plus au sud, du côté de Sunset Park (rens en ligne).

À voir

🎭 🕴 **New York Transit Museum** (zoom 1, A2) : angle Boerum Pl et Schermerhorn St. ☎ 718-694-1600. • mta.info/mta/museum • Ⓜ (R, 2, 3, 4, 5) Court St-Borough Hall. Mar-ven 10h-16h, w-e 11h-17h. Fermé lun et j. fériés. Entrée : 7 $; 5 $ 2-17 ans et plus de 62 ans. Panneaux en anglais slt.
C'est par une bouche de métro que l'on s'engouffre dans ce musée parmi les plus insolites de New York, installé dans une station des années 1930 désaffectée. Sur deux niveaux y sont évoquées toutes les facettes d'un univers familier du grand public et pourtant totalement méconnu, celui de l'immense réseau de transport de la ville et de l'aventure humaine et technique qui conduisit à sa création. Super avec les enfants, qui adorent prendre la place du conducteur.
– **À l'étage supérieur :** petit historique de la construction du réseau, qui employa plus de 30 000 ouvriers entre 1900 et 1925. Payés de 1,50 à 2 $ par jour, ils travaillaient dans des conditions terribles, notamment lors des

percements de tunnels, et ne touchaient aucune indemnité en cas d'accident. Ils évoluaient aussi à l'air libre, la plupart des stations étant bâties juste sous le niveau de la rue, selon la méthode du *cut and cover*. Les ouvriers creusaient un trou dans la rue, posaient les rails, assemblaient la station, puis rebouchaient le trou, pour en creuser un autre un peu plus loin ! À voir également, des collections de maquettes de trolleys, de tourniquets, des reconstitutions de guichets et de véhicules dans lesquels grimper, etc.

LA GRANDE FAMILLE

Le titanesque chantier du métro new-yorkais était un véritable ogre mangeur d'hommes. Pour pallier le manque de main-d'œuvre, on eut recours au « système Padroni ». Il suffisait de se mettre d'accord avec les chefs des communautés italiennes, de tendance mafieuse. Ceux-ci accueillaient traditionnellement les nouveaux immigrants, jaugeaient leurs aptitudes et leur offraient leur premier travail en les conduisant aux chantiers. Tout le monde y trouvait son compte.

– *À l'étage inférieur :* le clou de la visite. Les quais de la station sont occupés par une collection d'une trentaine de voitures de métro des origines à nos jours, dans lesquelles on peut circuler. Chacune affiche encore ses pubs d'époque, génial ! La plus ancienne, en bois, remonte à 1888, quand le El (métro aérien) était encore tiré par une locomotive à charbon. Quant à celle de 1916, il y est précisé que, qui crache dans le métro s'expose à 500 $ d'amende, 1 an de prison, ou les deux !

WILLIAMSBURG, GREENPOINT ET BUSHWICK

● Williamsburg (zoom 2) *p. 267*

Pour se rendre à **Williamsburg** *depuis Manhattan, le moyen le plus rapide est le* **métro** *: prendre la ligne L et descendre à Bedford Ave, 1re station après la traversée de la rivière (trajet rapide). Plus original, la* **navette-bateau** *avec le East River Ferry qui dessert Williamsburg et Greenpoint au départ de Manhattan Sud (Wall St-Pier 11) via DUMBO, ou au départ de Midtown (E 34th St). Trajet 4 $ en sem, 6 $ le w-e, pass journée 12 $ en sem, 18 $ le w-e. En sem, passage ttes les 20 mn 7h-9h et 16h30-20h env, le w-e ttes les 40 mn 10h-20h. Rens et horaires précis sur* ● eastriverferry.com ● *Attention, changements possibles sur les ferries fin 2016 et courant 2017, renseignez-vous bien avant.*

On peut aussi y aller à **pied,** *en empruntant (de préférence dans la journée et à plusieurs) la passerelle piétonne du pont de Williamsburg qui débouche sur Broadway, à hauteur de Berry St.*

Pour Bushwick, ligne L du métro (stations Morgan Ave ou Jefferson St).

Berceau d'origine des *hipsters,* les bobos locaux barbus en chemise à carreaux, Williamsburg est, plus encore que DUMBO, l'épicentre de la gentrification de Brooklyn. À une station de métro seulement de l'East Village par la ligne L, il en est devenu son extension naturelle. Les anciennes fabriques et entrepôts se sont peu à peu transformés en galeries et studios, investis par les artistes alors déçus par la normalisation de Manhattan et attirés par les loyers meilleur marché (ce n'est évidemment plus le cas). Spontanément, les bars, restos et autres magasins bobos ont suivi le mouvement. Bedford Avenue est l'artère centrale du quartier, surtout entre North 10th et North 2nd Street. En allant vers l'eau, vous pouvez encore voir (notamment sur Kent et Wythe) les vestiges de l'ambiance industrieuse des entrepôts en disparition progressive, un peu

BROOKLYN

comme dans le Meatpacking District à Manhattan. Car la gentrification est en phase terminale : les tours résidentielles de luxe ont poussé comme des champignons au bord de l'eau (évidemment, avec cette vue !) et les tours d'hôtels commencent aussi à fleurir. L'âme du quartier en a pris un coup, l'atmosphère s'est embourgeoisée et commercialisée avec l'arrivée de nombreuses enseignes de chaîne : *Starbucks, Whole Foods Market* et même des créateurs français de prêt-à-porter... Chassés par la hausse des loyers, les jeunes artistes d'avant-garde ont fui progressivement vers des quartiers moins chers et limitrophes, comme Bushwick, devenu le haut lieu de la création new-yorkaise, et « Bed-Stuy » (Bedford Stuyvesant).

Une des autres caractéristiques de Williamsburg est son melting-pot : quartier juif orthodoxe au sud, ambiance italienne à l'est (en passe de disparaître), inclinations polonaises au nord (vers le quartier de Greenpoint, lui aussi en pleine renaissance), sans oublier une large communauté latino, le tout saupoudré d'une présence massive de *hipsters*, donc. Pour le visiteur, les principaux attraits de Williamsburg seront l'intense vie culturelle et musicale qui l'anime. Car,

LA BARBE !

Attribut n° 1 de tout hipster *digne de ce nom, la barbe, qui se doit d'être aussi drue et fournie que la moquette d'un intérieur british. Sauf que, la nature étant mal faite, certains mâles dans le vent n'arrivent qu'à faire pousser un duvet disgracieux et parsemé. Pas de panique, à New York, tout est possible. Des chirurgiens esthétiques se spécialisent dans l'implant de barbe et proposent d'épaissir sa pilosité contre quelques milliers de dollars.*

soyons honnêtes, il n'y a pas grand-chose à voir ni à visiter. C'est plus une atmosphère, à goûter notamment les soirs de fin de semaine.

🛏	Où dormir ?		234	Odd Fellows
12	New York Loft Hostel		🍷 ♪	Où boire un verre ? Où sortir ? Où écouter de la musique ?
13	YMCA Greenpoint			
14	McCarren		15	The Ides Bar
15	Wythe Hotel		160	Hotel Delmano et Teddy's Bar & Grill
16	Hotel Le Jolie			
			161	Radegast Hall & Biergarten
🍴	Où manger ?		162	Spuyten Duyvil et The Knitting Factory
61	Vanessa's Dumpling House et DuMont Burger		163	Brooklyn Brewery
62	Café de La Esquina		164	Sprintzenhaus 33
63	Samurai Mama		166	Brooklyn Bowl
64	Lobster Joint		167	Music Hall of Williamsburg et National Sawdust
65	Caracas			
66	The Meatball Shop		169	Maison Premiere
67	Marlow & Sons et Diner		170	The Gutter
68	Williamsburg Smorgasburg		203	Rough Trade
69	Fette Sau			
70	Zenkichi		⊕	Shopping
72	Peter Luger		161	Mast Brothers
161	Egg		200	Beacon's Closet
162	St. Anselm		201	Brooklyn Industries
165	Roberta's et Montana's Trail House		203	Rough Trade
205	Saltie		204	Brooklyn Charm
			206	KCDC Skateshop
☕ 🍦	Coffee shops, pâtisseries et glaces		207	Space Ninety 8
			🏛	À voir
230	Bakeri		163	Brooklyn Brewery
231	Toby's Estate		205	The City Reliquary
232	Blue Bottle Coffee			
233	Caprices by Sophie			

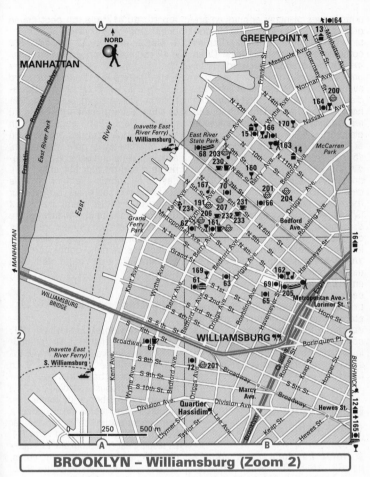

BROOKLYN – Williamsburg (Zoom 2)

Où dormir ?

Bon marché

🛏 *New York Loft Hostel* (hors zoom 2 par B2, *12*) : 249 Varet St, à Bushwick. ☎ 718-366-1351. ● nylofthostel.com ● Ⓜ (L) Morgan Ave (sortie Bogart & Harrison Pl). Env 40-50 $/pers en dortoir (3 lits), doubles env 90-110 $ (sdb commune ou privée), bon petit déj inclus. 📺 📶 C'est désormais la seule auberge de jeunesse du coin, et encore, pas vraiment à Williamsburg mais 5 stations de métro plus loin, à Bushwick, le nouveau creuset artistique underground de Brooklyn (connu pour ses *murals*). Les prix sont un peu surévalués à certaines périodes de l'année, mais le lieu est formidable. Dans un vieil immeuble superbement

BROOKLYN

retapé, avec plancher et murs en brique partout, y compris dans les dortoirs (spacieux et lumineux). Parties communes très sympas : salon TV en mezzanine, grande cour verdoyante, une cuisine digne de *Top Chef* et un bar avec *live music*. Mercredi et vendredi, c'est BBQ gratos en été et fondue en hiver ! 2 autres soirs par semaine, soirée cinoche, avec pop-corn s'il vous plaît.

🏠 *YMCA Greenpoint (zoom 2, B1, 13) :* 99 Meserole Ave, à Greenpoint. ☎ 718-389-3700. • ymcanyc.org/greenpoint • Ⓜ (G) Nassau Ave (marcher 1 bloc sur Manhattan Ave, puis tourner à gauche dans Meserole). Chambre env 90 $ (réduc sem), petit déj inclus. 📶 Située au beau milieu du quartier de Greenpoint, aux couleurs de l'Europe de l'Est, cette vaste YMCA est prisée pour ses équipements sportifs (les résidents peuvent en profiter gratuitement) : sauna, salle de gym, piscine, basket... C'est son principal avantage, les chambres étant basiques et vétustes (pas de double vitrage). Salles de bains communes non mixtes. Néanmoins, le tarif est attrayant. Et puis on est en sécurité : le commissariat est juste en face !

De prix moyens à plus chic

🏠 *Hotel Le Jolie (hors zoom 2 par B2, 16) :* 235 Meeker Ave (et Lorimer). ☎ 718-625-2100. • hotellejolie.com • Ⓜ (L) Bedford Ave. Doubles standard 150-250 $, petit déj inclus. 📶 On a connu plus riant comme emplacement que celui de cet immeuble de brique dominant une voie rapide au trafic infernal. Reste que les chambres, rénovées, sont d'un bon confort et bien isolées, que l'accueil est charmant et que le cœur de Williamsburg n'est qu'à 2 blocs de là. De quoi faire du *Jolie* une option honnête pour qui voudrait loger dans le quartier sans éventrer son porte-monnaie. Préférer alors, pour quelques dollars de plus, les chambres tournant le dos à l'*expressway*.

À partir du 4e étage, on peut même entrapercevoir la *skyline*.

🏠 *McCarren (zoom 2, B1, 14) :* 160 N 12th St (entre Berry et Bedford Ave). ☎ 718-218-7500. • mccarren.com • Ⓜ (L) Bedford Ave. Doubles standard 175-400 $. 📶 Le 1er boutique-hôtel de Williamsburg, ouvert en 2011 et situé à une poignée de blocs du métro ralliant East Village. Pour un standing équivalent, les prix sont un peu moins élevés qu'à Manhattan, avec en prime une belle piscine extérieure d'eau de mer (envahie l'été). Les 65 chambres affichent un style contemporain sobre mais la cerise sur le gâteau, c'est le *rooftop bar* livrant une vue épatante sur Midtown juste en face. En été, on est aux premières loges pour assister aux concerts et projections de films donnés dans le McCarren Park de l'autre côté de la rue.

Très chic

🏠 � *Wythe Hotel (zoom 2, B1, 15) :* 80 Wythe Ave (et N 11th). ☎ 718-460-8000. • wythehotel.com • Ⓜ (L) Bedford Ave. Doubles 300-500 $. 📶 Le *Wythe* a mis la barre très haut pour réhabiliter ce robuste building de 1901, une ancienne fabrique de tonnellerie, aujourd'hui surmonté d'un cube de verre géant accueillant le *rooftop bar* (voir plus loin « Où boire un verre ? »). Le résultat est époustouflant. Les quelque 70 chambres, toutes différentes, ont en commun un authentique cachet industriel et un plafond en planches brutes diffusant une délicieuse odeur boisée. Chaque détail est soigné, des lits en bois recyclé du bâtiment d'origine aux interrupteurs vintage, en passant par le motif du papier peint reprenant la citerne d'eau juste en face. Certaines ont de géniales vues urbaines, d'autres des murs en brique patinée à souhait. Plusieurs configurations selon qu'on est en couple ou entre copains (chambres à lits superposés). Très bon resto *(Reynard)*, monté par la fine équipe de *Marlow & Sons* et *Diner* (voir plus loin « Où manger ? »), et ouvert du petit déj au dîner.

Où manger ?

À Williamsburg

Spécial petit déjeuner et brunch

⬤ ☞ **Egg** (zoom 2, B1, **161**) : 109 N 3ʳᵈ St (entre Wythe Ave et Berry Ave). ☎ 718-302-5151. **Ⓜ** (L) Bedford Ave. Petit déj et brunch tlj 7h (8h w-e)-17h (lunch servi aussi après 11h30 en sem). Plats 10-15 $. CB refusées. Pour beaucoup, la meilleure adresse de Brooklyn pour le brunch. Le cadre, d'une sobriété minimaliste dans l'air du temps, n'y est pas pour grand-chose. Du blanc, rien que du blanc, c'est même au client de faire la déco, en gribouillant la nappe avec les pastels disposés sur les tables. Mais une fois qu'on a croqué dans un délicieux pancake ou une omelette aux œufs bio, on a tout compris : ici, les ingrédients sont primordiaux (certains légumes sont même cultivés par la maison) et cuisinés avec talent. Quant au café, il est servi dans une cafetière à piston type Bodum. Également des sandwichs originaux et des salades.
☞ Et aussi : **Marlow & Sons, Bakeri** pour ses bons gâteaux et **Diner** pour son brunch le week-end. Voir plus loin.

Sur le pouce, très bon marché

⬤ **Vanessa's Dumpling House** (zoom 2, B2, **61**) : 310 Bedford St (entre S 1ˢᵗ et S 2ⁿᵈ). ☎ 718-218-8809. **Ⓜ** (L) Bedford Ave. Dès 1,70 $ les 4 dumplings et max 7 $! Cette petite cantine est connue pour ses assortiments de très bons dumplings maison ou gyozas (raviolis grillés au porc et cives et autres bouchées vapeur) à des prix d'avant-guerre (de Sécession). Tout est préparé en direct. Également des wonton soup, noodles.... Ce sont les toilettes qui sont les plus lookées ! Succursales à Chinatown et East Village.
⬤ 〰️ Et aussi **Williamsburg Smorgasburg** (zoom 2, B1, **68**) : dans le East River State Park, 90 Kent Ave et N 7ᵗʰ St. Sam slt et en saison (11h-18h avr-nov). CB refusées. Grand marché en plein air de stands gourmets et locaux. Le meilleur de la Street Food !

Bon marché

⬤ **Samurai Mama** (zoom 2, B2, **63**) : 205 Grand St. ☎ 718-599-6161. **Ⓜ** (L) Bedford Ave ou (G) Metropolitan Ave. Plats 10-15 $. CB refusées. Un coup de cœur pour cette « taverne » vegetarian-friendly, spécialisée dans les udon, ces grosses nouilles japonaises servies ici en 3 versions : dump style (sans liquide), dipping style (avec un bouillon concentré versé sur les pâtes à température ambiante) et en soupe, façon ramen. Gardez-vous donc une petite place pour les gyozas, extra aussi. Super décor de maison japonaise avec plein de recoins intimes. Bref, un remarquable rapport qualité-ambiance-prix.
⬤ **Café de La Esquina** (zoom 2, B1, **62**) : 225 Wythe Ave (et Metropolitan). ☎ 718-393-5500. **Ⓜ** (L) Bedford Ave. Tlj sf lun ; brunch w-e. Plats 12-16 $ pour la plupart. L'équipe de La Esquina de SoHo (voir ce chapitre) est aussi aux manettes d'une taqueria dans un diner tout chromé de 1952 (super décor fifties), doublé d'une salle aveugle au fond, très latino, avec tables en bois peintes et miroirs patinés couverts de fresques. Mais le plus, c'est la grande terrasse attenante protégée de la rue par des palissades en bois. Au menu : tacos et assiettes complètes, agrémentés le soir d'options plus travaillées, le tout cuisiné avec une certaine finesse.
⬤ **Saltie** (zoom 2, B2, **205**) : 378 Metropolitan Ave (et Havemeyer). ☎ 718-387-4777. **Ⓜ** (L) Bedford Ave ou Lorimer St. Tlj 10h-18h. Plats 11-12 $. Une petite échoppe blanc et bleu avec juste un banc et une rangée de tabourets hauts, le long d'un étroit comptoir. On y vient pour les délicieux sandwichs et petits plats très healthy concoctés par deux pionnières de la scène gastronomique brooklynite. Également de fameuses pâtisseries et de

BROOKLYN

bons thés. Un détail pratique : pas de toilettes...

➤ **DuMont Burger** (zoom 2, B2, **61**) : 314 Bedford Ave (entre 1er et 2nd). ☎ 718-384-6127. Ⓜ (L) Bedford Ave. Burgers env 14-16 $. Une vraie ruche ! Au coude à coude sur des tabourets hauts, les habitués s'entassent autour de la table commune ou sur la petite terrasse, dans une joyeuse ambiance fraternelle. Ici, les stars, ce sont les burgers, délicieux, énormes et servis avec de bonnes frites. Toujours bondé, malgré l'ouverture d'une 2de salle juste à côté (DuMont Burger to Go) !

|●| **Caracas** (zoom 2, B2, **65**) : 291 Grand (entre Havemeyer et Roebling). ☎ 718-218-6050. Ⓜ (L) Bedford Ave ou (G) Metropolitan Ave. Env 9-18 $. Très populaire, ce joli petit resto véné- zuélien bariolé est spécialisé dans les arepas, de petits pains chauds fourrés au poulet, à l'avocat, au fromage ou aux haricots noirs. Mais on peut aussi se laisser tenter par le plat national, le pabellon criollo, en arrosant le tout d'un beau choix de rhums. Petite courette à l'arrière.

|●| **The Meatball Shop** (zoom 2, B1, **66**) : 170 Bedford Ave. ☎ 718-551-0520. Ⓜ (L) Bedford Ave. Tlj jusqu'à 2h min. Plats env 9-12 $. La spécialité ici, ce sont les boulettes, servies en kit puisqu'on choisit tout : viande, sauce et accompagnement. Le special du jour est en général un bon choix, plus relevé et original que les classiques. Salle tout en longueur assommée de musique pop et déco indus'. Une adresse très populaire parmi les jeunes.

Prix moyens

|●| **Fette Sau** (zoom 2, B2, **69**) : 354 Metropolitan Ave (entre Havemeyer et Roebling). ☎ 718-963-3404. Ⓜ (L) Bedford Ave ou (G) Metropolitan Ave. Tlj 17h-23h, plus le midi ven-dim. Plats env 20-25 $. Le temple de la bidoche au BBQ, version rugueuse et tonitruante. D'abord, c'est un ancien garage : imaginez le volume. Ensuite, il y a la rôtis- serie : chaque jour, affichées au tableau noir, toutes sortes de viandes grillées, proposées au poids. Après avoir ajouté haricots rouges et salade de pommes de terre, un petit tour par le bar (les pompes à bières sont des ustensiles de boucher !), et il ne reste qu'à dégoter une place à l'une des grandes tables communes. Simple, rustique et hyper fraternel. On a l'impression d'être invité à un barbecue chez des amis, surtout à la belle saison en terrasse.

|●| 🍴 **Marlow & Sons** (zoom 2, A2, **67**) : 81 Broadway (et Berry). ☎ 718-384-1441. Ⓜ (J, M) Marcy Ave. Tlj 8h-minuit. Plats 25-30 $ le soir (env 15 $ le midi), fromages et charcuteries dès 7-8 $. On entre dans ce resto confidentiel par la partie coffee shop très bobo, où l'on peut tremper une pâtisserie dans son (bon) café. Au fond, dans la pénombre, quelques tables assorties de tabourets et bancs de bois. On ne vient pas pour le confort mais pour savourer une nouvelle cuisine américaine dans l'air du temps. Ici, le produit est roi et la simplicité de la courte carte cache des recettes plus tra- vaillées. La spécialité, c'est le brick chic- ken, mais les huîtres sont aussi répu- tées. De l'autre côté de la rue, Marlow & Daughters, une épicerie-boucherie à l'ancienne avec de la bidoche locale qui saigne et tout le tremblement... Hmm, très Brooklyn tout ça.

|●| 🍴 **Diner** (zoom 2, A2, **67**) : 85 Broadway (et Berry). ☎ 718-486-3077. Ⓜ (J, M) Marcy Ave. Tlj jusqu'à minuit ; brunch w-e. Plats 15-22 $. Les diners, c'étaient ces restaurants pittoresques en forme de wagons, très populaires dans les années 1930-1940. Celui-ci a jeté l'ancre voici des lustres au pied du pont de Williamsburg. L'intérieur, décati, vaut largement la photo ! On peut toujours voir la structure en bois du wagon et son plafond arrondi, et on s'assoit dans les mêmes box rétros pleins de charme... mais inconfor- tables. Côté cuisine, c'est la même équipe que chez Marlow & Sons (voir plus haut), une valeur sûre donc. Le menu, griffonné sur des rouleaux de tickets de caisse, change tous les jours. Une adresse également réputée pour le brunch.

Plus chic

|●| **St. Anselm** (zoom 2, B2, **162**) : 355 Metropolitan Ave (entre Havemeyer et

Roebling). ☎ 718-384-5054. Ⓜ (L) Bedford Ave ou Lorimer St. Tlj 17h (11h w-e pour le lunch)-23h. Viandes 20-26 $ (39 $ pour le NY steak), accompagnements en plus. Si vous n'avez pas les moyens de vous offrir un steak chez Peter Luger, on vous conseille de venir ici, dans ce petit resto branché bien moins cher, spécialisé lui aussi dans les viandes grillées dans les règles de l'art (fondantes, juteuses, parfumées, un régal). Les cuissons sont contrôlées systématiquement au thermomètre et les assaisonnements sont parfaits. Cadre tout de brique et bois brut, industriel mais chaleureux. Le seul souci, c'est l'attente, car le lieu est très prisé (venir tôt). Les places au bar se libèrent plus vite et offrent un emplacement de choix face à l'effervescence de la cuisine.

|●| Zenkichi (zoom 2, B1, 70) : 77 N 6th St (et Wythe Ave). ☎ 718-388-8985. Ⓜ (L) Bedford Ave. Tlj 18h-minuit. Repas env 40-45 $; menu dégustation 65-75 $. Pas d'enseigne, entrée sous la petite lampe suspendue à un mur en bois façon palissade de chantier version chic. Original, et ce n'est qu'un aperçu du reste de la déco ! Dans ce labyrinthe feng shui baignant dans une douce lumière tamisée est servie une cuisine japonaise exquise. Parfait pour un dîner romantique, puisque chaque table a son propre « compartiment » et le serveur ne viendra que si vous appuyez sur le bouton secret... Une expérience pas donnée mais hors du commun !

Très chic

|●| Peter Luger (zoom 2, B2, 72) : 178 Broadway (et Driggs). ☎ 718-387-7400. Ⓜ (J, M) Marcy Ave. Résa de rigueur. Env 60-70 $/pers (steak dès 35 $) ; le midi, specials du jour 16-25 $. Attention, CB refusées, prévoyez large ! Une institution. Pensez donc, cette maison ouverte depuis 1887 est citée chaque année comme l'une des meilleures, voire carrément la meilleure steakhouse de tout New York. Les effluves de viande grillée embaument tout le pâté de maisons ! Dans un décor de taverne (vieilles boiseries, estampes,

parquet, etc.), les innombrables amateurs dégustent des viandes exceptionnelles, issues de bêtes primées par le ministère de l'Agriculture des USA et « vieillies » dans les chambres froides du restaurant. Même les frites et la sauce (en vente à emporter pour 5 $!) sont divines. L'ancien patron y mangeait un steak par jour... Il a vécu jusqu'à 98 ans !

À Greenpoint

|●| Lobster Joint (hors zoom 2 par B1, 64) : 1073 Manhattan Ave (entre Dupont et Freeman). ☎ 718-389-8990. Ⓜ (G) Greenpoint Ave. Brunch w-e 11h-16h. Plats env 15 $ le midi, 15-25 $ le soir. Pour qui serait allé traîner ses guêtres à Greenpoint, voilà de quoi terminer la balade sur un bon coup de fourchette. Une cantoche d'aujourd'hui, conviviale, bourdonnante, dans laquelle on afflue de tout le quartier et même de plus loin, pour se régaler d'une cuisine de la mer généreuse et sans chichis, comfy comme on dit ici. Au menu, huîtres, moules, gratin de langouste ou fish & chips servis dans des gamelles en inox, au comptoir ou dans le grand patio à l'arrière. Revigorant !

À Bushwick

|●| 🍴 🍸 Roberta's (hors zoom 2 par B2, 165) : 261 Moore St (entre White et Bogart). ☎ 718-417-1118. Ⓜ (L) Morgan Ave. Pizzas 14-18 $, vrais plats 20-27 $ le soir. Qui croirait que se cache un tel lieu, aussi immense, aussi couru, aussi barbu, branché, fraternel, derrière cette porte pitoyable ! Roberta's, c'est un pionnier du genre hipster-défricheur, égaré à l'écart de Williamsburg, dans un bâtiment industriel planté au milieu d'un coin encore en mutation. On y sert essentiellement de bonnes pizzas, fines et relevées, et une poignée de plats joliment travaillés dans l'esprit locavore. On y mange au coude à coude sur de longues tablées. On se contente d'y boire un verre, aussi, à l'un ou l'autre des 2 bars, le second relégué dans la cour, sous une tente de l'armée. Juste à côté du potager.

BROOKLYN

|●| ▼ **Montana's Trail House** (hors zoom 2 par B2, **165**) : 455 Troutman St (entre St Nicholas et Cypress Ave). ☎ 917-966-1666. Ⓜ (L) Jefferson St. Tlj 15h (11h w-e)-4h. Plats 10-25 $ (brunch 10-15 $). Décor très ricain pour cet ancien garage relooké en ranch tout de bois vêtu, flanqué d'une terrasse en angle sur la rue et ses fameux *murals*. Bonne cuisine aux accents du Sud, à base de produits locaux (le credo brooklynite) : beignets de tomates vertes, poulet frit, BBQ, *grits* au cheddar (polenta de maïs crémeuse typique des Caroline)... et une belle carte de cocktails, spiritueux et... *switchels*, cette boisson de bûcheron remise au goût du jour par les hipsters (encore eux !).

Coffee shops, pâtisseries et glaces

☕ **Toby's Estate** (zoom 2, B1, **231**) : 125 N 6th St. ☎ 347-457-6160. Ⓜ (L) Bedford Ave. Beau volume, immense baie vitrée, profonds canapés, longues tablées et un vrai espresso, torréfié sur place et servi avec un verre d'eau gazeuse. Une parenthèse paisible, qui voit débouler en masse les jeunes branchés du quartier venus surfer sur leurs MacBook Air.

☕ **Blue Bottle Coffee** (zoom 2, B1, **232**) : 160 Berry St. ☎ 718-387-4160. Ⓜ (L) Bedford Ave. Tout aussi emblématique de ces cafés nouvelle génération qui fleurissent un peu partout à NY, mais dans un style plus épuré que *Toby's Estate*. À l'heure des Nespresso, le café est ici passé à l'ancienne, avec des filtres en papier ! Et chaque tasse est préparée à la demande. Plusieurs succursales, mais c'est ici que ça a commencé.

☕ 🍴 **Bakeri** (zoom 2, B1, **230**) : 150 Wythe Ave. ☎ 718-388-8037. Ⓜ (L) Bedford Ave. Tt à moins de 10 $. Cash slt. Adorable boulangerie-pâtisserie artisanale à l'esprit campagne d'antan. Carrelages rétros, comptoir en marbre et bois, tout est ancien et charmant. Quelques places assises seulement. Une bonne halte pour siroter un thé accompagné de délicieux gâteaux. Parfait aussi pour un petit déj à la française ou un lunch rapide (sandwichs avec du bon pain évidemment, *focacce*...).

☕ **Caprices by Sophie** (zoom 2, B1, **233**) : 138 N 6th St. ☎ 347-689-4532. Ⓜ (L) Bedford Ave. Aux manettes de cette pâtisserie de poche, une jeune Française passée du droit des affaires à la confection artisanale de gâteaux via la finance et le yoga ! Très talentueuse, elle s'est spécialisée dans les petits choux, les mini-éclairs et les merveilleux (rebaptisés « capricieux »), ces meringues fourrées de crème fouettée légère à la mode belge. Le petit plus, c'est le jardinet derrière, délicieusement ombragé l'été.

🍦 **Odd Fellows** (zoom 2, A1, **234**) : 175 Kent Ave. ☎ 347-599-0556. Ⓜ (L) Bedford Ave. Tlj sf lun. Un glacier au look rétro, connu pour ses parfums bizarres (« *odd* »), parmi lesquels oignons caramélisés, melon-jambon, huile d'olive, chamallow grillé, popcorn... et des goûts plus classiques aussi. Pour des saveurs moins marquées et issues d'excellents produits, on aime beaucoup *Van Leeuwen*, au 204 Wythe (et North 5th Street).

Où boire un verre ?

▼ **Radegast Hall & Biergarten** (zoom 2, B1, **161**) : 113 N 3rd St (entre Wythe et Berry). ☎ 718-963-3973. ● radegasthall.com ● Ⓜ (L) Bedford Ave. Voilà notre *Biergarten* préféré à New York. Dans une ancienne fabrique de bonbons, un lieu plein de charme, patiné comme on les aime, et une ambiance du tonnerre sous la verrière couverte seulement en hiver. Musique live tous les soirs (sans *cover*).

▼ |●| **Sprintzenhaus 33** (zoom 2, B1, **164**) : 33 Nassau Ave (angle Guernsey, *face au McCarren Park).* ☎ 347-987-4632. **M** *(G) Nassau Ave ou (L) Bedford Ave. Tlj 16h (12h w-e)-4h.* Un entrepôt gigantesque, de l'acier, de la brique, une cheminée qui crépite, des rangées de tablées en bois, en marbre, où se badigeonner les babines de plus de 20 bières pression brassées à New York ou ailleurs. Si la soirée s'éternise, saucisses au feu de bois et bonnes frites à la belge *(env 15 $).* Et quelle ambiance en fin de semaine, bondée, fraternelle.

♟ *The Ides Bar (zoom 2, B1, **15**) : 80 Wythe Ave, au sommet du* Wythe Hotel *(lire plus haut « Où dormir ? »).* ☎ 718-460-8006. **M** *(L) Bedford Ave. Tlj 17h-1h30.* Les *rooftops* ne sont pas si nombreux à Brooklyn, celui coiffant le design *Wythe Hotel* ne pouvait être qu'au sommet du hype. Il faut montrer patte blanche (et son ID) pour grimper jusqu'à ce cube de verre perché au 6e étage, entouré d'une vaste terrasse panoramique donnant à la fois sur Manhattan et sur Brooklyn (moins *scenic* comme vue, il faut bien l'avouer). À l'intérieur, décor rétro façon Art déco, et un *DJ set* différent chaque soir, dès 20h. Faune branchée jusque dans les coupes de cheveux, venue siroter des *drinks* dont les tarifs n'ont rien d'excessif.

♟ *Hotel Delmano (zoom 2, B1, **160**) : 82 Berry St (entrée par N 9th).* ☎ 718-387-1945. **M** *(L) Bedford Ave. Tlj 17h-2h (h ven-sam).* Pas d'enseigne (ce n'est pas un hôtel non plus) mais, à voir les grappes de jeunes branchés à l'extérieur, il y a belle lurette que le secret n'est plus si bien gardé que cela ! Il faut dire qu'il a tout pour plaire, ce bar à cocktails délicieusement *old-fashioned* : comptoir en marbre, lustres et miroirs vintage, chandeliers, tableaux et ventilos, rien ne manque. Même les toilettes sont dotées de lavabos séculaires ! La classe.

♟ *Maison Premiere (zoom 2, B2, **169**) : 298 Bedford Ave (entre Grand et S 1st St).* ☎ 347-335-0446. **M** *(L) Bedford Ave. Tlj 16h-2h (4h jeu-sam et brunch le w-e).* La quintessence du bar à cocktails sophistiqué et créatif (spécialisé aussi en absinthe), devenu une vraie référence chez les « mixologistes ». Les amateurs se pressent pour décrocher un tabouret autour du grand bar circulaire, où l'on assiste à l'élaboration précise et méticuleuse des précieux breuvages, rythmée par les « tic-tic-tic » des shakers qui s'agitent fiévreusement. Décrypter la carte est déjà une aventure en soi. Fait aussi bar à huîtres, clin d'œil à la Louisiane. Et en été, charmant jardin fleuri à l'arrière.

♟ *Spuyten Duyvil (zoom 2, B2, **162**) : 359 Metropolitan Ave (et Havemeyer).* ☎ 718-963-4140. **M** *(L) Bedford Ave. Tlj à partir de 17h (12h w-e).* Ni design ni tendance, le *Spuyten* est la version *roots* (voire déglinguée) du bar branché de Williamsburg. Mais alors, qu'est-ce qui attire les foules ? Ses cartes scolaires punaisées aux murs ? Son mobilier de bric et de broc ? Son parquet de guingois ? Sa cour à l'arrière ? Un peu de tout cela, mais aussi beaucoup sa bonne sélection de bières et son atmosphère fraternelle et sans façons.

♟ *Brooklyn Brewery (zoom 2, B1, **163**) : 79 N 11th St (entre Wythe et Berry).* ☎ 718-486-7422. ● *brooklyn brewery.com* ● **M** *(L) Bedford Ave. Slt ven 18h-23h, sam 12h-20h, dim 12h-18h.* Tout le monde connaît désormais la *Brooklyn Lager,* brassée dans une ancienne fonderie de Williamsburg. Et quitte à en boire quelques pintes, autant le faire dans la grande salle de dégustation (quelques tables disposées sans façons parmi les cuves) en compagnie des joyeux drilles qui connaissent le bon plan : prix doux et atmosphère conviviale, surtout le vendredi soir ! Attention, faudra sûrement faire la queue... Lire aussi « Balades dans le quartier ».

♟ *Teddy's Bar & Grill (zoom 2, B1, **160**) : 96 Berry St (et N 8th).* ☎ 718-384-9787. **M** *(L) Bedford Ave. Tlj dès 11h jusqu'à 2h (4h ven-sam).* Superbe bon vieux pub de Williamsburg, en activité depuis 1887 : dallage patiné, plafond ciselé et verres teintés. On peut encore lire, gravé sur les vitraux de la façade, le nom d'origine, « Peter Dodgers Extra Beer ». Ambiance tranquille, de quoi papoter autour d'une bonne bière sans se hurler dessus. On peut aussi y manger, mais rien de folichon.

BROOKLYN

Où sortir ? Où écouter de la musique ?

♪ ▼ |●| **Brooklyn Bowl** (zoom 2, B1, **166**) : 61 Wythe Ave (entre N 11th et N 12th). ☎ 718-963-3369. • brooklynbowl.com • Ⓜ (L) Bedford Ave. Lun-ven 18h-2h (minuit lun-mer), sam 12h-2h, dim 12h-minuit. Bowling 25 $/30 mn jusqu'à 8 pers (chaussures 5 $/pers). Énorme bowling-bar-resto-salle de concerts dans une ancienne usine de ferronnerie réhabilitée. Un cachet industriel du tonnerre. Tout le monde se retrouve ici pour aligner les *strikes* dans une ambiance rock *(enfants acceptés w-e slt, 12h-17h)*, assister à un concert (programmation éclectique et de qualité), boire un coup dans un canapé moelleux ou même dîner dans la petite annexe du resto *Blue Ribbon* (cuisine américaine). Dans tous les cas, on passe une bonne soirée.

▼ **The Gutter** (zoom 2, B1, **170**) : 200 N 14th St (et Berry St). ☎ 718-387-3585. Ⓜ (L) Bedford Ave ou G (Nassau). Tlj 17h (14h ven, 12h w-e)-4h. Bowling 7 $/pers ou 40-45 $/h pour une piste entière ; chaussures 3 $. CB refusées. Juste une enseigne lumineuse « Bar » avec une flèche pour indiquer l'entrée de ce vieux rade dans son jus et sombre à souhait, qui change des bars à *hipsters* de Williamsburg. Flipper, billard, juke-box, quelques petits écrans TV et un vrai bowling à l'ancienne avec ses consoles rétros pour compter les scores. Sympa, les box qui donnent sur les pistes, dans la partie bar.

♪ **The Knitting Factory** (zoom 2, B2, **162**) : 361 Metropolitan Ave (et Havemeyer). ☎ 347-529-6696. • knittingfactory.com • Ⓜ (L) Bedford Ave. Gratuit ven à partir de minuit. Le club mythique de Houston Street a rouvert au cœur de Williamsburg. Ça lui va bien : programmation tout aussi branchée et expérimentale que le quartier ! Super concerts.

♪ **Music Hall of Williamsburg** (zoom 2, B1, **167**) : 66 N 6th St (entre Wythe et Kent Ave). Ⓜ (L) Bedford St. • musichallofwilliamsburg.com • Une autre scène musicale d'envergure à Williamsburg, où viennent parfois se produire de grosses pointures. Atmosphère intime et super son.

♪ **National Sawdust** (zoom 2, B1, **167**) : 80 N 6th St (et Wythe). ☎ 646-779-8455. • nationalsawdust.com • Ⓜ (L) Bedford St. Le « nouveau Carnegie Hall » de Williamsburg, dans un ancien entrepôt peint d'un *mural* très coloré. Formidable acoustique et programmation éclectique, de la musique de chambre à l'électro.

♪ **Rough Trade** (zoom 2, B1, **203**) : voir « Shopping ». Chez ce disquaire venu d'Angleterre, on branche aussi les guitares pour des concerts d'indie rock, dans une grande salle à l'arrière *(cover 15-25 $ selon groupe)*.

Shopping

⊛ ☛ **Mast Brothers** (zoom 2, B1, **161**) : 111 N 3rd St (et Berry Ave). ☎ 718-388-2625. Ⓜ (L) Bedford Ave. Fabriquer son chocolat avec des fèves de cacao dûment sélectionnées est très tendance à Brooklyn. Les frères Mast, deux barbus au look typique Williamsburg, ont été les initiateurs de ce mouvement. Pas donné, évidemment *(9 $ la tablette)*, mais les emballages graphiques très *arts & crafts* peuvent être joliment recyclés. Un cadeau original et tendance. Dégustations gratuites, profitez-en. Servent aussi du chocolat chaud et un délicieux breuvage à base de fèves de cacao fermentées comme une bière, mais sans alcool *(chocolate beer)*.

⊛ **Beacon's Closet** (zoom 2, B1, **200**) : 74 Guernsey St (et Nassau Ave, face au McCarren Park). ☎ 718-486-0816. Ⓜ (L) Bedford Ave ou (G) Nassau Ave. Vaste chaîne de dépôts-vente, très courus par les bobos et fashionistas : ici, on achète, on vend, on échange des chaussures, des accessoires et des fringues vintage contre d'autres, pour être toujours à la pointe de la contre-mode ! Bien organisé, classé par couleurs, on peut vraiment y faire de bonnes trouvailles. Beaucoup de grandes marques et des prix serrés.

🏵 **Space Ninety 8 (Urban Outfitters ;** zoom 2, B1, **207) :** 98 N 6th St (entre Wythe et Berry). ☎ 718-599-0209. Ⓜ (L) Bedford Ave. Signe d'embourgeoisement, les chaînes de vêtements ont débarqué à Williamsburg, mais les enseignes restent discrètes, toujours cet esprit Brooklyn caractéristique. Difficile de deviner par exemple que ce concept store branché abrite entre autres un Urban Outfitters et même un rooftop bar au 4e et dernier niveau (en été seulement) !

🏵 **Brooklyn Industries** (zoom 2, B1, **201) :** 162 Bedford Ave (et N 8th). ☎ 718-486-6464. Ⓜ (L) Bedford Ave. Brooklyn Industries, c'est le cousin de Manhattan Portage, ces sacs à main et messenger bags « garantis à vie ». Sauf qu'en plus ils font des vêtements sympas, dans le style hipster, et des T-shirts beaux et originaux, pour grands et petits branchés. Le logo de la marque (créée à Williamsburg) représente une vue de Manhattan depuis les toits du quartier, avec les fameuses citernes d'eau. Succursales à DUMBO (70 Front St) et Park Slope (206 5th Ave et Union St), ainsi qu'à Manhattan. Pour porter la marque sans se ruiner, on peut aussi aller flâner du côté de son **magasin d'usine** (zoom 2, B2, **201) :** 184 Broadway (angle Driggs). ☎ 718-218-9166. Ⓜ (J) Marcy Ave ou (L) Bedford Ave. Articles soldés toute l'année, en plus d'une sélection de la collection en cours, à prix fort celle-ci.

🏵 **Rough Trade** (zoom 2, B1, **203) :** 64 N 9th St (entre Wythe et Kent). ☎ 718-388-4111. ● roughtradenyc.com ●

Ⓜ (L) Bedford Ave. Lun-sam 9h-23h, dim 10h-21h. Le temple de l'indie rock importé d'Angleterre. Rough Trade, c'est d'abord un magasin de disques, riche, pointu, qui s'est choisi ici comme écrin un gigantesque hangar, débordant de CD et vinyles pour partie en écoute libre. Mais c'est surtout un concept, celui de l'indépendant qui voit grand. Derrière la boutique, une salle de concerts. Au-dessus, un conteneur, baptisé The Room, dans lequel laisser tomber les écouteurs pour faire hurler les guitares en libre service ou martyriser la batterie électronique. Plus incongru, une Guardian Room, où surfer sur le site du journal éponyme. Et même une... table de ping-pong !

🏵 **Brooklyn Charm** (zoom 2, B1, **204) :** 145 Bedford Ave (entrée sur N 9th St). ☎ 347-689-2492. Ⓜ (L) Bedford Ave. Une adresse spécialisée dans les breloques (charms) pour confectionner soi-même ses bijoux. Prenez un petit plateau à l'entrée et faites votre marché ! D'abord la chaîne, puis les petites bricoles à accrocher dessus, classées par thèmes : lettres, États américains, sports, musique, pierres semi-précieuses, strass... On vous assemble le tout à la fin mais, attention, l'addition peut vite monter, surtout si vous faites graver un message.

🏵 **KCDC Skateshop** (zoom 2, B1, **206) :** 85 N 3rd St (et Wythe). ☎ 718-387-9006. Ⓜ (L) Bedford Ave. Si l'envie vous prenait de parcourir NYC en skate, c'est ici qu'il faut venir : T-shirts et chaussures à gogo, des planches partout (pour partie fabriquées sur place) et un atelier de réparation pour les petits et gros bobos ! Ils donnent même des cours aux novices.

BROOKLYN

Balades dans le quartier

Le Williamsburg hipster est compris en gros entre South 6th Street et North 11th Street. Bedford Avenue est sa colonne vertébrale, Berry, Wythe Avenue et North 6th Street sont ses principaux axes de développement.

➤ **East River State Park** (zoom 2, B1) : entrée sur Kent Ave, au niveau de N 8th St, juste au-dessus du débarcadère du ferry (arrêt N Williamsburg). À quelques enjambées du Williamsburg animé et du métro qui le dessert (Bedford Avenue, ligne L), ce petit parc, aménagé sur ce qui était jadis un quai d'expédition, offre un point de vue extraordinaire sur la skyline de Manhattan. Il y a même des tables et des pelouses pour pique-niquer et un semblant de rivage au bout. Et si vous regardez bien, vous verrez quelques vestiges du passé, des traces de rails de chemin de fer et de rues pavées. En été, on y donne des concerts. La promenade aménagée se prolonge vers le sud, autour du débarcadère du ferry.

Tous les dimanches d'avril à novembre, le *Smorgasburg* (zoom 2, B1, 68), la version culinaire du marché aux puces Brooklyn Flea, prend ses quartiers d'été ici avec des producteurs locaux et des petits stands de bonne bouffe.

➤ *Grand Ferry Park* (zoom 2, A1) : *entrée au croisement de Kent Ave et Grand St.* Un peu plus au sud que le East River State Park, voici un autre point de vue depuis un minuscule square de quartier posé au bord de l'eau, sur une ancienne friche industrielle. Devant vous, légèrement sur la droite, la vue irréelle des tours du Midtown derrière des cheminées d'usines. En flânant d'un parc à l'autre, crochet possible, au bout de 6th Street, par l'embarcadère du *East River Ferry.* Encore un superbe panorama sur Midtown !

🍴 *Brooklyn Brewery* (zoom 2, B1, **163**) : *79 N 11th St (entre Bedford et Berry), Williamsburg.* ☎ 718-486-7422. ● *brooklynbrewery.com* ● Ⓜ (L) Bedford Ave. *Présentation gratuite du site ttes les heures sam 12h-20h, dim 12h-18h (durée : env 30 mn). Sinon, visite dégustation lun-jeu à 17h (résa via Internet impérative car groupe limité à 25 pers, 15 $), dégustation slt et sans résa ven 18h-23h (5 $ la bière).* Plus d'une quinzaine de variétés de bière made in Brooklyn sont désormais fabriquées dans cette petite brasserie créée en 1987 et installée dans une ancienne fonderie. C'était à l'origine un pari un peu fou, lancé par deux amis issus du journalisme et de la banque (donc pas grand-chose à voir !), alors que la dernière brasserie de la ville avait fermé en 1976. Mais avec le temps, cette belle aventure est devenue un très gros succès commercial. Aujourd'hui, tous les bars proposent de la *Brooklyn Lager,* même à Paris ! La visite gratuite du site, courte, se résume à un exposé dans l'atelier de fabrication lorsque celle-ci est à l'arrêt. Intéressant, mais mieux vaut maîtriser l'anglais.

🍴 *The City Reliquary* (zoom 2, B2, **205**) : *370 Metropolitan Ave (et Havemeyer).* ☎ 718-782-4842. Ⓜ (L) Bedford Ave ou Lorimer St. Jeu-dim 12h-18h. Donation suggérée : 5 $. Insolite petit musée dédié à l'histoire de New York. Collection d'objets hétéroclites, présentés dans des vitrines à l'ancienne : produits dérivés de la statue de la Liberté, fragment du Flatiron, vieux *seltzers* (siphons) de Brooklyn... C'est vite vu, il n'y a qu'une pièce ! La mini-échoppe est spécialisée dans l'artisanat local.

🍴 *Le quartier Hassidim* (zoom 2, A-B2) : *au sud de Broadway, autour de Bedford et Lee Ave.* Ⓜ (J, M, Z) Marcy Ave.

C'est le quartier juif hassidique où sont concentrés commerces, synagogues, écoles judaïques, etc. Deux conseils de base : ne pas y aller le vendredi soir ni le samedi, au moment du shabbat, et éviter bien sûr de prendre les gens en photo (question de respect). Le mouvement hassidim, fondé en Europe de l'Est au XVIIIe s, s'est beaucoup développé après 1945. Brooklyn abrite deux des plus importantes communautés au monde. Elles appartiennent à des groupes différents : les Lubavitch, originaires de Russie, installés à Crown Heights, et les Satmar, originaires de Hongrie, installés ici, à Williamsburg. Leurs membres mènent une vie communautaire traditionnelle très fermée. Les hommes portent des costumes noirs aux longues vestes, de grands chapeaux, des papillotes *(peot)* et une barbe. Les femmes, vêtues de jupes longues, la tête couverte d'une perruque ou d'une coiffe enveloppante, ont presque toutes une poussette en main.

Dans les années 1880-1900, tout le secteur était un quartier résidentiel cossu. On peut encore y voir quelques *mansions,* le long de Bedford Avenue : la *Mollenhauer Residence* au n° 505 (1896), la *Hawley Mansion* au n° 563 (1875). Ce fut aussi, à la même époque, l'endroit où l'élite de Manhattan venait s'amuser. Les Vanderbilt et autres Whitney y organisèrent de grandes fêtes dans les hôtels de luxe, casinos et restaurants du coin. L'ambiance a bien changé depuis...

🏃 *Greenpoint* *(zoom 2, B1 et hors zoom 2 par B1) : au nord du McCarren Park.* Ⓜ *(G) Nassau Ave ou Greenpoint Ave. Accessible également avec le* East River Ferry. Passé le McCarren Park et Nassau Avenue, Williamsburg la branchée cède la place à Greenpoint, quartier résidentiel paisible de la communauté polonaise, coincé entre Queens et l'East River. Côté rivière justement, quelques entrepôts défraîchis, dominés par les silhouettes graciles de citernes rouillées, rappellent le passé industriel du quartier qui sert de décor à la série culte *Girls*. Jolie balade le long de Franklin Street et des rues adjacentes, bordées de maisons basses en brique ou lattes de bois dont les façades pastel sautent d'une couleur à l'autre. Ici et là, banques, restos, magasins affichent des enseignes en polonais. À l'angle de Milton Street et Manhattan Avenue, belle église néogothique en brique rouge Saint-Antoine-de-Padoue (1875). Au bout de Greenpoint Avenue, à l'heure où le ciel rosit, superbe panorama sur Manhattan, le One WTC, l'Empire State Building, le Williamsburg Bridge et les cheminées d'usines.

🏃 *Bushwick* *(hors zoom 2 par B2) : à l'est de Williamsburg.* Ⓜ *(L) Jefferson St.* Bushwick, c'est un Williamsburg en gestation, le temple du *street art*. À six stations de métro de son aîné trop coté, voici un quartier il y a peu encore ignoré du beau monde, où s'est réfugiée l'avant-garde des artistes et des alternatifs sans le sou, entre tours d'habitation, entrepôts et maisonnettes de banlieue. Sur quelques blocs seulement, les murs de brique se couvrent de graffs fabuleux, de fresques *(murals)* plutôt. Un coin étonnant, entre zone industrielle et friche artistique en devenir. On conseille de descendre à la station Jefferson Street pour explorer, le nez en l'air, *Jefferson, Troutman* et *Starr Streets* *(entre Saint Nicholas Ave et Irving Ave),* puis de rejoindre, via un no man's land, *Bogart* et *Moore Streets* pour reprendre le métro à Morgan Avenue (ligne L toujours).
En chemin, de plus en plus d'adresses branchouillettes pour boire un coup ou casser la croûte : entre autres, tout près du métro Jefferson, *Montana's Trail House* *(445 Troutman et Saint Nicholas Ave),* un ancien garage automobile reconverti en cabine de trappeur. Et du côté de Morgan Avenue, *Roberta's,* la pizzeria bio emblématique de l'esprit du quartier (voir « Où manger ? »).
Début juin, ne manquez pas les *Bushwick Open Studios,* portes ouvertes des ateliers d'artistes du quartier.

PARK SLOPE, PROSPECT HEIGHTS ET GOWANUS

● Park Slope et Prospect Heights (zoom 3) *p. 279*

Plusieurs lignes de **métro** *desservent le secteur : la 2-3 (stations Bergen St, Grand Army Plaza et Eastern Pkwy Brooklyn Museum), la Q (stations 7 Ave, Prospect Park), la R (Union St) et enfin la F et la G (7 Ave et 15 St-Prospect Park).*

🏃🏃 **Park Slope,** littéralement « la pente du parc », fut bâti sur le flanc ouest de la colline de Prospect Park et s'est développé à partir de 1870 sur ce qui n'était alors que bois, champs et pâturages. L'ouverture du parc attira de riches industriels qui y construisirent *mansions* et maisons de ville. Park Slope devint alors la *Gold Coast* de Brooklyn. Dans les années 1900, ce petit coin de New York avait le plus haut revenu par habitant des États-Unis ! La Dépression changea la donne et Park Slope tomba dans l'oubli jusque dans les sixties. Aujourd'hui, c'est le paradis des familles bobos attirées par la qualité de vie, le charme des belles *brownstone houses* victoriennes et la proximité de Prospect Park.
Avec Brooklyn Heights, c'est indéniablement le plus joli quartier de Brooklyn. Nombreuses rues absolument superbes, toutes différentes mais chacune réalisée par un seul et même architecte, d'où cette impression d'harmonie. Certaines sont encore éclairées par des lampadaires à gaz. Bordé au sud par Windsor Terrace, au nord par Flatbush Avenue et à l'ouest par 4th Avenue, Park Slope a deux

artères principales : 5th et 7th Avenue (entre Flatbush Avenue et 15th Street), où se concentrent boutiques et bons restos. De l'autre côté de Flatbush Avenue s'étend **Prospect Heights,** cerné par Atlantic Avenue au nord, Eastern Parkway et Grand Army Plaza au sud et enfin Washington Avenue à l'est. C'est l'extension naturelle de Park Slope, qui se développe à vitesse grand V. À la pointe nord de Prospect Heights, le **Barclays Center,** l'immense arène inaugurée en 2012, est le nouveau centre névralgique

UNE FERME SUR LE TOIT

À Brooklyn, le made locally *est à la mode, même pour l'agriculture. Et puisqu'on est en ville, c'est sur les toits que s'installent les fermes urbaines, baptisées* roof gardens. *On en compterait dans le* borough *une dizaine de 1 ha ! Toujours bio, ces fermes approvisionnent restos et marchés du coin, et leurs exploitants bénéficient d'avantages fiscaux. Certaines se sont lancées dans l'apiculture, l'élevage de poules ou même la viticulture.*

de Brooklyn et le concurrent direct du Madison Square Garden. Ce mastodonte aérodynamique en acier rouillé (rappelant la couleur des *brownstones*) accueille les joueurs de l'équipe de basket des Brooklyn Nets et les hockeyeurs des New York Islanders, mais aussi de nombreux concerts dans sa salle omnisports de 18 000 places. Au pied de la colline, à l'ouest de 4th Avenue, la friche industrielle déshéritée de **Gowanus** se prend à son tour à rêver d'une renaissance. Quelques adresses bien dans leur époque commencent à essaimer entre les entrepôts désaffectés, les silos d'usines, les vieilles *brownstone houses* aux fenêtres condamnées et les canaux pollués sur lesquels circulent encore de rares vraquiers. Un quartier en train de changer de peau, qui séduira les amateurs d'atmosphère post-industrielle, mais reste encore un peu glauque pour s'y attarder en soirée.

Une journée suffira pour combiner balade dans Park Slope et Prospect Park. Dans ce cas, mieux vaut venir le week-end pour profiter de l'ambiance du parc, plutôt désert en semaine. Pour visiter également le riche *Brooklyn Museum* et le *Brooklyn Botanic Garden* (lire « À voir »), compter 1 jour de plus.

Où dormir ?

Bien desservi par le métro, Park Slope (et son extension Prospect Heights) est un point de chute idéal pour rayonner entre Brooklyn et Manhattan. Nos adresses sont situées au calme, dans de belles *brownstone houses* pleines d'atmosphère, avec souvent un jardin à disposition des hôtes. Un excellent rapport qualité-prix-charme.

🏠 *Chambres d'hôtes chez Guillaume* (zoom 3, B1, **21**) : 183 Park Pl (entre Carlton et Vanderbilt Ave). ☎ 718-789-4969. ● guillaume@abrooklyn.com ● abrooklyn.com ● Ⓜ (2, 3) Grand Army Plaza ou (Q) 7 Ave. Résa impérative par e-mail. Doubles avec sdb partagée 105-135 $, 1 seule avec sdb privée 160 $. Réduc en basse saison ou pour plusieurs j. Paiement par paypal, chèque en euros ou cash. 🖥 📶 Guillaume, un Français ex de la finance marié à

une tout aussi sympathique Brooklynite, met à disposition 3 chambres dans sa maison de Park Slope. Une *brownstone house* bicentenaire, pleine d'âme, de charme et de bonne humeur, idéalement située à deux pas du métro et dans un quartier vivant et prisé. Les 3 chambres sont au rez-de-chaussée, avec entrée indépendante, jardinet, grande cuisine équipée et salle à manger communes. Le plus, c'est l'accueil personnalisé, la richesse des échanges avec Guillaume et Sarah et l'atmosphère « comme à la maison ». Si c'est complet, ils vous logeront chez des amis ou dans la famille. Bref, un très bon rapport qualité-convivialité-prix.

🏠 *House of A & A* (zoom 3, B1, **22**) : 272 Sterling Pl. ☎ 718-230-7877. ● houseofaa.com ● Ⓜ (2, 3) Grand Army Plaza ou (Q) 7 Ave. Doubles avec sdb partagée 120-140 $, avec sdb

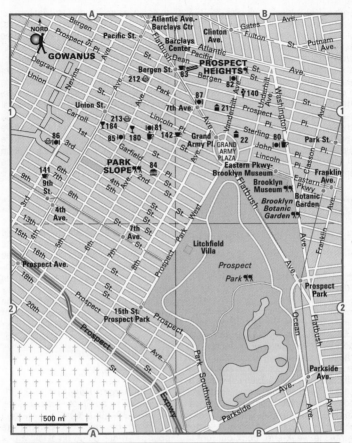

BROOKLYN

BROOKLYN – Park Slope et Prospect Heights (Zoom 3)

🛏	Où dormir ?
21	Chambres d'hôtes chez Guillaume
22	House of A & A

|◉|	🍴 Où manger ?
80	Tom's Restaurant
81	Rose Water
82	Chuko Ramen
83	Bergen Bagel
84	Bareburger
85	Al di la
86	Whole Foods Market
87	Geido

☕ 🍦	Coffee shops, pâtisseries et glaces
83	Doughnut Plant
140	Ample Hills Creamery
141	Four & Twenty Blackbirds
142	Cafe Regular

🍸	Où boire un verre ?
180	Union Hall
184	Mission Dolores

⚙	Shopping
212	Beacon's Closet
213	Brooklyn Industries

privée 160 $, petites singles *85-95 $, petit déj en option (10 $), servi dans la salle à manger familiale.* 📶 Anne et Alaric, les proprios de cette belle *brownstone house* de 1900, ont décidé de restaurer eux-mêmes et pas à pas leur maison selon son aménagement d'origine, à l'ère victorienne. Un projet fou et presque monomaniaque, puisque non seulement les meubles chinés sont d'époque, mais aussi les lavabos et les baignoires, les interrupteurs, les lampes à gaz (électrifiées) et même le téléphone, qui fonctionne encore. La cuisine est un vrai musée avec sa gazinière et son toaster des années 1920. Quant aux chambres, elles sont dans le même esprit, avec heureusement quelques petites transgressions côté confort (literie contemporaine, clim et wifi !). Les 4 du dernier étage se partagent une même salle de bains (avec un antique pèse-personne) tandis que celle du rez-de-chaussée, donnant sur le charmant jardin, a la sienne. Une adresse insolite et bourrée de charme pour passionnés d'histoire et d'antiquités qui voudraient s'offrir un voyage dans le passé.

Où manger ?

Spécial petit déjeuner et brunch

🍴 |◉| **Tom's Restaurant** *(zoom 3, B1, 80)* **:** *782 Washington Ave (et Sterling Pl).* ☎ *718-636-9738.* Ⓜ *(2, 3) Eastern Parkway-Brooklyn Museum. Tlj 7h (8h dim)-16h. Plats 5-12 $. CB refusées.* « *Established in 1936* », ce petit resto populaire est devenu un incontournable. Le cadre de vieux *diner* au kitsch revendiqué vaut la photo, le service est efficace, et les plats, bien caloriques et dans la tradition américaine, sont aussi bons que copieux : omelettes, pancakes avec plein de trucs dedans, steaks, et toujours un *daily special*. Accueil très gentil : le week-end, ceux qui font la queue sur le trottoir pour les énormes petits déjeuners ont droit à du café et des cookies pour patienter !

🍴 |◉| **Rose Water** *(zoom 3, A1, 81)* **:** *787 Union St (entre 5th et 6th Ave).* ☎ *718-783-3800.* Ⓜ *(R) Union St ou (Q) 7 Ave. Tlj 17h30-22h. Brunch w-e 10h-15h 17 $ (plat + boisson) ; plats le soir 28-30 $ (également des ½ portions) ou, lun-jeu slt, menu env 30 $.* Si l'attente obligatoire ne vous effraie pas, ce petit resto sobre et décontracté est une valeur sûre de Park Slope pour le brunch. Pas de miracle pour expliquer son succès : de bons produits du marché, bio le plus souvent, joliment travaillés pour élaborer toutes sortes de petits plats originaux et pleins de saveur. Et si vous avez aimé le brunch, rien ne vous empêche de réserver le soir pour goûter la nouvelle cuisine américaine bien ficelée, accompagnée d'une belle carte des vins biodynamiques sélectionnés par le patron, un vrai passionné.

🍴 Et aussi : **Bergen Bagel** pour son *breakfast special* à prix plancher et **Doughnut Plant**. Voir plus loin.

De très bon marché à bon marché

🍴 **Bergen Bagel** *(zoom 3, B1, 83)* **:** *473 Bergen St (et Flatbush Ave).* ☎ *718-789-7600.* Ⓜ *(2, 3) Bergen St. Tlj dès 6h. Env 3-8 $.* Bonne halte pour un en-cas ou un breakfast à prix d'avant guerre, ce petit boui-boui est spécialisé dans les bagels, à tartiner de garnitures variées ou de *cream cheese* aromatisé, sucré ou salé. Un *local favorite* comme on dit ici, surtout auprès des *cops* du commissariat voisin !

🍴 **Bareburger** *(zoom 3, A1, 84)* **:** *170 7th Ave (et 1st).* ☎ *718-768-2273.* Ⓜ *(2, 3) Grand Army Plaza. Burgers-frites env 12-15 $.* Une minichaîne de burgers gourmets et *healthy* au décor écolo-cool. On choisit sa viande (bœuf, agneau, bison, cerf ou autruche) et son pain. Les ingrédients sont 100 % *organic* ou *natural*. Tout est délicieux, y compris les frites et les petites sauces pour les tremper dedans. L'essayer, c'est l'adopter !

|◉| ✿ **Whole Foods Market** *(zoom 3, A1, 86)* **:** *angle 3rd St et 3rd Ave, à*

Gowanus. ☎ *718-907-3622.* Ⓜ *(F, G, R) 4 Ave-9 St ou (R) Union St. Tlj 8h-23h. Env 10-15 $.* La chaîne de supermarchés bobo-bio ne pouvait se passer d'une enseigne à Gowanus. Et ils ont vu les choses en grand. Le magasin occupe un gigantesque hangar en brique avec, sur le toit, des serres où sont cultivés les légumes vendus au rez-de-chaussée ! Attenante à ce potager urbain, une grande café', flanquée d'une terrasse d'où zieuter la *skyline* par-dessus les silos des usines.

Prix moyens

I●I *Chuko Ramen* (zoom 3, B1, **82**) : *552 Vanderbilt Ave (et Dean St).* ☎ *718-576-6701.* Ⓜ *(2, 3) Bergen St. Plat env 15 $. CB refusées.* Dans la famille des *ramen* (vous savez, ces gros bols de nouilles japonaises trempées dans un bouillon parfumé), *Chuko* se distingue par sa cuisine fine et travaillée. Les *specials* du jour sont souvent très réussis (avec une pointe d'originalité) et la *kale salad* remporte tous les suffrages.

I●I *Al di la* (zoom 3, A1, **85**) : *248 5th Ave (et Carroll).* ☎ *718-783-4565.*

Ⓜ *(R) Union St. Plats env 15 $ le midi, 25-30 $ le soir.* Excellente trattoria plébiscitée pour ses spécialités de Vénétie. Une cuisine de marché, travaillée à partir de très bons produits locaux et assortie d'une carte des vins de la Botte fort bien construite. Le tout à prix étonnamment raisonnables pour une telle qualité. Vous l'aurez compris, le soir les places (et les plats) sont chères, alors tentez plutôt votre chance le midi !

I●I *Geido* (zoom 3, B1, **87**) : *331 Flatbush Ave (et 7th Ave).* ☎ *718-638-8866.* Ⓜ *(2, 3) Grand Army Plaza ou (Q) 7 Ave. Tlj sf lun 17h30-23h. Plat max 17 $, plateaux de sushis et sashimis 15-25 $.* Voici un japonais très *friendly* qui mettra tout le monde d'accord. Salle conviviale, avec un mur de brique tout graffité façon Basquiat, donnant une touche colorée et inattendue dans un resto asiatique. La carte, hyper variée, vous prendra un certain temps à décrypter. Longue liste de *rolls,* sushis et sashimis préparés en direct sous vos yeux, mais aussi tempura, soupes, *noodles, teriyaki...* Bref, de tout pour tous les goûts (et à prix doux).

Coffee shops, pâtisseries et glaces

☕ **Cafe Regular** (zoom 3, A-B1, **142**) : *158A Berkeley Pl (et 7th Ave).* ☎ *718-783-0673.* Ⓜ *(2, 3) Grand Army Plaza ou (Q) 7 Ave.* Le café des habitués du coin, rétro et cool, avec sa jolie devanture à l'ancienne et sa terrasse de poche. À l'intérieur, grande fresque *L'Enfer c'est les autres* inspirée du *Huis clos* de Sartre. Gage de qualité, les grains viennent de *La Colombe,* un des meilleurs *coffee roasters* de la ville. Pour un espresso, demandez-le extralong, sinon c'est trop serré. Bons thés aussi et chocolat chaud de Jacques Torres.

🍦 **Ample Hills Creamery** (zoom 3, B1, **140**) : *623 Vanderbilt Ave (et Saint Marks Ave).* ☎ *347-240-3926.* Ⓜ *(2, 3) Grand Army Plaza ou (Q) 7 Ave. Tlj sf dim.* C'est le bon glacier artisanal de Prospect Heights, qui ne travaille que des produits de saison et locaux. Une vingtaine de parfums au choix, tous

très crémeux et ricains dans l'esprit. Également des *sundaes* à customiser. Pas donné quand même.

☕ **Doughnut Plant** (zoom 3, A-B1, **83**) : *245 Flatbush Ave (et Bergen St).* ☎ *347-990-2438.* Ⓜ *(2, 3) Bergen St.* Au pied d'un mini-Flatiron, une nouvelle enseigne des spécialistes du *doughnut,* ce beignet rond troué revisité avec créativité. Tout ici est triangle (la forme du petit immeuble) ou rond, à la gloire du *doughnut.* Bon café, de chez *Toby's Estate.* Quelques places assises.

☕ **Four & Twenty Blackbirds** (zoom 3, A1, **141**) : *439 3rd Ave (et 8th),* à Gowanus. ☎ *718-499-2917.* Ⓜ *(F, G, R) 4 Ave-9 St. Part de tarte env 6 $.* « Le lieu où viennent les tartes lorsqu'elles meurent... » La drôle d'épitaphe sied parfaitement à ce petit café-pâtisserie tout mimi, égaré au milieu de la friche industrielle de Gowanus. À l'ardoise, de généreuses et délicieuses tartes maison – pommes caramélisées, *lime pie* mousseuse, etc. – à engloutir goulûment autour de tables de bois, en pianotant sur son *laptop* (wifi gratuit). Une pause gourmande dans la découverte de ce quartier en mutation.

Où boire un verre ?

🍸 *Union Hall* (zoom 3, A1, **180**) : 702 Union St (entre 5th et 6th Ave). ☎ 718-638-4400. Ⓜ (R) Union St ou (B, Q) 7 Ave. Tlj 16h (13h w-e)-4h. On est obligé d'aimer l'*Union Hall*. Il a tout pour lui : une atmosphère fraternelle, une déco cosy qui donne l'impression de participer à une fête dans une résidence universitaire de luxe genre Harry Potter (cheminées, tapis, bibliothèques, sofas), et, cerise sur le gâteau, 2 terrains de boules (si, si !). C'est tellement inattendu qu'on en oublierait presque d'aller jeter un coup d'œil à la salle de concerts.

🍸 *Mission Dolores* (zoom 3, A1, **184**) : 249 4th Ave (angle Carroll). ☎ 347-457-5606. Ⓜ (R) Union St. Tlj 14h (16h lun-mar, 12h30 w-e)-2h (4h ven-sam). Squattant un ancien garage, un rade de rockers, où le punk refuse de crever. D'abord, un premier corridor, puis une cour où ça clope sec et, enfin, le comptoir et ses bonnes bières pression, calé sous une véranda tapissée de photos de truands en garde à vue. Dans un coin, 2 flippers. Gros son et clientèle mélangée de barbus hirsutes ou hipsterisés.

Shopping

⚜ *Beacon's Closet* (zoom 3, A1, **212**) : 92 5th Ave (et Prospect Pl). ☎ 718-230-1630. Ⓜ (2, 3) Bergen St. Voir le descriptif de cette friperie vintage à Williamsburg. Surtout des fringues pour les filles.

⚜ *Brooklyn Industries* (zoom 3, A1, **213**) : 206 5th Ave (et Union). ☎ 718-789-2764. Ⓜ (R) Union St. Voir le descriptif à Williamsburg, plus haut.

BROOKLYN

À voir

🎥 *Brooklyn Museum* (zoom 3, B1) : 200 Eastern Parkway. ☎ 718-638-5000. ● brooklynmuseum.org ● Ⓜ (2, 3) Eastern Parkway-Brooklyn Museum. Mer et ven-dim 11h-18h (23h 1er sam du mois sf sept). Fermé lun-mar et j. fériés. Donation suggérée : 16 $; réduc ; gratuit moins de 19 ans et pour ts 1er sam du mois 17h-23h. Billet combiné avec le Brooklyn Botanic Garden : 23 $; réduc.
Ce fut d'abord une bibliothèque (à partir de 1823), qui prit de l'importance et devint par la suite le Brooklyn Institute of Arts and Sciences. Sur le site, il fut décidé en 1897 d'élever un musée digne de la ville. Projet grandiose des architectes McKim, Mead et White sous la forme d'un bâtiment avec d'immenses façades de style néoclassique sur les quatre côtés. L'absorption de Brooklyn dans le grand New York, l'année suivante, cassa l'élan et l'enthousiasme des habitants pour leur musée : seulement un quart du projet fut réalisé.
Aujourd'hui, le Brooklyn Museum tire son épingle du jeu en se distinguant habilement des monstres sacrés de Manhattan. Il est réputé pour ses magnifiques collections d'art (surtout oriental et égyptien mais aussi la première collection permanente d'art féministe du pays), ses *Period Rooms* et ses programmes éducatifs, ainsi que pour l'originalité de certaines de ses expos temporaires. Sa muséographie très aérée, les petites aires de repos judicieusement disposées, le mélange distrayant de peinture, sculpture et arts décoratifs sans compter la diversité des collections en font un musée très agréable à parcourir. Le 1er samedi de chaque mois, le musée se transforme en lieu d'échange culturel et de fête avec au programme discussions, concert, danse (*Target First*

Saturdays)... Pour avoir un bon aperçu du musée sans trop courir, compter 3h de visite minimum. Nous recommandons de commencer par le haut, pour redescendre tranquillement. Admirez cependant la dizaine de sculptures de Rodin qui vous accueillent à l'entrée, dont plusieurs statues de la série « Balzac ». Le musée Rodin de Paris a eu l'autorisation de reproduire des moulages de bronze à condition qu'il n'existe pas plus de 12 exemplaires de chaque œuvre.

– *Au 4e étage (5th Floor) :* divisé en différentes sections thématiques qui mêlent *art américain* et histoire, depuis les premiers colons jusqu'au XXe s. Voir notamment les fameux portraitistes du XVIIIe s : John Singleton Copley et Gilbert Stuart, célèbre pour ses représentations de George Washington. Puis les paysages sublimés de Frederic Edwin Church et Albert Bierstadt *(Storm in Rocky Mountains).* Dans la partie XIXe s, superbe portrait de femme pointant son coude en direction du spectateur, signé William Meritt Chase. Et puis tous les grands noms de l'époque : John Singer Sargent, Mary Cassatt, Wilmer Dewing... qui cèdent ensuite le pas à leurs homologues du XXe s : Mark Rothko dans une toile figurative inhabituelle, un Edward Hopper peu connu *(Macomb's Dam Bridge),* et encore Stuart Davis, Georgia O'keeffe... Juste à côté, une salle étonnante, le *Luce Center for American Art* : il s'agit ni plus ni moins de la réserve ! Accessible au grand public, elle a tout de ces cabinets de curiosités où d'improbables objets s'entassent dans les vitrines, soigneusement étiquetés. Au milieu des peintures, sculptures et mobilier de tous styles (beaucoup de lampes Tiffany, notamment), on verra même un prototype délirant de vélo dessiné en 1946 par Benjamin Bowden. Ne pas hésiter à ouvrir aussi les tiroirs pour découvrir bijoux, pièces d'argenterie...

– *Au 3e étage (4th Floor) :* le très médiatique *Elizabeth A. Sackler Center for Feminist Art* est organisé autour d'une œuvre centrale, la fameuse installation monumentale de Judy Chicago, *The Dinner Party.* Le concept de cette œuvre emblématique de 1979 est le suivant : une immense table triangulaire autour de laquelle sont regroupées des représentations symboliques des femmes qui ont contribué à l'histoire de leur sexe depuis la nuit des temps. Elles y sont toutes, déesses, reines, écrivaines, suffragettes, militantes, installées par ordre chronologique. Chaque set de table symbolise une femme, et chaque assiette représente une fleur stylisée qui, à mesure que l'on avance dans le temps, prend du relief et devient de plus en plus « vaginale » et « georgiao'keeffienne ». Sappho, Hatchepsout, Hildegarde de Bingen, Elizabeth Ire, Virginia Woolf, Colette... Celles qui ne sont pas attablées sont citées sur la mosaïque au centre. Dans la salle adjacente, une frise foisonnante répertorie les femmes qui ont fait l'Histoire, des déesses antiques aux artistes et activistes du milieu du XXe s. L'autre moitié de cet étage est réservée aux *arts décoratifs* des XIXe et XXe s. On peut y voir, par roulement : mobilier Art nouveau et Art déco, design vintage des fifties, verrerie, belle collection d'œuvres de Tiffany, amusante *Fantasy Furniture Collection.* Et surtout la séduisante section permanente des *period rooms* : meublées d'ancien, les magnifiques reconstitutions d'intérieurs de maisons américaines donnent une idée du quotidien selon les époques. La plupart des pièces sont d'origine et ont été entièrement remontées à l'identique, comme la *ferme Schenck* (de 1775) qui se trouvait dans les Flatlands, ou le superbe fumoir mauresque de l'hôtel particulier de John D. Rockefeller, qui se situait sur 5th Avenue à Manhattan *(Moorish Smoking Room).*

– *Au 2e étage (3rd Floor) :* superbe collection d'*antiquités égyptiennes et du Proche-Orient.* Sarcophages, momies, bijoux, mosaïques, vaisselle, et une très belle série de bas-reliefs perses provenant d'Irak (notez l'écriture dite « cunéiforme », formée d'encoches de différentes tailles). Une sélection particulièrement riche et une présentation impeccable. Dans la grande galerie centrale ouvrant sur la verrière au milieu, bonne sélection d'*art européen* aussi riche que variée : Millet, Boudin, Degas, Pissarro, Courbet, Monet, Corot, Kandinsky, Van Dongen, Berthe Morisot, mais également des retables médiévaux de Lorenzo Monaco ou Crivelli... Quelques perles à dénicher donc, malgré le flou relatif de la présentation.

– *Au 1er étage (2nd Floor) :* collection d'arts orientaux, islamiques et asiatiques. Miniatures, céramiques, tissus, cuivres gravés, peintures iraniennes, calligraphies et délicats paravents japonais, bouddhas, sculptures hindoues, et bien sûr une collection de disques de jade (symbolisant l'immortalité des souverains chinois).

– *Au rez-de-chaussée (1st Floor) :* importante collection d'**art africain,** malheureusement reléguée dans un coin du hall. Splendides masques bolo et banda, couronne et sceptre yoruba (Nigeria), bracelets, colliers, sagaies de cérémonie, spectaculaire chapeau de cérémonie funéraire tikar (Cameroun), etc. Pour finir, incursion dans l'étonnante section **Connecting Cultures,** où se mêlent joyeusement styles et périodes, créant de nouveaux sens : tableaux classiques et *Femme en gris* cubiste peinte par Picasso, arts déco et antiquités égyptiennes, figures funéraires papoues et mosaïques arabes, etc.

ϗϗ 🕏 **Brooklyn Botanic Garden** *(zoom 3, B1) :* 900 Washington Ave, pas loin du Brooklyn Museum. ☎ 718-623-7200. ● bbg.org ● Ⓜ (2, 3) Eastern Parkway-Brooklyn Museum. Tlj sf lun 8h (10h w-e)-18h (16h30 nov-fév). Entrée : 12 $; réduc ; gratuit tlj moins de 12 ans et ven plus de 65 ans ; gratuit pour ts mar tte la journée et sam 10h-12h. Billet combiné avec le Brooklyn Museum 23 $ (14 $ enfants et seniors). Jardin créé en 1910. On y trouve plus de 12 000 variétés de plantes réparties en de superbes parcours, notamment les *Japanese Hill-and-Pond Garden,* une des plus belles collections de bonsaïs au monde, le *Fragrance Garden* (pour les non-voyants), le *Shakespeare Garden* (avec 80 plantes mentionnées dans ses œuvres ; les extraits de pièces et poèmes sont écrits devant chaque plante), etc. À côté des jardins japonais, le *Celebrity Path,* une promenade avec, au sol, des plaques portant le nom de dizaines de Brooklynites célèbres. À voir aussi, la *Tropical House,* vaste serre pour les plantes nécessitant une atmosphère humide et chaude (bambou, bananier, canne à sucre, etc.).

ϗϗ 🕏 **Prospect Park** *(zoom 3, A-B1-2) :* Grand Army Plaza. ☎ 718-965-8951. ● prospectpark.org ● Ⓜ (2, 3) Grand Army Plaza ou (F, G, Q, S) Prospect Park. Immense parc bucolique et vallonné de 210 ha, construit en 1866-1874 par Calvert Vaux et Frederick Law Olmsted. Les créateurs de Central Park à Manhattan déclarèrent par la suite que Prospect Park était leur chef-d'œuvre car, contrairement à Central Park pour lequel ils avaient eu beaucoup de contraintes, celui-ci leur avait permis de réaliser leur idéal de parc naturel en plein cœur de la ville.

Mieux vaut visiter Prospect Park le week-end pour profiter de l'animation. En semaine, il est assez désert, surtout dans sa partie est. Le week-end, au contraire, la foule des Brooklynites s'y presse : pique-niques et barbecues géants en été, matchs de base-ball, parties de *soccer* (notre football) à toute heure (des *pick up games* : les équipes se forment spontanément en fonction des arrivants), embarcations à pédales sur le lac de mai à octobre, concerts de tambour sur East Lake Drive, concerts au Band Shell en été pendant « Celebrate Brooklyn » (voir, plus haut, « Fêtes et manifestations »), marché gourmet **Smorgasburg** le dimanche d'avril à novembre *(11h-18h)* avec de nombreux stands de *Street food*, etc.

Principales attractions

– **Prospect Park Zoo :** ☎ 718-399-7339. ● prospectparkzoo.com ● Tlj 10h-16h30. Entrée : 8 $; 5 $ 3-12 ans. 400 animaux de près de 80 espèces, parmi lesquels des chiens de prairie, babouins, pandas, paons, etc.

– **Long Meadow :** immense prairie qui part de l'entrée de Grand Army Plaza et rejoint le Band Shell au sud. À certains endroits, on ne voit plus du tout la ville. Le rendez-vous des familles et sportifs du week-end.

– **Litchfield Villa :** c'est le grand palais de style toscan dressé sur une petite colline, au niveau de Prospect Park West et 5th Street, et la plus ancienne *mansion* de Park Slope. Érigée en 1857 pour le compte d'une riche famille, elle fut intégrée dans les plans du parc par Olmsted et Vaux et accueille aujourd'hui les bureaux des parcs et jardins de New York.

– **Ravine :** à l'est de Long Meadow, la partie la plus sauvage du parc. Des sentiers défilent à travers bois, collines, étangs et cascades.
– **Friends Cemetery :** sur Quaker Hill, à l'extrémité sud de Long Meadow. Cimetière Quaker, ouvert en 1846, toujours en activité. L'acteur Montgomery Clift y est enterré. Le cimetière est fermé par des grilles, mais les *urban park rangers* le font visiter régulièrement.
– **Prospect Park Carousel :** à côté de la maison Lefferts. Superbe manège de 53 chevaux qui date des années 1900 et a commencé sa carrière dans un parc d'attractions de Coney Island.
– **Lakeside** *(The Samuel J. & Ethel Lefrak Center) :* les rives du lac, au sud du parc, ont été récemment réaménagées en un espace récréatif comprenant deux patinoires, l'une couverte, l'autre en plein air, évolutives au fil des saisons (rollers au printemps, pataugeoire l'été, patins à glace en hiver...). Également des grasses pelouses, aires de pique-nique, promenades au bord de l'eau...

Balade à la découverte des *landmarks* du quartier

➢ **Grand Army Plaza :** Ⓜ *(2, 3)*
Grand Army Plaza.
La place de l'Étoile version brooklynite, conçue en 1870 pour servir d'entrée d'honneur à Prospect Park. La « Grand Army » en question, c'est celle de l'Union, pendant la guerre de Sécession. L'arc de triomphe, *Soldiers and Sailors Memorial Arch,* dédié aux soldats nordistes tombés au champ d'honneur, ne vit le jour qu'en 1892. À voir, sous la voûte de l'arche, deux bas-reliefs de Grant et Lincoln à cheval (ce dernier est une œuvre du peintre-sculpteur réaliste Thomas Eakins). Au sommet de l'arche, *Quadriga,* une sculpture de Frederick Mac Monnies : un chariot tiré par quatre chevaux et guidé par Columbia, figure symbolique purement yankee qui incarne les notions de justice, d'unité et de liberté.

MARCHÉ COMMUN

Ils ont commencé tout petit, une poignée de militants alternatifs issus du bouillonnement contestataire des seventies. Aujourd'hui, la Park Slope Food Coop, une coopérative alimentaire autogérée, regroupe plus de 16 000 membres actifs gérant leur propre supermarché de 600 m², réservé aux seuls adhérents. Les milliers de produits distribués sont choisis en AG, chacun donne quelques heures par mois pour participer à la mise en rayon, au stockage ou tenir la caisse. Un concept qui a fait des émules jusqu'à Paris !

BROOKLYN

À voir aussi, à l'extrémité nord de la place : le buste de John F. Kennedy, bien solitaire sur son petit terre-plein envahi de mauvaises herbes. Ce mémorial maigrichon, construit en 1965, est le seul monument officiel de la ville de New York au président assassiné !
Et si vous êtes de passage un samedi matin, faites une halte au **Farmers' Market** qui s'y tient toute l'année sauf de janvier à mars, histoire de grignoter un bout au comptoir d'un *food truck* et de boire un verre d'*apple cider* (rien à voir avec le cidre normand, c'est du jus de pomme).

➢ **Montauk Club :** *angle Plaza St et Lincoln Ave.*
Il date de 1891 et son architecte s'est inspiré de la Ca' d'Oro, palais sur le Grand Canal de Venise. Le club, fondé en 1889, était réservé aux messieurs et ne s'est ouvert aux femmes qu'après la Seconde Guerre mondiale. Ces dames devaient quand même entrer par la petite porte latérale, sur 8th Avenue. Comme le rappellent les têtes d'Indiens sculptées au-dessus de l'entrée sur 8th Avenue, les

Montauk étaient une tribu indienne de Long Island. La frise qui fait le tour des trois façades raconte leur histoire.

On peut jeter un œil dans le hall d'entrée pour se faire une idée du bel intérieur victorien, avec ses boiseries sombres. Le club est toujours en activité, mais ses critères de sélection, autrefois fondés sur la richesse, se sont démocratisés. Il suffit, paraît-il, d'avoir une bonne morale, de ne pas être un ivrogne et de payer ses factures (sic).

➤ **Thomas Adams Jr Residence :** *119 8th Ave (et Carroll).* C'est la maison d'un industriel de Brooklyn qui fit fortune en commercialisant en 1872 les premiers chewing-gums modernes, à base de chiclé (substance caoutchouteuse extraite d'un arbre, le sapotier), de résine et de sirop. Une demeure de style *Romanesque Revival* reconnaissable, entre autres, à ses entrées massives en forme d'arches, encadrées de pierres brutes, ainsi qu'à ses fenêtres à colonnettes.

➤ **Carroll Street et Montgomery Place :** *entre 8th Ave et Prospect Park W.* Les plus beaux ensembles de *brownstone houses* de Brooklyn, et sans doute de New York. Voir en particulier, sur Montgomery Place, les nos 11 à 19, 21 et 25 sur le côté nord, ainsi que les nos 14-18, 36-46, 48-50 et 54-60 sur le côté sud. Ces maisons de style *Romanesque Revival* sont toutes l'œuvre du même architecte, C. P. H. Gilbert (rien à voir avec Cass Gilbert, du Woolworth Building à Manhattan). Et puisque vous êtes dans le coin, jetez aussi un œil à 2nd Street à deux blocs de là. Très belle harmonie du n° 590 au n° 648 avec un ensemble de 26 maisons réalisées au début du XXe s par un seul et même architecte brooklynite.

À voir dans les environs de Park Slope et Prospect Heights

🏃 🏃 **Brooklyn Children's Museum** *(plan d'ensemble Brooklyn) :* 145 Brooklyn Ave (et Saint Mark's Ave). ☎ 718-735-4400. ● *brooklynkids.org* ● Ⓜ *(3) Kingston Ave. Tlj sf lun 10h-17h (18h jeu). Entrée : 11 $; gratuit moins de 1 an et pour ts jeu 14h-18h.* Considéré comme le premier musée des enfants jamais créé (1899), ce lieu déjà réjouissant à l'origine occupe désormais un vaste bâtiment moderne jaune canari, percé de hublots comme un paquebot. L'intérieur est aussi séduisant que l'extérieur : les différentes sections thématiques, toujours ludiques et joliment réalisées, correspondent à autant de tranches d'âge. L'espace dédié aux moins de 5 ans se démarque avec toutes sortes d'activités d'éveil encadrées par des animateurs, tandis que la partie *World Brooklyn* s'adresse aux plus grands, puisqu'il s'agit de faire prendre conscience de la spécificité multiculturelle de Brooklyn au travers de plusieurs boutiques et activités typiques du quartier (la pizzeria italienne, la pâtisserie mexicaine...). Quant aux aînés, ils passeront sans doute plus de temps dans les sections consacrées aux plantes et aux animaux du coin. Vraiment sympa et bien fichu.

🏃 **Green-Wood Cemetery** *(plan d'ensemble Brooklyn) :* 5th Ave (et 25th). ☎ 718-768-7300. ● *green-wood.com* ● Ⓜ *(R) 25 St. Tlj 7h à 7h45 selon période – 17h à 19h en saison. Tour guidé en trolley dim à 13h (15 $ pour 2h de visite) ; se renseigner.* Cimetière ouvert en 1840, qui fut le premier parc naturel de Brooklyn. Relief vallonné avec de belles échappées sur la ville et la baie. Véritable petit musée des tombes et mausolées de style victorien, au milieu des étangs et des canards. Entrée principale sous une immense arche de style gothique. Quelques noms de célébrités enterrées ici : Henry Ward Beecher (le pasteur abolitionniste de Brooklyn Heights), Samuel Morse, les Tiffany père et fils, F.A.O. Schwarz (celui du magasin de jouets de Midtown), Lola Montes, Leonard Bernstein, Jean-Michel Basquiat.

🏃 **Hassidic Tours** *(hors plan d'ensemble Brooklyn) :* 305 Kingston Ave. ☎ 718-953-5244. ● *jewishtours.com* ● Ⓜ *(3) Kingston Ave. À 1,5 bloc de la station Kingston. Tour guidé de 3h (livret-guide et repas compris) tlj sf sam à 10h (sf* *fêtes juives)* : env 50 $/pers ; réduc ; ½ tarif moins de 12 ans. Un bon moyen pour découvrir de l'intérieur l'une des communautés hassidim de New York, les Loubavitch du quartier de Crown Heights. C'est le rabbin Epstein qui a fondé *Hassidic Tours*, il y a près de 30 ans. Plein d'humour, il répond à toutes les questions des touristes, même les plus candides. Visite d'une bibliothèque et d'une synagogue à l'heure de la prière, et d'un petit musée consacré au fondateur du groupe. On entre également chez un scribe, qui recopie à la main la Torah à l'aide de plumes d'oie, d'encre et de parchemins qu'il a lui-même confectionnés dans son sous-sol. Il lui faut une année entière pour écrire la totalité des cinq livres de la Torah. La visite s'achève par un repas casher et une visite dans les boutiques du quartier. Bien qu'elle soit en anglais, l'expérience est suffisamment visuelle pour valoir le déplacement.

CARROLL GARDENS, COBBLE HILL ET BOERUM HILL

> ● Carroll Gardens, Cobble Hill et Red Hook (zoom 4) *p. 289*

Pour se rendre dans ce secteur résidentiel de Brooklyn : lignes F et G du **métro**, *stations Carroll St et Bergen St.*

🦶 Trois quartiers résidentiels qui se succèdent juste au sud de Brooklyn Heights, de l'autre côté d'Atlantic Avenue. Emportés par le succès du puissant voisin Brooklyn Heights, **Boerum Hill, Carroll Gardens** et **Cobble Hill** (BoCoCa pour les intimes) sont devenus les nouveaux lieux de prédilection des New-Yorkais aspirant à plus de calme, d'espace, de verdure qu'à Manhattan... Quartier historiquement italien (Al Capone s'est marié ici en 1918), Carroll Gardens est désormais le coin favori des... Français, attirés par les écoles francophones locales et tous les petits commerces de bouche à l'ancienne. Marchand de légumes, charcutier, poissonnier, fromager... cohabitent ici avec les adresses les plus branchées dans un style harmonieux et moins étudié qu'à Williamsburg, par exemple. Pour le touriste de passage, moins de choses à voir qu'à DUMBO, Brooklyn Heights et Park Slope, en dehors de la sympathique vie de quartier, bien sûr.

Où manger ?

De très bon marché à bon marché

🍴 🥡 📍 **61 Local** (zoom 4, B1, **107**) : 61 Bergen St (et Smith). ☎ 347-763-6624. Ⓜ (F, G) Bergen St. Tlj 7h (9h w-e)-minuit (1h ven-sam). Sandwichs env 11-13 $. Typiquement brooklynite, cette néocantine locavore se veut avant tout un espace communautaire à l'esprit créatif. Beaux volumes, grandes tablées, ambiance cool, parfait pour un breakfast ou un déjeuner soupe-sandwich original et avec du bon pain. Impressionnante sélection de bières artisanales locales, à accompagner d'assiettes de charcuteries ou de fromages du coin. Profitez-en aussi pour jeter un œil aux expos du centre culturel monté par un Français, *The Invisible Dog,* juste à côté.

🥡 **Lucali** (zoom 4, B1, **100**) : 575 Henry St (angle Caroll). ☎ 718-858-4086. Ⓜ (F, G) Carroll St. Tlj sf mar 18h-23h. Pizza à partager env 20 $. CB refusées. À voir la longue file d'attente, on hésiterait presque à rebrousser chemin. Mais on fait bien de tenter le coup ! Inscrit au tableau noir, le choix se résume à 3 ou 4 sortes de pizzas différentes chaque jour, à goûter en version classique ou calzone. Puis on partage le tout à la bonne franquette, dans une salle simple et agréable avec cuisine ouverte, où la mine réjouie des convives en dit long sur la qualité des produits et la délicatesse de la pâte. Délicieux ! En revanche, pas d'entrées, de desserts,

BROOKLYN

ni de vins (on apporte sa bouteille), la seule star de la maison, c'est définitivement la pizza. Un vrai concept !

Prix moyens

|●| Frankie's 457 *(zoom 4, B1,* **102***) :* 457 Court St (et 4th Pl). ☎ 718-403-0033. ● *(F, G) Carroll St. Résa conseillée. Plats 15-20 $, sandwich 12-15 $.* Avec de longues rangées de bouteilles

au garde-à-vous le long des murs de brique, on se doute bien que l'atmosphère n'a rien d'austère ! Ce petit resto italien de quartier a effectivement la cote : il faut souvent faire la queue avant de goûter aux salades, sandwichs, *crostini,* tagliatelles, ou aux plats du jour tous plus appétissants les uns que les autres et préparés au maximum avec des produits *organic* (« bio » en v.f.). Très chaleureux et petit jardin à l'arrière.

Où déguster une glace ?
Où boire un soda à l'ancienne ?

♀ ☕ Brooklyn Farmacy *(zoom 4, B1,* **108***) :* 513 Henry St (et Sackett). ☎ 718-522-6260. ● *(F, G) Carroll St.* On adore cette reconstitution de vieille *farmacy* datant de l'époque où l'on y préparait les sodas. Rayonnages de potions d'apothicaire, long comptoir en marbre, carrelage rétro et petites tables bistrot, c'est dans ce décor de

buvette à l'ancienne que l'on s'attable avec bonheur pour siroter un soda maison ou, plus typiquement brooklynite période Prohibition, un *egg cream* (lait entier, sirop de chocolat et eau gazeuse). Aussi *shakes, sundaes* et copieuses coupes glacées aux parfums de saison.

Où boire un verre ?

♀ Brooklyn Social *(zoom 4, B1,* **120***) :* 335 Smith St (et Carroll). ☎ 718-858-7758. ● *(F, G) Carroll St.* Ce bar branché aux airs de *speakeasy* fut le siège de la *Societa Riposta,* un *social club* fréquenté par les Siciliens dans les années 1920. Décor sombre et patiné, dans son jus, élégant mais pas sophistiqué. Tout est d'origine, y compris les souvenirs du club courant sur les murs. Au fond, une salle de billard et une

petite alcôve tapissée de papier peint fleuri, charmant nid d'amour pour siroter son drink sur fond musical *oldies.* Sur la liste de cocktails (excellents et à prix raisonnables) figurent des *specials* inspirés du club d'origine et le Negroni Sbagliato, variante du Negroni classique né à Milan dans les années 1950 : vermouth, Campari, mousseux et orange.

Shopping

❀ Trader Joe's *(zoom 4, B1,* **131***) :* 130 Court St (et Atlantic Ave). ☎ 718-246-8460. ● *(F, G) Bergen St ou (2, 3, 4, 5) Borough Hall. Tlj 8h-22h.* Pour le descriptif complet de cette petite

chaîne de supermarchés bio, voir le chapitre « Upper West Side ». Pas moins de 30 caisses à la sortie, donc bien se concentrer pour ne pas louper son tour.

Balades à faire dans le quartier

➤ **Carroll Gardens Historic District** *(zoom 4, B1) : 4 blocs compris entre Smith et Hoyt St, Carroll St et President St.* On ne vous a pas encore expliqué le pourquoi de *Gardens* dans Carroll Gardens : ces quelques rues ont été tracées en 1846

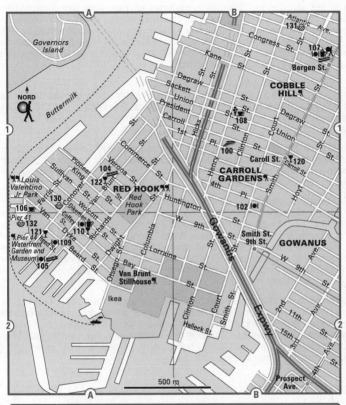

BROOKLYN – Carroll Gardens, Cobble Hill et Red Hook (Zoom 4)

|◉| 🍴	Où manger ?		▼	Où boire un verre ?
100	Lucali	**110**	Fort Defiance
102	Frankie's 457	**120**	Brooklyn Social
104	Red Hook Lobster Pound	**121**	Sunny's Bar
105	Fairway Market	**122**	Red Hook Bait and Tackle
107	61 Local		
109	Hometown Bar B Que	⊛	Shopping
110	Fort Defiance		
		130	Dry Dock Wine + Spirit
🍨 🍦	Où déguster une pâtisserie	**131**	Trader Joe's
	ou une glace ? Où boire un	**132**	Red Hook Winery
	soda à l'ancienne ?		
		❧	À voir
106	Steve's Authentic Key		
	Lime Pies	**107**	The Invisible Dog
108	Brooklyn Farmacy		

avec des espaces exceptionnellement profonds pour New York. Les maisons qui les bordent ont donc chacune en devanture un long jardin. Elles forment un ensemble très homogène, pratiquement inaltéré depuis leur construction, de 1860 à 1880, pour des familles de commerçants : harmonie des couleurs (brique ou grès brun), des styles « néo » à la mode à cette époque (*Italianate* ou *Greek Revival*) et des balustrades qui clôturent les jardins.

➤ ***Smith et Court Streets :*** *les 2 axes commerçants entre Carroll Gardens et Boerum Hill.* Aux côtés d'une nouvelle génération de boutiques de vintage et de mode, de cafés, de bars et de restaurants, il reste quelques institutions, notamment des commerces de proximité, tout droit sortis des années 1950 pour certains !

➤ ***Cobble Hill Historic District :*** *22 blocs compris entre Degraw St et Atlantic Ave, Court et Hick St.* Ils sont classés depuis 1969. Parmi nos coups de cœur : *Tompkins Place*, aux petites maisons joliment décorées (fenêtres, linteaux des portes, corniches, grilles en fer forgé...).

➤ ***Home & Tower Buildings et Workingmen Cottages :*** *Hicks St, entre Baltic et Warren.* Ces logements sociaux, construits en 1878-1879, sont sans doute les premières « HLM » de tous les États-Unis. Ils doivent leur existence à un homme d'affaires de Brooklyn, Alfred Tredway White. Choqué par les conditions de vie des ouvriers new-yorkais qu'il jugeait les pires au monde, il fit construire cet ensemble de logements en priant l'architecte de créer « un cadre de vie décent ». Lui-même s'était engagé à ne pas percevoir plus de 5 % de bénéfices sur la location. Tout a été conçu afin de laisser passer le maximum d'air et de lumière.

🏃 **The Invisible Dog** *(zoom 4, B1, 107) :* *51 Bergen St (et Smith).* ● *theinvisible dog.org* ● Ⓜ *(F, G) Bergen St. GRATUIT.* Monté par le Français Lucien Zayan dans une ancienne usine de ceintures (et de laisses pour chien imaginaire, un gadget emblématique des seventies, d'où le nom), ce centre culturel est un incontournable vivier artistique et créatif. Ici, contrairement aux galeries, tout l'argent gagné par la vente d'œuvres revient aux artistes.

RED HOOK

> ● Carroll Gardens, Cobble Hill et Red Hook (zoom 4) *p. 289*

Pour se rendre à Red Hook en transports en commun : pas de métro proche, le moyen le plus simple est le **water taxi Ikea Express** *depuis Pier 11 à Manhattan du côté de South Street Seaport jusqu'à Ikea (pointe sud de Red Hook). Départs ttes les 45 mn tlj 14h-19h15 en sem (retour vers Manhattan 14h30-19h45), départs ttes les 50 mn, 11h30-21h30 le w-e, retour 12h05-21h15. Compter 20 mn de trajet en bateau. Tarifs : 5 $ l'aller en sem (gratuit moins de 5 ans), gratuit pour ts le w-e.* ● *nywatertaxi.com* ● *Attention,* **changements** *possibles fin 2016 courant 2017, dans le cadre du projet de modernisation et de développement du réseau de ferries entrepris par le maire Bill de Blasio. Renseignez-vous bien avant ! Sinon,* **navette bus gratuite d'Ikea,** *ttes les 30 mn 11h-22h, depuis les stations de* **métro** *suivantes :* Ⓜ *(F, G) Smith-9 St (F, N, R) 4th Ave (2, 3, 4, 5, N, R) Borough Hall. Rens sur* ● *ikea.com* ● *Bon à savoir, le bus B61 relie Red Hook à Downtown Brooklyn via Carroll Gardens et Cobble Hill (pratique pour visiter ces quartiers dans la même journée) ; fonctionne tlj et part de Van Brunt St, l'axe principal de Red Hook.*

🏃🏃 Situé au nord-ouest de Brooklyn, et ainsi nommé depuis le XVIIe s en raison de la couleur rouge de la terre et de son avancée vaguement crochue dans la mer, Red Hook s'est peuplé au XIXe s d'Irlandais venus travailler comme marins et dockers sur le port. À partir de 1900, les Italiens leur succédèrent. Après la Seconde

Guerre mondiale, lorsque le port de New York recentra ses activités dans le New Jersey, les docks et entrepôts de Red Hook furent désertés, et on tailla le quartier pour y percer la voie rapide. Red Hook se trouva alors coupé en deux, la partie en bord de mer désormais isolée du reste de la ville. C'est le début d'un long déclin qui atteint son apogée dans les années 1990. En 2006, l'inauguration d'un nouvel embarcadère servant de port d'attache au *Queen Elizabeth 2* et au *Queen Mary 2* (entre autres) signe la renaissance de Red Hook. S'ensuit l'ouverture d'un *Ikea* (accessible en navette bateau depuis Manhattan), puis d'une série de petites adresses branchées : restos, bars, boutiques, brasserie artisanale (la fameuse *Sixpoint Brewery,* élaborée dans un vieil entrepôt et aujourd'hui presque aussi célèbre que sa grande sœur, la *Brooklyn Brewery*) distilleries et *wineries...* Durement touché par l'ouragan Sandy en octobre 2012, Red Hook s'est peu à peu reconstruit grâce à la solidarité de ses habitants. Il règne ici une atmosphère très singulière, presque hors du temps. Entre les rues pavées et souvent désertes, bordées d'entrepôts portuaires désaffectés, et le calme ambiant à peine troublé par les cris des mouettes, on a du mal à se croire à New York ! L'animation de Red Hook est concentrée sur Van Brunt Street. Attention, certains commerces (restos compris) sont fermés lundi et mardi et les boutiques sont ouvertes uniquement l'après-midi.

LE SECRET DE RED HOOK

Red Hook est le seul endroit de New York où l'on a une vue de face sur la statue de la Liberté. Eh oui, Miss Liberty est orientée en direction de son pays natal, la France...

Où manger ?

Sur le pouce

Fairway Market *(zoom 4, A2, **105**) : 480-500 Van Brunt St. ☎ 718-694-6868. Tlj 7h-23h (resto le w-e 12h-20h).* Le plus grand supermarché de cette enseigne bobo-écolo superbement fournie a surtout un emplacement de choix : un ancien entrepôt au bord de l'eau, avec la statue de la Liberté en ligne de mire ! Resto-grill de plein air les week-ends d'été, où l'on boulotte burgers, hot dogs et poulet au BBQ dans ce fascinant cadre postindustriel. Sinon, superbes rayons pour se bricoler un excellent pique-nique.

Prix moyens

Hometown Bar B Que *(zoom 4, A2, **109**) : 454 Van Brunt St (et Reed). ☎ 347-294-4644. Tlj sf lun, midi et soir (live music ven-sam 19h30-22h30). Prix au poids, compter ½ pound/pers, env 20 $.* Un grand entrepôt reconverti en temple du BBQ, la grande tendance à NY actuellement. Dans la tradition du Sud, on commande au comptoir, on récupère son plateau en fer blanc avant de s'asseoir aux tables en bois pour mordre dans ces belles pièces de viande fumée, cuites à tout petit feu, d'où cette chair juteuse et fondante. Le *brisket* (poitrine de bœuf) est exceptionnel et les accompagnements (à prendre en plus) sont savoureux. À arroser copieusement de sauces maison et de bière locale !

Fort Defiance *(zoom 4, A2, **110**) : 365 Van Brunt St (et Dikeman). ☎ 347-453-6672. Tlj 10h (9h w-e)-minuit (15h slt mar). Plats 10-15 $ mat et midi, jusqu'à 27 $ le soir.* Burger night *lun 14-16 $ (boisson comprise).* Un lieu comme on les aime, cool, populaire et *trendy* à la fois. Les habitués s'y pressent à l'heure du petit déj ou du brunch et le soir pour un verre avant dîner. Cuisine locavore à base de bons produits (œufs et légumes du pays amish, viande d'une boucherie centenaire de SoHo) et cocktails réputés, parmi les meilleurs de Brooklyn à ce qu'il paraît, ressuscitant de vieilles recettes américaines. Certains alcools, comme le gin, sont distillés à Brooklyn et leur *Irish coffee* est un must.

BROOKLYN

≋ **Red Hook Lobster Pound** (zoom 4, A1, *104*) : 284 Van Brunt St (entre Verona St et Visitation Pl). ☎ 718-858-7650. Tlj sf lun 11h30-21h (22h ven-sam). Mac & cheese *au homard 16 $, sandwiches au homard* (lobster roll) 22-25 $; repas homard le mer, 25 $. Si vous êtes dans le coin, ne manquez pas cette petite institution locale qui sert le homard le plus frais de NYC ! Acheminé directement du Maine, il est accommodé le plus simplement possible, la vedette du menu étant le *lobster roll*, servi dans un petit pain arrosé de mayo maison ou de beurre fondu. Fameux ! Succès oblige, l'échoppe fournit aussi bon nombre de restos et vend aussi sa production dans un *truck* qui sillonne la ville.

Où déguster une pâtisserie ?

🥧 **Steve's Authentic Key Lime Pies** (zoom 4, A1-2, *106*) : 185 Van Dyke St (et Ferris). ☎ 718-858-5333. Tlj sf lun. Au bord de l'eau, une institution du coin, plébiscitée pour ses tartes au citron meringuées, les fameuses *key lime pies* floridiennes, meilleures ici que dans bon nombre d'endroits en Floride ! Il faut dire que la croûte est maison (à base de bon beurre) et le citron vert fraîchement pressé. Steve, le patron, est haut en couleur.

Où boire un verre ?

🍸 **Sunny's Bar** (zoom 4, A2, *121*) : 253 Conover St (entre Beard et Reed). ☎ 718-625-8211. Tlj sf lun 16h (18h mar)-2h (4h mer-sam, minuit dim), avec live music *certains j.* CB refusées. Ce vieux rade plus que centenaire est une institution de Red Hook. Plus que ça, la quintessence du *dive bar*. Chaleureux, pas cher, avec une ambiance du tonnerre. Si les dockers ne jouent plus les piliers de bar, le décor, lui, n'a presque pas bougé.

🍸 **Red Hook Bait and Tackle** (zoom 4, A1, *122*) : 320 Van Brunt St (entre King et Pioneer). ☎ 718-451-4665. En sem 15h-4h, w-e 13h-4h ; live music ven-sam à 21h (sans cover à priori). On adore cet autre *dive bar* plongé dans la pénombre et peuplé d'une faune étrange. Murs et plafonds sont, en effet, couverts de trophées de chasse, animaux naturalisés, poissons desséchés et peaux de bêtes. Un décor de cabinet de curiosités qu'on croirait centenaire, mais affiche tout juste une dizaine d'années au compteur... Le thème et l'enseigne du bar viennent de l'échoppe d'origine qui vendait des appâts pour les pêcheurs du coin.

🍸 🍴 ☕ **Fort Defiance** (zoom 4, A2, *110*) : 365 Van Brunt St (et Dikeman). ☎ 347-453-6672. Tlj 10h-minuit (15h slt mar). Voir plus haut « Où manger ? ».

Shopping

🍷 **Dry Dock Wine + Spirit** (zoom 4, A1-2, *130*) : 424 Van Brunt St (et Van Dyke). ☎ 718-852-3625. *Liquor store* spécialisé dans les vins, cidres et alcools locaux, de Brooklyn notamment. Dégustation gratuite du vendredi au dimanche en fin d'après-midi.

🍷 **Red Hook Winery** (zoom 4, A2, *132*) : 175 Van Dyke St (Pier 41, 325 A), dans un entrepôt au bord de la rivière. ☎ 347-689-2432. Tlj 11h (12h dim)-17h. Dégustation env 8 $ (tour gratuit w-e à 13h). La première *winery* à s'installer à Red Hook. Les raisins viennent de la région de New York (Long Island et Finger Lakes essentiellement) mais le vin est produit ici.

À voir. À faire

🎋🎋 **Louis Valentino Jr Park** (zoom 4, A1) : Pier 39, au bout de Van Dyke et Ferris St. La plus belle vue sur le port de New York et la statue de la Liberté, de face donc.

🍴 *Pier 44 Waterfront Garden* (zoom 4, A2) : au bout de Conover St, au niveau de Beard St. Un autre point de vue avec sa poignée de bancs stratégiquement disposés face à Miss Liberty et au pont de Verrazano. Très agréable pour piqueniquer après quelques emplettes au supermarché *Fairway.*

🍴 *Waterfront Museum* (zoom 4, A2) : tt au bout de Conover St, au niveau de Reed St (Pier 44). ☎ 718-624-4719. ● waterfrontmuseum.org ● Ouv à priori jeu 16h-20h, sam 13h-17h (bien vérifier avt). GRATUIT, mais petite donation bienvenue. Insolite petit musée dans une barge en bois de 1914, rachetée 1 $ par son propriétaire en 1985. Des centaines de barges qui transportèrent des marchandises sur l'Hudson River jusque dans les années 1960, elle est l'unique rescapée. En octobre 2012, elle a aussi survécu à l'ouragan Sandy !

🍴 *Van Brunt Stillhouse* (zoom 4, A2) : 6 Bay St (et Otsego), à l'étage. ☎ 718-852-6405. ● vanbruntstillhouse.com ● Dégustation (et vente) jeu-ven 16h-21h, w-e 14h-21h (18h dim). Tours sur résa. Les taxes sur l'alcool sont de moins en moins élevées à New York, d'où l'éclosion de petites distilleries artisanales comme celle-ci, spécialisée dans le whisky (ils font aussi du rhum et de la grappa). Seigle et maïs viennent des fermes de la région et l'eau des Catskills.

CONEY ISLAND ET BRIGHTON BEACH

Pour vous rendre en **métro** *à Coney Island :* Ⓜ *(D, F, N, Q) Coney Island-Stillwell Ave. Rens pratiques sur* ● coneyisland.com ● *Un projet de navette* **ferry** *est à l'étude. À suivre !*

🍴 Eh ! les cinéphiles, vous vous rappelez *Coney Island,* le film tourné avec Buster Keaton, le seul de toute sa carrière où on le voit rire aux éclats ? L'antique parc d'attractions *Astroland,* avec ses attractions *old school* pleines de charme, a malheureusement fini par fermer ses portes en 2008. Trop vieux sans doute... Il a rouvert depuis sous forme de *Luna Park,* avec une vingtaine d'attractions inspirées du modèle original. En été, le Brooklyn populaire se retrouve à Coney Island : on se balade sur les planches (façon Deauville en moins classe), on avale des hot dogs de chez *Nathan's,* ou on y fait bronzette sur la vaste plage. N'oubliez pas votre maillot ni votre appareil photo ! Authentique... et surréaliste.

NEW YORK VAUT BIEN UN HOT DOG !

Nathan's, *le célèbre snack centenaire de Coney Island, n'est pas seulement légendaire pour avoir servi une ribambelle de célébrités. D'après Nelson Rockefeller, ancien gouverneur de New York, aucun candidat n'aurait eu la moindre chance d'être élu sans avoir été au préalable photographié chez Nathan's... l'incontournable hot dog à la main ! Sacrée Amérique !*

Où manger à Coney Island ?

🥢 **Nathan's :** 1310 Surf Ave (et Stillwell Ave). ☎ 718-946-2202. Ⓜ (D, F, N, Q) Coney Island-Stillwell Ave. Tlj 9h-1h. Env 5-10 $. *Nathan's* est devenu une chaîne de fast-foods mais reste pour beaucoup un *landmark,* c'est-à-dire un monument historique. Il faut dire que la maison fut fondée en 1916, qu'elle a rassasié bon nombre de célébrités (d'Al Capone à Rudolph Giuliani en passant par Roosevelt, Cary Grant et Jackie Kennedy, qui se faisait livrer à la Maison Blanche), et qu'elle aurait vendu jusqu'à ce jour plus de 360 millions de hot dogs ! Alors ? Le cadre est moche (c'est un snack) mais le hot dog se laisse manger, surtout sur la promenade, le nez au vent, comme tous les habitués !

BROOKLYN

À voir. À faire

Luna Park : *1000 Surf Ave, Coney Island.* ☎ *718-373-5862.* ● *lunapark nyc.com* ● Ⓜ *(Q, F) W 8 St ou (D, F, N, Q) Coney Island-Stillwell Ave. Avr-oct slt (j. d'ouverture et horaires variables, voir le site internet). Pass adulte de 4h (attractions illimitées) env 35 $; pass enfant de 2h 20 $.* C'est la version rénovée de la fameuse fête foraine de Coney Island qu'on a souvent vue au cinéma. La plus vieille montagne russe des USA (1927), le *Cyclone*, est toujours là, heureusement réhabilitée et surtout sécurisée. Sinon, tout un tas d'autres attractions à sensations pour la plupart très fortes, le pompon étant atteint avec le *Thunderbolt Rollercoaster* : un grand 8 dernier cri avec une vertigineuse chute verticale. Mieux vaut avoir le cœur bien accroché et surtout ne pas s'être empiffré de hot dogs de *Nathan's* juste avant... Rien qu'en examinant la configuration de certains *rides,* on se dit que Newton a bien fait d'« inventer » la gravité. Les ados y trouveront leur compte mais les jeunes enfants aussi, avec des manèges bien plus pépères et rigolos comme tout.

Little Odessa : *à l'extrême sud de Brooklyn aussi.* Ⓜ *(B, Q) Brighton Beach.* Quartier traditionnel de l'immigration juive de l'ex-Union soviétique, et plus largement de tous les émigrés russophones depuis les seventies, très bien dépeint par le cinéaste James Gray dans *Little Odessa* et *Two Lovers*. Singulier et intéressant. À voir surtout, la plage et Brighton Beach Avenue : géographiquement la même que celle de Coney Island mais sociologiquement totalement différente. On se croirait dans une station balnéaire d'Europe de l'Est. Plutôt désertées en hiver, les planches sont arpentées par des familles russes entières en été (surtout le week-end), qui vont manger dans les grands restos en terrasse. Ambiance Yiddishland avec tous les papis et mamies assis au soleil face à la mer. Populaire au sens large et un peu désuet.

Derrière, des immeubles de standing assez moyen séparent la plage du quartier commerçant. Pour une fois, les classes populaires bénéficient d'un cadre de vie plutôt plaisant, à deux pas de la mer.

À 3 mn à pied de la plage, Brighton Beach Avenue est la grande artère commerçante. La ligne de métro aérien qui l'assombrit lui confère un aspect très cinématographique. Les locaux font leurs courses dans les petites boutiques aux vitrines couvertes (presque) exclusivement de caractères cyrilliques, épiceries où l'on accepte les *food stamps* des plus démunis (les produits sont aussi beaucoup moins chers qu'ailleurs à Brooklyn), et, les soirs de fin de semaine, les plus argentés s'habillent et se pressent à l'entrée des cabarets-restaurants appartenant à l'« Organizatsiya », aux intérieurs kitsch et tristes à la fois...

LE BRONX

● Infos utiles................... 298	Italy ? Où déguster une	● Shopping..................... 299
● Où manger à Little	pâtisserie ?................. 298	● À voir.......................... 299

● Plan *p. 296-297*

Le seul borough de New York posé sur la terre ferme. Symbole de la plus extrême pauvreté urbaine, le Bronx s'est attelé depuis de longues années, lui aussi, à sortir de son marasme. Il a enregistré d'impressionnants succès et nombre de New-Yorkais sont stupéfaits des changements. En particulier, dans le « célèbre » South Bronx (désormais surnommé SoBRO) qui fut longtemps un no man's land, un dramatique symbole de la crise des années 1970-1980. Les immeubles délabrés, les quartiers en ruine, où la drogue faisait

des ravages, ont quasi disparu. De nouveaux buildings commerciaux se sont élevés et le premier boutique-hôtel y a ouvert ses portes en 2013 dans l'ancien opéra du Bronx. Des petits quartiers pavillonnaires proprets ont remplacé les *slums* (taudis), habités par une nouvelle classe moyenne qui n'avait plus les moyens de résider à Manhattan. Des sièges sociaux aussi reviennent s'y installer, un projet de déménagement de Queens des studios *Silvercup* (Les Soprano, Gossip Girl, Sex and the City) est à l'étude avec son lot de promesses d'embauches, et

LES GLADIATEURS DU BRONX

Qui n'a jamais entendu parler des Yankees, l'équipe de base-ball du Bronx, la plus titrée d'Amérique ? Leur fameuse casquette, avec les lettres N et Y entrelacées, est le produit dérivé le plus vendu au monde. Des légendes ont joué dans ses rangs, notamment Babe Ruth et Joe DiMaggio, l'un des maris de Marilyn Monroe. Et le Yankee Stadium, le plus grand et le plus vieux stade de la ligue (reconstruit en 2009 juste à côté de l'ancien), a accueilli aussi bien les visites papales que Mohammed Ali sur le ring ou Nelson Mandela après sa libération.

les activités du port sur l'East River ont été relancées. On a du mal à imaginer aujourd'hui qu'aux XVIIe et XVIIIe s c'était un paysage de campagne, avec des fermes et des marais. Bref, la gentrification est bel et bien amorcée et les investisseurs immobiliers tentent même de faire renommer une partie de South Bronx en « Piano District » (en référence aux manufactures de piano), au grand dam des associations locales qui veulent sauvegarder l'âme populaire du quartier et surtout leurs logements. Le Bronx n'est pas encore Brooklyn !

La population, ici aussi, est multi-ethnique. Les premiers immigrants étaient irlandais, italiens et hollandais. Aujourd'hui, la population est bigarrée (avec une large majorité noire et hispanique) et le nombre de langues parlées impressionnant. Et concernant la sécurité ? Rassurez-vous, si vous restez dans les rues animées et les quartiers indiqués, très familiaux, vous n'avez aucun souci à vous faire (si, bien sûr, vous adoptez la tenue et l'attitude adéquates : pas d'appareil photo autour du cou ni de bijoux clinquants !). En descendant à la station Fordham Road (lignes

LE BRONX, BERCEAU DU HIP-HOP

Le hip-hop est né dans le South Bronx des années 1970, alors étranglé par la criminalité, la délinquance et la drogue. Ce grand mouvement de créativité et d'émancipation devient rapidement le langage de la jeunesse. Etat d'esprit, philosophie, le hip-hop se manifeste sous différentes formes : le rap, le mix, le break dance et le graffiti. Deux DJs, Kool Herc et Afrika Bambaataa, organisent des block parties (fêtes de rue) où ils expérimentent leurs mix. Ils sont considérés aujourd'hui comme les pères fondateurs du mouvement.

LE BRONX

no 4 ou D), empruntez l'artère du même nom, Jerome Avenue ou Grand Concourse ; vous aurez un peu l'impression d'être à Barbès, avec les nombreux magasins qui débordent sur les trottoirs, les vendeurs ambulants et une foule qui n'en finit pas de circuler, au son du R'n'B et de raps stridents. Ce borough renferme aussi d'autres richesses, comme un jardin botanique époustouflant, l'un des plus grands zoos du monde, un remarquable Museum of Arts (gratuit), une authentique et délicieuse Little Italy, le dernier vrai quartier italien de New York et, avec City Island, un bout de Bretagne ou de Nouvelle-Angleterre... et même la maison d'Edgar Allan Poe ! Inattendu.

LE BRONX

A   B

Hudson River

Wave Hill ✗✗

Henry Hudson Pkw.

Van Cortlandt Park

Van Cortlandt House and Museum ✗✗

World War I Memorial Tower

242nd st. van Cortlandt Park

Major Deegan Expwy

Gun Hill Road

NORWOOD

Henry Hudson Memorial

Kingsbridge Armory

Bedford Park Bvld

BEDFORD PARK

New York Botanical Garden ✗✗✗

Kingsbridge Road

Webster Ave.

Edgar Allan Poe Cottage✗✗

Fordham University

UNIVERSITY HTS.

Fordham Rd

Little Italy in the Bronx ✗✗

Bronx Park

Harlem River

87

MORRIS HTS.

Grand Concourse

TREMONT

Bronx Zoo ✗✗✗

Cross   Bronx   Expressway

EAST TREMONT

Rd.

WES FARM

Avenue

Avenue

Crotona Park

HIGH BRIDGE

Yankee Stadium ✗✗

Concourse

MORRISANIA

Bronx Museum of the Arts ✗✗

Boston

Third

895

161 st– Yankee Stadium

Grand

Melrose

MELROSE

Westchester Ave.

278

Bronx River

Major Deegan Expwy

MANHATTAN (HARLEM)

Third Ave.

MOTT HAVEN

Expressway

Hunts Point Marke Sculpture Park

Bruckner

87

278

0   1   2 km

A   B

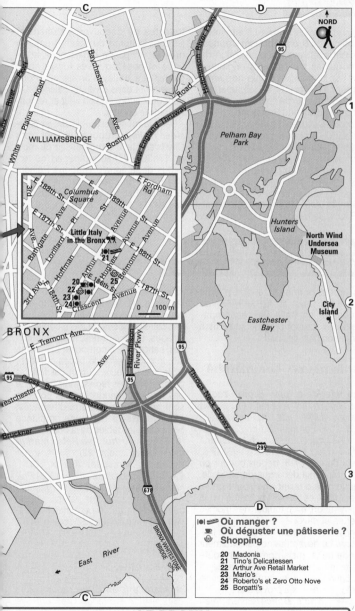

NORD

WILLIAMSBRIDGE

Pelham Bay
Park

Hunters
Island

North Wind
Undersea
Museum

City
Island

Eastchester
Bay

BRONX

E Tremont Ave.

Cross Bronx Expressway

Bruckner Expressway

East River

Little Italy in the Bronx

Columbus
Square

E Fordham Rd

0   100 m

LE BRONX

LE BRONX

|●| 🍽 **Où manger ?**
🍰 **Où déguster une pâtisserie ?**
🛍 **Shopping**

20 Madonia
21 Tino's Delicatessen
22 Arthur Ave Retail Market
23 Mario's
24 Roberto's et Zero Otto Nove
25 Borgatti's

Infos utiles

● ilovethebronx.com ● Le site internet officiel du **Bronx Tourism Council.** Très complet, avec une sélection de tours guidés thématiques originaux, axés sur la musique (le hip-hop entre autres, officiellement né ici), le *street art,* les fermes urbaines et les jardins communautaires du Bronx, etc.
– **Bronx Culture Trolley :** ☎ 718-931-9500. ● bronxarts.org ● Départs à 17h30, 18h30 et 19h30 du Hostos Community College, 450 Grand Concourse (près de 149th St). Ⓜ (2, 4, 5) 149 St-Grand Concourse ou bus Bx1 et Bx19. Le 1er mercredi de chaque mois (sauf janvier et septembre), le Bronx Culture Trolley permet aux touristes de découvrir gratuitement les lieux culturels du South Bronx. Un quartier en pleine renaissance artistique et prisé pour ses loyers abordables. Le trolley s'arrête au Bronx Museum et dans diverses galeries. On peut descendre où l'on veut et remonter dans le suivant.
– Dans le même esprit, le **Bronx Seaside Trolley** propose un tour vers City Island le 1er vendredi soir du mois de 17h30 à 21h30, au départ du terminus de la ligne 6 (station : Pelham Bay Park). En chemin, on visite aussi la Bartow-Pell Mansion, demeure cossue du XIXe s. Infos : ☎ 718-885-9100. ● cityislandchamber.org ●

Où manger à Little Italy ?
Où déguster une pâtisserie ?

Les adresses sont à touche-touche sur 187th Street et Arthur Avenue. Et comme en Italie, les accompagnements *(contorni)* sont souvent à prendre en plus des plats.

Sur le pouce, bon marché

✎ |●| **Madonia** (plan Bronx, zoom, **20**) : 2348 Arthur Ave (entre Crescent Ave et 186th). ☎ 718-295-5573. Ⓜ (B, D, 4) Fordham Rd ou (2, 5) Pelham Parkway, puis bus Bx12 jusqu'à Arthur Ave. Tlj 6h-19h. Env 3-7 $. Existe depuis 1918, depuis ce jour où Mario Madonia débarqua de sa Sicile, avec le rêve d'ouvrir une boulangerie. Aujourd'hui, ce rêve est perpétué par la 3e génération, avec toujours les mêmes recettes et savoir-faire. Pour les gourmands, arrêt obligatoire dans cette institution. La devanture ne paie vraiment pas de mine, mais après avoir goûté ses pains artisanaux, ses *focacce* et ses *cannoli,* vous reviendrez certainement pour faire des provisions !
|●| ➠ **Tino's Delicatessen** (plan Bronx, zoom, **21**) : 2410 Arthur Ave (entre 187th et 188th). ☎ 718-733-9879. Ⓜ (B, D, 4) Fordham Rd ou (5) Pelham Parkway, puis bus Bx12 jusqu'à Arthur Ave. Tlj 6h30-19h30. Env 5-10 $. 50 ans d'expérience pour cette épicerie fine-traiteur. Jambons, fromages (mozzarella fraîche du jour), copieuses salades, plats cuisinés, lasagnes, pizzas, sandwichs à composer soi-même (ah, le *godfather* et le *bocca di fuoco,* « bouche de feu »...), tout est frais et préparé dans les règles. Mais gare à ne pas trop commander, car les portions sont généreuses ! Bourré d'habitués, qui investissent dans une ambiance bon enfant les tables de la boutique.
|●| Et aussi **Arthur Ave Retail Market** (plan Bronx, zoom, **22**) : 2344 Arthur Ave (entre Crescent Ave et 186th). Ⓜ (B, D, 4) ou (2, 5) Pelham Parkway, puis bus Bx12 jusqu'à Arthur Ave. Fermé dim. Voir plus loin le commentaire de ce petit marché couvert dans la rubrique « Shopping ».

De prix moyens à plus chic

|●| **Mario's** (plan Bronx, zoom, **23**) : 2342 Arthur Ave (entre Crescent Ave et 186th). ☎ 718-584-1188. Ⓜ (B, D, 4) Fordham Rd ou (2, 5) Pelham Parkway, puis bus Bx12 jusqu'à Arthur Ave. Tlj sf lun. Menu (12h-16h30 en sem) 14 $;

pasta 15-18 $, plats env 20-25 $. Ce resto vieille école paraît sorti d'un documentaire historique. Rien n'a bougé, ou presque, depuis que la famille napolitaine Migliucci a investi les lieux voilà 5 générations (1919 !). Cette institution a d'ailleurs accueilli le tournage d'un épisode des *Soprano* ! Déco d'époque, d'une élégance un peu kitsch à l'italienne (exquises peintures sur bois), et des serveurs, italiens bien sûr, le nœud pap' en bonne place et l'immuable menu de la maison à la main : *antipasti, veal cutlet a la Parmigiana...* Beaucoup de choix de *pasta* et *seafood*. Du classique de bonne tenue.

|●| ***Roberto's*** (plan Bronx, zoom, **24**) **:** 603 Crescent Ave (donne sur Arthur Ave au niveau de 183rd St).

☎ 718-733-9503. Ⓜ (B, D, 4) Fordham Rd ou (2, 5) Pelham Parkway, puis bus Bx12 jusqu'à Arthur Ave. Tlj sf dim. Pasta 17-28 $, plats 20-39 $. Réputé de longue date, ce resto à l'atmosphère un tantinet chic fait toujours salle comble le soir (le midi aussi, faut dire). Mais ce n'est que justice pour un chef exigeant, qui travaille ses produits frais avec talent pour mitonner de délicieuses et authentiques spécialités de Positano et Salerno. Accueil particulièrement chaleureux. Un grand classique de Little Italy. Le proprio a ouvert une annexe moins chère, ***Zero Otto Nove*** (2357 Arthur Ave), prisée aussi des locaux pour son décor charmant recréant une place de village.

Shopping

❀ |●| ***Arthur Ave Retail Market*** (plan Bronx, zoom, **22**) **:** 2344 Arthur Ave (entre Crescent Ave et 186th). Ⓜ (B, D, 4) Fordham Rd ou (2, 5) Pelham Parkway, puis bus Bx12 jusqu'à Arthur Ave. Lun-sam 8h-17h. Ce petit marché couvert pittoresque, où l'italien est de rigueur, regorge d'étals colorés et de boutiques charmantes. Le samedi est le jour le plus *busy*. À l'entrée, *La Casa Grande Tobacco*, où les cigares sont roulés sous vos yeux. Sinon, pour tout ce qui est charcuteries, fromages (la mozzarella fraîche du jour est divine), olives, etc., *Mike's Deli* est une valeur sûre (ils font aussi de bons sandwichs). Au milieu du marché, le *Bronx Beer Hall* est très sympa pour boulotter un burger ou autre avec une bière brassée dans le Bronx.

❀ ***Borgatti's*** (plan Bronx, zoom, **25**) **:** 632 E 187th St (entre Belmont et Hugues Ave). ☎ 718-367-3799. Ⓜ (B, D, 4) Fordham Rd ou (2, 5) Pelham Parkway, puis bus Bx12 jusqu'à Arthur Ave. Tlj 8h30-17h (18h sam, 15h dim, 16h lun). Encore une de ces petites boutiques incroyables qui méritent au moins une visite. En vraie gardienne des traditions, la maison vend ses pâtes fraîches dont la recette n'a pas changé depuis des temps immémoriaux. Les habitués les achètent au poids, à la coupe, et patientent le temps qu'il faut si la prochaine fournée est en route. Délicieux raviolis à la ricotta ou à la viande-épinard (à prix imbattables). Accueil familial, cela va sans dire.

À voir

🗣🗣🗣 🚶 ***New York Botanical Garden*** (plan Bronx, B2) **:** 200th St et Kazimiroff Blvd. ☎ 718-817-8700. ● *nybg.org* ● À env 20 mn de Manhattan en train depuis Grand Central par la ligne de train Metro-North Harlem direct jusqu'à Garden Gate. Tlj sf lun 10h-18h (17h de mi-janv à fév). Entrée jardin seul : 13 $; 3 $ 2-12 ans. Suppléments pour certains sites (comme la grande serre Enid A. Haupt Conservatory) ou pass complet à prix variable selon saison, env 20-25 $ adulte et 8-10 $ enfant. Jardin slt gratuit mer et 10h-11h sam. Une des richesses cachées du Bronx. Immense, il est considéré comme l'un des plus beaux jardins botaniques du monde : arbres, fleurs délicates de tous les continents, rien ne manque à sa panoplie, les plus fragiles étant bien sûr abrités dans les gigantesques serres

LE BRONX

victoriennes recréant tous les environnements imaginables (un des *highlights* du jardin, à ne pas manquer). À chaque saison ses plaisirs et ses « shows » : les orchidées en mars-avril, les roses en juin, les citrouilles sculptées pour Halloween, les trains électriques circulant dans les serres de mi-novembre à mi-janvier... Féerique, même en plein hiver, ce qui est quand même un exploit ! Et aux beaux jours, on y passe la journée sans s'ennuyer un instant.

⚜ *Boutique* exceptionnelle pour les amateurs de jardinage.

🎯🎯🎯 🚶 *Bronx Zoo* (plan Bronx, B2) : ☎ 718-367-1010 (infos). ● bronxzoo. com ● Ⓜ (2, 5) East Treamont Ave-West Farm Sq. Panneaux indiquant le zoo en sortant du métro (l'Asian Gate est à 2,5 blocs, env 5 mn à pied). Ou bien bus Bx M11 (● mta.info ●) sur Madison Ave (arrêts à 29th, 47th, 63rd et 99th St) jusqu'à l'entrée Bronx River Gate. Compter 30-40 mn de trajet depuis 54th St. L'arrêt Bronx Zoo est le 1er après 99th St. Tarif du bus : 6,50 $ (MetroCard acceptée, sinon avoir la monnaie exacte en pièces). Avr-oct, lun-ven 10h-17h, w-e et j. fériés 10h-17h30 ; nov-mars, tlj 10h-16h30. Entrée (ttes attractions incluses) : 23-34 $ selon saison ; 16-27 $ 3-12 ans (petite réduc si résa sur le site) ; donation libre mer mais beaucoup de monde et accès limité à certaines parties slt (prévoir de nombreux suppléments).

Le plus grand zoo citadin des États-Unis. S'il ne comptait que quelques centaines d'animaux lors de son inauguration en 1899, ce sont désormais plus de 6 000 individus (appartenant à 600 espèces) qui évoluent en semi-liberté dans une nature généreuse, sur plus de 100 ha. Certaines espèces en voie de disparition y ont même été sauvées. Carte à la main (c'est gigantesque), les visiteurs se baladent au gré de leur inspiration entre les immenses volières, les vivariums, le fascinant pavillon de Madagascar, celui des reptiles, ou encore la section jungle et ses singes. Été comme hiver, touffeur et fonds sonores garantis ! Évidemment, entre les principales attractions, on parcourt de vastes étendues où toutes sortes de troupeaux vaquent à leurs occupations dans des espaces bien aménagés, proches de leur biotope : éléphants, rhinocéros, girafes et même des tigres ou des ours polaires. On peut assister à leur repas : n'oubliez pas de consulter les horaires. En saison (c'est-à-dire à l'exception de l'hiver), possibilité de visiter la partie Asie en monorail, de se balader à dos de dromadaire, ou de prendre le *shuttle* (un petit train).

Mais surtout, ne manquez pas le *Congo Gorilla Forest*. Sur 2,5 ha, une forêt tropicale africaine a été reconstituée, et on est vraiment tout près des gorilles. L'hiver, ces majestueux primates ne sont bien sûr visibles qu'en intérieur, mais il ne faut pas bouder le zoo pour autant : la visite des nombreux pavillons (tous passionnants et aménagés de décors somptueux) et du cinéma 4D remplit déjà la journée, d'autant qu'on pourra tout de même voir en extérieur beaucoup d'animaux qui ne craignent pas le froid (comme les tigres, grizzlys, ours, bisons, rênes, lions de mer, par exemple), et, surtout, vous les contemplerez en tête à tête, dans un zoo quasi désert.

🎯🎯 *Little Italy in the Bronx* (plan Bronx, B2) : Ⓜ (B, D, 4) Fordham Rd ou (2, 5) Pelham Parkway et puis bus Bx12 jusqu'à Arthur Ave. Depuis la station (B, D) Fordham Rd, bus Bx12 sur Fordham Rd, direction Bay Plaza jusqu'à E Fordham-Hoffman St. À droite, dans Arthur Ave, vous apercevrez des drapeaux rayés rouge, blanc et vert... Vous y êtes ! Loin du décor d'opérette du Little Italy de Manhattan, qui n'est plus que l'ombre de lui-même, le Bronx abrite depuis près d'un siècle un autre quartier italien qui a su rester authentique. Certes, c'est très excentré, mais la balade vaut le coup si vous avez du temps ou si vous passez dans le coin ! Des mamas italiennes qui font la causette sur leur perron, des boutiques vénérables qui sentent bon le fromage et le jambon fumé, du bel canto ou du Sinatra qui s'échappe de certaines fenêtres... et évidemment aucun touriste. Vraiment sympa. Attention, tout est fermé le dimanche, préférez donc le samedi.

🎯 *Edgar Allan Poe Cottage* (plan Bronx, B2) : E Kingsbridge Rd et Grand Concourse (au niveau de 193rd). ☎ 718-881-8900. ● bronxhistoricalsociety.

org ● Ⓜ (B, D, 4) Fordham Rd. De Fordham Rd, rejoindre Grand Concourse et le remonter sur quelques centaines de mètres jusqu'à un square arboré sur la droite. Jeu-ven 10h-15h, sam 10h-16h, dim 13h-17h. Entrée : 5 $; réduc. Difficile à imaginer, mais c'est pourtant dans cette petite maison en bois encerclée par de sinistres immeubles que vécut le grand poète. Elle paraît aujourd'hui bien fragile dans son petit bout de jardin mal protégé

BATMAN, UN ENFANT DU BRONX

C'est sur un banc du Poe Park, à l'ombre de la maison du célèbre écrivain, que les dessinateurs Bob Kane et Bill Singer donnèrent vie à leur héros de bande dessinée, Batman, en 1939. Le personnage du Joker (créé par la suite) serait, quant à lui, inspiré des Histoires extraordinaires d'Edgar Allan Poe.

par une grille. De 1846 à 1849, Edgar Allan Poe s'y retira avec son épouse malade. Il y demeura encore quelque temps après sa mort, et s'employa à rédiger *Annabel Lee* et *The Bells*. Les fans transis verront le mobilier d'époque, modeste.

🎔 *Hall of Fame for Great Americans :* University Ave (et 181st). ☎ 718-289-5910. ● bcc.cuny.edu/halloffame ● Campus du Bronx Community College. Ⓜ (B, D) Fordham Rd, puis ligne de bus Bx12 jusqu'à University Ave et bus n° 3 pdt 3 stations (il vous dépose devant le collège). Tlj 9h-17h (10h-16h le w-e). GRATUIT, mais donation de 2 $ encouragée.
Belle galerie circulaire en granit offrant une vue dégagée sur les environs, où sont exposés 98 bustes en bronze à l'effigie des plus grands hommes (et quelques femmes) des États-Unis, qu'ils soient politiques, scientifiques, écrivains... : Edgar Allan Poe, Franklin D. Roosevelt, Abraham Lincoln, Thomas Jefferson, Benjamin Franklin... Ces colonnes font partie d'un ensemble intéressant de style néo-Renaissance, construit à partir de 1900.
À voir, **Gould Memorial Library** (juste à côté des colonnades). C'était la bibliothèque de l'université de New York avant qu'elle ne soit transférée à Manhattan en 1973. L'intérieur est admirable. Impressionnante rotonde décorée à la feuille d'or, dont la coupole est soutenue par 16 gigantesques colonnes corinthiennes en marbre vert (l'architecte se serait inspiré du Panthéon de Rome). Des galeries desservent différents niveaux et salles aux noms prestigieux, qui permettaient le classement des livres par genres (il y en avait 2 millions !) : Copernic pour l'astronomie, Molière pour le théâtre...
Enfin, entre le dôme et les colonnes, nombreuses statues de nymphes grecques représentent les différents arts.

🎔🎔 *Van Cortlandt House and Museum* (plan Bronx, B1) *:* Broadway (et 246th), Van Cortlandt Park. ☎ 718-543-3344. ● vchm.org ● Ⓜ (1) 242 St-Van Cortlandt Park. Mar-ven 10h-16h, w-e 11h-16h. Fermé lun. Entrée : 5 $; réduc ; gratuit moins de 12 ans et pour ts mer. À 5 mn du métro, au début de ce beau parc, voici la plus ancienne demeure de New York, édifiée en 1748 par Van Cortland, un riche marchand de grain. Belle pierre de taille, pur style géorgien. La maison servit de PC à Washington, Rochambeau et Lafayette avant la bataille de Manhattan en 1783. Peu de modifications intérieures, les planchers craquent, elle a retrouvé une grande partie de son mobilier d'origine et dégage une romantique atmosphère. Belles cheminées rococo ou ornées de carreaux de Delft. On a l'impression qu'on va buter dans Lafayette au détour d'un couloir.

🎔🎔 *Wave Hill* (plan Bronx, A1) *:* 652 W 252nd St. ☎ 718-549-3200. ● wavehill. org ● Ⓜ (1) Van Cortlandt Park-242 St (terminus de la ligne), puis navette gratuite devant le Burger King ttes les heures 9h-15h (en général, le chauffeur attend même 10 mn que tt le monde soit bien là !) ; retour possible 12h-15h. Tlj sf lun et certains j. fériés 9h-16h30 (17h30 de mi-mars à oct). Entrée : 8 $; réduc ; gratuit mar et sam, 9h-12h slt. Ce jardin paisible bordant l'Hudson est considéré comme

LE BRONX

un des secrets les mieux gardés de New York ! Première surprise, le quartier résidentiel de *Riverdale,* que l'on traverse pour arriver à Wave Hill : vallonné, cossu, bordé d'élégantes maisons du XIXe s (des *mansions* plutôt), on est loin des clichés du Bronx ! Pour la petite histoire, JFK a grandi ici, dans la propriété à l'angle de 252nd Street et Independence Avenue. Mais revenons au jardin, qui s'étire autour de la *Wave Hill House,* construite à l'origine (1843) comme maison de campagne d'une famille aisée et qui servit aussi de résidence ponctuelle à Theodore Roosevelt, Mark Twain et Arturo Toscanini. Luxuriant, de style très anglais, il est composé d'une dizaine d'ambiances différentes : serre, galerie d'art, jardin aquatique, alpin, sauvage... Une véritable oasis de verdure, avec vue plongeante sur l'Hudson River et les *Palisades,* les falaises du New Jersey juste en face. Difficile de se croire à New York, même au cœur de l'été, car, en prime, le parc n'est jamais bondé.

🛍 ***Boutique*** spécialisée dans l'artisanat local : bijoux créés par des designers de Riverdale, miel de Wave Hill, etc.

🍴 ☕ ***The Café at Wave Hill :*** dans la maison du parc qui accueille aussi des concerts. Soupes, salades, sandwichs à grignoter aussi sur la belle terrasse. Salon de thé l'après-midi.

🚶 ***Yankee Stadium*** *(plan Bronx, A2-3) : 1 E 161st St (et River Ave).* ☎ *718-293-4300.* ● *newyork.yankees.mlb.com* ● Ⓜ *(4, B, D) 161 St-Yankee Stadium.* Reconstruit juste à côté du vieux et mythique stade ouvert en 1923 (désormais transformé en parc). Vente de billets en ligne ou dans les *Yankees Clubhouses Shops* (plusieurs points de vente à Manhattan). À noter que le *main level* du stade abrite le *flagship* de la marque *New Era,* les fameuses casquettes avec les lettres NY entrelacées. Voir aussi la rubrique « Sports et loisirs » dans « Hommes, culture, environnement » en fin de guide.

🚶 ***Bronx Museum of the Arts*** *(plan Bronx, A-B2) : 1040 Grand Concourse (et 165th).* ☎ *718-681-6000.* ● *bronxmuseum.org* ● Ⓜ *(B, D) 167 St et (4) 161 St-Yankee Stadium. Mer-dim 11h-18h (20h ven). GRATUIT.* C'est d'abord une remarquable architecture contemporaine digne du renouveau culturel du borough. Intérieur spacieux et lumineux, pour des expos temporaires d'avant-garde de très haute qualité.

🚶 ***City Island*** *(plan Bronx, D2) :* à l'est du Bronx, il faut découvrir cette île étonnante. On n'est plus à New York, mais plutôt en Bretagne ou en Nouvelle-Angleterre, à Cape Cod ou Nantucket. 2,4 km de long, 800 m de large et 4 250 (heureux) habitants. Peu urbanisée, très loin de l'agitation urbaine. Beaucoup de belles demeures anciennes dominant les yacht-clubs et une flopée de restos de poisson et fruits de mer. Autant le savoir, aux beaux jours, c'est la foule des familles venues tester un avant-goût de l'air du large (parkings immenses, c'est un signe !).

– ***Pour s'y rendre :*** *métro ligne 6 jusqu'au terminus de Pelham Bay Park, puis bus Bx29.*

> ## HART ISLAND : L'ÎLE AUX MORTS
>
> *Le plus grand cimetière des États-Unis est quasi inconnu du public. À l'est du Bronx, au large de City Island, près de 1 million de morts reposent sur une petite île. Aucune pierre tombale, aucun nom ; seules des bornes blanches impersonnelles signalent les fosses. Ces oubliés (SDF, inconnus, mort-nés, pauvres...) sont enterrés par les prisonniers de Rikers Island : l'île est gérée par le département des prisons. Le droit de visite ne leur est même pas accordé, puisque le lieu, pourtant public, est fermé aux visiteurs.*

🍴 ***Tony's Pier :*** *tt au bout de l'île, 1 City Island Ave.* ☎ *718-885-1424. Tlj jusqu'à minuit (1h ven-sam). Plats dès* 15 $, jusqu'à 30 $ pour du homard. Le plus populaire des restos de *seafood,* envahi par les familles le week-end.

Faut dire aussi que c'est le moins cher (mais rien de très fin, beaucoup de friture...) et que la terrasse attire du monde. La salle, en revanche, est sans intérêt. Vente à emporter, bien sûr.

|●| Sammy's Fish Box : *41 City Island Ave, non loin de* Tony's. ☎ *718-885-0920. Tlj jusqu'à 2h (3h ven-sam). Env 30-50 $.* L'un des plus réputés et assez cher, ça va de soi (encore qu'on peut surfer habilement sur la carte). Créé en 1966 avec 26 couverts, il en

propose plus de 500 aujourd'hui dans ses différents établissements, fréquentés par Andy Garcia, Kiefer Sutherland, Denzel Washington... Dans le principal, pas moins de 8 salles sachant offrir des coins tranquilles et des box intimes. Carte longue comme deux bras. Quelques spécialités : les homards du Maine, les moules de Terre-Neuve, les plateaux de fruits de mer, le *piri-piri red snapper...* Quelques plats italiens et cajuns également. Vente à emporter.

QUEENS

- Orientation 304
- Où dormir à Long Island City (LIC) ?........ 304
- Où manger ?
- Où bruncher ? Où boire un café ou un verre ? .. 306
- À voir........................... 307
  - Long Island City
- (LIC) et Hunters Point
- Astoria ● Corona et Flushing

● Plan *p. 305*

Situé sur Long Island, Queens est le plus grand des boroughs de NYC. Rares sont les touristes qui l'explorent lors d'un premier voyage. Et encore, la plupart se limitent aux quartiers de Long Island City ou LIC (siège du PS1, annexe du MoMA), Astoria (musée du Cinéma dans les studios Kaufman et pléthore de restos ethniques) et Flushing Meadow où se tient l'US Open de tennis (Queens Museum et la maison de Louis Armstrong). Figurez-vous que Queens doit son nom à la reine consort Catherine de Bragance, épouse de Charles II d'Angleterre ; cela se passait à la fin du XVIIᵉ s, et les premiers habitants à s'installer ici furent de petits fermiers... Le quartier subit son véritable boom démographique avec l'arrivée du chemin de fer en 1910, le Long Island Rail Road, peu de temps après le rattachement à New York.

Dans les années 1920 et 1930, Queens connut ses heures de gloire avec l'installation des studios Paramount, qui prirent rapidement le nom d'Astoria Movies Studio, pour devenir la capitale du cinéma de la côte est. C'est ici que Rudolph Valentino, les Marx Brothers et bien d'autres encore ont fait leurs premiers pas devant la caméra. Malheureusement, l'avènement du cinéma parlant marqua aussi la fin de l'hégémonie des studios...

La population de Queens continua d'augmenter, accueillant de plus en plus d'ethnies différentes ayant pour point commun le manque de moyens. C'est d'ailleurs aujourd'hui le quartier le plus multiethnique de New York, dont les cultures différentes cohabitent les unes à côté des autres, chacune à son propre rythme mais en bonne intelligence avec ses voisines... On y parle près de 180 dialectes !

En débarquant dans Queens, passé les grands axes routiers ou les avenues qui subissent le vacarme assourdissant du métro aérien, on sent battre un autre rythme de vie : les immeubles sont plus bas, les trottoirs moins envahis, les gens moins pressés.

Longtemps considéré comme un borough déshérité, il s'ouvre aujourd'hui petit à petit au tourisme. Nombre de célébrités ont habité ici, comme Jack Kerouac, Will Rogers, Heinrich Steinweg (facteur de pianos à ses débuts et qui installa ici les ateliers de fabrication des célèbres Steinway en 1853, ouverts à la visite pour les amateurs), mais surtout les plus grands *jazzmen and women* de tous les temps : Billie Holiday, Ella Fitzgerald, Louis Armstrong, Dizzie Gillespie, Fats Waller, Count Basie (pour ne citer que les plus connus !)... et encore le groupe de hard-rock Kiss, né dans Queens en 1973.

Orientation

Alors que les *adresses* de Manhattan sont un jeu d'enfant à décrypter, celles de Queens sont peu parlantes. Pourquoi ? Queens était à l'origine composé de villages devenus depuis des quartiers. Lorsqu'on le rattacha à New York en 1898, on se rendit compte que certains noms de rues (genre Main Street) se retrouvaient dans différents villages, il fallut donc revoir tout le libellé des adresses, notamment pour la livraison du courrier ! Un ingénieur a mis une vingtaine d'années à pondre cette nouvelle numérotation, qui nécessite quelques explications. D'abord, contrairement à Manhattan, les rues vont du nord au sud et les avenues d'est en ouest, la 1re Rue étant la plus à l'ouest et la 1re Avenue la plus au nord. Là où ça se corse un peu, c'est que des *roads* et des *drives* ont été créées entre les *streets* existantes, et des *places* et *lanes* entre les *avenues*. Les adresses sont souvent libellées avec 2 paires de chiffres séparées par un tiret. Les 2 premiers renvoient à l'intersection la plus proche et les 2 suivants à la position sur le bloc. Exemple : 34-08 31st Ave sera situé sur 31st Avenue, près du croisement avec 34th Street, et ce sera le 8e building sur cette portion.

Où dormir à Long Island City (LIC) ?

De très bon marché à plus chic

QUEENS

â **Q4 Hotel** *(plan Queens, A2, 1)* : *29-09 Queens Plaza N (et 29th).* ☎ 718-706-7700. ● q4hotel.com ● Ⓜ (7, N, Q) Queensboro Plaza. *Lits superposés en dortoir de 2, 4, 5, 6 ou 8 pers env 25-50 $/pers ; chambres doubles privées avec sdb 120-160 $.* 🖥 📶 Toute belle, cette auberge de jeunesse design aménagée dans une ancienne banque, en face du métro menant directement et en 20 mn à Times Square, et à un petit quart d'heure à pied du MoMA PS1. Un super bon plan pour les budgets un peu serrés. Les 170 lits sont répartis dans les 3 étages du petit building, entre chambres privées et dortoirs avec vieux parquet rénové, tous avec douche et w-c privatifs. Avantages : la propreté et le confort, les espaces communs conviviaux et branchés à la déco *arty* industrielle (grande cuisine-salle à manger au sous-sol, salon ciné, lounge oriental dans l'ancien coffrefort, billard, ping-pong...). Inconvénient : le bruit du métro aérien qui passe juste en face et circule toute la nuit.

â **Z Hotel** : *(plan Queens, A2, 2)* : *11-01 43rd Ave.* ☎ 212-319-7000. ● zhotelny.com ● Ⓜ (7, N, Q) Queensboro Plaza. *Doubles 95-250 $.* 🖥 📶 Cet hôtel récent, dans un bâtiment moderne de 11 étages, propose de belles chambres bien équipées, toutes avec grande baie vitrée offrant une vue ex-cep-tion-nelle sur l'East River, Manhattan et le Queensboro Bridge. Incontestablement l'un des meilleurs rapports qualité-prix-vue de New York ! Les parties communes ont un délicieux côté vintage (resto-lounge cosy à l'éclairage feutré au sous-sol). En prime, un *rooftop* avec vue géniale à 360° (ouvert aux beaux jours). Seul bémol, sa situation dans

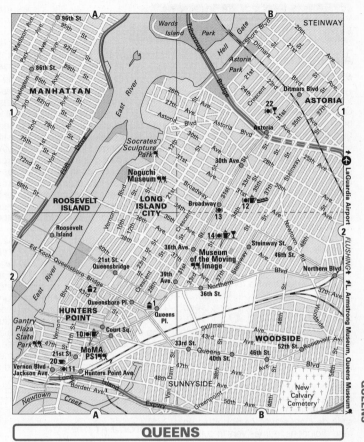

QUEENS

		Où dormir ?		**11**	Manetta's
	1	Q4 Hotel		**12**	Il Bambino et Bareburger
	2	Z Hotel		**13**	Bahari Estiatorio
		Où manger ? Où bruncher ?		**14**	The Astor Room
		Où boire un café ou un verre ?		**20**	Sweatleaf
	10	M. Wells Dinette		**22**	Bohemian Hall and Beer Garden

un quartier sans charme, à 10 mn à pied du métro. Mais l'hôtel assure gratuitement l'aller-retour en navette privée jusqu'à Lexington dans Midtown *(ttes les heures 7h-23h)*. Les cinéphiles iront au pied du pont Queensboro à la recherche du célèbre banc où Woody Allen et Diane Keaton firent une pause dans *Manhattan* (c'était l'affiche du film !).

QUEENS

Où manger ? Où bruncher ? Où boire un café ou un verre ?

À Long Island City (LIC) et Hunters Point, près du MoMA PS1

Coincé entre Astoria au nord et Greenpoint (Brooklyn) au sud, parfaitement bien desservi par le métro, Long Island City est LE quartier qui monte. Petits immeubles, maisons avec jardin, garages de réparation, quelques usines moribondes, des entrepôts en brique en attente de reconversion... et partout ces vues saisissantes sur le Chrysler et l'Empire State Building qui rappellent la proximité avec Manhattan. C'est un New York horizontal, encore assez tranquille même si la gentrification est en marche...

|●| 🏠 *M. Wells Dinette* (plan Queens, A2, **10**) : dans le MoMA PS1, 22-25 Jackson Ave (et 46th Ave), Long Island City. ☎ 718-786-1800. Ⓜ (E) Court Sq-23 St ou (G) 21 St. Tlj sf mar-mer 12h-18h (pas d'entrée au musée à payer si on vient slt au resto). Venir dès l'ouverture si vous voulez avoir une table. Plat + dessert env 30 $. C'est la « cantine » branchée du centre d'art contemporain (lire « À voir »). Clin d'œil au passé des lieux, le décor de salle de classe avec ces pupitres en rang d'oignons tournés vers la cuisine ouverte, mais on retiendra surtout ce qui se passe dans l'assiette. Rien à voir avec une cafét' de musée, c'est une cuisine locavore de haute volée réalisée par un tandem américano-québécois. Très originale, avec des accents français et asiatiques, et presque aussi avant-gardiste que les expos du PS1 ! Seul bémol, les petites portions, même pour des Français (sauf les desserts, plus copieux, surtout la forêt-noire qui nourrit bien 4 personnes !), mais quel régal ! Vins pas donnés mais bien choisis. La même fine équipe a ouvert dans un ancien garage à quelques rues de là *M. Wells Steakhouse,* spécialisé dans les viandes (43-15 Crescent St ; tlj sf mar dès 17h30).

|●| *Manetta's* (plan Queens, A2, **11**) : 10-76 Jackson Ave (entre 49th et 50th Ave). ☎ 718-786-6171. Ⓜ (7) Vernon Blvd-Jackson Ave. Tlj sf sam midi et dim. Pâtes et pizzas 10-18 $, plats 16-27 $. Un resto italien tout ce qu'il y a de plus classique, au décor un peu daté mais chaleureux (on se croirait dans Les Soprano !), pas loin du MoMA PS1 et au pied d'une station de métro. Bien commode donc et plus accessible que le resto du musée. La cuisine, familiale et sans prétention, tient ses promesses et l'hiver, près du feu de cheminée, on y est confortablement installé.

☕ *Sweetleaf* (plan Queens, A2, **20**) : 10-93 Jackson Ave (entre 48th et 49th Ave). ☎ 917-832-6726. Ⓜ (7) Vernon Blvd-Jackson Ave ou (G) 21 St. En face du resto Manetta's, un super petit café vintage où il fait bon siroter un excellent cappuccino ou un *rocket fuel* (spécialité glacée à la chicorée et au sirop d'érable) au milieu des *hipsters* à bonnet, dans un vieux canapé défoncé. Fond musical bien choisi avec en prime la possibilité de passer les vinyles de son choix sur la platine au fond. La *laptop room* est à l'entrée pour ceux qui préfèrent pianoter sur leur Mac.

À Astoria et près du Museum of the Moving Image

|●| 🏠 🥪 *Il Bambino* (plan Queens, B1, **12**) : 34-08 31st Ave (entre 34th et 35th). ☎ 718-626-0087. Ⓜ (N) Broadway. Tlj 10h30 (10h w-e)-22h30 (minuit ven-sam, 22h dim) ; brunch ven-dim. Plats 7-12 $; brunch 5-12 $. Ici, le cheval de bataille, c'est le panini : le pain vient d'une boulangerie de qualité, les ingrédients sont top et les associations pleines d'idées. Délicieux. Les *crostini,* salades et sélections de fromages méritent également plus qu'un essai. Bref, tout est bon, servi avec simplicité et gentillesse dans une agréable petite salle ou, mieux, en terrasse dans une courette. Et si vous êtes plus burger

que panini, il y a aussi un **Bareburger** juste en face, à l'angle de 31ˢᵗ Avenue et 34ᵗʰ Street. Chaleureux décor mêlant brique et bois et terrasse derrière.

I●I ☆ ♟ The Astor Room (plan Queens, B2, **14**) : 35-11 35ᵗʰ Ave (angle 36ᵗʰ). ☎ 718-255-1947. **Ⓜ** (R) Steinway St ou (N, Q) 36 Ave. Tlj sf lun 17h-23h (21h dim) ; jazz brunch dim 11h30-15h30. Résa conseillée. Plats 11-30 $. Happy hours 17h-19h ; live jazz ven-sam 18h30-22h30. Une renaissance pour cette ancienne cantine des studios où passèrent Charlie Chaplin et les Marx Brothers ! Déco élégante, refaite avec un brin de nostalgie, plafond à caissons peint, long bar en bois sculpté – où pose une vache surréaliste grandeur nature ! Dans l'assiette, une cuisine soignée pour tous les budgets : copieuse soupe, pâtes maison, gros burger garni de produits frais, sinon côte de bœuf, coquilles Saint-Jacques ou homard pour se faire plaisir (le chef est français). Accueil adorable et atmosphère détendue. On a adoré !

I●I Bahari Estiatorio (plan Queens, B1-2, **13**) : 31-14 Broadway (entre 31ˢᵗ et 32ⁿᵈ). ☎ 718-204-8968. **Ⓜ** (N) Broadway. Tlj midi et soir. Plats 12-25 $. Malgré son cadre tout simple, ce resto grec est réputé pour sa cuisine familiale aux saveurs méditerranéennes et son chaleureux accueil. La part belle est faite aux poissons et fruits de mer (bien frais et exposés en vitrine réfrigérée), accompagnés de bons légumes ou de larges portions de pommes de terre au citron... Mais les entrées traditionnelles (caviar d'aubergine en tête) sont tout aussi goûteuses !

♟ I●I Bohemian Hall and Beer Garden (plan Queens, B1, **22**) : 29-19 24ᵗʰ Ave. ☎ 718-274-4925. **Ⓜ** (N) Astoria. Tlj 17h (12h w-e)-minuit (3h ven-sam). Plats 14-28 $. Une belle centaine d'années que cette brasserie d'origine tchèque continue de drainer les amateurs de bière avec sa large panoplie de boissons houblonnées. Un peu excentré, on y vient surtout aux beaux jours, quand saucisses et ribs tournent à fond sur le gril, dans le vaste jardin où l'on s'installe à de grandes tablées conviviales dans une ambiance de fête foraine. Bons petits plats tchèques également.

À voir

LONG ISLAND CITY (LIC) ET HUNTERS POINT

QUEENS

Le **LIC Art Bus** relie gratuitement les gros spots culturels et artistiques de Long Island City (opérationnel le w-e de mi-mai à mi-sept ; env ttes les heures 13h-18h) : **MoMA PS1, SculptureCenter, Noguchi Museum** et **Socrates Sculpture Center.**

🏃🏃 MoMA PS1 (plan Queens, A2) : 22-25 Jackson Ave (et 46ᵗʰ Ave). ☎ 718-784-2084. ● momaps1.org ● **Ⓜ** (E) Court Sq-23 St ou (G) 21 St. Tlj sf mar-mer (sf Thanksgiving, Noël et Nouvel An) 12h-18h. Entrée (donation suggérée) : 10 $; réduc ; gratuit moins de 16 ans et pour ts avec le billet du MoMA (dans les 14 j., mais non valable pour le Warm Up). Ap-m Warm Up (juil-août, sam 15h-21h) : 20 $ (18 $ sur le site).

Ce musée est l'annexe emblématique du MoMA depuis 1971. Installé dans une école publique désaffectée, il permettait à l'origine aux jeunes artistes contemporains, souvent marginaux et ignorés des médias, de présenter leurs œuvres. Depuis, il n'a cessé d'enchaîner les expos temporaires avant-gardistes et d'imposer de nouveaux talents. La création de PS1, devenu l'un des centres d'art contemporain les plus renommés au monde, a largement contribué à la réhabilitation de cette partie de Queens...

Difficile de dire ce que vous y verrez, car les expos tournent tout le temps. Certaines sont très pointues, d'autres plus accessibles au grand public. Les samedis de juillet et août, l'après-midi dansant **Warm Up** attire une foule branchée venue se trémousser sur de la musique électro. Sur place encore, un jardin d'herbes sur le toit et un excellent resto *(M. Wells Dinette)* qui mérite qu'on s'y arrête avant ou après la visite (voir plus haut « Où manger ? Où bruncher ?... »). Possibilité aussi d'y prendre un thé ou un café l'après-midi, avec un gâteau.

🎬🎬 *Gantry Plaza State Park* (plan Queens, A2) : *au bord de l'East River, au niveau de 47th Ave.* Ⓜ *(7) Vernon Blvd-Jackson Ave. Si vous venez à pied du MoMA PS1, c'est à 20 mn.* Une des plus belles vues de New York, avec celle depuis DUMBO et le pont de Brooklyn. Vision époustouflante de la *skyline* de Midtown, du Queensboro Bridge reliant Manhattan à Queens et derrière vous, la silhouette photogénique de l'immense enseigne *Pepsi-Cola* (datant de 1936, classée Monument historique) qui se détache sur les tours vitrées. Comme à Brooklyn Bridge Park, promenade en bois aménagée avec fauteuils, bancs et espaces verts.

🎬🎬 *Noguchi Museum* (plan Queens, A1) : *9-01 33rd Rd (et Vernon Blvd).* ☎ 718-204-7088. ● *noguchi.org* ● Ⓜ *(N) Broadway. Du métro, bus Q104 jusqu'au musée (arrêt en face). Mer-ven 10h-17h, w-e 11h-18h. Fermé Thanksgiving, Noël et Jour de l'an. Entrée : 10 $; réduc ; gratuit moins de 12 ans et pour ts 1er ven du mois. Visite guidée gratuite (en anglais) mer-dim à 14h.* Le Noguchi Museum s'épanouit dans un cadre reposant choisi de son vivant par Noguchi lui-même, sculpteur américain d'origine japonaise connu en France des amateurs de design pour ses lampes en papier. Ce fut d'ailleurs un moment son atelier. Près de 240 œuvres sont exposées au rez-de-chaussée d'un ancien bâtiment industriel, aux lignes sobres et zen, et dans le paisible jardin intérieur ; le 1er étage est consacré aux expos temporaires... L'artiste joue avec les textures, le lisse et le rugueux, le plein et le creux, les courbes et les angles, entre ses énormes blocs de granit, marbre, basalte... aux formes décalées, et les ondulations imperceptibles et raffinées de ses sculptures. Bref, une expérience en dehors des sentiers battus qui ne laisse pas indifférent et vaut le coup d'œil si on connaît déjà bien New York.

– Le quartier, très excentré, n'a en revanche pas grand intérêt touristique, en dehors de l'insolite *Socrates Sculpture Park* presque en face, au bord de l'East River (terrain vague peuplé de sculptures plus ou moins réussies, avec vue sur Manhattan). *GRATUIT tlj de 10h au coucher du soleil.*

ASTORIA

🎬🎬 👣 *Museum of the Moving Image* (plan Queens, B2) : *36-01 35th Ave (entre 36th et 37th).* ☎ 718-777-6888. ● *movingimage.us* ● Ⓜ *(R) Steinway St ou (N, Q) 36 Ave. Tlj sf lun-mar 10h30 (11h30 w-e)-17h (20h ven, 19h w-e). Entrée : 12 $; 6 $ 3-12 ans ; gratuit ven 16h-20h. L'entrée inclut l'accès au cinéma pour 1 film au choix.* Situé au cœur des studios Kaufman, ce musée interactif dédié au septième art a pour credo « *behind the screen* », c'est-à-dire vous montrer tout ce qu'on ne voit pas à l'écran, comment on

LE PREMIER HOLLYWOOD

Les studios Paramount s'installent dans Queens en 1919. New York devient alors la capitale du cinéma, et le site est rebaptisé Astoria Movies Studio en l'honneur de Jacob Astor, propriétaire d'une grosse partie du quartier. Charlie Chaplin, Rudolph Valentino, Gloria Swanson et les Marx Brothers y tournèrent. Modernisés et devenus studios Kaufman dans les années 1980, Scorsese et Woody Allen y réalisèrent quelques séquences de films majeurs avant de céder leur place aujourd'hui à des tournages de séries pour la télévision.

conçoit une image, une animation et tous les moyens techniques qui vont avec. Un musée à la fois ludique et didactique, comme savent si bien le faire les Américains, dans un superbe espace design où l'image est omniprésente. Prévoir 3h de visite minimum, surtout si vous passez un peu de temps dans les différents « ateliers » de démonstration et dans les expos temporaires. Deux *salles de cinéma* présentent une programmation variée.

– *Au 3rd Floor :* l'expo permanente (*Behind the Screen,* donc) commence avec la découverte historique du mouvement et de sa décomposition, du zootrope (jouet optique fondé sur la persistance de l'image sur la rétine) à la lanterne magique en passant par le Mutoscope, une machine antique renfermant des centaines de vieilles photos mises en mouvement en actionnant une manivelle. C'est le principe du *flipbook*, petit carnet d'images recréant une séquence animée, que vous pourrez d'ailleurs réaliser ici vous-même en version vidéo. Ne manquez pas non plus la *Feral Fount,* sculpture cinétique réalisée par un artiste de Brooklyn, ou comment animer 96 morceaux d'objets posés judicieusement sur une immense roue cylindrique éclairée par une lumière stroboscopique... Puis viennent les premières caméras de cinéma, de télévision, le perfectionnement des éclairages et du son, du montage, des projecteurs... On saute alors dans le cinéma d'aujourd'hui où, à l'aide d'ordinateurs, on peut s'essayer à tout : créer sa propre animation (rigolo pour les enfants), modifier et créer des bruitages, des musiques de films et même doubler avec sa propre voix quelques scènes mythiques du cinéma : Dorothy dans *The Wizard of Oz* (« *Toto, I think we are not in Kansas anymore* »), Eliza Doolittle et sa fameuse réplique de *My Fair Lady, The Rain in Spain...* Jubilatoire ! Puis on passe aux premiers effets spéciaux, avec quelques pièces de choix : la figure de cire de la fillette de *L'Exorciste,* lorsque sa tête tourne sur elle-même, le buste au cou étiré de Natalie Portman dans *Black Swan* (quand elle rêve qu'elle est étranglée), la maquette miniature de *Blade Runner.* Enfin, la télévision est abordée avec une riche collection de postes de réception (voir le Philco de 1959 qui annonce les écrans plats d'aujourd'hui !) et un mur d'images de cameramen pour se mettre à la place d'un réalisateur de direct lors d'un match de base-ball.

– *Au 2nd Floor :* place aux acteurs, maquillages et perruques. Les masques de vieillissement de Marlon Brando dans *Le Parrain,* de Dustin Hoffman dans *Little Big Man,* d'Orson Welles dans *Citizen Kane,* la coiffe de Liz Taylor dans *Cléopâtre,* le *life mask* de John Hurt dans *Elephant Man* et même de Chewbacca dans *Stars Wars* ou, pour les filles, la palette de maquillage des héroïnes de *Sex and the City.* Puis on passe aux décors, aux costumes (le chapeau de J.R. Ewing dans *Dallas,* la prothèse en mousse de Robin Williams dans *Mrs Doubtfire*), et encore aux produits dérivés des films. Après avoir écouté quelques musiques de films cultes, la visite se termine sur la reconstitution d'un cinéma des années 1920, un hommage au décor orientalisant alors en vogue à cette époque.

UN BON PLAN AMÉRICAIN

À partir des années 1940, et encore plus dans les décennies qui suivirent, la mode du plan américain, couramment utilisé dans les films US, envahit le cinéma européen. Ce plan consistait à cadrer les personnages entre la ceinture et les genoux. Nulle volonté esthétique dans ce choix. Il était imposé au réalisateur par la production car, dans les westerns, il fallait à tout prix voir les pistolets qui pendaient à la ceinture des acteurs. Ce type de plan fut repris par les cinéastes de la Nouvelle Vague en France... mais sans les revolvers.

Enfin, une nouvelle section dédiée aux créations de Jim Henson, connu pour sa série TV *The Muppet Show* et *Sesame Street* (ce dernier fut tourné dans les studios Kaufman).

|●| 🍷 *Café* au fond du hall d'entrée, donnant sur un jardin avec terrasse aux beaux jours, et bon resto juste à côté, *The Astor Room,* à l'entrée des studios (voir plus haut « Où manger ?... »). Possibilité aussi d'y boire un apéro en écoutant du jazz en fin de semaine.

CORONA ET FLUSHING

🎷 *Louis Armstrong House Museum* (hors plan Queens par B2) : 34-56 107th St (et 37th Ave). ☎ 718-478-8274. ● *louisarmstronghouse.org* ● Ⓜ (7) 103 St-Corona Plaza. Mar-ven 10h-17h, w-e 12h-17h. Fermé Thanksgiving, 24-25 et 31 déc, et Nouvel An. Visite guidée en anglais obligatoire : 10 $ (ttes les heures jusqu'à 16h ; durée : 40 mn) ; réduc.

De l'extérieur, la petite maison en brique rouge paraît fort modeste, bien à sa place dans ce quartier populaire. Poussé la porte, on découvre un intérieur évidemment plus cossu mais sans extravagance. Rien n'a bougé depuis le départ de Lucille, et la visite de la maison se fait un peu sur la pointe des pieds, en respectant les lieux et ceux qui les ont habités. À l'image du maître, pas de richesse tape-à-l'œil, plutôt des dizaines d'objets et de petites anecdotes sur la vie et les goûts de Louis Armstrong (1901-1971) et de sa dernière compagne Lucille, qui vécurent ici dès 1943. Pas mal d'extraits de conversations d'Armstrong (il aimait beaucoup faire des enregistrements), la fameuse salle de bains avec sa robinetterie en or qui lui fut offerte (le seul luxe de la maison avec les luminaires Baccarat), et puis la cuisine toute bleue et son bureau.

À la fin de sa vie, Satchmo (pour les intimes !) jouait devant sa maison pour les enfants du quartier. Dizzie Gillespie habitait à trois blocs de là, et, bien que la presse les ait présentés comme de véritables rivaux, les deux trompettistes n'en étaient pas moins amis. Ils sont d'ailleurs enterrés tous deux au Flushing Cemetery...

Pour les passionnés de jazz, sachez que les *archives de Louis Armstrong* (Louis Armstrong's Archives) appartiennent à la Ville de New York et sont ouvertes gratuitement au public, en semaine sur rendez-vous (renseignements sur ● *loui sarmstronghouse.org* ●, onglet « *Museum Collections* »). Enregistrements inédits de morceaux et de conversations de Louis, manuscrits, partitions originales, dessins...

🎷 *Flushing Meadows Corona Park* (hors plan Queens par B2) : Ⓜ (7) 111 St. Depuis le métro, remonter 111th St jusqu'à l'entrée du parc située au carrefour de 49th Ave. Ce gigantesque parc constitue le poumon vert de Queens où, le week-end, les familles viennent pique-niquer et se promener dans les immenses allées bordées d'arbres. Il héberge aussi le Shea Stadium, où se déroulent des matchs de base-ball, et le Tennis Stadium, qui voit chaque année les plus grands joueurs du monde venir disputer l'US Open, un des tournois du Grand Chelem (fin août-début septembre). Ce parc a accueilli les Expositions universelles de 1939 et 1964, et la plupart des bâtiments sur place sont en fait des rescapés de ces deux manifestations. L'Unisphère, à peu près au centre du parc, est une gigantesque mappemonde plantée au milieu d'un bassin, qui ne pèse pas moins de 350 t. Elle a été réalisée pour l'Expo universelle de 1964.

🎷 *Queens Museum* (hors plan Queens par B2) : dans le Flushing Meadows Corona Park. ☎ 718-592-9700. ● *queensmuseum.org* ● Ⓜ (7) 111 St, puis 20 mn de marche. Remonter 111th St jusqu'à 49th Ave, entrer dans le parc sur la gauche, juste après le NY Hall of Science (repérer les fusées), passer au-dessus de la voie rapide et tourner à droite. Mer-dim 12h-18h (20h ven juil-août). Fermé 4 juil, Thanksgiving, Noël et Nouvel An. Donation suggérée : 8 $; réduc ; gratuit moins de 18 ans. Visites guidées gratuites dim à 14h, 15h et 16h (en anglais et en espagnol). Ce musée, inauguré pour l'Exposition universelle de 1939, s'est récemment agrandi grâce à un ambitieux programme de rénovation et une nouvelle architecture high-tech. Son attraction principale demeure la gigantesque maquette de New York de plus de 1 000 m², vestige de l'Expo universelle de 1964. Un balcon permet de faire le tour de ce *panorama of the city of New York,* comme si on survolait la ville à bord d'un hélico. Dommage que les buildings n'aient pas été réactualisés depuis 1992 (les Twin Towers sont toujours là...), l'ensemble fait un peu daté et poussiéreux. Les amateurs se régaleront dans la petite mais magnifique section de lampes **Tiffany,** éclairées pour mettre en valeur les couleurs chatoyantes et irisées. Eh oui, la *Tiffany Glass and Decorating Company* était installée dans Queens... Tout le reste du musée est occupé par des expos temporaires, souvent avant-gardistes mais d'un intérêt inégal.

☛ **Café** design donnant sur le parc.

COMMENT Y ALLER ?

LES COMPAGNIES AÉRIENNES

▲ AIR FRANCE
Rens et résas au ☎ 36-54 (0,34 €/mn ; tlj 6h30-22h), sur ● airfrance.fr ●, dans les agences Air France (fermées dim) et dans ttes les agences de voyages.
➢ Air France dessert New York/JFK avec 5 vols/j. directs au départ de Paris/Charles-de-Gaulle (dont 1 avec l'A 380), 1 vol direct quotidien au départ d'Orly (sauf le dimanche) ainsi que 1 vol/j. au départ de Nice.
➢ Air France dessert aussi New York/Newark avec 1 vol/j. direct au départ de Paris/Charles-de-Gaulle.
Air France propose des tarifs attractifs toute l'année. Pour consulter les meilleurs tarifs du moment, allez directement sur la page « Meilleures offres et promotions » sur ● airfrance.fr ● *Flying Blue,* le programme de fidélisation gratuit d'Air France-KLM, permet de cumuler des *miles* et de profiter d'un large choix de primes. Cette carte de fidélité est valable sur l'ensemble des compagnies membres de *Skyteam.*

▲ AMERICAN AIRLINES
Rens et résas au ☎ 0821-980-999 (0,15 €/mn ; service en français tlj sf w-e 8h-21h, en anglais 24h/24). ● americanairlines.fr ●
➢ American Airlines propose, au départ de Paris/Charles-de-Gaulle, 1-2 vols/j. sans escale pour New York/JFK.

▲ DELTA AIR LINES
Rens et résas au ☎ 0892-702-609 (0,34 €/mn ; lun-ven 8h-20h, sam 9h-17h30). ● delta.com ●
➢ Delta opère plusieurs vols/j. sans escale au départ de Paris/Charles-de-Gaulle vers New York/JFK et Newark,

en partenariat avec Air France. Au départ de Nice, 1 vol/j. sans escale vers New York/JFK.

▲ ICELANDAIR
Résas au ☎ 01-44-51-60-51. ● icelandair.fr ●
➢ La compagnie islandaise propose au moins 1 vol/j. pour New York (2 en saison), via Reykjavik. L'occasion de combiner une escale en Islande sans frais supplémentaires.

▲ NORWEGIAN
● norwegian.com ●
Vols directs *low-cost* entre Paris CDG et New York/JFK.

▲ SWISS INTERNATIONAL AIR LINES
Rens et résas au ☎ 0892-232-501 (0,34 €/mn). ● swiss.com ●
La compagnie propose env 3 vols/j. au départ de Paris/Charles-de-Gaulle vers New York/JFK ou Newark (via Zurich ou Genève) et 1 vol/j. depuis Lyon (via Zurich).

▲ UNITED AIRLINES
Rens et résas au ☎ 01-71-23-03-35. ● united.com ●
➢ Dessert New York/Newark avec 1-2 vols/j. directs au départ de Paris/Charles-de-Gaulle.

▲ XL AIRWAYS
Rens et résas au ☎ 0892-692-123 (0,35 €/mn ; tlj 8h-23h). ● xl.com ●
➢ Cette compagnie aérienne française relie quotidiennement Paris/Charles-de-Gaulle et New York/JFK de mi-juin à mi-novembre et pendant les vacances de Noël. Repas chaud, eau, thé et café offerts en vol.

LES ORGANISMES DE VOYAGES

EN FRANCE

▲ BACK ROADS
– Paris : 14, pl. Denfert-Rochereau, 75014. ☎ 01-43-22-65-65. ● backroads.fr ● Ⓜ ou *RER B* : Denfert-Rochereau. Lun-ven 9h30-19h ; sam 10h-18h.

AIRFRANCE

FRANCE IS IN THE AIR

U DÉPART DE PARIS

NEW YORK

JUSQU'À

7 VOLS

PAR JOUR

Depuis 1975, l'équipe de Back Roads sillonne les routes américaines. Ils ne vendent leurs produits qu'en direct pour mieux vous faire partager leurs expériences et vous conseiller les circuits les plus adaptés à vos envies. Spécialistes des autotours, ils ont également le grand avantage de disposer de contingents de chambres dans les parcs nationaux ou à proximité. Dans leur brochure, ils offrent également un grand choix d'activités, allant du séjour en ranch aux expéditions à VTT, en passant par le trekking ou le rafting.

De plus, Back Roads représente 2 centraux de réservation américains lui permettant d'offrir des tarifs très compétitifs pour la réservation ; *Amerotel* avec des hôtels sur tout le territoire, des *Hilton* aux *YMCA*, et *Car Discount,* un courtier en location de voitures.

▲ BEDYCASA.COM

BedyCasa offre une manière différente de voyager à New York, plus authentique et plus économique. La chambre chez l'habitant permet aux voyageurs de découvrir une ville, une culture et des traditions à travers les yeux des locaux et avec leurs conseils. En quelques clics sur BedyCasa, il est possible de réserver un hébergement grâce au moteur de recherche ainsi que des témoignages d'autres voyageurs pour guider votre choix. BedyCasa, c'est aussi un label communautaire, une assurance et un service clients gratuit, tous les jours.

▲ CERCLE DES VACANCES

– *Paris :* 4, rue Gomboust (angle 31, av. de l'Opéra), 75001. ☎ 01-40-15-15-05. ● *cercledesvacances.com* ● Ⓜ *Pyramides* ou *Opéra. Lun-ven 9h-19h, sam 10h-18h30.*

Le vrai voyage sur-mesure, à destination des États-Unis (l'Est et New-York, le Sud et la Floride, l'Ouest et la Californie) et du Canada (voyages d'hiver et d'été, d'est en ouest).

Cercle des Vacances propose un large choix de voyages adaptés à chaque client : séjours *city break,* randonnées et séjours ski, voyages au volant d'une voiture de location, croisières, circuits en petits groupes, combinés, voyages de noces... Les experts Cercle des Vacances partagent leurs conseils et leurs petits secrets pour faire de chaque voyage une expérience inoubliable. Cercle des Vacances offre également un service liste de mariage gratuit. Les petits plus qui font la différence : une excursion en motoneige ou en traîneau à chiens, une balade à cheval au petit matin dans le désert de l'Ouest, un survol du Grand Canyon en hélicoptère, ou encore un parc d'attraction avec un grand huit spectaculaire en Floride.

▲ COMPTOIR DES VOYAGES

● *comptoir.fr* ●
– *Paris :* 2-18, rue Saint-Victor, 75005. ☎ *01-53-10-30-15.* Ⓜ *Maubert-Mutualité. Lun-ven 9h30-18h30, sam 10h-18h30.*
– *Bordeaux :* 26, cours du Chapeau-Rouge, 33800.
– *Lille :* 76, rue Nationale, 59160.
– *Lyon :* 10, quai Tilsitt, 69002. ☎ *04-72-44-13-40.* Ⓜ *Bellecour. Lun-sam 9h30-18h30.*
– *Marseille :* 12, rue Breteuil, 13001. ☎ *04-84-25-21-80.* Ⓜ *Estrangin. Lun-sam 9h30-18h30.*
– *Toulouse :* 43, rue Peyrolières, 31000. ☎ *05-62-30-15-00.* Ⓜ *Esquirol. Lun-sam 9h30-18h30.*

Comptoir des Voyages s'impose comme une référence incontournable dans le voyage sur mesure, avec 80 destinations couvrant les 5 continents. Ses voyages s'adressent à tous ceux qui souhaitent vivre un pays de façon simple en s'y sentant accueilli. Les conseillers privilégient des hébergements typiques, des moyens de transport locaux et des expériences authentiques pour favoriser l'immersion dans la vie locale. Comptoir vous offre aussi la possibilité de rencontrer des francophones habitant dans le monde entier, des *greeters,* qui vous donneront, le temps d'un café, les clés de leur ville ou de leur pays. Comptoir des Voyages propose aussi une large gamme de services : échanges par visioconférence, devis web et carnet de voyage personnalisés, assistance téléphonique tous les jours et 24h/24 pendant votre voyage...

▲ EQUINOXIALES

☎ 01-77-48-81-00. ● *equinoxiales.fr* ● Vingt-cinq ans d'expérience et une

PAS BESOIN
DE FAIRE UNE
ESCALE
LES ÉTATS-UNIS EN
VOLS DIRECTS

New York JFK[1]
jusqu'à 7 vols par semaine
Miami[2]
jusqu'à 3 vols par semaine
San Francisco[3]
jusqu'à 3 vols par semaine
Los Angeles[3]
jusqu'à 3 vols par semaine

XL.COM

passion inépuisable sont les clés de l'expertise d'Equinoxiales pour les voyages sur mesure au long cours à prix *low-cost*, assortis des meilleurs conseils. Un simple appel, un simple mail et les conseillers Equinoxiales sont à l'écoute pour créer avec les candidats au départ le périple qui leur convient au meilleur prix.

▲ NOUVELLES FRONTIÈRES

☎ *0825-000-747 (service 0,15 €/mn + prix appel).* ● *nouvelles-fontieres.fr* ● *En agence de voyages Nouvelles Frontières et Marmara, présentes dans plus de 180 villes en France.*

Depuis plus de 45 ans, Nouvelles Frontières fait découvrir le monde au plus grand nombre, à la découverte de nouveaux paysages et de rencontres riches en émotions. Selon votre budget ou vos désirs, plus de 100 destinations sont proposées sous forme de circuits, ou bien en séjours et voyages à la carte à personnaliser selon vos envies. Rendez-vous sur le web ou bien en agence où les conseillers Nouvelles Frontières seront à votre écoute pour composer votre voyage selon vos souhaits.

▲ PROMOVACANCES.COM

● *promovacances.com* ● *ou au* ☎ *0899-654-850 (1,35 € l'appel puis 0,34 €/mn). Lun-ven 8h-minuit, sam 9h-23h, dim 10h-23h.*

Le site propose plus de 10 000 voyages actualisés chaque jour sur 300 destinations : séjours, circuits, week-ends, thalasso, plongée, golf, voyages de noces, locations, vols secs... L'ambition du voyagiste : prouver chaque jour que le petit prix est compatible avec des vacances de qualité. Grâce aux avis clients publiés sur le site et aux visites virtuelles des hôtels, vous réservez vos vacances en toute tranquillité.

▲ ROOTS TRAVEL

– *Paris : 17, rue de l'Arsenal, 75004.* ☎ *01-42-74-07-07.* ● *rootstravel. com* ● Ⓜ *Bastille. Lun-ven 10h-13h et 14h-18h ; sam sur rdv.*

Roots Travel est un spécialiste de New York et propose des séjours individuels en appartements privés exclusivement sur Manhattan. Les séjours se composent d'un vol et d'une location d'appartement (2, 3 pièces), de studio, duplex ou de loft. L'agence possède un bureau sur place avec une équipe francophone. Possibilité de faire un combiné original avec New York et Reykjavik. Roots Travel est aussi spécialisé sur Cuba, la République dominicaine, Madagascar et le Maroc.

▲ USA CONSEIL

Devis et brochures sur demande, réception sur rdv, agence Paris XVIe. Rens : ☎ *01-45-46-51-75.* ● *usa conseil.com* ● *ou* ● *canadaconseil. com* ●

Spécialiste des voyages en Amérique du Nord, USA Conseil s'adresse particulièrement aux familles ainsi qu'à toutes les personnes désireuses de visiter et de découvrir les États-Unis et le Canada en maintenant un bon rapport qualité-prix. USA Conseil propose une gamme complète de prestations adaptées à chaque demande et en rapport avec le budget de chacun : vols, voitures, hôtels, motels, bungalows, circuits individuels et accompagnés, itinéraires adaptés aux familles, excursions, motor homes, motos, bureau d'assistance téléphonique francophone tout l'été avec numéro Vert USA et Canada. Sur demande, devis gratuit et détaillé pour tout projet de voyage.

▲ USA EN LIBERTÉ

● *usa-en-liberte.com* ●

Contactez USA en liberté, une agence locale de confiance, pour organiser votre voyage sur mesure aux États-Unis. Leurs conseillers, fins connaisseurs du terrain et de la réalité du pays, vous accompagnent dans la préparation de votre voyage, en couple, en famille ou en groupe d'amis. Vous avez ainsi accès à un service personnalisé en bénéficiant d'un prix accessible. USA en liberté vous propose un maximum de garanties et de services : règlement de votre voyage en ligne et ce de façon sécurisée, possibilité de souscrire à une assurance de voyage et de bénéficier de garanties solides en cas d'imprévu. De quoi voyager de façon authentique et en toute tranquillité !

▲ VOYAGEURS DU MONDE – VOYAGEURS AUX ÉTATS-UNIS, AU CANADA ET AUX BAHAMAS

● *voyageursdumonde.fr* ●
– Paris : La Cité des Voyageurs, 55, rue Sainte-Anne, 75002. ☎ 01-42-86-17-30. Ⓜ Opéra ou Pyramides. Lun-sam 9h30-19h. Avec une librairie spécialisée sur les voyages.
– Également des agences à Bordeaux, Grenoble, Lille, Lyon, Marseille, Montpellier, Nantes, Nice, Rennes, Rouen, Strasbourg et Toulouse. Également Bruxelles et Genève.

Parce que chaque voyageur est différent, que chacun a ses rêves et ses idées pour les réaliser, Voyageurs du Monde conçoit, depuis plus de 30 ans, des projets sur mesure. Les séjours proposés sur 120 destinations sont élaborés par leurs 180 conseillers voyageurs. Spécialistes par pays et même par région, ils vous aideront à personnaliser les voyages présentés à travers une trentaine de brochures d'un nouveau type et sur le site internet où vous pourrez également découvrir les hébergements exclusifs et consulter votre espace personnalisé. Au cours de votre séjour, vous bénéficiez des services personnalisés Voyageurs du Monde, dont la possibilité de modifier à tout moment votre voyage, l'assistance d'un concierge local, la mise en place de rencontres et de visites privées et l'accès à votre carnet de voyage via une application iPhone et Android. Voyageurs du Monde est membre de l'association ATR (Agir pour un tourisme responsable) et a obtenu sa certification Tourisme responsable AFAQ AFNOR.

▲ WEST FOREVER

– Wolfisheim : 4, impasse Joffre, 67202. ☎ 03-88-68-89-00. ● *westforever.fr* ● Lun-jeu 9h-12h30, 14h-18h (17h ven).
West Forever est le spécialiste français du voyage en Harley-Davidson. Il propose des séjours et des circuits aux États-Unis (Route 66, Floride, Rocheuses, Grand Ouest, etc.), mais aussi en Australie, en Afrique du Sud et en Europe (Provence, route des Alpes, etc.). Agence de voyages officielle Harley-Davidson, West Forever propose une large gamme de tarifs pour un savoir-faire dédié tout entier à la moto. Si vous désirez voyager par vous-même,

West Forever pourra vous concocter un voyage à la carte, sans accompagnement, grâce à sa formule « Easy Ride ».

> Voir aussi au sein du guide les agences locales que nous avons sélectionnées.

Comment aller à Roissy et à Orly ?

Toutes les infos sur notre site ● *routard.com* ● à l'adresse suivante : ● *bit.ly/aeroports-routard* ●

EN BELGIQUE

▲ AIRSTOP

☎ 070-233-188. ● *airstop.be* ● Lun-ven 9h-18h30, sam 10h-17h.
– Anvers : Jezusstraat, 16, 2000.
– Gand : Maria Hendrikaplein, 65, 9000.
– Louvain : Mgr Ladeuzeplein, 33, 3000.
Airstop offre une large gamme de prestations, du vol sec au séjour tout compris à travers le monde.

▲ CONNECTIONS

Rens et résas : ☎ 070-233-313. ● *connections.be* ● Lun-ven 9h-19h, sam 10h-17h.
Fort d'une expérience de plus de 20 ans dans le domaine du voyage, Connections dispose d'un réseau de 30 *travel shops* dont un à Brussels Airport. Connections propose des vols dans le monde entier à des tarifs avantageux et des voyages destinés à des voyageurs désireux de découvrir la planète de façon autonome. Connections propose une gamme complète de produits : vols, hébergements, locations de voitures, autotours, vacances sportives, excursions.

▲ NOUVELLES FRONTIÈRES

● *nouvelles-frontieres.be* ●
– Nombreuses agences dans le pays dont Bruxelles, Charleroi, Liège, Mons, Namur, Waterloo, Wavre et au Luxembourg.
Voir texte dans la partie « En France ».

▲ SERVICE VOYAGES ULB

● *servicevoyages.be* ● 25 agences dont 12 à Bruxelles.
– Bruxelles : campus ULB, av.

NOS NOUVEAUTÉS

COSTA RICA
(novembre 2016)

Costa Rica, littéralement la Côte riche. Ce pays est le royaume de la biodiversité planétaire. Un grand bain de nature, voilà la promesse de cette bande de terre qui s'étend entre la mer des Caraïbes et l'océan Pacifique. Un quart du territoire est classé en parcs nationaux ou zones protégées. Alors ouvrez grand vos yeux pour ne pas en perdre une miette ! De la paisible côte caraïbe aux rouleaux agités du Pacifique, le Costa Rica égrène ses richesses. Plantations de cafés, champs de bananiers, cordillères piquées de volcans, lacs et forêts impénétrables, sans oublier ses plages splendides, Mère Nature dévoile ici toutes ses merveilles. Paresseux, iguanes, oiseaux, tortues ou singes, le pays offre de belles rencontres. Et n'oubliez pas que depuis 1948, le Costa Rica abolit son armée pour investir dans l'éducation et la santé. On adopte vite la maxime locale : *pura vida !*

Paul-Héger, 22, CP 166, 1000.
☎ 02-650-40-20.
– Bruxelles : pl. Saint-Lambert, 1200.
☎ 02-742-28-80.
– Bruxelles : chaussée d'Alsemberg,
815, 1180. ☎ 02-332-29-60.
Service Voyages ULB, c'est le voyage
à l'université. Billets d'avion sur vols
charters et sur compagnies régulières
à des prix compétitifs.

▲ TAXISTOP

Pour ttes les adresses Taxistop :
☎ 070-222-292. ● taxistop.be ●
– Bruxelles : rue Thérèsienne, 7a, 1000.
– Gent : Maria Hendrikaplein, 65, 9000.
– Ottignies : bd Martin, 27, 1340.
Taxistop propose un système de covoi-
turage, ainsi que d'autres services
comme l'échange de maisons ou le
gardiennage.

▲ VOYAGEURS DU MONDE

– Bruxelles : chaussée de Charleroi, 23,
1060. ☎ 02-543-95-50. ● voyageurs
dumonde.com ●
Le spécialiste du voyage en individuel
sur mesure. Voir texte dans la partie
« En France ».

EN SUISSE

▲ STA TRAVEL

☎ 058-450-49-49. ● statravel.ch ●
– Fribourg : rue de Lausanne, 24, 1701.
☎ 058-450-49-80.
– Genève : rue Pierre Fatio, 10, 1205.
☎ 058-450-48-00.

– Genève : rue Vignier, 3, 1205.
☎ 058-450-48-30.
– Lausanne : bd de Grancy, 20, 1006.
☎ 058-450-48-50.
– Lausanne : à l'université, Anthropole,
1015. ☎ 058-450-49-20.
Agences spécialisées notamment dans
les voyages pour jeunes et étudiants.
150 bureaux STA et plus de 700 agents
du même groupe répartis dans le
monde entier sont là pour donner un
coup de main *(Travel Help)*. STA propose des tarifs avantageux : vols secs
(Blue Ticket), hôtels, écoles de langues,
work & travel, circuits d'aventure, voitures de location, etc. Délivre la carte
internationale d'étudiant et la carte
Jeune.

AU QUÉBEC

▲ TOURS CHANTECLERC

● tourschanteclerc.com ●
Tours Chanteclerc est un tour-opérateur qui publie différentes brochures
de voyages : Europe, Amérique du
Nord, Amérique du Sud, Asie et Pacifique sud, Afrique et le Bassin médi-
terranéen en circuits ou en séjours. Il
s'adresse aux voyageurs indépendants qui réservent un billet d'avion,
un hébergement (dans toute l'Europe),
des excursions ou une location de voiture. Également spécialiste de Paris, le
tour-opérateur offre une vaste sélection d'hôtels et d'appartements dans
la Ville Lumière.

UNITAID

UNITAID a été créé pour lutter contre
le VIH/sida, le paludisme et la tuberculose, les 3 principales maladies
meurtrières dans les pays en développement. UNITAID intervient dans
94 pays en facilitant l'accès aux
médicaments et aux diagnostics, et
en en baissant les prix, dans les pays
en développement. Le financement
d'UNITAID provient principalement
d'une contribution de solidarité sur
les billets d'avion mise en place par

6 pays membres, dont la France. Les
financements d'UNITAID ont permis
à près de 1 million de personnes
atteintes du VIH/sida de bénéficier
d'un traitement, et de délivrer plus de
19 millions de traitements contre le
paludisme. Moins de 5 % des fonds
sont utilisés pour le fonctionnement du
programme, 95 % sont utilisés directement pour les médicaments et les
tests. Pour en savoir plus : ● unitaid.
eu ●

LE MEILLEUR DU
ROUTARD
POUR VOS IDÉES
VOYAGES !

#EXPERIENCEROUTARD

DÉCOUVREZ EN PHOTOS
NOS PLUS BEAUX COUPS DE CŒUR
DU + CLASSIQUE AU + DÉCALÉ

NEW YORK UTILE

AVANT LE DÉPART

Adresses et infos utiles

En France

ℹ Office de tourisme des USA (c/o Visit USA Committee) **:** ☎ 0899-70-24-70 (3 € l'appel, puis 0,34 €/mn). ● office-tourisme-usa.com ● Fermé au public, mais rens sur le site internet et par tél. Bureau d'information privé donnant accès à de nombreuses infos sur la plupart des États, les conditions d'entrée aux États-Unis et l'ESTA (autorisation de voyage), ainsi que des dossiers thématiques...

ℹ NYC & Company : ● nycgo.com ● Bureau de tourisme privé (fermé au public), mais infos en ligne sur leur site.

■ **Ambassade des États-Unis, section consulaire :** 4, av. Gabriel, 75008 Paris. ☎ 01-43-12-22-22. Ⓜ Concorde. Rens sur les formalités d'entrée dans le pays : ● fr.usembassy.gov ●, puis cliquer sur « Visas ».

– **Le visa n'est pas obligatoire pour un séjour de moins de 90 jours,** en revanche **obligation d'obtenir une autorisation ESTA** (voir plus loin « Formalités d'entrée »).

En Belgique

■ **Visit USA Tourism Center ASBL :** ● visitusa.org ● Bureau d'information privé. Demandes de renseignements par mail seulement. Pas d'envoi de doc par courrier.

■ **Ambassade des États-Unis :** bd du Régent, 27, 1000 Bruxelles. ☎ 32-2-811-4000. ● french.belgium.usembassy.gov ●

– **Le visa n'est pas obligatoire pour les Belges pour un séjour de moins de 90 jours** (voir plus loin « Formalités d'entrée »).

En Suisse

■ **Ambassade des États-Unis :** Sulgeneckstrasse 19, 3007 Bern. ☎ 031-357-7011. ● bern.usembassy.gov ●

– **Le visa n'est pas obligatoire pour les Suisses pour un séjour de moins de 90 jours** (voir plus loin « Formalités d'entrée).

Au Canada

■ **Consulat général des États-Unis :** 1155, rue Saint-Alexandre, Montréal (Québec) H3B 1Z1. ☎ 514-398-9695 (serveur vocal). ● french.montreal.usconsulate.gov ●

■ **Consulat général des États-Unis :** 2, rue de la Terrasse-Dufferin (derrière le château Frontenac), Québec (Québec) G1R 4T9. ☎ 418-692-2095 (serveur vocal). ● french.quebec.usconsulate.gov ●

– **Le visa n'est pas obligatoire pour les Canadiens pour un séjour de moins de 180 jours** (voir plus loin « Formalités d'entrée »).

Formalités d'entrée

– **Attention :** les mesures de sécurité concernant les formalités d'entrée sur le sol américain n'ont cessé de se renforcer depuis le 11 septembre 2001. **Avant d'entreprendre votre voyage, consultez impérativement le site de l'ambassade des États-Unis,** très détaillé et constamment mis à jour, pour vous tenir au courant des toutes dernières mesures : ● *fr.usembassy.gov* ●, rubrique « *Visas* ».

– *Passeport biométrique ou électronique en cours de validité.* Les *enfants* de tous âges doivent impérativement posséder leur propre passeport, bébés inclus.

– Les voyageurs (y compris les enfants) doivent aussi être en possession d'une *autorisation électronique de voyage ESTA,* à remplir obligatoirement en ligne sur le site internet dédié (● *https://esta.cbp.dhs.gov/esta* ●) avant d'embarquer pour les États-Unis, par voie maritime ou aérienne. *Coût : 14 \$ pour une validité de 2 ans (sauf si le passeport expire avant). Méfiez-vous des sites clandestins d'ESTA (sur lesquels on tombe malheureusement très facilement en « googlisant » le mot « ESTA ») qui sont, eux, beaucoup plus chers...* La demande *ESTA* doit être faite au moins 72h avant le départ, le plus tôt étant le mieux. La réponse est généralement immédiate. Lors de la saisie en ligne, c'est le numéro officiel du passeport à neuf caractères qui doit être inscrit. Les femmes mariées se feront enregistrer sous leur nom complet (nom de jeune fille et d'épouse).

– Enfin, obligation de présenter un *billet d'avion aller-retour,* ou un billet attestant le projet de quitter les États-Unis. Lors du passage de l'immigration, on prendra vos empreintes digitales et une photo.

– Le *visa* n'est pas nécessaire pour les *Français* qui se rendent aux États-Unis pour tourisme (lire plus haut). Cependant, le séjour ne doit pas dépasser 90 jours et n'est pas prolongeable. *Attention : le visa reste indispensable* pour les diplomates, les stagiaires, les jeunes filles ou garçons au pair, les journalistes en mission.

– Les conditions d'admission pour les *Belges* et les *Suisses* sont similaires à celles des Français. Quant aux *Canadiens,* ils doivent être munis d'un passeport valide.

– Si vous entrez *aux États-Unis depuis le Mexique ou le Canada par voie terrestre,* les conditions restent les mêmes, à cela près que l'*ESTA* n'est pour l'instant pas obligatoire et qu'une taxe de 6 \$, payable en espèces, vous sera demandée.

– Pas de *vaccination* obligatoire (voir « Santé » plus loin).

– *Pour conduire sur le sol américain : le permis de conduire national suffit.*

– *Interdiction d'emporter des denrées périssables non stérilisées* (charcuterie, fromage, biscuits...) *et des végétaux.* Seules les conserves sont tolérées et une bouteille d'alcool par personne est autorisée (le tout en soute).

– Pensez à *recharger vos appareils électriques* (smartphones, tablettes, ordinateurs portables...) avant de prendre l'avion : depuis l'été 2015, nouvelles mesures de sécurité pour tous les vols allant ou passant par les États-Unis et Londres, susceptibles d'être étendues à d'autres pays. Les agents de contrôle doivent pouvoir les allumer. Par précaution, gardez votre chargeur à portée de main. Si votre appareil est déchargé ou défectueux, il sera confisqué.

– *Évitez de verrouiller vos valises* de soute, sous peine de retrouver leurs serrures forcées par les services de sécurité qui les fouillent régulièrement. Il existe des cadenas et des bagages agréés *TSA,* qui permettent à la *Transportation Security Administration* de les ouvrir sans les endommager.

– Vous aurez à remplir *une déclaration de douane* par famille. Ce document est généralement distribué dans l'avion. *Gardez sur vous l'adresse de votre hébergement* ; celle-ci vous sera demandée.

Pensez à scanner passeport, visa, carte de paiement, billet d'avion et vouchers d'hôtel. Ensuite, adressez-les-vous par e-mail, en pièces jointes. En cas de perte ou de vol, rien de plus facile pour les récupérer. Les démarches administratives seront bien plus rapides.

Assurances voyage

■ **Routard Assurance** (c/o AVI International) **:** 40-44, rue de Washington, 75008 Paris. ☎ 01-44-63-51-00. ● avi-international.com ● Ⓜ George-V. Depuis 20 ans, *Routard Assurance*, en collaboration avec *AVI International*, spécialiste de l'assurance voyage, propose aux voyageurs un contrat d'assurance complet à la semaine qui inclut le rapatriement, l'hospitalisation, les frais médicaux, le retour anticipé et les bagages. Ce contrat se décline en différentes formules : individuel, senior, famille, *light* et annulation. Pour les séjours longs (2 mois à 1 an), consultez leur site. L'inscription se fait en ligne et vous recevrez, dès la souscription, tous vos documents d'assurance par e-mail.

■ **AVA :** 25, rue de Maubeuge, 75009 Paris. ☎ 01-53-20-44-20. ● ava.fr ● Ⓜ Cadet. Un autre courtier fiable pour ceux qui souhaitent s'assurer en cas de décès-invalidité-accident lors d'un voyage à l'étranger, mais surtout pour bénéficier d'une assistance rapatriement, perte de bagages et annulation. Attention, franchises pour leurs contrats d'assurance voyage.

■ **Pixel Assur :** 18, rue des Plantes, BP 35, 78601 Maisons-Laffitte. ☎ 01-39-62-28-63. ● pixel-assur. com ● RER A : Maisons-Laffitte. Assurance de matériel photo et vidéo tous risques (casse, vol, immersion) dans le monde entier. Devis en ligne basé sur le prix d'achat de votre matériel. Avantage : garantie à l'année.

ARGENT, BANQUES, CHANGE

La monnaie américaine

Mi-2016, le dollar ($) était à parité quasi égale avec l'euro (€) : 1 $ = 0,90 €.
– **Les pièces :** 1 cent *(penny)*, 5 cents *(nickel)*, 10 cents (*dime,* plus petite que la pièce de 5 cents), 25 cents *(quarter)* et 1 dollar (beaucoup moins courante que le billet équivalent). Avis aux numismates, les *quarters* font régulièrement l'objet de séries spéciales.
– **Les billets :** sur chaque billet, le visage d'une figure politique des États-Unis : 1 $ (Washington), 5 $ (Lincoln), 10 $ (Hamilton, secrétaire du Trésor et non président), 20 $ (l'abolitionniste et ancienne esclave Harriet Tubman, première femme et personnalité noire à figurer sur un billet de banque américain, remplace depuis 2016 le controversé président Jackson), 50 $ (Grant), 100 $ (Franklin). Pour l'anecdote, en argot, un dollar se dit souvent *a buck.* L'origine de ce mot remonte au temps des trappeurs lorsqu'ils échangeaient leurs peaux de daims *(bucks)* contre des dollars.

Argent liquide et change

– Le plus simple est d'**emporter éventuellement quelques dollars changés en Europe et de retirer sur place du liquide avec une carte de paiement.** Il y a des **distributeurs automatiques de billets** (appelés *ATM,* pour *Automated Teller Machine,* ou *cash machines*) partout. Cela dit, évitez de retirer des sommes trop riquiqui à tout bout de champ, car une commission fixe (2-3 $) est prélevée à chaque transaction en plus de celle appliquée par votre banque ; elle est souvent plus élevée dans les *ATM* situés dans les petits commerces, boutiques et hôtels, où les retraits sont souvent limités à 100-200 $.
– Enfin, en dernier ressort, si vous devez quand même **changer de l'argent,** il y a, en gros, trois types d'endroits : les agences de la *Chase Bank,* les bureaux *American Express* et les petits bureaux de change qu'on trouve à droite et à

gauche. Ceux des aéroports appliquent des commissions élevées et des taux très défavorables.

Les cartes de paiement

Avertissement

Si vous comptez effectuer des retraits d'argent aux distributeurs, il est très vivement conseillé d'**avertir votre banque avant votre départ** (pays visités et dates). En effet, **votre carte peut être bloquée dès le premier retrait** pour suspicion de fraude. C'est de plus en plus fréquent. Bonjour les tracasseries administratives pour faire rentrer les choses dans l'ordre, et on se retrouve vite dans l'embarras ! Vous pouvez aussi **relever votre plafond de carte** pendant votre déplacement. Utile surtout pour les cautions des locations de voitures et les garanties dans les hôtels.

Pour un retrait, utilisez de préférence les **distributeurs attenants à une agence bancaire.** En cas de pépin avec votre carte (carte avalée, erreur de code secret...), vous aurez un interlocuteur dans l'agence, pendant les heures ouvrables.

Aux États-Unis, on parle de *plastic money,* ou *plastic* tout court. **C'est le moyen le plus simple et à priori le plus économique de payer** : le taux est meilleur que si vous achetiez des dollars avant le départ ou que vous en changiez sur place. De plus, les paiements par carte évitent aussi la banque-route en cas de plafond de retrait déjà atteint ou pas relevé avant le départ... Ayez votre passeport avec vous, il est parfois demandé lors des achats. Les cartes les plus répandues sont la *MasterCard,* la *Visa* et, bien sûr, l'*American Express,* appliquant des commissions très faibles. Aux USA, *une carte de paiement est un outil indispensable,* presque obligatoire même, ne serait-ce que pour louer une voiture ou réserver une chambre d'hôtel. Là, même si vous avez tout réglé avant le départ, on prendra systématiquement l'empreinte de votre carte, au cas où vous auriez l'idée de partir sans payer les prestations supplémentaires *(incidentals),* genre parking, petit déjeuner, téléphone, minibar...

Les Américains paient tout par carte, même pour 5 \$! Dans certains commerces type drugstores ou supermarchés, dès que vous présenterez une carte de paiement, on vous posera systématiquement la question : « *Debit or credit ?* ». Si vous n'avez pas un compte aux États-Unis, la réponse est « *Credit* ».

Le code secret n'étant pas entré en vigueur aux USA, il faut signer pour chaque transaction. Les commerces sont presque tous munis d'écrans de paiement sur lesquels on paraphe avec un stylo électronique, voire directement avec son doigt. Dans les lieux les plus branchés, les additions se font sur iPad (avec facture envoyée par e-mail !).

Avant de partir, notez bien le **numéro d'opposition propre à votre banque** (il figure souvent au dos des tickets de retrait, sur votre contrat ou à côté des distributeurs de billets), ainsi que le numéro à 16 chiffres de votre carte. Bien entendu, conservez ces informations en lieu sûr et séparément de votre carte.

Par ailleurs, l'assistance médicale se limite aux 90 premiers jours du voyage et l'assistance véhicule aux cartes haut de gamme (renseignez-vous auprès de votre banque).

N'OUBLIEZ PAS NON PLUS DE VÉRIFIER LA DATE D'EXPIRATION DE VOTRE CARTE DE PAIEMENT !

En cas de perte, de vol ou de fraude, quelle que soit la carte que vous possédez, chaque banque gère elle-même le processus d'opposition et le numéro de téléphone correspondant.

– **Carte Visa :** *numéro d'urgence (Europ Assistance)* au ☎ *(00-33) 1-41-85-85-85.* ● *visa.fr* ●

– **Carte MasterCard :** *numéro d'urgence au* ☎ *(00-33) 1-45-16-65-65.*

● *mastercardfrance.com* ●

– **Carte American Express :** *numéro d'urgence au* ☎ *(00-33) 1-47-77-72-00.* ● *americanexpress.com* ●

Carte prépayée Travelex

La carte prépayée *Cash PassportTM* (qui remplace les chèques de voyage) fonctionne comme une carte bancaire. Muni d'une pièce d'identité, il suffit de se rendre en agence de change et de charger le budget voyage désiré en dollars sur la carte. Elle peut aussi être commandée en ligne sur ● *travelex.fr* ● avant d'être collectée en agence sur présentation des documents d'identité. L'utilisateur peut ensuite la recharger à tout moment depuis le site ● *travelex.fr* ● partout dans le monde.

Une fois à l'étranger, elle est utilisable chez 32 millions de commerçants et distributeurs de billets. Pratique pour régler une note de resto ou d'hôtel, sans frais bancaires ni commission. Sûre, la carte n'est pas liée au compte bancaire de l'utilisateur et elle est protégée par une puce et un code PIN personnel. Assistance internationale d'urgence 24h/24 en cas de perte ou de vol. La carte est alors remplacée gratuitement sous 24h avec des fonds d'urgence.

Dépannage d'urgence

En cas de besoin urgent d'argent liquide (perte ou vol de billets, carte de paiement), vous pouvez être dépanné en quelques minutes grâce au système **Western Union Transfert d'argent.**

– *Aux États-Unis :* ☎ *1-800-325-6000.*

– *En France :* ☎ *0800-900-191.*

Possibilité d'effectuer un transfert en ligne via ● *westernunion.com* ● L'argent vous est transféré en 10-15 mn aux États-Unis. Avec le décalage horaire, il faut que l'agence soit ouverte de l'autre côté de l'Atlantique, mais certaines le sont même la nuit. La commission, assez élevée, est payée par l'expéditeur.

ACHATS

On trouve absolument de tout à New York, des fringues à l'électronique en passant par l'art, les accessoires de mode ou les gadgets les plus fous. Le consommateur est roi (ou esclave...), et les portes des magasins lui sont ouvertes tous les jours, même le dimanche, généralement de 10-11h (parfois à partir de 12h dans les coins branchés comme Brooklyn) à 19h ou 20h, souvent jusqu'à 22h, voire minuit.

Attention, les prix affichés sont hors taxe. Il faut ajouter la **taxe locale** de New York, qui est de 8,875 %.

Ayez toujours votre passeport (ID en anglais) sur vous, car on vous le demandera parfois si vous réglez par carte de paiement.

COMMANDEZ VOTRE CASH PASSPORT™ EN
DOLLARS AMÉRICAINS
AUX MEILLEURS TAUX*
SUR TRAVELEX.FR

OFFRE ROUTARD

Votre Carte Cash Passport™ offerte **(au lieu de 10€)**

Commandez maintenant sur
TRAVELEX.FR/NEWYORK

*Les cours incluent une marge

Vêtements et accessoires

Les vêtements et les paires de chaussures de moins de 110 $ la pièce sont exemptés de taxe ; au-delà, compter 8,875 % en plus.

Les *jeans Levi's* coûtent bien moins cher qu'en France (jusqu'à moitié prix hors soldes), même si vous les achetez dans les *Levi's Stores* officiels.

Le *prêt-à-porter décontracté* est tout aussi intéressant, particulièrement les T-shirts imprimés (choix incroyable), les sweats à capuche *(hoodies)* et les baskets (on dit *sneakers*). Pour tout ce qui est *Levi's, Converse, New Balance* et compagnie, c'est sur Broadway (principalement entre 4th Street et Canal Street, c'est-à-dire à SoHo) que vous trouverez le plus grand choix. Les prix se tiennent à peu de chose près.

Quelques *marques « jeunes »*, que l'on retrouve partout : *American Eagle Outfitters, Aeropostale, Old Navy* (la gamme la moins chère de la maison *Gap*), *Urban Outfitters* (marque de *streetwear* branchée tendance *hipster rock*).

Plus classe, mais coloré dans un style un peu vintage : *J. Crew*, la marque fétiche de Michelle Obama, ainsi que sa déclinaison pour jeunes femmes, *Madewell*. Dans un style très américain tendance néo-Far West, *Lucky Brand*. Et aussi *Anthropologie*, très original dans le style rétro-hippie chic (pour femmes seulement), avec de superbes boutiques au décor *arty*. Sans oublier la marque locale devenue culte, *Brooklyn Industries,* pour ses T-shirts graphiques aux messages engagés et pour son style urbain branché.

Pas mal de choix aussi dans les *vêtements pour enfants,* à condition d'aimer les couleurs flashy.

Encore un bon plan : les *chaussures et vêtements de sport et de loisirs* (yoga et pilates, mais aussi *outdoor*).

D'OÙ VIENT LE DOLLAR ?

Le dollar vient... de Bohême. Au XVIe s, le thaler, né dans la vallée (thal) de Saint-Joachim, devient la monnaie de référence des échanges commerciaux en Europe centrale. Il se répand en Espagne grâce aux Habsbourg, puis gagne les colonies d'Amérique du Sud. Là-bas, on prononce « tolar », puis « dólar ». L'importance de cette devise est telle qu'on l'utilise jusqu'aux États-Unis. Sur les pièces espagnoles, un bandeau en forme de S s'enroule autour de deux piliers verticaux symbolisant les colonnes d'Hercule... C'est là que le sigle $ trouve son origine.

I ♥ NY

Ce logo universel, imaginé en 1977 par le graphiste Milton Glaser, à la demande de la ville soucieuse d'attirer plus de visiteurs, n'a jamais rapporté un dollar à son auteur. Il l'avait créé gratuitement, par pur amour de la Big Apple, sans imaginer qu'il remporterait un tel succès... Ce symbole copié partout dans le monde est aujourd'hui en passe d'être relooké, le gouverneur de l'État de New York le trouvant un peu dépassé.

Soldes

Si vous y êtes à la bonne période (janvier et juin-juillet), ne manquez pas les *soldes de fin de saison* classiques, bien plus intéressants qu'en France. La plupart des grandes enseignes (moins les petites boutiques) n'hésitent pas à offrir, à certains moments des soldes, des rabais de plus de 50 % sur les prix déjà réduits, les articles achetés revenant parfois à moins de 10 % du prix de départ ! D'autres soldes ont lieu pratiquement chaque jour férié (voir les dates dans la rubrique

« Fêtes et jours fériés » dans « Hommes, culture, environnement », plus loin), dans les grands magasins, boutiques de fringues, d'équipement hi-fi et vidéo, d'électroménager, etc. Le **Black Friday,** lendemain de Thanksgiving (4e vendredi de novembre donc), est une journée de soldes particulièrement exceptionnels destinée à attirer un maximum de clients, les Américains en profitant pour faire leurs courses de Noël. De nombreuses chaînes de fringues proposent des nouveautés presque toutes les semaines. Vous trouverez donc, dans chaque magasin, généralement au fond ou bien planqué au sous-sol, un coin de *sales* (également nommé **clearance**) pour les invendus de la collection précédente, et cela 365 jours par an !

Un autre filon qui marche bien aussi en France : les ventes privées, **sample sales,** dédiées à un créateur en particulier ou plusieurs, affichant des réductions jusqu'à 80 ou 90 % ! Ces ventes ont souvent lieu dans des bureaux, des appartements, elles sont recensées dans *Time Out* (section *Shopping* de la version papier ou *on line*), sur le site ● *clothingline.com* ● et sur les blogs des fashionistas.

Outlets (magasins d'usine)

⊛ **Woodbury Common Premium Outlets :** 498 Red Apple Court, à Central Valley, au nord de NYC. ☎ 845-928-4000.. ● *premiumoutlets.com* ● Bus Gray Line à partir de Port Authority Bus Terminal (plan 1, B1). Compter 1h de trajet et billet assez cher tt de même. À partir de 2-3 pers, plus intéressant de louer une voiture à la journée. Si vous avez une grosse demi-journée à tuer, rendez-vous dans ce grand complexe commercial, où quelque 220 magasins d'usine représentent les grandes marques américaines (et les autres) à prix cassés : *New Balance, Asics, G-Star Raw, J. Crew, Ralph Lauren, Brooks Brothers, Timberland, Converse, Ugg,* Jimmy Choo... Quelques enseignes typiquement new-yorkaises pour se restaurer sur place : *Shake Shack, Magnolia Bakery...*

⊛ **The Mills at Jersey Gardens :** NJ Turnpike exit 13A, 651 Kapkowski Rd, à Elizabeth dans le New Jersey. ☎ 908-354-5900. À env 25 km de Manhattan, 10 mn en voiture de l'aéroport de Newark. Bus New Jersey Transit 111 ou 115 depuis Port Authority Terminal (compter 15 $ l'A/R et 30 mn de trajet). Également une navette depuis Newark (9 $ l'A/R). Un autre *mall*, un peu moins haut de gamme, intéressant surtout pour les *outlets* (magasins d'usine) *Abercrombie* et *Hollister*.

Guide des tailles

Les vêtements, aux États-Unis, taillent plus grand qu'en Europe. Il faut bien souvent choisir une taille de moins !

Femme

Pantalon/Jupe/Robe				Chemise, top		
France	USA			France	USA	
34	2	XS		34	2	XS
36	4	S		36	4	S
38	6			38	6	M
40	8	M		40	8	L
42	10			42	10	XL
43	11			44	12	XXL
44	12	L		46	14	
46	14			48	16	
48	16	XL				

Chaussures

France	USA	France	USA
35	4	39	7,5
35,5	4,5	39,5	7,5
36	5	40	8
36,5	5,5	40,5	8,5
37	5,5	41	9
37,5	6	41,5	9,5
38	6,5	42	9,5
38,5	7		

Soutien-gorge

France	USA	France	USA
85A	32A	95B	36B
85B	32B	95C	36C
85C	32C	95D	36D
85D	32D	95E	36DD
90A	34A	95F	36E
90B	34B	100A	38A
90C	34C	100B	38B
90D	34D	100C	38C
90E	34DD	100D	38D
90F	34E	100E	38DD
95A	36A	100F	38E

Homme

Pantalon

France	USA	
34	24	XS
36	26	
37	27	S
38	28	
40	30	M
42	32	
43	33	L
44	34	
46	36	XL
48	38	
49	39	XXL

Chemise

France	USA	
36	26	XS
38	28	
40	30	S
42	32	
44	34	
46	36	M
48	38	
50	40	L
52	42	
54	44	XL

Chaussures

France	USA
39	6
39,5	6,5
40	7
40,5	7,5
41	8
41,5	8
42	8,5
42,5	9
43	9,5
43,5	9,5
44	10

Beauté

Les produits de beauté *(cosmétiques, maquillage...)*, genre *L'Oréal*, *Maybelline* ou *Neutrogena*, coûtent environ un tiers de moins qu'en France. On les trouve dans les grands drugstores ouverts très tard (voire 24h/24) type *Duane Reade*, *CVS* ou *Rite Aid*. Les grandes marques américaines comme *Clinique* et *Kiehl's* sont également un peu plus intéressantes.

Supermarchés

Grâce aux campagnes « *Eating healthy* » (« Mangeons sain ») pour lutter contre l'obésité, les New-Yorkais ont découvert le goût des bons produits et même le plaisir de cuisiner, un truc fou au pays de la *junk food* ! On trouve donc de plus en plus de supermarchés à Manhattan et dans les autres boroughs, bio *(organic)* pour la plupart et assez haut de gamme. **Whole Foods**

DU DENTIFRICE AU CHOCOLAT

Il n'y a que les Américains pour avoir l'idée : un dentifrice contenant un extrait naturel de cacao, la théobromine, qui serait plus efficace contre les caries que la traditionnelle pâte au fluor. Gage de qualité, le Theodent *est en vente (entre autres) dans les supermarchés bio* Whole Foods Market.

Market fut le pionnier du genre, avec des étalages magnifiques et le plus beau des rayons traiteur, mais des prix très élevés forcément. *Fairway* lui a emboîté le pas *(2131 Broadway, entre 74th et 75th St, Upper West Side ; 240 E 86th St, entre 2nd et 3rd Ave, Upper East Side ; 766 6th Ave, entre 25th et 26th St, à Chelsea ; 2328 12th Ave et 130th St, à Harlem ; et aussi à Red Hook, Brooklyn),* suivi de près par *Trader Joe's (plusieurs adresses à Manhattan, dont 675 6th Ave, entre 21st et 22nd St, à Chelsea ; 142 E 14th St à Union Sq).* Son concept : démocratiser le bio pour le rendre accessible à tous. Pas de plats cuisinés comme chez *Whole Foods,* une sélection de produits plus restreinte mais la qualité est au rendez-vous, et les prix sont vraiment attractifs.

Souvenirs originaux

– Du *miel* récolté sur les toits de New York et d'autres bons produits locaux et bio à dénicher sur le marché fermier de Union Square.
– Des *tablettes de chocolat* made in Brooklyn, emballées dans de jolis papiers graphiques (*Mast Brothers* à Williamsburg).
– Du *whisky,* du *gin* ou du *rhum* distillé à Brooklyn : voir entre autres *Kings County Distillery* à DUMBO, *Van Brunt Stillhouse* à Red Hook (où se trouve aussi une *winery*).
– Des *tote bags* (sacs shopping en tissu ou matériau recyclé) à l'effigie des lieux qu'on a aimés : musées, restos, bars... Ceux de la librairie *Strand* sont particulièrement beaux.
– Des *Converse personnalisées* (à la boutique de SoHo sur Broadway).
– Des *produits de beauté de chez C. O. Bigelow,* la plus vieille pharmacie new-yorkaise.
– Un *Monopoly* de New York.

Flea markets (puces)

✤ *Hell's Kitchen Flea Market (plan 1, B1) :* W 39th St (entre 9th et 10th Ave). ● *annexmarkets.com* ● Ⓜ *(A, C, E) 42 St. W-e 9h-17h.* Et aussi *Chelsea Flea Market : W 25th St, entre Broadway et 6th Ave.* Ⓜ *(F, M, N, R) 23 St. W-e 9h-18h.* Pour chiner, dénicher, marchander antiquités et bricoles...
✤ Et aussi : les *flea markets* et les boutiques *Beacon's Closet* à Brooklyn, décidément le borough le plus branché vintage.

Thrift shops

Les *thrift shops* (littéralement, « boutiques économiques ») sont l'équivalent des dépôts *Emmaüs* chez nous. Vous en verrez plein dans New York. Tout y est très bon marché : fripes, vieux bouquins, disques passés de mode, bibelots, etc. *Housing Works* a pour but d'aider les personnes sans domicile et celles atteintes du sida, pour leur permettre de vivre dignement. Une douzaine de boutiques à Manhattan, Brooklyn et Queens (Long Island City), parmi lesquelles :

✤ *Housing Works :* à Upper West Side, 306 Columbus Ave (entre 74th et 75th). ☎ 212-579-7566. À Gramercy-Murray Hill, 157 E 23rd St (entre 3rd et Lexington Ave). ☎ 212-529-5955. À SoHo, 130 Crosby St. ☎ 646-786-1200. À Chelsea, 143 17th St (entre 6th et 7th Ave). ☎ 718-838-5050. ● housingworks.org ●

Électronique, hi-fi, vidéo, appareils photo...

Avant le départ, relevez les prix pratiqués en France pour les articles recherchés. N'oubliez pas d'ajouter la taxe locale et le prix de la garantie internationale, rarement comprise (sauf chez Apple).

Assurez-vous aussi que les appareils convoités peuvent fonctionner correctement en France (vérifiez fréquence, norme de lecture notamment). À ce sujet, aucun problème pour les *iPod, iPhone* et *iPad*. Pour faire ses emplettes, deux solutions : la plus sage et celle qu'on recommande étant de se rendre dans un *Apple Store,* une chaîne ou un grand magasin type *B & H* (voir « Shopping » à Chelsea) ; les prix y sont intéressants, les vendeurs très pros, et on ne se fait pas arnaquer. La seconde solution, pour ceux qui ont le goût du risque, consiste à opter pour une des nombreuses boutiques d'électronique, dans lesquelles il faut marchander pour faire de bonnes affaires. Attention, dans les quartiers touristiques comme Times Square et Chinatown, derrière l'affaire en or se cache très souvent une arnaque en béton armé. Un classique : on vous montre un appareil neuf et on en glisse un d'occasion, plus ou moins bien maquillé (et fonctionnel) dans l'emballage...

BUDGET

New York n'est pas une ville bon marché... À moins de se serrer la ceinture en permanence, tout y est plus cher que chez nous (tout dépend du taux de change, bien sûr) : l'hébergement (le plus gros poste), la nourriture, les magasins, les bars et même les musées ! Les routards fauchés se précipiteront sur la rubrique « New York gratuit » (voir plus loin). De plus, autant savoir tout de suite que *les prix affichés un peu partout s'entendent SANS LA TAXE,* qui est dans l'hôtellerie de 14,75 % (plus

> ### UN BILLET PLUS VERT QUE VERT
>
> *Nul besoin de décimer des forêts pour fabriquer les dollars. Contrairement aux apparences, le célèbre billet vert n'est pas en papier mais en tissu ! Eh oui, il est composé de 75 % de coton et 25 % de lin. Avant la Première Guerre mondiale, des fibres de soie entraient dans sa composition, et depuis 1991, un fil de polyester renforce le billet. Dur d'être faussaire !*

1,50-3,50 $ par chambre et par nuitée selon le type d'hébergement !) et de 8,875 % dans les autres secteurs (restauration, commerces...). *Sans oublier la règle du pourboire au resto* (*tip* ou *gratuity* ; minimum 15 %), qui vous ferait passer pour un malappris si vous ne la respectiez pas (voir aussi « Taxes et pourboires »)...

Hébergement

Le logement est *particulièrement hors de prix* à New York. Pour vous faire une idée du budget, nous vous indiquons des fourchettes de tarifs. Impossible, le plus souvent, d'être plus précis : *les prix varient considérablement en fonction du taux de remplissage des hôtels* – et donc de la saison. *Les plus bas sont en janvier-février, les plus élevés en avril-mai-juin, septembre, autour d'Halloween et à Noël.* Ceux que nous indiquons dans le guide correspondent à une chambre pour deux personnes (généralement sans le petit déjeuner). Ils ne comprennent pas la taxe, on le rappelle, qui s'élève à 14,75 % (plus 1,50-3,50 $ par chambre et par nuitée selon le type d'hébergement !). Les tarifs varient encore selon la taille de la chambre, le nombre de lits (un ou deux lits doubles), leur dimension (*queen-size, king-size,* etc.) et la vue.
– *Très bon marché :* de 30 à 60 $ pour un lit en dortoir.
– *Bon marché :* de 90 à 150 $ pour une double.
– *Prix moyens :* de 150 à 200 $.

– *Plus chic :* de 200 à 250 $.
– *Très chic :* de 250 à 350 $.
– *Très, très chic :* plus de 350 $. Ce sont des hôtels design, branchés et/ou de charme, avec des décors époustouflants. Sans y séjourner, vous pouvez toujours y boire un verre ou même seulement jeter un œil au lobby et aux parties communes.

Restaurants

Ici, on essaie d'indiquer les prix du midi (cuisine simple et légère) et ceux du soir (plats plus travaillés) qui varient souvent du simple au double. Un plat suffit généralement, vu la taille des portions américaines, sauf dans les restos un peu chic où les quantités sont plus légères. On peut partager sans problème, voire ne commander qu'une entrée et se contenter d'eau du robinet. Ne pas oublier d'ajouter la taxe et le pourboire : donc 25-30 % en plus...
– *Très bon marché :* de 4 à 7 $ (sandwicheries et adresses sur le pouce).
– *Bon marché :* de 7 à 15 $.
– *Prix moyens :* de 15 à 20 $.
– *Plus chic :* de 20 à 30 $.
– *Très chic :* plus de 30 $.

Monuments, sites et musées

Voir plus loin les rubriques « Musées » et « New York gratuit ».

CLIMAT

À New York, il fait (très) chaud et (très) humide en été. D'ailleurs, beaucoup d'habitants vous diront que leur ville est insupportable en juillet-août. L'hiver, au contraire, est très froid : janvier et février (parfois même mars) sont les mois les plus rudes de l'année, avec un vent glacial venu du large ; les rues et Central Park sont souvent couverts d'épaisses couches de neige (inoubliable pour les amateurs de luge, patins à glace et ski de fond – et on ne rigole pas, même les skieurs en costard-cravate et attaché-case sont nombreux !). Donc, doudoune chaude, polaire, caleçon long comme au ski, bonnet, grosse

UN BONUS POUR CELSIUS

En 1724, le physicien allemand Fahrenheit crée une échelle de température qui voit l'eau geler à 32 °F et bouillir à 212 °F. Pas pratique. Fahrenheit prit comme degré 0 la température la plus basse de sa ville de Dantzig durant l'hiver 1708-1709, et comme point haut celle du sang de cheval ! À se demander pourquoi les Américains utilisent cette échelle de fou... En 1742, le Suédois Celsius remporte la mise en étalonnant ces deux phénomènes physiques universels sur des chiffres ronds : quand l'eau gèle, il fera 0 °C, quand elle bout ce sera 100 °C. Personne n'a trouvé mieux !

écharpe (ou mieux, cagoule, pour sauver ses oreilles !) et moufles sont de rigueur : lorsque le vent se lève et charrie d'épais nuages de flocons glacés, vous ne regretterez pas votre accoutrement aux allures de bibendum ! Le printemps est supposé être la plus belle saison, comme l'automne, été indien oblige. Mais toute l'année, on est surpris par les gros écarts de température d'un jour à l'autre.
– *Infos sur la météo :* ● *weather.com* ● C'est le site de la chaîne TV *The Weather Channel,* que l'on capte dans tous les hôtels.

Tableau des équivalences Celsius-Fahrenheit

Fahrenheit	Celsius	Fahrenheit	Celsius
108	42,2	52	11,1
104	40	48	8,9
100	37,8	44	6,7
96	35,6	40	4,4
92	33,3	36	2,2
88	31,1	32	0
84	28,9	28	- 2,2
80	26,7	24	- 4,4
76	24,4	20	- 6,7
72	22,2	16	- 8,9
68	20	12	- 11,1
64	17,8	8	- 13,3
60	15,6	4	- 15,6
56	13,3	0	- 17,8

DANGERS ET ENQUIQUINEMENTS

Régler le problème de la sécurité a été la grande œuvre de l'ancien maire républicain Rudolph Giuliani, en poste de 1994 à 2001. Sa fameuse politique de tolérance zéro a porté ses fruits puisque les homicides sont tombés à leur plus bas niveau depuis 50 ans. New York est aujourd'hui *la plus sûre des grandes villes américaines.*
À Manhattan (Harlem compris) et dans certains quartiers de Brooklyn (DUMBO et Brooklyn Heights, Williamsburg, Park Slope et Prospect Heights, Carroll Gardens et Cobble Hill) ou Queens (Astoria et Long Island City), on se promène à toute heure du jour et de la nuit (fille ou garçon). Quant aux autres quartiers (reste de Brooklyn et Queens, zone du Bronx autour des principales attractions), on s'y balade sans problème dans la journée mais on évite la nuit, comme à Central Park bien sûr. Tout cela ne veut pas dire qu'il ne faut pas prendre un minimum de précautions et éviter de faire de la provocation...
Enfin, en cas de problème, adressez-vous à un policier. Ils sont postés dans chaque quartier et ont la réputation d'être les plus serviables des States. Sinon, faites le ☎ 911.

DÉCALAGE HORAIRE

Il y a *quatre fuseaux horaires aux États-Unis* (six avec l'Alaska et Hawaii), et *6h de décalage entre Paris et New York.* Quand il est 12h en France, il est 6h à New York. Enfin, quand on vous donne rendez-vous à 8.30 p.m. *(post meridiem),* cela veut dire à 20h30. À l'inverse, 8.30 a.m. *(ante meridiem)* désigne le matin. Et notez que 12 a.m., c'est minuit, et 12 p.m. 12h... et non l'inverse.

ÉLECTRICITÉ

Les fiches électriques américaines sont à deux broches plates. On vous conseille d'apporter un *adaptateur* si vous voulez recharger la batterie de votre appareil numérique, ordi, tablette ou téléphone portable. En cas d'oubli, vous pourrez vous en procurer dans les aéroports, à la réception de la plupart des hôtels ou dans une boutique d'électronique.

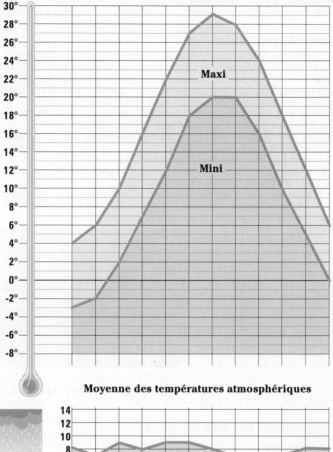

Moyenne des températures atmosphériques

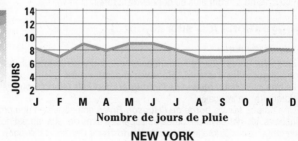

Nombre de jours de pluie

NEW YORK

ENFANTS

Beaucoup de parents débarquant à New York avec leurs rejetons de tous âges sont déboussolés devant l'immensité de la ville et la diversité des possibilités de visites. Sans vous donner d'itinéraire précis, on vous suggère quelques spots intéressants par quartiers (musées, parcs, boutiques, restos...). Cela vous permettra de concocter un programme adapté à leurs centres d'intérêt et à votre budget.

Conseils pratiques

– Côté **hébergement,** la plupart des hôtels disposent de chambres à deux grands lits qui font parfaitement l'affaire pour un couple avec un ou deux bambins. En revanche, les lits bébé ne sont pas très courants. Autre option : la **location (ou l'échange) d'appartement,** plus spacieux ; on peut en outre y prendre le petit déj avant de partir à la conquête de la ville et faire cuire quelques nouilles au retour le soir.
– **Ne pas trop charger la journée avec des petits** car, vous vous en doutez, New York, c'est grand (surtout pour des petites gambettes) !
– **Baliser son itinéraire** avant le départ, pas de détours inutiles, et **prévoir de bonnes chaussures bien confortables.**
– **Réserver à l'avance ses billets** pour éviter la queue dans les musées.
– Les enfants de moins de 1,10 m (44 *inches*) **voyagent gratuitement dans les bus et le métro** (jusqu'à trois pour un adulte payant).
– Les **taxis,** bien moins chers et beaucoup plus nombreux qu'à Paris, peuvent s'avérer économiques à partir de trois ou quatre personnes. Ne pas hésiter à les utiliser, surtout en fin de journée, quand la fatigue se fait sentir.
– Éviter les overdoses en tout genre. **Alterner les réjouissances** : visite de musée, pause burger ou hot dog, soda ou glace, séance shopping pour les ados, activité sportive ou de plein air, etc.
– Les **restos** new-yorkais (et américains de façon générale) sont des paradis pour enfants. En dehors des adresses chic (où il se peut qu'on vous jette un regard de travers), ils seront toujours bien accueillis, le plus souvent

> ### XXL
>
> *La plus haute grande roue du monde aura 190 m de diamètre et 36 nacelles transportant 40 passagers chacune... Ce projet pharaonique, confié à la firme du London Eye, à Londres, sera inauguré en 2017 sur l'île de Staten Island, au sud-ouest de Manhattan. La vue sur la skyline et la statue de la Liberté promet d'être unique.*

avec des jeux et coloriages. Et entre les burgers-frites, les pizzas, les bagels, les petits déjeuners à l'américaine, les sodas, glaces crémeuses et autres milkshakes, ils ne sauront plus où donner de la tête !

Suggestions (du sud au nord)

À Lower Manhattan

– **La statue de la Liberté :** autant commencer par du spectaculaire ! Mais attention, longues files d'attente... Réservez impérativement !
– Le très intéressant **musée de l'Immigration d'Ellis Island,** pour les plus grands (audioguide en français).
– Une balade sur les **bords de l'Hudson River,** aménagés en une promenade de plusieurs kilomètres et ponctués de superbes aires de jeux, de patinoires, etc. Un bon moyen de rejoindre le secteur du **World Trade Center** et d'évoquer sobrement, pour les plus grands, les événements du 11 Septembre. Incontournable, la montée en haut du **One World Observatory,** traitée comme une attraction à la Disney.
– Voir Manhattan s'illuminer doucement depuis le **pont de Brooklyn** au coucher du soleil ou depuis la navette fluviale gratuite qui rejoint Staten Island.

Autour de Greenwich Village et Meatpacking District

– Petite balade dans **Greenwich Village** et sur la **High Line.** Et pourquoi pas louer des rollers aux Chelsea Piers et patiner tranquille au bord de l'Hudson ? À moins de privilégier le vélo.

Autour de Times Square, Theater District et Midtown

– **Times Square :** quel gamin peut résister aux sirènes de cette énorme machine touristique ? Entre la débauche de lumières et toutes les giga-boutiques alentour (*Disney Store, M & M's* et *Hershey's* pour les gourmands...), vous aurez de quoi faire et de quoi dépenser aussi. Surtout si vous vous offrez le plaisir d'assister à une **comédie musicale pour enfants à Broadway** (voir « Spectacles » dans « Hommes, culture, environnement »).
– Monter à l'**Empire State Building** ou au **Top of the Rock,** l'observatoire situé au sommet du **Rockefeller Center.**
– **Le MoMA** *(Museum of Modern Art),* bien sûr. Contentez-vous des deux derniers niveaux, où sont réunis les chefs-d'œuvre (*Les Demoiselles d'Avignon* de Picasso, entre autres).
– Pour les amateurs du genre, **The Intrepid Sea-Air & Space Museum** (on peut visiter, entre autres, un porte-avions et un sous-marin nucléaire), et avec des ados « selfies-maniacs », **Madame Tussauds.**
– Difficile de résister devant les nombreuses boutiques de Midtown (voir « Shopping » dans ce quartier). Parmi nos préférés, **American Girl Place** et **Nintendo World.**

Dans Central Park et autour

– **Le Metropolitan Museum of Art (Met) :** 2-3h suffiront pour éviter l'overdose justement, mais ce serait dommage de passer à côté. Concentrez-vous sur la grandiose section égyptienne et la peinture contemporaine, par exemple.
– On sort directement dans **Central Park,** un must pour les enfants. Possibilité de pratiquer de nombreuses activités sportives : vélo et rollers (loueurs sur place), jogging, tennis, natation, pêche, balade à cheval, bateau sur le lac, etc. Et puis il y a aussi un théâtre de marionnettes, un petit zoo, un manège, des concerts en plein air... Prévoir le pique-nique.
– **American Museum of Natural History,** un des plus grands musées d'histoire naturelle au monde, celui qui a inspiré le film *La Nuit au musée* avec son étage des dinosaures et la fascinante section des animaux naturalisés.
– **Children's Museum of Manhattan.**

Les autres musées, lieux et attractions plus excentrés qui plairont aux enfants et aux plus grands

– Le dimanche, allez écouter un **gospel dans une église de Harlem.** Ces messes, hautes en couleur, durent 2 ou 3h, ce qui peut s'avérer long avec des enfants. Restez au fond pour un repli en toute discrétion.
– **À Brooklyn :** en coup de cœur, le **New York Transit Museum** (musée des Transports installé dans une station des années 1930 désaffectée avec de vrais rames dans lesquelles on peut circuler), le **Brooklyn Children's Museum,** premier musée pour enfants jamais créé, à coupler avec une balade dans **Prospect Park** et son **Botanic Garden,** qui sont à Brooklyn ce que Central Park est à Manhattan. Sans oublier la **plage de Coney Island** avec sa fameuse fête foraine, accessible en métro !
– **Dans Queens :** l'**American Museum of the Moving Image** (avec des ados).
– **Dans le Bronx :** le vaste **Bronx Zoo,** avec ses nombreux pavillons à thème et sa forêt tropicale africaine reconstituée, et, non loin de là, le **New York Botanical Garden.**

HÉBERGEMENT

À New York, surtout à Manhattan, l'hébergement est hors de prix ! Le meilleur plan consiste à s'éloigner un peu du cœur de Manhattan (à peine, franchement) pour se loger à Brooklyn ou à Harlem, où le rapport qualité-prix est bien meilleur.

Comme partout aux États-Unis et de plus en plus dans le reste du monde, *les prix à New York varient beaucoup selon le taux de remplissage des hôtels* – et donc, en gros, selon la saison touristique. C'est ce qu'on appelle le système du *yield management*.
Janvier et février (voire début mars) sont les mois les plus creux de l'année ; *la période avril-mai-juin, l'automne* (en particulier septembre, mais aussi autour d'Halloween) *et les vacances de Noël représentent la très haute saison touristique.* Le week-end est enfin, en général, plus chargé (et donc plus cher) que la semaine. Ce sont surtout les hôtels qui sont soumis à ces énormes variations de prix (du simple au triple parfois !), l'écart est moins flagrant dans les AJ. Quant aux chambres d'hôtes, elles pratiquent généralement des tarifs à peu près fixes toute l'année.
Dans tous les cas de figure, il est *fortement recommandé de réserver le plus longtemps possible à l'avance.* Le plus simple est de le faire via le site internet de l'hôtel ou par téléphone (beaucoup d'hôtels proposent un numéro gratuit en 1-800, mais utilisable uniquement depuis les États-Unis). On vous demandera systématiquement votre *numéro de carte de paiement* en garantie. Et à votre arrivée, *on en prendra l'empreinte* pour couvrir les *incidentals*, à savoir les éventuels frais de téléphone, minibar, *pay TV,* etc.
– Sauf exception (précisée), les prix que nous indiquons s'entendent sans la *taxe* (14,75 %, plus 1,50-3,50 $ par chambre et par nuitée selon le type d'hébergement).

Les auberges de jeunesse

La ville en compte plusieurs dizaines, toutes privées sauf une, affiliée à *Hostelling International,* située dans le quartier Upper West Side (à la hauteur de 103rd Street, voir « Où dormir ? » dans ce chapitre). Vraiment super à tous points de vue (accueil, ambiance, équipement, entretien...). C'est la plus grande AJ des États-Unis (700 lits), et la deuxième du monde ! Les autres sont de qualité très inégale. Certaines sont franchement impeccables, modernes, bien entretenues, sûres (comme celle de Queens, à 20 mn de métro seulement de Times Square), d'autres un peu limite. Côté prix, elles sont plus chères que chez nous : *de 30 à 60 $ la nuit en dortoir* (taxe en plus). On peut parfois aussi y trouver des chambres doubles basiques, mais pour le prix, il vaut parfois mieux réserver un *budget hotel.* Sauf mention contraire dans le texte, les AJ sont accessibles à tous, sans limite d'âge, et ne nécessitent aucune carte de membre.

Les hôtels

Ce n'est pas ça qui manque à Manhattan. La plupart sont concentrés autour de Times Square, Theater District et vers Madison Square Garden. Plus on descend vers la pointe sud, plus les hôtels se raréfient et il vous faudra de toute façon y mettre le prix. En règle générale, ils restent plus élevés qu'en Europe (continentale) pour des prestations surévaluées la plupart du temps. C'est inscrit simple, compter au minimum 100 $ (hors taxe !) pour une chambre double au confort minimal, et encore, en très basse saison (janvier-février). *En saison, c'est plutôt 200-250 $ minimum.* On le répète, les prix varient constamment selon le remplissage, et donc, en gros, selon la saison touristique. De même, il faut savoir que beaucoup d'hôtels proposent des chambres de différents types (avec un lit double plus ou moins grand, avec deux lits doubles, plus simples, plus spacieuses, mieux équipées...), et que le prix, bien sûr, sera également fixé en fonction.

Lexique de l'hébergement new-yorkais

– *Double* : chambre double avec lit d'environ 1,40 m de large.

– *Queen* : double avec lit d'environ 1,50 m de large.

– *King* : double avec lit d'environ 2 m de large.

– *Two double beds* : chambre avec deux lits d'environ 1,40 m pouvant loger quatre personnes.

– *Deluxe* : chambre un peu plus spacieuse en général (ou avec vue).

– *Dorm bed* : lit en dortoir.

– *Bunk beds* : lits superposés.

– *Dorm with bathroom ensuite* : dortoir avec salle de bains attenante.

– *Private room with shared bath* : chambre double avec salle de bains partagée.

– *Private room with private bath* : chambre double avec salle de bains privée.

Bref, devant le grand nombre de paramètres déterminant ce que, au bout du compte, vous devrez payer, on a tout simplement décidé de vous indiquer la *fourchette de prix* à l'intérieur de laquelle l'hôtel peut louer ses chambres *pour deux personnes,* qu'il s'agisse d'une chambre à un grand lit ou d'une chambre à deux grands lits dans laquelle une famille de quatre peut aussi parfaitement loger (sans supplément de prix parfois)...
– La plupart des hôtels proposent des chambres équipées de *TV, clim et sanitaires complets.* Certains petits hôtels pas chers ont des sanitaires partagés, mais généralement très bien entretenus. *Wifi* quasiment partout (gratuit le plus souvent), avec aussi parfois un ordinateur à disposition.
– *Peu d'hôtels incluent le petit déj* dans le prix de la nuitée. Un peu plus souvent néanmoins, l'hôtel propose du café, du thé, voire des muffins dans le lobby (et dans les adresses un peu chic, des Nespresso dans la chambre). Pratique pour ne pas partir le ventre vide mais ce serait dommage de ne pas aller prendre un vrai petit déj américain, surtout le week-end pour le brunch. Ce ne sont pas les endroits qui manquent à New York : en dehors de nos adresses « Spécial petit déjeuner », bien sûr, on trouve des *diners* (restos traditionnels américains) ou des *coffee shops* un peu partout.
– *Les hôtels de chaîne de moyenne gamme* sont souvent d'un bon rapport qualité-prix, on vous en indique d'ailleurs quelques-uns parmi les plus récents, avec des architectures vitrées offrant des vues urbaines dégagées.
– Si les appels locaux sont souvent gratuits, *les communications longue distance depuis un téléphone de chambre d'hôtel* coûtent horriblement cher (voir la rubrique « Téléphone et télécommunications »). Appelez plutôt gratuitement avec votre smartphone via une appli type *WhatsApp* (wifi nécessaire). Ou bien avec *Skype* depuis un ordi portable ou une tablette (à condition que votre interlocuteur soit équipé lui aussi).

Les *B & B, guesthouses* et chambres chez l'habitant

La mode des *B & B* et autres chambres chez l'habitant a gagné New York, surtout Harlem et Brooklyn, où l'immobilier est d'un meilleur rapport qualité-prix. On a un faible pour ce type d'hébergement qui vous fera découvrir un autre visage de New York, plus tranquille et authentique.

La location d'appartements meublés

Une formule intéressante en famille (plus d'espace, la possibilité de prendre des repas sur place représentent une économie non négligeable), mais à deux, pas forcément beaucoup moins cher qu'un hôtel. Tout dépend encore une fois de la saison, qui régit les fourchettes de prix des hôtels, et du standing de l'hébergement. À la très haute saison (vacances de Pâques, ponts de mai, Noël...), cela peut être un excellent plan à condition de vous y prendre suffisamment à l'avance. Sachez quand même que New York est une ville très bruyante et les apparts sont souvent mal isolés – et du bruit de la rue (pas de double vitrage) et de ceux des voisins. Quant aux immeubles eux-mêmes, ils peuvent être assez vétustes (ça surprend à New York mais c'est ainsi) et sans ascenseur. Enfin, vérifiez attentivement la situation géographique avant de vous décider, car certains apparts censés être « au cœur de Manhattan » s'avèrent, en fait, très excentrés (en bordure de rivière) et loin du métro.

Pour réserver un appart, deux possibilités : passer par un *site internet de mise en relation entre propriétaires et locataires* ou bien par une *agence spécialisée.* L'offre des sites internet est très tentante : prix attractifs, choix exponentiel dans tous les styles, du petit studio fonctionnel meublé Ikea au *penthouse* design avec vue sur la *skyline* en passant par l'élégante *brownstone* décorée par un antiquaire ou l'usine reconvertie à Brooklyn... Il faut savoir quand même que ces « plates-formes » ne contrôlent pas la légitimité de tous leurs annonceurs, donc les arnaques ne sont pas exclues... À New York, la législation interdit la location de moins de 30 jours dans les immeubles non titulaires d'une licence hôtelière. Pour moins de 30 jours de location, l'occupant habituel de l'appart doit être présent dans les lieux et le building ne doit pas comporter plus de 2 appartements. Si vous voulez être totalement serein, passez donc par une agence spécialisée et pro comme *New York Habitat* (voir ci-après) : sélection de logements beaucoup plus limitée, mais tous dans des immeubles légaux.

Plate-forme internet

● **airbnb.com** ● Ce site de mise en relation entre propriétaires et visiteurs, consultable en français, liste des centaines de chambres (avec ou sans salle de bains privative), des appartements et des lofts à tous les prix (de 60 $ à plus de 500 $ la nuit). Une description complète est fournie (avec photos explicites) et on peut accéder aux avis des clients. En cherchant bien et en s'y prenant à l'avance, on peut louer des lieux assez étonnants, voire très originaux. On paie en ligne, mais le proprio ne reçoit l'argent qu'après votre arrivée, ce qui limite les risques d'arnaques. Réduction de 10 € à New York avec le code « NEWYORK2016 » au moment de payer.

Agences spécialisées dans les locations d'apparts

■ *New York Habitat :* 307 7th Ave (entre 27th et 28th), suite 306, New York, NY 10001. ☎ 212-255-8018. ● *nyha bitat.com* ● Pionnière dans le domaine, c'est une des agences les plus sérieuses et fiables, très à cheval sur les lois de l'immobilier à New York. Pas donné, mais service irréprochable, en français en plus.

■ *Maison International :* 119 W 23rd St, suite 801, New York, NY 10011. ☎ 212-462-4766. ● *mai sonintl.com* ● Service francophone là aussi.

Échange d'appartements

Il s'agit d'échanger son logement contre celui d'un adhérent du même organisme, dans le pays de son choix. Cette formule offre l'avantage de passer des vacances aux États-Unis à moindres frais, en particulier pour les jeunes couples avec enfants. Voici deux agences qui ont fait leurs preuves :

■ *Intervac :* ☎ 05-46-66-52-76. ● *fr. intervac-homeexchange.com* ● Adhésion annuelle avec diffusion d'annonce sur Internet et nombre d'échanges illimité : env 100 €, mais possibilité de tester gratuitement le service pdt une période limitée.

■ *Homelink International :* 19, cours des Arts-et-Métiers, 13100 Aix-en-Provence. ☎ 04-42-27-14-14. ● *homelink. fr* ● Adhésion annuelle : 120 € (pour les mêmes services).

Les YMCA

Il y en a quatre : à East Midtown, dans l'Upper West Side, à Harlem et à Brooklyn (voir « Où dormir ? » dans les chapitres en question). Il s'agit de centres d'hébergement dotés d'installations sportives impressionnantes (immense *fitness center*, piscine et sauna), proposant des chambres basiques et propres mais souvent minuscules et parfois vétustes, comme c'est le cas à Brooklyn. Compter de 100 à 180 $ (un peu moins à Brooklyn) pour une double (lits superposés) avec ou sans salle de bains, sans petit déj. Tous les sports sont inclus dans le prix. C'est d'ailleurs le seul véritable intérêt, car certains petits hôtels et *B & B*, nettement plus sympas, peuvent (selon la saison) proposer leurs chambres doubles à des tarifs moindres ou équivalents...

LANGUE

Pour vous aider à communiquer, n'oubliez pas notre *Guide de conversation du routard en anglais.*

Vocabulaire anglais de base utilisé aux États-Unis

Oui	*Yes*
Non	*No*
D'accord	*Okay*

Politesse

S'il vous plaît	*Please*
Merci (beaucoup)	*Thank you (very much)/Thanks*
Bonjour !	*Hello !/Hi !*
Au revoir	*Good bye/Bye/Bye Bye*
À plus tard, à bientôt	*See you (later)*
Pardon	*Sorry/Excuse me*

Expressions courantes

Parlez-vous le français ?	*Do you speak French ?*
Je ne comprends pas	*I don't understand*
Pouvez-vous répéter ?	*Can you repeat please ?*
Combien ça coûte ?	*How much is it ?*

Vie pratique

Poste	*Post Office*
Office de tourisme	*Visitor Center*
Banque	*Bank*
Médecin	*Doctor*
Pharmacie	*Pharmacy/Drugstore*
Hôpital	*Hospital*
Supermarché	*Supermarket*

Transports

Billet	*Ticket*
Aller simple/Aller-retour	*One-way ticket/Round-trip ticket*

Métro	Subway
Aéroport	Airport
Gare	Train station
Gare routière	Bus station
À quelle heure est le prochain bus/ train pour... ?	At what time is the next bus/train to... ?

À l'hôtel et au restaurant

J'ai réservé	I have a reservation
C'est combien la nuit ?	How much is it per night ?
Petit déjeuner	Breakfast
Déjeuner	Lunch
Dîner	Dinner
L'addition, s'il vous plaît	The check, please
Le pourboire	The tip/the gratuity

Les chiffres, les nombres

1	one	8	eight
2	two	9	nine
3	three	10	ten
4	four	20	twenty
5	five	50	fifty
6	six	100	one hundred
7	seven		

LIVRES DE ROUTE

En voyage, le livre audio, c'est malin. Écoutez un extrait de **Gatsby le magnifique de Francis Scott Fitzgerald,** lu par Emmanuel Dekoninck, et vous serez déjà à New York City. *Extrait offert par Audiolib.*

– **Le Livre des jours** (2008), de Michael Cunningham (Pocket). L'auteur des **Heures** reprend la plume pour un roman tout aussi suggestif, inspiré de l'œuvre poétique de Walt Whitman. Trois fictions, trois époques différentes. À l'aube de la révolution industrielle, au lendemain du 11 Septembre ou à l'ère du XXIIe s, un livre déconcertant, à mi-chemin entre la poésie et la science-fiction.

– **Manhattan Transfer** (1925), de John Dos Passos (Gallimard, Folio). Le héros de ce roman ? New York, de 1900 à 1920. Une dizaine de personnages dressent un tableau de la société américaine. Les histoires se racontent (parfois simultanément), les destins se croisent... pour le meilleur (parfois) et pour le pire (souvent) ! Disons-le haut et fort : un des grands livres du XXe s.

– **Les New-Yorkaises** (1927), d'Edith Wharton (J'ai lu). Frivole et névrotique, Pauline Manford ne jure que par son psy et les médecines alternatives, alors que Lita (sa belle-fille) commence à s'enticher de son mari. Dans un style vif et piquant, l'auteur dévoile les faux-semblants des mondanités. Une satire réussie de l'aristocratie new-yorkaise des Années folles.

– **Aller-retour New York** (1935), d'Henry Miller (Buchet/Chastel). Depuis 1928, Miller vit en Europe car il déteste les États-Unis en général, mais surtout New York, sa ville natale. En 1934, quelques mois passés là-bas lui suffisent pour en dresser un tableau féroce, nous dévoilant la Grosse Pomme sous un jour inhabituel.

– **Petit déjeuner chez Tiffany** (1958), de Truman Capote (Gallimard). Dans *Diamants sur canapé* au cinéma, Audrey Hepburn donne vie à Holly Golightly, l'héroïne du roman. Légère et frivole, la jeune femme chasse son blues devant les vitrines de *Tiffany*. Mais les apparences, trompeuses, dissimulent une tout autre réalité... Un récit culte et mélancolique, bref, un classique !

– **Last Exit to Brooklyn** (1964), d'Hubert Selby Jr (10/18). Best-seller des sixties, à la manière des chansons de Lou Reed, *Last Exit to Brooklyn* transfigure la lie de l'Amérique, la faune des petites frappes (drogués, homos, chômeurs, travelos), tous résidus d'un monde sans pitié.

L'ATTRAPE-CŒUR

Écrit en 1951, cet énorme best-seller raconte la vie à New York d'un ado dépressif, qui se sent incompris et rejette l'ordre moral. Les assassins de Lennon et Kennedy étaient fanatiques de ce livre, celui qui tenta de tuer Reagan aussi. L'auteur, J. D. Salinger, refusa toute interview pendant 40 ans, jusqu'à sa mort.

– **Portnoy et son complexe** (1969), de Philip Roth (Gallimard, Folio). Un livre indescriptible. Voici la confession d'un jeune juif new-yorkais qui n'a qu'une seule obsession dans la vie : le sexe. Mais comment traduire la truculence, l'exubérance, la jovialité qui s'en dégagent ? Au début, le tourbillon de fantasmes érotiques dans lequel est emporté ce personnage perpétuellement insatisfait suscite une franche hilarité. Puis, on commence à rire jaune. N'est-ce pas l'autobiographie déguisée d'une certaine Amérique qui nous est contée là ?

– **Isaac le mystérieux** (1978), de Jerome Charyn (Gallimard, Série Noire). Isaac Sidel : vieux flic à l'intestin rongé par le ver solitaire. Déguisé en clochard, il traîne parmi les prostituées du Bronx et s'entiche de l'une d'elles. Mais Isaac le mystérieux n'est pas n'importe quel flic : c'est le premier adjoint du commissaire principal de New York... Du même auteur, emportez **New York, chronique d'une ville sauvage** (Gallimard, Découvertes).

– **Le Bûcher des vanités** (1987), de Tom Wolfe (LGF, Le Livre de Poche). Beau et riche, gâté par la vie, golden boy arrogant, Sherman Mac Coy habite Park Avenue. Pourtant, un soir, tout bascule. De retour de l'aéroport (où il est allé chercher sa maîtresse), il rate la bonne sortie de l'autoroute, se perd dans le Bronx, renverse un jeune Noir et prend la fuite (voir aussi le film avec Bruce Willis et Melanie Griffith).

– **Trilogie new-yorkaise** (1987), de Paul Auster (Actes Sud). Le New York de Paul Auster répond aux lois de l'arbitraire, de l'aléatoire des rencontres et du hasard... Voici donc l'univers dans lequel Quinn, le héros commun aux trois récits de l'ouvrage (*Cité de verre, Revenants* et *La Chambre dérobée*), erre jusqu'à perdre son identité.

– **American Psycho** (1991), de Bret Easton Ellis (10/18). New York dans les années 1980 : un golden boy se transforme en serial killer la nuit. Dans son entourage, personne ne soupçonne sa double vie. Best-seller aux États-Unis avant d'être adapté au cinéma, avis aux amateurs de sensations fortes ! Les crimes, d'une atrocité incommensurable, sont décrits avec une précision glaciale.

– **Outremonde** (1997), de Don DeLillo (LGF, Le Livre de Poche). Quand un gamin du Bronx vous raconte l'histoire de son pays, c'est toute une nation qui se regarde dans le miroir : 3 octobre 1951, finale historique de base-ball opposant les Brooklyn Dodgers aux New York Giants ; explosion de la première bombe nucléaire soviétique... Deux coups de batte qui propulseront les États-Unis dans une fresque où M. Tout-le-Monde côtoie le FBI, la guerre froide, la mafia. Du même auteur, **L'Homme qui tombe,** sur le 11 Septembre.

– **Les Saisons de la nuit** (1999), de Colum McCann (10/18). Nathan Walker est terrassier et travaille à la construction du tunnel qui relie Brooklyn à Manhattan. Entre la nostalgie de sa Géorgie natale et la fraternité virile sous terre, son quotidien est loin d'être rose. Treefrog, lui, est sans abri et supporte difficilement sa situation de SDF. C'est dans les souterrains new-yorkais que leurs vies vont mystérieusement se projeter. Une histoire émouvante, mais aussi un vrai pamphlet contre l'administration new-yorkaise.

– *Le Ventre de New York* (2001), de Thomas Kelly (Rivages/Noir). Deux frères, deux destins. Paddy s'enrôle dans des affaires louches, alors que Billy sera ouvrier, comme son père. Pas facile de creuser un tunnel pour approvisionner New York en eau potable ! Les conditions de travail (tout comme le titre) ne sont pas sans rappeler Zola. L'intrigue dévoile une sombre histoire de corruption mais aussi les manières de la contrer : idéaux, espoir, fraternité...

– *Brooklyn Follies* (2005), de Paul Auster (Actes Sud). Une histoire simple : Nathan Glass, au terme de son existence, revient sur les faits marquants de sa vie et rêve de créer avec son neveu l'hôtel *Existence,* où circuleraient tous les protagonistes de leur vie quotidienne. Regards tendres, rapports sincères, dans la ville de tous les possibles, New York.

– *Just Kids* (2010), de Patti Smith (Gallimard, Folio). De son histoire avec le photographe Robert Mapplethorpe, Patti Smith a tiré ce récit tendre, poétique et imagé du New York bohème des années 1960-1970. Leur rencontre par hasard à Brooklyn alors qu'ils n'étaient « rien que des gamins », les galères du début, puis l'effervescence du *Chelsea Hotel* et, enfin, leur reconnaissance en tant qu'artistes.

– *Le New York des écrivains* (2013), sous la direction de Vincent Jaury (Stock). Ce collectif rassemble les textes de 13 écrivains français ; Chloé Delaume, Michka Assayas, Stéphane Audeguy... Tous dressent un portrait différent de la Big Apple, tantôt poétique, parfois plus rock ou carrément caricatural. Une chose est sûre, même 13 plumes ne viendront pas à bout d'un tel mythe !

– *Dictionnaire insolite de New York* (2015), de Marine Juliette Aubry (Cosmopole). De ses 3 années passées au service culturel de l'ambassade de France à New York, cette enseignante offre sous forme d'abécédaire au style humoristique une foule de clés pour appréhender la *Big Apple,* ou plutôt *Gotham* (terme plus utilisé par les New-Yorkais).

B.D. et détente

– *Par avion* (1989), de Sempé (Denoël ou Gallimard, Folio). Inspirées de ses illustrations pour le magazine *The New Yorker,* les petites chroniques de Sempé sur la vie et les mœurs new-yorkaises sont un régal d'humour !

– *Mardi 11 septembre* (2003), de Henrik Rehr (Vents d'Ouest). Ce matin-là, Henrik Rehr boit son habituel café devant sa fenêtre surplombant Manhattan... et assiste en direct à l'attaque des Twin Towers. En quelques minutes, tout bascule. Il perd le contact avec sa femme (qu'il n'arrive pas à joindre au bureau), son fils... L'attente et l'angoisse font remonter en lui des souvenirs intimes. Un témoignage autobiographique sensible sur ce sujet difficile.

– *Paris VS New York* (2011), de Vahram Muratyan (10/18). Macaron ou *cupcake,* bobo ou *hipster,* Godard ou Woody ? Sous forme de duels graphiques amusants et décalés, une originale comparaison entre ces deux villes mythiques, croquée par un ancien publicitaire qui, indéniablement, a le sens du trait !

– *Robert Moses, le maître caché de New York* (2014), scénario de Pierre Christin, dessins d'Olivier Balez (Glénat). Entre 1930 et 1970, l'urbaniste-aménageur Moses redessine le visage de la Big Apple : le Lincoln Center, le siège des Nations unies, le Verrazano Bridge... autant de constructions gigantesques menées par un homme intrigant et controversé.

– *Cahier de vacances anglais adultes, spécial New York* (2013, Harrap's). Une façon originale et ludique de transformer son voyage en une grande révision d'anglais. Vocabulaire, jeux, exercices... agencés autour de 18 thèmes qui vous mènent aux quatre coins de la Big Apple. *Enjoy !*

MESURES

Même s'ils ont coupé le cordon avec la vieille Angleterre, même s'ils conduisent à droite, pour ce qui est des unités de mesure, les Américains ont conservé un système « rustique ». Après les Fahrenheit (voir « Climat »), les tailles de vêtements (voir « Achats ») et le voltage électrique (voir « Électricité »), voici encore quelques spécificités à assimiler (bon courage pour les calculs) !

Capacité

1 *pint* = 0,473 litre   1 litre = 2,11 *pints*
1 *gallon* = 3,785 litres   1 litre = 0,26 *gallon*

Longueurs et distances

1 *inch* (pouce) = 2,54 cm   1 cm = 0,39 *inch*
1 *foot* (pied) = 30,48 cm   1 cm = 0,03 *foot*
1 *yard* = 0,914 m   1 m = 1,09 *yard*
1 *mile* = 1,609 km   1 km = 0,62 *mile*

Poids

1 *ounce (oz)* = 28,35 g   100 g = 3,53 *oz*
1 *pound (lb)* = 453,5 g   1 kg = 2,2 *lb*

MUSÉES

New York compte plus de 150 musées, les plus beaux et les plus divers du pays (avec ceux de Washington DC). Le Metropolitan Museum of Art (Met) ou le Museum of Modern Art (MoMA) à eux seuls justifieraient de venir à New York !
– Les *jours de fermeture hebdomadaire* (souvent le lundi) fluctuent selon les musées ; il est toujours prudent de se renseigner avant de se déplacer pour visiter. Pratique, le MoMA et le Met sont ouverts tous les jours. La plupart des musées sont, cela dit, fermés les jours fériés.
– *Prix d'entrée :* les musées sont chers (de 10 à 25 $ en moyenne), mais certains d'entre eux appliquent le système de *contribution libre ou suggérée* (*free donation* ou *suggested donation*), à certains moments de la semaine ou tout le temps. Le Met et ses annexes – les Cloisters et le Met Breuer en font partie –, le musée d'Histoire naturelle aussi. Cela signifie qu'on donne ce qu'on veut (dans la limite du raisonnable, bien sûr !). Et même si le montant de la contribution est clairement suggéré, on peut payer en fonction du temps passé sur place, ce que font les Américains. À notre avis, on peut aussi se contenter d'une « demi-donation » si on est vraiment fauché...
– Il existe plusieurs *formules de passes,* qui proposent l'accès à plus ou moins de musées, monuments et attractions.
➤ Le *CityPass,* le plus populaire, axé sur les incontournables musées/sites. Valide 9 jours, il coûte 116 $ (92 $ 6-17 ans) et donne accès à la *statue de la Liberté* et *Ellis Island* (ou, au choix, un tour en bateau avec *Circle Line Sightseeing Cruises*), l'*observatoire de l'Empire State Building* (avec seconde visite de nuit en bonus, à condition de revenir le même jour), le *Guggenheim* ou le *Top of the Rock* (observatoire du Rockefeller Center), l'*American Museum of Natural History,* le *Metropolitan Museum of Art (Met)* et son annexe médiévale *The Cloisters,* le *musée et mémorial du 11 Septembre* ou « *l'Intrepid* ». On économise 42 % sur l'entrée à tarif plein et, autre avantage, on évite la queue aux caisses (en revanche, on n'échappe pas à celles qui serpentent devant l'accès aux sites, notamment à l'embarcadère pour la statue de la Liberté et à l'Empire State Building). Tenir son *pass* en main, bien visible, de façon qu'un employé vous invite de suite au

coupe-file. Le *CityPass,* qui se présente sous forme d'un carnet avec des bons, s'achète au guichet d'un des sites (ou à l'office de tourisme). ● *citypass.com* ●

➤ Le *New York City Explorer Pass,* très flexible puisqu'on choisit parmi une cinquantaine d'options 3, 5, 7 ou 10 lieux que l'on veut visiter (validité : 30 jours). Attention, la formule n'est pas toujours intéressante. Faites l'addition du prix d'entrée des visites projetées (certaines sont gratuites certains jours !) et comparez. Tarifs : de 76 à 179 $ (59 à 125 $ enfants). Infos : ● *smartdestinations.com* ●

➤ Enfin, le *New York Pass,* réservé à ceux qui veulent « tout » voir en un minimum de temps (à notre avis difficilement rentable, sauf peut-être celui sur 7 jours). Donne accès à une cinquantaine de sites majeurs sans faire la queue et aussi à des réductions sur les shows à Broadway, par exemple. Tarifs : 109 $ pour 1 jour, 169 $ pour 2 jours, 205 $ pour 3 jours, 295 $ pour 7 jours ; réduc 4-12 ans. Infos : ● *newyorkpass.com* ●

– On vous conseille aussi de profiter des *audioguides* et des *visites guidées* (souvent gratuites).

– *Vestiaires gratuits* dans tous les musées pour les vêtements et sacs. En revanche, ils refusent les ordinateurs portables et autres objets de valeur (iPod, iPad, téléphone, etc.).

NEW YORK GRATUIT

Arpenter Manhattan à pied ne vous coûtera pas grand-chose et vous en prendrez plein les mirettes ! Vous trouverez, dans le descriptif des quartiers, des idées de balades. Si vous souhaitez aborder New York sous un angle particulier, l'association *Big Apple Greeter* propose des *promenades gratuites conduites par des bénévoles new-yorkais* (voir plus loin « Visites guidées »). Quant aux *parcs de New York,* ils sont bien entendu gratuits ; rien qu'à *Central Park,* vous avez de quoi occuper une grosse journée (certaines activités sont payantes). L'*Hudson River Park,* le front aménagé de l'Hudson River, s'avère lui aussi un bon plan avec ses activités nautiques gratuites, ses parcs, terrains de sport (beach-volley, tennis, skateboard) et jeux pour enfants (voir rubrique « Sports et loisirs » dans « Hommes, culture, environnement »). La *High Line* (entre Gansevoort Street et 34th Street) et le *Brooklyn Bridge Park* sont aussi très prisés, avec de nombreuses animations à la belle saison, sans parler des bassins du *9/11 Memorial.*

En revanche, dès qu'il s'agit de visiter un monument ou un musée, il vous faudra mettre la main au portefeuille. Heureusement, *quelques musées et monuments sont gratuits à certains moments de la semaine* (voir plus haut « Musées » et le descriptif de chaque musée dans le texte). Le MoMA, par exemple, est gratuit le vendredi en nocturne, le *9/11 Memorial Museum* le mardi de 17h à 20h. Attendez-vous, évidemment, à ne pas être seul et à devoir faire la queue... Les galeries d'art de Chelsea ou SoHo sont également gratuites, tout comme les deux installations permanentes de Walter Maria à SoHo (*The New York Earth Room* et *The Broken Kilometer*).

D'autres musées suggèrent (plutôt qu'ils n'imposent) un droit d'entrée (*pay as you wish* ou *suggested donation*), c'est le cas du Metropolitan Museum et de ses annexes, les Cloisters et le Met Breuer. Enfin, une soirée par an, mi-juin, les huit musées du Museum Mile (sur 5th Avenue, de 82nd à 105th Street) sont gratuits de 18h à 21h, dont le Metropolitan, le Guggenheim et la Neue Galerie. ● *museummi lefestival.org* ●

Côté musique, ne manquez pas *Summer Stage,* un *festival de concerts en plein air à Central Park,* de fin juin à mi-septembre. Certains concerts sont gratuits, d'autres avec don libre à l'entrée. Par ailleurs, au Lincoln Center, les étudiants de la prestigieuse Julliard School donnent environ une fois par semaine des concerts de musique de chambre au Alice Tully Hall.

Et puis, en vrac : voir le *feu d'artifice du 4 juillet* sur l'Hudson River, les *illuminations de Noël au Rockefeller Center,* écouter un *gospel dans une église*

de Harlem, admirer Manhattan depuis le *pont de Brooklyn,* prendre le *ferry de Staten Island* en fin d'après-midi pour admirer le coucher du soleil sur la *skyline* ou bien la *navette-bateau IKEA* qui part du Pier 11 à South Street Seaport et file à Red Hook (Brooklyn) avec la statue de la Liberté en ligne de mire *(gratuit le w-e slt, 5 $ sinon),* voir les *films projetés l'été dans Bryant Park...*
Enfin, pour ne rien rater des événements gratuits ou pas chers au moment où vous serez à New York, voici deux *sites internet* utiles : ● theskint.com ● liste chaque jour tous les bons plans qui ne vous coûteront rien (ou presque) ; et ● nycgo.com/free ● propose une sélection de visites et activités gratuites à New York.

POSTE

✉ **General Post Office** *(plan 1, B1-2) : 421 8th Ave (entre 31st et 33rd). Ouv 24h/24 pour les guichets automatiques.*
✉ **Rockefeller Center Post Office** *(plan 2, G-H11) : Rockefeller Plaza (5th Ave et 50th St).* Ⓜ *(D, F) 47 et 50 St. Au sous-sol du Rockefeller Center.*

Lun-ven 10h-17h.
– Sans oublier le bureau de poste qui se trouve au sous-sol du bâtiment des *Nations unies,* où l'on peut faire faire des timbres personnalisés avec sa propre photo (lire « Midtown. À voir »).

Les *timbres (stamps)* sont disponibles dans les guichets *UPS* et certains commerces (presse, souvenirs, etc.). Ne soyez pas étonné de mettre votre courrier dans des boîtes bleu marine que l'on pourrait prendre de prime abord pour des poubelles... *Compter 1,20 $ pour l'envoi d'une lettre ou d'une carte postale vers l'Europe.*

SANTÉ

La sécurité sanitaire est excellente aux États-Unis, mais elle coûte les yeux de la tête, même pour les Américains. Comme dirait l'humoriste Patrick Timsit : « En Amérique, le médecin te fait un diagnostic en une minute. Il appelle ta banque : t'as pas d'argent, t'es pas malade ! »
Pas de consultation médicale à moins de 125-150 $ et on ne vous parle même pas d'une visite aux urgences, qui coûte plusieurs milliers de dollars. Pour les médicaments, multiplier au moins par deux les prix français. Voilà pourquoi il est impératif de souscrire, avant le départ, une *assurance voyage intégrale* avec assistance rapatriement (voir plus haut « Avant le départ »).

Précautions, médicaments et consultations

– *Prévoir une bonne pharmacie de base,* avec éventuellement un antibiotique à large spectre prescrit par votre généraliste (au cas où), à fortiori si vous voyagez avec des enfants. Sur place, si vous souffrez de petits bobos courants ou facilement identifiables (rhume, maux de gorge...), vous pouvez pratiquer en premier lieu l'automédication, comme le font les Américains. De nombreux médicaments délivrés uniquement sur ordonnance en France sont vendus en libre-service aux États-Unis, dans les drugstores type *Duane Reade, CVS* ou *Rite Aid* (certains sont ouverts 24h/24). Si vous cherchez du Doliprane, le nom déposé le plus répandu est Tylenol (le paracétamol se dit *acetaminophen* là-bas). Évidemment, si cela vous semble grave ou qu'il s'agit d'enfants, un avis médical s'impose. Le service social du consulat de France (voir « Adresses utiles ») tient à votre disposition une liste de spécialistes parlant le français. Attention, on le répète : les consultations privées sont très chères. Sinon, cherchez dans les Pages jaunes (sur Internet : ● yellow pages.com ●) à *Clinics* ou *Physicians and surgeons.*
– *La transmission de la maladie de Lyme* (véhiculée par les tiques) est possible dans tout New York, dans les zones arborées. Après une virée dans Central Park,

ou n'importe quel autre parc de la ville ou de l'État, il est prudent de s'inspecter toute la peau du corps en fin de journée (cuir chevelu compris, donc se faire aider), car il faut 24h à une tique pour transmettre la maladie.

■ **Généraliste parlant le français – Dr Michael W. Jacobson :** 1421 3rd Ave (entre 80th et 81st), Upper East Side. ☎ 212-517-5060. ● mj@mjmd. com ● mjmd.com ● Consultations sur rdv slt, lun-ven. Excellent accueil de ce médecin qui a fait ses études à Strasbourg.

■ **City MD :** ☎ 212-772-3627 (n° général). ● citymd.com ● Tlj sans rdv, en général lun-ven 8h-22h, w-e 9h-21h (adultes et enfants). Tarif consultation : dès 125 $. Réseau de cliniques privées, réputées pour leur sérieux et leurs tarifs moins élevés que dans un service d'urgences de grand hôpital. Nombreux points d'accueil à Manhattan, Brooklyn et dans les autres boroughs (voir leur site internet). En voici quelques-uns à Manhattan :
– 14 W 14th St (entre 5th et 6th Ave, à Union Sq). ☎ 212-390-0558.
– 37 W 23rd St (entre 5th et 6th Ave, vers le Flatiron). ☎ 646-596-9267.
– 561 3rd Ave (et 37th Ave). ☎ 212-729-4668.
– 315 W 57th St (entre 8th et

9th Ave, près de Columbus Circle). ☎ 212-315-2330.
– 2398 Broadway (et 88th St, Upper West Side). ☎ 212-721-2111.
– 336 E 86th St (entre 1st et 2nd Ave, Upper East Side). ☎ 212-772-3627.

■ **New York Hotel Urgent Medical Services :** ☎ 212-737-1212. ● tra velmd.com ● Service d'urgences téléphoniques accessible aux voyageurs 24h/24. En quelques minutes, un médecin vous rappelle et on vous envoie un spécialiste (parlant le plus souvent votre langue) dans l'heure à votre hôtel. Ils ont également un centre médical dans l'Upper East Side, ouvert aussi 24h/24 mais qui ne fonctionne que sur rendez-vous (moins cher, bien sûr, que le service à l'hôtel).

🞐 **Mount Sinai Hospital** (plan 2, H7) : 1468 Madison Ave (et 101st). ☎ 212-241-6639 ou 6794. Service d'urgences pour adultes et enfants 24h/24. Un autre **accueil d'urgences,** Upper West Side, au 638 Columbus Ave et 91st St (plan 2, G8). Lun-ven 8h30-20h30, w-e 9h-15h30 (sans rdv).

Voir aussi la rubrique « Urgences » à la fin de ce chapitre.

SITES INTERNET

● **routard.com** ● Rejoignez la plus grande communauté francophone de voyageurs ! Échangez avec les routarnautes : forums, photos, avis d'hôtels. Retrouvez aussi toutes les informations actualisées pour choisir et préparer vos voyages : plus de 200 fiches pays, une centaine de dossiers pratiques et un magazine en ligne pour découvrir tous les secrets de votre destination. Enfin, comparez les offres pour organiser et réserver votre voyage au meilleur prix. Routard.com, le voyage à portée de clics !

● **nycgo.com** ● Site de l'office de tourisme de New York, bien fouillé. Des informations pratiques et utiles qui donnent un bon aperçu de la Big Apple et également des dossiers thématiques. Traduit partiellement en français, mais les rubriques les plus intéressantes sont en anglais.

● **frenchmorning.com/ny** ● Créé par des journalistes francophones vivant aux États-Unis pour la plupart, ce webmagazine s'adresse aux Français s'installant à New York comme aux visiteurs de passage. Revues de presse, chroniques en tout genre et aussi plein de tuyaux sur les nouveaux restos, les sorties branchées, les expos du moment... Des articles de fond également très intéressants.

● **nyc.gov/records** ● La mairie de New York a ouvert ses archives au public. Plus de 900 000 photos, cartes et documents portant sur 160 ans de l'histoire de la ville, désormais disponibles sur Internet. Possibilité de commander des versions papier sur le site.

● **untappedcities.com** ● Le site internet d'une association de passionnés qui mettent au jour des lieux inconnus, insolites ou rarement ouverts au public, des projets architecturaux... en proposant des visites guidées. Une façon originale de découvrir Gotham City sous un autre angle.

● **ephemeralnewyork.wordpress.com** ● L'idée sort du lot : ce site retrace des bouts d'histoire d'un New York disparu et pointe du doigt ce qu'il en reste. De l'origine du nom de buildings aux meurtres les plus infâmes, c'est la Grosse Pomme sous un autre jour.

● **streetartnyc.org** ● Très beau site dédié au *street art* new-yorkais.

● **curiosites-futilites-new-york.com** ● Le blog de Jeanne, trentenaire expat à New York. Ses coups de cœur (souvent à Brooklyn) sont assortis de textes bien sentis et de superbes photos.

TABAC

Comme chez nous, il est *interdit à New York de fumer* (et même de *vapoter*) dans tous les lieux publics fermés (musées, transports...) et de plein air tels les parcs, les plages de la ville et certains quartiers piétons comme Times Square (l'amende est de 50 $!). C'est également interdit dans les restos, bars et boîtes de nuit, pour préserver la santé des serveurs et des serveuses. Les seuls rescapés de l'interdiction sont une poignée de bars à cigares ayant obtenu leur licence au début du XXe s. L'objectif de cette législation : respirer mieux à New York et vivre plus longtemps. En 2013, l'âge légal pour acheter des cigarettes (cigarettes électroniques comprises) est même passé de 18 à 21 ans, une première pour une grande ville américaine.

TAXES ET POURBOIRES

D'abord les taxes...

À New York, comme dans tous les États-Unis, *les prix affichés dans les magasins, les hôtels, les restos, etc., s'entendent SANS TAXE.* Celle-ci s'ajoute au moment de payer et varie selon le type d'achat. Dans les hôtels, elle est de 14,75 % (plus 1,50-3,50 $ par chambre et par nuitée selon le type d'hébergement !) ; pour tout ce qui est vêtements et chaussures (de plus de 110 $ seulement, pas de taxe en dessous), restos, location de voitures... elle est de 8,875 %. Ne l'oubliez pas, ça change tout de même le prix, surtout pour les gros achats. Les commerçants, les restaurateurs et les hôteliers l'ajoutent donc une fois à la caisse. Les produits alimentaires vendus en magasin n'y sont pas soumis.

... puis les pourboires (*tip* ou *gratuity*)

Dans les restos, les serveurs ayant un salaire fixe ridicule, l'essentiel de leur revenu vient des pourboires. Voilà tout le génie du capitalisme : laisser aux clients, selon leur degré de satisfaction, le soin de payer le salaire des serveurs pour les motiver ! Ajoutez la taxe et le pourboire et vous voilà à 25-30 % de supplément sur le prix affiché... L'avantage, c'est qu'il est plutôt rare d'être mal servi... Bref, *le tip est donc une institution à laquelle vous ne devez pas déroger* (sauf dans les fast-foods et endroits self-service où vous pouvez ne laisser que 1 ou 2 $). Un oubli vous fera passer pour un rustre total. *La tradition est de laisser 15-20 %* (jusqu'à 25 % sont quelquefois suggérés sur la note !), les Américains, d'un naturel généreux, donnant facilement 20 %.

Si vous payez par carte, n'oubliez pas de remplir vous-même la case « *Gratuity* » (un faux ami !) qui figure sur la facturette ou de la barrer si vous laissez un pourboire en liquide. Sinon, le serveur pourrait s'en charger lui-même, ce que vous ne verriez qu'à votre retour, en épluchant votre relevé de compte bancaire (au fait, aux USA, 1 s'écrit *l*, sans « tête », donc attention à ce que votre *1* ne soit pas pris pour un *7* qui, lui, s'écrit sans barre horizontale !). Il arrive aussi que le service soit ajouté d'office au total, après la taxe. Mais attention, des restaurateurs malins vous donnent une facturette où figure quand même la case « *Gratuity* » à remplir, soyez vigilant pour ne pas le payer une seconde

L'ORIGINE DU *TIP*

Au XVIIIe s, le patron d'un café outre-Manche eut l'idée de disposer sur son comptoir un pot portant l'inscription « To insure promptness » (littéralement, « Pour assurer la promptitude »). Les clients pressés y glissaient quelques pièces pour être servis plus vite. Les initiales formèrent le mot tip, *devenu un incontournable du savoir-vivre américain.*

fois ! C'est presque systématique pour les *parties* (groupes) de six personnes ou plus ; dans ce cas, le service frise d'office les 20 %.
Dans les bars : le barman s'attend à ce que vous lui laissiez un petit quelque chose, par exemple 1 $ par bière, même prise au comptoir. **Concernant les taxis** : il est de coutume de laisser un *tip* de 15 à 20 % en plus de la somme au compteur. Là, gare aux jurons d'un chauffeur mécontent ; il ne se gênera pas pour vous faire remarquer ouvertement votre oubli. Enfin, **prévoir des billets de 1 $** pour tous les petits boulots de service où le pourboire est attendu (bagagiste dans un hôtel un peu chic, par exemple).

Calculer son pourboire

$	15 %	20 %	$	15 %	20 %	$	15 %	20 %	$	15 %	20 %
1	0.15	0.20	11	1.65	2.20	21	3.15	4.20	55	8.25	11
2	0.30	0.40	12	1.80	2.40	22	3.30	4.40	60	9	12
3	0.45	0.60	13	1.95	2.60	23	3.45	4.60	65	9.75	13
4	0.60	0.80	14	2.10	2.80	24	3.60	4.80	70	10.50	14
5	0.75	1	15	2.25	3	25	3.75	5	75	11.25	15
6	0.90	1.20	16	2.40	3.20	30	4.50	6	80	12	16
7	1.05	1.40	17	2.55	3.40	35	5.25	7	85	12.75	17
8	1.20	1.60	18	2.70	3.60	40	6	8	90	13.50	18
9	1.35	1.80	19	2.85	3.80	45	6.75	9	95	14.25	19
10	1.50	2	20	3	4	50	7.50	10	100	15	20

TÉLÉPHONE ET TÉLÉCOMMUNICATIONS

Téléphone

Indicatifs téléphoniques (à composer même à l'intérieur de la ville)

☎ *212, 917 et 646* pour Manhattan.
☎ *718* pour les autres boroughs.

Dans le texte, on indique systématiquement le numéro complet à 10 chiffres.
– *États-Unis* ➞ *France* : 011 + 33 + numéro du correspondant à neuf chiffres (sans le 0 initial).
– *France* ➞ *États-Unis* : 00 + 1 + indicatif régional à trois chiffres + numéro du correspondant.
– *Tous les numéros de téléphone commençant par 1-800, 1-888, 1-877, 1-866 ou 1-855 sont gratuits depuis les USA et le Canada* (hôtels par exemple). On appelle ça les « *toll free numbers* », nous les indiquons dans le texte.
– *Les numéros gratuits sont facturés par les hôtels* (1 $). Attention, ils ne fonctionnent pas quand on appelle de l'étranger, mais on peut quand même obtenir la communication (payante), en remplaçant 800 par 880, 888 par 881 et 877 par 882.
– *Certains numéros sont composés de mots,* chaque touche de téléphone (fixe) correspondant à un chiffre et à trois lettres. Ce qui permet de retenir facilement un numéro (exemple : pour contacter les chemins de fer, ☎ *1-800-USA-RAIL* équivaut à *1-800-872-7245*).

Les règles de base pour téléphoner de New York

Si vous ne voulez pas alourdir votre note de portable, le plus économique pour téléphoner, que ce soit aux States (hors des cinq boroughs de New York) ou à l'international, est d'appeler depuis un poste fixe avec une *carte téléphonique prépayée (prepaid phone card)*. Attention, ça ne marche pas si on appelle d'un téléphone portable avec lequel il est plus intéressant de passer par les réseaux wifi (voir plus loin). Ces cartes, qui existent en différents montants (5, 10 $...) et disposent d'un code « secret », sont vendues dans les drugstores *(Duane Reade, CVS, Walgreens, Rite Aid...)*. Pour 5 $, vous pouvez téléphoner plus de 4h en continu vers la France si vous appelez un poste fixe : beaucoup moins longtemps si c'est un portable et aussi si vous multipliez les coups de fil, à cause des frais de connexion facturés à chaque appel.

En revanche, *évitez absolument de téléphoner depuis les hôtels* (sauf avec une carte prépayée, bien sûr) qui pratiquent presque toujours des tarifs rédhibitoires. Dans certains d'entre eux, il arrive qu'une communication téléphonique soit facturée même si l'appel n'a pas abouti ! Il suffit de laisser sonner quatre ou cinq coups dans le vide pour que le compteur tourne.

HALLOD

Le premier central téléphonique du monde est monté à Budapest par un ingénieur nommé Puskas, collègue de Thomas Edison. Pour tester la ligne, il crie « Hallod », qui en hongrois signifie « Tu m'entends ? ». Depuis, « Hallod » est devenu « Allô » pour une grande partie du monde.

Le téléphone portable en voyage

De *nouvelles mesures de sécurité* sont en vigueur depuis 2015 *dans les aéroports* : les *appareils électroniques* (smartphones, tablettes, portables...) doivent *être chargés et en état de fonctionnement* pour tous les passagers allant ou passant par les États-Unis et Londres. Les agents de contrôle doivent être en mesure de pouvoir les allumer. Par précaution, ayez votre chargeur à portée de main. Si votre appareil est déchargé ou défectueux, il sera confisqué. Cette mesure étant susceptible d'être étendue à d'autres aéroports, nous vous conseillons de charger vos appareils électroniques avant le vol, quelle que soit votre destination.

On peut utiliser son propre portable à New York, à condition de posséder un **téléphone tribande ou quadribande** avec l'option « Monde ». Pour être sûr que votre appareil est compatible, renseignez-vous auprès de votre opérateur.

– **Activer l'option « International » :** pour les abonnés récents, elle est en général activée par défaut. En revanche, si vous avez souscrit à un contrat depuis plus de 3 ans, pensez à contacter votre opérateur (au moins 48h avant le départ) pour demander cette option (gratuite).

– **Le roaming :** c'est un système d'accords internationaux entre opérateurs. Concrètement, cela signifie que lorsque vous arrivez dans un pays, au bout de quelques minutes, le nouveau réseau s'affiche automatiquement sur l'écran de votre téléphone.

– Vous recevez rapidement un sms de votre opérateur qui propose un **pack voyageurs** plus ou moins avantageux, incluant un forfait limité de consommations téléphoniques et de connexion internet. À vous de voir...

– **Tarifs :** ils sont propres à chaque opérateur et varient en fonction des pays (le globe est découpé en plusieurs zones tarifaires). **N'oubliez pas qu'à l'international vous êtes facturé aussi bien pour les appels sortants que pour les appels entrants.** Ne papotez donc pas des heures en imaginant que c'est votre interlocuteur qui paiera !

– **Internet mobile :** utiliser le wifi à l'étranger et non les réseaux 3G ou 4G. Sinon, on peut faire exploser les compteurs, avec au retour de voyage des factures de plusieurs centaines d'euros ! Le plus sage consiste à **désactiver la connexion** « données à l'étranger » (dans « Réseau cellulaire »). Il faut également penser à **supprimer la mise à jour automatique de votre messagerie** qui consomme elle aussi des octets sans vous avertir (option « Push mail »). Opter pour le mode manuel. Cependant, des opérateurs incluent de plus en plus de *roaming data* (donc de connexion internet depuis l'étranger) dans leurs forfaits avec des formules parfois spécialement adaptées à l'Europe. Bien vérifier le coût de la connexion auprès de son opérateur avant de partir. Noter que l'Union européenne impose aux opérateurs un coût maximal de 0,20 €/Mo (HT) jusqu'en 2017, ce qui permet de surfer plus sereinement et à prix réduit.

Bons plans pour utiliser son téléphone à l'étranger

– **Acheter une carte SIM/puce sur place :** une option très avantageuse pour certaines destinations. Il suffit d'acheter à l'arrivée une carte SIM locale prépayée chez l'un des nombreux opérateurs (*Virgin Mobile, AT&T* ou *T Mobile* par exemple), représentés dans les boutiques de téléphonie mobile et souvent à l'aéroport. On vous attribue alors un numéro de téléphone local et un petit crédit de communication. Avant de signer le contrat et de payer, essayez donc, si possible, la carte SIM du vendeur dans votre téléphone – préalablement débloqué – afin de vérifier si celui-ci est compatible. Ensuite, les cartes permettant de recharger votre crédit de communication s'achètent facilement dans les boutiques de téléphonie mobile, supermarchés, drugstores genre *CVS*... C'est toujours plus pratique pour réserver un hôtel, un resto ou une visite guidée, et bien moins cher que si vous appeliez avec votre carte SIM personnelle.

– **Se brancher sur les réseaux wifi** est le meilleur moyen de se connecter au Web gratuitement ou à moindre coût.

– Une fois connecté grâce au wifi, à vous les joies de la **téléphonie par Internet** ! Le logiciel **Skype,** le plus répandu, vous permet d'appeler vos correspondants gratuitement s'ils sont eux aussi connectés, ou à coût très réduit si vous voulez les joindre sur leur téléphone. Autres applications qui connaissent un succès grandissant, **Viber** et **WhatsApp** permettent d'appeler et d'envoyer des sms, des photos et des vidéos aux quatre coins de la planète, sans frais. Il suffit de télécharger – gratuitement – l'appli sur son smartphone, celle-ci se synchronise avec votre liste de contacts et détecte automatiquement ceux qui ont aussi ces applis. De plus en plus de fournisseurs de téléphonie mobile offrent des journées incluses dans votre forfait, avec appels téléphoniques, sms, voire mms et même connexion internet en 3G limitée pour communiquer de l'étranger vers la France. Il s'agit de l'offre Origami Play et Origami Jet chez Orange, des Forfaits Sensation 3Go, 8Go, 16Go ou encore du Pack Destination chez Free. Les destinations incluses dans votre forfait évoluant sans cesse, ne manquez pas de consulter le site de votre fournisseur.

En cas de perte ou de vol de votre téléphone

Suspendre aussitôt sa ligne permet d'éviter de douloureuses surprises au retour du voyage ! Voici les numéros des quatre opérateurs français, accessibles depuis la France et l'étranger.

– **SFR :** *depuis la France,* ☎ *1023 ; depuis l'étranger,* 📱 *+ 33-6-1000-1023.*
– **Bouygues Télécom :** *depuis la France comme depuis l'étranger,* ☎ *0-800-29-1000 ; depuis l'étranger,* ☎ *+ 33-1-46-10-86-86.*

– **Orange :** *depuis la France comme depuis l'étranger,* 📱 *+ 33-6-07-62-64-64.*
– **Free :** *depuis la France,* ☎ *3244 ; depuis l'étranger,* ☎ *+ 33-1-78-56-95-60.*

Vous pouvez aussi demander la suspension de votre ligne depuis le site internet de votre opérateur. Avant de partir, notez (ailleurs que dans votre téléphone portable !) votre numéro IMEI utile pour bloquer à distance l'accès à votre téléphone en cas de perte ou de vol. Comment avoir ce numéro ? Il suffit de taper sur votre clavier *#06#, puis reportez-vous au site ● *mobilevole-mobilebloque.fr* ●

Internet

Le wifi est disponible gratuitement presque partout à New York : hôtels, *B & B,* auberges de jeunesse, cafés, bars, restos, musées... Sans oublier certains parcs, comme Central Park, Bryant Park, Union Square, la High Line... mais aussi d'autres espaces verts à Brooklyn, Queens... Certains quartiers ou microquartiers sont *free wifi,* en attendant que la généralisation soit effective. Car depuis décembre 2015, le projet *LinkNYC* est en cours. Les cabines téléphoniques de la ville sont peu à peu rempla-

UN E-MAIL DU MOYEN ÂGE !

Aujourd'hui, le signe @ est entré dans le langage international, mais son origine daterait... du Moyen Âge ! On le trouve dans les écrits à partir du XIIe s, comme abréviation du ad latin, le « d » entourant le « a ». Puis les commerçants américains le reprendront au XIXe s, comme abréviation de at pour désigner un prix. L'arobase a ainsi toujours figuré sur les machines à écrire, puis sur les claviers d'ordinateur, avant d'être choisi en 1971 par Ray Tomlinson, l'inventeur de l'e-mail.

cées par des bornes wifi avec accès ultra rapide et gratuit 24h/24 (ainsi qu'un port USB pour recharger les batteries). Il suffit de s'inscrire une première fois, la connexion se fait automatiquement ensuite. Au total, 10 000 bornes wifi devraient quadriller la ville. Sinon, la plupart des restos et bars sont toujours équipés, il suffit de demander le *password* et encore, on est parfois connecté d'office (liste assez complète sur ● *openwifispots.com* ●). Ultra-pratique pour tous ceux qui sont équipés de smartphone, tablette ou ordinateur portable *(laptop).* Enfin, la connexion est gratuite sur les ordinateurs de démonstration dans les **Apple Stores,** à condition de ne pas squatter des heures et d'attendre son tour.

TRANSPORTS

Il y a trois grands moyens de transport à New York : le *métro,* l'*autobus* et le *taxi,* mais le *bateau* est en train de gagner du terrain et les *pieds* sont aussi très sollicités ! On peut aussi se déplacer à vélo (de plus en plus de pistes cyclables) et à rollers. En revanche, la voiture est à éviter ; on ne peut ni circuler ni se garer, et les parkings... et PV coûtent les yeux de la tête. D'où la circulation relativement fluide pour une si grande ville.

En métro

Les New-Yorkais passent beaucoup de temps dans les transports, en particulier dans le métro, très sûr et tranquille (rien à voir avec les images angoissantes dans les films des années 1970-1980). Le réseau est très étendu et efficace puisqu'il fonctionne 24h/24. Seul petit reproche : les stations sont parfois éloignées les unes des autres, notamment dans Queens ou Brooklyn, où le maillage est très lâche. Bon, ne pas s'attendre à un métro ultramoderne : si les rames sont récentes, couloirs et quais sont franchement vieillots, voire vétustes, craspouilles, et quand il pleut ou que la neige fond en hiver, ça suinte souvent à l'intérieur. Peu d'efforts sur la déco, hormis les frises de carrelage portant le nom des stations et quelques mosaïques *arty*. Pas de pub sur les quais, mais plein dans les rames...
Et comment ça marche ? Avec des *cartes magnétiques (MetroCard)* que l'on passe dans des tourniquets automatiques. On les achète à l'intérieur des stations de métro, dans les *distributeurs automatiques* MetroCard (ou au guichet, mais encore faut-il qu'il y en ait un). Si vous réglez par carte de paiement, il faut insérer la carte puis la ressortir presque aussi sec. Au moment de taper le *zip code*, ne faites rien, attendez juste patiemment la fin de la procédure. Si vous réglez en liquide, sachez que la machine ne rend pas plus de 9 $ de monnaie. Si elle vous doit plus, elle annule la transaction.
Le tarif de base pour un trajet est de 2,75 $, quelle que soit la distance. Les enfants de moins de 1,10 m (44 *inches* précisément) voyagent gratuitement dans le bus et le métro (jusqu'à trois pour un adulte payant).
Voici les trois types de forfaits à charger sur une *MetroCard* ; ajouter 1 $ pour la carte magnétique elle-même et penser à la conserver pour ne pas la repayer inutilement si vous devez la recharger (attention, les cartes rechargeables *Pay-Per-Ride* et *7-Day Unlimited Ride* sont différentes, faire un choix à l'achat) :
– *Single Ride :* 3 $ le ticket à l'unité (un poil plus cher que le trajet de base, donc). Correspondances bus-métro possibles pour le même prix, dans un délai de 2h.
– *Pay-Per-Ride :* ce sont des forfaits rechargeables, valables 1 an, d'une valeur allant de 5 à 80 $ environ, utilisables dans le métro et dans le bus. Plus pratiques et plus avantageuses que le ticket à l'unité (le trajet ne coûte que 2,75 $). Les trajets sont débités à chaque passage de tourniquet et on peut utiliser la même carte pour quatre personnes maximum.
– *7-Day Unlimited Ride :* *pass* hebdomadaire qui vous permet de prendre autant de fois que vous le voulez le métro et le bus pendant 7 jours, et qui coûte 31 $. Intéressant même en faisant seulement deux trajets par jour.

Petit mode d'emploi du métro

Pas si évident au début... D'abord, on repère les bouches de métro à leurs lumières extérieures. Faites bien attention qu'il s'agisse de la bonne station sur la bonne avenue (il existe plusieurs stations 125th Street, 34th Street, 14th Street, etc.). Une lumière verte indique que la station est dotée de personnel 24h/24. Une lumière rouge signale que l'entrée est fermée (souvent le soir) ou que son accès est limité ; dans ce cas, lire le panneau placé au-dessus de l'escalier.
Commencez par *demander un plan du réseau au guichet* (quand il y en a, ça n'est pas toujours le cas), il vous sera indispensable. Le principe de base à savoir :

lorsqu'une rame va ***uptown,*** elle se dirige vers le nord. Si la direction indiquée est ***downtown,*** elle va vers le sud. Beaucoup de bouches d'entrée ne permettent d'accéder qu'aux rames allant soit dans le sens *downtown*, soit dans le sens *uptown*. Elles se trouvent le plus souvent d'un côté et de l'autre de la même rue ou avenue. Bien vérifier l'indication avant de s'y engager, sous peine de payer un trajet et de faire un voyage pour des prunes. Sinon, ***bien vérifier la lettre ou le numéro de la ligne figurant sur la rame de métro,*** car, d'un même quai, des rames peuvent aller vers divers endroits.

Attention également : sur une ligne de même couleur circulent ***deux sortes de trains,*** le ***local*** (omnibus s'arrêtant à toutes les stations – indiquées par des points noirs sur le plan du métro) et l'***express*** (stations principales uniquement – indiquées en blanc). Donc vérifiez quel type de train arrive à quai pour choisir celui qui vous convient. Pour vous aider, ***les numéros des lignes sont inscrits sous le nom de l'arrêt sur le plan.***

Les noms des stations ne sont pas toujours visibles depuis la rame, donc bien les guetter pour descendre au bon moment !

À partir de 22h, tous les métros deviennent local, pour repasser en express à 6h. Le week-end, les jours fériés et la nuit, certaines lignes sont remplacées ou réduites : dans ce cas, demander à un agent de la MTA ou, mieux, à l'employé du guichet de la station (s'il est ouvert) avant de dépenser un trajet inutilement. Il y a souvent des affichettes sur les quais. Le week-end, et en particulier le dimanche, certaines rames sont redirigées (à cause des travaux de maintenance sur les voies), et certains trains deviennent *express* ou *local*. Écoutez bien les ***annonces*** (bon courage, entre les voix nasillardes et les micros samplés avec des fonds de casserole, tendez bien l'oreille...), et si vous avez un doute, adressez-vous au chauffeur, dont la cabine est située au milieu de la rame.

Le métro, comme le bus, circulent 24h/24. Les ***heures de pointe*** se situent de 7h30 à 9h et de 17h à 18h30.

Pour toutes infos utiles sur les transports en commun new-yorkais, consulter le site de la *Metropolitan Transportation Authority* : ● mta.info ●

En autobus

Voir plus haut les informations sur les cartes ***MetroCard*** dans « En métro », valables également pour le bus. Possible aussi de payer son trajet en pièces mais avoir la monnaie exacte. Procurez-vous le plan des bus, distinct de celui du métro.

Les bus fonctionnent, comme le métro, 24h/24, et suivent les rues d'est en ouest et les avenues du nord au sud en s'arrêtant grosso modo tous les deux blocs, fastoche ! Vérifiez bien que votre bus fait tout le parcours indiqué sur le plan. Plus agréable que le métro, mais beaucoup plus lent aussi, et peu fréquent. À éviter en fin d'après-midi (embouteillages). La nuit, de 22h à 5h, vous pouvez en principe demander au chauffeur de vous déposer en dehors des arrêts indiqués du moment que c'est sur son trajet.

Correspondance avec un autre bus (dans un délai de 2h) ; si vous avez acheté votre ticket au chauffeur, demandez-lui un *transfer*.

En bateau

Un moyen de transport de plus en plus développé à New York et qui devrait prendre encore une nouvelle ampleur avec la création de nouvelles lignes en 2017-2018, desservant Lower East Side et Upper East Side (Manhattan), Rockaway Beach et Astoria (Queens) et peut-être Coney Island (Brooklyn). L'objectif étant que le coût des trajets en ferry s'aligne sur celui du métro, soit 2,75 $ (+ 1 $ pour transporter son vélo). Des ***changements*** sont donc à prévoir sur les dessertes et fréquences des compagnies *East River Ferry* et *NY Water Taxi* mentionnées ci-après. Renseignez-vous bien avant.

⇐ Le **Staten Island Ferry, gratuit,** offre une des plus belles vues sur Manhattan, avec en prime une vision relativement rapprochée de Miss Liberty. Départ toutes les 30 mn (24h/24) de Whitehall Street à Lower Manhattan. Si on ne veut pas visiter Snug Harbor à Staten Island mais revenir directement à Manhattan, il faut quand même sortir du bateau avant de le reprendre dans l'autre sens. Nous conseillons de le faire en fin d'après-midi par beau temps pour bénéficier des superbes lumières du coucher de soleil et des gratte-ciel illuminés dans la nuit pour le retour. ● siferry.com ●

⇐ **East River Ferry :** cette navette fluviale dessert Brooklyn (DUMBO, South et North Williamsburg et Greenpoint) et Queens (Long Island City) depuis Lower Manhattan (Wall St-Pier 11) et Midtown (E 34th St). Liaison saisonnière vers Governors Island. Original, sympa et pas très cher. Vélos acceptés. *Tarifs : 4 $ le trajet en sem, 6 $ le w-e (1 $ de plus avec vélo), 12 $ le pass journée en sem, 18 $ le w-e (3 $ de plus avec vélo). Passage ttes les 20 mn 7h-20h (ttes les heures 10h-16h30), fréquence réduite le w-e.* ☎ 1-800-533-3779. ● eastriverferry.com ●

⇐ **New York Water Taxi :** jaunes comme leurs cousins les taxis, ce sont de petits bateaux à moteur qui font des allers-retours entre l'Hudson et l'East River. 5 arrêts desservis : côté Hudson River, W 39th St (Pier 79), Christopher St (Pier 45), Battery à la pointe sud, et côté East River Pier 11 et Pier 1 (DUMBO, Brooklyn). Très cher car obligation de prendre le forfait *hop on-hop off* (montez et descendez à volonté) qui fait le tour de l'île dans les 2 sens, avec la possibilité de reprendre le bateau à chacune des étapes et dans n'importe quel sens. *Forfait 1 j. : 31 $; 19 $ enfants.* Le *New York Water Taxi* dessert aussi Red Hook à Brooklyn (arrêt Ikea) au départ du Pier 11. *Gratuit le w-e, 5 $ en sem.* ☎ 212-742-1969. ● nywatertaxi.com ●

En taxi

Ils sont **jaunes** à Manhattan et **vert pomme** à Harlem et dans les autres boroughs : Brooklyn, Queens, Bronx et Staten Island. Très nombreux à tourner, vous n'aurez aucun mal à en trouver, sauf de 16h à 18h (*rush hours,* c'est-à-dire heures de pointe) et pire encore de 16h à 16h30, créneau horaire correspondant au changement de service des chauffeurs. Sur le toit du taxi, il y a trois ampoules lumineuses. Si celle du milieu est allumée, il est libre ; si elle est éteinte, c'est qu'il est pris ; si seules les lumières du côté sont allumées, il est *off duty,* c'est-à-dire qu'il a fini son service mais qu'il peut éventuellement vous prendre sur son chemin de retour.

Le prix

Revient à **un peu plus que le métro à deux** pour parcourir une distance de 20 rues. Intéressant les premiers jours pour s'habituer à New York. Prise en charge de 2,50 $, puis 50 cents par quart de mile parcouru (soit 400 m) et encore 25 cents/mn en cas d'embouteillage ou d'arrêt. Les prix sont majorés de 1 $ de 16h à 20h en semaine et de 50 cents tous les jours de 20h à 6h. Tous les taxis sont désormais équipés de terminaux de cartes de paiement. Très pratique. À la fin de la course, il faut juste sélectionner son mode de paiement à l'écran (cash ou CB) et suivre les instructions. Attention, le *tip* minimum par défaut est de 20 %, entrez la somme manuellement si vous voulez ne laisser que 15 % (en dessous, vous serez mal vu !).

Les chauffeurs

Curieusement, les chauffeurs de taxis new-yorkais parlent rarement bien l'anglais et surtout, ils ont une connaissance assez relative du plan de la ville. Si vous leur demandez de vous déposer par exemple au 145 East 39th Street, ils ne sauront pas où aller. D'où l'importance de leur indiquer aussi le croisement : entre Lexington et 3ʳᵈ Avenue. En général, ils ne font jamais de difficultés pour vous prendre, même pour quelques blocs. La conduite est brusque, ponctuée de coups de frein, d'accélérations de même facture, dépassements hasardeux, coups de klaxon, injures aux automobilistes... Tout un programme, mais cela fait partie de l'ambiance de la ville !

À vélo

Voir « Sports et loisirs. Vélo et rollers » dans « Hommes, culture, environnement » plus loin.

En limousine

C'est le summum du bling, mais à plusieurs, pourquoi pas ? En général, on loue la limo et son chauffeur à l'heure. Le prix dépend du nombre de places. Compter 100-150 $/h dans une limousine à 6 places (2-3h min demandé). À Times Square, vous en verrez certaines stationnées : demandez donc au chauffeur s'il est libre. Sinon, vous pouvez aussi contacter une compagnie privée :

■ **Gotham Limousine :** ☎ 212-729-7001. ● gothamlimo.com ●

■ **NY City Limo :** ☎ 1-866-444-8080. ● nycitylimo.com ●

À pied

Le meilleur moyen pour découvrir New York, à condition d'être bien chaussé ! En allant d'un centre d'intérêt à un autre, vous tomberez toujours en cours de route sur quelque chose qui vous intéressera.
Attention, on n'est pas en France : *traversez les rues uniquement sur les passages cloutés et au feu,* sinon vous risquez de subir le même sort que les hérissons sur les routes de campagne.

En voiture

On rappelle que la voiture n'est vraiment pas recommandée dans New York. Le stationnement dans les rues est autorisé mais souvent limité à 1h. *Très important : il est rigoureusement interdit de se garer devant une bouche d'incendie (fire hydrant).* Amende garantie en cas d'infraction ! Il existe de nombreux parkings privés à étages, compter facilement 30 à 50 $ par jour.
Si vous projetez une virée dans les environs ou poursuivez votre périple, voici quelques loueurs. Permis national exigé.

En France

■ **BSP Auto :** ☎ 01-43-46-20-74 (tlj). ● bsp-auto.com ● *Réduc spéciale aux lecteurs de ce guide avec le code « routard ».* Les prix proposés sont attractifs et comprennent le kilométrage illimité et l'assurance tous risques sans franchise (LDW). *BSP Auto* propose exclusivement les grandes compagnies de location sur place, vous assurant un très bon niveau de service. Le plus : vous ne payez votre location que 5 jours avant le départ.
■ **Et aussi : Hertz** (☎ 0825-861-861, 0,15 €/mn ; ● hertz.com ●), **Avis** (☎ 0821-230-760, 0,12 €/mn ; ● avis. fr ●), **Europcar** (☎ 0825-358-358, 0,15 €/mn ; ● europcar.fr ●).

Aux États-Unis

■ **Hertz :** ☎ 1-800-654-3001. ● hertz.com ●
■ **Avis :** ☎ 1-800-633-3469. ● avis.com ●
■ **National :** ☎ 1-877-222-9058. ● nationalcar.com ●
■ **Budget :** ☎ 1-800-218-7992. ● budget.com ●
■ **Thrifty Rent-a-Car :** ☎ 1-800-847-4389. ● thrifty.com ●
■ **Dollar Rent-a-Car :** ☎ 1-800-800-4000. ● dollar.com ●

URGENCES

☎ *911 : n° national gratuit.* Si vous ne parlez pas l'anglais, précisez-le à l'opérateur (« *I don't speak English, I am French* ») qui vous mettra en relation, selon votre problème, avec la personne adéquate (la police, les pompiers ou les ambulances). *Voir aussi la rubrique « Santé »* plus haut.

VISITES GUIDÉES

À pied

■ *Big Apple Greeter :* ☎ 212-669-8159 (en sem). ● bigapplegreeter.org ● GRATUIT. Big Apple Greeter est une association de bénévoles (*volunteers* ou *greeters*), qui sont de vrais New-Yorkais désireux de faire connaître leur ville (souvent des retraités). Il faut contacter l'assos 3-4 semaines à l'avance minimum (voire plus à certaines périodes) sur Internet, remplir une fiche en ligne précisant les quartiers que vous souhaiteriez visiter, vos goûts et dans quelle langue vous désirez faire la visite. C'est gratuit (les *tips* sont interdits), les groupes ne dépassent jamais 6 personnes, enfants compris, mais d'un *greeter* à l'autre, l'expérience peut varier du tout au tout.

■ *Untapped Cities :* ● untappedcities. com ● Env 30-45 $/pers selon visite. Cette association, qui regroupe 500 passionnés, propose des visites guidées thématiques autour de lieux insolites, méconnus, cachés, abandonnés ou fermés au public... Par exemple : le Woolworth Building, les secrets de Grand Central, les dessous du métro, etc.

■ *Brooklyn Attitude :* ☎ 718-398-0939. ● info@brooklynattitudetours. com ● eniles@brooklynattitude.net ● busyfingers.com/brooklynattitude ● Tarifs : 35-75 $/pers selon nombre de participants (limité à 15), réduc. Paiement paypal ou cash. CB refusées. Visites guidées thématiques de Brooklyn, conduites par un Brooklynite de la 3e génération qui parle très bien le français et maîtrise parfaitement son sujet. Voir la rubrique « Adresses et infos utiles » au début du chapitre Brooklyn.

■ *Made in Brooklyn Tours :* ☎ 917-747-1911. ● dom@madeinbrooklyntours. com ● madeinbrooklyntours.com ● Tarif : 35-50 $/pers (paiement en ligne). Durée : env 3h. En anglais slt. Visites de Brooklyn sous l'angle du *made locally* : artistes et artisans, créateurs de mode, distilleries, *wineries*... Voir « Adresses et infos utiles » au début du chapitre Brooklyn.

■ *New York Off Road :* ● newyork offroad.com ● elise@newyorkoffroad. com ● Tarif : 55 $ adultes, 35 $ enfants (durée 3h30) ; réduc de 10 % pour nos lecteurs (code « routardNYOR2017 »). Expatriées depuis quelques années à New York, Élise et son équipe de guides trentenaires et dynamiques proposent des visites guidées en français, privatives ou en petits groupes (maximum 10 personnes), des quartiers les plus emblématiques : SoHo, Greenwich Village, Meatpacking, Chinatown, Chelsea, Harlem et Brooklyn. Voir « Adresses et infos utiles » au début du chapitre sur Brooklyn.

■ *Urban Oyster :* ☎ 347-618-8687. ● urbanoyster.com ● Env 60-80 $/pers (dégustations comprises). Une poignée de thématiques seulement, mais originales et dans l'air du temps : tour des brasseries, *wineries* et distilleries de Brooklyn, l'immigration vue au travers de la cuisine, croisière-dégustation de bières artisanales à bord d'un vieux voilier...

■ *Open House New York :* ● ohny. org ● Un w-e mi-oct. L'équivalent de nos Journées du patrimoine, mais axées sur l'architecture et le design. Visites de maisons, appartements, lofts... habituellement fermés au public. Aussi des tours architecturaux et autres visites thématiques. Réservation impérative pour certains lieux.

À vélo

Dans le cadre du développement du New York vert, la ville s'est dotée d'un grand nombre de bandes cyclables *(bikelanes)* et de pistes cyclables en site propre *(bikepaths).* Une manière désormais sécurisée de découvrir les différents quartiers. Se procurer auprès du *Visitor Center* la **NYC Cycling Map,** la carte détaillée de toutes les pistes cyclables de New York.

■ *Bike the Big Apple :* ☎ 347-878-9809. ● *bikethebigapple.com* ● *Env 90-100 $/pers le tour, loc du vélo et du casque comprise (8 ans min) ; si possible, réservez au moins 3 j. à l'avance ; possibilité de groupe privatif dès 6 pers.* Cette petite entreprise originale propose des tours guidés de jour (toute l'année) comme de nuit (l'été seulement). Les circuits sont encadrés par 2 guides-accompagnateurs, un « ouvreur » et un autre en « fermeture », et durent 5 à 7h (environ 30 km). On pédale, on s'arrête, le guide cause (possibilité de guide francophone, à préciser lors de la résa), on écoute, on s'arrête pour casser la croûte, et c'est reparti mon kiki. Une approche complètement différente de la ville.

■ Voir également **Central Park Bike Tours** et **Central Park Bike Rental** dans « Adresses et infos utiles » du chapitre consacré à Central Park.

En bus

■ *On Location Tours :* ☎ 212-913-9780. ● *onlocationtours.com* ● *Résa conseillée (on vous donne alors le lieu exact de rdv). Compter 40-45 $ selon tour.* Une idée assez marrante : la visite des lieux cultes de tournages de films comme les classiques *Manhattan, Love Story, Kramer contre Kramer, Quand Harry rencontre Sally, Spiderman, Le Diable s'habille en Prada, Birdman...* mais encore des séries TV new-yorkaises *Sex and the City, Les Soprano, Friends, How I Met Your Mother...* Plusieurs possibilités d'excursion (de 3 à 4h), en anglais le plus souvent, et en français sur demande.

En bateau

⛵ *Circle Line* *(plan 2, F11) : départ du Pier 83 au croisement de W 42nd St et 12th Ave.* ☎ 212-563-3200. ● *circleline42. com* ● Le tour complet de Manhattan en 2h30 *(41 $, 27 $ enfants 3-12 ans)* est trop long pour ce que l'on voit, préférer le demi-cercle autour de la partie sud de Manhattan en 1h30 *(36 $, 25 $ enfants)* avec option coucher de soleil. Également un tour qui fait en 1h l'aller-retour vers la statue de la Liberté et Ellis Island, mais il ressemble beaucoup au trajet en bateau pour voir la statue de la Liberté (au départ de Battery) tout en coûtant plus cher *(29 $, 20 $ enfants).* Pour ceux qui aiment les sensations fortes, aussi un hors-bord très coloré, *The Beast (La Bête),* qui fait le tour de Manhattan en 30 mn, mais on est tellement secoué et trempé que c'est difficile d'apprécier le paysage. *Mai-oct ; départs ttes les heures. Pas donné non plus (29 $, 23 $ enfants).*

Voir également « Transports. En bateau » plus haut.

En hélicoptère

C'est le moyen le plus original (et le plus bruyant) de découvrir New York. Évidemment, il faut y mettre le prix (parfois réductions en réservant via leurs sites internet).

■ *Liberty Helicopters :* ☎ 1-800-542-9933. ● *libertyhelicopter.com* ● *Départs tlj du Downtown Heliport au Pier 6 sur l'East River. Résa préférable à partir de 3-4 passagers. Plusieurs circuits différents 12-20 mn, 200-300 $/pers. Attention, arrivé à l'héliport on vous réclame en plus 30 $/pers de taxes.*

■ *Helicopter Flight Services :* ☎ 212-355-0801. ● *heliny.com* ● *Résa indispensable. Départs du Downtown Heliport au Pier 6 sur l'East River. Env 200-300 $/pers (plus taxes).*

HOMMES, CULTURE, ENVIRONNEMENT

ARCHITECTURE

Les XVIIᵉ et XVIIIᵉ s : du style géorgien au style fédéral

Au XVIIᵉ s, avec l'arrivée des Hollandais et surtout des Anglais, l'architecture géorgienne, inspirée par la Renaissance, traverse l'Atlantique et se répand dans ce qui devient New York en 1664. Après les guerres, les incendies et les démolitions, les héritages de ce style sont très rares aujourd'hui.
À voir : *Saint Paul's Chapel* et *Fraunces Tavern Museum* dans Lower Manhattan, la *Morris-Jumel Mansion* à Harlem. Après l'indépendance, le 4 juillet 1776, on veut effacer tout ce qui peut rappeler la domination britannique. Le style géorgien laisse alors place au style fédéral, plus austère, sobre et massif (frontons et colonnes). Il en reste quelques exemples aujourd'hui, dont le *City Hall* (la mairie) de Lower Manhattan.

Le XIXᵉ s : l'époque des « néo... »

Tout au long du XIXᵉ s, tous les styles produits en Europe sont repris à New York, et plus généralement dans tous les États-Unis. C'est un retour aux sources. L'Antiquité grecque représente le mieux l'aspiration à une culture démocratique. Le mouvement le plus important est ainsi le *style grec antique,* appelé aussi *Greek Revival* : colonnes, frontons monumentaux et portiques fleurissent dans Manhattan. À voir : le rez-de-chaussée de la *City Bank* au 55 Wall Street (Lower Manhattan), quelques hôtels particuliers dans Greenwich Village et une série de maisons à Brooklyn (voir « Brooklyn Heights. Balades dans le quartier »)...

Puis arrive le *gothique,* qui devient donc néogothique avec un goût plus prononcé pour l'ornement extérieur. Les deux plus beaux exemples sont *Saint Patrick's Cathedral* dans Midtown et *Trinity Church* dans Lower Manhattan. Contrairement à ce que l'on pourrait imaginer, ces édifices religieux sont extrêmement bien mis en valeur par les gratte-ciel environnants. Amateurs de photo, régalez-vous...

Enfin vient l'*éclectisme architectural,* qui prend ses sources à la fois dans les styles néo-Renaissance italienne, *Victorian gothic,* Queen Anne ou *romanesque.* Il se répand dans la seconde moitié du XIXᵉ s et

DES « BIDONVILLES » SUR LES TOITS

Puisqu'ici on a souvent le nez en l'air, admirez les water towers *ou* water tanks. *Il y en a près de 15 000 sur les toits ! Apparus au milieu du XIXᵉ s, ces réservoirs d'eau souvent en bois peuvent contenir jusqu'à 50 000 l. Ils alimentent les immeubles de plus de six étages, faute de pression suffisante sur le réseau, et servent aussi de réserve au* Fire Department. *Le sommet conique abrite une alimentation électrique permettant à l'eau de ne pas geler. Des éléments typiques du paysage new-yorkais, servant souvent de supports aux artistes de* street art.

donne naissance aux *townhouses* prisées des familles bourgeoises. Parmi elles, les *brownstones,* ces maisons individuelles de grès brun qui ont été transformées en appartements au XXᵉ s. Elles sont présentes encore un peu partout dans Manhattan, et vous pouvez en voir de belles dans Greenwich Village, Chelsea, autour de Gramercy Park, à Harlem et surtout à Brooklyn (voir les itinéraires proposés dans ce chapitre). À la toute fin du XIXᵉ s et au début du XXᵉ s, les clients riches font leurs commandes aux architectes en choisissant leur style préféré : néo-roman pour le *Metropolitan Museum of Art* (East Side), néo-Renaissance pour le *Dakota Building* (West Side), etc. Beaucoup de ces édifices sont aujourd'hui classés comme *landmarks,* c'est-à-dire inscrits sur la liste des bâtiments les plus remarquables de New York.

Le XXᵉ s : la *skyline*

Dès la fin du XIXᵉ s, des problèmes de surpopulation, et donc de loyers prohibitifs, se font sentir dans l'étroite île de Manhattan. La solution architecturale est donc de construire en hauteur, en utilisant pour cela des innovations techniques. New York devient peu à peu une « ville debout » et s'élève au-dessus du reste du monde. Mais la structure du sol de Manhattan a limité la hardiesse des architectes aux deux seuls quartiers où le sol est dur : Lower Manhattan et Midtown.

L'histoire des **gratte-ciel (skyscrapers)** trouve ses bases techniques à Chicago. Tout commence véritablement en 1857 avec l'invention révolutionnaire de l'ascenseur par M. Otis. La fonte et l'acier offrent également aux architectes de plus grandes possibilités. Les premières tentatives de **buildings à charpente en fonte** sont réalisées à New York à la fin des années 1850 ; ce sont les **cast-irons** qu'on peut voir à SoHo, par exemple. Les immeubles à ossature en acier (beaucoup plus solide que la fonte) apparaissent à Chicago vers 1880 et arrivent à New York au tournant du XXᵉ s. Le premier building de ce genre est le **Flatiron** (Madison Square), qui mesure 87 m de haut. Sa construction marque le début d'une véritable révolution technique, et sa conception originale est aujourd'hui encore saluée par tous les grands architectes. Comme c'est souvent le cas pour les chefs-d'œuvre, le principe structurel est assez simple : il s'agit d'un squelette en acier habillé de pierre, triangulaire en plan, qui permet de répartir le poids des murs sur l'ensemble de l'édifice et non pas seulement sur ses fondations. Cette technique a l'immense avantage de contreventer le bâtiment, qui est pourtant par nature une forme très rigide. Conçu également pour résister aux tremblements de terre, ce triangle allongé aux proportions inédites à l'époque lance, en 1902, la course au gigantisme. Sa légèreté et son originalité ont fait l'objet de nombreuses œuvres d'art, photos et cartes postales en tout genre. Un vrai modèle !

En 1916, New York adopte **la zoning law, la loi d'urbanisme réglementant la hauteur et la forme des buildings.** Elle impose les étages en retrait, afin de préserver de la clarté et de garantir une certaine ventilation des rues avoisinantes. Elle met donc fin aux blocs longs et compacts qui s'élevaient aussi haut que l'architecte le voulait, mais seulement sur un quart de la surface au sol. Cela donne lieu aux interprétations les plus diverses et les plus créatives. De cette époque date aussi le décret sur la prévention contre les incendies imposant les escaliers métalliques *(fire escape)* sur les façades des immeubles.

Parlons un peu du **style Art déco** : il trouve ses bases à Paris, à l'occasion de l'Exposition internationale des arts décoratifs de 1925, qui inspire alors les architectes new-yorkais et, plus généralement, introduit aux États-Unis ce style très épuré et géométrique. L'une des caractéristiques marquantes des gratte-ciel Art déco est leur structure pyramidale, juxtaposition de blocs en forme de parallélépipèdes qui vont décroissant à mesure que la tour s'élève. En ornementation, des angles droits ou courbes, des reliefs géométriques. Les plus célèbres d'entre eux sont l'Empire State Building et son concurrent, le Chrysler Building (lire ci-après).

Une autre idée apparaît : faire de chaque building un symbole. La raison d'être du building est de représenter une entreprise, une personne ou même une idée. Ainsi, le **Woolworth Building** (construit en 1913), qui s'inscrit alors comme le plus haut du monde avec ses 240 m, est baptisé « la Cathédrale gothique du commerce ». À la fin des années 1920, cette course s'intensifie : Walter Chrysler veut battre le record. Résultat : le **Chrysler Building** qui culmine à 320 m. Il ne restera le plus haut du monde que deux petites années : en 1931, il est détrôné par l'**Empire State Building** (380 m), qui symbolise l'État de New York, appelé aussi « Empire State ».

Après la Seconde Guerre mondiale, les matériaux utilisés évoluent avec l'arrivée de l'aluminium et du verre. Les architectes de l'époque, très influencés par le **style international** et plus particulièrement par l'école allemande de design du Bauhaus, imaginent des immeubles clairs, rectangulaires et dépouillés, dotés de « murs-rideaux » où le verre domine. Le précurseur des gratte-ciel en verre est le *siège de* l'ONU (Midtown), suivi par le **Citicorp** et le **World Trade Center** qui, avec ses 410 m, demeura depuis sa construction dans les années 1970 et jusqu'à sa destruction, suite aux attentats du 11 septembre 2001, le plus haut building de New York. Les années 1980 ont vu naître une nouvelle époque architecturale : le **postmodernisme,** qui réagit au fonctionnalisme de l'époque précédente. Le building est toujours là, mais des colonnes et des arcs inspirés du style classique réapparaissent, ainsi que la pierre. Le plus bel exemple en est le **Sony Building,** dans Midtown.

À la fin des années 1990, l'architecte français Christian de Portzamparc renouvelle le concept du gratte-ciel avec sa **tour LVMH** (57th St et Madison Ave ; voir « Midtown ») remarquée pour sa forme prismatique, un croisement audacieux entre une toge s'enroulant sur elle-même et une tulipe de verre. Parmi les autres buildings marquants de cette époque, notez l'**Austrian Cultural Forum** (11 E 52nd St, entre 5th et Madison Ave) évoquant une colonne vertébrale et, bien sûr, les *twin towers* trapézoïdales en verre noir du **Time Warner Center** sur Columbus Circle.

Le renouveau architectural post-11 Septembre

Il aura fallu quelques années après les attentats de 2001 pour que New York revienne sur le devant de la scène architecturale mondiale. Cette cité bouillonnante est redevenue le grand laboratoire où tous les styles s'entrechoquent, fusionnent et se réinventent, servis par le gotha de l'architecture.

Après les **gratte-ciel écolos** comme la *Hearst Tower* de Norman Foster (utilisation de matériaux recyclés tant pour la structure que l'aménagement intérieur), la mode est aujourd'hui aux **tours résidentielles de luxe et de très grande hauteur.** En 2011, Frank O. Gehry a ouvert la voie à deux pas du nouveau complexe du World Trade Center avec sa *Beekman Tower* (rebaptisée *8 Spruce Street*), véritable symbole du come-back de New York après la crise (2011). Drapé de métal ondulant à la manière d'une peau de serpent, ce fut le premier **gratte-ciel design** de la Big Apple. Mais c'est aujourd'hui à Midtown que la course au gigantisme bat tous les records d'extravagance. Le *One57* de Christian de Portzamparc a été le premier d'une série de gratte-ciel longilignes pour milliardaires érigés le long de 57th Street, choisie pour sa vue unique sur Central Park. C'est à qui construira le plus haut pour offrir le panorama le plus époustouflant (voir les constructions en cours et projets fous dans « Itinéraire à la découverte des buildings les plus marquants de Midtown »), au point de priver les promeneurs du parc de leurs rayons de soleil ! Mais la « une » architecturale reste bien sûr le vaste projet du **World Trade Center,** son **One WTC,** tour spirale toute de verre vêtue, désormais plus haut gratte-ciel des États-Unis, et sa gare la plus chère du monde signée Santiago Calatrava (voir « Lower Manhattan »).

BARS, CLUBS ET BOÎTES DE NUIT

La vie nocturne contribue pour une part très importante à l'économie et à l'énergie new-yorkaise. La plupart des bars sont ouverts jusqu'à 2h voire 4h, même en semaine ! Par ailleurs, dans « la ville qui ne dort jamais », les *after hours clubs* sont ouverts jusqu'à 8h, bien que la vente d'alcool cesse à 4h, tandis que le « *last call for alcohol* » (dernier verre alcoolisé servi) est à 1h dans les autres discothèques. Paradoxalement, les meilleurs plans de sortie sont parfois en semaine... Depuis quelques années, un concept fait fureur : les **speakeasies.** Ce sont des bars « secrets », dans l'esprit de ceux, clandestins, de la Prohibition. Pas d'enseigne, pas d'adresse (à peine quelques indications, parfois un simple numéro de portable), une vraie chasse au trésor ! Invisibles à qui ne sait où chercher, les *speakeasies* les plus fous se dissimulent dans les lieux les plus incongrus : derrière l'échoppe d'un vendeur de hot dogs, au fond d'un *coffee shop* ou d'un salon de coiffure ! Et ça fait un tabac. Il faut dire que le décor, vintage Art déco la plupart du temps, est soigné, l'ambiance jazzy électrique, et les cocktails aussi réussis qu'originaux. Autres endroits à la mode : les **rooftops** (toits-terrasses), des bars (souvent très onéreux) aménagés au sommet d'hôtels chic, avec vue époustouflante sur la forêt de gratte-ciel et terrasse en plein air, hautement appréciable dans la touffeur de l'été new-yorkais (certaines sont même chauffées l'hiver !). À l'opposé, le **Biergarten** (ou *Beergarden*) à l'allemande est une cour intérieure où l'on sert, à grand renfort de bretzels, de choucroute et d'*imbiss*, une bière blonde à la pression dans des chopes gigantesques. Plus classiques, les **pubs à l'irlandaise** ont pignon sur rue dans presque tous les quartiers. En fin de semaine, on joue des coudes pour accéder au comptoir, dans une atmosphère rugissante. Enfin, les **dive bars,** ces rades de quartier un peu miteux, reviennent en force chez les noctambules anti-bling-bling.

Évidemment pour tout ça, **il faut avoir 21 ans** révolus, car le *drinking age* est sévèrement appliqué dans l'État de New York ! De toute façon, et à fortiori si vous ne faites pas votre âge, **ayez toujours votre ID** (prononcer « aïdii ») sur vous, ça vous évitera de parler avec les mains devant le nombril du gorille qui vous interdit l'entrée. Certains lieux servant de l'alcool interdisent même l'accès aux moins de 25 ans, et même accompagnés d'adultes ; les discothèques en font partie, ainsi que certaines boîtes de jazz ou lieux de concerts avec bar (voir « Boissons. Les alcools »). Grosso modo, **un cocktail coûte entre 14 et 20 voire 25 $** dans un bar chic et *trendy,* et la **bière 6 à 14 $** selon les endroits (généralement pas de taxes en sus).

Toujours côté pépettes, les **clubs de musique et boîtes de nuit** ont un droit d'entrée (communément appelé **cover charge** ou **cover**) qui varie de 10 $ (pour les bars produisant de petits concerts) à 50 $ (pour les plus sélects le week-end). Le *cover* n'inclut presque jamais de conso ni le vestiaire. Cela dit, il y a quelques établissements qui ne prennent pas de *cover* (on vous en indique), c'est le cas notamment de nombreux cafés-concerts de Lower East Side et East Village, les deux quartiers qui, avec Greenwich, bougent le plus côté vie nocturne à Manhattan, avec Williamsburg à Brooklyn. Côté **live music,** les mélomanes ne sauront plus où tendre l'oreille. La scène new-yorkaise est en effervescence permanente, des dizaines de concerts font vibrer la ville tous les soirs, dans tous les styles. Bien sûr, ce qu'on joue le plus, c'est du *jazz,* standard comme avant-gardiste, dans des clubs chic comme dans des caves. Les meilleurs quartiers pour en écouter : Harlem, Greenwich et Theater District.

Et, *last but not least,* pour payer moins cher, voire rien du tout, toujours téléphoner avant pour s'inscrire sur la *guest list.* Un plan pouvant s'avérer intéressant : *Club Planet* (● clubplanet.com ●) détient bon nombre de ces listes et pourra vous guider. Il faut vous inscrire (pas de frais) et vous avez ensuite accès à tous les services.

BOISSONS

Les boissons non alcoolisées

– *L'eau glacée :* dans les restos, la coutume est de servir d'emblée un verre d'eau glacée à tout consommateur. Quand on dit « glacée », ce n'est pas un euphémisme, donc n'hésitez pas à demander sans glace *(no ice, please)* ou avec peu de glaçons *(with little ice).* Les Américains sont des adeptes de l'eau du robinet *(tap water)* et consomment très peu d'eau minérale au restaurant. D'ailleurs, une fois vide, votre verre sera immédiatement rempli de nouveau (et avec le sourire !).

– *Le café :* fini l'époque du jus de chaussette... Prendre son café est devenu un vrai rituel à New York, presque un art de vivre chez les *hipsters* (les bobos branchés version US). Tout a commencé avec l'expansion de *Starbucks,* fondé dans les années 1970 à Seattle par deux profs et un écrivain. Peu à peu, les *coffee houses* poussent aux quatre coins du pays, proposant leur assortiment toujours plus étendu de *cappuccino, caffe latte* (double

> ### L'INVENTION DU CAFÉ SOLUBLE
>
> *C'est à un inventeur chimiste anglo-belge émigré aux États-Unis, un certain George Washington (!), que l'on doit le premier procédé industriel de café soluble. Il fit fortune grâce aux commandes de l'armée américaine pendant la Première Guerre mondiale mais, lors du conflit suivant, les militaires préférèrent* Nescafé *(Suisse).*

espresso avec lait chaud), *macchiato* (un espresso avec juste une mousse de lait saupoudré de poudre de cacao) et *frappuccino* glacé l'été. Le coin salon aux confortables canapés, puis l'accès wifi font le reste. Mais *Starbucks* conquiert le monde, se démocratise. À New York, toujours en avance d'un métro, on oublie le perco pour se tourner vers le goutte-à-goutte, les brûleurs à l'ancienne et les bons vieux filtres de grand-mère. Le café cesse d'être une boisson fast-food pour devenir l'étendard d'un savoir-vivre. Les nombreux *coffee roasters* (torréfacteurs) qui ont ouvert aux quatre coins de la ville, *Blue Bottle, La Colombe, Stumptown Coffee Roasters, Toby's Estate, Think* et *Intelligentsia* en tête, proposent des sélections de grains hyper pointues, bio... Ils préparent l'*espresso* dans les règles de l'art (soyez patient !), ce qui explique les prix : environ 3-4 $ le petit noir. Cela dit, dans certains lieux plus populaires comme les *diners*, on sert toujours le *café américain* de base (*regular* ou *American coffee*), très allongé (pour rester poli) et proposé à volonté *(free refills),* en particulier au petit déjeuner et au brunch. Les Américains en sirotent à longueur de journée, y compris dans le métro et dans la rue grâce à ces mugs Thermos que vous verrez partout.

– *Le thé* a aussi le vent en poupe, servi chaud *(hot tea)* ou glacé *(iced tea),* surtout le thé vert *(green tea)* et le *chai latte* (thé noir sucré et épicé, avec du lait). Attention, le *herbal tea* est en fait une infusion. À Chinatown, c'est le *bubble tea* qui a la cote : un mélange de thé et de lait parfumé de différents goûts, et de perles de tapioca noir, que l'on aspire avec une grosse paille.

– *L'iced tea :* le faux ami par excellence ! Loin des thés glacés aromatisés et sucrés vendus en France, l'*iced tea* est simplement du thé normal mais glacé, la plupart du temps non sucré *(unsweetened).* Pas étonnant alors de voir les Américains ajouter trois sachets de sucre pour adoucir un peu la chose.

– *Coca et sodas :* on le sait, les Américains ont inventé le Coca-Cola (*Coke,* comme on dit là-bas) et ils consomment des sodas *(soft drinks)* à longueur de journée. D'ailleurs, dans certains restaurants de chaîne, fast-foods, *coffee shops* et autres petits restos, ceux-ci sont à volonté. On se sert soi-même « à la pompe » *(soda fountain)* ou on demande un *free refill*.

– *Les smoothies :* ce sont des cocktails de fruits mixés et mélangés à du yaourt, du lait, du lait de soja et/ou de la glace, voire des céréales. On y ajoute parfois des compléments énergétiques. Les *bars à jus* fraîchement pressés (de fruits, légumes, herbes...) ont aussi la cote, surfant sur la déferlante bio *(Juice Press* notamment).

– *Les milk-shakes :* boissons frappées à base de lait mixé avec de grandes louchées de glaces à la vanille, à la banane, à la fraise...

– *Les floats ou ice cream sodas :* encore une expérience

> ## COCARICO !
>
> *C'est un Corse, Angelo Mariani, qui est un peu, dit-on, à l'origine du Coca-Cola. Commercialisé dès 1863, son vin à base de feuilles de coca connut un succès phénoménal jusqu'à son interdiction en 1910. Il faut dire que, même s'il fut adoubé par le pape Léon XIII, le Red Bull de l'époque contenait tout de même 6 mg de cocaïne... Futé, un pharmacien américain, Pemberton, s'inspira de la recette, en y ajoutant de la noix de kola du Ghana, puis en en supprimant l'alcool pour cause de prohibition dans la ville d'Atlanta. Ainsi naquit dès 1885 le Coca-Cola, qui ne contient, à notre connaissance, plus de cocaïne.*

culturelle à tenter. Il s'agit d'un soda (en général du Coca, tout autre soda ou de la *root beer,* ce breuvage insolite au goût de médicament qui n'a rien à voir avec de la bière) mélangé à de la glace à la vanille. Hyper sucré et... euh, un retour en enfance assuré. Dans le même esprit vintage, le *egg cream* est une vieille boisson typiquement brooklynite, à base de *seltzer* (eau gazeuse), de lait et de sirop de chocolat. Très en vogue dans les lieux branchés.

Les alcools

Le rapport des Américains à l'alcool n'est pas aussi simple que chez nous. La société, conservatrice et puritaine, autorise la vente des armes à feu mais réglemente de manière stricte tout ce qui touche aux plaisirs « tabous » (sexe et alcool). L'héritage de la Prohibition et, bien sûr, les lobbies religieux n'y sont pas pour rien. **N'oubliez pas vos papiers *(ID,* prononcer « aïdii »), car les bistrots, bars et boîtes de nuit les exigent à l'entrée.**

– *Âge minimum :* on ne vous servira pas d'alcool si vous n'avez pas *21 ans* ou si vous ne pouvez pas prouver l'inverse. Il vous faudra donc impérativement votre passeport, même si vous avez 40 berges ! Certains lieux (de concerts notamment) refusent même catégoriquement l'entrée aux moins de 21 ans.

– *Vente et consommation surveillées :* il est strictement interdit de boire de l'alcool (bière comprise) dans la rue. Alors on boit sa canette de bière dans un sachet en papier, ni vu ni connu. On peut acheter des bières dans les supermarchés et épiceries, mais le vin et les autres boissons alcoolisées ne se trouvent que dans les *liquor stores.* Le vin que vous trouverez dans les drugstores genre *CVS* et *Duane Reade* n'en est pas, ne vous faites pas avoir !

– *La bière :* une tradition de longue date puisqu'au XIXe s, lorsque le système d'eau potable n'était pas encore fiable, tout le monde buvait de la bière à New York. Depuis une quinzaine d'années fleurissent un peu partout les *microbrasseries (microbreweries),* fortes du succès de la pionnière, la *Brooklyn Brewery.* Brassée dans une ancienne fonderie de Williamsburg depuis la fin des nineties, cette bière artisanale déclinée en une quinzaine de variétés (blonde, rousse, brune, de saison...) a peu à peu conquis le marché jusqu'à devenir un incontournable dans tous les bars de la ville. Quantité d'autres lui ont emboîté le pas, comme la *Sixpoint Brewery,* qui produit d'excellentes bières dans un vieil entrepôt de Red Hook (Brooklyn toujours). La plupart des pubs et *Biergarten* alignent des dizaines de pompes à bière, plus ou moins artisanales et différentes d'un rade à l'autre. Sans compter les bières saisonnières. Plus que selon la marque donc – il y en a trop ! –, on choisit surtout sa bière selon sa variété. Du coup, un peu de vocabulaire s'impose. Une bière pression se dit *draft beer*. Les *ales* sont des bières de haute fermentation, à plus haute teneur en alcool : de la moins maltée à la plus maltée, vous trouverez l'*I.P.A.* d'origine anglaise *(Indian Pale Ale),* amère et très houblonnée, l'*amber ale* ou encore la *brown ale*. Les *lagers,* blondes ou ambrées, sont des bières de fermentation basse, les moins alcoolisées et les plus courantes. Les *wheat* sont des bières légères et troubles (l'équivalent des blanches), composées en grande partie de malt de blé. On trouve plus rarement des *stouts,* filtrées ou pas, et portant des noms parfois rigolos ou même historiques. Bref, c'est l'occasion pour tous les amateurs de bière de goûter de nouvelles saveurs.

– **Les vins :** inutile de vous présenter les *vins californiens* que vous retrouverez facilement un peu partout. Plus rares sur les cartes des bars et des restos, les crus de l'État de New York (troisième producteur de vin aux États-Unis, au coude à coude avec l'État de Washington) enchanteront les amateurs. La région des Finger Lakes, située à 400 km à l'ouest de New York City, produit notamment d'excellents riesling, tandis que la vallée de l'Hudson est plus axée chardonnay et cabernet. Seule véritable ombre au tableau, les prix très élevés. Quant aux vins français ou italiens, très bien représentés sur les cartes des restaurants, ils sont encore plus chers. Reste l'option du vin au verre, mais compter au minimum de 12 à 18 $ le verre selon les endroits ! **Certains restos n'ont pas la licence d'alcool** et appliquent le principe du *Bring Your Own Bottle* **(BYOB).** Ce qui signifie que vous avez alors le droit d'apporter votre propre bouteille de vin ou de bière. Une pratique qui a le mérite d'alléger considérablement l'addition, même si un petit droit de bouchon est généralement exigé *(corking fee).*

– **Les cocktails :** depuis quelques années, c'est la mode nostalgique des *speakeasies,* ces bouges de l'époque de la Prohibition où l'on devait « parler doucement » *(shhh... speak easy !)* pour siroter son whisky frelaté sans risquer d'attirer l'oreille de la maréchaussée... Nombre de bars très tendance puisent leur déco dans cette époque, entre brique, lumières tamisées et recoins sombres. La carte des cocktails suit la même tendance, avec une prépondérance pour les ultra-classiques Martini, Manhattan et autre Cosmopolitan, préparés dans les règles de l'art. Ils voisinent avec des cocktails historiques remis au goût du jour et des *craft cocktails,* créations des meilleurs mixologies de la ville, qui puisent leur inspiration débridée dans les alcools maison et les herbes médicinales les plus inattendues.

– **Le bourbon** (prononcer « beur'beun ») *:* impossible de passer sous silence ce whisky américain *(whiskey)* dont on trouve désormais de plus en plus de microdistilleries à New York ! Eh oui, Brooklyn, qui décidément pousse très loin l'art du *homemade* (fait maison), s'est mis à produire ses propres alcools : whiskey, bourbon, gin et même rhum. Évidemment, la diffusion de cette production artisanale est

LE BOURBON EST-IL UN WHISKY ?

Oui, bien qu'on utilise un mélange de céréales (et non seulement de l'orge), dont au moins 51 % de maïs (faut bien écouler l'énorme production US). De plus, à la différence des Écossais ou des Irlandais, les Américains le font vieillir dans des fûts de chêne neufs noircis à la fumée. Le goût du bois est donc plus prononcé, avec une note de caramel.

encore très confidentielle et les prix sont à l'avenant. Pour info, le *rye* est composé de 51 % de seigle.

– *Happy hours :* beaucoup de bars attirent les yuppies après le travail, généralement entre 16h et 19h, en leur proposant moitié prix (ou deuxième verre gratuit) sur les *drafts* (bières pression), *mixed drinks* (boissons composées d'un alcool et d'un soda) et cocktails.

CUISINE

Dire que les Américains mangent mal et trop est très simpliste. C'est encore, malheureusement, une réalité dans certains coins des États-Unis (de moins en moins cela dit), mais certainement pas à New York qui a toujours été un cas à part et où vous ferez de vraies découvertes culinaires, à condition d'aller dans les bons endroits, bien sûr.

La capitale gastronomique des États-Unis (*so foody,* comme ils disent ici) se targue d'être aussi la « ville la plus mince » du pays, notamment car l'ancien maire Michael Bloomberg a fait de la lutte contre l'obésité son cheval de bataille. Les New-Yorkais pratiquent avec conviction le régime *eating healthy* et sont fans de **bio (organic).** Le **phénomène « locavore »** fait désormais partie des mœurs. Ce comportement alimentaire,

À TOUTES LES SAUCES

Le fameux ketchup n'aurait pas été inventé aux États-Unis mais... en Asie ! Il s'agirait à l'origine d'une sauce de saumure de poisson, appelée ké-tsiap. Au XVIIe ou XVIIIe s, les Anglais en rapportèrent en Europe où sa composition fut adoucie à l'aide de champignons, puis de tomates, et son nom occidentalisé en ketchup.

né à San Francisco, privilégie la consommation d'ingrédients locaux, pas nécessairement bio mais produits dans un rayon limité (en général, une centaine de miles). L'équivalent de ce que l'on nomme circuit court ou kilomètre zéro en France.

Mais la grande particularité de New York, c'est que toutes les cuisines sont représentées et qu'on trouve partout de tout à tous les prix, de la **cuisine de rue (street food),** vendue par les marchands ambulants *(food carts)* et les *food trucks* gourmets, à la **New American cuisine,** concoctée par des chefs inspirés, en passant par les *delis* et les *salad bars* dans les grandes surfaces. Vous remarquerez rapidement que plus la cuisine est raffinée et créative, plus les quantités diminuent dans l'assiette (et plus l'addition est élevée, bien sûr) !

Dans les restos, vous serez sans doute surpris par l'impressionnant **volume sonore.** On s'habitue, mais pas toujours facile pour discuter... Autre caractéristique, l'**éclairage tamisé** qui diminue à mesure que la soirée avance à tel point qu'on ne voit pas toujours très bien ce qu'on a dans l'assiette... Le **manque de vraies places assises** dans les petites adresses du midi ou les pâtisseries (en dehors de trois ou quatre tabourets hauts alignés le long d'un comptoir) étonnera aussi les visiteurs, pour qui la pause déjeuner est aussi l'occasion de se poser dans cette ville où l'on marche tant (et où il y a en plus si peu de bancs dans les rues). Ce n'est pas dans la culture new-yorkaise de s'installer confortablement à l'heure du lunch.

Un filon pour se faire une table de chef à moindres frais : la **Restaurant Week.** Deux fois dans l'année, en janvier-février et en juillet-août, un certain nombre de restaurants haut de gamme proposent, une semaine durant, des menus à 25 $ le midi et environ 40 $ le soir. Renseignements sur ● *nycgo.com/ restaurant-week* ●

Attention au service (gratuity ou tip) : même s'il arrive qu'il soit facturé d'office sur l'addition, il n'est en général pas compris. Il est d'usage de rajouter 15-20 % minimum (les Américains donnent facilement 20 %), car les serveurs ne sont rétribués qu'au pourboire.

Les plats sont généralement plus copieux que chez nous (bien que les quantités aient tendance à diminuer). Aucun problème pour commander une entrée seulement ou parfois un plat pour deux, à partager *(to share).* Idem au breakfast.

La plupart des restos sont ouverts midi et soir, parfois sans interruption entre les deux services. Ceux qui n'ouvrent que le soir commencent à servir à 17h-17h30. Beaucoup servent le brunch le week-end et certains également le petit déjeuner en semaine. *Dans le texte, on ne précise pas toujours les horaires, uniquement les jours de fermeture et quand ça change de l'ordinaire.*

Penser à réserver, surtout le soir, car les restos sont souvent pleins et l'attente est de mise. Le *site de réservation en ligne OpenTable* est d'une simplicité enfantine, n'hésitez pas à l'utiliser même une fois sur place, avec votre smartphone : ● *opentable.com* ●

Certains restaurants n'ont pas la licence d'alcool, n'oubliez donc pas de prévoir votre « boutanche » *(BYOB* ; voir plus haut « Boissons ») !

Contrairement à ce qu'on pourrait penser, les *cartes de paiement* ne sont pas acceptées partout. De nombreux restos de Chinatown, Lower East Side, East Village et Brooklyn sont *cash only.*

Le breakfast

Ce n'est pas *Supertramp* qui nous contredira : le *breakfast in America* est l'un des plus copieux qu'on connaisse. Pour les Américains, c'est un vrai repas, particulièrement le week-end (on parle alors de brunch). Abondant et varié, plus salé que sucré, le petit déj se prend souvent au resto. Certains établissements ne font d'ailleurs que ça ! Et puis il y a les cafétérias, les *coffee shops* et les *diners,* ces restos populaires un peu rétros avec leurs tables en formica calées dans des box...

La carte, souvent longue comme le bras, fait une place de choix aux œufs *(eggs)* sous toutes leurs formes : brouillés *(scrambled),* en omelette *(omelette),* en *frittata* (omelette épaisse façon tortilla espagnole) ou frits *(fried).* Sur le plat, l'œuf peut être ordinaire *(sunny side up)* ou retourné et cuit des deux côtés comme une crêpe *(over easy),* c'est-à-dire pas trop cuit. Les œufs peuvent également être pochés *(poached)* ou à la coque *(boiled)* sur demande. Ils sont généralement proposés avec du *bacon*

BÉNI SOIT BENEDICT

La légende raconte que c'est un client de l'hôtel Waldorf Astoria *qui inventa la recette des* eggs Benedict. *Un matin de 1894, le financier Lemuel Benedict commanda de quoi soigner selon lui sa gueule de bois : des toasts, des œufs pochés, du bacon grillé et de la sauce hollandaise. L'association plut au maître d'hôtel qui l'ajouta au menu. C'est aujourd'hui un grand classique du breakfast américain.*

ou des *saucisses,* parfois du jambon grillé *(ham),* des *pommes de terre* sautées avec des oignons ou des *hashbrowns* (galettes façon röstis suisses). En prime, vous aurez droit à des **toasts** beurrés ; on vous demandera probablement si vous les préférez blancs *(white)*, complets *(brown)* ou entre les deux *(wheat)*. Mais le fin du fin en matière d'œufs, ce sont les **eggs Benedict** : pochés, posés sur un petit pain rond toasté (un *English muffin*) et nappés de sauce hollandaise, avec le plus souvent du jambon grillé, du bacon ou du saumon fumé, mais on en trouve moult déclinaisons.

On trouve presque toujours aussi des **pancakes**, ces crêpes épaisses et moelleuses arrosées de sirop d'érable – ou de sirop tout court (plus économique) –, accompagnées au choix de fruits frais, de bacon grillé, etc. Le pain perdu, appelé ici **French toast**, est aussi populaire.

Dans un registre plus « continental », il faut absolument goûter aux **bagels**. Inventés en Pologne au XVIIe s, ces petits pains en forme d'anneau, à la mie compacte, ont suivi les émigrés juifs jusqu'à New York pour devenir incontournables. Servis traditionnellement grillés *(toasted)* puis tartinés de *cream cheese* (souvent du *Philadelphia*) ou de beurre et confiture, ils existent en différentes versions : nature *(plain)*, avec des raisins secs et de la cannelle *(cinnamon-raisin)*, des graines de sésame ou de pavot, de l'oignon, multigrains, ou encore les *everything*, avec, comme leur nom l'indique, un peu de tout dedans. Ne pas confondre les bagels avec les **doughnuts**, des beignets ronds (troués aussi au milieu), dont les Américains, Homer Simpson en tête, sont très friands. On les trouve dans des chaînes spécialisées, comme *Dough* (qui en propose chaque jour à des parfums différents et originaux), mais les meilleurs *doughnuts* sont incontestablement ceux de chez *Doughnut Plant* ! On allait oublier les **muffins**, aux myrtilles, à la framboise, à la banane, etc., moelleux et délicieux, qu'on trouve surtout dans les *coffee shops* et les pâtisseries. Et le **granola**, mélange de céréales croustillantes (genre de muesli) servie avec du yaourt, des fruits, etc.

Dernier point, si vous demandez un café *regular*, il sera en principe servi à volonté.

Le brunch

Une tradition du week-end incontournable chez les New-Yorkais. Le dimanche, et parfois aussi le samedi, de 10h-11h à 15h-16h en général, de nombreux restos et même des bars servent le brunch, c'est-à-dire des plats à mi-chemin entre le breakfast et le lunch, souvent inspirés des classiques américains, mais revisités avec légèreté et créativité. À accompagner d'une boisson chaude, d'une coupe de champagne (du mousseux parfois) ou d'un cocktail genre bloody mary (vodka et jus de tomate épicé) ou mimosa (champagne et jus d'orange). Armez-vous de patience, car l'attente est souvent longue.

Le lunch et le *dinner*

– Dans les restaurants, *la carte n'est pas la même le midi et le soir.* Au déjeuner, elle est souvent plus réduite et moins chère, avec principalement des salades, sandwichs, burgers, soupes. Le soir, les plats sont plus élaborés et les prix plus élevés. Il arrive parfois que le même plat coûte quelques dollars de plus le soir que le midi. Certains restos proposent cela dit des tarifs **early bird** (spécial couche-tôt), c'est-à-dire des réductions ou un menu à prix avantageux au début de leur service du soir, en général de 17h ou 17h30 à 19h.

– *Les today's specials* (ou **specials**, ou encore **specials of the day**) : ce sont les incontournables suggestions du jour, servies en fait midi et soir, que les serveurs vous encouragent à choisir. Attention, contrairement à nos « plats du jour », les *specials* sont souvent plus chers que le reste de la carte, et le prix n'est pas toujours clairement indiqué.

– *Les salad bars :* dans les **delis** (épiceries qu'on trouve à chaque coin de rue, ouverts 24h/24 le plus souvent, à ne pas confondre avec les *delicatessen,* lire plus loin), il y a souvent une section avec tout un choix de crudités, de salades composées, plats cuisinés de toutes sortes, parfois des sushis, des salades de fruits frais, etc., à consommer sur place ou à emporter. Idéal pour les végétariens. Il suffit de remplir une barquette et de passer à la caisse : on paie au poids (8 à 10 $ le *pound,* soit 454 g). Les plus beaux *salad bars* que l'on connaisse à New York sont ceux des supermarchés bio *Whole Foods Market*.

Lexique américain spécial resto

– *For here or to go ? :* sur place ou à emporter ?

– *Appetizers :* entrées.

– *Entrees* (à prononcer presque à la française) *:* plats de résistance.

– *Are you done ? :* vous avez terminé ?

– *No, I'm still working on it :* non, je n'ai pas fini (de manger).

– *The check, please :* l'addition, s'il vous plaît.

Spécialités et tendances

– **Le hamburger (ou burger) :** une institution à New York, et pour cause, c'est le plat national ! Évidemment, tout dépend de la qualité du *patty* (steak haché) et des ingrédients qu'on met autour. Les chaînes de fast-foods les plus populaires (*McDo* et consorts) utilisent des viandes vraiment bas de gamme. Ce n'est, bien sûr, pas là qu'il faut aller, mais dans les vrais bons restos qui servent d'excellentes viandes bien fraîches, *juicy,* tendres et moelleuses, prises entre deux tranches de bon pain et accompagnées d'une kyrielle d'ingrédients et de sauces qui font toute la différence. Ou alors dans les enseignes spécialisées

LE HAMBURGER N'EST PAS AMÉRICAIN !

Fin d'un mythe, le hamburger est né en Allemagne... à Hambourg, comme son nom l'indique. À la fin du XIXe s, de nombreux immigrés allemands de la région affluèrent en masse vers le pays de l'Oncle Sam. Le hamburger désignait alors le bifteck haché qu'on leur servait à bord des transatlantiques. C'est donc grâce aux immigrants que le burger a fait son apparition au Nouveau Monde, avant d'être récupéré en 1940 par les frères McDonald qui le placèrent entre deux tranches de pain et le proposèrent en self-service !

(et parfois bio), comme *Shake Shack* (fast-food amélioré), *Bareburger* ou *5 Napkin Burger.* Attention, les frites (*fries* ou *French fries*) se commandent parfois à part.
– **La viande de bœuf :** de tout premier ordre mais chère, surtout dans les vraies **steakhouses.** La tendreté de la viande américaine provient aussi de sa découpe (perpendiculaire aux fibres du muscle), différente de celle des bouchers français. D'où la difficulté de traduire les noms des différents morceaux que l'on retrouve sur les cartes des restos new-yorkais : le **filet mignon** (rien à voir avec un filet mignon de porc, c'est un pavé dans le filet), le *sirloin* (faux-filet), le *ribeye* (entrecôte), le **New York Strip** (partie haute du rumsteak) et le célèbre **T-bone,** c'est-à-dire la double entrecôte avec l'os en T. Le très tendre **prime rib** (côte de bœuf) a aussi ses adeptes (à ne pas confondre avec les populaires *spare ribs* qui désignent du travers de porc sauce barbecue). Si vous aimez votre steak à point, demandez-le *medium* ou *medium rare.* En revanche, *well done* signifie bien cuit, et saignant se dit *rare* (et non *bloody*...).
– **Le barbecue :** une tradition du sud des États-Unis, qui fait un carton actuellement à NY. Sachez-le, le vrai BBQ se mange avec les doigts, servi avec du *corn*

bread (pain de maïs), du coleslaw, des *mac & cheese* (macaronis au fromage), des *collard greens* (chou coupé menu et cuisiné à l'étouffée avec des épices)... Et le secret de cette viande juteuse et fondante, c'est la cuisson, longue et à tout petit feu *(slow-cooked)*.

– **Le delicatessen (ou deli) :** une institution juive new-yorkaise, à ne pas confondre avec les autres *delis* qui désignent les épiceries-*salad bars* rencontrées à tous les coins de rue. Le vrai *deli* new-yorkais sert des **spécialités juives** d'Europe centrale (polonaises, ukrainiennes, hongroises, etc.). Il faut absolument goûter au **pastrami** (poitrine de bœuf moelleuse épicée et fumée, servie tiède en tranches fines, à l'origine une recette roumaine), au **corned-beef,** servi en énorme sandwich sur du pain au cumin *(rye bread)* avec à côté le gros cornichon aigre-doux **(pickles)** et le sempiternel petit pot en carton de **coleslaw** (salade de chou blanc et carottes râpés). Très typiques aussi au rayon des spécialités juives, les **knishes,** sortes de boules de purée de pomme de terre déclinées de moult façons (un peu étouffe-chrétien si l'on ose dire) et tous les **poissons fumés** (hareng, saumon...).

– **Les pizzas :** encore meilleures à New York qu'à Naples, incroyable mais authentique ! Il faut dire que les immigrants ont importé leur savoir-faire et que les New-Yorkais de toutes générations cultivent une passion pour la cuisine italienne.

– **La cuisine asiatique :** en pleine révolution. De nombreux chefs revisitent les plats traditionnels thaïs, vietnamiens, coréens... dans des restos branchés où le Tout-New York se presse. Les *ramen* (soupes de nouilles made in Japan) rencontrent un vrai succès. Autant le savoir, les meilleurs restos ne se trouvent pas dans Chinatown.

– **Les salades :** les Américains sont les champions des salades composées, fraîches, appétissantes et copieuses. Aux côtés des classiques **Caesar salad** (romaine, parmesan râpé et croûtons, accompagnée, en version *deluxe,* de poulet ou de grosses crevettes) et **Cobb salad** (salade verte, tomate, bacon grillé, poulet, avocat, œuf dur et roquefort), accompagnées de tout un cortège de **sauces (dressings),** on trouve des déclinaisons variées, souvent sucrées-salées.

– **Les sandwichs :** celui que nous connaissons en Europe s'appelle aux États-Unis *cold sandwich.* À ne pas confondre avec les *hot sandwiches* américains (par exemple le *Philly cheesesteak sandwich*), qui sont de véritables repas chauds servis avec frites (ou chips ou *potato salad*) dans les restaurants, donc plus chers. On trouve aussi des **wraps,** sandwichs roulés dans une tortilla.

– **Le hot dog :** son nom étrange (« chien chaud ») proviendrait de la ressemblance entre les *frankfurters* et une autre importation des immigrants allemands arrivés

SANDWICH ET SANS REPROCHE

Le sandwich tire son nom du Britannique John Montagu, 4e comte de Sandwich. On ne sait si son cuisinier lui inventa ce nouveau type de repas parce que ce joueur invétéré ne voulait pas quitter la table de jeu, ni tacher les cartes de gras. En tout cas, les Américains lui doivent beaucoup : il fut jugé responsable de la défaite anglaise pendant la guerre d'Indépendance et son invention est désormais servie dans tous les restos du pays.

à la fin du XIXe s aux États-Unis : le chien teckel ou basset, dont le corps allongé évoque une saucisse.

– **Les bagels :** typiques de New York, à consommer nature, tartinés de beurre-confiture le matin, ou bien de fromage frais *(cream cheese),* de thon mayonnaise *(tuna fish)* ou garnis de saumon fumé *(lox).* Voir plus haut « Le breakfast ».

– **Les glaces (et dérivés) :** outre la glace classique, très crémeuse, il existe aussi la **frozen custard** (crème glacée enrichie avec des œufs), spécialité de la mini-chaîne de burgers *Shake Shack* (leurs parfums changent tous les jours !), et le **frozen yogurt** (yaourt glacé), un peu plus léger en matières grasses tout en ayant une texture plus riche qu'un sorbet. On peut y ajouter des **toppings** (garnitures) comme des *M&M's*, des noix ou des céréales. La tendance actuelle étant au bio et aux bons produits locaux, les glaciers dans le coup se sont mis au parfum en proposant justement uniquement des saveurs de saison.

– **Les pâtisseries :** certains les trouvent alléchantes, d'autres écœurantes rien qu'à les regarder... à notre humble avis, elles sont excellentes lorsqu'elles sont réussies. Et c'est le cas dans de plus en plus de pâtisseries nouvelle génération comme *Magnolia Bakery* et consorts. Les **cupcakes,** ces petits gâteaux ronds et légers, genre génoise, nappés d'un glaçage au beurre très sucré et très coloré aussi (rose, bleu, vert...), sont toujours très populaires. Sinon, on peut se rabattre

CRONUT MANIA

Imaginée par Dominique Ansel, pâtissier picard expatrié à New York, cette viennoiserie est une fusion entre le croissant français et le doughnut (beignet) américain. Un succès fulgurant, provoquant chaque jour des files d'attente interminables devant sa bakery de SoHo (189 Spring Street). Des contrefaçons ont même vu le jour mais, de l'avis des fans, rien ne vaut l'original.

sur les desserts traditionnels comme le **cheesecake** (gâteau au fromage blanc parfois agrémenté de fruits, de chocolat, etc.), le **carrot cake** (gâteau aux carottes et aux noix, sucré et épicé, recouvert d'un glaçage crémeux, qui existe aussi en version *cupcake*) ; mais aussi le **layer cake** (gâteau « à étages » garni de crème au chocolat, à la noix de coco...), le **pecan pie** (aux noix de pécan, typique du Sud), le **pumpkin pie** (célèbre tarte au potiron, typique de la période d'Halloween), sans oublier les **muffins** et **cookies** (les meilleurs cookies sont ceux de *Levain Bakery,* qu'on se le dise !) et les tartes aux fruits de saison à la mode de grand-mère...

La révolution *green*, locavore et *farm to table*

La mode des **marchés fermiers** (*farmers markets* ou *greenmarkets*) est très révélatrice de l'évolution des mentalités dans une mégapole où les comportements alimentaires ont depuis des lustres été conditionnés par l'agrobusiness. Le plus célèbre d'entre tous, celui d'Union Square (qui se tient les lundi, mercredi, vendredi et samedi toute la journée), est un rendez-vous incontournable pour les **locavores,** et particulièrement pour les restaurateurs. Ces derniers affichent avec fierté la provenance de leurs produits, souvent des fermes situées dans la fertile vallée de l'Hudson (le concept « **farm to table** »), quand ils ne cultivent pas eux-mêmes leurs légumes dans leur propre potager ou sur leur toit ! Bref, depuis quelques années, on assiste au pays de la malbouffe à un grand retour à la terre, orchestré par des paysans urbains qui ne jurent que par le goût et le respect des saisons.

La *street food*

Un succès phénoménal qui s'est d'ailleurs exporté chez nous aussi. Il n'y a encore pas si longtemps, les **carts,** comme on appelle ces petits stands ambulants de cuisine de rue pas toujours reluisants, étaient l'apanage des quartiers d'affaires, particulièrement Lower Manhattan et Midtown. Le midi, on pouvait voir des files de cadres en costume faisant patiemment la queue devant leur roulotte en inox favorite, servant la plupart du temps de la cuisine indienne. Car c'est un fait, les New-Yorkais ont toujours aimé grignoter dehors, sur un coin de trottoir. Mais en quelques années, cette propension typiquement américaine à manger sur le pouce s'est muée en une véritable mode. La *street food* s'est ainsi boboïsée et sophistiquée. Des **food trucks** (camions gourmets) de plus en plus nombreux, rutilants et colorés sillonnent les rues de la Big Apple pour proposer leurs spécialités. Chaque *truck* a la sienne : falafels, tacos, *dumplings, lobster rolls,* glaces, *cupcakes*... Rien à voir évidemment avec les médiocres chariots chromés à hot dogs et bretzels qu'on trouve un peu partout, là on vous parle de cuisine de qualité, de produits locaux et de saison travaillés avec créativité et tout le tremblement. D'ailleurs, les prix ne sont pas les mêmes que pour de la *street food* basique... Les New-Yorkais en sont fous, ils se refilent leurs meilleurs plans sur des blogs et sites internet spécialisés (par exemple, ● *newyorkstreetfood.com* ●). Et chaque année le Vendy Award, sorte d'oscar de la *street food,* est attribué au meilleur vendeur ambulant !

Les chaînes de fast-foods « gourmets »

Même à New York où l'offre de restos est démente, les chaînes ont toujours beaucoup de succès auprès des locaux. Dans le style tex-mex, difficile d'échapper à **Chipotle,** vu le nombre de succursales implantées à tous les coins de rue ! Ses tacos et *burritos* sont élaborés avec de bons produits (« *Food with integrity* », comme ils disent) pour des prix très accessibles, d'où le succès auprès des étudiants et des jeunes en général. Pour un bon petit burger, direction **Shake Shack, Five Guys** (attention, le cadre est nul en revanche) ou, si voulez être bien assis, dans un décor écolo sympa comme tout, **Bareburger** (notre préféré, mais il s'agit plus d'un resto que d'un fast-food). Au rayon sandwichs, **Prêt à Manger,** très apprécié pour ses « triangles » à l'anglaise, tout frais et garnis de bonnes choses. Enfin, si l'envie d'une petite soupe vous titille, celles de **Hale & Hearty Soups** sont délicieuses.

CURIEUX, NON ?

– Aux États-Unis, les ***immeubles*** ne disposent que très rarement d'un *13e étage.* Judas était le 13e convive lors de la Cène du Christ. Ce chiffre porte malheur, alors qu'en France, c'est plutôt le contraire : exemple, vendredi 13 !
– Le ***décompte des étages*** est différent : le *1st floor* correspond au rez-de-chaussée, le *2nd floor* au 1er étage pour nous, etc.
– La ***clim*** fonctionne toujours à fond la caisse, même quand il n'y a personne dans la chambre d'hôtel...
– ***Le courant électrique est en 110,*** étonnant au pays de l'hyper technologie.
– ***Do you need help ? Are you lost ?*** Deux petites phrases que vous entendrez dès que vous ouvrirez un plan de métro ou votre guide préféré dans la rue. Avec une spontanéité touchante, les New-Yorkais se mettent en quatre pour venir en aide aux touristes. Un heureux paradoxe dans cette ville où le dollar est roi...
– ***How are you today ?*** C'est la question qui vous accueille partout dans ce pays, dans les boutiques comme dans les restos et autres.
– Les Américains sont les champions des ***files d'attente*** : il n'est pas rare de les voir poireauter 1h dans une adresse un peu à la mode. Et pas question de gratter quelques places dans la queue d'un musée. Le petit rigolo qui triche ou qui ne respecte pas la distance de sécurité au guichet est vite remis à sa place (personne ne le fait d'ailleurs, sauf les touristes !).
– ***Au resto :*** le ***bruit*** ambiant, entre les gens qui parlent fort (même si c'est vide !) et le fond musical souvent très présent, l'***éclairage ultra-tamisé*** qui baisse à mesure que le volume sonore et les prix augmentent (faut aimer manger dans le noir), les ***serveurs*** qui vous apportent l'addition avant que vous ayez commandé un café ou un dessert, le ***poivre*** qui n'est pas sur la table (il faut le demander et on vous le moud à la demande : « *Fresh pepper, please !* »), la ***carafe d'eau*** non plus (on vous remplit les verres, toujours pleins de glaçons) et le ***pourboire (tip)*** qui n'est pas compris (comme les taxes) mais obligatoire ! Enfin, la coutume des ***additions séparées*** n'existe pas, on se débrouille avec une note unique même quand on veut partager.
– Au petit déj, les ***omelettes sont souvent servies avec trois œufs.***
– Dans les ***bars*** et les ***boîtes,*** les ***papiers d'identité (ID)*** sont demandés à l'entrée, même si vous avez 40 piges !

– **Embrasser** fougueusement son amoureux ou son amoureuse dans la rue ne se fait pas. Le *PDA (Public Display of Affection)* est même très mal vu ! En revanche, il est tout à fait légal de **se promener torse nu**, et donc **seins nus**, à New York !
– La **vétusté du métro** et son fonctionnement un peu complexe au début ! Et l'attente aussi, parfois 20 mn entre deux rames...
– De nombreux **médicaments,** vendus sur ordonnance chez nous, sont en **vente libre** aux États-Unis.
– Les **ordures** qui s'entassent dans les rues.
– Les **journaux** sont **en libre-service dans les rues.** Vous prenez un exemplaire et vous insérez vos pièces dans une urne. Personne ne fraude.

ÉCONOMIE

Premier centre financier mondial au coude à coude avec la City de Londres, **Wall Street** reste plus que jamais le premier moteur économique de New York, employant plus de 300 000 personnes, même si elle fut aussi l'épicentre de la **crise des subprimes** déclenchée en 2007, celle qui a plongé le monde dans la tourmente. Le secteur financier s'y est fortement contracté (Wall Street a perdu 13,5 % de ses effectifs en 5 ans), mais la ville a paradoxalement mieux résisté que le reste des États-Unis, créant même des emplois !
Premier secteur fleurissant, les **nouvelles technologies** – en particulier l'Internet –, devenu en quelques années le deuxième pôle économique de la ville. On parle même de *Silicon Alley*, en référence à la Silicon Valley californienne, pour désigner le coin autour du Flatiron Building, où se sont installées au début nombre de start-up du high-tech. Plus de 1 000 entreprises de ce type auraient depuis essaimé un peu partout en ville (notamment à Brooklyn). Signe qui ne trompe pas, les géants du secteur (Facebook, Google, Twitter) ont installé leurs bureaux à New York. Un institut universitaire technologique destiné à former les futurs ingénieurs va même être inauguré en 2017 sur Roosevelt Island. Son ambition : rivaliser avec le célèbre MIT, dans le Massachusetts.
Autres secteurs moteurs, y compris au niveau mondial : les assurances, la santé (recherche, biotechnologies et services, plus de 500 000 employés) et l'immobilier. Mais New York c'est aussi la plus grande concentration de médias et éditeurs aux États-Unis, sans parler du marché de l'art, du marketing, de la mode, du design, de l'architecture et même du film (après Hollywood). Parallèlement, si de nombreuses entreprises n'ont pas résisté à la crise, de grandes marques en ont profité pour gagner du terrain et multiplier leurs boutiques. Pour certains entrepreneurs, **c'est même le moment de s'installer à New York** !
Mais à quoi donc carbure New York ? Elle s'appuie avant tout sur un formidable **vivier de jeunes diplômés en provenance du monde entier.** Les start-up surfent sur les secteurs moteurs mentionnés plus haut pour importer ce qui marche ailleurs et inventer de nouveaux produits. Ajoutons à cela son fort pouvoir d'attractivité, son nouveau visage « green », une gastronomie en pleine révolution et l'effervescence culturelle... Tout cela se traduit par **une fréquentation touristique toujours en hausse,** dépassant aujourd'hui les 58 millions de visiteurs, dont un cinquième d'étrangers (contre 40 millions en 2004), équitablement répartis sur toute l'année et assurant un taux de remplissage d'hôtels de 89 %, le plus élevé des États-Unis !
Une véritable manne financière qui engendre environ 61 milliards de dollars de recettes et génère 360 000 emplois. Un boom en partie dû à l'ambition de l'ancien maire, Michael Bloomberg, de faire de New York « *the World's Second Home* », en exploitant à fond son potentiel touristique via, notamment, la réhabilitation des boroughs (les banlieues).
Comme toujours, la médaille a son revers. Si New York compte aujourd'hui 400 000 millionnaires et **la plus forte concentration de milliardaires au monde,**

presque 2 millions de New-Yorkais vivent en dessous du seuil de pauvreté et autant n'en sont pas loin, soit près de 40 % de la population ! Un phénomène qui touche en priorité la population asiatique, suivie de près par les hispanophones. Outre les problèmes évidents liés à la langue, c'est le prix exorbitant de l'immobilier qui est visé, certains propriétaires exigeant des garanties insoutenables pour les petits revenus. En 2015, 60 000 personnes, dont 25 000 enfants, seraient sans abri (c'est 11 % de plus qu'en 2014). Quant aux classes moyennes, elles fuient les prix de Manhattan pour s'établir à Brooklyn, l'eldorado des bobos devenu le nouveau foyer artistique et nocturne de la ville. Un New York « à deux vitesses » donc, selon les mots du maire démocrate, Bill de Blasio, qui a promis de corriger ce gigantesque fossé des inégalités, notamment *en relevant le salaire minimum de 8 à 10 $, et en augmentant les impôts des New-Yorkais gagnant plus de 500 000 $ par an.*

New York doit aussi composer avec les colères de la nature. En octobre 2012, l'*ouragan Sandy* a durement frappé la ville, laissant derrière lui un lourd bilan humain et économique : 44 morts et 19 milliards de dollars de dégâts. Ce fut l'occasion de lancer de vastes chantiers le long des 800 km de côtes de la ville. La Grosse Pomme n'est pas ville à se laisser abattre et tout se reconstruit, se réhabilite, à l'image d'un World Trade Center flambant neuf sorti de terre en seulement 10 ans. Mais, là encore, il y aurait beaucoup à dire, les promoteurs peinant parfois à remplir les bureaux et appartements des gratte-ciel toujours plus nombreux.

ENVIRONNEMENT

Transformer New York en ville verte d'ici à 2030 fut un des grands chantiers du précédent maire, Michael Bloomberg, visant à tourner le dos aux erreurs du passé. Le challenge est immense, compte tenu de la densité de population de New York, de sa taille et de la complexité des moyens de communication (le plus grand réseau de métro du monde notamment). Ce vaste projet, nommé PlaNYC 2030 et lancé en 2007, prévoit la réduction des émissions de carbone de 30 %, la plantation de 1 million d'arbres et la création d'un parc à 10 mn maximum pour chaque habitant. Parallèlement à ce travail sont entrepris une refonte de 90 % des canalisations, la mise en place de moyens plus écologiques d'utiliser l'énergie et le nettoyage des terrains les plus pollués. Les taxis ont aussi été sommés de passer progressivement du jaune au vert (hybrides) tandis que le système de location de vélos *CitiBike* était lancé en 2013, rencontrant immédiatement un succès retentissant.

Cela dit, la pollution proviendrait moins des gaz automobiles et des fumées d'usine que des installations électriques des vieux gratte-ciel, qu'il serait bon de rénover. Le *chauffage des immeubles,* dont la gestion est centralisée, est un vrai souci en matière d'économies d'énergie. On vit la fenêtre ouverte dans certains logements surchauffés, quand on n'allume pas son climatiseur en parallèle pour tenter d'abaisser la température ! Les architectes travaillent sur des projets de *gratte-ciel écolos.* Norman Foster en a été l'initiateur avec sa *Hearst Tower* (959

PROCHAIN ARRÊT : ATLANTIQUE

2 500 anciennes rames de métro new-yorkais ont été larguées au large des côtes américaines entre 2008 et 2010. Une opération menée par la compagnie des transports de la Ville pour créer un récif artificiel destiné à attirer poissons et coquillages et ainsi redynamiser l'écosystème des fonds marins, essentiellement composés de sable nu. Le risque de pollution est quasi nul d'après l'agence américaine de protection de l'environnement.

8th Avenue et 57th Street) en forme de serre géante. La quasi-totalité du métal utilisé pour sa construction ainsi que les planchers et plafonds à l'intérieur sont issus du recyclage. L'eau de pluie récupérée permet de couvrir la moitié des besoins en eau de la tour. D'autres tours vertes ont suivi, notamment la *Bank of America Tower* (sur 6th Avenue, entre 42nd et 43rd Street, en face de Bryant Park), dessinée par Cook + Fox, un des plus hauts buildings de la ville.

La vague écolo ne touche pas seulement la politique, elle est aussi au cœur des préoccupations des New-Yorkais, comme en témoigne le *phénomène « locavore »*. Ce comportement alimentaire (né à San Francisco) préconise de ne consommer que des produits locaux, c'est-à-dire provenant d'un lieu distant de 160 km au maximum, selon les puristes ! Certains restaurateurs newyorkais se font un honneur d'indiquer la provenance de leurs produits, le plus souvent des fermes de la vallée de l'Hudson. Dans le même ordre d'idées, les fermiers urbains sont de plus en plus nombreux : *jardins communautaires* (il existe plus de 1 000 *community gardens* à New York), courettes réhabilitées en vergers, *plantations et ruches sur les toits des buildings,* tout est bon pour cultiver son jardin avec les moyens du bord ! La *cueillette sauvage* fait aussi de plus en plus d'adeptes à Central Park. Pour répondre à cette insatiable envie de nature, on aménage *des espaces verts sur d'anciens sites industriels,* une façon intelligente de pallier le manque d'espace disponible. Dans le style, la plus belle réhabilitation est sans conteste la *High Line,* une ancienne ligne de chemin de fer reconvertie en jardin suspendu entre le Meatpacking District et Chelsea. À DUMBO, au bord de l'East River, le *Brooklyn Bridge Park* est un autre exemple de parc à la fois décoratif et high-tech. Construit sur des couches de matériaux recyclés, il stocke l'eau de pluie, produit son énergie et lutte contre la canicule avec une végétation adaptée.

Côté propreté, rien à redire dans les quartiers d'affaires et dans les secteurs résidentiels et touristiques (en gros, toute l'île de Manhattan jusqu'au nord de Central Park). C'est dans les autres boroughs que ça se dégrade. Le métro n'est pas très reluisant non plus, et certains quartiers de Manhattan (comme East Village) sont littéralement envahis par les rats ! Quant au *ramassage des ordures* ménagères, ce n'est pas gagné : pas de conteneurs, les poubelles s'entassent partout

UNE IDÉE BRILLANTE (ENFIN !)

Pour une fois, ne levez pas le nez et regardez sur quoi vous marchez aux alentours de Central Park. Le revêtement des rues est issu d'un mélange original de verre et d'asphalte, appelé « glassphalt ». On doit l'idée au milliardaire Donald Trump (si !), qui possède une tour sur la 5e Avenue. Résultat, les quartiers chic de Manhattan scintillent, et la ville fait de substantielles économies en recyclant le verre.

sur les trottoirs, surtout à l'arrière des restos et des bars, pour le plus grand bonheur des rongeurs. En matière de *recyclage des déchets,* New York fait partie des mauvais élèves ; 15 % seulement sont recyclés, sur les quelque 12 000 t de déchets quotidiens (contre 65 à 75 % dans des villes comme San Francisco ou Los Angeles). L'urgence de la situation mobilise le maire Bill de Blasio, qui n'a pas remis en cause l'objectif de son prédécesseur Bloomberg, à savoir recycler un tiers des ordures en 2017. En revanche, bonne nouvelle, pratiquement *jamais de crottes de chien* sur les trottoirs, un motif de réjouissance pour les marcheurs ! Rien de surprenant car, dans la pratique quotidienne, les Américains font preuve d'un esprit très civique dès qu'il s'agit des déjections animales. La loi américaine existe (amendes à l'appui), s'affiche plus qu'en Europe, et des instances puissantes sont chargées de la faire respecter.

Bref, New York a encore des progrès à faire en matière d'environnement mais la prise de conscience est bien réelle. Depuis le 11 septembre 2001, les New-Yorkais se savaient vulnérables devant l'homme. L'*ouragan Sandy,* en octobre 2012, leur a prouvé combien ils étaient fragiles face aux éléments. Et, avec le réchauffement climatique, le risque de nouvelles catastrophes naturelles va en s'accentuant. Les scientifiques estiment qu'en 2050, 8 % de la zone côtière pourraient être régulièrement inondés par de simples marées. **800 000 New-Yorkais vivraient alors en zone inondable,** contre déjà 400 000

L'HUÎTRE VA-T-ELLE SAUVER NEW YORK ?

Au XIXᵉ s, 250 000 ha de récif d'huîtres entouraient la baie de New York, surnommée alors Oyster City. Aujourd'hui, des spécialistes songent à recréer ce maillage ostréicole pour protéger la ville et limiter la montée des eaux.

aujourd'hui. Pour mieux protéger la ville et ses 800 km de côtes, Michael Bloomberg présenta en 2013 un ambitieux et coûteux programme, riche de 250 préconisations allant de la construction de murs anticrue amovibles à la création de digues et de dunes.

FÊTES ET JOURS FÉRIÉS

Il y a énormément de fêtes, festivals et parades dans la Big Apple, la plupart sponsorisés par de grosses compagnies privées. Le mieux est de consulter *Time Out* (● timeout.com/newyork ●) ou le *Village Voice* (● villagevoice.com ●), ou encore le *Visitor Center* et le site internet : ● nycgo.com ●
De nombreuses manifestations ont aussi lieu à Brooklyn. Pour les connaître, voir « Fêtes et manifestations » dans ce quartier.

Parades

– **No Pants Subway Ride :** un dimanche de mi-janvier. Une performance collective qui consiste à se balader dans le métro sans jupe ni pantalon (mais avec sous-vêtements) ! Les participants se retrouvent à plusieurs points de ralliement, fixés à travers la ville, se déshabillent vite fait bien fait sur le quai du métro et s'engouffrent l'air de rien dans les rames, sous l'œil interloqué des passagers.
– **Martin Luther King's Day Parade :** le 3ᵉ lundi de janvier. Parade à la mémoire du pasteur noir américain prônant la non-violence pour mettre fin à la ségrégation et qui fut assassiné le 4 avril 1968 à Memphis, Tennessee. La parade, variée et colorée, essentiellement composée de Noirs, remonte 5th Avenue entre 60th et 86th Street, à partir de 13h. Militaires, majorettes, pompiers, enfants des écoles, policiers, groupes de jazz jouent en dansant.
– **Nouvel an chinois :** le jour de la 2ᵉ lune après le solstice d'hiver. Depuis 1997, finis les feux d'artifice sauvages et les pétards, le maire les jugeait trop dangereux. Maintenant, on a juste droit à une parade, parsemée de trois ou quatre dragons, avec bannière bilingue et fanfares des écoles locales.
– **Saint Patrick's Day Parade :** le 17 mars (ou le 16 si le 17 tombe un dimanche). Fête des Irlandais de New York (ils sont plus de 500 000 !). C'est l'occasion d'une beuverie de masse. Chacun se promène avec un badge « *Today I'm Irish !* ». La parade remonte 5th Avenue (de 44th à 86th). Mélange de cornemuses, policiers, pompiers... tous y sont : officiels, écoles, majorettes... Un vrai spectacle ! Tous les ans, les homos d'origine irlandaise veulent y participer, mais les organisateurs (catholiques) refusent.
– **Easter Parade :** le dimanche de Pâques. Parade sur 5th Avenue, entre 49th et 57th. Les New-Yorkais, déguisés et coiffés de chapeaux extravagants pour la circonstance, se rassemblent pour célébrer dans la joie et la décontraction, toutes classes et ethnies confondues, la fête pascale. Ce jour-là, les églises sont pleines à craquer. Oui, New York conserve des aspects très traditionnels, sinon puritains.

– **Tartan Day :** le samedi après-midi suivant le 6 avril, date anniversaire de la déclaration d'indépendance écossaise en 1320 (en 2017, le 9 avril). Impressionnante parade avec kilts et cornemuses le long de 6th Avenue, au 44th à 55th St.

– **Outdoor Fest :** pendant 10 jours fin mai. S'adonner aux activités de plein air sans quitter la mégalopole. Il fallait y penser ! Camping, randonnée, escalade, sports nautiques, yoga… Les possibilités sont nombreuses pour vivre sainement à New York. Le reste de l'année, les adeptes se retrouvent une fois par mois à l'occasion d'un *Mappy Hour* pour discuter aventure… urbaine. ● *outdoorfest. com* ●

– **Make Music New York :** le 21 juin. Eh oui, ce bon concept français de la fête de la Musique est aussi en vigueur à New York. Un millier de concerts gratuits sont organisés dans les cinq boroughs. ● *makemusicny.org* ●

– **Gay Pride Day** *(Jour de la fierté homosexuelle)* **:** vers le 28 juin. Le défilé, qui passe sur 5th Avenue, est absolument époustouflant. C'est une date fêtée par des défilés un peu partout dans le monde, nettement plus drôles que les parades militaires. ● *nycpride.org* ●

– **Independence Day :** le 4 juillet. Commémoration de la signature de la déclaration d'indépendance en 1776, avec feux d'artifice sur l'Hudson River, payés par le grand magasin *Macy's.*

– **14 juillet :** si vous voulez vous retrouver parmi les Français de New York, allez fêter *Bastille Day* (comme on dit aux États-Unis), le dimanche le plus proche du 14 juillet dans 60th Street (entre 5th et Lexington Avenue), toute la journée. Là aussi, il y a foule : plus de 10 000 personnes. Il y a à boire, à manger et même à danser avec un bal musette. Organisé par le *French Institute Alliance française* et les autres associations frenchy de New York. ● *fiaf.org* ● Grosse fiesta aussi sur Smith Street, à Brooklyn.

– **Fête de San Gennaro :** pendant 10 jours mi-septembre. Dans Little Italy, sur Mulberry Street. Nourriture à gogo, jeux… La statue de san Gennaro, saint patron de Naples, est entièrement recouverte de dollars. ● *sangennaro.org* ●

– **Halloween :** le 31 octobre. Cette tradition druidique importée par les Écossais et les Irlandais est célébrée avec une grande ferveur à New York. Halloween est différent dans les banlieues et en ville. Dans les quartiers résidentiels, les enfants vont de porte en porte déguisés en sorcières, fantômes… et réclament des friandises, ou plutôt ils vous menacent de vous faire un mauvais coup si vous ne leur donnez rien *(trick or treat)*. En ville, les adultes se déguisent, se griment, se travestissent pour se retrouver dans l'incroyable parade du soir. Il faut le voir pour le croire : la plus grande et la seule parade de nuit de tout le pays, commençant sur 6th Avenue et Spring Street pour remonter jusqu'à 21st Street. Tout le monde peut y participer en s'incrustant parmi les participants au départ. Après, se balader sur Christopher Street, dans Greenwich Village, où la fête continue.

– **Veteran's Day Parade :** le 11 novembre. Beaucoup de vétérans de la Seconde Guerre mondiale et leurs médailles défilent sur 5th Avenue, de 42nd à 26th Street. À noter que les vétérans du Vietnam boycottent l'affaire. Après la parade, service commémoratif à la flamme éternelle du Madison Square Park.

– **Thanksgiving :** le dernier jeudi de novembre. C'est LA fête américaine par excellence. Toutes les familles sont réunies autour de la traditionnelle dinde et de la tourte au potiron, pour commémorer le repas donné par les premiers immigrants (les pères pèlerins) en remerciement à Dieu – et accessoirement aux Indiens – de leur avoir permis de survivre à leur premier hiver dans le Nouveau Monde. Depuis un bon demi-siècle, c'est l'occasion d'un immense défilé financé par le grand magasin *Macy's*, suivi par des centaines de milliers de spectateurs. Il démarre à Central Park West et 77th Street, descend Broadway et s'arrête au niveau du célèbre magasin. Le défilé symbolise en quelque sorte l'arrivée du Père Noël dans la ville, vu que c'est lui qui clôt la parade. Grandiose et très coloré : chars, fanfares, clowns, dragons, etc.

– **Lighting of the Christmas Tree at the Rockefeller Center :** début décembre, éclairage du gigantesque sapin de Noël au Rockefeller Center. Pour finir l'année, 5th Avenue est fermée à la circulation les deux dimanches avant Noël, au niveau du Rockefeller Center : Père Noël, sapin énorme, décoration pleine de couleurs et de lumières. C'est Noël à l'américaine ! Et s'il se met à neiger, c'est encore plus magique. Tous les grands magasins ont des vitrines incroyables avec automates, neige artificielle et tout le tremblement ; dans la journée, les gens font la queue pour les voir, mais si vous y allez tard le soir, il n'y a pas un chat et tout reste allumé.

– **Santacon :** le samedi matin précédant Noël, des centaines de New-Yorkais déguisés en Père Noël se rassemblent pour une gigantesque tournée des bars, haute en couleur forcément, et destinée à lever des fonds pour des associations caritatives. Voir le détail du parcours sur ● *nycsantacon.com* ●

– **New Year's Eve :** le 31 décembre. La fête la plus folle est à Times Square (à l'origine, le building du magazine *Times*) où, depuis plus d'un siècle, une foule de près de 1 million de personnes en délire attend que la grosse boule de lumière glisse le long du mât, en haut du building à Times Square. Un feu d'artifice est simultanément tiré de Central Park, coïncidant avec le départ du marathon de minuit *(Midnight Run)*.

Jours fériés officiels

Les jours fériés suivants s'appliquent sur l'ensemble du territoire des États-Unis. Souvent accompagnés de parade (voir plus haut), ils ne sont en général chômés que par une partie de la population. Les magasins restent ouverts, et la plupart des transports fonctionnent normalement. Seules exceptions : Thanksgiving (presque tout est fermé) et, dans une moindre mesure, President's Day et Independence Day. Nombreux commerces fermés aussi pendant la période de Pessah (Passover, fin mars-début avril), particulièrement dans le quartier de Lower East Side-East Village.

> ## TRAVAILLEURS DE TOUS LES PAYS...
>
> *Dans le monde entier, la fête internationale des Travailleurs tombe le 1er mai, jour commémorant une grève massive des ouvriers américains, débutée le 1er mai 1886 et qui sera réprimée dans le sang à Chicago. Dans le monde entier, sauf... aux États-Unis (et au Canada), qui la célèbrent bizarrement le 1er lundi de septembre !*

– **New Year's Day :** le 1er janvier.
– **Martin Luther King Jr's Birthday :** le 3e lundi de janvier, celui le plus près de son anniversaire, le 15 janvier. Un jour très important pour la communauté noire américaine.
– **President's Day :** le 3e lundi de février, pour honorer la mémoire des premiers présidents américains.
– **Memorial Day :** le dernier lundi de mai, en mémoire de ceux qui sont morts à la guerre. L'annonce officieuse de la haute saison.
– **Independence Day :** le 4 juillet, fête nationale.
– **Labor Day :** le 1er lundi de septembre, la fête du Travail. Correspond souvent à la fin de la saison touristique.
– **Columbus Day :** le 2e lundi d'octobre, en souvenir de la « découverte » de l'Amérique par Christophe Colomb.
– **Veteran's Day :** le 11 novembre.
– **Thanksgiving :** le 4e jeudi de novembre (voir plus haut).
– **Christmas Day :** le 25 décembre.

GAY

En 2011, l'État de New York est devenu le sixième État américain à légaliser le mariage gay. Après San Francisco, New York est la deuxième ville homo des États-Unis. Certains estiment que 20 % de la population de Manhattan est gay ou lesbienne. C'est aussi la ville américaine la plus visitée par les touristes gay. Greenwich Village et Chelsea (autour de 9th Avenue) sont leurs fiefs traditionnels, et depuis plus récemment Hell's Kitchen (l'ouest de Theater District). À New York, les homos ont tout : chaîne de TV, stations de radio et même une église, la cathédrale Saint John the Divine, dans laquelle un mémorial est dédié aux victimes du sida... De plus, les boîtes hétéros, sachant que les homos sont de bons clients, leur réservent une soirée spéciale par semaine.

Les endroits pro-homos sont reconnaissables au drapeau arc-en-ciel, le *Rainbow Flag*, symbole de la Gay Pride et de la diversité du monde homosexuel, hommes et femmes de toutes les couleurs, religions et ethnies.

– Pour tout renseignement sur les sorties, événements culturels : ● *nextmagazine. com* ● L'équivalent de *Time Out* pour les gays.

GÉOGRAPHIE

New York City fait partie de l'État de New York (abréviation : NY) qui s'étend de l'océan Atlantique jusqu'au lac Ontario et à la frontière du Canada. Montréal n'est située qu'à 614 km au nord (soit 7h30 de route) tandis que Los Angeles est à 4 543 km à l'ouest ! Comme d'autres mégalopoles mondiales comme Los Angeles ou Tokyo (Japon), New York est née et s'est développée sur le littoral d'un grand océan, l'Atlantique. C'est assez logique. Ici, l'histoire rejoint la géographie. Les premiers pionniers furent des marins venus d'Europe à bord de bateaux à voile. Ne trouvant pas d'abris sûrs sur la côte, ils pénétrèrent dans une grande baie abritée et accostèrent sur un bout de terre plus ou moins plate, l'île de Manhattan. Celle-ci est devenue aujourd'hui le cœur palpitant de la ville de New York. Les autres quartiers périphériques *(outer boroughs)* s'étendent sur des langues de terre autour de la baie de New York et sur les bords des rivières Hudson (Hudson River) et East River. Des quartiers comme Brooklyn et Queens ont la taille de grandes villes et s'étalent sur la pointe sud de Long Island. Autre quartier, Staten Island, face à Brooklyn, s'est lui développé sur une grande île reliée au continent par des ponts autoroutiers. Ces « banlieues » font partie de l'agglomération new-yorkaise. Bien que proches de Manhattan, les zones urbaines sur la rive droite de la rivière Hudson ne dépendent pas de la municipalité de New York City mais de l'État du New Jersey.

New York quartier par quartier

Downtown (de la pointe sud de Manhattan à Houston Street)

– **Lower Manhattan :** c'est le triangle sud de la presqu'île de Manhattan, entre Chambers Street au nord et Battery au sud, où se rejoignent les deux rivières, Hudson River et East River. Le cœur et le moteur du capitalisme américain. D'ailleurs, les New-Yorkais lui préfèrent l'appellation de Financial District. C'est ici que se trouvent Wall Street et son New York Stock Exchange (la Bourse), et que se dresse le nouveau complexe du World Trade Center. Contrairement à ce que l'on pense souvent, la statue de la Liberté ne se situe pas à la pointe sud de Lower Manhattan mais au large, sur une petite île de la baie de New York.

– **Chinatown :** un quartier « ethnique », animé et dépaysant, habité principalement par des Asiatiques en majorité d'origine chinoise. De taille réduite, situé entre Canal Street, Chatham Square et The Bowery, Chinatown est essentiellement un quartier commerçant et touristique. On y va de préférence le dimanche, jour du grand marché. Le quartier est en continuelle expansion et grignote lentement mais sûrement ses voisins (surtout Little Italy et de plus en plus Lower East Side).

– **Little Italy :** juste au nord de Chinatown, Little Italy se réduit maintenant à trois blocs touristiques sur Mulberry, au nord de Canal Street. Tel un certain village gaulois, la dernière légion de restaurateurs italiens campés sur le pas de leur porte est désormais cernée par les commerçants chinois !

– **NoLiTa :** beaucoup plus sympa et à deux pas de là, NoLiTa *(North of Little Italy)* est une sorte de petit SoHo mais en plus décontracté.

– **SoHo :** ce nom est un raccourci de South of Houston Street. Entre Canal Street, Houston Street, Broadway et l'Hudson River. Commerçant au début du XXe s, refuge des artistes marginaux dans les années 1970, c'est à présent le quartier des magasins de mode chic, des galeries d'art, des petits cafés et des restos branchés.

– **TriBeCa :** encore un nom bizarre. En fait, c'est l'acronyme de Triangle Below Canal Street, « le triangle sous la rue du Canal ». Entre Canal Street, Broadway et Chambers Street s'étend ce quartier qui est un peu l'Upper West de Downtown : moins commerçant, plus résidentiel et moins animé le soir que ses voisins. Un grand nombre de vieux immeubles en brique et d'anciens entrepôts reconvertis aujourd'hui en lofts, ateliers d'artistes et appartements. Robert De Niro y possède une maison de production, des parts dans plusieurs restaurants et un hôtel.

– **Lower East Side :** le quartier situé en dessous d'East Village, entre Houston Street, The Bowery, Columbia Street et East Broadway. Peu recommandable il y a quelques années, il s'est en partie métamorphosé pour devenir l'un des derniers quartiers à la mode de Manhattan, notamment entre East Houston Street et Delancey Street où se situent les scènes musicales les plus décontractées de New York. Le sud du quartier (grignoté par Chinatown) fut le repaire des premières vagues d'immigrants juifs, il est aujourd'hui le théâtre d'une activité commerciale et culturelle en voie de développement avec Orchard Street pour pierre d'achoppement : boutiques de créateurs, galeries d'art...

– **Greenwich :** un gros village au sein de la mégalopole, surnommé d'ailleurs « The Village ». Entre 14th Street au nord, Broadway à l'est, Houston Street au sud et l'Hudson River à l'ouest, Greenwich fut le quartier bohème de Manhattan, puis le refuge des beatniks et de la culture underground vers 1950 et aujourd'hui le siège de la prestigieuse New York University (NYU). Très peu de tours ou de gratte-ciel dans le paysage urbain, mais de petits immeubles, de ravissantes maisons basses (de style anglais) qui donnent une couleur provinciale unique à ce charmant village à taille humaine, aujourd'hui bien embourgeoisé.

– **West Village :** correspond à la partie ouest du village de Greenwich, en bordure de l'Hudson River. Au sein du West Village, le petit Meatpacking District, traversé par la High Line, une ancienne voie ferrée reconvertie en jardin, a son identité propre et des faux airs de décor de cinéma avec ses pavés et ses buildings en brique reconvertis en restos, boutiques de créateurs et boîtes branchées.

– **East Village :** entre Broadway, East River, Houston Street et 14th Street. Ce fut à l'origine un des grands quartiers de l'immigration, puis un refuge d'anticonformistes dans les années 1960. Suivirent deux décennies de déclin (pauvreté, drogues dures, violence et insécurité), dont East Village est aujourd'hui complètement sorti. La sécurité est rétablie et les gangs ont disparu. Les jeunes cadres urbains reviennent y habiter ; c'est le processus de gentrification qui a métamorphosé le quartier, sauf peut-être une infime portion d'Alphabet City (où les avenues prennent des lettres à la place de numéros) qui y résiste encore, dans la partie la plus à l'est.

Centre Manhattan

– **Chelsea :** entre l'Hudson River et 6th Avenue, et entre 14th et 34th Street. Quartier naguère hanté par des artistes rebelles tels que Jack Kerouac. Nombreuses rues plantées d'arbres et bordées d'immeubles de taille moyenne en brique rouge, où les tours sont peu nombreuses. Ambiance gay dans tout le quartier, et notamment le long de 8th Avenue. Plus à l'ouest, autour de la High Line, le Galleries District regorge de galeries d'art contemporain (entre 10th et 11th Avenue), à découvrir pendant la journée du mardi au samedi (quand elles sont ouvertes !).

– *Union Square et Flatiron District :* situé à l'est de 6th Avenue, entre 14th et 42nd. Autant d'immeubles résidentiels que de bureaux. On note l'émergence d'un nouveau microquartier qui bouge, le NoMad, acronyme de **No**rth of **Mad**ison Square Park, situé entre 23rd et 30th Street.

Uptown Sud

– *Times Square et Theater District :* un des centres nerveux de New York dans le domaine de l'économie, du tourisme et des spectacles. Longtemps envahi par les sex-shops et menacé par l'insécurité, le quartier autour de Times Square a redoré son blason et fait le ménage. Résultat : c'est le coin le plus populaire chez les touristes qui viennent pour la première fois. Sont ici rassemblés les plus beaux cinémas, les salles de théâtre et de spectacles les plus prestigieuses de New York (Broadway, c'est ici !). C'est aussi un des secteurs de Manhattan où la foule est la plus dense, de jour comme de nuit. D'ailleurs, jour et nuit se confondent tant le quartier est illuminé la nuit.

– *Midtown :* correspond en gros à la partie située à l'est de Theater District. Entre Times Square (42nd Street), 6th Avenue, Central Park et East River. C'est la quintessence de New York, un Manhattan « chimiquement pur » avec sa superbe forêt de gratte-ciel (dont l'emblématique Chrysler), mais aussi la gare de Grand Central et le siège de l'ONU.

Uptown Centre (la partie de Manhattan au nord de la 59th Street)

– *Upper East Side :* quartier situé à l'est de Central Park, de 59th à 110th Street. Le secteur le plus riche, le plus chic, le plus cher de Manhattan, traversé par trois fameuses avenues : 5th Avenue, Madison Avenue et Park Avenue, bordées d'immeubles cossus habités par des milliardaires, des hommes d'affaires et des stars. On y trouve aussi une concentration élevée d'hôtels et de boutiques de luxe. La partie est du quartier est beaucoup plus détendue et abordable. Quant à la partie nord (au-dessus de 96th Street), elle est nettement plus populaire à mesure que l'on s'approche de Spanish Harlem.

– *Central Park :* situé au centre nord de Manhattan, Central Park n'est pas un quartier mais un poumon d'oxygène d'une surface de 340 ha (la taille d'un quartier non construit) bordé par les deux quartiers symétriques, West Side et East Side.

– *Upper West Side :* ce quartier, symétrique d'East Side, est situé à l'ouest de Central Park, limité au sud par 59th Street et Columbus Circle et, au nord, par 110th Street. Moins chic que l'East Side mais très animé : restos, boutiques et supermarchés bio le long de Broadway (entre le Lincoln Center et 85th Street grosso modo). L'architecture du quartier (notamment les buildings Art déco) vaut le détour. Plus on monte vers le nord de Manhattan et vers Harlem, plus les loyers deviennent abordables. Le changement social est progressif et suit la géographie.

Harlem

– *Harlem :* au nord de l'île de Manhattan, entre 110th Street (limite nord de Central Park) et 145th Street. Habité historiquement par les Afro-Américains *(African Americans),* mais aujourd'hui de plus en plus par les Latinos et quelques Sénégalais. Longtemps considéré comme un épouvantable ghetto, Harlem est désormais presque entièrement « gentrifié » : les superbes *brownstones* sont peu à peu rénovées, les projets de condominiums se multiplient et les adresses branchées explosent. Sur le côté ouest, au niveau de 116th Street, *Columbia University* forme une « île étudiante ».

Les autres boroughs autour de Manhattan

– ***Brooklyn :*** des quatre grandes banlieues, Brooklyn est la plus peuplée (2,5 millions d'habitants). Situé au sud de Manhattan, ce borough s'étend jusqu'à l'océan Atlantique au sud (Coney Island, *baby !*) et jusqu'à l'East River au nord. Il est en plein essor : les quartiers de Williamsburg-Greenpoint-Bushwick, Park Slope et DUMBO (entre autres) sont les endroits de prédilection des artistes, bobos et *hipsters*. Brooklyn est devenu l'avant-garde de New York. Nombreux sont ceux qui viennent de Manhattan pour y faire la fête et profiter de ses excellents restaurants.

– ***Queens :*** située sur Long Island, à l'est de Manhattan, Queens est la plus vaste des banlieues de New York, plutôt modeste et très internationale. En raison de l'espace disponible, c'est ici qu'ont été installés les aéroports John F. Kennedy et LaGuardia. Le quartier de Long Island City est en plein essor.

– ***Bronx :*** au nord de Manhattan, voici le quartier le moins touristique de New York, longtemps le symbole de la grande pauvreté urbaine avec son corollaire souvent inévitable : l'insécurité. Cependant, depuis quelques années, le borough connaît une transformation sociale significative. Les grands ghettos noirs rongés par la drogue ont quasiment disparu. À visiter pour son incroyable jardin botanique (le plus grand du monde), son zoo (bien entretenu et agréable en toutes saisons) et la vraie Little Italy.

– ***Staten Island :*** ce quartier fait face à Brooklyn, sur la rive est de la baie de New York. Pas grand-chose à voir pour le moment (la plus haute grande roue du monde devrait dynamiser les lieux à partir de 2017), mais ne manquez pas de prendre le ferry gratuit qui le relie à Manhattan (voir « Lower Manhattan »).

Orientation dans Manhattan

Les avenues vont dans la direction nord-sud, tandis que ***les rues s'étirent d'est en ouest.*** Les rues et les avenues étant perpendiculaires, ***une adresse se compose toujours d'un numéro de rue et d'un numéro d'avenue qui fait l'angle.*** Exemple : 2nd Avenue et 24th Street ; ou 2nd Avenue (entre 24th et 25th). Si, par exemple, vous demandez à un taxi de vous conduire au 754 Broadway (sans lui préciser que c'est au niveau de 8th St), il ne saura absolument pas où c'est !

Les avenues sont numérotées du sud au nord, tandis que les rues le sont de l'est vers l'ouest pour la partie située à l'ouest de 5th Avenue (exemple : 52 West 32nd Street) et de l'ouest vers l'est pour celle située à l'est de cette même avenue (exemple : 52 East 32nd Street).

Dans la partie la plus à l'est de l'East Village, les avenues prennent des lettres (A, B, C et D) et non plus des chiffres. D'où le nom d'« Alphabet City ».

Méfiez-vous de certains ***faux amis*** dans le libellé des adresses : *Place* = rue ; *Park* = square ; *Square* = place ou carrefour !

Abréviations utilisées dans ce guide

Ave	Avenue	Sq	Square
Blvd	Boulevard	St	Street
Dr	Drive	E	East
Gr	Grove	N	North
Hwy	Highway	S	South
Pl	Place	W	West
Rd	Road		

HISTOIRE

L'histoire de New York est, à elle seule, un résumé des grandes dates de l'histoire des États-Unis.

Indiens d'origine et premiers Européens

À l'origine, évidemment, les Indiens occupent la place : des *Lenape,* une tribu de langue algonquienne. *L'endroit s'appelait « Mannahatta »* ou « l'île aux Collines ». Les peuples algonquiens représentent à l'époque des centaines de tribus regroupant des centaines de milliers d'individus.

Si Christophe Colomb découvre officiellement l'Amérique en 1492, la tranquillité des peuples algonquiens ne sera pas troublée pendant encore un siècle, le temps que les concurrents nordiques de l'Espagne et du Portugal (qui s'étaient concentrés jusqu'alors sur l'Amérique centrale et du Sud) s'organisent.

Revenons à New York ! Quelques décennies après Colomb, en 1524, le roi de France, François Ier, missionne le Florentin Giovanni Da Verrazano pour explorer les côtes, dans le but de trouver un passage vers l'ouest.

Il ne manque pas de recenser depuis le pont de son bateau *la baie de New York qu'il baptise « Nouvelle Angoulême »* (aujourd'hui, le pont reliant Staten Island à Brooklyn, le Verrazano Bridge, commémore ce moment).

L'Anglais Henry Hudson, pour le compte de la Compagnie néerlandaise des Indes orientales (VOC), débarque le premier dans la baie qui, désormais, porte son nom. Il y fonde le premier établissement de peuplement de souche non américaine sous la forme d'un comptoir d'échange sur l'île de « Staaten Eylandt ».

De La Nouvelle-Amsterdam à La Nouvelle-York

Les premiers colons affluent, et le comptoir se transforme très vite en un village qu'ils baptisent La Nouvelle-Amsterdam. La naissance de New York se fait pacifiquement : en 1626, *Peter Minuit, gouverneur de la colonie, achète l'île de Manhattan aux Indiens pour 60 florins (l'équivalent de 24 $ actuels).* « La plus belle opération foncière de tous les temps », commentera l'écrivain new-yorkais Jerome Charyn. Les premières relations avec les Indiens du coin sont commerciales et inégales : des fourrures, revendues une fortune en Europe, contre des babioles sans valeur puis, bientôt de l'alcool et des armes à feu. Aussi, les Indiens abandonnent peu à peu leurs cultures pour se concentrer sur la chasse des animaux à fourrure. De cette façon, ils se privent petit à petit de leurs moyens de subsistance traditionnels.

En 1643, de premiers affrontements éclatent. Ceux-ci deviennent ensuite si fréquents qu'en 1653 Peter Stuyvesant (qui n'était ni un vendeur de cigarettes ni un voyagiste, mais le gouverneur de la ville) est obligé de faire construire une *palissade (wall) protectrice sur ce qui correspond aujourd'hui à Wall Street.*

La palissade sert aussi de protection contre les Anglais, dont la continuité territoriale des colonies est entravée par la petite colonie néerlandaise qui, en quelques décennies, est devenue le point de passage obligé du commerce transatlantique. *Les Anglais font le forcing et, en septembre 1664, ils s'emparent de la ville.* Elle compte alors 17 rues et presque autant de langues pour environ 1 500 âmes. Le roi d'Angleterre Charles II en fait aussitôt don à son frère James, le duc d'York. C'est à ce moment-là que *La Nouvelle-Amsterdam devient La Nouvelle-York, en anglais « New York ».*

Prospérité économique et esclavage

La croissance démographique se fait raisonnablement : *à la fin du XVIIe s, la ville de New York ne compte que 20 000 personnes, et 50 000* un siècle plus tard, en 1790. On est encore loin de la grande mégalopole !

Les 11 premiers esclaves africains débarquent d'un navire hollandais en 1626 pour satisfaire le besoin de main-d'œuvre dans les plantations (tabac). La main-d'œuvre servile est aussi utilisée pour la construction des routes, maisons, bâtiments officiels, ainsi que pour des fonctions domestiques. Moins de 40 ans plus tard, les Anglais reprennent à leur compte l'horrible trafic. N'ayant

que 600 esclaves pour commencer, ils ouvrent près d'une dizaine de marchés sur Wall Street. *En 1740, la population de New York se compose de près de 21 % d'esclaves* et, à la veille de la révolution qui chasse les Anglais de Charleston (Caroline du Sud) compte plus d'esclaves que New York.
En 1817, la ville et l'État de New York abolissent l'esclavage. Mais malgré cette abolition, le commerce persiste (jusqu'en 1865 aux États-Unis), et les affranchis de l'État de New York sont encore longtemps victimes des *blackbirders* qui kidnappent les Noirs dans les rues pour les vendre ensuite dans le Sud. De plus, même libres, ces nouveaux citoyens n'avaient pas la vie facile : confrontés à la concurrence de nouveaux immigrés blancs (principalement des Irlandais peu qualifiés), ils sont souvent victimes de préjugés raciaux sur le marché du travail. Le 13 juillet 1863, *la tension raciale se traduit par les draft riots,* des émeutes anticonscription qui sont détournées en émeutes raciales contre les populations noires de la ville (voir le film *Gangs of New York,* de Martin Scorsese).

Au cœur de la lutte

Après la Déclaration d'indépendance de 1776 et durant la guerre qui suivit, New York fut au centre de toutes les convoitises, en raison d'intérêts stratégiques et commerciaux évidents. George Washington, après avoir chassé les Anglais de Boston, fondit sur New York. Les combats firent de nombreuses victimes, parmi lesquelles beaucoup d'Indiens, encore présents dans la région à l'époque et qui penchaient, idéologiquement, plus du côté des Anglais. Dommage...
En décembre 1783, le drapeau aux 13 étoiles flotte sur Battery. *De 1784 à 1790, New York assure provisoirement le rôle de capitale des jeunes États-Unis.* En 1789, George Washington y est investi président.

L'urbanisation : du port à la ville

Et la ville continua de plus belle son extension. En 1811, sa croissance est devenue tellement rapide que le *Common Council,* l'équivalent de notre conseil municipal, décide d'un plan en damier. *On oriente les rues d'est en ouest et les avenues du nord au sud.* Sur ce point au moins, rien n'a changé, et même si c'est un peu monotone, ça a le mérite d'être simple.
Seul Broadway fait exception à la règle. C'est la seule avenue qui traverse Manhattan en biais du nord-ouest au sud-est. Broadway est en fait un ancien sentier indien qui, comme l'avenue aujourd'hui, rejoignait la banlieue de Yonkers.
Ce n'est qu'après la construction du canal Érié en 1825, reliant la ville de New York aux Grands Lacs, que l'intérieur de l'État commença à se développer économiquement. C'est grâce à cette croissance industrielle et agricole que les capitalistes de Wall Street firent fortune. Depuis lors, l'État de New York est dominé politiquement et économiquement par la ville de New York, qui n'en est même pas la capitale (c'est Albany !).
Le 1er janvier 1898, 40 municipalités différentes, des villages fermiers de Queens et Staten Island à la ville-champignon de Brooklyn, se sont jointes à Manhattan et au Bronx pour devenir la *première ville mégalopole : New York City.* Avec cette unification, la population fait un bond pour atteindre 3,5 millions d'habitants, *New York devient la ville la plus peuplée des États-Unis et la deuxième du monde après Londres.*
Les premiers parcs urbains apparaissent dès 1860 : *Central Park,* puis Riverside Park dans Manhattan et *Prospect Park à Brooklyn.* Parallèlement, après de terribles incendies en 1835 et 1845, la ville se dote d'un corps de sapeurs-pompiers professionnels et une loi est instaurée qui oblige les propriétaires d'immeubles à construire des *fire escapes,* ces escaliers métalliques à l'extérieur des buildings qui donnent encore aujourd'hui une physionomie si particulière aux rues new-yorkaises.

La ville la plus...

Au XIXe s, New York devient la ville de tous les superlatifs : la plus active, la plus riche de toutes, etc. ; *son port est le plus grand du monde de 1820 à 1960.* Il périclitera ensuite, victime de l'invention du conteneur, qui entraînera la délocalisation des installations portuaires dans le New Jersey. Et ruinera Brooklyn pour quelques décennies.

Mais n'allons pas trop vite. À la fin du XIXe s, tout l'argent de cette prospérité est alors investi pour faire de New York ce qu'elle est devenue. De grands projets immobiliers voient le jour. Le premier d'entre eux est la **construction du pont de Brooklyn,** qui s'achève en 1883. La vue sur Manhattan y est sublime au coucher du soleil... Puis arrivent les gratte-ciel, si caractéristiques de New York. Les entreprises américaines, qui avaient presque toutes leur siège à New York (70 % en 1900), sont les principaux promoteurs de buildings, la hauteur de leurs immeubles faisant sentir à tous leur puissance. Pour les construire et, plus tard, les occuper, les promoteurs trouvent une main-d'œuvre en nombre avec les immigrants.

Les immigrants

Les tout premiers immigrants arrivent en 1624 : 23 juifs séfarades exilés du Brésil. Fuyant la misère, la famine, les persécutions politiques, raciales ou religieuses, ils sont 12 millions en un peu plus de 30 ans, de 1892 à 1924, à faire le voyage jusqu'au pied de la statue de la Liberté, symbole des chaînes brisées. Irlandais, Allemands, Italiens, juifs d'Europe centrale, tous viennent chercher en Amérique une vie meilleure (en 1914, un septième des juifs d'Europe centrale avaient émigré aux États-Unis).

Depuis la fin de la guerre froide, beaucoup de Russes vivent à New York. Tout cela n'est pas sans poser des problèmes de racisme, de communication, de morale et d'intégration. Et même si chaque communauté s'est plus ou moins bien fondue dans la cité, les traditions demeurent ou renaissent plus fortes que dans le pays d'origine. La fête de la Saint-Patrick, par exemple, est une tradition sacrée chez les Irlandais de New York (le 17 mars).

Ces différences, ces conflits, même s'ils sont souvent très enrichissants pour les hommes un tant soit peu ouverts, ont fait l'affaire de la presse, qui vit ici une manne formidable pour assurer son développement. *Ainsi, à la fin du XIXe s, New York compte à elle seule 146 journaux quotidiens en une demi-douzaine de langues différentes.*

La « loi sèche »

Après la Première Guerre mondiale, une nouvelle bataille ronge l'Amérique : celle de la lutte contre l'alcool. *En 1919, la Prohibition* (la « loi sèche »), votée par le Congrès, interdit à quiconque de consommer de l'alcool sur le territoire américain. Au pays du bourbon, ce ne pouvait être que problématique. *New York devient la tête de pont d'un gigantesque réseau de contrebande* où les gangs dirigés par Al Capone et Lucky Luciano (originaire du même village que Frank Sinatra, soit dit en passant !) s'affrontent pour l'argent de l'alcool clandestin. À l'heure où l'on parle d'argent de la drogue, cela peut faire doucement rigoler. Toujours est-il que c'est à New York que l'on retrouve les premiers cadavres mafieux, au fond du fleuve, les pieds coulés dans le béton. Pas moins de 32 000 *speakeasies* (bars clandestins) ont été dénombrés dans la ville à l'époque.

Années folles et années noires

Après les Années folles vinrent les années noires. Durant l'été 1929, l'indice de référence de la Bourse monte de 110 points. Tout le monde achète, sûr de revendre plus cher rapidement. Mais, *le 24 octobre 1929, le tristement célèbre Jeudi*

noir, les cours s'écroulent.
Une vraie panique. Les ventes se succèdent à un rythme hallucinant durant 22 jours. Le krach est total : mi-novembre, le marché a baissé de plus de 40 %. Un exemple : les actions d'une société de machines à coudre passent en 5 jours de 48 à... 1 $. Les actions Chrysler, elles, perdent en tout 96 % de leur valeur.
De boursière, la crise devient économique puis sociale.
Le gouverneur de New York commence alors à organiser des secours efficaces, car l'Armée du salut est débordée de demandes d'hébergement. Le chômage se développe tous les jours, jusqu'à

LE DOW JONES POUR LES NULS

Le plus vieil indice boursier est le Dow Jones de New York. Il appartient à la Dow Jones & Company, également propriétaire du Wall Street Journal, la bible des banquiers. Ils furent créés tous deux par Charles Henry Dow (1851-1902), à l'origine journaliste. Son objectif était d'évaluer le cours global de la Bourse de New York, le New York Stock Exchange, en se basant sur 30 entreprises représentatives cotées en Bourse. Il s'associa à un statisticien, Edward Jones, et créa le fameux Dow Jones.

toucher bientôt la moitié de la population active. La production industrielle s'effondre. La misère est partout. Ce gouverneur s'appelait Franklin Delano Roosevelt. Il allait faire reparler de lui un peu plus tard.
Évidemment, une telle crise ne pouvait manquer de favoriser la corruption, la magouille et le crime. En 1933, les New-Yorkais en ont assez et ils élisent un maire bien décidé à nettoyer tout cela. Fiorello La Guardia fait un grand ménage. En 12 ans, il purge le personnel municipal corrompu, les flics ripoux et démantèle le syndicat du crime. Pour contrer la crise, il lance un vaste programme de construction duquel naquirent l'*Empire State Building* (de 1929 à 1931) et le *Rockefeller Center* dont l'édification débute en 1932.
Au début de la Seconde Guerre mondiale, *New York devient la capitale intellectuelle du monde occidental,* investie par les génies qui viennent s'y réfugier : Einstein, Dalí, Thomas Mann, Stravinski, Brecht, et même Saint-Exupéry, dont la première édition du *Petit Prince* sortit à New York...

Seconde moitié du XXe s : des hauts et des bas

En 1945, la Société des nations laisse la place à l'ONU, qui installe son siège à New York. L'après-guerre est prospère du point de vue économique, comme c'est souvent le cas, mais c'est là le seul point positif. Car New York est rongée par les *problèmes de logement et d'insalubrité.* La ville est sale, très sale, et des millions de rats hantent les égouts. La dégradation rapide des logements favorise la spéculation immobilière sous toutes ses formes. Peu à peu,

POURQUOI LA « BIG APPLE » ?

L'expression fut utilisée, vers 1930, par les musiciens des jazz bands désignant New York comme la capitale mondiale du jazz. Big Apple était alors le nom d'un club de Harlem. Quand on avait un concert dans la « Big Apple », cela voulait dire qu'on avait décroché le gros lot, la big town. En 1971, l'office de tourisme reprit l'expression pour dynamiser le tourisme, avant de lancer un slogan imparable : I ♥ NY.

les classes aisées désertent le centre-ville, entraînant la fermeture de nombreux commerces. *L'insécurité augmente et de graves émeutes noires éclatent à Harlem durant les années 1960.*
Résultat : en octobre 1975, avec 13 milliards de dollars de dettes, New York échappe de peu à la faillite. Le gouvernement de l'État, les banques et les

syndicats s'associent pour éviter le chaos. Les finances sont redressées en moins de 1 an.

En novembre 1977, Edward Koch est élu sur la base d'un programme dur, visant à assainir la ville et ses finances de toutes les corruptions. Durant 12 ans, il donne un nouvel élan à New York. En 1989, il est remplacé par le démocrate David Dinkins, le **premier maire black**

> ## ÉTEINS LA LUMIÈRE
> *En août 1977, une gigantesque panne de courant plonge New York dans le noir durant 25h... et déclenche un mini baby-boom 9 mois plus tard !*

de New York. Rien d'étonnant dans une ville où les Noirs et les Hispaniques représentent la moitié de la population.

En novembre 1993, après 30 ans d'absence, les conservateurs reprennent la mairie avec Rudolph Giuliani. Il y restera jusqu'en 2001.

La renaissance de New York

Comme il l'avait promis dans sa campagne électorale, **Rudolph Giuliani « nettoie » littéralement New York,** ville réputée ingouvernable (la Big Apple avait été rebaptisée la « Rotten Apple », la « Pomme pourrie »). Ancien procureur, il fait tomber le parrain des *Latin King* et celui de la *Cosa Nostra,* la mafia sicilienne, qui contrôlait par exemple le marché aux poissons de South Street Seaport.

Mais Giuliani ne s'attaque pas qu'aux gros poissons. Rue par rue, il reconquiert la ville en appliquant la **« tolérance zéro » en matière de vandalisme,** reprenant la théorie socio-urbaine du « carreau cassé », qui veut que des déprédations mineures encouragent une criminalité plus grave. En 6 ans, il met plus de 4 000 personnes en prison ! Aux antipodes de la tolérance chère aux New-Yorkais, cette politique entraîne de nombreuses bavures, mais connaît un succès indéniable, faisant de New York l'un des endroits les plus difficiles pour obtenir un permis de port d'arme et aujourd'hui la ville la plus sûre des États-Unis. Les crimes en tout genre diminuent de moitié, le nombre de meurtres chute de 60 %, les rues deviennent plus propres et près de 320 000 emplois sont créés.

Enfin, durant son premier mandat, Giuliani **remet les caisses de la mairie à flot** : de - 2,3 milliards de dollars en 1993, la balance passe à + 2 milliards en 1998.

Mardi 11 septembre 2001 : l'acte de guerre

Le 11 septembre 2001 marque d'une pierre noire l'entrée dans le XXIe s. Ce matin-là, quatre avions commerciaux américains sont détournés par des terroristes kamikazes et transformés en bombes volantes. Trois appareils atteignent leur cible : **deux avions s'écrasent sur les Twin Towers,** symboles de Manhattan et de la puissance économique américaine, et le troisième sur le Pentagone à Washington, symbole de sa puissance militaire. Quant au quatrième, il termine sa course près de Pittsburgh, en Pennsylvanie, avant d'avoir atteint son objectif. C'est la plus grosse attaque terroriste jamais commise contre un État. Le bilan est tragique et les pertes humaines sont les plus lourdes pour les États-Unis depuis la guerre du Vietnam : **près de 3 000 morts et autant de blessés.** En tout, moins de 2h auront suffi à Oussama ben Laden, milliardaire intégriste musulman, jadis formé et armé par la CIA pour lutter contre l'Union soviétique en Afghanistan, pour mettre le monde entier en état de choc. Après Pearl Harbor, les États-Unis sont à nouveau victimes d'un acte de guerre sur leur propre sol, sans rien avoir vu venir. Ce qui frappe dans ces attentats, c'est la démesure de la violence et la dimension mondiale : **80 nationalités furent recensées parmi les victimes du World Trade Center,** un des lieux les plus cosmopolites de la planète.

Les conséquences économiques de ces événements sont sévères. La zone proche des attaques est paralysée pendant de nombreuses semaines, et les cours immobiliers chutent. Les assurances enregistrent les plus grosses pertes de leur histoire, les compagnies aériennes vivent une crise financière sans précédent, sans parler du coût de la reconstruction. L'impact psychologique est au moins aussi important.

L'après-11 Septembre : 10 ans pour rebondir

Le 11 septembre 2001 précipite une récession déjà en embuscade. À l'arrivée à la tête de la ville de Michael Bloomberg, homme d'affaires élu grâce au parrainage de Giuliani mais surtout grâce à sa fortune, les finances municipales sont en état de crise aiguë. Mais c'est sans compter sur le dynamisme de la Grosse Pomme qui veut croquer la vie à pleines dents, puisant dans son exceptionnel réservoir d'énergie. Si, sur le site du World Trade Center, un ambitieux projet architectural sort de terre, *la reconstruction est d'abord économique,* mise à mal tout de même par la nouvelle crise de 2008. *Subprimes,* faillite de la banque *Lehman Brothers...* Bis repetita, comme en 1929, le séisme dont l'épicentre se trouve à New York s'étend à la planète, et affecte des centaines d'entreprises dans le giron même de Wall Street.

La *nouvelle de la mort de Ben Laden,* tué par un commando américain en mai 2011, provoque une explosion de joie à New York. Seulement 10 ans après le 11 Septembre, *New York retrouve toute sa vitalité et son énergie créatrice.* Les signes de reprise se multiplient, et la crise financière appartient désormais au passé. Après avoir longtemps broyé du noir, Manhattan voit désormais la vie en... vert. Une *vague écolo,* encouragée par le maire, déferle sur la ville. *La Big Apple se mue en Green Apple,* une ville plus zen où l'on prend le temps de vivre, de respirer, de savourer. Tel le Phénix, New York renaît de ses cendres jusque dans ses boroughs, Brooklyn en tête, mais aussi le Bronx et Queens. Quant à Harlem, il devient une destination culturelle et gastronomique privilégiée.

Cependant, si New York se porte mieux, la jeunesse prend la crise de plein fouet. En septembre 2011, un millier de personnes occupe le parc Zuccotti (près de Wall Street) pour dénoncer les abus du capitalisme financier et le scandale des inégalités sociales. C'est le début du *mouvement Occupy Wall Street,* qui rapidement s'étend à l'ensemble du pays, sur le modèle des Indignés espagnols et du Printemps arabe, et soutenu par Michael Moore, Salman Rushdie, Noam Chomsky, Radiohead, Paul Krugman (Prix Nobel d'économie 2008)... et le milliardaire George Soros.

Fin octobre 2012, 1 semaine avant l'élection présidentielle, *un redoutable ouragan frappe la côte est des États-Unis.* D'une violence « historique », *Sandy touche de plein fouet le sud de Manhattan* (y compris les abords de la statue de la Liberté) *et certains quartiers de Brooklyn* (Red Hook surtout). Une quarantaine de morts seront recensés dans la seule ville de New York et les dégâts se chiffrent en milliards de dollars. Même le célèbre marathon doit finalement être annulé.

2014-2016, de Blasio rompt les standards

Fin 2013, après trois mandats à la tête de la ville, Michael Bloomberg passe la main. Certes, il aura été l'artisan du formidable rebond d'après le 11 Septembre, mais les mauvaises langues estiment qu'il a surtout embourgeoisé la ville avec son approche d'homme d'affaires et accru les inégalités. C'est un démocrate, quasi inconnu jusque-là, qui emporte la mairie fin 2013, en prenant l'exact contre-pied de son prédécesseur.

Dénonçant une ville à deux vitesses, Bill de Blasio, 52 ans, est le plus grand maire de New York (1,95 m) et est élu largement avec 73 % des voix. Un score à relativiser, seul un quart des New-Yorkais étant allé voter. Il a promis de *s'attaquer aux inégalités sociales,* de rouvrir des hôpitaux publics (12 ont fermé sous Bloomberg), de construire 200 000 logements sociaux, de taxer plus lourdement les plus

riches afin de financer l'école maternelle pour tous dès 4 ans. Dans une ville plus que jamais multiethnique, *il fait de sa famille atypique un argument de poids.*
Sa femme, poétesse et ancienne lesbienne, est afro-américaine, ses enfants, deux ados, sont évidemment métis. Son fils (à la coupe afro détonante !) a même tourné un spot de campagne pour dénoncer la pratique policière du « *stop and frisk* » que son père entend bien réformer, une arrestation arbitraire de passants avec fouille superficielle qui touche en priorité les minorités (Noirs et Hispaniques). Cette première promesse de campagne est mise à mal dès la fin 2014 quand plusieurs semaines de manifestations contre les violences policières (suite à la mort d'un jeune Noir) et de tensions raciales se soldent par l'assassinat de deux policiers. Des milliers de collègues assistent aux obsèques le 27 décembre et tournent le dos à l'écran quand le maire prononce l'éloge funèbre. Ambiance. Il a pourtant nommé à la tête de la police new-yorkaise (poste qu'il avait déjà occupé) William Bratton, connu pour ses bons résultats en termes de lutte contre les crimes et délits et de rapprochement entre les minorités ethniques et la police. En mars 2015, de Blasio surprend son monde en incluant au calendrier du million d'écoliers new-yorkais deux nouveaux jours fériés liés aux fêtes musulmanes. S'il faudra attendre la fin du mandat pour tirer un bilan de l'ère de Blasio, il est indéniable qu'il a d'ores et déjà insufflé à la Big Apple un souffle atypique, tranchant radicalement avec les années Bloomberg.
Le 29 mai 2015, l'*observatoire de la tour du One WTC* est ouvert au public, offrant la vue la plus haute du pays, à 360°. Rien ne semble arrêter New York, à part peut-être Snowzilla, la tempête de neige record de fin janvier 2016 qui mit la ville à l'arrêt le temps d'un week-end, mais un week-end seulement !

MÉDIAS

Votre TV en français : TV5MONDE, la première chaîne culturelle francophone mondiale

Avec ses 11 chaînes et ses 14 langues de sous-titrage, TV5MONDE est distribuée dans plus de 190 pays du monde par câble, satellite et sur IPTV. Vous y retrouverez de l'information, du cinéma, du divertissement, du sport, du documentaire...
Grâce aux services pratiques de son site voyage ● *voyage.tv5monde.com* ●, vous pouvez préparer votre séjour, et une fois sur place, rester connecté avec les applications et le site ● *tv5monde.com* ● Demandez à votre hôtel le canal de diffusion de TV5MONDE et contactez ● *tv5monde.com/contact* ● pour toutes remarques.

Euronews

Chaîne d'information la plus regardée en Europe, Euronews traite l'actualité mondiale en continu. Grâce à ses 400 journalistes de plus de 30 nationalités, la chaîne est accessible 24h/24 en 13 langues.
Véritable hub média multiculturel indépendant, Euronews porte un regard unique sur les événements et en propose une analyse factuelle. Créée en 1993, à Lyon, la chaîne s'adresse à 400 millions de foyers dans 155 pays et est disponible partout à travers le globe via ses déclinaisons digitales (Internet, applications mobile, TV connectée, web radio...).

Liberté de la presse

Après 8 années sous George W. Bush, caractérisées par une grave régression des libertés publiques au nom de la sécurité nationale, l'arrivée au pouvoir de Barack Obama avait suscité beaucoup d'optimisme. Ces espoirs ont rapidement été déçus concernant la liberté de l'information, régulièrement mise à mal en dépit des principes du Premier amendement de la Constitution.

Les procédures engagées par le gouvernement à l'encontre de « lanceurs d'alerte » *(whistleblowers)* dans des affaires de fuites d'informations se sont multipliées à un rythme sans précédent depuis l'arrivée du président Obama à la Maison Blanche, au titre de la loi sur l'espionnage du 15 juin 1917 *(Espionage Act)*. Bradley Manning, jeune analyste de l'armée américaine, a ainsi été condamné à 35 ans de prison pour avoir transmis à WikiLeaks des documents militaires secrets relatifs aux guerres en Afghanistan et en Irak. D'autres affaires sont emblématiques de ce qui s'apparente à une véritable chasse aux sources, comme la saisie des relevés téléphoniques d'*Associated Press* par le Département fédéral de la Justice, révélée en mai 2013, afin d'identifier les informateurs de l'agence. Ou encore la décision de justice ordonnant à James Risen, reporter du *New York Times*, de témoigner dans le cadre d'un procès à l'encontre d'un ancien agent de la CIA accusé de lui avoir transmis des informations classifiées. James Risen risquait une peine de prison puisqu'il refusait d'identifier sa source. Après une longue bataille juridique et une importante campagne de mobilisation de l'opinion publique, le Département de la Justice a finalement renoncé à ses poursuites envers le journaliste début 2015. En revanche, l'ancien analyste de la CIA Jeffrey Sterling, accusé d'être la source de James Risen, a été condamné en janvier 2015 à 3 ans et demi de prison, sur la seule base de métadonnées faisant preuve des e-mails et conversations téléphoniques entre les deux hommes, sans aucune preuve de leur contenu. Jeffrey Sterling est aujourd'hui en prison. L'analyste informatique et lanceur d'alerte Edward Snowden, qui a révélé en 2013 des programmes de surveillance généralisée de la National Security Agency (NSA), est actuellement poursuivi pour avoir violé l'*Espionage Act* et reste bloqué en Russie où il est exilé.

Il n'existe toujours aucune loi bouclier *(shield law)* garantissant la protection des sources des journalistes au niveau fédéral, en dépit de l'existence d'une telle législation dans une trentaine d'États fédérés. L'absence de cette garantie – en raison de craintes relatives à la sécurité nationale – pèse directement sur l'activité des journalistes. De fait, la confidentialité des échanges entre ces derniers et leurs sources est une condition essentielle à l'exercice de la liberté de l'information, notamment quand des données sensibles sont en jeu.

Par ailleurs, les difficultés d'accès à l'information publique restent fréquentes, toujours au nom de la sécurité nationale, comme en attestent les modalités d'application du *Freedom of Information Act*. Cette loi autorise la rétention d'informations par les administrations, alors que celle-ci devait rester exceptionnelle.

L'existence de programmes de surveillance généralisée, mis en place par les autorités, constitue une autre source de préoccupation. Selon des révélations faites en juin 2013, 9 géants de l'Internet US auraient facilité l'accès des services de renseignement américains aux données de leurs utilisateurs, dans le cadre du programme Prism, mis en place dès 2007 avec l'approbation du Congrès. De même, la société de télécommunications *Verizon* livrerait chaque jour les détails des appels téléphoniques de millions de citoyens américains et étrangers à la National Security Agency (NSA). De tels programmes, attentatoires à la vie privée, mettent à mal la liberté d'expression et d'information.

Enfin, de nombreuses entraves à la liberté d'information ont été répertoriées lors des manifestations d'Occupy Wall Street, fin 2011, mais encore à l'été 2014 lors des manifestations à Ferguson dans le Missouri, ou en 2015 à Baltimore. Des dizaines de journalistes ont alors été brièvement arrêtés par la police ou attaqués par les manifestants.

L'attitude du candidat à l'élection présidentielle Donald Trump a soulevé de graves inquiétudes, puisqu'il n'a pas hésité à retirer les accréditations presse aux journalistes du *Washington Post* et à menacer de poursuivre en justice les médias en réformant les lois sur la diffamation.

Ce texte a été réalisé en collaboration avec **Reporters sans frontières.** Pour plus d'informations sur les atteintes aux libertés de la presse, n'hésitez pas à les contacter.

■ **Reporters sans frontières :** CS 90247, 75083 Paris Cedex 02. ☎ 01-44-83-84-84. ● rsf.org ●

Journaux

Les quotidiens

Hier véritables institutions, les quotidiens américains souffrent d'une érosion profonde et continuent de perdre une partie de leur lectorat. Plusieurs journaux régionaux ont cessé de paraître ces dernières années, ou sont passés sous format uniquement numérique. Ce dernier représente désormais environ 20 % de la diffusion. Vous serez surpris du tarif ridicule de ces journaux : 50 cents à 1 $ en semaine (l'édition du dimanche est toujours plus chère).

– Le **New York Times,** né en 1905, compte parmi les monuments de la ville et représente une véritable référence au-delà. Journal progressiste et de qualité. L'édition du dimanche (environ 5 $) est une encyclopédie de 2 kg pleine d'adresses pratiques, de renseignements sur les spectacles, les sorties...

– Autres quotidiens : le **Wall Street Journal,** sérieux et conservateur (2,4 millions d'exemplaires vendus chaque jour dans le pays) ; **USA Today,** le seul quotidien généraliste national (très grand public et de qualité médiocre). Et puis les tabloïds (appelés ainsi à cause de leur format plus petit), comme Daily News, New York Post... remplis de scandales, de potins mondains et de mauvais esprit.

– **am New York :** gratuit, à dispo dans les boîtes rouges disposées à tous les coins de rue ou presque.

LE POIDS DES MAUX

L'industriel américano-anglais Henry Wellcome fonda dans les années 1880 son empire pharmaceutique sur une idée simple : compresser les poudres médicinales sous forme de comprimés, qu'il appela tabloïds, avant de les rebaptiser tablets. Par la suite, les premiers journaux populaires adoptèrent un format moitié moins grand que celui des journaux traditionnels, et par là même le terme de tabloïds. Aujourd'hui, ce format réduit est largement utilisé dans la presse de chaque côté de l'Atlantique.

Les hebdos

Les plus intéressants pour les touristes sont :

– **The Village Voice :** cofondé par Norman Mailer, c'est toujours une mine d'infos sur la vie culturelle de la Big Apple : spectacles, cinés, vie culturelle et nocturne, mais aussi petites annonces, location d'appartements. Il est gratuit, sort le mercredi et on le trouve dans les bars un peu branchés ou dans les distributeurs rouges situés à certains croisements de rues (surtout dans les quartiers tendance). Il existe aussi une version on line (● villagevoice.com ●).

– **Time Out New York :** comme pour The Village Voice, tout y est pour sortir avec encore plus de détails et d'informations. En vente à partir du jeudi. Sinon, version en ligne (● timeout.com/newyork ●).

– **New York Magazine :** tout sur la vie culturelle et nocturne de New York, mais cette fois sous forme de magazine (● nymag.com ●).

– **The L Magazine :** plutôt axé sur Brooklyn, avec une version en ligne (● thelma gazine.com ●).

– **The New Yorker :** THE magazine intello et littéraire depuis 1925, sophistiqué, impertinent et décalé. Réputé pour ses couvertures illustrées par des dessinateurs pointus (longtemps réalisées par Sempé mais aussi Art Spiegelman), ses dessins humoristiques et sa rubrique « The Talk of the Town » farcie de potins manhattaniens. Il faut tout de même un bon niveau d'anglais pour le lire, mais encadrer une couverture vous fera un joli souvenir de voyage !

PERSONNAGES

Cinéma, télévision

Demandez au premier venu quel est le réalisateur le plus emblématique de New York, il est fort à parier que le nom qu'il vous sortira sera **Woody Allen.** Fils d'un chauffeur de taxi, ce gamin de Brooklyn a tiré l'essentiel de son inspiration de sa ville natale dans laquelle il a réalisé (il n'y a souvent qu'à lire le titre pour s'en convaincre !) *Manhattan, Crimes et Délits, Meurtre mystérieux à Manhattan, Coups de feux sur Broadway,* etc. Mais c'est en quittant New York pour l'Europe que Woody Allen crève le grand écran en tournant avec la sulfureuse **Scarlett Johansson** (elle aussi enfant de New York) certains de ses plus grands succès : *Match Point* (2005), *Scoop* (2006) et *Vicky Cristina Barcelona* (2008).

New York, c'est aussi la ville de **Robert De Niro** et de son compère **Martin Scorcese,** avec lequel il signe l'odyssée hallucinante de *Taxi Driver* (1976) puis *Raging Bull* (1980), un film consacré au boxeur Jake LaMotta pour lequel il prend 30 kg. On lui doit également la réalisation d'une belle fresque sur l'immigration italienne dans les années 1960, *Il était une fois le Bronx* (1993). Quelques décennies plus tôt, dans *Le Parrain II* (1974) de **Francis Ford Coppola,** il jouait le rôle de Vito Corleone jeune et faisait la rencontre d'une autre pointure italo-new-yorkaise du cinéma américain : **Al Pacino** (également inoubliable dans *Un après-midi de chien* de Sidney Lumet, tourné à Brooklyn en 1975).

Acteur et réalisateur engagé, **John Cassavetes** est l'archétype de l'auteur indépendant refusant le système hollywoodien. Dès son premier film réalisé dans les ruelles sombres de New York, *Shadows* (1958-1959), il développe un style cinématographique unique qui lui permet de coller à la réalité, encore méconnue à l'époque, du sous-prolétariat noir. Ses films, dont l'influence sur le cinéma d'auteur français est considérable, se feront ensuite « en famille », avec Peter Falk, Ben Gazzara et son épouse Gena Rowlands : *Husbands* (1970), *Une femme sous influence* (1974), *Opening Night* (1979), *Gloria* (1980) ou *Love Streams* (1984).

Plus militant encore, amoureux de New York et inconditionnel des Knicks, **Spike Lee** dépeint la communauté afro-américaine de Brooklyn (où il a longtemps vécu) confrontée au racisme et à la violence : *She's Gotta Have It* (1986), *Do The Right Thing* (1989), *Malcolm X* (1992)... Ses prises de position sur les questions identitaires font souvent polémiques, notamment lors de son boycott de la cérémonie des oscars en 2016 et son militantisme pour une discrimination positive en faveur des Noirs.

Du grand au petit écran, il n'y a qu'un pas. New York est une source d'inspiration intarissable pour les réalisateurs de séries, des mythiques **Soprano** revisitant avec brio le thème de la mafia, aux publicitaires sixties de **Mad Men** en passant par les histoires de copains-copines avec **Friends, Sex and the City, How I Met Your Mother, Ugly Betty, Gossip Girl** ou **Girls,** tournée en grande partie à Brooklyn, du côté de Greenpoint. Enfin, 2016 voit l'arrivée de la nouvelle série-événement **Vinyl,** créée par Martin Scorsese et Mick Jagger, nous plongeant dans le monde des producteurs de disques de la mythique année 1973. On est accro dès le premier épisode !

Musique

Ville du jazz, principal foyer de la création classique aux États-Unis, New York est aussi un bastion incontesté du rock et des grandes comédies musicales.

C'est ici encore, dans le Bronx précisément, que naquit le hip-hop au début des années 1970.

Côté musique classique, outre le chef d'orchestre et compositeur **Leonard Bernstein** (sa célèbre comédie musicale *West Side Story* a pour cadre l'Upper West Side), saluons **George Gershwin** dont la musique symphonique innovante *(Rhapsody in Blue, Un Américain à Paris)* mêle les rythmes jazzy aux bruits de la jungle urbaine. Il eut notamment pour maître, au même titre qu'**Aaron Copland,** le compositeur et new-yorkais d'adoption **Charles Ives.** La relève est aujourd'hui assurée avec les compositeurs minimalistes **Philip Glass** et **Steve Reich** (chez ce dernier, plusieurs œuvres dédiées à New York, dont *WTC 9/11* en 2011).

Le jazz maintenant. Originaire de Caroline du Nord, **Thelonious Monk** s'installe à New York dès l'âge de 6 ans et tombe littéralement amoureux de sa ville d'adoption. Ce grand prêtre du *be-bop* marque les hauts lieux du jazz new-yorkais, de Harlem à Lower East Side. Plus près de nous, **Peter Cincotti** (1983) débute le piano à l'âge de 4 ans. À 12 ans, il « s'entraîne » à la Maison Blanche avant de conquérir Broadway dans une production signée Frank Sinatra. Son

LE PREMIER OPÉRA NOIR

L'opéra de George Gershwin Porgy and Bess *fut joué pour la première fois au Carnegie Hall de New York en 1935. Particularité : la quasi-totalité des rôles est tenue par des Noirs. La véritable reconnaissance de cette œuvre importante du répertoire américain ne viendra que dans les années 1980 avec son titre phare* Summertime. *Ce fut en tout cas un tremplin pour nombre d'artistes noirs en début de carrière !*

deuxième album *On the Moon* connaît un succès mondial retentissant.

Dans un tout autre registre, impossible de tous les citer, mais voici quand même quelques-uns des plus célèbres enfants du *rock*. Commençons avec les **Beastie Boys** (Mike D, Ad-Rock et MCA), groupe culte des années 1980, qui a su défendre le hip-hop auprès des amateurs de rock indépendant. Fondateur (avec **John Cale**) du **Velvet Underground,** groupe phare de la scène new-yorkaise des seventies, **Lou Reed** (1942-2013) est une véritable icône du rock, si ce n'est pas la plus grande. Ses textes et sa musique, empreints de noirceur, évoquent entre espoir et mélancolie, son amour pour New York et ses nombreuses addictions : *Sweet Jane, Vicious* et son seul véritable « tube » *Walk on the Wild Side* en sont l'expression la plus convaincante (mais son œuvre complète est à déguster comme celle d'un grand poète de notre temps). Plus radical, le punk rock s'impose sur la scène musicale new-yorkaise des années 1970 avec **Blondie,** la pionnière du genre, le son révolutionnaire des **Ramones** ou l'éclectique **Patti Smith.**

New York a vu aussi naître de grandes voix féminines. Celle de **Maria Callas** (1923-1977) d'abord, qui grandit dans le quartier grec d'Astoria (Queens) et révolutionnera l'art lyrique au XXe s. Puis, le timbre unique de **Barbra Streisand** (1942), qui reprend les standards du répertoire américain et dont on ne compte plus ni les récompenses obtenues (oscar, Emmy, Grammy... Tony !) ni les albums vendus dans le monde entier. Chanteuse pop au succès phénoménal dans les années 1990, **Mariah Carey** (1970) possède une voix hors du commun. De sa note la plus grave à la plus aiguë, on compte un total de 33 notes, soit 5 octaves ! Autre timbre envoûtant et mélancolique, celui de **Lana Del Rey** (1985) qui, derrière une plastique parfaite de *baby doll,* dissimule l'âme sensible d'une véritable autodidacte. Issue de la même génération, **Alicia Keys** (1981), la petite fille de Harlem élevée seule par sa mère et aujourd'hui métamorphosée en diva de la soul. Enfin, l'extravagante **Lady Gaga** (1986), dont les tubes interplanétaires *(Poker Face, Bad Romance...),* les clips excentriques et les tenues tape-à-l'œil lui assurent un succès en continu. À moins que la jeune rappeuse **Azealia Banks,** un autre produit de New York, révélée sur Internet avec son tube *212,* ne la fasse passer aux oubliettes !

Eh oui car, entre New York et le *rap,* c'est une grande histoire d'amour. Né à Brooklyn, le rappeur **Jay-Z** (1969) est devenu un véritable businessman avec une fortune estimée à 520 millions de dollars ! Son tube *Empire State of Mind,* chanté en duo avec Alicia Keys, évoque à lui seul l'incarnation du rêve américain. Après avoir lancé la chanteuse Faith Evans et le rappeur **Notorious B.I.G., Sean Combs** (1969) produit **Queen Latifah** et la chanteuse aux nombreuses facettes **Jennifer Lopez,** née dans le Bronx, avant d'entreprendre sa carrière solo sous le nom de **Puff Daddy** (ou **P. Diddy**) célèbre pour ses tubes de boîtes de nuit. Et peu importe si ses polémiques alimentent la presse à scandale... Rappeur mais aussi producteur talentueux, on doit à **Rza** (1969) tous les albums du collectif new-yorkais **Wu Tang Clan,** dont il est l'un des membres fondateurs. Adepte des sonorités soul américaines, il travaille aussi pour les B.O. des films *Ghost Dog* et *Kill Bill 1* et *2.* Enfin, **Tupac Shakur** (1971-1996) est considéré comme l'un des plus grands rappeurs de son temps. Natif de Harlem, son assassinat en 1996 lui confère presque son statut de « saint », symbolise à lui seul les rivalités meurtrières des gangs.

Littérature et poésie

Avec son recueil *Feuilles d'herbe,* le poète **Walt Whitman** capte fin XIXᵉ s une partie de la force lyrique de la grande cité. Ce ressenti mystérieux, fait d'aléatoire et d'anonymat, imprègne aussi la *Trilogie new-yorkaise* de **Paul Auster.** Par la suite, l'auteur se renouvelle avec *Léviathan, Moon Palace, Brooklyn Follies* et *Sunset Park...* des romans plus amples, interrogeant l'Amérique et ses valeurs. Avec **Francis Scott Fitzgerald** *(Gatsby le Magnifique),* **Edith Wharton** et **John Dos Passos** *(Manhattan Transfer),* partez à la découverte du New York des Années folles, dans une ambiance jazzy. Quant au mythe du rêve américain, il reste une source d'inspiration pour de nombreux auteurs. Isaac Sidel, héros principal des romans de **Jerome Charyn,** gravit un à un les échelons de la société pour devenir, au fil des opus, maire de New York... puis président des États-Unis ! D'autres décriront la Big Apple dans tous ses excès (sexe, drogue, luxe). On pense au succès (5 millions d'exemplaires vendus) de *Portnoy et son complexe,* signé **Philip Roth.** Père de la révolution sexuelle, les essais d'**Henry Miller** (interdits à la vente aux États-Unis jusqu'en 1961) prônent la libération des mœurs. Les déboires de la jeunesse dorée de Manhattan font aussi le succès de *Gossip Girl,* le roman de **Cecily von Ziegesar,** devenu série par la suite.

Peinture

Le *street art* est roi à New York. Tous les supports sont bons pour être peints : murs, cartons, portes, fenêtres... et rien n'arrête **Jean-Michel Basquiat,** dont le talent est vite repéré par Andy Warhol. Décédé à l'âge de 27 ans d'une overdose, son succès fulgurant lui vaut d'être aujourd'hui numéro 1 des ventes d'art contemporain dans le monde. Dans la même veine, on pense aux silhouettes joyeuses et colorées de son ami **Keith Haring,** pionnier du graphisme. Militant homo, cet artiste contestataire disparaît lui aussi trop tôt, victime du sida à 31 ans. Influencé par l'art primitif africain, Jean-Michel Basquiat a aussi beaucoup puisé dans l'œuvre de **Jackson Pollock,** et principalement dans sa marque de fabrique, le *dripping,* c'est-à-dire des projections de peinture liquide sur une toile posée à même le sol. Avec **Mark Rothko** et **Willem de Kooning,** Pollock s'affirme comme chef de file du mouvement expressionniste abstrait. L'une de ses toiles, intitulée *Nº 5,* s'est vendue à 140 millions de dollars !
Originaire de Pittsburgh et non de New York, **Andy Warhol,** artiste provocateur à l'égo surdimensionné, demeure l'une des figures emblématiques de la ville. Illustrateur publicitaire à ses débuts, il abandonne les comics pour éviter la comparaison avec **Roy Lichtenstein.** Mais le dada de ce « pape du pop art », c'est la photo-portrait de célébrités sérigraphiée sur toile. De Mao à Marylin Monroe, nombreux sont ceux qui se sont fait tirer le portrait !

Après le *street* et le *pop art*, voici le *néopop* de **Jeff Koons,** qui détourne les objets familiers issus de la culture populaire pour en subvertir les codes. C'est l'artiste vivant dont la cote est la plus élevée sur le marché de l'art. Son *Balloon Dog* a atteint les 58 millions de dollars en 2013 ! Toutes les créations de Koons sont le fruit de longues années d'expérimentation sur des matériaux high-tech, avec l'aide d'une centaine d'assistants, ingénieurs et artisans spécialisés qui le secondent dans ses ateliers de Chelsea.

MANGE TA SOUPE, ANDY !

Les psys sont unanimes, tout ce qui se passe pendant l'enfance a une influence sur le restant de la vie. Par exemple, les fameuses boîtes de soupe rouge et blanc, sérigraphiées par Andy Warhol à partir de 1962 et emblématiques de son œuvre, sont une réminiscence de ses jeunes années. Enfant chétif, souvent malade, il eut droit tous les jours, pendant 20 ans, à son bol de soupe Campbell's au dîner, ce qui lui a plutôt réussi.

Politique, société

À la tête de la municipalité new-yorkaise de 2001 à 2013, **Michael Bloomberg** n'a pas hésité à faire modifier la charte de la ville pour lui permettre de briguer un troisième mandat ! Ce milliardaire (10e fortune américaine grâce à l'agence d'informations financières portant son nom) n'appartient à aucun parti politique. Ultralibéral en économie mais progressiste en matière de valeurs sociales, il s'est démené comme un forcené pour redonner à New York l'énergie perdue après le 11 Septembre. Remplacé depuis 2014 par **Bill de Blasio,** ex-compagnon de Bill Clinton puis d'Hillary dans leurs campagnes politiques respectives, ce démocrate de 1,95 m a su écarter ses rivaux grâce à un programme progressiste, axé sur la lutte contre les inégalités sociales.

Comment évoquer les figures emblématiques de la société new-yorkaise sans parler de ses fameux milliardaires : **John Davison Rockefeller,** le prototype du self-made-man sans état d'âme ayant bâti sa richesse sur l'or noir. L'homme d'affaires fera beaucoup pour sa ville et pour les arts. Il prête un de ses appartements de 5th Avenue à trois riches et audacieuses collectionneuses qui y exposent Cézanne, Gauguin, Van Gogh... Le futur MoMa est né. Dans le même temps, il offre à la Ville le Fort Tryon Park et son monastère-musée doté de quatre cloîtres, les fameux Cloisters. Quant à **Mark Zuckerberg,** le jeune créateur de Facebook, il est à la tête d'une fortune qui s'élève à 30 millions de dollars.

Figure incontournable de la cause noire : **Malcolm X.** Converti à l'islam, il devient le porte-parole de la Nation Islam (Black Muslims), mouvement révolutionnaire revendiquant la création d'un État noir indépendant et meurt tragiquement assassiné devant son pupitre lors d'un prêche à Harlem.

Mode

Né dans le Bronx dans le même quartier que **Calvin Klein, Ralph Lauren** est l'un des grands noms de la mode. Sans être passé par la case école de stylisme, il ouvre sa boutique de cravates avant de créer sa marque baptisée *Polo.* Par la suite, le cavalier joueur de polo deviendra justement l'emblème de sa ligne de vêtements, toujours dans ce style *preppy* (« bon chic, bon genre ») qui lui est propre. « Funk, trash et chic », c'est ainsi que **Marc Jacobs** décrit le style vintage de ses créations, souvent inspirées des seventies. Ses différentes boutiques et lignes de vêtements sont concentrées sur Bleecker Street, à Greenwich Village. Et pour clore cette rubrique, une femme, et pas des moins féminines, **Diane von Fürstenberg,** la créatrice de la fameuse robe portefeuille. Ses bureaux sont installés dans le Meatpacking District, au cœur de la High Line, qu'elle a d'ailleurs largement aidé à réhabiliter en versant la somme considérable de 20 millions de dollars !

Sports

Rambo, Rocky... des films d'action cultes, avec **Sylvester Stallone** dans les rôles principaux : un ancien dur de la guerre du Vietnam et un boxeur professionnel. Et du côté du ring dans la vraie vie ? Deux pointures : **Mike Tyson** et **Mickey Rourke.** Le premier, surnommé *Kid Dynamite* ou *Iron Mike,* est un champion poids lourds hors pair, puisqu'il est le plus jeune boxeur à remporter un titre mondial à l'âge de 20 ans ! Le second a été boxeur amateur avant de se lancer dans le septième art (*9 semaines et demie* en duo sexy avec Kim Bassinger) et retourne régulièrement sur le ring.

Diplômé en anthropologie, **Joakim Simon Noah** (le fils de Yannik) ne jure que par le basket. Né à New York, il joue dans l'équipe des Bulls à Chicago. Autant dire qu'avec ses 2,11 m et ses 105 kg, rien ne lui résiste !

Les échecs, un sport ? Eh oui, même reconnu par le comité international olympique ! Passionné depuis tout petit, en 1956, **Bobby Fischer** remporte le titre de champion junior États-Unis. À 13 ans, il tente celui des adultes et finit quatrième ! À 15 ans, le jeune prodige commence une carrière internationale, affronte les plus grands, jusqu'à l'historique « match du siècle » contre le russe **Boris Spassky,** qu'il bat, mettant fin à 24 ans d'hégémonie soviétique.

POPULATION

New York, qui se définit elle-même comme « la capitale du monde », est la ville cosmopolite par excellence. Deux New-Yorkais sur trois sont nés à l'étranger ou sont enfants de parents nés à l'étranger, soit 3 millions de personnes, 600 000 de plus qu'en 1930, après la grande vague d'immigration qui vit l'arrivée massive d'Irlandais, Italiens et juifs d'Europe centrale à Ellis Island. Et il faut encore y ajouter les migrants en situation irrégulière, principalement latino-américains. Toutes catégories confondues, on estime leur nombre à un demi-million !

La Big Apple compte près de 200 nationalités et, selon la mairie, les élèves des écoles publiques parlent plus de 170 langues différentes (ce n'est pas pour rien que s'y trouve le siège des Nations unies !). Au palmarès des langues se trouve l'anglais, bien sûr, suivi par l'espagnol (près d'une personne sur trois le parle), le chinois, le russe, l'italien et le français (créole inclus), puis le yiddish, le coréen, le polonais, le grec, l'arabe, l'hébreu, le bengali,

LA TOUR DE BABEL

À New York, on parle plus de 170 langues et dialectes, mais les spécialistes en recensent même 800 en comptant les idiomes mineurs ! Un bon nombre sont menacés de disparition, ce qui fait de New York un vrai conservatoire de langues vivantes. On rencontre notamment encore quelques Syriens qui parlent l'araméen, la langue du Christ.

etc. Dans cette incroyable mosaïque ethnique de plus de 8 millions de personnes (8 000 hab./km^2 !), on trouve :
– 3,8 millions de **Blancs,** soit 44 % de la population (contre 75 % sur l'ensemble des États-Unis). Une catégorie qui a tendance à diminuer, attirée par le New Jersey et le Connecticut voisins. Parmi ces Blancs, près de 2 millions de *juifs* (c'est plus que les populations juives de Jérusalem, Tel-Aviv et Haïfa réunies). Les autres composantes importantes sont *italiennes, grecques, russes* (dont un nombre important venu s'installer ici après la chute du mur de Berlin en 1989) et *irlandaises* ;

– plus de 2,3 millions d'**Hispaniques** (28 % de la population, la deuxième communauté après les Blancs). Une communauté en plein essor. Il suffit de s'intéresser un peu aux cuisines des restaurants new-yorkais pour mesurer l'étendue de leur immigration... D'ailleurs, toutes les formalités administratives (Sécurité sociale, banques, etc.) peuvent être faites en anglais ou en espagnol, et nombre de publicités dans les rames de métro sont imprimées dans les deux langues. Une majorité de ces Hispaniques provient d'Amérique centrale (Portoricains, Mexicains, Dominicains...) ;

– plus de 2,1 millions de **Noirs** (25 % de la population). Leur nombre est stable ;

– les **Asiatiques,** dont une majorité de Chinois. Ils sont la quatrième communauté la plus représentée (13 %) ;

– un demi-million d'**Indiens** (d'Inde) ; il y a aussi pas mal de **Pakistanais** ;

– les **Arabes,** qui doivent faire face à des discriminations depuis le 11 Septembre ;

– le plus petit groupe : les **Indiens d'Amérique.** Il n'en reste que 35 000 dans la Big Apple.

Bien sûr, la densité et la répartition par communauté sont différentes d'un borough à l'autre. Brooklyn compte à lui seul 2,6 millions d'âmes, suivi de près par Queens (2,3 millions), Manhattan (1,6 million et une densité affolante de plus de 20 000 hab./km²), le Bronx (1,4 million) et Staten Island (près d'un demi-million). Les différences sont aussi ethniques : Staten Island est à 70 % blanche, mais le Bronx est peuplé à 80 % par les communautés noire et latino.

RELIGIONS ET CROYANCES

New York est depuis toujours la **ville des libertés de culte** par excellence. Cette liberté fut l'une des caractéristiques qui la rendirent attractive : pour les premiers colons, New York était la porte d'entrée en Amérique du Nord, un nouveau monde dans lequel ils allaient enfin pouvoir pratiquer leur religion sans être inquiétés ni persécutés.

Le paysage religieux de New York se forma donc au fil des vagues d'émigrants qui débarquèrent du XVIIe s à aujourd'hui. Dès 1621, des calvinistes de la Compagnie hollandaise des Indes occidentales s'établirent sur l'île de Manhattan. Durant la seconde moitié du XVIIe s, l'État de New York accueillit William Penn et ses quakers, des luthériens et divers protestants allemands (les amish d'aujourd'hui). Au XIXe s, l'arrivée massive d'Irlandais et de Français, venus travailler contre une maison et un lopin de terre, augmenta considérablement le nombre de catholiques. Cette tendance s'accentua avec l'arrivée, plus tardive, d'Italiens et de Polonais. En provenance d'Europe de l'Est, une partie de la diaspora juive débarqua à son tour, ainsi que des orthodoxes. Au milieu des années 1960, la communauté musulmane commença à s'étoffer, grâce notamment à l'afflux de « cerveaux » venant du Pakistan, d'Inde, du Bangladesh, du Liban ou de Syrie.

Aujourd'hui, la vie religieuse à New York se compose d'une mosaïque de cultes et de croyances. Des origines essentiellement protestantes de la ville subsistent quatre églises de la *Dutch Reform,* la plus importante étant la *Marble Collegiate Church* (qui possède de superbes vitraux Tiffany), construite en 1854, située sur 5th Avenue (et 29th Street). Par ailleurs, on dénombre dans la ville plus de 6 000 églises chrétiennes, plus de 1 000 synagogues, une centaine de mosquées, moitié moins de temples bouddhiques, une quarantaine de temples hindous et un seul centre bahaï.

Les New-Yorkais sont en majorité catholiques ; viennent ensuite les protestants, puis les juifs (la Big Apple est d'ailleurs la première ville juive du monde).

En dehors des cultes et religions établis, il faut également souligner l'apparition d'un nouveau type de spiritualité fondée sur des philosophies de vie de style New Age, souvent inspirées par le retour en force du bouddhisme et de l'hindouisme (merci au yoga !).

La religion à New York est aussi une affaire de gros sous. Totalisant 90 milliards de dollars, les organisations religieuses investissent en Bourse. Elles sont exemptées de taxes et ne sont soumises à aucun contrôle. Ainsi, de nombreux illuminés en profitent pour créer leur propre religion, dérivant systématiquement sur des *sectes,* qui sont tolérées par la ville.

Dans le métro, à chaque coin de rue et surtout à Times Square et Harlem, vous tomberez nez à nez avec des personnes délirantes perchées sur des tabourets, avec haut-parleur, essayant de vous convertir à leur religion. À vos risques et périls !

Enfin, les organisations religieuses jouent un rôle important dans la vie politique new-yorkaise. Lors de nombreuses messes, le célébrant encouragera ses ouailles à voter pour le candidat qui semble représenter au mieux leurs intérêts. Pour les Blacks et les juifs, c'est souvent un démocrate. Pour les WASP (*White Anglo Saxon Protestants* : Blancs anglo-saxons protestants) les plus aisés, c'est plutôt un républicain. Au niveau fédéral, *les lobbies religieux s'opposent à l'avortement, aux mariages civils homosexuels* et aimeraient afficher les 10 commandements dans toutes les écoles quand ils ne prônent pas les théories du *créationnisme.* Ils ont le vent en poupe depuis le premier mandat du très conservateur George W. Bush, qui avait l'habitude de prier avant chaque réunion politique ou électorale et qui est parti en guerre au nom de Dieu.

SITES INSCRITS AU PATRIMOINE MONDIAL DE L'UNESCO

Organisation
des Nations Unies
pour l'éducation,
la science et la culture

En coopération avec
le centre du patrimoine mondial de l'UNESCO

Pour figurer sur la liste du Patrimoine mondial, les sites doivent avoir une valeur universelle exceptionnelle et satisfaire à au moins un des 10 critères de sélection. La protection, la gestion, l'authenticité et l'intégrité des biens sont également des considérations importantes.

Le patrimoine est l'héritage du passé dont nous profitons aujourd'hui et que nous transmettons aux générations à venir. Nos patrimoines culturel et naturel sont deux sources irremplaçables de vie et d'inspiration. Ces sites appartiennent à tous les peuples du monde, sans tenir compte du territoire sur lequel ils sont situés. Pour plus d'informations : ● *whc.unesco.org* ●

Curieusement, un seul site est classé par l'Unesco à New York : la *statue de la Liberté.*

SPECTACLES

Comédies musicales

Si les comédies musicales tentent aussi une percée de notre côté de l'Atlantique, les shows de Broadway restent incontournables. Rien que le nombre de théâtres laisse pantois. Car le Theater District, c'est 40 salles de plus de 500 places (ce que les New-Yorkais appellent *on-Broadway*) concentrées autour de Times Square et une petite centaine d'autres scènes de plus petite capacité, autrement dit les *off-Broadway.* Les spectacles off-Broadway ne sont donc pas moins bons, c'est juste une question de taille de salle et de budget. Les *off* ont aussi leurs avantages : la liberté de ton et la proximité de la scène et des acteurs par rapport aux spectateurs. Et puis, certains *off* sont des tremplins pour passer ensuite sur les grandes scènes. Car l'objectif de tous ces spectacles reste, bien sûr, la rentabilité. Si le prix des billets est élevé (de 50 à plus de 200 $ selon le spectacle et la catégorie), il y a heureusement moyen de dégoter des *places à tarifs réduits* (voir plus loin). *Attention, la plupart des théâtres font relâche le lundi.*

Maintenant, reste à bien choisir son spectacle. Pour savoir ce qui passe et voir de courts extraits des « *popular shows* », consulter les sites ● *playbill.com* ● ou ● *broadway.com* ● On peut aussi parcourir le *New York Times* du vendredi et du week-end, ainsi que les hebdos *Village Voice* et *Time Out New York*.

Billets à prix réduits pour le théâtre et les comédies musicales

■ **TKTS Times Square :** sous l'escalier rouge, au centre de la patte-d'oie formée par Broadway et 47th St. Ⓜ (N, Q, R, S, 1, 2, 3, 7) Times Sq-42 St. Réduc de 25-50 % sur les places les plus chères (billet d'orchestre env 60 $ + frais). Ventes pour le soir même lun et mer-sam 15h-20h, mar 14h-20h, dim 15h-19h ; ventes pour la matinée du jour mer-jeu et sam 10h-14h, dim 11h-15h. CB refusées pour certains petits shows off-Broadway. Sont affichés les spectacles pour lesquels il reste des places disponibles le jour même. Faites la queue bien avant. Attention, il y a en général 2 files d'attente, une pour le théâtre et une autre pour les *musicals*.

■ **TKTS South Street Seaport** (plan 1, C6, 9) : angle John St et Front St. Ⓜ (A, C, 2, 3, 4, 5) Fulton St. Tlj 11h-18h. Mêmes prestations qu'à Broadway, mais les billets pour les matinées sont vendus la veille pour le lendemain et puis il y a nettement moins de monde, ce qui n'est pas négligeable !

■ **TKTS Downtown Brooklyn :** 1 MetroTech Center (angle Jay St et Myrtle Ave Promenade). Ⓜ (A, C, F) Jay St-MetroTech ou (2, 3, 4) Borough Hall. Mar-sam 11h-15h, 15h30-18h. Mêmes prestations qu'à South Street Seaport.

– **Broadway Week :** 2 places pour le prix d'1 pdt 1 sem fin janv-début fév. Rens sur ● *nycgo.com/ broadway-week* ●

● *broadwayforbrokepeople.com* ● Ce site internet recense les différentes possibilités de réduction, show par show. Certains théâtres ont mis en place un système de loterie *(lottery)*, avec un tirage au sort d'une vingtaine de billets autour de 20-40 $, environ 2h avant le spectacle. Sinon, il y a aussi les **rush tickets,** c'est-à-dire les places de dernière minute vendues aux guichets dès l'ouverture le matin. Dans ces 2 cas précis, il faut se rendre directement dans les théâtres concernés.

Théâtre

Si vous avez envie de voir jouer vos acteurs préférés « en vrai », sachez que de grandes stars hollywoodiennes se produisent régulièrement à New York (à Broadway, au Lincoln Center...) dans des pièces de théâtre classiques ou contemporaines. Cate Blanchett, Scarlett Johansson, Nicole Kidman, Jude Law, Tom Hanks, Bruce Willis, Al Pacino, Forest Whitaker, Bradley Cooper ont foulé les planches ces dernières années... Mais pour en profiter, mieux vaut avoir un niveau d'anglais supérieur à celui du bac !

■ **Lincoln Center :** 150 W 65th St (entre Broadway et Amsterdam Ave). ☎ 212-239-6200. ● *lct.org* ● Ⓜ (1) 66 St-Lincoln Center. Résas de places en ligne (le plus pratique), sinon sur place (tlj 10h-18h, 16h dim) ou par tél. Le Lincoln Center est l'un des plus grands centres culturels du monde. Connu surtout pour son prestigieux opéra (le Met) et pour le New York City Ballet qui s'y produit, c'est aussi une référence dans le monde du théâtre.

Musique classique et music-hall

– Ne manquez pas un opéra ou un ballet au **Metropolitan Opera du Lincoln Center.** C'est en v.o. sous-titrée, les décors sont grandioses pour accueillir les meilleurs chefs d'orchestre, chanteurs lyriques et danseurs du monde. Les billets ne sont pas donnés, mais les places tout en haut sont d'un excellent rapport qualité-prix (environ 25-35 $), et il y a des réductions de dernière minute. ● *metopera.org* ●

– *Lincoln Center Festival :* 3 semaines en juillet-août. Festival international de théâtre et d'opéra. Quand les acteurs jouent dans une langue autre que l'anglais, on vous prête des écouteurs avec traduction simultanée, comme à l'ONU ! Attention, c'est complet très tôt, réservez donc à l'avance. ● *lincolncenterfestival.org* ●
– *Lincoln Center Midsummer Night Swing :* de fin juin à mi-juillet. On danse dans le joli décor de la place du Lincoln Center et du Met Opera *(63rd St et Columbus).* Programmation musicale différente chaque jour : swing, salsa, *merengue,* tango, etc. Une sorte de petit chapiteau est dressé au milieu avec un orchestre live. ● *midsummernightswing.org* ●
– *Au Carnegie Hall,* des concerts classiques pratiquement chaque jour avec des pianistes, violonistes... jeunes talents ou confirmés. Le meilleur plan est de se présenter au guichet vers 11h le jour de la représentation : les places invendues (souvent avec vue limitée) sont à 10 $. Demander un *rush ticket.*
– Ceux qui aiment le music-hall iront au *Radio City Music Hall* (Rockefeller Center). Une salle de presque 6 000 places en train d'applaudir Liza Minnelli ou Barbra Streisand, vous ne verrez cela qu'à New York.

Concerts pop et rock

– Nombreux *concerts en plein air en été,* ce qui ajoute au charme de New York. Le plus fameux est *Summer Stage* qui se déroule de juin à août à Central Park *(Rumsey Playfield, vers le milieu du parc, entrée sur 72nd St, W et E ; plan 2, H9).* Les meilleurs groupes pop internationaux s'y produisent.
– Les grosses pointures se produisent au *Madison Square Garden* *(7rd Ave et 33rd St ;* ☎ 212-465-6741 ; ● *thegarden.com* ● ; Ⓜ *(A, C, E) 34 St)* et au Barclays Center à Brooklyn *(620 Atlantic Ave ;* ☎ 917-618-6700 ; ● *barclayscenter.com* ●).

Pèlerinage rock

The Velvet Underground (parrainé par Andy Warhol), les provocants New York Dolls, la poétesse Patti Smith, Kiss et leurs maquillages extravagants, Ramones, Television, Talking Heads, Blondie... sont des groupes emblématiques formés à New York, inépuisable créatrice de rockeurs. Pour les fans, on a concocté un petit pèlerinage axé surtout sur la période des seventies et eighties.

> *Dakota Building (plan Pèlerinage rock, A) :* 1 W 72nd St. Ⓜ *(C) 72 St.* C'est dans cet immeuble emblématique qu'habitèrent John

LE ROCK CONTRE LA DICTATURE

En pleine guerre froide, l'ambassadeur des États-Unis à Moscou suggère d'envoyer en tournée en URSS des groupes de rock, blues ou country, pour pervertir le communisme soviétique. Jusqu'en 1987, Elton John, Bob Dylan, James Taylor, Santana, les Doobie Brothers et Billy Joel se succèdent sur scène dans la capitale soviétique. Deux ans plus tard, c'est la chute du mur de Berlin.

Lennon et sa femme Yoko Ono, à partir de 1973 et jusqu'à l'assassinat du chanteur par un déséquilibré, juste devant la porte. Sting, Bono, Paul Simon et Liam Gallagher (Oasis) figurent aussi parmi les résidents.

> Les Beatles séjournaient au *Plaza Hotel (plan Pèlerinage rock, B) :* 768 5th Ave. Ⓜ *(N, Q, R) 5 Ave-59 St.*

> En 1994, après des déboires judiciaires, Michael Jackson se réfugie anonymement au 68e étage de la *Trump Tower (plan Pèlerinage rock, C) :* Ⓜ *(F, N, Q, R) 57 St.*

➤ **Studio 54** (plan Pèlerinage rock, **D**) : 254 W 54ᵗʰ St. Ⓜ (N, Q, R) 57 St-7 Ave. Ancien théâtre transformé en discothèque mythique jusqu'en 1986. Le jour de l'inauguration, ni Mick Jagger ni Frank Sinatra n'ont pu entrer. On y trouvait souvent Andy Warhol, mais aussi trop de drogue. La discothèque sera fermée par la police.

➤ **Madison Square Garden** (plan Pèlerinage rock, **E**) : 4 Pennsylvania Plaza. Ⓜ (A, C, E, 1, 2, 3) 34 St-Penn Station. Bruce Springsteen comme Madonna ont joué 29 fois au « Garden » ; les Rolling Stones 24 fois et ils y ont filmé Gimme Shelter. Chaque membre des Beatles y a joué en solo, mais jamais tous ensemble.

➤ **Chelsea Hotel** (plan Pèlerinage rock, **F**) : 222 W 23ʳᵈ St (entre 7ᵗʰ et 8ᵗʰ Ave). Ⓜ (C, E, 1) 23 St. L'hôtel le plus rock de l'histoire new-yorkaise, aujourd'hui en complète restructuration. Le Chelsea a servi de résidence à bon nombre d'artistes en général et de musiciens en particulier : les Sex Pistols, Patti Smith, Bob Dylan... Leonard Cohen y écrivit la chanson Chelsea Hotel n° 2 (dans la chambre 415).

➤ **The Factory** (plan Pèlerinage rock, **G**) : 33 Union Sq W. Ⓜ (L, N, Q, R, 4, 5, 6) 14 St-Union Sq. C'est au 6ᵉ étage de cet immeuble que se trouvait le fameux atelier d'Andy Warhol, où entraient les anonymes pour ressortir « superstars », comme il les appelait. Projections, concerts, expositions, toutes les excuses étaient bonnes pour réunir dans ce loft les célébrités du moment, dont Bob Dylan, Mick Jagger, Salvador Dalí, Dennis Hopper ou encore De Niro, sans oublier les membres du Velvet Underground. Avant 1968, l'atelier se trouvait au 231 East 47ᵗʰ Street, dans le quartier de Midtown (aujourd'hui un parking souterrain !).

➤ À deux pas, l'emplacement de l'ancien bar-resto **Max's Kansas City** (plan Pèlerinage rock, **H**) : 213 S Park Ave. Alice Cooper, David Bowie, Iggy Pop, Lou Reed, Patti Smith, Andy Warhol et ses amis, tous avaient leurs habitudes ici. Debbie Harry y fut serveuse. Le proprio, qui aimait bien les artistes, proposait un buffet gratuit à l'heure de l'apéro. Ces victuailles permettaient à bon nombre d'entre eux de survivre pendant les moments de galère. C'est aussi chez Max's que Bob Marley fit ses premiers pas sur la scène internationale, en assurant la première partie de Bruce Springsteen.

➤ Entre 1971 et 1973 (avant de déménager au Dakota), Lennon et Yoko Ono vivaient au **105 Bank Street** (plan Pèlerinage rock, **I**). Ⓜ (1, 2, 3) Christopher St ou (L) 8 Ave.

➤ **Electric Lady Studios** (plan Pèlerinage rock, **J**) : 52 W 8ᵗʰ St. Ⓜ (A, C, D, E, F) W 4 St-Washington Sq. En 1970, Jimi Hendrix décida de créer son propre studio à Greenwich Village. Malheureusement, la mort l'a rattrapé moins de 3 semaines après son inauguration. Il aura tout de même eu le temps d'enregistrer quelques titres, dont Slow Blues.

➤ **The Gaslight Café** (plan Pèlerinage rock, **K**) : 116 MacDougal St. Ⓜ (A, C, D, E, F) W 4 St-Washington Sq. Ici, Bob Dylan obtint ses premiers gros succès. En face, à quelques mètres de là, le Café Wha, où Bruce Springsteen, Kool & The Gang ou encore The Velvet Underground se produisaient. Avant eux, c'était le lieu de rendez-vous des poètes de la Beat Generation.

➤ **Bitter End** (plan Pèlerinage rock, **L**) : 147 Bleecker St. Ⓜ (6) Bleecker St. Ce fut le lieu préféré de Bob Dylan dès les années 1970.

➤ **C.B.G.B.** (plan Pèlerinage rock, **M**) : 315 Bowery St. Ⓜ (6) Bleecker St. Considéré comme le berceau de la musique punk. Blondie et Talking Heads y ont fait leurs débuts, le principe du C.B.G.B. étant justement de faire connaître de nouveaux artistes. Le groupe de Patti Smith s'y installe en 1973. Fermé depuis 2006, le C.B.G.B. abrite à la place une boutique de fringues branchées rock.

A	Dakota Building
B	Plaza Hotel
C	Trump Tower
D	Studio 54
E	Madison Square Garden
F	Chelsea Hotel
G	The Factory
H	Max's Kansas City
I	Bank Street
J	Electric Lady Studios
K	The Gaslight Café
L	Bitter End
M	C.B.G.B.
N	David Bowie
O	Ludlow Street

PÈLERINAGE ROCK

➤ *La dernière résidence de David Bowie :* 285 Lafayette St *(entre E Houston et Prince St ; plan Pèlerinage rock, N).* Ⓜ *(D, F) Broadway Lafayette et (N, R) Prince St.* C'est dans cet immeuble cossu de 1912, reconverti en condos de luxe, que Bowie a vécu avec sa femme Iman jusqu'à sa mort, en janvier 2016. Courtney Love, la veuve de Kurt Cobain (Nirvana), fait aussi partie des prestigieux résidents.

➤ À son arrivée à New York en 1964, John Cale s'installe au *56 Ludlow Street (plan Pèlerinage rock, O),* dans le Lower East Side. Ⓜ *(B, D) Grand St.* Il y rencontre Lou Reed et Sterling Morrison avec qui il fonde les bases du Velvet Underground. Les démos de *I'm Waiting for the Man* furent enregistrées ici. Aujourd'hui, l'appart sert toujours de refuge à de jeunes artistes.

SPORTS ET LOISIRS

Les New-Yorkais, comme la plupart des Américains d'ailleurs, sont des fondus de sport : gym, muscu, yoga, jogging, tôt le matin ou après le boulot en semaine (voire le midi). Vous en verrez un paquet courir sur des tapis roulants en regardant la télé, iPod vissé sur les oreilles dans toutes les salles de sport jusque dans le Financial District. Le dimanche, tout le monde se retrouve à Central Park pour courir, faire du vélo ou du roller. On peut pratiquer toutes sortes d'activités sportives au cœur de Manhattan, et même aller à la plage à 1h de métro !

Vélo et rollers

Vélo

Près de 500 km de pistes cyclables en site propre *(bikepath)* ont été aménagées à New York. Gros avantage, vous pouvez prendre votre bicyclette dans le métro : installez-vous dans le dernier wagon, souvent moins rempli. Demandez à la personne derrière le guichet de vous ouvrir la porte, plutôt que de vous battre avec le tourniquet (s'il n'y a personne au guichet, faites comme les autres : poussez la porte, cela déclenchera l'alarme qui ne semble guère alerter grand monde !).
– *CitiBike :* c'est le Vélib' version new-yorkaise. 6 000 *vélos bleus en libre-service* (utilisables dès 16 ans), dans des centaines de stations réparties entre Manhattan et certains quartiers de Brooklyn ou Queens, toutes fonctionnant à l'énergie solaire. Environ 10 $ le forfait journalier et 25 $ la semaine mais, attention, seulement pour des trajets de 30 mn maximum. Au-delà, des frais supplémentaires s'appliquent par tranche de 30 mn (d'abord 4 $, puis 9 $ et 12 $!). Le système informatisé (avec paiement par CB) n'est pas très convivial, il faut bien le dire, et la facture peut monter vite si l'on dépasse les 30 mn par trajet. Ne pas oublier que CitiBike n'est pas un loueur de vélos mais seulement un service de transport de courte distance et de courte durée. Pour plus de détails et le plan des stations :
● citibikenyc.com ●
– *Loueurs de vélos :* les prix des locations ne comprennent pas la caution (se renseigner sur ce qu'il advient en cas de vol) ni le casque. *Compter env 10-15 $/h (2h min) selon type de vélo ou 40-60 $/j. (à rendre avt la fermeture).* Appelez pour voir s'ils ont des bicyclettes en stock et combien de temps vous pouvez garder le vélo (*attention,* avec certains, si vous dépassez de 1h, vous payez 1 jour de plus !).

■ *Danny's Cycles :* 5 adresses à Manhattan. ● dannyscycles.com ● Ouv lun-ven 10h-19h, sam 10h-18h, dim 11h-17h. À *SoHo* (zoom 2, B4, *90*) : 75 Varick St (angle Watts). ☎ 212-334-8000. À *Chelsea* (plan 1, B3) : 546 6th Ave (et 15th). ☎ 212-255-5100. Dans *Theater District* (plan 2, F11) : 653 10th Ave (et 46th). ☎ 212-581-4500. À *Upper West Side,* près *de Central Park (plan 2, F7-8) : 231 W 96th St (et Broadway).* ☎ *212-663-7531. Dans* **Upper East Side** *(plan 2, H8) : 1690 2nd Ave (entre 87th et 88th).* ☎ *212-722-2201.* Bon équipement, mais assez cher *(15 $/h, 60 $/j.).*

■ Voir également **Central Park Bike Tours** et **Central Park Bike Rental** dans « Adresses et infos utiles » du chapitre consacré à Central Park. *Tarifs dégressifs vraiment intéressants, surtout en réservant en ligne sur leur site.*

Plages

Eh oui, New York est au bord de l'océan et à 1h30 de métro, on peut se retrouver à la plage ! Au cœur de l'été, lorsque la canicule se fait sentir, certaines sont évidemment prises d'assaut par les New-Yorkais mais l'impression de vacances est bien au rendez-vous. Voici une petite sélection des plus proches :

⌒ **Coney Island** *(pointe sud de Brooklyn) : facilement accessible.* Ⓜ *(D, F, N, Q) Coney Island-Stilwell Ave.* Avec son décor de carte postale rétro (montagnes russes, promenade en bois, hot dogs), c'est la plus mythique et la plus accessible. Certes, la popularité des lieux rend la propreté aléatoire les week-ends d'été mais l'ambiance de fête foraine est très typique. Et puis, c'est un passage incontournable pour les fans du grand méchant Lou (Reed)... Coney Island, Baaaaaaby !

⌒ **Rockaway Beach** *(Queens) : tt près de l'aéroport JFK et accessible aussi en métro (ligne A, puis Shuttle S jusqu'à Rockaway Park-Beach 116 St).* Voici une des plus vastes plages de New York, sans grand charme mais très prisée des jeunes *hipsters,* surfeurs et baigneurs.

⌒ **Sandy Hook** *(New Jersey) : compter 40 mn-1h de ferry depuis le Pier 11 près de Wall St ou de E 35th St sur l'East River avec la compagnie SeaStreak.* ● *seastreak.com* ● *(traversée photogénique ; env 45 $ A/R, enfants gratuits).* Un peu plus compliqué d'accès, quoique, mais du coup plus sauvage aussi et sans la foule.

Sports nautiques sur l'Hudson River

■ **Village Community Boathouse :** *Pier 40, Hudson River Greenway (à l'extrémité de W Houston St).* ☎ *212-229-2059.* ● *villagecommunityboathouse.org* ● Ⓜ *(1, 2) Houston St. De mi-juin à fin août, sam 12h-16h (sf dernier sam de juil). Gratuit (dons bienvenus) à condition de signer une décharge (autorisation parentale pour les moins de 18 ans).* Cette association à but non lucratif, gérée par des bénévoles, offre une manière très originale de voir Manhattan. Embarquer à bord d'une yole de mer (ils en ont 25) est une expérience unique, mais il faut ramer ! La balade, accompagnée d'un skipper, permet d'avoir une vision complètement différente de la ville.

Marathon

– **New York City Marathon :** le marathon le plus couru du monde (près de 50 000 participants) se déroule depuis 1970 le 1er dimanche de novembre, de Staten Island à Central Park en passant par Brooklyn et Queens. La participation est soumise à un tirage au sort, à moins d'être un coureur confirmé. *Infos sur* ● *tcsnycmarathon.org* ●

Patinoires

■ **Wollman Rink à Central Park :** *dans le coin sud-est de Central Park, au niveau du 63rd St.* ☎ *212-439-6900. Nov-mars. Entrée env 11 $ en sem, 18 $ le w-e (enfants 6 $), loc de patins 8 $. CB refusées.* La plus belle de toutes, au milieu du parc, avec les gratte-ciel en ligne de mire.
■ **The Rink at Rockefeller Center :** ☎ *212-332-7654. Oct-avr.* Une

institution qui existe depuis 1936 ! Toujours un monde fou et cher en prime *(env 25 $, 15 $ enfants ; plus 12 $ pour la loc des patins),* mais on paie le plaisir de patiner au pied de l'immense sapin de Noël du Rockefeller Center...

■ ***The Rink at Bryant Park :*** *sur 6th Ave, entre 40th et 42nd St.* De fin octobre à début mars, la pelouse de Bryant Park se transforme en patinoire ! Entrée gratuite, donc logiquement bondé, cela dit peut-être un peu moins qu'au Rockefeller Center *(la loc des patins reste payante, env 15-20 $).*

■ ***Sky Rink au Chelsea Piers :*** *au bord de l'Hudson River, Pier 61 (au niveau de la 21st St).* ☎ *212-336-6100.* ● *chelseapiers.com* ● *Tte l'année. Compter 10 $ et 5 $ de loc.*

■ ***The Rink at Brookfield Place :*** *250 Vesey St, sur l'esplanade de la marina près du World Trade Center, Lower Manhattan.* ☎ *917-391-8982.* ● *brookfieldplaceny.com* ● *En hiver slt, jusqu'à 20h30-22h selon j. Compter 15 $ pour 1h30 et 5 $ de loc.* Large et profitant d'un panorama grandiose sur l'Hudson River et les gratte-ciel.

■ ***The Standard Ice Rink :*** *848 Washington St (et W 13th St, devant l'hôtel The Standard, à Meatpacking District).* ☎ *212-645-4100.* ● *standardhotels. com/high-line* ● *En hiver slt. Compter 13 $/adulte, 6 $/enfant ; loc 4 $.* Une patinoire de poche mimi comme tout avec son chalet, uniquement pour les enfants.

Rencontres sportives et tournois

Le sport, les New-Yorkais en font et ils vont aussi en voir dans les stades. Base-ball, basket, football américain, les supporters sont fidèles à leurs équipes. Et pas de hooligans, ici le sport, c'est une grand-messe.

– ***US Open :*** pendant 2 semaines à partir de fin août. L'un des quatre tournois du Grand Chelem de tennis professionnel au

USTA Billie Jean King National Tennis Center, à Flushing Meadows dans Queens.

– New York a deux équipes de ***base-ball*** : les ***NY Yankees*** qui jouent au ***Yankee Stadium,*** dans un stade construit tout à côté de l'ancien, dans le Bronx *(1 E 161st St et River Ave, Highbridge ;* ● *newyork.yankees.mlb.com* ● *;* Ⓜ *(4) 161 St-Yankee Stadium, ou train direct depuis Grand Central Station).* Possibilité d'obtenir aussi des billets aux magasins des Yankees dans Manhattan. Et les ***NY Mets*** qui, eux aussi, se sont offert un stade plus spacieux, le *Citi Field,* en lieu et place du *Shea Stadium,* dans Queens *(126th St et Roosevelt Ave, Flushing ;* ☎ *1-718-507-8499 ;* ● *newyork.mets.mlb.com* ● *;* Ⓜ *(7) Willets Point-Shea Stadium).* Saison d'avril à octobre. Tickets vendus via Internet ou directement au stade.

– Les stars du ***football américain*** (deux équipes aussi : les ***Giants*** et les ***Jets***) jouent au ***MetLife Stadium*** du Meadowlands Sport Complex, dans le New Jersey. Mais là, point d'espoir. Il est très difficile, sinon impossible, d'avoir des places. Elles sont achetées à l'année par les supporters abonnés qui suivent toute la saison de septembre à fin janvier. Il y a même des abonnements qui se transmettent par héritage. C'est vous dire la difficulté pour avoir des billets.

– Le siège de l'équipe de ***basket*** (NBA) est le ***Madison Square Garden*** *(7th Ave et 33rd St ;* ☎ *212-465-6741 ;* ● *thegarden.com* ● *;* Ⓜ *(A, C, E) 34 St),* où se produisent les ***Knicks.*** Le ***Barclays Center,*** la nouvelle arène de

Downtown Brooklyn, accueille les **Brooklyn Nets** (620 Atlantic Ave ; ☎ 917-618-6700 ; ● barclayscenter.com ●). La saison commence en octobre et dure jusqu'en avril. Donc, si vous êtes un passionné, l'été aux States c'est pas le bon plan pour le basket.

– Pour le **hockey,** c'est au même endroit que le basket et à la même époque que l'on peut voir l'équipe leader : les **Rangers.** Sinon, les **Islanders** évoluent au Barclays Center de Brooklyn et les **New Jersey Devils** au Prudential Center.

Dans la rubrique « Sports » du magazine *Time Out New York,* vous trouverez les noms des équipes et les dates et heures des rencontres (en saison, il y a un match de base-ball tous les jours au Yankee Stadium !).

les ROUTARDS sur la FRANCE 2017-2018

(dates de parution sur • routard.com •)

Découpage de la FRANCE par le ROUTARD

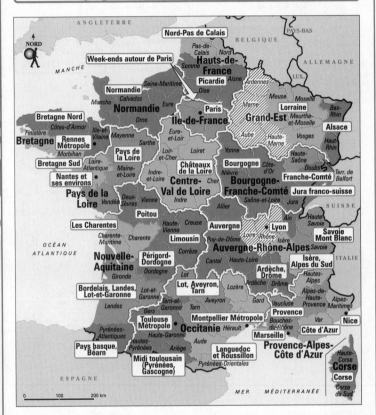

Autres guides nationaux

- Hébergements insolites en France (mars 2017)
- La Loire à Vélo
- La Vélodyssée (Roscoff-Hendaye)
- Nos meilleurs campings en France
- Nos meilleures chambres d'hôtes en France
- Nos meilleurs restos en France
- Les visites d'entreprises

Autres guides sur Paris

- Paris
- Paris balades
- Restos et bistrots de Paris
- Le Routard des amoureux à Paris
- Week-ends autour de Paris

les ROUTARDS sur l'ÉTRANGER 2017-2018

(dates de parution sur • *routard.com* •)

Découpage de l'ESPAGNE par le ROUTARD

Découpage de l'ITALIE par le ROUTARD

Autres pays européens

- Allemagne
- Angleterre, Pays de Galles
- Autriche
- Belgique
- Budapest, Hongrie

- Capitales baltes (avril 2017)
- Crète
- Croatie
- Danemark, Suède
- Écosse
- Finlande
- Grèce continentale
- Îles grecques et Athènes
- Irlande

- Islande
- Madère
- Malte
- Norvège
- Pologne
- Portugal
- République tchèque, Slovaquie
- Roumanie, Bulgarie
- Suisse

Villes européennes

- Amsterdam et ses environs

- Berlin
- Bruxelles
- Copenhague
- Dublin
- Lisbonne
- Londres

- Moscou
- Prague
- Saint-Pétersbourg
- Stockholm
- Vienne

les ROUTARDS sur l'ÉTRANGER 2017-2018
(dates de parution sur • routard.com •)

Découpage des ÉTATS-UNIS par le ROUTARD

Autres pays d'Amérique

- Argentine
- Brésil
- Canada Ouest
- Chili et île de Pâques

- Costa Rica (novembre 2016)
- Équateur et les îles Galápagos
- Guatemala, Yucatán et Chiapas

- Mexique
- Montréal
- Pérou, Bolivie
- Québec, Ontario et Provinces maritimes

Asie et Océanie

- Australie côte est + Red Centre
- Bali, Lombok
- Bangkok
- Birmanie (Myanmar)
- Cambodge, Laos
- Chine

- Hong-Kong, Macao, Canton
- Inde du Nord
- Inde du Sud
- Israël et Palestine
- Istanbul
- Jordanie
- Malaisie, Singapour

- Népal
- Shanghai
- Sri Lanka (Ceylan)
- Thaïlande
- Tokyo, Kyoto et environs
- Turquie
- Vietnam

Afrique

- Afrique du Sud
- Égypte

- Kenya, Tanzanie et Zanzibar
- Maroc

- Marrakech
- Sénégal
- Tunisie

Îles Caraïbes et océan Indien

- Cuba
- Guadeloupe, Saint-Martin, Saint-Barth

- Île Maurice, Rodrigues
- Madagascar
- Martinique

- République dominicaine (Saint-Domingue)
- Réunion

Guides de conversation

- Allemand
- Anglais
- Arabe du Maghreb
- Arabe du Proche-Orient
- Chinois

- Croate
- Espagnol
- Grec
- Italien
- Japonais

- Portugais
- Russe
- G'palémo (conversation par l'image)

Les Routards Express

Amsterdam, Barcelone, Berlin, Bruxelles, Budapest, Dublin, Florence, Istanbul, Lisbonne, Londres, Madrid, Marrakech, New York, Prague, Rome, Venise.

Nos coups de cœur

- Les 50 voyages à faire dans sa vie (octobre 2016)
- Nos 52 week-ends dans les plus belles villes d'Europe
- France   - Monde

Informer tue

Plus de 850 journalistes ont été tués
dans le monde depuis 15 ans.
Défendez la liberté de la presse en soutenant
Reporters sans frontières.

www.rsf.org

REPORTERS
SANS FRONTIERES
POUR LA LIBERTE DE L'INFORMATION

Faites-vous comprendre partout dans le monde !

(sans connaître la langue)

5,00 €

Plus de 200 illustrations, de type BD, pour communiquer quelle que soit votre destination. Utilisable même par les enfants.

Retrouvez aussi nos guides de conversation

12 langues déjà disponibles !
6,95 €

NOS NOUVEAUTÉS

NOS MEILLEURS HÉBERGEMENTS INSOLITES EN FRANCE
(mars 2017)

Rien de tel pour retrouver son âme d'enfant que de dormir dans un arbre, ou au milieu d'un lac dans une cabane flottante, ou à six pieds sous terre dans une chambre troglodytique. Il y en a pour tous les goûts avec plus de 200 adresses dénichées en France, les « + » et les « - », mais aussi les activités incontournables à faire en famille ou entre amis à proximité de chaque adresse. Sans oublier la photo de chaque établissement. Le plus dur sera de choisir, entre l'île déserte, la réserve animalière, le phare, la roulotte, le combi VW, la bulle transparente au milieu de la forêt ou le vieux camping-car américain en alu, à deux pas de l'Arc de Triomphe !

CAPITALES BALTES
(avril 2017)

Tallinn, Riga, Vilnius, trois capitales si proches et pourtant si surprenantes. Elles mêlent leurs racines entre des mondes disparates : scandinave, slave et germanique. Estonie, Lettonie, Lituanie, on les mélange souvent, mais très vite, on distingue leurs particularismes. Tallinn, secrète et magique, a gardé le charme d'une cité médiévale. La vieille ville, et son lacis de rues dominées par ses clochers, est classée au Patrimoine mondial de l'Unesco. Même reconnaissance pour le centre historique de Riga, où se mêlent un superbe noyau médiéval à un centre-ville Art nouveau. Après les musées, savourez sa vie nocturne, la plus folle des trois pays. À Vilnius, la baroque au coeur de collines boisées, découvrez le labyrinthe de ruelles étroites et la végétation lui donnant des airs de village. Malgré les 50 ans de présence soviétique, vous serez surpris par la modernité et le dynamisme qui anime leurs habitants.

VOYAGEZ CONNECTÉ
AVEC
Le Routard

DÉCOUVREZ EN MAGASIN
LA SÉLECTION DES PRODUITS
VOYAGE & CONNECT DU ROUTARD

GAMME ADAPTATEURS & BATTERIES

GAMME RETRACT & NOMADE

GAMME VOYAGE & CONNECT

DEA CRÉATEUR, FABRICANT ET DISTRIBUTEUR DEPUIS 2002 D'ACCESSOIRES TÉLÉPHONIE, D'AUDIO BLUETOOTH ET DE PRODUITS NOMADES ET CONNECTÉS EST FIER DE VOUS PRÉSENTER LA SÉLECTION DES PRODUITS DU ROUTARD

Photos non contractuelles
Le Routard est utilisé par DEA sous licence Le routard, Paris France

NOS NOUVEAUTÉS

COSTA RICA
(novembre 2016)

Costa Rica, littéralement la Côte riche. Ce pays est le royaume de la biodiversité planétaire. Un grand bain de nature, voilà la promesse de cette bande de terre qui s'étend entre la mer des Caraïbes et l'océan Pacifique. Un quart du territoire est classé en parcs nationaux ou zones protégées. Alors ouvrez grand vos yeux pour ne pas en perdre une miette ! De la paisible côte caraïbe aux rouleaux agités du Pacifique, le Costa Rica égrène ses richesses. Plantations de cafés, champs de bananiers, cordillères piquées de volcans, lacs et forêts impénétrables, sans oublier ses plages splendides, Mère Nature dévoile ici toutes ses merveilles. Paresseux, iguanes, oiseaux, tortues ou singes, le pays offre de belles rencontres. Et n'oubliez pas que depuis 1948, le Costa Rica abolit son armée pour investir dans l'éducation et la santé. On adopte vite la maxime locale : *pura vida !*

MADRID
(janvier 2017)

Madrid me mata ! Toujours tuante, Madrid, comme le proclamait l'époque Movida ? Oui, de plaisir, et plus que jamais. Madrid se joue des extrêmes. La capitale de l'Espagne aligne des musées stupéfiants et propose aussi des ambiances de village dans chaque quartier, aux identités bien marquées. On plonge dans l'univers de Picasso au Museo Reina Sofia *(Guernica !)* ou une journée d'éblouissement au Prado (Goya, Velázquez, et l'incroyable Jérôme Bosch) ou au Museo Thyssen-Bornemysza, les bars à tapas, traditionnels ou osés. Et la nuit se prolonge souvent : entre deux placettes autour de la plaza Mayor, au long du barrio de Las Letras, en dévalant La Latina et les ruelles cosmopolites de Lavapiés, de Malasaña la rebelle ou du gay-friendly Chueca… Autant de mondes à savourer ! Plus que jamais capitale et dynamique, la ville prend le tournant durable en développant un vaste réseau de pistes cyclables et en aménageant ses rives de bouffées d'espaces verts. À découvrir entre potes, en famille ou en couple, définitivement.

Document à caractère publicitaire

routard assurance
Voyages de moins de 8 semaines

RÉSUMÉ DES GARANTIES*	MONTANT MAXIMUM DES GARANTIES
FRAIS MÉDICAUX (pharmacie, médecin, hôpital)	100 000 € U.E. / 300 000 € Monde entier
Agression (déposer une plainte à la police dans les 24 h)	Inclus dans les frais médicaux
Rééducation / kinésithérapie / chiropractie	Prescrite par un médecin suite à un accident
Frais dentaires d'urgence	75 €
Frais de prothèse dentaire	500 € par dent en cas d'accident caractérisé
Frais d'optique	400 € en cas d'accident caractérisé
RAPATRIEMENT MÉDICAL	Frais illimités
Rapatriement médical et transport du corps	Frais illimités
Visite d'un parent si l'assuré est hospitalisé plus de 5 jours	2 000 €
CAPITAL DÉCÈS	15 000 €
CAPITAL INVALIDITÉ À LA SUITE D'UN ACCIDENT**	
Permanente totale	75 000 €
Permanente partielle (application directe du %)	De 1 % à 99 %
RETOUR ANTICIPÉ	
En cas de décès accidentel ou risque de décès d'un parent proche (conjoint, enfant, père, mère, frère, sœur)	Billet de retour
PRÉJUDICE MORAL ESTHÉTIQUE (inclus dans le capital invalidité)	15 000 €
ASSURANCE RESPONSABILITÉ CIVILE VIE PRIVÉE	
Dommages corporels garantis à 100 % y compris honoraires d'avocats et assistance juridique accidents	750 000 €
Dommages matériels garantis à 100 % y compris honoraires d'avocats et assistance juridique accidents	450 000 €
Dommages aux biens confiés	1 500 €
FRAIS DE RECHERCHE ET DE SAUVETAGE	2 000 €
AVANCE D'ARGENT (en cas de vol de vos moyens de paiement)	1 000 €
CAUTION PÉNALE	7 500 €
ASSURANCE BAGAGES	2 000 € (limite par article de 300 €)***

* Les garanties indiquées sont valables à date d'édition du Guide Le Routard. Par conséquent, nous vous invitons à prendre connaissance préalablement de l'intégralité des Conditions générales mises à jour sur www.avi-international.com ou par téléphone au 01 44 63 51 00 (coût d'un appel local).
** 15 000 euros pour les plus de 60 ans.
*** Les objets de valeur, bijoux, appareils électroniques, photo, ciné, radio, mp3, tablette, ordinateur, instruments de musique, jeux et matériel de sport, embarcations sont assurés ensemble jusqu'à 300 €.

PRINCIPALES EXCLUSIONS* (communes à tous les contrats d'assurance voyage)
- Les conséquences d'événements catastrophiques et d'actes de guerre,
- Les conséquences de faits volontaires d'une personne assurée,
- Les conséquences d'événements antérieurs à l'assurance,
- Les dommages matériels causés par une activité professionnelle,
- Les dommages causés ou subis par les véhicules que vous utilisez,
- Les accidents de travail manuel et de stages en entreprise (sauf avec l'option Sports et Loisirs Plus),
- L'usage d'un véhicule à moteur à deux roues et les sports dangereux : surf, rafting, escalade, plongée sous-marine (sauf avec l'option Sports et Loisirs Plus).

**Souscrivez en ligne
sur www.avi-international.com
ou appelez le 01 44 63 51 00***

AVI International (SPB Groupe) - S.A.S. de courtage d'assurances au capital de 100 000 euros - Siège social : 40-44, rue Washington (entrée principale au 42-44), 75008 Paris - RCS Paris 323 234 575 - N° ORIAS 07 000 002 (www.orias.fr). Les Assurances Routard Courte Durée et Longue Durée ont été souscrites auprès d'un assureur dont vous trouverez les coordonnées complètes sur le site www.avi-international.com.

INDEX GÉNÉRAL

2nd Avenue Deli |●| ╪ 143, 144
3 WTC.. 55
4 WTC.. 55
5 Napkin Burger ● 159, 209
5th AVENUE............................. 190
7B Horseshoe Bar ▼ 110
7 WTC.. 55
9th AVENUE............................. 138
9/11 MEMORIAL ●●● 55, 57
9/11 MEMORIAL
   MUSEUM ●●● 57
9/11 Memorial Store ● 58
9/11 TRIBUTE CENTER ● 58
20th STREET 138
21st STREET........................... 137
22nd STREET........................... 137
23rd STREET........................... 135
24 MIDDAGH STREET 261
41 COOPER SQUARE........... 119
55th CENTRAL PARK WEST .. 218
56 LUDLOW STREET............ 404
61 Local |●| ● ╪ 287
66 PERRY STREET.................. 96
71 Irving Place Coffee & Tea
   Bar ● |●| ╪ 143, 147
105 BANK STREET 402
230 Fifth ▼ ╪ 143, 148
414 Hotel ● 154
432 PARK AVENUE 182
456 Shanghai Cuisine |●| 64
555 EDGECOMBE AVENUE.. 244

ABC de New York................ 33
ABC Cocina |●| ╪ 146
ABC Home ● 149
ABC Kitchen |●| ╪ ... 143, 146, 149
Abercrombie & Fitch ● 172
Abracadabra ● ●● 133
Absolute Bagels ● ╪ 209
ABYSSINIAN BAPTIST
   CHURCH ● 239
Ace Hotel ● 142
Achats 326
ADAM CLAYTON
   POWELL JR
   BOULEVARD...................... 242

Adrienne's Pizzabar ● 44
AFRICAN BURIAL
   GROUND ● 60
Agata & Valen-
   tina |●| ● ● 187
Aji Ichiban ● 66
Al di la |●| 281
Albertine ● 39, 189
Algonquin (The) ● 168
ALICE TULLY HALL............... 213
Alleva ● ● 63, 66
Alliance française –
   French Institute..................... 39
Aloft Brooklyn ● 262
Aloft Harlem ● 231
ALPHABET CITY ● 115
ALWYN COURT..................... 182
American Dream Hostel ● ... 141
AMERICAN FINANCE
   (Museum of) ● 53
AMERICAN FOLK ART
   MUSEUM ● 214
American
   Girl Place ● ●● 174
AMERICAN INDIAN
   (National Museum of
   the) ●● 50
American Legion
   Post ♪ |●| 236
AMERICAN MUSEUM
   OF NATURAL
   HISTORY ●●● ● ●● .. 212, 214
American Wing Café |●| 192
Americana Inn ● 140
Amish Market Tribeca |●| 43
Ample Hills Creamery ● 281
Amy's Bread ╪ 127, 157
Angelica Kitchen |●| 105
ANSONIA BUILDING............. 220
Anthropologie ● 149, 173
Apollo Theater ♪ 237
Apothéke ▼ 66
Apple Store ● 76
APTHORP BUILDING............. 220
Aquagrill |●| 72
Architecture 360

ARDSLEY (The) 219
Argent, banques, change 324
Arlene's Grocery ♪ 112
Arthur Ave Retail
   Market |●| ⊛ ... 298, 299
Arthur's Tavern ♈ ♪ 89
Artichoke
   Basille's Pizza ◢ 85
ARTISTES (hôtel des) 218
ARTS AND DESIGN
   (Museum of) ♈♈ ⊛ ... 164, 166
Arturo's Pizzeria ◢ 86
ASCENSION
   (Church of the)...................... 94
ASTOR COURT
   APARTMENTS..................... 221
ASTOR PLACE 116
Astor Room
   (The) |●| ☕♈ 307, 309
ASTOR ROW 241
ASTORIA 308
ATLAH WORLD
   MISSIONARY CHURCH 241
Aurora SoHo |●| 72
AUSTRIAN CULTURAL
   FORUM 184
Avant le départ 322

B.54 Rooftop Lounge ♈ 161
B & H ⊛ 133
B Bar & Grill |●| ☕ 104, 105
Babbalucci |●| ◢ 233, 241
Babeland ⊛ 75
BACCARAT HOTEL............... 185
Bahari Estiatorio |●| 307
Bakeri ☕ ☕ 269, 272
Balthazar ☕ 70
BAM (Brooklyn Academy
   of Music) ∞ 264
BAM Café ♪ |●| 264
BANK OF NEW YORK............. 52
BANK STREET 402
Bar de l'hôtel
   Knickerbocker ♈ 160
Bar de l'hôtel Mandarin
   Oriental ♈ 161
Barbuto |●| ◢ 88
Barcade ♈ 131
BARCLAYS CENTER............ 278,
....406, 407
Bareburger ☕ 43, 85,
...........................106, 129, 280, 307

Bargemusic ♪ 257
Barnes & Noble ⊛ 148
Barney Greengrass the
   Sturgeon King |●| ☕ ... 209, 221
Barneys New York ⊛ 189
BARRIO (Museo del) ♈ 205
Bars, clubs et boîtes
   de nuit 363
Bars de l'hôtel
   Hudson ♈ ♪ 161
Bathtub Gin ♈ 131
BATTERY (The) ♈ 45
BATTERY PARK CITY ♈♈ 59
BAYARD CONDICT
   BUILDING.............................. 78
Baz Bagel &
   Restaurant ◢ ☕ 65
B.B. King Blues
   Club & Grill ♪ 162
Beacon's
   Closet ⊛ 92, 274, 282, 331
Beads of Paradise ⊛ 149
Beard Papa's ☕ 211
Beauty & Essex ♈ |●| 112
Beauty Bar ♈ 110
Bed, Bath & Beyond ⊛ ... 133, 135
BELLECLAIRE (HOTEL).. 208, 220
BELNORD BUILDING............. 220
BELVEDERE CASTLE............ 223
Belvedere Hotel ☕ 155
BERESFORD BUILDING 219
Bergen Bagel ◢ ☕ 280
Best Market ⊛ 237
Best Western Premier
   Herald Square ☕ 141
Best Western Seaport
   Inn ☕ 42
BETHESDA FOUNTAIN 223
Big Gay Ice Cream
   Shop ☕ 89, 96
Big Wong |●| 64
Bill's Place ♪ 237
Billy's Bakery ☕ 82, 131, 138
Birdbath ☕ ☕ 209, 211
Birdland ♪ 161
Birreria |●| ♈ 129
Bitter End ♪ 91, 402
Black Seed Bagels ◢ |●| .. 104
Blades ⊛ 114
BLDG 92 (musée
   du Navy Yard) ♈ 258

Bleecker Street 92
BLESSED SACRAMENT
  CHURCH 220
Blind Barber (The) 111
Bloomingdale's 78, 189
Blossom 129
Blue Bottle Coffee 171, 272
Blue Note 91
Blue Smoke 145
Bluestone
  Lane 187
Bluestone Lane
  Coffee 45, 85, 88
BLVD 231, 234, 241
Boat Basin Café 211
BOBST LIBRARY.................... 93
BOERUM HILL 287
BOGART STREET................. 277
Bohemian Hall and Beer
  Garden 307
Boissons..................... 364
BOND STREET..................... 118
BOND STREET
  SAVINGS BANK 118
BONNEFONT (cloître de ;
  The Cloisters) 247
Boom Boom Room 90
Borgatti's 299
BOW BRIDGE..................... 223
Bowery Hotel (The) 103
Bowery House (The) 102
Bowlmor Lanes 162
Brandy's Piano Bar 189
BRIGHTON BEACH 293
BROADWAY 54, 219
Broadway at Times Square
  Hotel 155
Broadway Hotel and |
  Hostel 206
BROKEN KILOMETER
  (The) 76
BRONX (le) 294, 383
BRONX MUSEUM OF
  THE ARTS 302
BRONX ZOO 300
BROOKFIELD PLACE........ 55, 59
BROOKLYN 247, 383
Brooklyn Academy of
  Music (BAM) 264
BROOKLYN BOTANIC
  GARDEN 284

Brooklyn Bowl 274
BROOKLYN
  BREWERY 273, 276
BROOKLYN BRIDGE............ 258
BROOKLYN
  BRIDGE PARK.... 258, 259
Brooklyn Charm 275
BROOKLYN CHILDREN'S
  MUSEUM 286
Brooklyn Farmacy 288
Brooklyn Flea 257, 264
BROOKLYN HEIGHTS ... 260
BROOKLYN HEIGHTS
  PROMENADE.................... 262
Brooklyn Ice Cream
  Factory 256
Brooklyn Industries .. 275, 282
BROOKLYN MUSEUM .. 282
Brooklyn Roasting
  Company 256
Brooklyn Social 288
Brooklyn Tabernacle
  (The) 264
Brooks Brothers 173
BRYANT PARK 181
Bryant Park Café 181
Bryant Park Hotel 168
Bubby's 81
Budget............................ 332
Burger Joint at Le Parker
  Meridien 158
BUSHWICK 265, 277
Buttercup
  Bake Shop 169, 171

C. O. Bigelow Apothe-
  caries 92, 96
Café 3 201
Café at Wave
  Hill (The) 302
Café de La Esquina 269
Cafe el Presidente ... 129
Café Gitane 70, 71
Café Grumpy 130
Café Habana 70, 71
Cafe Regular 281
Café
  Sabarsky ... 187, 188, 203
Café Wha ? 91
Cafeteria (The) 192
Caffè Reggio 85, 88

Caffè Roma 🍷 65
Caffè Vivaldi 🍷 88
CAMMEYER'S BUILDING 135
Campbell Apartment
  (The) 🍷 172
CAMPIN (salle ;
  The Cloisters) ⚔⚔⚔ 247
CANAAN BAPTIST
  CHURCH 🍴 239
Candle Café 🍴 188
Cannibal 🍴 145
Caprices by Sophie 🍷 272
Caracas 🍴 270
Caracas Arepa Bar 🍴 105
Caracas To Go 🍴 105
Carlton Arms Hotel 🏠 140
Carmine's 🍴 🚶 160, 210
CARNEGIE
  HALL 🍴 ♪ 162, 165, 401
CARROLL GARDENS 🍴 287
CARROLL GARDENS
  HISTORIC DISTRICT.......... 288
CARROLL STREET............... 286
Cascabel Taqueria 🍴 187
Caye (La) 🍴 263
C.B.G.B. 402
CBS BUILDING 185
Cecil (The) 🍴 🍷 231, 234
CENTRAL PARK ⚔⚔⚔ .. 221, 382
CENTRAL PARK WEST.... 216, 219
Central Park West Hostel 🏠 ... 207
CENTRAL PARK ZOO 223
CENTRAL RAILROAD OF
  NEW JERSEY 59
Century 21 🛍 45, 212
CENTURY BUILDING........... 216
Chaiwali 🍴 233, 241
Chambres d'hôtes chez
  Guillaume 🏠 278
CHAPELLE DE LANGON
  (The Cloisters) ⚔⚔⚔ 246
CHAPELLE GOTHIQUE
  (The Cloisters) ⚔⚔⚔ 247
CHARLES A. DANA
  DISCOVERY CENTER 224
CHATHAM SQUARE............... 67
CHELSEA 124, 381
CHELSEA HISTORIC
  DISTRICT........................ 136
CHELSEA HOTEL.......... 136, 402
Chelsea Inn 🏠 126

Chelsea International
  Hostel 🏠 125
CHELSEA
  MARKET ⚔⚔ 🍴 🍷 127, 134
Chelsea Pines Inn 🏠 127
Chez Michelle 🏠 230
CHILDREN'S MUSEUM OF
  MANHATTAN 🍴 🚶 216
CHINATOWN ⚔⚔ 🚶 ... 62, 67, 380
Chinatown Ice Cream
  Factory 🍷 65
CHINESE IN AMERICA
  (Museum of) 🍴 68
Chisholm Larsson Gallery –
  Vintage Posters 🛍 133
Chola 🍴 170
CHRYSLER
  BUILDING ⚔⚔⚔ 179, 185
Chuko Ramen 🍴 281
Cielo ♪ ♫ 92
CITICORP CENTER............... 184
Citizen M Times Square 🏠 ... 155
City Bakery (The) 🍷 🍷 .. 128, 130
CITY COLLEGE OF
  NEW YORK 🍴 244
CITY HALL........................ 60
CITY HALL PARK 60
CITY ISLAND 🍴 302
CITY OF NEW YORK
  (Museum of the) 🍴 204
City Quilter (The) 🛍 133
CITY RELIQUARY (The) 🍴 276
City Rooms NYC
  Chelsea 🏠 125
City Rooms NYC SoHo 🏠 69
CIVIC CENTER 🍴 60
CLEMENT CLARKE
  MOORE PARK.................. 137
Climat 333
CLINTON (Castle) 🍴 45
Clinton St Baking
  Company 🍷 107
CLOCKTOWER BUILDING.... 259
CLOISTERS (The) ⚔⚔⚔ 245
Clothing Line Sample
  Sale 🛍 164, 165
Club Quarters Wall Street 🏠 42
Co. 🍴 🍴 129
COBBLE HILL 🍴 287
COBBLE HILL HISTORIC
  DISTRICT........................ 290

Coffee Shop |●| ☛ 143, 145
Colombe (La) ☞ 81, 109, 118
Colonial House Inn ☎ 126
COLONNADE ROW.............. 118
COLUMBIA UNIVERSITY ☜ .. 243
Columbia University
   Bookstore ☺ 243
COLUMBUS PARK ☜ 67
Comfort Inn ☎ 102
Community Food and
   Juice |●| ☛ 231, 233
CONEY ISLAND ☜ 293
CONFUCIUS (statue de).......... 67
CONSERVATORY GARDEN .. 224
Converse ☺ 75, 78
Cookshop |●| ☛ 128, 130
COOPER HEWITT ☜ 203
COOPER UNION BUILDING .. 116
Corner Bistro ☎ 86
Corner Social ☟ |●| 235, 241
CORNWALL BUILDING........ 221
CORONA 310
Cosmopolitan Hotel ☎ 80
Coups de cœur (nos).............. 12
COURT STREET.................... 290
Courtyard by Marriott
   Manhattan –
   Central Park ☎ 156
Cowgirl |●| ☛ ☝ 85, 87
Cuisine................................. 367
Curieux, non ? 373

DAKOTA BUILDING ... 218, 401
DANA DISCOVERY CENTER
   (CHARLES A.)...................... 224
Dangers et enquiquinements... 334
Dave's New York ☺ 132
DAVID GEFFEN HALL 213
DAVID H. KOCH THEATER.... 213
DAVID RUBENSTEIN
   ATRIUM 213
DE FOREST HOUSE............... 94
Dead Rabbit Grocery
   and Grog (The) ☟ 44
Dean & Deluca |●| ☞ ☞ ☺.. 43,
.....................71, 73, 78, 187
Dean & Deluca NY Times
   Café |●| ☞ ☺ ☛ 157
Décalage horaire 334
DELACORTE THEATER......... 224
Delegates Dining Room |●| ... 180

DEUTSCHES DISPENSARY.. 119
DIA:BEACON ☈☈☈ ☝ 139
Dicksons's Farmstand
   Meats |●| 128
Diner |●| ☛ 269, 270
Dining Concourse de Grand
   Central Station |●| ☎ ☞ 169
Dinosaur Bar-B-Que |●| ☎ 232
Dinosaur Hill ☺ 114
Disc-O-Rama ☺ 93
Dizzy's Club ♪ 161
DORILTON BUILDING........... 219
Dos Caminos |●| ☟ ... 72, 86, 146
Doughnut Plant ☞ ☛ 109, 128,
........................130, 136, 281
DOWNTOWN
   BROOKLYN ☜ 262
DOYERS STREET.................... 67
DRAWING CENTER (The) ☜ 76
Dream Downtown ☎ 127
Dry Dock Wine + Spirit ☺ 292
Duane Park Patisserie ☞ 81
DUMBO ☈☈☈ 253
DuMont Burger ☎ 270
Dylan's Candy Bar ☺ ☝ 190

EAGLE WAREHOUSE......... 259
EAST BROADWAY 67
EAST BROADWAY STREET .. 122
EAST RIVER STATE PARK..... 275
East Side Billiards ☟ 189
EAST VILLAGE 101, 115, 381
Easyliving Harlem ☎ 227
Eataly |●| ☞ ☞ ☛ ☞ .. 43, 128
Économie 374
Economy Candy ☺ 114, 123
EDGAR ALLAN POE
   COTTAGE ☜ 300
Edge (The) |●| ☛ 231, 233
Egg |●| ☛ 269
Eileen's ☞ 73
Eisenberg's Sandwich
   Shop |●| ☛ 128
EL DORADO BUILDING 219
ELDRIDGE STREET
   SYNAGOGUE
   (Museum at) ☜ 122
Électricité................................. 334
ELECTRIC LADY STUDIOS... 402
ELEVATED ACRE ☜ 54
ELIZABETH A. SACKLER

CENTER FOR FEMINIST ART 283
ELLIS ISLAND NATIONAL MUSEUM OF IMMIGRATION 🎨🎨🎨 47
Eloise Shop 🛍 🏃 174
EMPIRE STATE BUILDING 🎨🎨🎨 🏃 150
Employees Only 🍸 90
Enfants 334
Environnement 375
Epistrophy Cafe 🍽 🍸 🎵 65
EQUITABLE BUILDING............ 54
Esquina (La) 🍽 🥖 70, 72
Ess-a-Bagel 🥯 🍴 169
ESSEX STREET MARKET 123
Estela 🍽 🍴 70, 72
Estela Breuer 🍽 203
ETHIOPIAN HEBREW CONGREGATION (synagogue).......................... 241
Evolution 🛍 75, 78

FACTORY (The)...................... 402
Fairway Market 🍽 🥯 291
Family Jewels 🛍 132
Fanelli's Café 🍸 🍽 73, 78
Fat Cat 🎵 92
FEDERAL HALL NATIONAL MEMORIAL........................... 53
FEDERAL RESERVE BANK..... 53
Ferrara 🍰 🍴 65
Fêtes et jours fériés.............. 377
Fette Sau 🍽 270
Fiat Café 🍴 70
FINANCIAL DISTRICT 52
FIRST BAPTIST CHURCH..... 220
FIRST CORINTHIAN BAPTIST CHURCH 🎨 .. 239, 243
FIRST PRESBYTERIAN CHURCH.............................. 94
FIRST WARSAW CONGREGATION 123
FIT (The Museum at) 🎨 134
Five Guys 🥯 170, 260
FLATIRON BUILDING 🎨🎨 152
FLATIRON DISTRICT..... 139, 382
Flight Club 🛍 92
FLUSHING............................. 310
FLUSHING MEADOWS CORONA PARK 🎨 310

Foot Heaven 66
Forbidden Planet 🛍 🏃 93
FORSYTH STREET................ 122
Fort Defiance 🍽 🍴 🍸 ... 291, 292
FORT GREENE 🎨 262
Four & Twenty Blackbirds 🍰 281
Frankie's 457 🍽 288
FRAUNCES TAVERN MUSEUM 🎨 51
FRED FRENCH BUILDING.... 185
FREDERIC FLEMING HOUSE (The)..................... 137
Freemans 🍽 🍴 107, 108
French Institute – Alliance française.............................. 40
FRICK COLLECTION 🎨🎨🎨 .. 201
Fried Dumpling 🍽 63
Friedman's Lunch 🍽 128
FRIENDS CEMETERY (Prospect Park)................. 285
Frying Pan 🍸 🍽 132
FUENTIDUEÑA (chapelle ; The Cloisters) 🎨🎨🎨 246
Fuku 🥯 🍽 104
Fuku + 🍽 🍰 169
FULLER BUILDING 182
FULTON FERRY LANDING.... 259

GALLERIES DISTRICT 138
Gansevoort Meatpacking 🏨 84
Gansevoort Park Avenue 🏨 .. 142
Gansevoort Park Avenue Rooftop 🍸 148
GANTRY PLAZA STATE PARK 🎨🎨 308
Garden of Eden 🍽 128, 136
GARMENT DISTRICT 🎨 165
Garret (The) 🍸 🍽 89
Garrett Pop Corn 🛍 🏃 163
GASLIGHT CAFÉ (The).......... 402
Gay 380
GAY STREET 96
Geido 🍽 281
GENERAL ELECTRIC BUILDING......................... 184
GENERAL POST OFFICE 🎨 .. 134
GENERAL THEOLOGICAL SEMINARY (The) 137
Gennaro 🍽 210
Géographie............................ 380

Gimme ! Coffee ☕ 73
Ginny's Supper
  Club ❡ ♪ ◐◐ 🏚 231, 236
Good Enough
  to Eat ◐◐ 🏚 209, 210
GOULD MEMORIAL
  LIBRARY............................ 301
GOVERNORS
  ISLAND 🏹🏹 🏃 61
GOWANUS.................... 277, 278
GRACE CHURCH.................. 116
GRACE COURT ALLEY 262
GRAHAM COURT.................. 243
Grainne Café
  (Le) ◐◐ 🏚 128, 129, 138
GRAMERCY PARK 🏹 152
Gramercy Park Hotel 🏠 143
Gran Electrica ◐◐ ❡ 🏚 256
GRAND ARMY PLAZA 285
Grand Central Dining
  Concourse ◐◐ 🍴 ☕ 169
Grand Central Market 🕸 175
Grand Central Oyster
  Bar & Restaurant ◐◐ 171
GRAND CENTRAL
  STATION 🏹🏹 178
GRAND FERRY PARK 276
GRAND STREET................. 122
Grange (The) ◐◐ 🏚 ❡ 231, 232
Great Hall Balcony Bar ❡ 192
Great Jones Cafe 🏚 104
GREAT JONES STREET 118
GREAT LAWN..................... 224
Green Table (The) ◐◐ 128
GREEN-WOOD
  CEMETERY 🏹 286
GREENPOINT 🏹 265, 277
GREENWICH................ 82, 381
GREENWICH VILLAGE.......... 93
Grimaldi's 🍕 129
Grimaldi's Pizzeria 🍕 254
Grom 🍦 89, 162
GROUPE DE QUATRE
  ARBRES 53
GROVE STREET................. 96
GUARDIAN ANGEL
  ROMAN CATHOLIC
  CHURCH (The)................... 137
GUGGENHEIM 🏹🏹 200
Guitar Center 🕸 93
GUNTHER BUILDING............. 77

Gutter (The) ❡ 274
Habana Outpost ◐◐ 263
Halal Guys ◐◐ 157
Hale and Hearty
  Soups ◐◐ ☕ 44
HALL OF FAME FOR
  GREAT AMERICANS 🏹 301
Halloween Adventure
  Shop 🕸 114
HAMILTON GRANGE 🏹 244
HAMILTON HEIGHTS............ 244
Hampton Chutney
  & Co ◐◐ 🏃 209
Hampton Inn Seaport 🏠 42
Hangawi ◐◐ 146
HARLEM 225, 239, 382
Harlem Flophouse 🏠 227
HARLEM LIBRARY............... 241
HARLEM MEER (lac) 224
Harlem Public ☕ ❡ 232, 235
Harlem
  Shake ☕ 🏚 🏃 231, 232, 241
Harlem Tavern ❡ ☕ ♪ 235
Harlem Underground 🕸 238
Harry's Shoes 🕸 212
Hasaki ◐◐ 106
HASSIDIC TOURS 🏹 286
HASSIDIM (quartier) 🏹 276
HAUGHWOUT BUILDING 77
HEARST TOWER................. 181
Hébergement......................... 337
HECKSCHER BALLFIELDS... 223
HEIGHTS (les)................... 225
HELL'S KITCHEN
  FLEA MARKET 331
HENRY STREET 122
HENRY STREET
  SETTLEMENT.................... 122
Herald Square Hotel 🏠 142
Hershey's Times
  Square 🕸 🏃 163
HESTER STREET 122
HIGH LINE (The) 🏹🏹🏹 97, 134
Hilton New York Fashion
  District 🏠 126
HISPANIC SOCIETY OF
  AMERICA 🏹 245
Histoire 383

Holiday Inn Express
Herald Square 🏠 141
Holiday Inn Express
Madison Square 🏠 126
Hollister 🛍 75, 78, 173
HOLY COMMUNION
(Church of the).................... 135
HOLY TRINITY
EPISCOPAL CHURCH........ 242
HOLY TRINITY LUTHERAN
CHURCH............................ 218
HOME BUILDING 290
Hometown Bar B Que 🍴 291
Hong Kong Supermarket 🛍 66
Hostelling International
New York 🏠 206
Hotel 17 🏠 140
Hotel 31 🏠 140
Hotel 309 🏠 125
Hotel Americano 🏠 127
Hotel Belleclaire 🏠 208, 220
Hotel Deauville 🏠 140
Hotel Delmano 🍸 273
Hotel Indigo Lower East
Side 🏠 103
Hotel Le Jolie 🏠 268
Hotel on Rivington 🏠 103
Hotel St. James 🏠 154
House of A & A 🏠 278
Housing Works
Bookstore Café 🍴 73
Hudson 🏠 156
Hudson Eats 🍴 🥪 43
HUDSON RIVER........ 59, 99, 134
HUDSON RIVER PARK........... 99
HUGH O'NEILL STORE......... 135
HUNTERS POINT 307

IBM BUILDING...................... 182
IchiUmi 🍴 146
Ides Bar (The) 🍸 273
Il Bambino 🍴 🍴 306
Il Laboratorio del Gelato 🍦 109
Ilili 🍴 146
Ilili Box 🥪 144
Industry Kitchen 🍴 🥪 44
Intelligentsia Coffee 🍴 .. 130, 138
International Student
Center 🏠 206
INTREPID SEA, AIR &
SPACE MUSEUM 🎎 🎎 165

INVISIBLE DOG (The) 🎎 290
Ippudo 🍴 105
Iridium Jazz Club 🎵 159, 162
IRISH HUNGER MEMORIAL 59
Irving Farm 🍴 🍴 .. 107, 109, 169
Isabella's 🍴 208
Itinéraires conseillés 28

J. Crew 🛍 149, 173
J. Crew Liquor Store 🛍 82
J. G. Melon 🍴 187
Jack's Stir Brew Coffee 🍴 44, 88
Jackson Hole Burger 🍴 188
Jacob Restaurant 🍴 231, 241
Jacob's Pickles 🍴 🍴 209
Jacques Torres
Chocolate 🍴 🛍 256
James Hotel (The) 🏠 70
JAMES N. WELLS ROW........ 137
Jane (The) 🏠 🍴 83
Jane Ballroom (The) 🍸 89
JANE'S CAROUSEL............. 259
Jazz on the Park Hostel 🏠 207
Jazz Record Center 🛍 132
Jazz Standard 🎵 148
JEFFERSON MARKET
COURTHOUSE.................... 95
JEFFERSON STREET............ 277
Jeremy's Ale House 🍸 45
JEWISH DAILY FORWARD
BUILDING............................ 122
JEWISH HERITAGE
(Museum of) 🎎🎎 50
JEWISH MUSEUM 🎎 204
Jimmy 🍸 74
Jing Fong 🍴 64
Joe's Shanghai 🍴 64
John Varvatos 🛍 114, 119
Jolie (hotel Le) 🏠 268
JOSEPH PAPP PUBLIC
THEATER............................ 117
JUDSON MEMORIAL
CHURCH.............................. 94
Juliana's 🍕 254
Jumel Terrace B & B 🏠 231
Junior's 🍴 🍴 263
Junior's Bakery 🍴 160

Kaffe 1668 🍴 81
Katz's 🍴 108
KCDC Skateshop 🛍 275

Keens Steakhouse |O| 147
KGB Bar Y 111
Kiehl's ☺ 114
KING OF GREENE
STREET BUILDING (The)...... 77
KINGS COUNTY
DISTILLERY ⚒ 257
Kingside 🏠 157
Kitchen Arts & Letters ☺ 190
Knitting Factory (The) ♪ 274

LADIE'S MILE 135
Lady M ☕ 🏠 169, 171
Lafayette House 🏠 103
LAKESIDE (Prospect Park).... 285
LANGON (chapelle de ;
The Cloisters) ⚒⚒⚒ 246
Langue.............................. 341
Larchmont Hotel 🏠 83
Laughing Man (The) ☕ 82
Lee Lee's Baked Goods ☕ ... 234
Lego Store ☺ 🚶 133, 174
LENOX AVENUE.................... 241
Lenox Coffee ☕ 🏠 ... 231, 234, 241
Lenox Saphire 🏠 ☕ ♪ 231, 235,
..............................237, 241
Leo House (The) 🏠 125
LESLIE & LOHMAN
MUSEUM ⚒ 76
Levain Bakery ☕ 🏠 .. 209, 210, 234
LEVER HOUSE 184
Levi's Store ☺ 164
LGBT COMMUNITY
CENTER 94
LIBERTY (statue
of) ⚐ ⚒⚒⚒ 🚶 46
LIBERTY STATE PARK ⚒ 59
Library Hotel 🏠 168
LICORNE (tapisserie de la ;
The Cloisters) ⚒⚒⚒ 246
Lil' Frankie's |O| ◢ 106
Lillie's Y 147
LINCOLN CENTER ⚒⚒ ... 213, 400
LITCHFIELD VILLA
(Prospect Park).................. 284
Little Branch Y ♪ 90
Little Cupcake Bakeshop ☕ 73
LITTLE ITALY ⚒ 62, 68, 381
LITTLE ITALY IN THE
BRONX ⚒⚒ 300
LITTLE ODESSA ⚒ 294

Little Pie Company ☕ 160
LITTLE SINGER BUILDING 78
Livres de route...................... 342
Lobster Joint |O| 271
Lobster Place |O| 128
Lodge & Gallow Green
at the McKittrick Hotel
(The) Y ∞ 131
LOEB BOATHOUSE 223
Lombardi's ◢ 71
LONDON TERRACE
TOWERS 136
LONG ISLAND CITY (LIC) 307
LONG MEADOW
(Prospect Park).................. 284
Lord and Taylor ☺ 149
LOUIS ARMSTRONG
HOUSE MUSEUM ⚒ 310
LOUIS ARMSTRONG'S
ARCHIVES ⚒ 310
LOUIS VALENTINO JR
PARK ⚒⚒ 292
Lovely Day |O| 🏠 Y 70, 71
LOWER EAST SIDE.. 101, 119, 381
LOWER MANHATTAN 41, 380
Lu sur routard.com 27
Lucali ◢ 287
LUCE CENTER FOR
AMERICAN ART 283
Lucerne (The) 🏠 208
LUDLOW STREET 404
LUNA PARK ⚒⚒ 🚶 294

M. Wells Dinette |O| 🏠 .. 306, 308
M. Wells Steakhouse |O| 306
M&M's World ☺ 🚶 163
Macy's ☺ 163
MAD (Museum of Arts
and Design) ⚒⚒ 164, 166
MADAME TUSSAUDS ⚒ 🚶 .. 164
Madewell ☺ 75
MADISON AVENUE............... 190
MADISON SQUARE
GARDEN............ 401, 402, 406
MADISON SQUARE PARK 152
Madonia ☕ |O| 298
Magnolia
Bakery ☕ 🏠 88, 171, 211
MAHAYANA BUDDHIST
TEMPLE ⚒ 67
Maison d'Art (La) 🏠 230

Maison Premiere 🍸 273
MAJESTIC BUILDING 218
Make my Cake ☕ 235
Malcolm Shabazz Harlem
  Market 🛍 238
Mamoun's Falafel 🥪 85
Manetta's 🍽 306
MARBLE COLLEGIATE
  CHURCH ⛪ 152
MARCUS GARVEY PARK
  (quartier de) 240
Margon 🍽 158
Marie's Crisis 🍸 ♪ 89
MARINERS TEMPLE
  BAPTIST CHURCH............. 121
Mario's 🍽 298
Maritime Hotel (The) 🏨 127
Marlow & Sons 🍽 🛏 270
Marquee ♫ 132
Mast Brothers 🛍 ☕ 274
Max's Kansas City.............. 402
McCarren 🏨 268
McNally Jackson 🛍 ☕ 🛏 .. 70, 75
McSorley's Old Ale
  House 🍸 111, 119
Mc Nulty's Tea & Coffee 🛍 93
Meatball Shop (The) 🍽 .. 188, 270
MEATPACKING DISTRICT....... 97
Médias.................................. 390
Mercury Lounge ♪ 113
Mesures................................ 345
Met Breuer (The) 🎭🎭🎭 ... 191, 203
MET LIFE CLOCK TOWER.... 152
METROPOLITAN BAPTIST
  CHURCH ⛪ 239
METROPOLITAN
  MUSEUM OF ART
  (MET) 🎭🎭🎭 🧍 🛍 190
METROPOLITAN
  OPERA 213, 219, 400
Middle Branch 🍸 ♪ 148
MIDTOWN 166, 382
Midtown Comics 🛍 🧍 163
Mighty Quinn's
  Barbeque 🍽 105
Milano's 🍸 74
Mile End Sandwich
  Shop 🥪 🛏 104
Minton's ♪ 🍸 🛏 231, 234, 236
Miss Lily's Variety 🍽 🛏 85, 87
Miss Lily's Bake Shop &

Melvin's Juice Box 🍽 86
Mission Dolores 🍸 282
MOCA (Museum of Chinese
  in America) 🎭 68
MODERN ART (Museum of ;
  MoMA) 🎭🎭🎭 175
Moderne Hotel 🏨 154
Moishe's Bake Shop ☕ ... 110, 119
MoMA (Museum of Modern
  Art) 🎭🎭🎭 175
MoMA Design & Book
  Store 🛍 175
MoMA Design Store 🛍 75
MoMA PS1 🎭🎭 307
Momofuku Milk Bar 🍽 107
Momofuku Noodle Bar 🍽 107
Momofuku Ssäm Bar 🍽 107
Monster (The) 🍸 90
MONTAGUE STREET 261
Montana's
  Trail House 🍽 🍸 272, 277
MONTAUK CLUB 285
MONTGOMERY PLACE........ 286
MOORE STREET.................. 277
Morgan Café 🍽 🍸 152
Morgan Dining Room 🍽 152
MORGAN LIBRARY &
  MUSEUM 🎭🎭 151
MORNINGSIDE HEIGHTS..... 243
MORRIS-JUMEL
  MANSION 🎭 245
Morton Williams Associated
  Supermarket 🍽 🥪 85
Mother's Ruin 🍸 74
MOTHER ZION CHURCH ⛪ .. 239
MOUNT MORRIS
  ASCENSION
  PRESBYTERIAN
  CHURCH............................ 241
Mount Morris House 🏨 230
MOUNT MORRIS PARK
  WEST................................ 242
MOUNT OLIVET BAPTIST
  CHURCH............................ 242
MOVING IMAGE (Museum
  of) 🎭🎭 🧍 308
Mr Purple 🍸 111
Mud 🍽 🛏 ☕ 105, 109
MULBERRY STREET............... 68
MUNICIPAL BUILDING........... 60
Murray's

Bagels 🥐 ☕ 85, 94, 128
Murray's Cheese 🥐 |●| 85
Musées 🔷 345
Museum of Sex 🔷 149, 152
Music Hall of
  Williamsburg ♪ 274
My Room NYC 🏠 🚶 230

Nathan's 🥐 293
NATIONAL JAZZ
  MUSEUM 🎭 240
National Sawdust ♪ 274
NATURAL HISTORY
  (American Museum
  of) 🎭 🔷 🚶 212, 214
NBA Store 🔷 174
NEUE GALERIE 🎭 203
New Era 🔷 114, 118
NEW MUSEUM 🎭 121
NEW YORK BOTANICAL
  GARDEN 🎭 🚶 299
NEW YORK BY GEHRY........... 60
NEW YORK CITY FIRE
  MUSEUM 🎭 🚶 76
NEW YORK EARTH ROOM
  (The) 🎭 76
New York gratuit 346
NEW YORK HISTORICAL
  SOCIETY 🎭 🚶 215
NEW YORK LIFE INSURANCE
  COMPANY BUILDING........ 152
New York Loft Hostel 🏠 267
NEW YORK PUBLIC
  LIBRARY 🎭 122, 180
NEW YORK SOCIETY FOR
  ETHICAL CULTURE............ 218
NEW YORK STOCK
  EXCHANGE......................... 52
NEW YORK TRANSIT
  MUSEUM 🎭 🚶 264
New York Transit Museum
  Store 🔷 🚶 175
Newton Hotel 🏠 207
Nha Trang One |●| 64
Nike Town 🔷 174
Nintendo World 🔷 🚶 174
Ninth Street Espresso ☕ 110
N° 7 |●| 🍷 ☕ 263
Noble Den 🏠 62
Nobu |●| 81
Nobu Next Door |●| 81

NOGUCHI MUSEUM 🎭 308
NOHO............................... 101
NOLITA 68, 381
Nolitan (The) 🏠 69
Nom Wah Tea Parlor |●| 64
NoMad Hotel (The) 🏠 142
North Face (The) 🔷 212
NOTRE-DAME-DE-PONTAUT
  (salle capitulaire de ; The
  Cloisters) 🎭 246
Nougatine at Jean
  Georges |●| 210
Novotel Times Square 🏠 🚶 .. 156
Nublu ♪ 113
Num Pang 🥐 85, 128
Nussbaum and Wu |●| ☕ ☕ .. 235
Nuyorican Poets Café ♪ 113
NY SPORTS CLUB................. 53
Nylo 🏠 207

Obao |●| 159
Odd Fellows 🍦 272
Off SoHo Suites Hotel 🏠 102
OLD MERCHANT'S
  HOUSE.............................. 118
OLD SAINT PATRICK'S
  CATHEDRAL 🎭 76
Old Town Bar and
  Restaurant 🍷 147
OLYMPIC TOWER 184
Once Upon
  a Tart |●| ☕ ☕ 70, 71
One Girl Cookies ☕ 256
ONE57 BUILDING 182
ONE WORLD
  OBSERVATORY 🎭 56
ONE WORLD TRADE
  CENTER 🎭 54
ONU (UNITED
  NATIONS) 🎭 179
Ootoya |●| 159
ORANGE STREET 261
ORCHARD STREET....... 119, 122
Oriental Garden |●| 65
Orwashers ☕ 186
Other Music 🔷 115

Paper Source 🔷 212
Paragon Sports 🔷 149
Paris Blues ♪ 🍷 237
Park (The) |●| 🍷 130

Park 79 Hotel 🏠 207
PARK SLOPE 🍴🍴 277
PATCHIN PLACE 96
Patzeria Family &
  Friends 🍽 🍷 159
Paul Hotel (The) 🏠 126
Pearl River Mart 🍽 🛍 77
Penelope 🍽 🛍 143, 144
Pepe Giallo 🍽 129
Pershing Square
  Café 🍽 🛍 168, 170
Personnages 393
Pete's Tavern 🍷 147
Peter Luger 🍽 271
Petrie Court Café 🍽 🛍 192
Pianos 🎵 112
PICKLE GUYS 122
PIER 44 WATERFRONT
  GARDEN 🍴 293
PIERREPONT PLACE 261
PIERREPONT STREET 261
Pippin 🛍 132
Pisticci 🍽 233
PJ Clarke's 🍷 🍽 171
Playing Mantis 🛍 82
PLAZA HOTEL 401
Please Don't Tell 🍷 110
Pod 39 🏠 🍽 🍷 141
Pod 39 Rooftop 🍷 148
Poisson Rouge (Le) 🎵 92
Poke Restaurant 🍽 188
POLICE BUILDING 🍴 68
POMANDER WALK 221
Pongal 🍽 144
Population 397
Pop up Café 🍵 203
Porterhouse Brewing
  Co. (The) 🍽 🛍 🍷 🎵 44, 45
Poste 347
Posto 🍽 145
Pouring Ribbons 🍷 111
PowerHouse Arena 🛍 257
Press Lounge (The) 🍷 161
PROSPECT HEIGHTS ... 277, 278
PROSPECT PARK 🍴🍴 🧍 284
PROSPECT PARK
  CAROUSEL 285
PROSPECT PARK ZOO 284
Prune 🛍 104
PUCK BUILDING 78
Pure Thai Cookhouse 🍽 158

Pushcart Coffee 🍵 131
Pylos 🍽 106

Q4 Hotel 🏠 304
QUEEN OF GREENE
  STREET BUILDING (The) 77
QUEENS 303, 383
QUEENS MUSEUM 🍴 310
Questions qu'on se pose
  avant le départ (les) 33
Quinta Manhattan (La) 🏠 141
Quynh's 🍽 🍵 43

R Lounge at Two Times
  Square 🍷 160
Radegast Hall &
  Biergarten 🍷 272
RADIO CITY MUSIC
  HALL 🍴 178, 401
Rafele 🍽 86
Raines Law Room
  (The) 🍷 132
RALEIGH BUILDING 219
Ralph Lauren 🛍 189
RAMBLE 223
Rana 🍽 128
RAVINE (Prospect Park) 285
RED HOOK 🍴🍴 290
Red Hook Bait and
  Tackle 🍷 292
Red Hook Lobster
  Pound 🍵 292
Red Hook Winery 🛍 292
Red Rooster 🍽 🛍 .. 231, 233, 241
Refinery Rooftop
  (The) 🍷 172
REFORMED LOW DUTCH
  CHURCH OF HARLEM
  (The) 241
REI 🛍 76, 78
Religions et croyances 398
REMSEN STREET 262
RENWICK TRIANGLE 116
RÉSERVOIR (le) 224
Rice to Riches 🍵 73
Riff Chelsea 🏠 125
Risotteria 🍽 🍵 86
River Café 🛍 254
RIVERSIDE CHURCH 🍴 244
RIVERSIDE DRIVE 221
RIVERSIDE PARK 221

RIVINGTON STREET 123
Robert's |●| 299
Roberta's |●| ⊂⊃ ♈ 271, 277
Roberto's |●| 299
Rock Wood Music Hall ♪ 113
ROCKEFELLER
  CENTER 🎬 177, 185
Roger (The) 🏛 143
Ronny Brook Milk Bar ☕ 128
Roof Garden Café ♈ 192, 200
ROOSEVELT ISLAND
  TRAM 205
ROSE CENTER FOR
  EARTH AND SPACE........... 215
Rose Water ☕ |●| 280
Rosemary's |●| ☕ 85, 86, 96
Rough Trade ♪ ⊛ 274, 275
Row NYC 🏛 155
RUBIN MUSEUM
  OF ART 🎬 133
Rubirosa Ristorante ⊂⊃ 71
RUMSEY PLAYFIELD 223
Russ & Daughters |●| ⊂⊃ ... 108
Russ & Daughters
  Cafe |●| ☕ 107, 109
Russian & Turkish Baths
  (The)................................. 113
Ryan's Daughter ♈ 189

SAINT BARTHOLOMEW'S
  CHURCH 184
SAINT JOHN THE DIVINE
  (Cathedral Church of) 🧍 243
SAINT LUKE'S IN THE FIELD
  (jardins de l'église)............... 97
Saint Mark's Comics ⊛ 115
Saint Mark's Hotel 🏛 103
SAINT MARK'S PLACE 115
SAINT MARK'S IN THE
  BOWERY 116
SAINT PATRICK'S
  CATHEDRAL....................... 184
SAINT PAUL'S CHAPEL 54
SAINT PETER'S
  CHURCH ♪ 172, 184
SAINT REGIS......................... 183
SAINT-GUILHEM-LE-DÉSERT
  (cloître de ;
  The Cloisters) 🎬 246
SAINT-MICHEL-DE-CUXA
  (cloître de ;

The Cloisters) 🎬 246
Sakagura |●| 170
SALEM UNITED
  METHODIST CHURCH 🧍 .. 239
Salon de Ning ♈ 172
Saltie |●| ⊂⊃ 269
Salvation Taco |●| ♈ 146
Sammy's Fish Box |●| 303
Samurai Mama |●| 269
SAN REMO BUILDING......... 219
Santé 347
Sapporo |●| 158
Sarabeth's ☕ 127, 187, 208
SARAH ROOSEVELT
  PARK 🧍 68
Saxon & Parole |●| ☕ 104, 107
Sbarro |●| 157, 158
Schiller's ♈ ☕ 107, 112
SCHOMBURG CENTER
  FOR RESEARCH IN BLACK
  CULTURE 🧍 240
SEAGRAM BUILDING 184
Search & Destroy ⊛ 114
SECOND CEMETERY
  OF THE SPANISH AND
  PORTUGUESE
  SYNAGOGUE (the).............. 94
Serendipity 👤 👥 188
Serengeti Teas & Spices ⊛ .. 238
SEX (Museum of) 🧍 ⊛ ... 149, 152
Shake Shack ⊂⊃ 👤 👥 43, 143,
.... 158, 187, 209, 254, 263
SHAKESPEARE GARDEN 224
SHEEP MEADOW.................. 223
SHERIDAN SQUARE............... 96
SHERMERHORN ROW 61
Shrine |●| ♈ ♪ 232, 236
SIEGEL-COOPER
  COMPANY BUILDING........ 135
Sienna (La) 🏛 227
Siggy's Good Food |●| 106
Silvana ♪ ♈ 236
Silver Moon Bakery ☕ 208
Silver Spurs |●| ☕ 84
SIMPSON CRAWFORD AND
  SIMPSON BUILDING 135
Sites inscrits au Patrimoine
  mondial de l'Unesco 399
Sites internet 348
SKYSCRAPER MUSEUM 🧍 50
Small's ♪ 91

SMITH STREET 290
Smoke Jazz Club ▼ ♪ 211
Smyth 🏠 |●| 🛵 80, 81
Soba-ya |●| 107
S.O.B.'s ♪ ♫ 74
SOCRATES
  SCULPTURE PARK 308
SOHO 68, 381
SoHo Grand 🏠 70
SoHotel 🏠 63
SOLOW BUILDING 182
SOUTH STREET
  SEAPORT 🏛 🚶 🚴 60
SOUTH STREET SEAPORT
  MUSEUM 91
Souvlaki |●| 108
Space Ninety 8 ☸ 275
SPANISH AND PORTUGUESE
  SYNAGOGUE 218
Spectacles 399
Spice Symphonie |●| 145
Spitzer's Corner ▼ |●| 112
Sports et loisirs 399
Spotted Pig
  (The) |●| 🛵 ▼ 85, 87, 90
Sprintzenhaus 33 ▼ |●| 272
Spuyten Duyvil ▼ 273
SQUIBB BRIDGE 259
St. Anselm |●| 270
Standard (The) 🏠 84
Standard Grill (The) |●| 🛵 .. 85, 87
STARR STREET 277
STATEN ISLAND
  FERRY 🏛🏛🏛 🚴 49, 383
STATUE D'ALICE AU PAYS
  DES MERVEILLES 222
Staybridge Suites Inn 🏠 154
Stella Dallas ☸ 92
STERN BROTHERS
  DEPARTMENT STORE 135
Steve's Authentic Key Lime
  Pies ☕ 292
Strand Bookstore ☸ 93
STRAWBERRY FIELDS 223
Streetbird |●| 🍴 🛵 231, 232
STUDIO BUILDING 219
Studio Café |●| 99
STUDIO 54 402
STUDIO MUSEUM
  HARLEM 🏛 240
Stumptown Coffee ☕ 88

SUD DE LOWER
  MANHATTAN (le) 45
Sugar
  Sweet Sunshine ☕ 109, 123
Sullivan Street
  Bakery |●| 🛵 ☕ 128, 130
Sun's Organic
  Tea & Herb ☸ 66
Sunny's Bar ▼ 292
Superfine ▼ |●| 257
Sushi Yasuda |●| 170
Sweet and Vicious ▼ 74
Sweetleaf ☕ 306
SYLVAN TERRACE 245

T abac 349
Tacombi at Fonda Nolita |●| 71
Taïm |●| 🛥 70, 85
Tartine |●| 🛵 85, 86
Taxes et pourboires 349
Teddy's Bar & Grill ▼ 273
Téléphone et
  télécommunications 350
TENEMENT
  MUSEUM 🏛🏛 120
Tenement Museum
  (boutique du) ☸ 115
Teresa's 🛵 260
Terra Blues ♪ 91
THEATER DISTRICT 153, 382
Thelewala |●| 85
Think Coffee ☕ 85, 88
THOMAS ADAMS JR
  RESIDENCE 286
Tiffany & Co ☸ 173, 182
Time Warner Center ☸ 163
TIMES
  SQUARE 🏛🏛🏛 🚴 164, 382
TIMES SQUARE
  CHURCH 🏛 165
TIMES SQUARE 153
Tino's Delicatessen |●| ☕ .. 298
Tiny's & The Bar
  Upstairs ▼ |●| 🛵 81, 82
Tippler (The) ▼ 131
TISCH CHILDREN'S ZOO 223
Toby's Estate ☕ 272
Token Store ☸ 75
Tom's Restaurant 🛵 |●| 280
Tomoe Sushi |●| 87
TOMPKINS SQUARE

PARK 115
Tony's Pier |●| 302
Top Hops 112
TOP OF THE ROCK 178
Tortilla Flats 90
TOWER BUILDING................ 290
Trader Joe's 212, 288
TRAFFIC BUILDING 136
TRANSFIGURATION
(église de la) 67
TRANSPORTATION
HUB 58
Transports............................ 354
TRIBECA 79, 381
TRIE (Cloître de;
The Cloisters) 247
TRINITY CHURCH............. 52, 54
TROUTMAN STREET 277
TRUMP TOWER 182, 216, 401
Tryp by Wyndham Times
Square South 156
TUDOR CITY 180
Two Little Red Hens 186

Ugg Australia 173
UKRAINIAN MUSEUM 119
Uncle Sam's Army Navy
Outfitters 92
Unesco (sites inscrits au
Patrimoine mondial de l').... 399
Union Hall 282
UNION SQUARE 139, 382
Union Square
Grenmarket |●| 144, 149
Uniqlo 173
UNITARIAN CHURCH............ 242
UNITED NATIONS
(ONU) 179
Untitled |●| 87, 99
UPPER EAST SIDE........ 185, 382
UPPER WEST SIDE....... 205, 382
Upstairs 169, 172
Urban Outfitters 163
Urban Space
Vanderbilt |●| ... 170
Urgences 358

Vai Restaurant |●| 210
VAN BRUNT
STILLHOUSE 293
VAN CORTLANDT HOUSE

AND MUSEUM 301
Van Leeuwen 109
Vanderbilt YMCA 167
Vanessa's Dumpling
House |●| 108, 269
Veniero's 110
Veselka |●| 104, 106
Vezzo 145
Victoria's Secret 173
Village Vanguard 90
Vinateria |●| 231, 233
Vinegar
Hill House |●| 254
Visites guidées 358

WALDORF ASTORIA 180
Walker's |●| 81
WALL STREET 52
Wall Street Inn (The) 43
WASHINGTON
APARTMENTS 242
WASHINGTON HEIGHTS...... 244
Washington Jefferson
Hotel 155
WASHINGTON MEWS 94
WASHINGTON
SQUARE.......................... 93
WASHINGTON
SQUARE ARCH................... 94
Washington Square
Hotel 84
WASHINGTON SQUARE
PARK 94
WATCHTOWER BUILDING ... 259
WATERFRONT
MUSEUM 293
WAVE HILL 301
Wayland (The) 111
WEST PARK PRESBYTERIAN
CHURCH.......................... 221
West Side Ymca 207, 216
WEST VILLAGE 82, 381
Westsider Books 212
Westsider Records 213
Westville East |●| 104, 106
White Horse Tavern 89
WHITNEY MUSEUM OF
AMERICAN ART 98
Whole Foods
Market |●| 81, 108,
.... 129, 144, 157, 169, 212, 280

William (The) 🏠 142
WILLIAMSBURG 🍴🍴 265
Williamsburg
Smorgasburg 🍴 🥖 269
WILLOW STREET.................. 261
WOLLMAN RINK.................. 223
WOOLWORTH BUILDING....... 54
WORKINGMEN
COTTAGES..................... 290
World Cup Café ☕ 187
WORLD FINANCIAL
CENTER PIER 59
WORLD TRADE
CENTER 🍴🍴🍴 54
WORLD TRADE CENTER
(quartier du) 54
Wyndham Garden
Chinatown 🏠 62
Wythe Hotel 🏠 🍴 268

Xi'an Famous Foods 🍴 .. 63, 169

Yakitori Totto 🍴 159
YANKEE STADIUM 🍴🍴 302
Yankees Clubhouse
Shop 🛍 149, 164, 174
Yatenga 🍴 ☕ 232
YMCA Greenpoint 🏠 268
Yotel 🏠 156

Z Hotel 🏠 304
Zabar's 🛍 212, 220
Zacky's 🛍 114
Zaro's Bakery 🥖 169
Zenkichi 🍴 271
Zero Otto Nove 🍴 299
Zibetto Espresso Bar ☕ 160
Zum Schneider 🍴 ☕ 🍺 ... 104, 106

LISTE DES CARTES ET PLANS

• Bronx (le)..................... 296-297
• Brooklyn –
plan d'ensemble 249
• Brooklyn – Downtown
Brooklyn (zoom 1).............. 255
• Brooklyn – Williamsburg
(zoom 2)..................... 267
• Brooklyn – Park
Slope et Prospect Heights
(zoom 3).................... 279
• Brooklyn – Carroll Gardens,
Cobble Hill et Red Hook
(zoom 4).................... 289
• Chelsea (itinéraire) 35
• Coups de cœur................... 12
• East Village-NoHo-Lower
East Side (zoom 3),
plan détachable .... recto
• Greenwich Village
(itinéraire) 95
• Harlem 228-229
• Itinéraires..................... 28, 30
• Lower East Side
(itinéraire) 123
• Lower Manhattan (zoom 1),
plan détachable .... recto
• Manhattan nord (plan 2),
plan détachable .... verso
• Manhattan sud (plan 1),
plan détachable .... recto
• Métro de New York (le) 8-9
• New York 2-3
• Midtown (itinéraire) 183
• NoHo et East Village
(itinéraire) 117
• Pèlerinage rock............. 403
• Queens 305
• SoHo-TriBeCa-Chinatown-
Little Italy (zoom 2),
plan détachable .... recto
• SoHo (itinéraire) 79
• Upper West Side
(itinéraires) 217
• West Village-Greenwich
(zoom 4),
plan détachable .... recto